KB166171

한국주역대전 9

익괘·쾌괘·구괘·취괘·승괘·곤괘

이 저서는 2012년 대한민국 교육부와 한국학중앙연구원(한국학진흥사업단)의 한국학분야 토대연구지원사업의 지원을 받아 수행된 연구임(AKS-2012-EAZ-2101)

9

한국주역대전

한국주역대전 편찬실

익괘·쾌괘·구괘·취괘·승괘·곤괘

學古房

한국주역대전을 펴내며

2012년 9월 첫 작업을 시작한 '『한국주역대전』편찬·표점·번역·주해·해제'라는 방대한 사업이 이제 출판의 결실을 보게 되었다. 지난 수십 년간 유교경학과 한국학의 급속한 성장에도 불구하고 한국역학은 여전히 불모의 상태를 벗어나기 어려웠다. 개별 연구들이 적지 않게 축적되어 왔고, 이에 고무되어 한국역학사를 공동으로라도 엮어보자는 호기로운 시도가 없었던 것은 아니지만, 그것이 아직 시기상조라는 자각과 함께 무산되곤 하였다. 한국역학 원전자료는 한국경학자료 가운데 단연 방대한 양을 자랑한다. 반면 전문연구자는 턱없이 부족하다. 사정이 이러하니 한국역학이 우뚝 서기까지는 아직 갈 길이 멀기만 하다. 이러한 정황 속에서 『한국주역대전』의 출간은 매우 기쁜 일이 아닐 수 없다.

이번에 출간되는 『한국주역대전』은 한국학자의 역학관련 자료 가운데 주요한 것을 가려 뽑아 『주역전의대전』 체제에 맞추어 집해(集解)형식으로 편찬한 것이다. 『주역전의대전』은 중국은 물론 조선시대 역학사상 형성에 무엇보다 영향력이 큰 문헌이라 할 수 있다. 이번 『한국주역대전』은 먼저 『주역전의대전』을 소주까지 모두 번역하여, 주역에 대한 중국학자들의 이해와 한국학자들의 해석을 비교해 볼 수 있도록 하였다. 편찬 체재는 경문-정전-본의-중국대전-한국대전으로 구성하였다. 편찬과 표점, 그리고 번역을 동반한 『한국주역대전』을 통해 한국학자들의 『주역전의대전』에 대한 깊은 이해 및 새로운 해석의 지평을 볼 수 있을 것이다. 또한 한국학자들의 저작을 시대별로 배열하였으므로 그 흐름을 일목요연하게 파악할 수 있을 것이다.

이번 『한국주역대전』을 편찬하면서 연구기간은 짧고 작업은 방대하여 아쉬운 점이 한 둘이 아니었다. 제한된 연구기간으로 인해 연구 범위를 제한할 수밖에 없었으며, 따라서 작자 미상의 자료, 연대 미상의 자료, 『주역전의대전』과 유사하여 별다른 특징을 볼 수 없는 자료는 편찬 범위에 포함시키지 않았다. 또한 다산의 『주역사전』처럼 중요한 자료일지라도 별도로 번역되어 시중에 유통되고 있는 책은 자료에 포함시키지 않았다. 특히 상수학 관련 자료들에 대한 번역은 앞으로 더 정치한 번역이 필요할 것이라고 생각되며, 그에 대한 별도의 연구도 필요할 것이다. 그럼에도 불구하고 이번 『한국주역대전』의 출간은 한국역학연구의 획기적인 토대를 제공하여, 많은 후속연구를 가능하게 하리라는 기대로 그 아쉬움을 상쇄하고자 한다.

이와 같이 방대한 토대사업은 실상 국가적 지원이 아니고서는 실행되기 어렵다. 이 사업의 지원을 결정해 주신 한국학중앙연구원과 한국학진흥사업단에 감사드린다. 그리고 제한된 연구기간의 압박 속에 과도한 업무를 사명감으로 감당해 준 연구진들의 노고에 고마운 마음을 전한다.

오늘날과 같은 출판시장의 현실에서 『한국주역대전』과 같은 방대한 분량의 책을 간행해 줄 출판사를 찾는다는 것은 결코 쉽지 않은 일이다. 모든 어려움에도 불구하고 조금의 망설임도 없이 흔쾌하게 이 책의 출판을 결정해 주신 도서출판 학고방의 하운근 사장님께 깊은 감사를 드린다.

2017년 1월
한국주역대전편찬 연구책임자
성균관대학교 유학대학 교수/한국주자학회 · 율곡학회 회장
최 영 진

목차

42

익괘

益卦

║中國大全║

傳

益, 序卦, 損而不已, 必益, 故受之以益. 盛衰損益, 如循環, 損極必益, 理之自
然, 益所以繼損也. 爲卦巽上震下, 雷風二物相益者也. 風烈則雷迅, 雷激則風
怒, 兩相助益, 所以爲益, 此以象言也. 巽震二卦, 皆由下變而成, 陽變而爲陰者,
損也, 陰變而爲陽者, 益也. 上卦損而下卦益, 損上益下, 損以爲益, 此以義言也.
下厚則上安, 故益下爲益.

익(益)은 「서괘전」에서 "덜어내기를 그치지 않으면 반드시 보태게 되므로 익괘로 받았다"고 하였다.
흥성함과 쇠퇴함, 덜어냄과 보태줌은 순환하는 것 같아서 덜어냄이 지극하면 반드시 보태야 하는
것이 자연한 이치이니 익괘가 손괘를 잇는 이유이다. 괘의 됨됨이가 손괘(☴)가 위에 진괘(☳)가
아래 있으니 우레와 바람 두 가지가 서로 보태주는 것이다. 바람이 세차면 우레가 빠르고 우레가
몰아치면 바람이 성을 내어 두 가지가 서로 돕고 보태어 익(益)이 되는 것이니, 이것은 상으로 말한
것이다. 손괘와 진괘 두 괘는 모두 아래 효가 변하여 이루어졌는데 양이 변하여 음이 되는 것은 덜어
냄이고, 음이 변하여 양이 되는 것은 보태줌이다. 상괘는 덜어내고 하괘는 보태주어, 위를 덜어 아래
에 보태줌에 덜어냄이 보태줌이 되었으니 이것은 뜻으로 말한 것이다. 아래가 두터우면 위가 편안하
므로 아래에 보태는 것이 익(益)이다.

小註

朱子曰, 損上益下曰益, 損下益上曰損. 所以然者, 蓋邦本厚, 則邦寧而君安, 乃所以爲
益也. 否則反是.

주자가 말하였다: 위를 덜어 아래에 보태는 것을 익(益)이라 하고, 아래를 덜어 위에 보태는
것을 손(損)이라 한다. 그러한 까닭은 대체로 나라의 근본이 두터우면 나라가 편안해서 임
금이 편안하니 이에 익(益)이 되는 것이다. 그렇지 않으면 이와 반대가 된다.

○ 隆山李氏曰, 益者, 損卦之反也. 損卦, 兌在下本乾體, 天下富實之象也. 乾陽在下,
損乾之九三以益坤于上, 則是損下之陽實, 以益上之陰虛者也. 益卦, 巽在上本乾體,
朝廷富實之象也. 乾陽在上, 損乾之九四以益坤于下, 則是損上之陽實, 以益下之陰虛
者也. 下富實而上虛弱, 則損下以益上, 上富實而下虛弱, 則損上而益下. 上下相交而
更爲損益, 其道一也, 而損下益上, 則謂之損, 損上益下則謂之益, 何也. 古之聖賢, 富
厚之資, 則寧使在民而不在己, 儉薄之用, 則寧使在己而不在民. 蓋肥己瘠人者, 民貧

而已, 无所寄, 已雖瘠而天下肥者, 民樂而吾亦无憂. 故損下以自益, 君子以爲自損, 自損以益下, 君子以爲自益也.

융산이씨가 말하였다: 익괘는 손괘(損卦)괘가 거꾸로 된 것이다. 손괘는 아래에 있는 태괘(兌卦)가 본래 건괘의 몸체이니, 천하의 부유하고 넉넉한 상이다. 건괘의 양이 아래에 있는데 건괘의 구삼을 덜어내어 위에 있는 곤괘에 보태주니 이것이 아래의 가득 찬 양을 덜어내어 위의 비어있는 음에게 보태주는 것이다. 익괘는 위에 있는 손괘(☴)가 본래 건괘의 몸체이니, 조정이 부유하고 가득한 상이다. 건괘의 양이 위에 있어 건괘의 구사를 덜어내어 아래에 있는 곤괘에게 보태주니 이는 위의 가득한 양을 덜어내어 아래의 빈 음에게 보태주는 것이다. 아래는 부유하고 가득한데 위는 비고 약하면 아래를 덜어내어 위에 보태주고, 위는 부유하여 가득한데 아래는 비고 약하면 위를 덜어내어 아래에 보태준다. 위아래가 서로 사귀면서 다시 덜어내고 보태주니 그 도가 하나이지만 아래를 덜어내어 위에 보태주는 것을 손(損)이라 하고, 위를 덜어내어 아래에 보태는 것을 익(益)이라 하는 것은 무엇 때문인가? 옛 성현은 넉넉하고 두터운 자산은 백성에게 있도록 할지언정 자기에게 두지 않았으며, 검박한 씀씀이는 자기에게 둘지언정 백성에게 있게 하지 않았다. 자기를 살찌게 하고 남을 여위게 하는 자는 백성이 빈곤할 뿐이니 기댈 곳이 없고, 자신은 비록 여위어도 천하를 살찌게 하는 자는 백성이 즐거워 나도 근심이 없게 된다. 그러므로 아래에서 덜어내어 스스로에게 보태는 것을 군자는 자신의 손해로 여겼고, 자신을 덜어내어 아래에 보태는 것을 군자는 자신의 이익으로 여겼다.

┃韓國大全┃

권만(權萬) 『역설(易說)』

益自否來. 損乾之四, 益坤之初, 故曰損上益下, 巽倒看則兌, 是乾倒澤下施也, 故下說字, 曰民說. 无疆, 卽德合无疆之无疆, 坤德合乾謂之无疆. 而此卦有乾坤相合之象, 而其所以合德者, 在損上益下, 故民說无疆. 大光字, 亦從含弘光大點化來, 民說上澤, 何往不利. 中正, 指二五之應, 有慶, 亦從乃終有慶而來.

익괘(益卦䷩)는 비괘(否卦䷋)에서 왔다. 건괘(乾卦☰)의 사효를 덜어내어 곤괘(坤卦☷)의 초효에 보태주었기 때문에 "위에서 덜어내어 아래에 보태주었다"고 하였다. 손괘(巽卦☴)를 거꾸로 보면 태괘(兌卦☱)이니, 건괘가 거꾸로 은택을 아래로 베푸는 것이므로 기쁨이란 말을 하여 "백성의 기쁨"이라고 하였다. '끝이 없음'은 곤괘(坤卦)의 '덕이 끝이 없음에 합한 다'고 할 때의 끝이 없음이니 곤의 덕이 건에 합하는 것을 끝이 없음이라고 한다. 그런데 익괘는 건과 곤이 서로 합하는 상이 있지만 덕을 합하는 이유는 위에서 덜어내어 아래에 보태주는 것에 있기 때문에 백성의 기쁨이 끝이 없는 것이다. '크게 빛난다[大光]'는 말도 곤괘의 '포용하고 너그러우며 빛나고 위대하다'는 것에서 왔다. 백성들이 위의 은택을 기뻐 하는데 어디를 간들 이롭지 않겠는가? '중정'은 이효와 오효의 호응을 가리키고, '경사가 있 는 것[有慶]'도 곤괘의 '마침내 경사가 있다'에서 왔다.

益, 利有攸往, 利涉大川.

익(益)은 가는 것이 이로우며 큰 내를 건너는 것이 이롭다.

┃中國大全┃

傳

益者, 益於天下之道也, 故利有攸往. 益之道, 可以濟險難, 利涉大川也.

익(益)은 천하를 유익하게 하는 도이므로 가는 것이 이롭다. 익(益)의 도는 험난함을 구제할 수 있으니 큰 내를 건너는 것이 이롭다.

本義

益, 增益也. 爲卦損上卦初畫之陽, 益下卦初畫之陰, 自上卦而下於下卦之下, 故爲益. 卦之九五六二, 皆得中正, 下震上巽, 皆木之象, 故其占, 利有所往, 而利涉大川也.

익은 보태는 것이다. 괘의 됨됨이가 상괘의 첫 양을 덜어내어 하괘의 첫 음에 보태주니, 상괘로부터 하괘의 아래로 내려왔으므로 익(益)이 된다. 괘의 구오와 육이는 모두 중정을 얻었고, 하괘인 진괘(☳)와 상괘인 손괘(☴)가 모두 나무의 상이 있으므로 그 점사가 가는 것이 이롭고 큰 내를 건너는 것이 이롭다.

小註

中溪張氏曰, 益, 增也, 其卦下體本坤, 上體本乾. 損乾下爻以益坤下爻, 其益在下, 故曰益. 處益之時, 无所不利, 以行則利往, 以濟則利涉也.

중계장씨가 말하였다: 익괘는 보태줌으로, 그 괘의 하체는 본래 곤괘이고 상체는 본래 건괘

이다. 건괘의 아래 효를 덜어내어 곤괘의 아래 효에 보태니, 그 보태줌이 아래에 있으므로 익(益)이라고 하였다. 보태주는 때에는 이롭지 않은 것이 없으니, 행한다면 가는 것이 이롭고 구제한다면 건너는 것이 이롭다.

○ 雲峰胡氏曰, 凡卦以內爲主, 凡物以下爲本. 損下謂之損, 益下謂之益, 而上之損益不與焉, 厚其本也. 他卦言利往者, 不言利涉, 益兼之, 蓋益以興利也.

운봉호씨가 말하였다: 괘는 내괘를 위주로 하고, 사물은 아래를 근본으로 한다. 아래를 덜어냄을 손(損)이라 하고, 아래에 보태줌을 익(益)이라 하여 위에서 덜고 보탬은 상관하지 않는 것은 그 근본을 두텁게 하는 것이다. 다른 괘에서는 '가는 것이 이로움[利往]'을 말할 경우 '건너는 것이 이로움[利涉]'은 말하지 않았으나, 익괘에서는 겸하여 말하였으니 대체로 익(益)이 이로움을 흥성하게 하기 때문이다.

○ 兼山郭氏曰, 易象中虛, 上下二體皆木, 所以利涉大川.

겸산곽씨가 말하였다: 역의 상이 가운데가 비었고 상하 두 몸체가 모두 나무이다.[1] 그래서 큰 내를 건너는 것이 이로운 것이다.

‖韓國大全‖

조호익(曺好益) 『역상설(易象說)』

益, 利有攸往.

익(益)은 가는 것이 이롭다.

一陰往換, 得一陽來, 故利有攸往. 自初至五, 虛中舟象.

하나의 음이 가는 것이 바뀌어 하나의 양이 오는 것을 얻었기 때문에 가는 것이 이롭다. 초효에서 오효까지 가운데가 비어 있어 배의 형상이다.

---

1) 익괘(䷩)의 이효에서 사효까지가 모두 음이어서 가운데가 비었다. 또한 손괘(巽卦)와 진괘(震卦)에 각기 나무의 상이 있으므로, 빈 배를 타고 시내를 건너는 상이 된다.

○ 夫子以二五釋利往之義, 非文王本意.

공자는 이효와 오효로 가는 것이 이롭다는 의미를 해석했으니 문왕의 본래 의미는 아니다.

송시열(宋時烈) 『역설(易說)』

利有攸往, 與損同辭. 利涉大川, 取中虛也, 見同人註.

'가는 것이 이롭다'는 손괘와 사(辭)가 같다. '큰 내를 건너는 것이 이롭다'는 속이 비어 있음을 취한 것으로 동인괘(同人卦)의 주에 보인다.

이익(李瀷) 『역경질서(易經疾書)』

卦以益爲爲義, 行莫益於舟車, 材莫良於木. 巽震皆木也. 上木下虛, 車之象也, 下木上虛, 舟之象也. 利有攸往, 非車不利, 利涉大川, 非舟不利.

괘는 유익하게 하는 것을 의미로 하였으니, 가는 데는 배와 수레보다 유익한 것이 없고, 재목으로는 나무보다 좋은 것이 없다. 손괘(巽卦☴)와 진괘(震卦☳)는 모두 나무이다. 위가 나무이고 아래가 비어있는 것은 수레의 형상이고, 아래가 나무이고 위가 비어있는 것은 배의 형상이다. 가는 것이 이로움은 수레가 아니면 이롭지 않고, 큰 내를 건너는 것이 이로움은 배가 아니면 이롭지 않다.

說卦云, 雷以動之, 風以散之. 動則遷, 遷莫大乎遷善, 散則改, 改莫大乎改過也.

「설괘전」에서 "우레로써 움직이고, 바람으로써 흩어버린다"라고 하였다. 움직이면 옮겨가니 옮겨감은 착함으로 옮겨가는 것보다 큰 것이 없고, 흩어버리면 고치니 고침은 허물을 고치는 것보다 큰 것이 없다.

유정원(柳正源) 『역해참고(易解參攷)』

傳損以.

『정전』에서 말하였다. 덜이내이서.

〈案, 損一作所.

내가 살펴보았다: 경문에서 '덜어내이서'라는 말의 손(損)자가 어떤 본에는 소(所)자로 되어 있다.〉

益利 [至] 大川.

익(益)은 가는 것이 이로우며 … 큰 내를 건너는 것이.

正義, 益者, 增足之名. 損上益下, 故謂之益. 下已有矣, 而上更益之, 明聖人利物之无已也.

『주역정의』에서 말하였다: 익(益)은 보태어 풍족하게 한다는 명칭이다. 위에서 덜어 아래에 보태기 때문에 익이다. 아래에서 이미 소유했는데 위에서 다시 보태는 것은 성인이 사물을 이롭게 하여 자신을 없애는 것을 밝힌 것이다.

向秀云, 明王之道, 志在惠下, 故取下謂之損, 與下謂之益. 上行惠下之道, 利益萬物, 動而无違, 何往不利, 故曰利有攸往, 以益涉難, 理絕險阻, 故曰利涉大川.

상수(向秀)가 말하였다: 밝은 왕의 도는 뜻이 아래에 베푸는 데 있기 때문에 아래에서 취하는 것을 손(損)이라고 하였고 아래에 주는 것을 익(損)이라고 하였다. 위에서 행하여 아래로 은혜를 베푸는 도는 만물을 이롭게 하여 움직여서 잘못되지 않으니, 어디로 간들 이롭지 않겠는가? 그러므로 "가는 것이 이롭다"라고 하였고, 유익한 것으로 어려움을 건너 험난함을 다스려 없애기 때문에 "큰 내를 건너는 것이 이롭다"고 하였다.

○ 白雲蘭氏曰, 否之初六, 往爲六四, 上輔九五陽剛中正之君, 君臣相得, 此其利有攸往.

백운난씨가 말하였다: 비괘(否卦䷋)의 초육이 가서 육사가 됨으로 위로 구오의 굳센 양인 중정한 임금을 보좌하여 임금과 신하가 서로 얻으니 이것이 가는 것이 이롭다는 것이다.

○ 胡氏曰, 巽木爲舟, 楫震動, 則能涉大川.

호씨가 말하였다: 손괘인 나무가 배가 되고 노[楫]는 진괘인 움직임이니 큰 내를 건널 수 있다.

김상악(金相岳) 『산천역설(山天易說)』

益之義, 損上益下, 而五與二, 中正相應, 故利有攸往, 又震陽上行, 巽陰下濟, 故利涉大川. 謂益道可以濟險難也.

익(益)의 의미는 위에서 덜어내 아래에 보태는 것인데, 오효와 이효가 중정으로 서로 호응하기 때문에 가는 것이 이롭고, 또 진괘의 양이 위로 가고 손괘의 음이 아래로 건너기 때문에 큰 내를 건너는 것이 이로우니, 익의 도는 험난함을 구제할 수 있다는 것을 말한다.

○ 損益相爲始終, 故損之終, 益之始, 皆言利往利涉者, 震巽二木合體, 外實而內虛, 有舟之象也. 蓋巽體之卦, 言利涉者三, 皆以木也. 故益曰, 木道乃行, 中孚曰, 乘木舟虛, 渙曰, 乘木有功. 然舟楫之利, 獨取諸渙者, 巽木進退於坎水之上, 爲切於涉川之象也.

손괘와 익괘는 서로 처음과 끝이 되기 때문에 손괘의 끝과 익괘의 시작에서 모두 '가는 것이 이롭고' '건너는 것이 이롭다'고 한 것은 진괘와 손괘 두 나무가 몸체를 합해 밖이 차 있고 안이 비어 있어 배의 형상이 있기 때문이다. 손괘(巽卦☴) 몸체의 괘에서 건너는 것이 이롭다고 한 경우가 세 번인데 모두 나무 때문이다. 그러므로 익괘(益卦䷩)에서 "나무의 도가 이에 행해짐이다"라고 하였고, 중부괘(中孚卦䷼)에서 "나무를 타고 배가 비었기 때문이다"라고 하였으며, 환괘(渙卦䷺)에서 "나무를 타서 공이 있는 것이다"라고 하였다. 그러나 배와 노의 이로움을 환괘에서만 취한 것은 감괘의 물 위에서 손괘의 나무가 나아가고 물러남이 내를 건너는 데 절실하기 때문이다.

백경해(白慶楷) 『독역(讀易)』

凡益之道與時偕行. 本義下雙湖胡氏小註, 震損之損, 疑巽字之誤.

보통 익(益)의 도는 때와 함께 모두 행한다. 『본의』아래 쌍호호씨의 주에서 진손(震損)의 손자는 아마도 손(巽)자의 잘못인 것 같다.[2]

서유신(徐有臣) 『역의의언(易義擬言)』

益之爲益, 剛來於下也. 益以興利, 大矣哉, 有攸往而利矣, 涉大川而利矣.

익괘가 보태주는 것이 되는 것은 굳셈이 아래로 내려오기 때문이다. 보태주어 이로움을 일으키는 것은 위대하니, 가지만 이로움이 있고 큰 내를 건너지만 이로움이 있는 것이다.

강엄(康儼) 『주역(周易)』

按, 損之卦辭, 先言有孚元吉无咎可貞, 而乃言利有攸往. 益之卦辭, 直言利有攸往利涉大川者, 何也. 此無先儒說, 不敢强解. 然妄謂損下益上, 其勢逆, 乃聖人不得已之事也, 必其有孚而後, 乃可得元吉无咎可貞利有攸往之應. 故聖人必歷言此, 以見其不可輕損之意也. 損上益下, 其勢順, 故只言利有攸往利涉大川, 足矣. 此損益卦辭, 所以不同也.

내가 살펴보았다: 손괘의 괘사에서 먼저 '믿음이 있으면 크게 착하고 길하며 허물이 없고

---

2) 쌍호호씨가 "진괘(震卦)와 손괘(巽卦)는 때로는 봄과 여름이니 바로 하늘과 땅이 베풀고 낳으며 우레와 비가 만물을 유익하게 하는 때이다.[雙湖胡氏曰, 震巽於時爲春夏, 正當天地施生, 雷雨益物之時.]"라고 한 것에서 앞의 '진괘와 손괘' 곧 '진손(震巽)'을 말하는데, 아마도 백경해가 본 책에는 '진손(震損)'으로 되어 있었던 모양이다.

곧게 할 수 있다'고 하고는 '가는 것이 이롭다'고 하였다. 그런데 익괘의 괘사에서 바로 '가는 것이 이로우며 큰 내를 건너는 것이 이롭다'고 한 것은 무엇 때문인가? 이 구절은 선대학자들의 설명이 없어 감히 억지로 해석하지 않겠다. 그러나 생각나는 대로 말해보면 아래에서 덜어내 위에 보태주는 것은 그 추세를 거슬러 성인이 어쩔 수 없이 하는 일이니, 반드시 '믿음이 있은 다음에야 크게 착하고 길하며 허물이 없고 곧게 할 수 있으며 가는 것이 이로운' 호응이 있다. 그러므로 성인이 반드시 이것을 차례로 말하여 가볍게 덜어내서는 안 된다는 의미를 드러냈다. 위에서 덜어내 아래에 보태주는 것은 그 추세를 따르는 것이므로 '가는 것이 이로우며 큰 내를 건너는 것이 이롭다'고만 말해도 충분하다. 이것이 손괘와 익괘의 괘사가 같지 않은 까닭이다.

박문건(朴文健)『주역연의(周易衍義)』

有升進之勢, 而不爲三陰之所阻, 故兼取往涉之二義也.

올라가서 나아가는 기세가 있어 세 음이 저지하지 못하기 때문에 "간다"와 "건넌다"는 두 의미를 모두 취하였다.

〈問, 利有攸往, 利涉大川. 曰, 有升進之勢, 故取利往之義, 爲三陰之所助益, 而不爲所阻礙, 故又取利涉之義也.

물었다: "가는 것이 이로우며 큰 내를 건너는 것이 이롭다"는 무슨 뜻입니까?

답하였다: 올라가서 나아가는 기세가 있기 때문에 "가는 것이 이롭다"는 뜻을 취하였고, 세 음이 도와주고 보태주어 저지되지 않기 때문에 또 "건너는 것이 이롭다"는 뜻을 취하였습니다.〉

이지연(李止淵)『주역차의(周易箚疑)』

九五以下三陰, 爲雲雨下垂之象. 下一陽, 爲陽氣生動于地上之象. 上二陽, 爲風捲天霽之象. 九五初九之間, 爲互離. 離者, 日晴之象, 此正正月雨水驚蟄以後春日載陽. 三之于耟, 四之擧趾之時也, 故曰木道乃行. 巽震俱是木, 而春爲木旺之節, 乘木而行於涉川, 何有. 且木者, 仁也, 益下之政, 非仁而何.

구오 이하의 세 음은 구름이 끼여 비가 내리는 형상이다. 아래의 한 양은 양기가 땅위로 생동하는 형상이다. 위의 두 양은 바람이 불며 하늘이 개는 형상이다. 구오와 초구의 사이는 호괘인 리괘이다. 리괘는 날이 맑은 형상이니, 이것은 바로 정월·우수·경칩 이후로 봄날에 양기가 올라오는 것이다. 삼효는 논밭을 갈고 사효는 발꿈치를 들어 올리는 때이기 때문에 "나무의 도가 이에 행해짐이다"라고 하였다. 손괘와 진괘는 모두 나무이고 봄은 나무가 왕성한 계절이니, 나무를 타고 내를 건넘에 무슨 어려움이 있겠는가? 또 나무는 어짊이니 아래에 보태주는 정치는 어짊이 아니고 무엇이겠는가?

김기례(金箕澧) 「역요선의강목(易要選義綱目)」

凡卦以內爲主, 如物以下爲本, 損下謂之損, 益下謂之益.

대부분의 괘가 내괘를 주인으로 하는 것은 사물이 아래를 근본으로 하는 것과 같으니, 아래에서 덜어내는 것을 손(損)이라고 하고 아래에 보태주는 것을 익(益)이라고 한다.

○ 民爲邦本, 故易義多以民爲始

백성들은 나라의 근본이기 때문에 『주역』의 의미는 대부분 백성을 시작으로 하였다.

○ 損之不已, 則必有益. 風烈雷迅, 兩相助益.

덜어내기를 멈추지 않으면 반드시 보태준다. 바람이 세차고 우레가 치면 둘이 서로 돕는다.

利有攸往, 利涉大川.

가는 것이 이로우며 큰 내를 건너는 것이 이롭다.

益民之道, 无往不利, 可以濟險.

백성을 돕는 도는 어디를 간들 이롭지 않음이 없으니 험함을 구제할 수 있다.

○ 易中以中虛多爲利涉, 而卦中二體皆木, 故曰涉川.

『주역』에서 가운데가 비어 있는 것을 대부분 건너는 것이 이롭다고 하였고, 괘에서 두 몸체가 모두 나무이기 때문에 "내를 건넌다"고 하였다.

○ 他卦言利往, 則不言利涉, 而自上益下, 可爲厚本, 故兼言也.

다른 괘에서 가는 것이 이롭다고 한 경우에는 건너는 것이 이롭다고 하지 않았는데 여기에서는 위로부터 아래에 보태주어 근본을 두텁게 할 수 있기 때문에 둘 다 말하였다.

심대윤(沈大允) 『주역상의점법(周易象義占法)』

能施德于人, 則得民, 可以作爲, 可以濟難. 上下有剛而中虛, 爲乘舟汎空之象. 對坎互坤爲大川.

사람들에게 덕을 베풀 수 있으면 백성을 얻어 큰 일을 할 수 있고 어려움을 구제할 수 있다. 위아래로 굳셈이 있고 가운데가 비어 있어 배를 타고 공중에 떠 있는 형상이다. 음양이 바뀐 괘인 감괘와 호괘인 곤괘가 '큰 내'이다.

오치기(吳致箕) 「주역경전증해(周易經傳增解)」

益, 利有攸往, 利涉大川.
익(益)은 가는 것이 이로우며 큰 내를 건너는 것이 이롭다.

益者, 增益也. 巽風在上, 震雷在下, 風雷相薄, 爲助益之象也. 損之反爲益. 而卦體, 則二五剛柔, 俱得中正, 而六位皆應, 卦義則損上益下, 大得民說, 故言利有攸往. 以此而往, 則无險不濟, 故言利涉大川.
익은 더하여 보태는 것이다. 손괘인 바람이 위에 있고 진괘인 우레가 아래에 있어 바람과 우레가 서로 가까이 하여 도와서 보태는 형상이다. 손괘(損卦䷨)를 거꾸로 한 것이 익괘(益卦䷩)이다. 그런데 괘의 몸체는 이효와 오효의 굳셈과 부드러움이 모두 중정하고, 여섯 자리는 모두 호응하며 괘의 뜻은 위에서 덜어내 아래에 보태는 것이니 크게 백성들의 기쁨을 얻었기 때문에 '가는 것이 이롭다'고 하였다. 이렇게 하는 것이라면 험하여도 구제하지 못할 것이 없기 때문에 '큰 내를 건너는 것이 이롭다'고 하였다.

○ 卦體虛中, 有舟之象, 本體之巽, 對體似坎 爲乘木之象, 故言涉川. 不言亨貞之義, 已見損卦.
괘의 몸체가 가운데가 비어 있어 배의 형상이 있고, 본래 몸체인 손괘는 음양이 바뀐 괘의 몸체가 감괘䷜와 비슷하니 나무에 올라탄 형상이므로 내를 건넌다고 말하였다. '형통하고 곧음'의 의미를 말하지 않은 것은 손괘에서 이미 설명했다.

이진상(李震相) 『역학관규(易學管窺)』

卦體, 損之反也. 長女上, 而長男下, 定於恒者, 交於益矣.
괘의 몸체가 손괘를 거꾸로 한 것이다. 맏딸이 위에 있고 맏아들이 아래에 있어 항상됨에 안정될 경우 보탬을 주고받는다.

이정규(李正奎) 「독역기(讀易記)」

益自否卦變, 乾一陽下來爲坤下, 坤一陰上往爲乾下. 又反損之艮兌, 爲風雷. 蓋以上之陽實, 益下之陰虛, 故曰益. 損下爲損, 益下爲益, 厚本故也.

익괘(益卦䷩)는 비괘(否卦䷋)에서 변하였으니, 건괘에서 하나의 양이 내려와 곤괘의 아래가 되었고, 곤괘에서 하나의 음이 올라와 건괘의 아래가 되었다. 또 거꾸로 된 괘인 손괘(損卦䷨)의 간괘와 태괘가 바람과 우레이다. 상괘의 차 있는 양이 하괘의 비어 있는 음에게 보태주기 때문에 익이라고 하였다. 아래에서 덜어내는 것이 손(損)이고 아래에 보태주는 것이 익(益)인 것은 근본을 두텁게 하기 때문이다.

象曰, 益, 損上益下, 民說无疆, 自上下下, 其道大光.

「단전」에서 말하였다: 익(益)은 위에서 덜어내어 아래에 보태주니 백성의 기쁨이 끝이 없고, 위로부터 아래에 낮추니 그 도가 크게 빛난다.

‖中國大全‖

傳

以卦義與卦才言也. 卦之爲益, 以其損上益下也, 損於上而益下, 則民說之. 无疆, 謂无窮極也. 自上而降己以下下, 其道之大光顯也. 陽下居初, 陰上居四, 爲自上下下之義.

괘의 뜻과 괘의 재질로 말하였다. 괘가 익괘가 되는 것은 위에서 덜어내어 아래에 보태주기 때문이니 위에서 덜어내어 아래에 보태주면 백성이 기뻐한다. '끝이 없다[无疆]'는 한계가 없다는 말이다. 위로부터 자기를 내려서 아래에 낮추니 그 도가 크고 밝게 드러난다. 양이 내려와 초효에 자리잡고, 음이 올라가 사효에 자리하는 것이 '위로부터 아래에 낮추는' 뜻이다.

本義

以卦體, 釋卦名義.

괘체로 괘의 이름을 풀이하였다.

小註

進齋徐氏曰, 損上益下者, 損上之剛益下之柔也. 下卦坤, 坤柔爲民. 坤得益, 故民說无疆. 上乾之下爻, 下爲坤之下爻, 自上下下也. 天道下濟而光明, 其道大光也. 故爲益.

진재서씨가 말하였다: 위를 덜어내어 아래에 보태주는 것은 상괘의 굳센 양을 덜어내어 하괘의 부드러운 음에게 보태주는 것이다. 하괘는 곤괘이니 곤괘는 유약하여 백성이 된다.

곤괘가 보태줌을 얻었기 때문에 백성의 기쁨이 끝이 없다. 상괘인 건괘의 아래효가 내려와 곤괘의 아래효가 되니 위로부터 아래에 낮추는 것이다. '하늘의 도가 내려와 교제하여 빛나고 밝으니'[3] 그 도가 크게 빛난다. 그러므로 익(益)이 된다.

○ 雲峰胡氏曰, 損, 其道上行以上兩句, 皆釋損義, 益, 其道大光, 以上四句, 皆釋益字. 損益皆以道言, 後世以聚斂掊克, 爲損下益上者, 非道也. 況損下之道, 僅可上行, 益下之道, 大而且光, 釋彖之旨, 深矣哉,
운봉호씨가 말하였다: 손괘 「단전」에서 "그 도가 위로 행한다"는 이상의 두 구절은 모두 손(損)의 뜻을 풀이하였고, 익괘 「단전」에서 '그 도가 크게 빛난다'는 이상의 네 구절은 모두 익(益)자를 풀이하였다. 손괘와 익괘에서 모두 도리로 말하였으니, 후세에 혹독한 세금으로 백성의 재물을 탈취하는 것을 '아래를 덜어 위에 보태는 것'으로 여긴 것은 도가 아니다. 더구나 아래는 덜어내는 도는 겨우 위로 행할 수 있지만, 아래에 보태주는 도는 크고 또 빛나니 「단전」을 풀이한 뜻이 깊구나!

○ 趙氏汝楳曰, 二卦之損剛益柔一也, 而損下爲損, 益下爲益, 何耶. 蓋損下, 非聖人之得已, 而益下, 乃聖人之本心. 唐帝所謂吾瘠天下肥, 亦此意也.
조여매가 말하였다: 두 괘에서 굳센 양을 덜어 부드러운 음에게 보태주는 것은 같은데, 아래에서 덜어내는 것은 손(損)이 되고, 아래에 보태주는 것은 익(益)이 되는 것은 무엇 때문인가? 아래를 덜어냄은 성인이 기꺼이 하는 일이 아니고, 아래에 보태주는 것은 성인의 본래 마음이다. 당나라 황제가 '나는 여위고 천하는 살찐다'고 한 것도 이런 뜻이다.

○ 番易董氏曰, 魯哀公, 以年饑用不足, 問於有若. 有若對以盍徹. 又對以百姓足, 君孰與不足, 百姓不足, 君孰與足, 蓋深有得於損上益下之旨也
번양동씨가 말하였다: 노나라 애공이 흉년이 들어 쓸 것이 부족하자 유약에게 방책을 물었다. 유약이 대답하여 "어찌하여 철법(徹法)[4]을 쓰지 않으십니까"라 하고, 또 "백성이 풍족하다면 임금이 누구와 함께 부족하겠으며, 백성들이 부족하다면 임금이 누구와 함께 풍족하겠습니까?"라고 하였으니, 위를 덜어 아래에 보태주는 뜻을 깊이 얻은 것이다.

---

3) 『周易·謙卦』: 象曰, 謙亨, 天道下濟而光明, 地道卑而上行.
4) 철법(徹法): 주(周)나라 정전법에 입각하여 백성들이 경작한 것의 아홉을 갖고, 임금이 하나를 갖는 조세법이다. 당시 노나라는 임금이 둘을 갖는 조세법을 시행하고 있었으므로, 유약이 임금에게 정부의 소비를 절약하여 백성들에게 보태주어야 함을 말한 것이다.

∥韓國大全∥

유정원(柳正源) 『역해참고(易解參攷)』

雙湖胡氏曰, 損上益下, 亦卦變也. 益自否來, 損四剛, 益初柔, 而成益也.

쌍호호씨가 말하였다: 위에서 덜어내어 아래에 보태주는 것도 괘의 변화이다. 익괘(益卦䷩)는 비괘(否卦䷋)에서 왔으니 굳센 사효를 덜어내 부드러운 초효에 더하여 익괘를 이루었다.

김상악(金相岳) 『산천역설(山天易說)』

以卦體釋卦名義, 損上益下者. 以剛變柔有及物之功, 故民悅无疆. 自上下下者, 以貴下賤有降己之美, 故其道大光.

괘의 몸체로 괘의 이름을 해석했다. 위에서 덜어내어 아래에 보태주는 것은 굳셈이 부드러움으로 변하여 사물에 미치는 공이 있기 때문에 백성의 기쁨이 끝이 없다. 위로부터 아래에 낮추는 것은 귀함이 천함에게 낮추어 자신을 내리는 아름다움이 있기 때문에 그 도가 크게 빛난다.

○ 損下者, 不損初而損其三, 益下者, 不益三而益其初者, 何也. 卦之爻位, 初爻民三爻大夫. 故時當損下, 則寧損大夫, 民不可損, 當益下, 則必益下民, 大夫則不必益也, 所以其道大光.

아래에서 덜어낼 경우는 초효에서 덜어내지 않고 삼효에서 덜어내고, 아래에 보탤 경우는 삼효에게 보태주지 않고 그 초효에 보태주는 것은 무엇 때문인가? 괘에서 효의 위치는 초효가 백성이고 삼효가 대부이다. 그러므로 때가 아래에서 덜어내야 하면 차라리 대부에게서 덜어내고 백성에게서 덜어내면 안 되고, 아래에 보태야 하면 반드시 아래의 백성에게 보태고 대부라면 굳이 보탤 필요가 없으니, 그래서 그 도가 크게 빛난다.

서유신(徐有臣) 『역의의언(易義擬言)』

釋益也. 損上之剛, 以益於下也, 上之道, 下行於下也.

익을 해석했다. 위의 굳셈을 덜어내어 아래에 보태니, 위의 도를 아래로 낮추어 행한 것이다.

박문건(朴文健) 『주역연의(周易衍義)』

下下, 言降於下也. 此以卦變釋卦名.

"아래에 낮춘다"는 아래로 내려온다는 말이다. 여기에서는 괘의 변화로 괘의 이름을 풀었다.
〈問, 民說无疆, 其道大光. 曰, 損於上, 而益於下, 是以民說其无疆也. 由於上而降於
下, 是以陽道其大光也. 民者, 指邑民而言也.
물었다: "백성의 기쁨이 끝이 없고 그 도가 크게 빛난다"는 무슨 뜻입니까?
답하였다: 위에서 덜어내어 아래에 보태니, 이 때문에 백성의 기쁨이 끝이 없는 것입니다.
위에서부터 아래로 내려오니, 이 때문에 양의 도가 크게 빛나는 것입니다. 백성은 읍의 백성
을 가리켜서 말하였습니다.〉

김기례(金箕澧) 「역요선의강목(易要選義綱目)」

損上益下.
위에서 덜어내어 아래에 보태준다.

卦變自否來. 損乾下一畫, 益坤下爻, 蓋損君而益民.
괘의 변화가 비괘에서 왔다. 건괘의 아래에서 하나의 획을 덜어내어 곤괘의 아래에 보태주
었으니, 임금에게서 덜어내어 백성에게 보태준 것이다.

其道大光.
그 도가 크게 빛난다.

損益二卦, 皆損剛益柔. 而損曰其道上行, 言不聚斂而益上也. 益曰其道大光, 如唐帝
所謂吾瘠而天下肥, 則豈不大光以明益下之義.
손괘와 익괘 두 괘는 모두 굳셈을 덜어내어 부드러움에 보태준다. 그런데 "손괘는 그 도가
위로 행한다"라고 한 것은 가혹하게 세금을 거둬들여 위에 보태주는 것이 아니라는 말이다.
그리고 "익괘는 그 도가 크게 빛난다"라고 한 것은 이를테면 당의 황제가 이른바 '나는 여위
는데 천하는 살찐다'는 것이니, 어찌 크게 빛나는 것으로 아래에 보태주는 의미를 밝힌 것이
아니겠는가?

박종영(朴宗永) 「경지몽해(經旨蒙解)·주역(周易)」

象曰, 益損上益下, 民說无疆.
「단전」에서 말하였다: 익(益)은 위에서 덜이내어 아래에 보태주니 백성의 기쁨이 끝이 없다.

程傳曰, 損於上而益, 則下民說之. 无疆, 謂無窮極也.
위에서 덜어내어 아래에 보태주면 백성이 기뻐한다. '끝이 없다[无彊]'는 한계가 없다는 말이다.

蓋損上而益下, 反謂之益者, 人君法成湯子惠困窮之德, 追文王政先四窮之仁, 則爲其
民者, 感戴其君, 懽欣皷舞, 孟子所謂吾王庶無幾疾病歟. 漢文賑貸詔下山東父老, 咸願
少須臾無死者, 此皆民說无彊之謂也. 其效終至於上下交愛, 君民同休, 顧不爲之益乎.
自古及今, 小人在位, 掊克聚斂以媚其君, 民窮財竭, 國不亡者, 未之有也. 唯讀書達理
之君子, 在高位, 憂國愛民, 薄賦輕斂, 藏富於民. 然後天下以之寧溢, 其爲國家之益,
容有旣乎. 昔唐宗不能堪韓休之諫, 至於照鏡貌〈瘦〉. 左右請去韓休, 對曰〈朕〉貌雖
〈瘦〉, 天下必肥. 魯哀公, 以年饑用不足, 問⁵⁾於有若. 有若, 對以盍徹乎. 又曰, 百姓足,
君孰與不足, 百姓不足, 君孰與足. 蓋韓休篤學之君子, 故擧賢良方正, 不務進超, 唯以
格非弼違爲職責. 有若聖門之高弟也, 故其學識明達, 深有得於損上益下之義也. 然則
士大夫, 始不能篤志勉學, 識透理明, 何以能立朝事君, 獻替匡輔, 以展布其所學哉.

위에서 덜어내어 아래에 보태주는 것을 도리어 익(益)이라고 하는 것은, 임금이 성탕(成湯)
이 곤궁한 자들을 자식처럼 사랑한 덕을 본받고 문왕이 홀아비·과부·고아·늙어 자식 없
는 자를 우선 돌본 어짊을 추구한다면, 그의 백성들이 감격하여 그 임금을 떠받들며 환호하
며 춤출 것이니, 『맹자』에서 "우리 왕이 병이 없으신가보다"⁶⁾라 한 것이다. 한나라 문제가
구휼하여 베풀 것을 산동의 부로(父老)에게 명령한 것은 조금이라도 우선 죽지 않기를 바란
것이다. 이것들은 모두 백성의 기쁨이 끝이 없는 것을 말한다. 그 효험이 마침내 상하가
서로 사랑하고 임금과 백성이 함께 쉬니, 돌아보건대 유익함이 아니겠는가? 예로부터 지금
까지 소인들이 자리를 차지하면 부당한 조세를 거둬들여 임금에게 아첨하니, 백성이 곤궁하
고 재력이 다하여 나라가 망하지 않은 적이 없었다. 오직 책을 읽어 사리에 통달한 군자가
높은 자리에 있으면 나라를 걱정하고 백성을 사랑하니 세금을 줄여 가볍게 거둬들여 백성들
에게 부를 저장한다. 그렇게 한 다음에 천하가 편안하니, 그 국가의 유익됨은 어찌 다함이
있겠는가. 옛날 당나라 현종이 한휴(韓休)⁷⁾의 간쟁을 감당할 수 없어 거울에 〈여윈〉 얼굴

---

5) 問: 경학자료집성DB와 영인본에는 모두 '間'으로 되어 있으나, 문맥을 살펴 '問'으로 바로잡았다.

6) 『孟子·梁惠王』: 今王鼓樂於此, 百姓聞王鐘鼓之聲, 管籥之音, 擧欣欣然有喜色而相告曰, 吾王庶幾
無疾病與, 何以能鼓樂也.

7) 한휴(韓休: 673~740): 당나라 경조(京兆) 장안(長安) 사람. 자는 양사(良士)다. 문사(文辭)에 뛰어났고, 현량
방정과(賢良方正科)로 천거되었다. 현종(玄宗)이 동궁(東宮)에 있을 때 직접 국정에 대해 문의했는데, 대책
(對策)을 올려 조동희(趙冬曦)와 함께 을과(乙科)에 급제했다. 매우 강직하여 정치의 득실에 대해서는 그
말을 아낀 적이 없어 송경(宋璟)이 탄식하며 인자(仁者)의 용(勇)이라 말했다. 현종이 궁중에서 연회를
베풀거나 후원(後苑)에서 사냥을 할 때, 조금이라도 지나친 점이 있으면 좌우를 돌아보면서 "한휴가 알고
있는가?"고 물었는데, 말을 마치자마자 바로 그가 간쟁(諫爭)하는 상소가 올라오곤 했다. 이 때문에 현종은
기분이 우울해져 몸이 수척해질 정도였다고 한다. 그러나 현종은 "한휴가 힘써 간쟁하고 물러가면 내 잠자리
가 편하다. 내가 한휴를 기용한 것은 사직을 위해서지 나 사신을 위해서가 아니다."고 말했다고 한다. 나중에
공부상서(工部尙書)로 좌천되었다가 태자소사(太子少師)로 옮겼다. 시호는 문충(文忠)이다.

을 비추어볼 지경이었다. 좌우에서 한휴를 물리치기를 청하니, "〈짐의〉 얼굴이 〈여윌지라도〉 천하가 반드시 살찐다"고 하였다. 노나라 애공이 흉년이 들어 쓸 것이 부족하자 유약에게 방책을 물었다. 유약이 대답하여 "어찌하여 철법(徹法)을 쓰지 않으십니까"라 하고, 또 "백성이 풍족하다면 임금이 누구와 함께 부족하겠으며, 백성들이 부족하다면 임금이 누구와 함께 풍족하겠습니까?"라고 하였다. 한휴(韓休)는 학문이 독실한 군자이기 때문에 훌륭하고 방정한 사람을 천거하고 나아가는 데에 힘쓰지 않으며 단지 잘못되고 틀린 것을 바로잡고 고치는 것을 직책으로 여겼다. 유약은 성인 문하의 훌륭한 제자이기 때문에 그 학식이 밝고 통달하여 위에서 덜어내어 아래에 보태주는 의미를 깊이 터득하였다. 그렇다면 사대부들이 처음부터 뜻을 독실하게 하고 학문에 힘써 식견이 투철하고 사리가 분명하지 않다면, 어떻게 조정에서 임금을 섬김에 선을 권하고 악을 막아 바르게 보좌하면서 자신이 배운 것을 펼칠 수 있겠는가?

심대윤(沈大允) 『주역상의점법(周易象義占法)』

損我取而得之人與, 故不言自下上上, 益我自施人, 故言自上下下. 利必取諸人, 而德則自施也, 皆自我主之也.

내가 취하여 얻은 것을 덜어내어 남에게 주기 때문에 아래로부터 위를 높인다고 하지 않고, 내가 스스로 남에게 베푸는 것에 보태주기 때문에 위로부터 아래에 낮춘다고 하였다. 이로움은 반드시 남에게서 취하는 것이지만 덕은 스스로 베푸는 것이니, 모두 자신이 주관하는 것이다.

최세학(崔世鶴) 「주역단전괘변설(周易象傳卦變說)」

益, 否之二體變也, 初與四二爻爲主, 故象以損上益下言之. 泰初來居於下體之下, 而變陰爲陽, 益下者, 下得實也. 泰四往居於上體之下, 而變陽爲陰, 損上者, 上失實也. 陽本在上, 而反在下, 是以貴下賤也, 故曰自上下下也.

익괘(益卦☲)는 비괘(否卦☲)의 두 몸체가 변한 것으로 초효와 사효 두 효가 주인이기 때문에 「단전」에서 위에서 덜어내어 아래에 보태는 것으로 말하였다. 태괘(泰卦☲)의 초효가 와서 하체의 아래에 있어 음이 양으로 변하였으니, 아래에 보태준다는 것은 아래가 차 있음을 얻은 것이다. 태괘(泰卦)의 사효가 상체의 아래에 있어 양이 음으로 변하였으니, 위에서 덜어낸다는 것은 위에서 차 있음을 잃은 것이다. 양은 본래 위에 있는데 반대로 아래에 있으니, 이것은 귀한 것으로 천한 것에게 낮춘 것이기 때문에 "위로부터 아래로 낮춘다"고 하였다.

利有攸往, 中正, 有慶,

"가는 것이 이로움"은 중정(中正)해서 경사가 있는 것이고,

▌中國大全▌

傳

五以剛陽中正, 居尊位, 二復以中正, 應之, 是以中正之道, 益天下, 天下受其福慶也.

오효는 굳센 양의 중정함으로 존귀한 지위에 있고, 이효도 다시 중정함으로 호응하니 이는 중정한 도로써 천하를 유익하게 하여 천하가 그 복과 경사를 누리는 것이다.

小註

雙湖胡氏曰, 五以中正應二, 二亦以中正應五, 以此而利往以益天下. 固爲君臣之慶會, 而天下實同受其福慶矣.

쌍호호씨가 말하였다: 오효는 중정함으로 이효에 호응하고, 이효도 역시 중정함으로 오효에 호응하니 이로써 나아가 천하를 유익하게 함이 이롭다. 진실로 임금과 신하의 경사스럽게 만나 천하가 실제로 그 복과 경사를 함께 누린다.

‖韓國大全‖

김기례(金箕澧) 「역요선의강목(易要選義綱目)」

中正有慶.

중정(中正)해서 경사가 있는 것이다.

指五剛應二中. 君臣慶會, 天下受福, 言利有往.

굳센 오효가 중(中)인 이효에 호응함을 가리킨다. 임금과 신하가 경사스럽게 모여 천하가
복을 누리니, 가는 것이 이롭다는 말이다.

利涉大川, 木道乃行.

"큰 내를 건너는 것이 이로움"은 나무의 도가 이에 행해짐이다.

┃中國大全┃

傳

益之爲道, 於平常无事之際, 其益猶小, 當艱危險難, 則所益至大. 故利涉大川也, 於濟艱險, 乃益道大行之時也. 益誤作木. 或以爲上巽下震, 故云木道, 非也.

익괘(益)의 도는 평상시 별 일이 없을 때에는 그 유익함이 오히려 작으나, 위태롭고 험난함을 당해서는 유익함이 매우 크다. 그러므로 큰 내를 건넘이 이로우니, 험난함을 구제할 때가 익(益)의 도가 크게 행해지는 때이다. 익(益)을 목(木)으로 잘못 썼다. 어떤 이는 상괘가 손괘이고, 하괘가 진괘이기 때문에 '나무의 도'라고 하였다고 하지만, 옳지 않다.

本義

以卦體卦象, 釋卦辭.

괘체와 괘상으로 괘사를 풀이하였다.

小註

或問, 木道乃行, 程傳以爲木字本益字之誤, 如何. 朱子曰, 看來只是木字. 渙卦說乘木有功, 中孚說乘木舟虛, 以此見得只是木字. 某見一朋友說有八卦之金木水火土, 有五行之金木水火土. 如乾爲金, 易卦之金也, 兌之金, 五行之金也. 巽爲木, 是卦中取象, 震爲木乃東方屬木, 五行之木也. 五方取四維故也.

어떤 이가 물었다: '나무의 도가 이에 행해짐이다'에 대해 「정전」에서는 목(木)자가 본래 익(益)자의 오류라고 보았는데, 어떻습니까?

주자가 답하였다: 보아하니 목(木)일 뿐입니다. 환괘(渙卦)「단전」에서 '나무를 타서 공이 있다'고 하였고, 중부괘「단전」에서는 '나무를 타고 배가 비었다'고 하였으니, 이것으로써 목(木)자일 뿐임을 알 수 있습니다. 나는 어떤 친구가 팔괘의 금·목·수·화·토가 있고, 오행의 금·목·수·화·토가 있다고 하는 것을 보았습니다. 예컨대 건괘(乾卦)가 금(金)인 것은『주역』의 괘에서 금이고, 태괘(兌卦)의 금은 오행에서 금입니다. 손괘(巽卦)가 목(木)인 것은 괘 가운데 상을 취한 것이고, 진괘(震卦)가 목(木)인 것은 동방이 목(木)에 속해서 니 오행의 목(木)입니다. 오방은 동서남북의 네 방위를 취한 것이기 때문입니다.

○ 雙湖胡氏曰, 利有攸往, 以二五之中正有慶也. 利涉大川, 以震巽之木道乃行也.
쌍호호씨가 말하였다: '가는 것이 이로움'은 이효와 오효가 중정하여 경사가 있어서이다. '큰 내를 건넘이 이로움'은 진괘와 손괘의 목(木)의 도가 행해져서이다.

○ 雲峰胡氏曰, 中正, 兼二五言. 木道, 兼震巽言, 震陽木巽陰木.
운봉호씨가 말하였다: '중정'은 이효와 오효를 겸하여 말한 것이다. '목(木)의 도'는 진괘와 손괘를 겸하여 말한 것이니, 진괘는 양목(陽木)이고, 손괘는 음목(陰木)이다.

○ 中溪張氏曰, 神農氏, 斲木爲耜, 揉木爲耒, 蓋取諸益者, 亦木道之行也.
중계장씨가 말하였다: '신농씨가 나무를 깎아 보습을 만들고, 나무를 다듬어 쟁기를 만듦은 익괘에서 취한 것이다'는 역시 목(木)의 도가 행해진 것이다.[8]

○ 漢上朱氏曰, 利涉大川, 言木者三, 益也, 渙也, 中孚也, 皆巽也.
한상주씨가 말하였다: '큰 내를 건넘이 이롭다'고 하면서 목(木)을 말한 괘가 셋이니, 익괘(益卦), 환괘(渙卦䷺), 중부괘(中孚卦䷼)로 모두 손괘(☴)이다.

---

8)『주역·계사전』.

‖韓國大全‖

권만(權萬)『역설(易說)』

木道乃行, 巽體爲木, 而反之則爲兌澤, 此兼二義言之. 看易不可梔固, 反復深識, 皆有意義.

"나무의 도가 이에 행해짐이다"는 손괘(巽卦☴)의 몸체가 나무인데 그것을 뒤집으면 태괘(兌卦☱)의 연못이 되니, 여기에서는 두 가지 의미를 겸하여 말한 것이다. 『주역』을 볼 때는 막혀서 고루해서는 안 되니, 반복해서 깊이 알면 모두 의의가 있다.

서유신(徐有臣)『역의의언(易義擬言)』

利有攸往, 中正, 有慶, 利涉大川, 木道乃行.

"가는 것이 이로움"은 중정(中正)해서 경사가 있는 것이고, "큰 내를 건너는 것이 이로움"은 나무의 도가 이에 행해짐이다.

二五應而以興利也. 兩木合而有舟象也.

이효와 오효가 호응하여 이로움을 일으킨다. 두 나무가 합하여 배의 형상이 있다.

박문건(朴文健)『주역연의(周易衍義)』

利有攸往中正有慶, 利涉大川, 木道乃行.

"가는 것이 이로움"은 중정(中正)해서 경사가 있는 것이고, "큰 내를 건너는 것이 이로움"은 나무의 도가 이에 행해짐이다.

中正, 二五之謂也. 木道, 橋梁之稱也. 此以卦體卦象釋卦辭.

중정은 이효와 오효를 말한다. 나무의 도는 교량을 일컫는다. 여기에서는 괘의 몸체와 괘의 상으로 괘사를 풀이하였다.

〈問, 中正有慶, 木道乃行. 曰, 二五相信而互往, 是由中正而有慶也. 兩木相連, 有橋梁已成之象, 是乃行於木道也. 於益言行, 於渙中孚言乘者, 皆從涉字上出來者也. 曰, 震巽俱爲木, 何. 曰, 震爲五行之木, 巽爲八卦之木, 故夫子於此兼取義⁹⁾文之易也.

물었다: "중정해서 경사가 있는 것이고, 나무의 도가 이에 행해짐이다"는 무슨 뜻입니까?

답하였다: 이효와 오효가 서로 믿어서 서로 가니 이것은 중정해서 경사가 있는 것입니다. 두 나무를 서로 연결하여 교량을 이미 완성한 상이 있으니 이것이야말로 나무의 도를 행하는 것입니다. 익괘에서는 '행해짐[行]'이라고 하고, 환괘와 중부괘에서는 '탄다[乘]'고 한 것은 모두 '건넌다[涉]'는 말에서 온 것입니다.

물었다: 진괘와 손괘가 모두 나무인 것은 무엇 때문입니까?

답하였다: 진괘는 오행에서 나무이고, 손괘는 팔괘에서 나무이기 때문에 공자가 여기에서 복희와 문왕의 역을 아울러 취한 것입니다.〉

김기례(金箕澧) 「역요선의강목(易要選義綱目)」

木道乃行.

나무의 도가 이에 행해짐이다.

程傳以木字卽益之誤, 朱子曰, 只是木字. 蓋二體皆木, 故利涉,

『정전』에서 '나무[木]'라는 말은 익(益)의 오류라고 했는데, 주자는 "나무일뿐이다"라고 했다. 두 몸체가 모두 나무이기 때문에 건너는 것이 이롭다.

이항로(李恒老) 「주역전의동이석의(周易傳義同異釋義)」

傳, 益誤作木.

『정전』에서 말하였다: 익(益)을 목(木)으로 잘못 썼다.

本義, 小註, 朱子曰, 看來只是木字.

『본의』 소주에서 주자가 말하였다: 보아하니 목(木)일 뿐입니다.

按, 渙中孚, 皆說乘木. 雲峯胡氏曰, 震陽木, 巽陰木, 中溪張氏曰, 斲木爲耜揉木爲耒. 蓋取諸益者, 亦木道之行也. 天施地生其益无方.

내가 살펴보았다: 환괘의 중부괘에서 모두 "나무를 탄다"고 하였다. 유봉호씨는 "진괘는 양목(陽木)이고, 손괘는 음목(陰木)이다"고 하였고, 중계장씨는 "나무를 깎아 보습을 만들고, 나무를 다듬어 쟁기를 만듦은 익괘에서 취한 것이다'는 역시 목(木)의 도가 행해진 것이다"라고 하였다. 하늘은 베풀고 땅은 낳아서 그 유익함이 한량이 없는 것이다.

---

9) 義: 경학자료집성DB와 영인본에는 모두 '義'로 되어 있으나, 문맥을 살펴 '羲'로 바로잡았다.

심대윤(沈大允) 『주역상의점법(周易象義占法)』

利有攸往, 中正有慶, 利涉大川, 木道乃行.

'가는 것이 이로움'은 중정(中正)해서 경사가 있는 것이고, '큰 내를 건너는 것이 이로움'은 나무의 도가 이에 행해짐이다.

言二五得中正也. 巽木震道曰木道.

이효와 오효가 중정함을 얻음을 말한다. 손괘는 나무이고 진괘는 도이니, '나무의 도'라고 하였다.

益, 動而巽, 日進无疆,

익(益)은 움직이고 공손해서 날로 나아감이 끝이 없으며,

‖中國大全‖

傳

又以二體言. 卦才下動而上巽, 動而巽也. 爲益之道, 其動巽順於理, 則其益日進, 廣大无有疆限也. 動而不順於理, 豈能成大益也.

또한 상하 두 몸체로 말하였다. 괘의 재질이 아래는 움직이고 위는 공손하니 움직이고 공손함이다. 익(益)이 되는 도는 그 움직임이 이치를 공손하게 따르면 그 유익함이 날로 나아가고 넓어져 한계가 없을 것이다. 움직이면서 이치에 순응하지 않는다면 어떻게 큰 유익함을 이룰 수 있겠는가?

‖韓國大全‖

조호익(曺好益)『역상설(易象說)』

日進, 似離爲日, 震動爲進. 无疆互坤象.

'날로 나아감'은 유사한 리괘(離卦☲)가 날[日]이 되고 진괘의 움직임이 나아감이 된다. '끝이 없음'은 호괘 곤괘(坤卦☷)의 형상이다.

권만(權萬)『역설(易說)』

動而巽, 指上下兩體. 而動而巽, 則不妄進, 日進於无疆也. 下日字者, 初與五之間, 有離象. 動則進五, 乾是无疆.

"움직이고 공손하다"는 상하 두 몸체를 가리킨다. 그런데 움직이고 공손하면 함부로 나아가지 않아 끝이 없음에 날로 나아간다. 날이란 말을 한 것은 초효와 오효의 사이에 리괘(離卦 ☲)의 형상이 있기 때문이다. 움직이면 오효에게로 나아가니, 건괘가 끝이 없음이다.

김기례(金箕澧) 「역요선의강목(易要選義綱目)」

動而巽.

움직이고 공손하다.

指二體言. 動而巽順, 故益之无窮.

두 몸체를 가리켜서 말했다. 움직이고 공손하기 때문에 보태줌이 끝이 없는 것이다.

천시지생(天施地生) 기익무방(其益无方),

하늘은 베풀고 땅은 낳아서 그 유익함이 한량이 없으니,

中國大全

傳

以天地之功, 言益道之大, 聖人體之, 以益天下也. 天道資始, 地道生物, 天施地生. 化育萬物, 各正性命, 其益可謂无方矣. 方, 所也, 有方所則有限量, 无方謂廣大无窮極也. 天地之益萬物, 豈有窮際乎.

하늘과 땅의 공으로 익괘(益卦)의 도가 큼을 말했으니 성인이 체득하여 천하를 이롭게 한다. 하늘의 도는 만물이 이를 바탕삼아 시작하고, 땅의 도는 만물을 낳으니, 하늘은 베풀고 땅은 낳는다. 만물을 변화시켜 기르고 각기 성명을 바르게 하니, 그 유익함이 한량이 없다[无方]고 할 수 있다. '방(方)'은 장소이니, '유방(有方)'이면 한량이 있는 것이고, '무방(无方)'이면 넓고 큼이 끝이 없다는 말이다. 천지가 만물을 유익하게 하는데 어찌 다하는 데가 있겠는가?

小註

隆山李氏曰, 天施地生, 指乾坤初體而言也. 乾施一陽, 以益於下而爲震, 坤以一陰上, 應於乾之生育而爲巽. 上施下生, 二者相濟, 无所不被, 故曰, 其益无方.

융산이씨가 말하였다: '하늘은 베풀고 땅은 낳는다'는 건괘와 곤괘의 첫 몸체를 가리켜 말한 것이다. 건괘가 하나의 양을 베풀어 하괘에 보태주어 진괘가 되고, 곤괘는 하나의 음을 올려서 건괘의 생육에 호응하여 손괘(巽卦)가 된다. 위에서 베풀고 아래에서 낳으니 둘이 서로 구제하여 (그 덕을) 입지 않음이 없다. 그러므로 "그 유익함이 한량이 없다"고 하였다.

○ 雲峰胡氏曰, 益, 增益也. 日之進, 天之施地之生. 无疆, 无方, 皆形容增益之義也.

운봉호씨가 말하였다: 익(益)은 유익함을 보태는 것이다. 날로 나아감은 하늘이 베풀고 땅이 낳는 것이다. '끝이 없음[无疆]', '한량없음[无方]'은 모두 유익함을 보태는 뜻을 형용한 것이다.

▌韓國大全▌

권만(權萬) 『역설(易說)』

天施地生, 乾損其四, 而益下之初, 爲施與之象. 坤得初陽爲生.

"하늘은 베풀고 땅은 낳는다"는 건괘가 사효를 덜어내어 아래 괘의 초효에 보태주는 것이 베풀어주는 상이다. 곤괘가 초효의 양을 얻은 것이 낳음이다.

其益无方, 言損上益下, 與損下益上, 事體不同. 種種損之, 未見其爲失德, 故曰无方.

그 유익함이 한량이 없음은 위에서 덜어내어 아래로 보태주는 것을 말하니, 아래에서 덜어내어 위로 보태주는 것과는 일의 형체가 같지 않다. 갖가지로 덜어내지만 덕을 잃음을 보이지 않기 때문에 "한량이 없다"라고 했다.

유정원(柳正源) 『역해참고(易解參攷)』

正義, 此就天地廣, 明益之大義也. 天施氣於地, 地受氣而化生, 亦是損上益下義也. 其施化之益, 无有方所, 故曰, 天施地生其益无方.

『주역정의』에서 말하였다: 여기에서는 하늘과 땅의 넓음을 가지고 익의 큰 의미를 밝혔다. 하늘이 땅에 기운을 베풀고 땅이 기운을 받아서 만물을 낳으니, 이것도 위에서 덜어내어 아래에 보태주는 의미이다. 베풀어 화생하는 유익함이 한량이 없기 때문에 '하늘은 베풀고 땅은 낳아서 그 유익함이 한량이 없다'고 하였다.

서유신(徐有臣) 『역의의언(易義擬言)』

益, 動而巽, 日進无疆, 天施地生, 其益无方,

익(益)은 움직이고 공손해서 날로 나아감이 끝이 없으며, 하늘은 베풀고 땅은 낳아서 그 유익함이 한량이 없으니,

益疑衍. 帝出乎震, 齊乎巽, 故動而巽, 日進无疆, 天施地生, 其益无方也. 无疆, 日日而益也, 无方物物而益也.

익(益)은 연문인 듯하다. '제(帝)가 진괘(震卦)에서 나와 손괘(巽卦)에서 가지런하니, 그러므로 움직이고 공손해서 날로 나아감이 끝이 없으며, 하늘은 베풀고 땅은 낳아서 그 유익함이 끝이 없다는 것이다. '끝이 없음'은 나날이 보태주는 것이고, '한량이 없음'은 사물마다

보태주는 것이다.

김기례(金箕灃) 「역요선의강목(易要選義綱目)」

天施地生.

하늘은 베풀고 땅은 낳는다.

指卦變. 乾損一畫而下施, 坤得一陽而生成, 上下相濟, 其益无方.

괘의 변화를 가리킨다. 건이 하나의 획을 덜어내어 아래로 베풀고, 곤이 하나의 양을 얻어서 생성하며 위아래로 서로 구제하여 그 유익함이 한량이 없다.

이항로(李恒老) 「주역전의동이석의(周易傳義同異釋義)」

傳, 天道資始, 地道生物,[10] 天施地生, 化育萬物.

『정전』에서 말하였다: 하늘의 도는 만물이 이를 바탕삼아 시작하고, 땅의 도는 만물을 낳으니, 하늘은 베풀고 땅은 낳아 만물을 변화시켜 기른다.

本義, 乾下施坤上生, 亦上文卦體之義.

『본의』에서 말하였다: 건괘가 아래로 베풀고 곤괘는 위로 낳음도 위에서 표현한 괘체의 뜻이다.

按, 臨川[11]吳氏曰, 乾之九四易初, 而下交於坤, 天之施也, 坤之初六易四, 而上達於乾, 地之生也, 此釋本義.

내가 살펴보았다: 임천오씨는 "건괘의 구사가 초효로 바뀌어 아래에서 곤괘와 사귀는 것이 하늘의 베풂이고, 곤괘의 초육이 사효로 바뀌어 위로 건괘에 이르는 것이 땅의 낳음이다"고 하였다. 이것은 『본의』를 해석한 것이다.

심대윤(沈大允) 『주역상의점법(周易象義占法)』

益, 動而巽, 日進无疆, 天施地生, 其益无方.

---

10) 生物: 경학자료집성DB와 영인본에는 모두 '資生'으로 되어 있으나, 『주역전의대전』 원문에 따라 '生物'로 바로잡았다.

11) 川: 경학자료집성DB와 영인본에는 모두 '天'으로 되어 있으나, 『주역전의대전』의 원문에 따라 '川'로 바로잡았다.

익(益)은 움직이고 공손해서 날로 나아감이 끝이 없으며, 하늘은 베풀고 땅은 낮아서 그 유익함이 한량이 없으니.

損, 艮兌合體, 有手取口享之象. 益, 巽震合體, 有股便足動之象. 便, 敏也偄也. 无疆, 言行道之不窮也. 震巽爲乾坤之終而相遇, 故取乾坤之義. 恒巽而動, 則有方, 益動而巽, 則无方. 損有臨之象, 益有觀之象. 風雷之發動萬物, 无形可見, 聖人之德施天下, 而无迹可尋, 其進无疆其益无方. 以其能動而巽也, 故獨於釋象之後, 極言而屢贊之也. 巽者安安泰讓也, 溫良謙儉也. 聖人之道在己, 則爲仁, 施人則爲德, 德有實有文. 躬行曰實德, 忠恕中庸, 是也. 政事曰文德, 文章制度, 是也.

손괘(損卦䷨)는 간괘와 태괘가 몸체를 합하였으니, 손으로 잡고 입으로 누리는 상이 있다. 익괘(益卦䷩)는 손괘와 진괘가 몸체를 합하였으니, 다리가 빠르고[便] 발이 움직이는 상이 있다. ‘편[便]’은 ‘빠르고 민첩하게’이다. ‘끝이 없음’은 도를 행하는 것이 끝이 없음이다. 진괘와 손괘는 건괘와 곤괘의 끝이면서 서로 만난 것이기 때문에 건괘와 곤괘의 의미를 취하였다. 항괘는 공손하면서 움직이니, 한량이 있고, 익괘는 움직이고 공손하니 한량이 없다. 손괘에는 군림하는 상이 있고, 익괘에는 보는 상이 있다. 바람과 우레가 만물을 발동함에 볼 수 있는 형체가 없고, 성인의 덕이 천하에 베풀어짐에 살필 수 있는 흔적이 없으니, 그 나아감이 끝이 없고 그 유익함이 한량이 없다. 움직이고 공손할 수 있기 때문에 유독 「단전」을 해석한 뒤에 지극히 말하여 자주 칭찬하였다. 공손함은 안온하게 공손히 사양하는 것이니, 온화하고 선량하며 겸손하고 검소한 것이다. 성인의 도는 자신에게는 어짊이 되고 남에게 베푸는 것으로는 덕이 되니, 덕에는 참다움이 있고 문채가 있다. 몸소 실천하는 것을 참다운 덕이라고 하니, 충서(忠恕)와 중용(中庸)이 여기에 해당한다. 정사를 문덕(文德)이라고 하니, 문장과 제도가 여기에 해당한다.

凡益之道, 與時偕行.

익(益)의 도는 때에 맞게 하는 것이다.

▌中國大全▌

傳

天地之益, 无窮者, 理而已矣. 聖人利益天下之道, 應時順理, 與天地合, 與時偕行也.

하늘과 땅의 유익함이 끝이 없는 것은 이치대로 하는 것일 뿐이다. 성인이 천하를 이롭고 유익하게 하는 도는 때에 호응하고 이치에 순응하여 하늘·땅과 합하니 때에 맞게 하는 것이다.

本義

動巽, 二卦之德, 乾下施坤上生, 亦上文卦體之義. 又以此極言, 贊益之大.

움직이고 공손함은 두 괘의 덕이고, 건괘가 아래로 베풀고 곤괘가 위로 낳음도 위에서 표현한 괘체의 뜻이다. 이것으로 지극히 말하여 유익함이 큼을 찬탄하였다.

小註

臨川吳氏曰, 以卦德言人事之益. 人之動而能卑巽, 則日有進益无窮已也. 書曰, 惟學遜志, 務時敏, 厥修乃來, 是也. 又以卦變, 言天地之益, 乾之九四易初, 而下交於坤, 天之施也, 坤之初六易四, 而上達於乾, 地之生也. 天布施, 地發生, 萬物竝育, 其增益衆多, 无有方所也. 凡益之道, 總言天地之於萬物, 人之於萬事, 其於增益, 皆无時而止息, 所謂與時偕行也.

임천오씨가 말하였다: 괘의 덕으로 사람의 일에서 유익함을 말하였다. 사람을 움직이면서 낮추고 공손할 수 있으면 날로 유익한 데로 나아감이 끝이 없을 것이다. 『서경』에 "배움은

오직 뜻을 겸손히 해야 하니 힘써서 때에 맞춰 민첩하게 하면 배우게 될 것이다"[12]라 한 것이 여기에 해당한다. 또한 괘의 변화로 하늘과 땅의 유익함을 말하였으니, 건괘의 구사가 초효로 바뀌어 아래에서 곤괘와 사귀는 것이 하늘의 베풂이고, 곤괘의 초육이 사효로 바뀌어 위로 건괘에 이르는 것이 땅의 낳음이다. 하늘이 베풀고 땅이 낳아서 만물이 함께 자라나니 그 유익함을 더함이 많아서 한량이 없다. 익괘의 도는 총체적으로 천지가 만물에 대해서, 사람이 만사에 대해서 그 유익함을 더하는 것이 모두 때에 따라 그침이 없음을 말하였으니, 이른바 때에 맞게 행하는 것이다.

○ 節齋蔡氏曰, 无疆以悠久言, 无方以廣大言. 與時偕行, 又言益道之適乎時也.
절재채씨가 말하였다: '끝이 없음'은 유구함으로 말하였고, '한량없음'은 광대함으로 말하였다. '때에 맞게 한다'는 또 익괘의 도가 때에 적합함을 말한 것이다.

○ 建安丘氏曰, 時者損益之準也. 上不足而下有餘, 則當損下而益上, 可損而損, 此損之時也. 若下不足, 則不當損矣. 上有餘而下不足, 則當損上而益下. 可益而益, 此益之時也. 若下有餘, 則不必益矣. 時者當其可之謂, 此損益二象, 聖人皆以時言也.
건안구씨가 말하였다: '때[時]'는 덜고 보태는 기준이다. 위는 부족하고 아래에 여유가 있다면 아래에서 덜어내어 위에 보태주어야 하니, 덜어내야 되어 덜어내는 것, 이것이 손(損)의 때이다. 만약 아래가 부족하다면 덜어내지 말아야 한다. 위는 여유가 있고 아래에 부족하다면 위에서 덜어내어 아래에 보태주어야 한다. 보태주어야 되어 보태주는 것, 이것이 익(益)의 때이다. 만약 아래에 여유가 있다면 굳이 보태줄 것은 없다. '때'란 그 해야 됨에 적당한 것을 말하니, 이것은 손괘와 익괘 두 「단전」에서 성인이 모두 '때'를 가지고 말한 것이다.

○ 雙湖胡氏曰, 震巽於時, 爲春夏, 正當天地施生, 雷雨益物之時. 故曰, 凡益之道, 與時偕行, 言聖人體此, 凡所以爲益之道, 有慶賞而无刑威也.
쌍호호씨가 말하였다: 진괘(震卦)와 손괘(巽卦)는 사시에서 봄과 여름이니 바로 하늘과 땅이 베풀고 낳으며 우레와 비가 만물을 유익하게 하는 때이다. 그러므로 "익의 도는 때에 맞게 행하는 것이다"라고 한 것은 성인이 이것을 체득했음을 말하니, 유익하게 하는 도에는 경사와 칭찬만 있고 형벌과 위압은 없는 이유이다.

---

12) 『서경·열명』.

‖韓國大全‖

송시열(宋時烈) 『역설(易說)』

綜兌爲悅. 無疆, 取坤大. 先取離利往, 二五之得中正也. 震不遇巽風而行, 所謂涉川, 繫辭耒耜之取諸益云者, 亦以木道之入也.

거꾸로 된 괘인 태괘가 기쁨이다. '끝이 없음'은 곤괘의 큼을 취하였다. 먼저 리괘의 가는 것이 이로움을 취한 것은 이효와 오효가 중정함을 얻었기 때문이다. 진괘가 손괘의 바람을 만나 지 않고도 가는 것이 이른바 내를 건너는 것이고 「계사전」에서 밭 갈고 김매는 것을 익괘(益卦)에서 취했다고 말한 것도[13] 나무의 도가 들어감이기 때문이다.

이익(李瀷) 『역경질서(易經疾書)』

益, 動而巽, 以順動也. 動莫大於遷國. 卦自否來, 否而爲益, 非大變革不可遷國, 圖存國之大事. 四與初相易, 故有此象. 周禮小司寇掌外朝之政. 王與州長群臣群吏, 致萬民而詢焉, 一曰, 詢國危. 二曰詢國遷, 三曰詢立君. 大事而詢及在下之庶民者, 國非民無所依也. 初與四爲應, 四爲任國之近臣, 初爲其下之庶民, 爲大作與爲依, 遷國相照上依下. 遷國, 下作勞事上也. 大作者, 趨事赴功, 其役至大也. 上之所依, 下之所作, 一爲字包之. 然下之大作, 不過力役而已, 其任輕, 故下作比上依爲不厚也.

"익(益)은 움직이고 공손하다"는 유순하게 움직이기 때문이다. 움직임은 나라를 옮기는 일보다 큰 것이 없다. 익괘(益卦▤)가 비괘(否卦▤)에서 와서 막혔다가 보태주니, 큰 변혁이 아니라면 나라를 옮길 수 없으니 나라를 보존하는 큰일을 도모하는 것이다. 사효와 초효가 서로 바뀌었기 때문에 이런 상이 있다. 『주례』에 소사구는 조정 관리들의 정사를 관장한다. 왕이 주장(州長)과 여러 신하와 관리와 함께 만민을 불러 묻는다. 첫째는 나라의 위태로움에 대해, 둘째는 나라를 옮기는 것에 대해, 셋째는 임금을 세우는 것에 대해 묻는 것이다.[14] 큰일임에도 아래에 있는 서민들에게 자문하는 것은, 나라는 백성이 아니면 의지할 곳이 없기 때문이다. 초효와 사효가 호응하니, 사효가 나라를 책임지는 근신이고 초효가 아래에 있는 서민으로 큰일에 함께 의지하여 나라를 옮기는 것에 서로 비추어 위에서 아래에 의지한다. 나라를 옮기는 것은 아래에서 수고롭게 일하여 위를 섬기는 것이다. 큰일은 가서 일을

---

13) 『周易·繫辭傳』: 斲木爲耜, 揉木爲耒, 耒耨之利, 以敎天下, 蓋取諸益.
14) 『周禮·司寇』: 小司寇之職, 掌外朝之政, 以致萬民而詢焉, 一曰詢國危, 二曰詢國遷, 三曰詢立君.

함에 그 노역이 아주 큰 것이다. 위에서 의지하는 것이 아래에서 일하는 것이니, 의지한다는 한마디로 그것을 포괄하였다. 그러나 아래에서 크게 일하는 것은 노역에 지나지 않을 뿐이어서 그 책임이 가볍기 때문에 아래에서 일하는 것은 위에서 의지하는 것에 비해 중요하지 않다.

김상악(金相岳) 『산천역설(山天易說)』

利有攸往中正有慶, 利涉大川, 木道乃行. 益, 動而巽, 日進无疆, 天施地生, 其益无方, 凡益之道, 與時偕行.

"가는 것이 이로움"은 중정(中正)해서 경사가 있는 것이고, "큰 내를 건너는 것이 이로움"은 나무의 도가 이에 행해짐이다. 익(益)은 움직이고 공손해서 날로 나아감이 끝이 없으며, 하늘은 베풀고 땅은 낳아서 그 유익함이 한량이 없으니, 익(益)의 도는 때에 맞게 하는 것이다.

以卦體卦象卦德, 釋卦辭而贊之. 中正, 兼二五言. 木道, 兼震巽言. 動而巽, 二五之應也. 无疆, 以悠久言也. 天施地生, 初四之應也. 无方, 以廣大言也. 曰凡益之道者, 合言行益之道, 以結上文之意.

괘의 몸체·괘의 상·괘의 덕으로 괘사를 해석하고 찬미하였다. '중정'은 이효와 오효를 겸하여 말하였다. '나무의 도'는 진괘와 손괘를 겸하여 말하였다. '움직이고 공손하다'는 이효와 오효의 호응이다. '끝이 없음'은 유구한 것으로 말하였다. '하늘은 베풀고 땅은 낳다'는 초효와 사효의 호응이다. '한량이 없음'은 광대한 것으로 말하였다. '익의 도'라고 한 것은 익의 도를 행하는 것을 합하여 말하여 윗 글의 의미를 맺은 것이다.

○ 萬物出乎震, 齊乎巽, 正當天地施生化育萬物之時也. 日進无疆, 與時偕行, 又主陽進而言也. 不兼言損, 而但曰凡益之道, 益不必求損也.

만물이 진괘(震卦)에서 나와 손괘(巽卦)에서 가지런하니, 바로 천지가 베풀고 낳아 만물을 화육하는 때이다. '날로 나아감이 끝이 없고' '때에 맞게 하는 것'은 또 양이 나아가는 것을 위주로 말하였다. 손(損)을 겸하여 말하지 않고 단지 익(益)의 도라고 한 것은 익에서는 굳이 손(損)을 구할 필요가 없기 때문이다.

서유신(徐有臣) 『역의의언(易義擬言)』

凡益之道, 與時偕行.

익(益)의 도는 때에 맞게 하는 것이다.

天地之益物, 无彊无方, 而獨不能无時, 與時偕行, 則存乎人也.
천지가 사물을 유익하게 함은 끝이 없고 한량이 없는데, 오직 때가 없을 수 없고 때에 맞게 하는 것은 사람에게 달렸다.

박제가(朴齊家) 『주역(周易)』

彖傳, 天施地生, 本義, 乾下施坤上生者, 是也. 程傳, 義理說得, 雖好, 但言各正性命, 不及自上而下.
단전의 '하늘은 베풀고 땅은 낳았다'는 것은 『본의』에서 '건괘가 아래로 베풀고 곤괘가 위로 낳는다'는 것이 이것이다. 『정전』에서 의리로 설명한 것은 좋지만 각기 성명을 바르게 한다고만 말하고 위로부터 낮춘다는 것은 언급하지 않았다.

建安丘氏曰, 時者損益之準也. 上不足而下有餘, 則當損下而益上. 上有餘而下不足, 則當損上而益下. 此損益二象, 皆以言時也.
건안구씨가 말하였다: '때[時]'는 덜고 보태는 기준이다. 위는 부족하고 아래에 여유가 있다면 아래에서 덜어내어 위에 보태주어야 한다. 위는 여유가 있고 아래에 부족하다면 위에서 덜어내어 아래에 보태주어야 한다. 이것은 손괘와 익괘 두 「단전」이 모두 '때'를 가지고 말한 것이다.

案, 有餘不足之說, 終失卦義. 以此施之於文質, 三統之損益, 或如謙之大象, 裒多益寡, 稱物平施之時, 則可矣. 若損益二卦之情, 則損非下之情, 求益則失上之道. 其曰時者, 如天地不交爲否之時, 否豈自否而曰當否者耶. 益乃聖人之志, 如天地交爲泰之時者, 然豈曰長泰耶. 亦有泰之時云耳, 所謂與偕行者也, 若時義時用之時字, 則處處有之, 易一部無非時也.
내가 살펴보았다: 여유가 있고 부족하다는 설명으로는 끝내 괘의 의미를 잃는다. 그러니 이것으로 문채와 실질에 베풀어 하·은·주 삼대[三統]의 덜어냄과 보태줌이 혹 겸괘의 「대상전」처럼 많은 것을 덜어내 적은 데에 더해 주어, 물건을 저울질하여 베풂을 고르게 하는 때라면 괜찮다. 손괘와 익괘 두 괘의 실정이라면, 덜어냄은 아래의 실정이 아니고, 보태줌을 구하는 것은 위의 도를 잃는 것이다. 그곳에서 "때에 맞게"라고 말한 것이 이를테면 천지가 교감하지 않아 비괘[否]가 되는 때라고 해서 막힌 것이 어찌 비괘이기 때문에 막혀야 한다고 말하겠는가? 보태줌이 성인의 뜻이라면, 이를테면 천지가 교감하여 태괘[泰]의 때가 된 것이겠지만 어찌 길이 태평할 수 있겠는가? 또한 태평한 때가 있다고 말할 뿐이니, 이른바 때에 맞게 하는 것이다. 때와 의미·때와 쓰임에서의 때를 말하는 것이라면 곳곳에 있으니, 『주

역』은 어느 곳이라도 때가 아닌 것이 없다.

趙氏汝楳曰, 損下非聖人之得已者, 又失其旨. 聖人居位, 豈有損下自益而曰不得已耶. 不得已者, 乃遇險處困之謂. 若當損之時, 而聖人爲初, 則遄往, 爲二, 則弗損益之而已. 處九五, 則初無此十朋之龜, 豈曰不克違乎. 如損下爲不得已, 則益下, 必聖人所欲爲而不得爲者, 不得位故也. 於益則不得位而不能爲, 於損則何以不得已而行之而曰聖人耶.

조여매가 "아래에서 덜어냄은 성인이 기꺼이 하는 일이 아니다"라고 한 것은 또 그 의미를 잃었다. 성인이 자리에 있으면서 어찌 아래에서 덜어내 자신에게 보태고는 부득이하다고 하겠는가? 부득이한 것은 험하고 곤고한 때를 만난 것을 말한다. 덜어내야 할 때를 만나 성인이 초효가 되면 빨리 가고, 이효가 되면 덜지 말고 보태줄 뿐이다. 오효의 자리에 있으면 애초에 열 쌍의 거북이 없었으니, 어찌 어길 수 없다고 하겠는가? 아래에서 덜어내는 것이 부득이하다면, 아래에 보태주는 것은 반드시 성인이 하고자 하는 것이지만 할 수 없는 것은 지위를 얻지 못했기 때문이다. 보태주는 것에 대해서는 지위를 얻지 못해 할 수 없고, 덜어내는 것에 대해서는 부득이해서 행한 것인데 어찌 성인이라고 했겠는가?

윤행임(尹行恁) 『신호수필(薪湖隨筆)·역(易)』

裒多益寡, 稱物平施, 以乾道下濟也, 故謙受益, 滿招損, 而益之象曰, 天施地生, 其益无方, 皆是益下之意也.

많은 것을 덜어내 적은 데에 더해 주어, 물건을 저울질하여 베풂을 고르게 하니 건의 도가 내려와 구제한 것이다. 그러므로 겸손함은 보태줌을 받고 가득참은 덜어냄을 초래하니, 익괘의 「단전」에서 "하늘은 베풀고 땅은 낳아서 그 유익함이 한량이 없다"고 한 것은 모두 아래에 보태주는 의미이다.

박문건(朴文健) 『주역연의(周易衍義)』

益, 動而巽, 日進无疆, 天施地生, 其益无方, 凡益之道, 與時偕行. 此以卦德卦變言. 行進生育之益, 而極言其道之有時也.

익(益)은 움직이고 공손해서 날로 나아감이 끝이 없으며, 하늘은 베풀고 땅은 낳아서 그 유익함이 한량이 없으니, 익(益)의 도는 때에 맞게 하는 것이다. 여기에서는 괘의 덕과 괘의 변화로 말하였다. 생육하여 보태는 것으로 나아가 그 도에 때가 있음을 지극하게 말하였다. 〈問, 日進无疆, 亦木道乃行之義, 天施地生, 亦損上益下之義歟. 曰, 然.

물었다: "날로 나아감이 끝이 없다"는 것도 "나무의 도가 이에 행해진다"는 의미이고, "하늘은 베풀고 땅은 낳는다"는 것도 '위에서 덜어내어 아래에 보탠다'는 의미입니까?
답하였다: 그렇습니다.〉

〈○ 問, 益, 動而巽, 日進无疆以下. 曰, 益動而巽也,[15] 故日進也, 无疆. 天施地生也, 故其益也, 无方. 凡此益之道, 與其時而偕行, 此贊益之二義也.
물었다: "익(益)은 움직이고 공손해서 날로 나아감이 끝이 없다" 이하는 무슨 뜻입니까?
답하였다: 익(益)은 움직이고 공손하기 때문에 날로 나아감이 끝이 없는 것입니다. 하늘은 베풀고 땅은 낳기 때문에 그 유익함이 한량이 없는 것입니다. 이것이 익(益)의 도로 때에 맞게 하는 것이니, 여기에서는 익(益)의 두 의미를 찬미하였습니다.〉

김기례(金箕澧) 「역요선의강목(易要選義綱目)」

與時偕行.
때에 맞게 하는 것이다.

震爲春, 巽爲夏, 有天施地生之道.
진괘가 봄이고 손괘가 여름이니 하늘이 베풀고 땅이 낳는 도가 있다.

심대윤(沈大允) 『주역상의점법(周易象義占法)』

凡益之道, 與時偕行. 〈損益之象傳, 皆五, 着卦名者, 屢歎之也.〉
익(益)의 도는 때에 맞게 하는 것이다. 〈손괘와 익괘의 단전은 모두 다섯 단락인데, 괘의 이름을 붙인 경우는 누차 찬탄하였다.〉

屢言道者, 貴其行也, 震巽爲行道行動. 損之實利, 未有不取與而者, 故象及爻辭, 兼言益也. 益之名, 德施之而已. 未及取焉, 故象爻不言損也, 如增高必有厚基, 厚基未及增高也.
자주 도를 말하는 것은 그 행함을 귀하게 여기는 것이니, 진괘와 손괘는 도를 행하려고 움직이는 것이다. 손(損)은 실제로 이로워서 상대에게 취하고 주지 않은 적이 없기 때문에 단사와 효사에서 겸하여 보태줌을 말하였다. 익(益)이라는 이름은 덕을 베푸는 것일 뿐이다. 취한 적이 없기 때문에 단사와 효사에서 덜어냄을 말하지 않았으니, 이를테면 높이 쌓아올린

---

15) 也: 경학자료집성DB와 영인본에는 모두 '□'로 되어 있으나, 문맥을 살펴 '也'로 바로잡았다.

것은 반드시 기초가 튼튼해야 하지만 기초가 튼튼하다고 높이 쌓을 수 있는 것이 아니기 때문이다.

오치기(吳致箕) 「주역경전증해(周易經傳增解)」

此以卦反釋卦名義, 以卦體卦象卦德釋卦辭也. 損卦艮剛在上, 兌柔在下. 而卦反, 則上體之剛, 下于下體之柔而爲益卦, 有損上益下之象, 故以卦反之體明益之義也. 以上之尊能下於卑, 故民說无窮, 其道大光. 其言利有攸往者, 中正居尊, 而大受福慶也, 利涉大川者, 木道乃行, 而无險不濟也, 終又極言益之道. 動而順於理, 則日進而无疆限, 乃至天道施與地道資生. 化育萬物, 各正性命, 其益廣大无方. 而聖人體之, 凡於利益天下之道與天地相合, 隨時而偕行也.

여기에서는 거꾸로 괘의 이름과 의미를 풀었고, 괘의 몸체와 괘의 상과 괘의 덕으로 괘사를 풀었다. 손괘(損卦䷨)에서는 간괘의 굳셈이 위에 있고 태괘의 부드러움이 아래에 있다. 그런데 괘가 거꾸로 되면 위의 몸체인 굳센 양이 아래의 몸체인 부드러운 음으로 내려와서 익괘가 되니, 위에서 덜어내어 아래에 보태주는 상이 있기 때문에 괘를 거꾸로 한 몸체로 익(益)의 의미를 밝혔다. 위에 있는 존귀함으로 아래에 있는 것들에게 낮출 수 있기 때문에 백성의 기쁨이 끝이 없고 그 도가 크게 빛나는 것이다. 가는 것이 이롭다고 말한 것은 중정으로 존귀한 자리에 있어 크게 복과 경사를 누리기 때문이고, 큰 내를 건너는 것이 이롭다고 말한 것은 나무의 도가 행해져서 험난함이 구제되지 않음이 없기 때문에 마침내 또 익(益)의 도를 극도로 말하였다. 움직이고 이치에 공손하면 날로 나아가면서 끝이 없어 하늘의 도가 시행되고 땅의 도가 의뢰하여 낳는 데에 도달하고, 만물을 화육하고 각각 성(性)과 명(命)을 바르게 해서 유익함이 광대하고 한량이 없다. 그런데 성인께서 그것을 체현하였으니, 천지를 유익하게 하는 도와 천지가 서로 합하는 것에서 때에 따라서 맞게 행하는 것이다.

이진상(李震相) 『역학관규(易學管窺)』

象. 往, 震象. 利涉大川, 厚離爲虛舟, 震巽俱木, 乘木以往者, 非舟乎. 利有攸往, 言初往二則爲渙, 往三則爲漸, 皆利也.

「단전」. "간다"는 진괘의 상이다. "큰 내를 건너는 것이 이롭다"는, 두터운 리괘(離卦☲)가 비어 있는 배이고, 진괘와 손괘가 모두 나무이니, 나무를 타고 가는 것은 배가 아니겠는가? "가는 것이 이롭다"는 초효가 이효로 가면 환괘(渙卦䷺)이고 삼효로 가면 점괘(漸卦䷴)이니, 모두 이롭다는 것이다.

○ 傳, 損上四爻之一陽, 益之二陰之下, 卦變之自否來也. 由否而變則益矣. 其道大光, 坤下一陽之光大也. 中正有慶, 巽體合乎坤, 慶也.

『정전』에서 말하였다: 위의 괘에서 사효라는 하나의 양을 덜어내어 두 음의 아래에 보태니, 괘의 변화가 비괘(否卦䷋)에서 왔다. 비괘에서 변했으니 익괘이다. "그 도가 크게 빛난다"는 곤괘 아래의 하나의 양이 빛나고 큰 것이다. '중정해서 경사가 있는 것'은 손괘의 몸체를 곤괘에 합해 경사스러운 것이다.

損上益下.

위에서 덜어내어 아래에 보태주는 것.

此亦以卦體言. 若卦變, 則自旣濟來者, 三往居上上來居三

여기에서도 괘의 몸체로 말하였다. 괘의 변화라면 기제괘(旣濟卦䷾)에서 온 것이니, 삼효가 상효로 올라가 있고, 상효가 삼효로 내려와 있는 것이다.

○ 木道註朱子說.

나무의 도에 대한 주석에서 주자의 설명.

兌如何屬金. 朱子說也, 兌之爲五行之金, 乃擧人所說也, 不當以五行之說强合於易卦. 但乾以太陽有爲金之象, 則兌本從乾, 乃陰金也. 坤以太陰有爲土之象, 則艮本從坤乃陽土也. 木本沖土而生火, 故震木居坤離之間. 金克之而水生之, 故巽木居乾坎之交. 其理之自然則無往, 而不相値也.

태괘가 어째서 금에 속하는가? 주자의 설명으로는 태괘가 오행의 금이어서 모든 사람들이 기뻐하는 것이니, 오행의 설을 억지로 역의 괘에 적용해서는 안 된다. 다만 건괘는 태양으로 금이 되는 상이 있으니, 그렇다면 태괘는 본래 건괘에서 온 것으로 음금(陰金)이다. 곤괘는 태음으로 토가 되는 상이 있으니, 그렇다면 간괘는 본래 곤괘에서 온 것으로 양토(陽土)이다. 목은 본래 토와 부딪히지만 화를 낳기 때문에 진괘의 목이 곤괘와 리괘의 사이에 있다. 금이 목과 부딪히지만 수가 그것을 낳기 때문에 손괘의 목이 건괘와 감괘가 교차하는 곳에 있다. 그 이치의 자연스러움은 어디에서도 있지 않은 곳이 없다.

박문호(朴文鎬) 「경설(經說)·주역(周易)」

巽, 固木也. 震爲東方, 東方屬木, 故亦爲木之象.

손괘는 단단한 나무이다. 진괘는 동쪽이고, 그것이 나무에 속하기 때문에 또한 나무의 상이다.

利有攸往, 利涉大川, 本義, 合作一事, 與程傳象傳皆異. 讀者當不泥於而字, 其義. 蓋曰利有攸往, 而所往者乃大川也.

가는 것이 이롭고 큰 내를 건너는 것이 이로운 것에 대해『본의』에서는 하나의 일로 간주했으니『정전』의「단전」과는 모두 다르다. 독자들은 '~하고[而]'라는 말16) 때문에 오해하지 말아야 하니, 그 의미는 가는 것이 이로움을 말한 것이고, '가는 것'은 바로 큰 내이다.

其道之大光顯, 此之字恐衍.
『정전』의 "그 도가 크고 밝게 드러난다"에서의 '지(之)'자는 쓸데없이 들어간 듯하다.

其相益, 亦猶是, 此所以發. 程傳之所未發也, 其義甚襯切矣.
서로 유익한 것이 또한 이와 같아 이것을 말했다.『정전』에서 설명하지 못한 것이니 그 의미가 더욱 친절하다.

이병헌(李炳憲)『역경금문고통론(易經今文考通論)』

象曰, 益, 損上益下, 民說无疆, 自上下下, 其道大光. 利有攸往中正有慶, 利涉大川, 木道乃行. 益, 動而巽, 日進无疆, 天施地生, 其益无方, 凡益之道, 與時偕行.
「단전」에서 말하였다: 익(益)은 위에서 덜어내어 아래에 보태주니 백성의 기쁨이 끝이 없고, 위로부터 아래에 낮추니 그 도가 크게 빛난다. "가는 것이 이로움"은 중정(中正)해서 경사가 있는 것이고, "큰 내를 건너는 것이 이로움"은 나무의 도가 이에 행해짐이다. 익(益)은 움직이고 공손해서 날로 나아감이 끝이 없으며, 하늘은 베풀고 땅은 낳아서 그 유익함이 한량이 없으니, 익(益)의 도는 때에 맞게 하는 것이다.

鄭曰, 人君之道以益下爲德.
정현이 말하였다: 임금의 도는 아래에 보태는 것을 덕으로 한다.17)

按, 利有攸往, 指二五之中正也. 利涉大川, 木道乃行, 震巽木氣藹然, 有仁愛之道也. 損益隨時, 宜爲咸恒後之綱領, 卦之往來策數, 皆準咸恒.
내가 살펴보았다: '가는 것이 이로움'은 이효와 오효의 중정함을 가리킨 것이다. '큰 내를 건너는 것이 이로움은 나무의 도가 행해짐이다'는 진괘와 손괘의 나무의 기가 성대해져 어짊과 사랑의 도가 있는 것이다. 손괘와 익괘는 때에 따라 마땅히 함괘와 항괘 뒤에 강령괘가 되어야 하니, 괘의 왕래하는 책수가 모두 함괘와 항괘와 같다.

---

16)『본의』의 "그 점사가 가는 것이 이롭고 큰 내를 건너는 것이 이롭다.[其占, 利有所往, 而利涉大川也.]"에서 '가는 것이 이롭다' 뒤의 문장과 이어주는 '~하고 (而)'라는 접속사를 말한다.
17)『周易鄭康成註·益卦』: 人君之道, 以益下爲德.

象曰, 風雷益, 君子以, 見善則遷, 有過則改.

「상전」에서 말하였다: 바람과 우레가 익(益)이니, 군자가 그것을 본받아 착함을 보면 옮겨가고 허물이 있으면 고친다.

|中國大全|

傳

風烈則雷迅, 雷激則風怒, 二物, 相益者也. 君子觀風雷相益之象, 而求益於已, 爲益之道无若見善則遷, 有過則改也. 見善能遷, 則可以盡天下之善, 有過能改, 則无過矣, 益於人者, 无大於是.

바람이 세차면 우레가 빠르고, 우레가 몰아치면 바람이 성을 내니, 두 가지는 서로 보태주는 것이다. 군자가 바람과 우레가 서로 보태주는 상을 관찰하여 자기를 유익하게 함을 구하니, 유익하게 하는 도는 '착함을 보면 옮겨가고 허물이 있으면 고침'만한 것이 없다. 착함을 보고 옮겨갈 수 있으면 천하의 착함을 다할 수 있을 것이고, 허물이 있어 고칠 수 있다면 허물이 없을 것이니, 사람에게 유익한 것이 이보다 큰 것이 없다.

本義

風雷之勢, 交相助益, 遷善改過, 益之大者而其相益, 亦猶是也.

바람과 우레의 형세는 사귀어 서로 돕고 유익하게 하니, 착함으로 보고 옮겨가고 허물을 고치는 것은 유익함의 큰 것이고, 그 서로 유익하게 함도 이와 같다.

小註

朱子曰, 遷善當如風之速, 改過當如雷之猛. 又曰, 風是一箇急底物, 見人之善, 己將不及, 遷之如風之急. 雷是一箇勇決底物, 己有過, 便斷然改之, 如雷之勇決, 不容有些子遲緩.

주자가 말하였다: 착함으로 옮겨 가기는 바람처럼 신속하게 해야 하고, 허물을 고치기는 우레처럼 맹렬하게 해야 한다.

또 말하였다: 바람은 빠르게 움직이는 것이니, 남의 착함을 보면 자신이 미치지 못할까하여 옮겨가기를 마치 바람이 빠른 것처럼 해야 한다. 우레는 결단하는 사물이니, 내가 허물이 있으면 곧 과감하게 고치기를 우레처럼 결단하여 조금도 머뭇거리지 말아야 한다.

○ 問, 莫是纔遷善, 便是改過否, 曰不然. 遷善字輕, 改過字重. 遷善如滲淡之物, 要使之白, 改過如黑之物, 要使之白, 用力自是不同. 遷善者, 但是見人做得一事強似我, 心有所未安, 卽便遷之, 若改過, 須是大段勇猛始得.

물었다: 착함으로 옮기는 것이 바로 허물을 고치는 것이 아닙니까?

답하였다: 그렇지 않습니다. ‘착함으로 옮겨간다’는 가볍고, ‘허물을 고친다’는 무겁습니다. ‘착함으로 옮겨감’은 엷게 물든 것을 희게 하려는 것과 같고, ‘허물을 고침’은 검은 물건을 희게 만들려는 것과 같으니, 힘을 쓰는 것이 자연히 같지 않습니다. 착함으로 옮겨감은 단지 남이 어떤 일을 하는데 나보다 나은 것을 보고 마음이 편안하지 못하여 곧 옮겨가는 것이고, 허물을 고치는 것은 대단히 용맹하여야만 할 수 있는 것입니다.

○ 中溪張氏曰, 撓萬物者, 莫疾乎風, 動萬物者, 莫疾乎雷. 風飛雷厲, 交相助益, 君子取象於此, 見善則遷之, 必如風之速, 有過則改之, 必如雷之迅. 則有卽之義, 此則遷則改, 所以貴乎疾也. 得善服膺, 且不貳過, 惟顔氏子得之, 而聞義不能徙, 不善不能改者, 夫子所以深憂之也.

중계장씨가 말하였다: 바람보다 빠르게 만물을 흔드는 것은 없고, 우레보다 빠르게 만물을 움직이는 것은 없다. 바람은 날아다니고 우레는 사나워, 서로 사귀어 돕고 보태주니 군자가 여기에서 상을 취하여, 착함을 보면 곧 옮기기를 반드시 바람처럼 빠르게 하고, 허물이 있으면 곧 고치기를 반드시 우레처럼 신속히 하였다. ‘~하면[則]’에는 ‘바로[卽]’의 뜻이 있으니, 여기의 ‘~하면 옮겨간다[則遷]’와 ‘~하면 고친다[則改]’는 빠르게 하는 것을 귀하게 여기는 것이다. 착하게 되면 가슴에 품고 다시 잘못을 되풀이 하지 않음은 오직 안연만이 할 수 있었으니, 의(義)를 듣고도 옮겨가지 못하고 착하지 못함을 고치지 못함을 공자가 깊이 근심한 것이다.[18]

○ 臨川吳氏曰, 遷善, 巽象, 巽在外, 於人之善見則遷之, 自外而益也. 改過, 震象, 震

---

18) 『論語‧述而』: 子曰, 德之不脩, 學之不講, 聞義不能徙, 不善不能改, 是吾憂也.

在內, 於己之過有則改之, 自內而益也.

임천오씨가 말하였다: 착함으로 옮겨감은 손괘(☴)의 상으로, 손괘는 밖에 있으면서 남의 선함을 보면 옮겨가니 밖에서부터 유익하게 함이다. 허물을 고침은 진괘의 상으로, 진괘는 안에 있으면서 자기에게 허물이 있으면 고치니 안에서부터 유익하게 하는 것이다.

○ 雲峰胡氏曰, 雷與風, 自有相益之勢. 速於遷善, 則過當益寡, 決於改過, 則善當益純, 是遷善改過, 又自有相益之功也.

운봉호씨가 말하였다: 우레와 바람은 본래 서로 보태주는 형세가 있다. 착함으로 옮겨가기를 서두르면 허물은 당연히 더욱 적어질 것이고, 허물을 고치기를 결연히 하면 착함은 더욱 순전하게 될 것이니, 이는 착함으로 옮겨감과 허물 고침이 또 본래 서로 유익하게 하는 공이 있는 것이다.

○ 東萊呂氏曰, 損益二象, 最切學者. 損无如忿慾, 益无如遷改. 若甚易知, 推到精密處甚難, 懲窒遷改, 皆是用力處.

동래여씨가 말하였다: 손괘와 익괘의 두 상은 공부하는 이에게 가장 절실한 것이다. 덜어낼 것으로는 분노와 욕심만한 것이 없고, 보탤 것으로는 착함으로 옮겨가고 허물을 고침만한 것이 없다. 매우 쉽게 알 것 같은 것도 정밀한 데까지 미루어 가면 매우 어려우니, 분노를 자제하고 욕심을 막으며 착함으로 옮겨가고 허물을 고치는 일은 모두 힘을 써야 하는 것이다.

┃韓國大全┃

조호익(曺好益) 『역상설(易象說)』

坤之初六, 上於乾之四而爲巽, 乾之九四, 下於坤之初而爲震, 亦風雷相益之象. 坤過於柔, 乾過於剛, 坤之初六, 變爲初九, 有遷善之象, 乾之九四, 變爲六四, 有改過象.

곤괘(坤卦䷁)의 초육이 건괘(乾卦䷀)의 사효로 올라가서 손괘(巽卦☴)가 되고, 건괘(乾卦䷀)의 구사가 곤괘(坤卦䷁)의 초효로 내려가 진괘(震卦☳)가 된 것도 바람과 우레가 서로 보태주는 상이다. 곤괘는 부드러움에 지나치고 건괘는 굳셈에 지나치니, 곤괘의 초육이 초구로 변해 착함으로 옮겨가는 상이 있고, 건괘의 구사가 육사로 변해 허물을 고치는 상이 있다.

○ 益象在恒下, 丘氏說甚好.

익괘(益卦☲)의 상이 항괘(恒卦☵)의 다음에 있으니, 구씨의 설명은 아주 좋다.

송시열(宋時烈) 『역설(易說)』

以雷風之變改言. 見善則遷, 震之決躁健動之象, 有過則改, 巽之進退繩直之象. 震爲動爲作, 故云大作. 蓋在下者, 不能厚大其事, 固然之理, 而此爻以剛陽爲大作之事, 此所以元吉而无咎也, 竝釋小象.

우레와 바람의 바꾸어 고치는 것으로 말하였다. 착함을 보면 옮겨가는 것은 진괘의 결연히 빠르고 굳건히 움직이는 상이고, 허물이 있으면 고치는 것은 손괘가 나아가고 물러나며 먹줄로 곧게 하는 상이다. 진괘는 움직임이고 일어남이기 때문에 '크게 일으킴'을 말하였다. 아래에 있는 것은 그 일을 두텁고 크게 할 수 없는 것이 진실로 그러한 이치인데, 여기의 효에서는 굳센 양으로 크게 일으키는 일을 삼았으니, 이것이 크게 길해야 허물이 없는 까닭으로 「소상전」을 함께 해석한 것이다.

김도(金濤) 「주역천설(周易淺說)」

愚按, 本義下所釋朱子二條, 張氏以下諸儒凡四條, 而皆合於大象之旨矣. 蓋善者, 本然之理也, 過者, 人欲之發也. 善而不遷, 則理不能復, 過而不改, 則欲不能制, 所係豈不大哉. 益之爲卦, 震雷在下, 巽風居上, 而風烈則雷迅, 雷激則風怒, 二物之相益, 爲如何哉. 君子之遷改, 亦猶是也. 是以君子觀風雷相益之象, 而見善則遷, 有過則改, 其所以盡善而无過者, 可謂至矣. 大槪盡善, 則聖人也, 无過者, 亦聖人也. 若使无過之聖人, 得天位治天民, 則損上益下之政, 自然流及於萬民, 而天下被其澤矣. 大抵爲卦, 以損上益下爲主, 則豈徒學者, 遷改而止哉. 凡爲人上者, 皆可以法此, 而終作保民之大計, 可也, 勉之哉, 勉之哉.

내가 살펴보았다: 『본의』아래에서 해석한 것으로 주자는 두 조목이고 장씨 이하 여러 학자들은 모두 네 조목인데 모두 「대상전」의 뜻에 맞는다. 착함은 본래 그런 이치이고, 허물은 사람의 욕심이 드러난 것이다. 선한데도 옮겨가지 않으면 이치가 회복되지 않고, 허물이 있는데도 고치지 않으면 제재할 수 없으니, 연결된 것이 어찌 크지 않겠는가! 익괘는 우레인 진괘가 아래에 있고 바람인 손괘가 위에 있어 바람이 맹렬하면 우레가 빠르고, 우레가 요동하면 바람이 사나우니, 두 가지가 서로 보태줌이 어떠하겠는가? 군자가 착함으로 옮겨가고 허물을 고치는 것도 이와 같다. 이 때문에 군자는 바람과 우레가 서로 보태주는 상을 보고 착함을 보면 옮겨가고 허물이 있으면 고치니, 착함을 극진하게 하고 허물이 없는 것이 지극

하다고 할 수 있다. 대개 착함을 극진하게 하면 성인이고 허물이 허물이 없는 것도 성인이다. 허물이 없는 성인이 하늘의 지위를 얻어 하늘의 백성을 다스리면 위에서 덜어내어 아래에 보태주는 정사가 자연스럽게 모든 백성에게 미치게 되어 천하가 그 혜택을 입을 것이다. 대체로 괘가 위에서 덜어내어 아래에 보태주는 것을 위주로 하니, 어찌 한갓 학자들이 착함으로 옮겨가고 허물을 고치는 것으로 그치겠는가? 윗자리에 있는 사람은 모두 이것을 본받아 끝내 백성을 보호하는 큰 계획을 만들어야 하니, 힘쓰고 힘써야 한다.

이만부(李萬敷)「역통(易統)・역대상편람(易大象便覽)・잡서변(雜書辨)」

傳曰, 風烈則雷迅, 雷激則風怒, 二物, 相益者也. 君子觀風雷相益之象, 而求益於已, 爲益之道无若見善則遷, 有過則改也. 見善能遷, 則可以盡天下之善, 有過能改, 則无過矣, 益於人者, 无大於是.

『정전』에서 말하였다: 바람이 세차면 우레가 빠르고, 우레가 몰아치면 바람이 성을 내니, 두 가지는 서로 보태주는 것이다. 군자가 바람과 우레가 서로 보태주는 상을 관찰하여 자기를 유익하게 함을 구하니, 유익하게 하는 도는 '착함을 보면 옮겨가고 허물이 있으면 고침'만 한 것이 없다. 착함을 보고 옮겨갈 수 있으면 천하의 착함을 다할 수 있을 것이고, 허물이 있어 고칠 수 있다면 허물이 없을 것이니, 사람에게 유익한 것이 이보다 큰 것이 없다.

本義曰, 風雷之勢, 交相助益, 遷善改過, 益之大者而其相益, 亦猶是也.

『본의』에서 말하였다: 바람과 우레의 형세는 사귀어 서로 돕고 유익하게 하니, 착함으로 보고 옮겨가고 허물을 고치는 것은 유익함의 큰 것이고, 그 서로 유익하게 함도 이와 같다.

臣謹按, 朱子曰, 遷善當如風之速, 改過當如雷之猛, 又曰, 風是一箇急底物, 見人之善, 己將不及, 遷之如風之急. 雷是一箇勇決底物, 己有過, 便斷然改之, 如雷之勇決. 蓋人有過雖知, 知而不改, 則與有過者同, 見善雖喜, 喜而不遷, 則與不喜者同. 益之取象於遷改者, 只欲其卽遷而速改而已. 有過未嘗不知, 知之未嘗復行者, 顔淵之所以爲仁, 善與人同, 與人爲善者, 舜之所以爲聖, 顔淵之改過也, 夫豈有所遲疑, 舜之遷善也, 夫豈有所等待乎. 學顔淵之改過, 效虞舜之遷善, 則於象辭之訓庶幾矣.

신이 삼가 살펴 보았습니다: 주자는 "착함으로 옮겨 가기는 바람처럼 신속하게 해야 하고, 허물을 고치기는 우레처럼 맹렬하게 해야 한다"고 하였고, 또 "바람은 빠르게 움직이는 것이니, 남의 착함을 보면 자신이 미치지 못할까하여 옮겨가기를 마치 바람이 빠른 것처럼 해야 합니다. 우레는 결단하는 사물이니, 내가 허물이 있으면 곧 과감하게 고치기를 우레처럼 결단한다"고 하였습니다. 사람이 허물이 있음을 알지만, 알지라도 고치지 않으면 허물이 있는 자와 같고, 착함을 보고 기뻐하지만 기뻐할지라도 옮겨가지 않으면 기뻐하지 않는 자와 같습니다. 익괘에서 착함으로 옮겨가고 허물을 고치는 것에 대해 상을 취한 것은 바로 착함으로 옮겨가고 허물을 빨리 고치려는 것일 뿐입니다. 허물이 있음을 알지 못한 적이 없고 알면 다시 행하지 않은 것이 안연이 어짊을 행하는 것이고, 착함을 남들과 함께 하고 남들과 선을 행하는 것이 순임금이 성인이 된 것이니, 안연이 허물을 고침에 어찌 늦장을 부리며 미덥지 않게 하고, 순임금이 착함으로 옮겨감에 어찌 기다리는 바가 있겠습니까? 안연이 허물을 고치는 것을 배우고 순이 착함으로 옮겨가는 것을 본받는다면 「대상전」의 교훈에 가깝게 될 것입니다.

朱子曰, 善在那裏, 自家卻去行他. 行之久, 則與自家爲一, 一則在我. 未能行, 善自善, 我自我. 上蔡謝氏曰, 克己須從性, 偏難克處, 克將去.
주자는 "선이 저기에 있어 자신이 가서 그것을 행한다. 그렇게 하는 것이 오래되면 자신과 하나가 되니, 하나가 되는 것은 자신에게 달렸다. 행하지 않으면 선은 선대로 있고 자신은 자신대로 있다"고 하였다. 사상채는 "자신을 극복함에 반드시 본성을 따르면 치우쳐 극복하기 어려운 것을 극복하게 될 것입니다"라고 하였다.

臣謹按, 學問之道, 一言以蔽之曰, 遷善改過. 然遷善之道, 隨事必遷, 然後事無有不善, 改過之方, 先克其偏, 然後氣質可以變化. 朱子謝氏之說, 尤爲要切, 故敢又附錄焉. 朱子又曰, 遷善字輕改過字重, 遷善, 如滲澹之物, 要使之白, 改過, 如黑之物, 要使之白. 然則未有不能改過而能遷善者. 然雖能改過, 而更不擇善而遷之, 則與不能改者, 直魯衛間. 古之人辟或能改過, 而不知因之以至於盡善之地者, 頗多, 可無鑑乎.
신이 삼가 살펴 보았습니다: 학문하는 방법을 한마디로 말한다면, 착함으로 옮겨가고 허물을 고치는 것입니다. 그러나 착함으로 옮겨가는 방법은 일에 따라 반드시 옮겨간 다음에 일에 착하지 않음이 없고, 허물을 고치는 방법은 먼저 그 치우친 것을 극복한 다음에 기질이 변화될 수 있는 것입니다. 주자와 사씨의 설명은 더욱 중요하기 때문에 감히 또 덧붙였습니다. 주자는 또 "'착함으로 옮겨간다'는 가볍고, '허물을 고친다'는 무겁습니다. '착함으로 옮겨감'은 엷게 물든 것을 희게 하려는 것과 같고, '허물을 고침'은 검은 물건을 희게 만들려는 것과 같습니다"라고 하였습니다. 그렇다면 허물을 고칠 수 없는데 착함으로 옮겨갈 수 있는 자는 없습니다. 그러나 허물을 고칠 수 있는데도 다시 착함을 택해 옮겨가지 않는다면, 고칠 수 없는 자와 함께 바로 노나라와 위나라의 사이일 것입니다.[19] 옛 사람들이 혹 허물을 고칠 수 있는 것을 피해 그것으로 인해 착함을 지극히 하는 경지에 이른다는 것을 모르는 경우가

---

19) 『논어·자로』.

아주 많았으니, 거울이 되지 않겠습니까?

周子曰, 君子乾乾不息於誠, 然必懲忿窒慾遷善改過, 而後至乾之用其善, 是損益之大
莫是過, 聖人之旨深哉.
주자(周子)가 말하였다: 군자는 성(誠)에 대해 힘쓰고 힘써 쉬지 않지만 반드시 분노를 자
제하고 욕심을 막으며 착함으로 옮겨가고 허물을 고친 다음에 힘씀이 착함을 쓰게 된다.
덜어내고 보태줌의 큰 것이 이보다 큰 것이 없으니 성인의 뜻이 깊도다.

臣謹按, 君子健行之方, 莫要於懲窒遷改, 故周子合而論之, 以發其義, 尤宜體察焉.
신이 삼가 살펴 보았습니다: 군자가 굳건하게 행하는 방법은 분노를 자제하고 욕심을 막으
며 착함으로 옮겨가고 허물을 고치는 것보다 요긴한 것은 없기 때문에 주자(周子)가 합쳐서
논하였으니, 그 의미를 드러낸 것에서 더욱 체득하고 살펴야 합니다.

유정원(柳正源) 『역해참고(易解參攷)』

正義子夏傳云, 雷以動之, 風以散之, 萬物皆益, 如二月啓蟄之後, 風以長物. 八月收聲
之後, 風以殘物, 風之爲益, 其在雷後, 故曰風雷益也. 遷謂遷徙慕向, 改謂改更懲止.
遷善改過, 益莫大焉. 六子之中, 竝有益義, 獨取風雷者, 何晏云, 取其最長可久之義也.
『주역정의』에서 말하였다: 『자하역전』에서 "우레로 진동하고 바람으로 흩어 만물이 모두
유익하니, 이월의 경칩 이후에 바람이 사물을 자라게 하는 것과 같다. 팔월에 우레 소리가
없어진 다음에 바람이 사물을 해치니, 바람이 유익한 것은 그것이 우레 뒤에 있을 때이기
때문에 '바람과 우레가 익(益)이다'라고 하였다. 옮겨감은 흠모하는 것으로 옮겨감을, 고침
은 응징하여 머무를 것으로 고침을 말한다. 착함으로 옮겨가고 허물을 고치면 유익함이 이
보다 큰 것이 없다. 여섯 자식에게는 모두 유익하다는 의미가 있는데 유독 바람과 우레를
취한 것에 대해 하안(何晏)[20]은 '아주 길어 영원할 수 있다는 의미를 취한 것이다'라고 하였
다"라고 하였다.

○ 呂氏曰, 風雷震動, 萬物變而新之, 在人有遷善改過之義.
여씨가 말하였다: 바람과 우레가 진동하여 만물이 변하면서 새롭게 되니, 사람에게는 착함
으로 옮겨가고 허물을 고치는 의미가 있다.

---

20) 하안(何晏): 위진(魏晉)의 현학(玄學:老莊學)의 시조로 받들어지는 중국 삼국시대 위(魏)나라의 관료 겸
사상가이다. 『논어(論語)』·『주역(周易)』·『노자(老子)』를 서로 통하게 해서 유교의 도(道)와 성인관(聖人
觀)을 노장풍(老莊風)으로 해석했다. 『논어집해(論語集解)』의 대표 편집자이다.

○ 案, 遷善改過, 先儒皆就二人上說. 然已盡克則復禮, 狂克念則作聖, 就一人分上看也, 更親切.

내가 살펴보았다: 착함으로 옮겨가고 허물을 고치는 것에 대해 이전의 유학자들은 모두 두 사람으로 설명하였다. 그러나 이미 자신을 극복하기를 다하였으면 예를 회복하고, 미치광이도 생각할 수 있으면 성인이 되니, 한 사람으로 보는 것이 더 적절하다.

김상악(金相岳) 『산천역설(山天易說)』

傳義備矣. 乾之初爻來爲坤之初爻, 陰之不善者, 變而爲震, 故曰見善則遷. 坤之初爻, 往爲乾之初爻, 陽之過者, 變而爲巽, 故曰有過則改.

『정전』과 『본의』가 자세하다. 건괘의 초효가 곤괘의 초효로 와서 착하지 않은 음이 변해 진괘가 되었기 때문에 "착함을 보면 옮겨간다"고 하였다. 곤괘의 초효가 건괘의 초효로 가서 지나친 양이 손괘로 변했기 때문에 "허물이 있으면 고친다"고 하였다.

서유신(徐有臣) 『역의의언(易義擬言)』

雷風恒, 風雷益, 二物自有恒常之象, 相益之象. 至於恒不爲益, 益不爲恒, 以其爻象之不同也. 見善則遷, 有過則改, 君子之益, 而二者又能相益也. 遷善如雷之奮, 改過如風之散.

우레와 바람은 항괘이고 바람과 우레는 익괘이니, 그 두 가지에 본래 한결같은 상과 서로 돕는 상이 있다. 항괘는 익괘가 되지 않고 익괘는 항괘가 되지 않으니, 그 효와 상이 같지 않기 때문이다. 착함을 보면 옮겨가고 허물이 있으면 고치는 것은 군자의 보태주는 것인데 두 가지에 또 서로 보태주는 것이니, 착함으로 옮겨가기를 우레가 치는 것처럼 하고 허물을 고치기를 바람이 흩어지는 것처럼 한다.

박제가(朴齊家) 『주역(周易)』

懲忿窒欲, 亦益於人者, 何獨於損, 而遷善改過, 何必於益之象耶. 譬之醫方鍼法, 有補有瀉. 懲忿窒欲, 從瀉爲言, 遷善改過, 從補爲言, 瀉有損意, 補爲益義故也. 若於損而曰自損益人, 損已從人, 則已涉益義者此也. 蓋遷改是德之進, 故爲益, 懲窒是情之遏, 故爲損, 不可泛言損, 泛言益也.

분노를 자제하고 욕심을 막는 것도 사람들에게 보태는 것인데 어찌 유독 손괘에서만 하겠으며, 착함으로 옮겨가고 허물을 고치는 것을 어찌 익괘의 상에서 기필하겠는가? 의술의 침놓는 방법으로 비유한다면, 보충하는 것[補]과 쏟아내는 것[瀉]이 있다. 분노를 자제하고 욕심을 막는 것은 쏟아내는 것[瀉]으로 말한 것이고, 착함으로 옮겨가고 허물을 고치는 것은 보충하는 것[補]으로 말한 것이니, 쏟아내는 것[瀉]에는 덜어내는 의미가 있고 보충하는 것[補]에는 보태주는 의미가 있다. 손괘에서 "스스로 덜어내어 남에게 보태줌"이라 하고, "자신을 덜어 남을 따름"이라고 하였으니. 이미 익괘의 의미로 들어섰다는 것이 이것이다. 착함으로 옮겨가고 허물을 고치는 것은 덕의 나아감이기 때문에 익괘가 되고, 분노를 자제하고 욕심을 막는 것은 인욕을 막는 것이기 때문에 손괘가 되니, 범범하게 덜어냄이라고 하거나 보태줌이라고 해서는 안 된다.

東萊呂氏曰, 損无如忿欲, 益无如遷改. 蓋懲窒爲損, 非忿欲爲損也. 若然則以忿欲爲損, 德之損矣. 如此必有忿欲, 然後爲山澤之象, 無忿欲, 則不成象而不見損矣. 立言之難如此, 恐或懲窒二字之錯也.

동래여씨는 "덜어낼 것으로는 분노와 욕심만한 것이 없고, 보탤 것으로는 착함으로 옮겨가고 허물을 고침만한 것이 없다"고 하였다. 분노를 자제하고 욕심을 막는 것이 덜어냄이지 분노와 욕심이 덜어냄이 아니다. 그렇다면 분노와 욕심을 덜어냄으로 여기는 것은 덕의 손실이다. 이처럼 반드시 분노와 욕심이 있은 다음에 산과 못의 상이 되니, 분노와 욕심이 없다면 상을 이루지 못해 덜어냄을 드러내지 못한다. 말을 하기가 이처럼 어려운 것은 어쩌면 자제하고 막는다는 말에 혹 착오가 있는 것 같기 때문이다.

윤행임(尹行恁) 『신호수필(薪湖隨筆)·역(易)』

見善則遷, 遷如出幽遷喬, 離其坐處而徙之也. 有過則改, 改如擧弊興利, 防其病處而葺之也. 旣曰見善, 則當曰聞過, 而不曰聞而曰有者, 不待聞而速改之也. 改與遷, 卽無論, 如風之烈, 如雷之迅, 貴其遄也.

착함을 보면 옮겨가는 것은 옮겨가는 것이 어두운 곳에서 나와 높은 곳으로 옮겨가는 것 같으니, 앉아 있던 곳을 떠나 옮겨가는 것이다. 허물이 있으면 고치는 것은 고치는 것이 나쁜 것을 들어 이로움을 일으키는 것 같으니, 병폐가 있는 것을 막아 고치는 것이다. "착함을 보면"이라고 했으면 '허물을 들었으면'이라고 해야 하는데 '들었으면'이라고 하지 않고 '있으면'이라고 한 것은 듣기까지 기다리지 않고 빨리 고치기 때문이다. 고치고 옮겨가는 것은 곧 말할 필요도 없이 바람의 맹렬함처럼 우레의 빠름처럼 그 빠름을 귀하게 여긴 것이다.

박문건(朴文健)『주역연의(周易衍義)』

〈問, 風雷益. 曰, 巽陰升於上, 震陽降於下, 是二氣相交者也, 故風雷爲益. 君子以之, 見善則必遷, 有過則必改也, 益之道, 无大於此也. 蓋遷善改過, 則有萬善而无一過也.

물었다: '바람과 우레'는 무슨 뜻입니까?

답하였다: 손괘의 음이 위로 올라가고 진괘의 양이 아래로 내려가는 것이 두 기운이 서로 사귀는 것이기 때문에 바람과 우레가 익괘인 것입니다. 군자가 그것을 본받아 착함을 보면 반드시 옮겨가고 허물이 있으면 반드시 고치니 익괘의 도는 이것보다 큰 것이 없습니다. 착함으로 옮겨가고 허물을 고치는 것에는 온갖 착함이 있고 조금의 허물도 없습니다.〉

이지연(李止淵)『주역차의(周易箚疑)』

子於疾風雷雨必變, 此所以敬天之怒而省己之過也.

공자는 바람이 휘몰아치며 우레가 일고 바람이 불면 반드시 얼굴색을 변했으니,[21] 이것은 하늘의 분노를 공경하여 자신의 잘못을 반성했기 때문이다.

김기례(金箕澧)「역요선의강목(易要選義綱目)」

改遷善如風之速, 改過如雷之迅.

착함으로 옮겨 가기는 바람처럼 신속하게 해야 하고, 허물을 고치기는 우레처럼 맹렬하게 해야 한다.

○ 損益二象, 最切於學者, 忿欲善惡之用力處耳.

손괘와 익괘의 두 상이 학자들에게 가장 절실한 것은 분노와 욕심, 선과 악에 대해 힘쓸 곳이기 때문일 뿐이다.

이항로(李恒老)「주역전의동이석의(周易傳義同異釋義)」

傳, 風烈則雷迅, 雷激則風怒, 二物相益者也. 云云.

『정전』에서 말하였다: 바람이 세차면 우레가 빠르고, 우레가 몰아치면 바람이 성을 내니, 두 가지는 서로 보태주는 것이다. 운운.

---

21)『論語・鄕黨』: 迅雷風烈, 必變.

本義, 風雷之勢, 交相助益, 遷善改過, 益之大者而其相益, 亦猶是也.

『본의』에서 말하였다: 바람과 우레의 형세는 사귀어 서로 돕고 유익하게 하니, 착함을 보고 옮겨가고 허물을 고치는 것은 유익함의 큰 것이고, 그 서로 유익하게 함도 이와 같다.

按, 傳只言風雷之相益, 而不言遷善改過之相益. 本義, 兼言相益之義, 而雲峯之說, 尤似分明, 可攷而知也.

내가 살펴보았다. 『정전』에서는 바람과 우레가 서로 보태주는 것만 말하고 착함으로 옮겨가고 허물을 고치는 것이 서로 보태주는 것임을 말하지 않았다. 『본의』에서는 서로 보태주는 의미를 아울러 말하였는데, 운봉의 설명이 더욱 분명한 것 같으니, 궁구하면 알 수 있다.

박종영(朴宗永) 「경지몽해(經旨蒙解)·주역(周易)」

傳曰, 風烈則雷迅, 雷激則風怒, 二物, 相益者也. 君子觀風雷相益之象, 而求益於已, 爲益之道无若見善則遷, 有過則改也. 見善能遷, 則可以盡天下之善, 有過能改, 則无過矣.

『정전』에서 말하였다: 바람이 세차면 우레가 빠르고, 우레가 몰아치면 바람이 성을 내니, 두 가지는 서로 보태주는 것이다. 군자가 바람과 우레가 서로 보태주는 상을 관찰하여 자기를 유익하게 함을 구하니, 유익하게 하는 도는 '착함을 보면 옮겨가고 허물이 있으면 고침'만 한 것이 없다. 착함을 보고 옮겨갈 수 있으면 천하의 착함을 다할 수 있을 것이고, 허물이 있어 고칠 수 있다면 허물이 없을 것이다.

朱子於小註釋之曰, 遷善當如風之速, 改過當如雷之猛. 見人之善, 已將不及, 遷之如風之急. 已有過, 便斷然改之, 如雷之勇決, 不容有些子遲緩.

주자는 소주에서 이에 대하여 해석하여 말하였다: 착함으로 옮겨 가기는 바람처럼 신속하게 해야 하고, 허물을 고치기는 우레처럼 맹렬하게 해야 한다. 남의 착함을 보면 자신이 미치지 못할까하여 옮겨가기를 마치 바람이 빠른 것처럼 해야 한다. 내가 허물이 있으면 곧 과감하게 고치기를 우레처럼 결단하여 조금도 머뭇거리지 말아야 한다.

蓋舜大聖也, 而取諸人以爲善, 湯大德也, 而改過不吝. 顏淵得善服膺, 且不貳過. 聞善不能徙, 不善不能改, 孔子之所深憂也. 聖賢猶如此, 況其下凡庸之人, 宜用百倍之工. 然後可以做成人樣子, 盍勉乎哉.

순임금은 위대한 성인임에도 남에서 취하여 착함을 행하였고, 탕임금은 위대한 덕을 가진 분임에도 허물을 고침에 인색하지 않았다. 안연은 착함을 얻으면 마음에 항상 간직하여 잊지 않았고, 또 잘못을 두 번 저지르지 않았다. 착함을 들어도 옮겨가지 못하고 착하지 못함을 고치지도 못하는 것은 공자의 깊은 근심이었다. 성현들께서 이와 같이 했는데, 하물며 그 이하의 평범한 사람들은 수많은 공을 쏟은 다음에야 사람의 모양새를 이룰 수 있을 것이니 힘쓰지 않을 수 있겠는가?

심대윤(沈大允) 『주역상의점법(周易象義占法)』

損取交相損, 益取交相益. 艮巽爲善, 震坤爲過. 見善則遷, 震遷動之象, 雷遠近遷動也. 有過則改, 巽變改之象, 風寒溫改易也. 見人之善, 能遷以從之, 見人之過, 能內自省, 而有則改之, 善惡皆吾師.

손괘에서는 서로 덜어내는 것을 취하였고, 익괘에서는 서로 보태주는 것을 취하였다. 간괘와 손괘는 착함이고, 진괘와 곤괘는 허물이다. 착함을 보면 옮겨가는 것은 진괘가 옮겨가고 움직이는 상이니 우레가 멀리서나 가까이서 옮겨 움직이기 때문이다. 허물이 있으면 고치는 것은 손괘가 변혁해서 고치는 상이니 바람이 싸늘하거나 따뜻하게 하여 바꾸기 때문이다. 남의 착함을 보면 옮겨가 따르고, 남의 허물을 보면 마음으로 스스로 반성하여 허물이 있으면 고치니 선과 악이 모두 나의 스승이다.

오치기(吳致箕) 「주역경전증해(周易經傳增解)」

風激雷厲, 交相助益. 君子觀風雷相益之象, 反身而求爲益於德行者, 莫若見人之善, 則遷從之, 知己之過, 則速改之, 故以此修益也. 遷善而舊迅, 有雷厲之象, 改過而洗滌, 有風蕩之象也.

바람이 거세면 우레가 사나운 것은 서로 돕기 때문이다. 군자는 바람과 우레가 서로 돕는 상을 보고 자신에게 돌이켜서 덕행에 보탬이 되기를 구하는 자로 남의 착함을 보면 옮겨서 따라가고 자신의 허물을 알면 속히 고치기 때문에 이것으로 익괘의 도를 닦는다. 착함으로 옮겨가기를 빠르게 해서 우레가 사나운 상이 있고, 허물을 고치기를 씻어내는 것 같아서 바람이 쓸어버리는 상이 있다.

이진상(李震相) 『역학관규(易學管窺)』

象互言之, 則善在震而巽能遷之, 過在巽而震能改之. 分言之, 則遷善如風之速, 改過如雷之猛.

상에 대해 함께 말하면, 착함이 진괘에 있어 손괘가 옮겨갈 수 있고, 허물은 손괘에 있어 진괘가 고칠 수 있다. 나누어서 말하면, 착함으로 옮겨가기를 바람의 빠름처럼 하고, 허물을 고치기를 우레의 맹렬함처럼 한다.

○ 遷善改過.

착함으로 옮겨가고 허물을 고치는 것.

參攷, 以已盡克則復禮, 狂克念則作聖, 證之如此, 則改過便是遷善. 雖在一人分上說, 自有遷善時, 自有改過時, 遷善則過益寡, 改過則善益純, 其分不同, 而其用相參. 然世或有勇於爲善, 而憚於改過者, 亦或有喜於聞過, 而不能從善者, 不可以一槪論.

『역해참고』에서 말하였다: 극기를 지극하게 하면 예를 회복하고, 미치광이도 생각할 수 있으면 성인이 된다는 것이 이처럼 증명되니, 허물을 고치면 바로 착함으로 옮겨간다. 하나의 사람으로 말할지라도 본래 착함으로 옮겨가는 때가 있고 본래 허물을 고치는 때가 있어 착함으로 옮겨가면 허물은 더욱 적어지고 허물을 고치면 착함은 더욱 순수해지니, 그 구분은 같지 않지만 그 작용은 서로 섞여 있다. 그러나 세상에는 혹 착함을 행하는 데는 용감하지만 허물을 고치는 데는 꺼리는 자가 있고, 또한 허물을 듣는 데는 기꺼워하지만 착함을 따르지 않는 자가 있으니, 일률적으로 논할 수는 없다.

이정규(李正奎) 「독역기(讀易記)」[22]

大象曰, 風雷, 益, 君子以, 見善則遷, 有過則改. 遷善改過, 如風飛雷厲, 則君子之益, 孰有過於此者.

「상전」에서 "바람과 우레가 익(益)이니, 군자가 그것을 본받아 착함을 보면 옮겨가고 허물이 있으면 고친다"라고 하였다. 착함으로 옮겨가 허물을 고치는 것이 바람이 불고 우레가 치듯이 하면 군자의 유익함이 무엇이 이것보다 낫겠는가?

이병헌(李炳憲) 『역경금문고통론(易經今文考通論)』

舊傳〈世稱子夏傳〉曰, 雷以動之, 風以散之, 萬物皆益. 〈按動則遷, 散則改〉六十四卦之中, 惟雷風風雷, 單擧二字, 象其無形而相爲依附者, 惟風雷而已.

구전(舊傳)〈세상에서 말하는 『기희역건』〉에서 "우레는 움직이고 바람은 흩어져서 만물이 모두 보태진다"고 하였다. 〈살펴보건대, 움직이면 옮겨가고 흩어지면 고쳐진다.〉 64괘에서 우레와 바람·바람과 우레만이 오직 두 단어를 들어 그것들이 무형임에도 서로 의지함을 상징하였으니, 바람과 우레만 그러할 뿐이다.

---

22) 경학자료집성DB에서는 익괘 '괘사'로 분류했으나, 내용에 따라 이 자리로 옮겨왔다.

初九, 利用爲大作, 元吉, 无咎.

초구는 크게 일을 일으킴이 이로우니, 크게 길해야 허물이 없다.

‖中國大全‖

傳

初九, 震動之主, 剛陽之盛也, 居益之時, 其才足以益物. 雖居至下, 而上有六四之大臣, 應於己. 四巽順之主, 上能巽於君, 下能順於賢才也. 在下者, 不能有爲也, 得在上者, 從之則宜以其道輔於上, 作大益天下之事, 利用爲大作也. 居下而得上之用, 以行其志, 必須所爲大善而吉, 則无過咎. 不能元吉, 則不唯在己有咎, 乃累乎上, 爲上之咎也. 在至下而當大任, 小善不足以稱也. 故必元吉然後, 得无咎.

초구는 진괘 움직임의 주인으로 굳센 양이 왕성하니, 익(益)의 때에 있어서 그 재질이 충분히 사물을 유익하게 한다. 비록 지극히 아래에 있으나 위로 육사의 대신이 있어 자기와 호응한다. 사효는 공손함의 주인으로 위로 임금에게 공손할 수 있고 아래로 어진 인재에게 따를 수 있다. 아래에 있는 자는 일을 해볼 수 없으나 위에 있는 자를 만나 그를 따른다면, 마땅히 그 도로써 윗사람을 보좌하여 천하를 크게 유익하게 하는 일을 해야 하니, ‘크게 일을 일으킴이 이로운 것’이다. 아래에 있으면서 윗사람의 쓰임을 얻어 그 뜻을 행하니 반드시 하는 것이 크게 선하여 길하면 허물이 없을 것이다. 크게 선하여 길하지 못하다면 자기에게만 허물이 있을 뿐 아니라, 윗사람에게 누를 끼쳐 윗사람에게 허물이 되게 한다. 지극히 아래에 있으면서 큰 임무를 맡으면 작은 선함으로는 감당하기 부족하다. 그러므로 반드시 크게 선하여 길한 뒤에야 허물이 없음을 얻을 것이다.

小註

中溪張氏曰, 初九爲震動之主, 上應六四近君之臣, 則初受四之任者, 重矣. 故利用爲大作興之事, 而所作之事, 必得大善之吉, 乃得无咎.

중계장씨가 말하였다: 초구는 진괘 움직임의 주인이고 위로 임금에게 가까이 있는 신하인 육사와 호응하니 초효가 사효의 신임을 받음이 무겁다. 그러므로 크게 일을 일으킴이 이롭지만, 일으키는 그 일이 반드시 크게 선하여 길해야만 허물이 없을 수 있다.

○ 進齋徐氏曰, 初剛在下, 爲動之主, 當益之時, 受上之益者也, 宜用之爲大有作興之事, 然位卑志剛, 力小任重, 則有所不堪, 唯處之當, 用之審, 大善而吉, 乃可无咎. 苟輕用敗事, 无益有害, 皆爲有咎也.

진재서씨가 말하였다: 초효는 굳센 양으로 아래에 있어 움직임의 주인이 되어 익(益)의 때에 위의 보태줌을 받는 자로 크게 일으키는 일을 해야 하지만 지위는 낮고 뜻은 굳세며 힘은 작고 임무는 무거우니 감당하지 못하는 것이 있다. 오직 합당하게 처리하고, 잘 살펴써서 크게 선해서 길하여야 허물이 없을 수 있다. 경솔하게 써서 일을 그르치면 유익함이 없고 해로움이 있으니 모두 허물이 있게 된다.

○ 王氏曰, 得其時而无其位, 故元吉, 乃得无咎也.

왕씨가 말하였다: 그 때를 얻었으나 그 지위가 없으므로 크게 선해서 길해야 허물이 없을 수 있다.

○ 馮氏曰, 元者, 震初九之象也. 益之爻, 用享帝, 用凶事, 用遷國, 皆大有作爲之卦, 故曰益以興利是也.

풍씨가 말하였다: '크게[元]'는 (하괘인) 진괘(震卦) 초구의 상이다. 익괘(益卦)의 효는 상제께 제사지내는 일에 쓰고, 흉한 일에 쓰고, 나라를 옮기는데 쓰니, 모두 크게 일을 함이 크게 있는 괘이다. 그러므로 '익괘로써 이로움을 흥성하게 한다'[23]라 함이 이것이다.

本義

初雖居下, 然當益下之時, 受上之益者也. 不可徒然无所報效, 故利用爲大作, 必元吉然後, 得无咎.

초구가 비록 아래에 있으나 아래를 유익하게 하는 때에 위의 보태줌을 받는 자이다. 그냥 아무 보답도 하지 않을 수 없으므로 '크게 일을 일으킴이 이로운 것'이니 반드시 크게 길한 뒤에야 허물이 없을 수 있다.

小註

朱子曰, 吉凶是事, 咎是道理. 蓋有事雖吉, 而理則過差者, 是之謂吉而有咎.

주자가 말하였다: '길함'과 '흉함'은 일이고, '허물'은 도리이다. 일이 비록 길하더라도 이치가

---

23) 『주역·계사전』.

지나치고 어긋나는 것이 있으니, 이러한 경우를 길하지만 허물이 있다고 한다.

○ 初九, 在下爲四所任而作大者, 必盡善而後, 无咎. 若所作不盡善, 未免有咎也. 故孔子釋之, 曰下不厚事. 若在下之人, 爲在上之人作事, 未能盡善, 自應有咎也.
초구는 아래에 있으면서 사효에게 위임을 받아 큰 일을 일으키는 자이니 반드시 착함을 다한 후에야 허물이 없다. 만약 하는 일이 착함을 다하지 못한다면 허물이 있음을 면하지 못한다. 그러므로 공자가 초구의 「상전」에서 '아랫사람은 두터운 일을 할 수 없다'고 하였다. 만약 아래에 있는 사람이 위에 있는 사람을 위하여 일을 할 때 착함을 다하지 못한다면 응당 허물이 있을 것이다.

○ 雲峰胡氏曰, 陰爲小, 陽爲大. 初陰在下, 本小也, 損乾之陽以益之, 則大矣. 在下而受上之益, 非大有作爲以效報, 稱不可也. 必元吉而後, 无咎, 所爲非大善, 未免有咎. 與師言无咎之義同.
운봉호씨가 말하였다: 음은 작고, 양은 크다. 애초에는 음이 아래에 있어서 본래 작았지만, 건괘의 양을 덜어내어 보태주면 커진다. 아래에 있으면서 위의 보태줌을 받은 것은 크게 일을 일으켜 잘 보답하지 않는다면 걸맞지 않을 것이다. 그러니 반드시 크게 길한 후에야 허물이 없고, 하는 일이 크게 착하지 않다면 허물 있음을 면하지 못한다. 사괘(師卦)에서 '허물이 없음'을 말한 뜻과 같다.

┃韓國大全┃

조호익(曺好益) 『역상설(易象說)』

作, 震動, 象大作. 雲峯曰, 陰爲小, 陽爲大, 初陰在下, 本小也, 損乾之陽以益之, 則大矣.
일을 일으키는 것은 진괘의 움직임이니, 크게 일을 일으킴을 상징한다. 운봉호씨는 "음은 작고, 양은 크다. 애초에는 음이 아래에 있어서 본래 작았지만, 건괘의 양을 덜어내어 보태주었으니 커진 것이다"라고 하였다.

송시열(宋時烈) 『역설(易說)』

震爲動爲作, 故云大作. 蓋在下者, 不能厚大其事, 固然之理, 而此爻以剛陽爲大作之
事, 此所以元吉而无咎也. 竝釋小象.

진괘가 움직임이고 일을 일으키는 것이기 때문에 "크게 일을 일으킨다"고 하였다. 아래에
있는 것들은 그 일을 두텁고 크게 할 수 없는 것이 진실로 그런 이치이지만 여기의 효에서는
굳센 양으로 크게 일을 일으키는 것으로 여겼으니, 이것이 크게 길해야 허물이 없는 까닭이
다. 「소상전」을 함께 해석했다.

유정원(柳正源) 『역해참고(易解參攷)』

正義, 大作謂興作大事也. 初九應剛能幹, 應巽不違, 有堪建大功之德, 故曰利用爲大
作也. 然有其才而无其位, 得其時而无其處, 雖有殊功人, 不與也. 時人不與, 則咎過生
焉, 故爲元吉乃得无咎.

『주역정의』에서 말하였다: '크게 일을 일으킴'은 큰 일을 일으키는 것을 말한다. 초구는 굳
셈에 호응하여 근간이 될 수 있고 손괘에 호응하여 어기지 않아 큰 공을 일으키는 덕을
감당하기 때문에 "크게 일을 일으킴이 이롭다"고 하였다. 그러나 재주는 있지만 그 지위가
없고 그 때를 얻었지만 그 자리가 없으니 특별한 공이 있는 사람이 있을지라도 함께 하지
않는다. 당시의 사람들이 함께 하지 않아 허물과 잘못이 나오기 때문에 크게 길해야 허물이
없는 것이다.

○ 漢上朱氏曰, 陽爲大, 震爲作, 益初利用有爲而大作, 作大事以益天下也. 事大且
善, 獲元吉, 則无咎.

한상주씨가 말하였다: 양은 크고 진괘는 일으키므로 익괘의 초효는 큰일을 해서 일으키는
것이 이로우니, 큰일을 일으켜 천하를 유익하게 하기 때문이다. 일이 크고 선해서 크게 길함
을 얻으면 허물이 없다.

○ 案, 處益之初, 位卑居下, 而欲用爲大作, 則誠意未孚, 猜疑漸生, 得无僨事之患乎.
九震動之主也, 震者, 作用之時也, 上應六四之大臣, 而信任專誠意孚, 當此之時, 自仕
以天下之重者, 初九其人也. 事可以作用利益, 而一向卑遜退避, 則何以報上之知遇
乎. 唯當同心共力, 發謀出慮, 以成大事而已. 然大作爲益, 亦不可輕易下手, 必須盡善
盡美, 十分无敗, 然後庶得无咎.

내가 살펴보았다: 익괘의 초효에 있어 지위가 낮고 거처가 아래여서 크게 일을 일으키려고
하면 정성과 뜻은 아직 믿음이 없고 시샘과 의심은 차츰 나오니 일이 잘못되는 우환이 없을

수 있겠는가? 양인 진괘는 움직임의 주인이니 진괘는 일어나며 쓰이는 때여서 위로 육사인 대신과 호응하여 신의와 책임을 오로지 하여 정성과 뜻이 미더우니, 이런 때에 천하의 중책을 자임하는 것은 초구가 그 사람이다. 일을 일으켜 써서 이롭고 유익할 수 있는데 한결같이 겸손하며 벼슬이나 직책에서 물러나 피한다면, 어떻게 위에서 알고 대접하는 것에 보답하겠는가? 한마음으로 힘을 합쳐 기지를 발휘하고 마음을 다해 큰일을 이뤄야 할 뿐이다. 그러나 일을 크게 일으키는 것이 유익할지라도 경솔하게 착수해서는 안 되고 반드시 최선을 다하고 아름다움을 다해 충분히 일을 그르치지 않은 다음에 거의 허물이 없게 될 것이다.

김상악(金相岳) 『산천역설(山天易說)』

居震之初, 爲成卦之主, 四之應, 二之比, 皆與之交受上之益, 故利用爲大作, 必元吉得无咎也.

진괘의 초효에 있으면서 괘를 이루는 주인이 되어 사효와 호응하고 이효와 가까우니, 모두 함께 하여 사귀면서 위에서 보태줌을 받기 때문에 크게 일을 일으킴이 이롭지만 반드시 크게 길해야 허물이 없을 수 있다.

○ 益以興利, 故卦與爻, 皆言利. 下卦本坤, 乾爻來而爲益, 所以乾知大始, 坤作成物. 又坤以大終而變爻居初, 故曰, 大作元吉. 以功言元吉无咎, 與損卦同辭, 亦如利往之互見於象爻. 或曰, 作東作之作, 侯果曰, 耕植是也. 蓋取耒耡之利者, 在此爻, 斲木爲耜, 揉木爲耒, 皆震巽之象. 又雷以動之風以散之, 正耕作之時也. 所以聖人爲耒耜之利, 敎天下大作者, 爲下民愚賤, 不能自厚于所事也.

익괘는 이로움을 일으키기 때문에 괘와 효에서 모두 이로움을 말하였다. 아래의 괘는 본래 본괘인데 건괘의 효가 내려가서 익괘가 되었기 때문에 건(乾)은 큰 시작을 주관하고 곤(坤)은 만물을 이룬다. 또 곤이 끝을 성대히 하지만 변한 효가 초효에 있기 때문에 "크게 일을 일으켜 크게 길하다"고 하였다. 공으로 '크게 길해야 허물이 없다'고 말한 것이 손괘와 말이 같은 것[24]도 '가는 것이 이롭다'는 말이 단사에서 서로 보이는 것과 같다. 어떤 이가 "'일으키다'는 '동쪽에서 일어난다'고 할 때의 '일어난다'는 것이다"라고 하였고, 후과(侯果)는 "땅을 일구어 농사를 짓는 것이 여기에 해당한다"고 하였다. 밭갈이의 이로움을 취하는 것이 여기의 효에 있으니, 나무를 깎아 보습을 만들고 나무를 휘어 쟁기를 만드는 것은 모두 진괘와 손괘의 상이다. 또 우레로써 움직이고, 바람으로써 흩뜨리는 것은 바로 경작하는 때이다. 성인이 보습과 쟁기를 이롭게 여기고 천하를 교화하여 크게 일으키는 것은 어리석고 천한

---

24) 『周易·損卦』: 損, 有孚, 元吉, 无咎, 可貞, 利有攸往.

아래의 백성들을 위한 것이니, 그들이 스스로 일을 두텁게 할 수 없기 때문이다.

김규오(金奎五) 「독역기의(讀易記疑)」

初九, 元吉无咎. 蓋謂初居最下, 本不當身任厚事. 特以成卦之主受上委, 益不得不大有作爲以盡報效. 而顧其大作, 自非在下者常分, 若或少爾差錯, 便成凶咎, 故必大善盡美, 无一毫餘憾, 然後才得免咎云也, 其垂戒之意至矣. 如霍光之時, 固可大作, 而不能元吉, 以致大咎.

초구는 크게 길해야 허물이 없다. 초효가 가장 아래에 있어 본래 자신이 책임지고 일을 두텁게 해서는 안 된다는 말이다. 단지 괘를 이루는 주인으로 윗사람의 위임을 받았으니, 익괘는 크게 일을 일으켜서 진력하지 않을 수 없다. 그런데 돌아보면 크게 일을 일으키는 것은 본래 아랫사람의 일정한 본분이 아니어서 조금이라도 잘못되면 흉과 허물이 되기 때문에 반드시 크게 선하고 아름다움을 다해 털끝만큼이라도 남아 있는 서운함이 없게 된 다음에 겨우 허물을 면할 수 있으니, 경계를 내린 의미가 지극하다. 이를테면 곽광(霍光)[25]의 때에 일을 크게 일으킬 수 있었지만 크게 길할 수 없어 큰 허물이 된 것이다.

서유신(徐有臣) 『역의의언(易義擬言)』

初, 在下凡民也, 受上之益, 而又以益應上者也. 崇節儉而助耕斂, 上所以益於民也. 勤稼穡而裕貢賦, 民所以益於上也. 耒耨之利, 蓋取諸益, 震爲東作之時能用. 此時大興農作, 民國俱利, 故元吉无咎也.

초효는 아래의 평범한 백성으로 위의 보태줌을 받지만 또한 위에 보태주는 것으로 호응하는 자이다. 절약과 검소를 숭상하고 농사일을 돕는 것은 윗사람이 백성에게 보태주는 것이다. 부지런히 농사지어 세금을 풍부하게 내는 것은 백성이 위에 보태주는 것이다. 농사짓는 이로움을 익괘에서 취한 것은 진괘가 동쪽에서 일으키는 때에 쓰일 수 있기 때문이다. 이때에 농사

---

25) 곽광(霍光). 하동 평양(河東平陽: 山西省 臨汾縣) 출생이다. 표기장군(驃騎將軍) 곽거병(霍去病)의 이복동생으로 10여 세 때부터 무제(武帝)를 측근에서 섬기다가 무제가 죽을 무렵에는 대사마대장군(大司馬大將軍)·박륙후(博陸侯)가 되었으며, 김일제(金日磾)·상관걸(上官桀)·상홍양(桑弘羊) 등과 함께 후사(後事)를 위탁받았다. 무제가 죽자 8세로 즉위한 소제(昭帝)를 보필하여 정사(政事)를 집행하였으며, BC 80년 소제의 형인 연왕(燕王) 단(旦)의 반란을 기회 삼아 상관걸·상홍양 등의 정적(政敵)을 타도하고 실권을 장악하였다. 소제가 죽은 후에는 그를 계승한 창읍왕(昌邑王)의 제위를 박탈하고, 앞서 무고(巫蠱)의 난 때 죽은 여태자(戾太子)의 손자를 옹립하여 선제(宣帝)로 즉위하게 하였으며, 그 공으로 증봉(增封)되었다. 또한 황후 허씨(許氏)를 독살하고 자신의 딸을 황후로 만듦으로써 일족의 권세를 강화하였다. 그러나 선제는 곽광이 죽은 후 그의 일족을 반역죄로 몰아 모두 죽였다.

일을 크게 일으키면 백성과 나라가 모두 이롭기 때문에 크게 길해야 허물이 없는 것이다.

박제가(朴齊家) 『주역(周易)』

初雖震主, 乃自上而來下者也. 卦爲益下, 則利用大作, 乃爲民興利者也. 象傳曰, 下不厚事也, 謂因民之所利而利之, 民自不勞也. 不厚事, 猶言輕徭薄賤, 謂役之不重也. 旣大興作, 而又使之, 不勞也, 此所以爲元吉无咎. 蓋初爲民位, 而其事則自上益下之事, 故從事之初而說之於初耳. 若初則居寂下之位者, 小事尙不可作. 何況曰事之重大耶. 聖人之在初, 尙曰潛龍勿用, 事雖元吉, 焉得无咎. 如曰, 應四而四受重任, 則便是代大匠斲, 而陣中之一卒, 得行元戎之事矣. 本義曰, 受上之益, 不可徒然無報效, 故利用爲大作. 終恐有行不得之理, 朝不坐宴不與者, 殺三人, 足以反命者, 无位故也. 在下者, 雖有堯舜君民之心, 將何以利用大作耶. 占得此爻者, 當自受上之益, 決不可自動, 動則有咎矣.

초효가 진괘의 주인일지라도 바로 위에서 아래로 내려온 것이다. 괘가 익괘의 아래가 되어 크게 일을 일으킴이 이로운 것은 백성들을 위해 이로움을 일으키는 자이기 때문이다. 「상전」에서 "아랫사람은 두터운 일을 할 수 없어서이다"라고 한 것은 백성들이 이롭게 여기는 것으로 말미암아 이롭게 하니 그들이 스스로 수고롭게 여기지 않는다는 말이다. '두터운 일을 하지 않는다'는 가벼운 부역이 대수롭지 않음을 말하는 것과 같으니, 일이 무겁지 않음을 말한다. 일을 크게 일으키고 나서 또 그들에게 시켰는데도 수고롭게 여기지 않으니 이것이 크게 길해야 허물이 없는 까닭이다. 초효는 백성의 자리여서 그 일이 위에서 아래에 보태주는 것이기 때문에 그것에 종사하는 초기임에도 처음부터 기뻐하는 것일 뿐이다. 초효는 가장 아래 자리에 있는 자여서 작은 일일지라도 일으킬 수 없다. 하물며 어떻게 일의 중대한 것을 말할 수 있겠는가? 성인도 초효에서 오히려 "잠겨 있는 용이니 쓰지 말라"라고 하였으니, 일이 크게 길할지라도 어찌 허물이 없을 수 있겠는가? 만약 사효와 호응해서 그것이 중임을 맡았다고 한다면, 이것은 대목을 대신하여 나무를 다듬는 것이고 진중의 한 병졸이 최고 사령관의 일을 행할 수 있는 것이다. 『본의』에서 "위의 보태줌을 받고 그냥 아무 보답도 하지 않을 수 없으므로 '크게 일을 일으킴이 이로운 것'이다"라고 하였다. 끝내 행할 수 없는 이치가 있을 것 같으니, 조정에서도 앉지 못하고 연회에 참여할 수 없는 자가 세 사람을 죽임에 명령을 따라서 한 것은 지위가 없었기 때문이다.[26] 아래에 있는 자가 요임금과

---

26) 『禮記·檀弓下』: 工尹商陽與陳棄疾追吳師, 及之. 陳棄疾謂工尹商陽曰, 王事也, 子手弓而可. 手弓. 子射諸射之, 斃一人, 韔弓. 又及, 謂之, 又斃二人. 每斃一人, 掩其目. 止其御曰, 朝不坐, 燕不與, 殺三人, 亦足以反命矣. 孔子曰, 殺人之中, 又有禮焉. , 又有禮焉.

순임금 때처럼 임금과 백성의 마음이 있을지라도 어떻게 크게 일을 일으켜서 이롭게 하겠는가? 점에서 이 효를 얻을 경우에는 위에서 보태주는 것을 받을지라도 결고 스스로 움직여서는 안 되니, 움직이면 허물을 얻기 때문이다.

강엄(康儼) 『주역(周易)』

按, 在上而爲大作, 則雖不元吉, 亦可以无咎耶. 曰, 在上之人, 位高勢重, 其爲厚事, 不必大段用力而可得元吉无咎. 然若未元吉, 則有咎可知也. 故萃九四曰, 大吉无咎, 但在下之人, 當大事而得元吉尤難, 故聖人特於初九戒之.

내가 살펴보았다: 위에 있으면서 크게 일을 일으키는 것은 크게 길하지 않을지라도 허물이 없는 것인가? 말하자면 위에 있는 사람은 지위가 높고 위세가 무거워 그가 두텁게 일을 하는 것에는 굳이 대단히 힘쓰지 않아도 크게 길해 허물이 없을 수 있다. 그러나 크게 길하지 않다면 허물이 있음을 알 수 있다. 그러므로 취괘(萃卦) 구사에서 "크게 길해야 허물이 없다"고 하였으니, 단지 아래에 있는 사람이 큰일을 당해 크게 길하기는 더욱 어렵기 때문에 성인이 특별히 초구에서 경계했던 것이다.

박문건(朴文健) 『주역연의(周易衍義)』

處下損上, 故有大作之象. 大作, 征討之事也.

아래에 있으면서 위에서 덜어내기 때문에 크게 일을 일으키는 상이 있다. 크게 일으키는 것은 정벌하고 토벌하는 일이다.

〈問, 利用爲大作以下. 曰, 初九處下而不厚益上之事, 故利用爲大作也. 是以得大吉而致无咎也, 若不大吉, 則有咎之地也. 然六四見伐而遷國, 非初之失則也, 四自爲之也.

물었다: '크게 일을 일으킴이 이로우니' 이하는 무슨 뜻입니까?

답하였다: 초구는 아래에 있어 윗사람의 일을 두텁게 할 수 없으므로 크게 일을 일으킴이 이롭습니다. 이 때문에 크게 길해야 허물이 없으니, 크게 길하지 않으면 허물이 있는 곳입니다. 그러나 육사가 정벌을 당해 나라를 옮기는 것은 초효가 법도를 잃은 것이 아니라 사효가 스스로 그런 것입니다.〉

이지연(李止淵) 『주역차의(周易箚疑)』

禹以六四之大臣, 受舜命而治水也, 擧益代之, 初九所當之位, 如益之受禹之薦也. 益於是乎烈山澤而焚之, 而用爲大作, 及其告厥成功, 益不與焉. 專以治水之功, 歸之於

禹, 此非元吉无咎之道乎. 下不厚事, 言爲下之人不以功自厚, 而歸之於上之謂也. 觀
於柳子厚梓人傳, 可知此爻之義也.

우(禹)가 육사의 대신으로 순임금의 명령을 받아 물을 다스림에 익(益)을 천거하여 대신했
으니, 초구의 해당하는 지위가 익이 우의 천거를 받음과 같다. 익이 그래서 산택에 불을
질러 태우고는 크게 일을 일으키고 이룬 공을 고함에 자신은 함께 하지 않고 오로지 물을
다스린 공을 우에게 돌렸으니, 이것이 크게 길해야 허물이 없는 도가 아니겠는가? '아랫사람
은 두터운 일을 할 수 없다'는 아랫사람은 공으로 자신을 두텁게 하지 않고 윗사람에게 돌린
다는 것을 이른다는 말이다. 유자후(柳子厚)[27]의 「재인전(梓人傳)」을 보면 이 효의 뜻을
알 수 있다.

김기례(金箕澧) 「역요선의강목(易要選義綱目)」

陰主利, 陽爲大. 以陰換陽, 故曰利用, 曰大作.

음은 이로움을 주로 하고 양은 크다. 음으로서 양을 바꾸었기 때문에 "이롭다"고 하고 "크게
일을 일으킴"이라고 하였다.

○ 本以陰小受上之益爲震之主, 應大臣而所任重, 則非他卦初爻例. 當大有作而報效,
然後大吉无咎, 若不勝厚事, 則焉得无咎.

본래 작은 음이 위의 보태줌을 받아 진괘인 주인이 되어 대신과 호응해서 책임이 무거운
것은 다른 괘에서 초효의 사례가 아니다. 당연히 크게 일을 일으켜 보답한 다음에 크게 길해
허물이 없으니, 두터운 일을 감당할 수 없다면 어찌 허물이 없겠는가?

심대윤(沈大允) 『주역상의점법(周易象義占法)』

益之義, 施德立功于人也. 益之爻位, 居剛懋德者也, 居柔懋功者也.

익괘의 의미는 사람들에게 덕을 베풀고 공을 세우는 것이다. 익괘에서 효의 자리는 굳센
곳에 있으면 덕에 힘쓰는 것이고, 부드러운 곳에 있으면 공에 힘쓰는 것이다.

---

27) 유자후(柳子厚): 중국 당(唐) 나라 문인인 유종원(柳宗元: 773~819)을 말하니, 자후(子厚)는 그의 자이다.
산동성(山東省) 운성현(運城縣) 출신으로 세칭 유하동(柳河東)이라고도 하였다. 감찰어사(監察御史) · 유
주자사(柳州刺史) 등을 역임하였고, 한유(韓愈)와 함께 고문(古文)의 부흥을 제창하여 당송팔대가(唐宋八
大家)의 한 사람으로 불린다. 원기(元氣)를 물질의 객관적 존재로 해석함으로써 원기 위에 주재자가 있음을
부정하였기에 천지(天地)나 원기, 음양은 인간의 질서에 참여할 수 없다고 하여 당시 유행한 인과응보설을
비판하였다. 그러나 한편으로는 불교와 타협함으로써 유 · 불 · 도(儒佛道) 삼교(三敎)의 조화를 주장하기도
하였다. 저서로는 『유하동집(柳河東集)』 · 『영주팔기(永州八記)』 · 『용성록(龍城錄)』 등이 있다.

益之觀☵, 觀仰也. 初九以陽德居剛, 而在下懋德, 而未及有功爲人之所觀化, 伊呂之未遇湯武時也. 有應于四, 終將用焉, 德旣脩矣, 於爲政乎, 何有. 故曰利用爲大作. 初九入坤而爲震, 有動衆大作之義也. 艮震爲用, 對恒全坎, 互震爲大作. 以其在下无職事之勞之責, 故元吉无咎.

익괘가 관괘(觀卦☵)로 바뀌었으니, 우러러 사모하는 것이다. 초구는 양의 덕으로 굳센 자리에 있고 아래에서 덕에 힘쓰지만 아직 공이 있어 남들이 우러러 교화되는 데에는 미치지 못하니 이윤과 여상이 아직 탕임금과 무왕을 만나지 못한 때이다. 사효와 호응하여 마침내 등용되면 덕이 이미 닦였으니 정사를 행함에 무슨 어려움이 있겠는가? 그러므로 "크게 일을 일으킴이 이롭다"고 하였다. 초구가 곤괘로 들어가 진괘가 되었으니 무리를 움직여 크게 일을 일으키는 의미가 있다. 간괘와 진괘는 쓰임이고, 위 아래가 바뀐 괘인 항괘(恒卦☳)는 전체가 감괘인데, 번갈아가며 진괘가 크게 일을 일으킴이 된다. 아래에 있어서 일을 맡은 수고로움과 직책이 없기 때문에 크게 길해야 허물이 없다.

오치기(吳致箕) 「주역경전증해(周易經傳增解)」

初九陽剛得正而在下, 上應六四之柔, 當益之時, 受益於上者也. 旣受其益矣, 不可徒然无所報效, 故利用爲大作事功, 以報其上, 然後大善而吉. 然在下无位, 不能堪任, 則宜若有咎, 而以其陽剛居正, 足以大作, 故言无咎.

초구는 굳센 양으로 바름을 얻어 아래에 있으면서 위로 부드러운 육사와 호응하니, 익의 때에 위에서 보태줌을 받는 자이다. 이미 육사의 보태줌을 받았으니 그냥 보답하지 않아서는 안 되기 때문에 일을 일으킴이 이롭고, 위에 보답한 다음에 크게 선해서 길하다. 그러나 아래에 있어 지위가 없기에 일으킴이 이롭고, 책임을 감당할 수 없으니 허물이 있어야 할 것 같지만 굳센 양으로 바른 자리에 있어 큰일을 충분히 일으키기 때문에 허물이 없다고 하였다.

○ 大取於陽作謂事功, 而取於震也.

양이 일어남에서 크게 취한 것을 일[事功]이라고 하는데 진괘에서 취한 것이다.

이진상(李震相) 『역학관규(易學管窺)』

大作, 震陽之奮也. 近二而爲陰所乘, 故元吉, 然後无咎. 所益之爻, 卦主也.

크게 일으킴은 진괘의 양이 떨쳐 일어나는 것이다. 이효에 가까워 음이 올라타고 있기 때문에 크게 길한 다음에야 허물이 없다. 보태주는 효가 괘의 주인이다.

박문호(朴文鎬) 「경설(經說)·주역(周易)」

元吉无咎, 是易之二占例而其合作一占者, 始見於此矣. 不足以稱, 言不足與其任相稱也.

'크게 길하다'와 '허물이 없다'는 『주역』에서 두 가지 점의 예인데, 그것을 합하여 하나의 점으로 한 것이 처음으로 여기에 있다. 『정전』에서 '감당하기에 부족하다'는 그 책임과 서로 걸맞기에 부족하다는 말이다.

이병헌(李炳憲) 『역경금문고통론(易經今文考通論)』

虞曰, 大作, 謂耕播耒耨之利, 蓋取諸此也.

우번이 말하였다: 크게 일을 일으킴은 밭을 갈고 씨를 뿌리며 쟁기질하고 김을 매는 이로움을 여기에서 취한 것이다.

姚曰, 天氣下降, 初得位, 故元吉无咎, 乾元也. 坤爲厚, 乾來益坤. 故下不厚事. 仲春之月, 毋作大事, 以妨農事.

요신이 말하였다: 하늘의 기운이 아래로 내려와 초효가 자리를 얻었기 때문에 크게 길해야 허물이 없으니 건(乾)의 원(元)이다. 곤(坤)은 두터운데 건이 와서 곤에게 보태주기 때문에 아래에서 두터운 일을 할 수 없다. 봄이 한창일 때 큰일을 일으키지 않는 것은 농사에 방해되기 때문이다.

按, 初九大作, 未必指耒耨之事, 而實爲培養天地生霧計也, 非元吉, 則不可. 故曰下不厚事也.

내가 살펴보았다: 초구가 일을 크게 일으킴은 굳이 쟁기질하고 김매는 일을 가리키는 것이 아니라 실로 천지를 배양하여 신묘한 계획을 내놓는 것이니, 크게 길하지 않으면 안 된다. 그러므로 "아래에서 두터운 일을 할 수 없어서이다"라고 하였다.

象曰, 元吉无咎, 下不厚事也.

「상전」에서 말하였다: "크게 길해야 허물이 없음"은 아랫사람은 두터운 일을 할 수 없어서이다.

‖中國大全‖

傳

在下者, 本不當處厚事, 厚事, 重大之事也. 以爲在上所任, 所以當大事, 必能濟大事而致元吉, 乃爲无咎. 能致元吉則在上者, 任之爲知人, 己當之爲勝任. 不然則上下皆有咎也.

아래에 있는 자는 본래 두터운 일을 처리하는 것이 합당하지 않으니, 두터운 일은 중대한 일이다. 위에 있는 자가 맡긴 바 되어서 큰 일을 담당하는 것이니, 반드시 큰 일을 구제하여 크게 선해서 길함을 이루어야 허물이 없게 된다. 크게 선해서 길함을 이룰 수 있다면 위에 있는 자가 이를 맡긴 것은 사람을 안 것이 되고, 자기가 담당한 것은 임무를 잘 수행한 것이 된다. 그렇지 않으면 윗사람과 아랫사람이 모두 허물이 있게 된다.

本義

下本不當任厚事. 故不如是, 不足以塞咎也.

아랫사람은 본래 두터운 일을 맡는 것이 합당하지 않다. 그러므로 이와 같지 않으면 허물을 막기에 부족하다.

小註

朱子曰, 利用大作一爻, 象只曰, 下不厚事也. 自此推之, 則凡居下者不當厚事, 如子之於父, 臣之於君, 僚屬之於官長, 皆不可以踰分越職, 縱可爲, 亦須是盡善, 方能无過. 所以有元吉无咎之戒也.

주자가 말하였다: '크게 일을 도모함이 이롭다'는 효의 「상전」에 단지 '아랫사람은 두터운 일을 할 수 없다'고 하였다. 이로부터 미루어 보면 아래에 있는 자는 두터운 일을 담당할 수 없으니, 예를 들어 자식이 부모에 대해서, 신하가 임금에 대해서, 관료가 관장에 대해서 모두 직분을 뛰어넘을 수 없는 것이니, 비록 일을 하더라도 또한 반드시 착함을 다하여야만 허물이 없을 수 있다. 그래서 "크게 선해서 길해야 허물이 없다"고 경계한 것이다.

○ 雲峰胡氏曰, 凡在下者, 以分言之, 本不當爲重大之事, 豈能无咎. 故必大善而吉, 庶可塞咎云耳.
운봉호씨가 말하였다: 아래에 있는 사람은 직분으로 말하면 본래 중대한 일을 맡음이 합당하지 않으니 어찌 허물이 없겠는가? 그러므로 반드시 크게 선해서 길하여야, 거의 허물을 막을 수 있다고 했을 뿐이다.

‖韓國大全‖

김장생(金長生) 『주역(周易)』

益初九象, 本義不如是.
익괘 초구의 「상전」『본의』에서 '이와 같지 않으면'에 대해.

不如是, 指元吉而言也.
'이와 같지 않으면'은 '크게 길해야 허물이 없음'을 가리켜 말하였다

김상악(金相岳) 『산천역설(山天易說)』

下不敢當厚事, 故非大善之吉, 難免於咎也.
아래 사람은 두터운 일을 감당할 수 없기 때문에 크게 선한 길함이 아니면 허물을 면하기 어렵다.

서유신(徐有臣) 『역의의언(易義擬言)』

事, 私事也. 初之大作, 乃所以益於國, 非爲自厚其私, 故元吉无咎也. 下卦損坤之厚,爲不厚私事之象也.

일은 개인적인 일이다. 초효의 크게 일을 일으킴은 바로 나라에 유익한 것이지 스스로 개인적인 것을 두텁게 하는 것이 아니기 때문에 크게 길해야 허물이 없는 것이다. 하괘는 곤괘의 두터움을 덜어내어 개인적인 일을 두텁게 하지 않는 상이다.

심대윤(沈大允) 『주역상의점법(周易象義占法)』

言未受大任也.

큰 책임을 아직 맡을 수 없다는 말이다.

오치기(吳致箕) 「주역경전증해(周易經傳增解)」

在下者, 本不堪厚事, 而乃能大作以報上, 則元吉而无咎也.

아래에 있는 자는 본래 두터운 일을 감당하지 않지만 크게 일을 일으켜 위에 보답할 수 있으니 크게 길해야 허물이 없다.

六二, 或益之, 十朋之. 龜弗克違, 永貞, 吉, 王用享于帝, 吉.

정전 육이는 혹 보태면 벗이 열이다. 거북도 어기지 못할 것이나, 영원히 곧게 하면 길하니, 임금이 상제께 제사지내더라도 길하다.

六二, 或, 益之十朋之龜, 弗克違, 永貞, 吉, 王用享于帝, 吉.

본의 육이는 어떤 이가 열 쌍의 거북으로 보태면 어길 수 없으니, 영원히 곧게 하면 길하니, 임금이 상제께 제사지내더라도 길하다.

‖中國大全‖

傳

六二, 處中正而體柔順, 有虛中之象, 人處中正之道, 虛其中以求益而能順從, 天下孰不願告而益之. 孟子曰夫苟好善, 則四海之內, 皆將輕千里而來, 告之以善. 夫滿則不受, 虛則來物, 理自然也. 故或有可益之事, 則衆朋, 助而益之.

육이는 중정한 데 있고 몸체가 유순하여 속을 비운 상이 있으니, 사람이 중정한 도에 있으면서 그 속을 비워 유익함을 구하고 순종할 수 있으면 천하에 누가 알려주고 보태주려 하지 않겠는가? 맹자가 "진실로 착함을 좋아하면 온 세상 사람들이 모두 천리를 멀다 않고 와서 착함으로써 알려줄 것이다"라고 하니, 가득차면 받을 수 없고 비우면 사물이 오는 것이니 이치가 본래 그러하다. 그러므로 혹 보태줄만한 일이 있으면 여러 벗이 도와서 유익하게 할 것이다.

十者, 衆辭, 衆人所是, 理之至當也. 龜者, 占吉凶辨是非之物, 言其至是, 龜不能違也. 永貞吉, 就六二之才而言, 二中正虛中, 能得衆人之益者也. 然而質本陰柔, 故戒在常永貞固則吉也, 求益之道, 非永貞則安能守也.

십(十)이란 여럿이란 말이니, 여러 사람이 옳다고 하는 것은 이치가 지극히 마땅한 것이다. 거북은 길흉을 점쳐서 옳고 그름을 판별하는 물건이니, 그것이 지극히 옳아서 거북점도 어길 수 없다는 말이다. '영원히 곧게 하면 길하다'는 육이의 재질을 가지고 말한 것이니, 이효는 중정하고 속을 비워 여러 사람의 보태줌을 얻을 수 있는 자이다. 그러나 바탕이 본래 유약한 음이므로 항상 영원히 곧고 굳게 하면 길하다고 경계한 것이니, 보태주기를 구하는 도가 영원히 곧지 않다면 어떻게 지킬 수 있겠는가?

爲固守, 求益之至善, 故元吉也. 六二虛中求益, 亦有剛陽之應, 而以柔居柔, 疑益之未固也. 故戒能常永貞固則吉也. 王用享于帝吉, 如二之虛中而能永貞, 用以享上帝, 猶當獲吉, 况與人接物, 其意有不通乎, 求益於人, 有不應乎. 祭天, 天子之事, 故云王用也.

손괘의 육오효에서 '벗이 열이면 크게 착해서 길하다'고 한 것은 대체로 높은 자리에 있으면서 스스로 덜어내어 아래의 굳센 양과 호응하고, 부드러운 음으로 굳센 양의 자리에 있어서이니, 부드러움은 비워서 받음이 되고, 굳셈은 굳게 지킴이 되어, 보태줌을 구하는데 지극히 착하기 때문에 '크게 선해서 길한 것'이다. 익괘의 육이는 속을 비우고 보태줌을 구하며 또한 굳센 양이 호응함이 있지만, 부드러운 음으로 음의 자리에 있어서 보태줌이 견고하지 못할까 의심스럽기 때문에 항상 영원히 곧고 굳게 할 수 있으면 길하다고 경계하였다. "임금이 상제께 제사지내더라도 길하다"는 이효처럼 속을 비우고 영원히 곧게 할 수 있으면, 써서 상제께 제사지내더라도 오히려 마땅히 길함을 얻을 것이니, 하물며 사람을 상대하고 만물과 접촉함에 그 뜻이 통하지 않음이 있겠으며, 남에게 보태주기를 구함에 응하지 않음이 있겠는가? 하늘에 제사지내는 것은 천자의 일이므로 "임금이 쓴다"고 하였다.

小註

中溪張氏曰, 六二以柔居中, 有虛中受益之象. 夫滿則招損, 虛則受益, 二旣虛中, 故或有可益之事, 則衆皆朋合而益之, 故曰十朋之, 龜弗克違.

중계장씨가 말하였다: 육이는 부드러운 음으로 가운데 있으니, 속을 비워 보태줌을 받는 상이다. 가득차면 덜어냄을 부르고 비우면 보태줌을 받는데, 이효는 이미 속을 비웠으므로 혹 보태줄만한 일이 있으면 여럿이 모두 벗으로 합하여 보태주기 때문에, '벗이 열이다. 거북도 어기지 못할 것이다'라고 하였다.

本義

六二, 當益下之時, 虛中處下, 故其象占, 與損六五同. 然爻位皆陰, 故以永貞爲戒. 以其居下而受上之益, 故又爲卜郊之吉占.

육이는 마땅히 아래에 보태주어야 하는 때를 당하여 속을 비우고 아래에 있으므로 그 상과 점이 손괘 육오와 같다. 그러나 효와 자리가 모두 음이기 때문에 '영원히 곧음'을 경계로 삼았다. 그 아래에 있으면서 위의 보태줌을 받기 때문에, 또한 들제사[郊祭]의 날짜를 점치는데[卜郊] 길한 점이 된다.

小註

朱子曰, 王用享于帝吉, 是祭則受福底道理.

주자가 말하였다: '임금이 상제께 제사지내더라도 길하다'는 제사지내면 복을 받는 도리이다.

○ 建安邱氏曰, 益者損之反, 益之六二, 損之六五也. 損之五曰元吉, 則謂其居得尊位, 以柔履剛爲善. 益之二曰永貞吉, 則以爻位皆柔, 不能固守, 故以永貞爲戒也. 又曰, 凡卦象肖離者, 皆有龜象. 頤之自初至上, 與損之自二至上, 益之自初至五, 皆外實中虛, 所以取諸龜也.

건안구씨가 말하였다: 익괘는 손괘가 거꾸로 되었으니, 익괘의 육이는 손괘의 육오이다. 손괘의 오효에 '크게 선해서 길하다'는 그 거처함이 존귀한 자리를 얻은 것을 말하니, 부드러운 음으로 굳센 양의 자리에 나아감을 선으로 여긴 것이다. 익괘의 이효에 '영원히 곧게 하면 길하다'고 한 것은 효와 자리가 모두 유약한 음이어서 굳게 지킬 수 없으므로 '영원히 곧게 함'으로 경계한 것이다.

또 말하였다: 괘상이 리괘(☲)를 닮은 것은 모두 거북의 상이 있다. 이괘(頤卦)의 초효에서 상효까지와 손괘(損卦)의 이효에서 상효까지의 익괘(益卦)의 초효에서 오효까지가 모두 밖은 충실하고 속은 비었으니 거북에서 취한 것이다.

○ 雲峰胡氏曰, 損五, 上卦之中, 當下益上之時, 而受下之益. 益二, 下卦之中, 當上益下之時, 而受上之益. 五元吉, 二必永貞而後吉, 位有剛柔之殊, 分有君臣之異也. 二非陽也, 而曰王用享于帝吉者, 占在二, 則永貞吉, 在王者之占, 則爲享帝之吉占也. 享帝亦以下而受上之益, 故於下卦之中言之, 此可見占法矣. 二臣也, 豈特臣可占哉. 二簋可用享, 損之時用也, 王用享于帝, 益之時用也. 故曰損益盈虛, 與時偕行.

운봉호씨가 말하였다: 손괘의 오효는 상괘의 가운데로 아래가 위에 보태주는 때를 맞이하여 아래의 보태줌을 받는다. 익괘의 이효는 하괘의 가운데로 위가 아래를 보태주는 때를 당하여 위의 보태줌을 받는다. 오효는 크게 길하고, 이효는 반드시 영원히 곧게 한 뒤에 길하니, 자리에 굳센 양과 부드러운 음의 구별이 있고, 직분에 임금과 신하의 다름이 있어서이다. 이효는 양이 아닌데도 "임금이 상제께 제사지내더라도 길하다"고 한 것은, 점이 이효에 있으

면 영원히 곧게해야 길하지만, 임금의 점이라면 상제께 제사지내는데 길한 점이다. 상제께 제사지내는 것 또한 아랫사람으로서 위의 도움을 받는 것이므로 하괘의 가운데에서 말하였으니 여기에서 점법을 볼 수 있을 것이다. 이효는 신하이지만 어찌 단지 신하로만 점을 칠 수 있겠는가? '그릇 둘로 제사지냄'은 손괘(損卦)의 때의 쓰임이고, '임금이 상제께 제사지냄'은 익괘의 때의 쓰임이다. 그러므로 '덜고 보태며, 채우고 비움을 때에 맞게 행한다'[28]고 하였다.

‖韓國大全‖

조호익(曺好益) 『역상설(易象說)』

二, 以陰居陰貞也. 柔或失守, 故戒以永其貞則吉. 二虛中, 而應五, 五上天位, 故有享帝之象, 王者用之則吉. 雙湖曰, 王指五. 愚謂此以占言, 非必指五也. 丘氏曰, 二受五之益, 又受初之益, 故曰, 或益之.

이효는 음으로 음의 자리에 있어 곧다. 부드러움은 혹 지키는 것을 잃기 때문에 영원히 곧게 하면 길하다는 것으로 경계했다. 이효는 마음을 비우고 오효와 호응하고, 오효와 상효는 하늘의 자리이기 때문에 상제께 제사지내는 상이 있으니, 왕이 그것을 사용하면 길하다. 쌍호호씨가 "왕은 오효를 가리킨다"고 했는데, 내 생각에는 이것은 점으로 말한 것이니 반드시 오효를 가리킨 것은 아니다. 구씨는 "이효가 오효의 보태줌을 받고, 또 초효의 보태줌을 받기 때문에 '어떤 이가 보탠다'고 하였다"라고 하였다.

송시열(宋時烈) 『역설(易說)』

此損之六五, 而相綜, 故同辭. 永爲貞固則吉, 見損卦. 震爲王用享于上帝, 卽損之可用享之意. 卦亦有觀象, 說見上. 本義云, 郊享之吉, 占理亦然也. 小象或益之者, 特擧上三字, 以此爻辭云也. 自損之外卦下爲此內卦, 故曰自外來也.

이것은 손괘(損卦)의 육오가 거꾸로 된 것이기 때문에 말이 같다. '영원히 정고하게 하면 길하다'는 것이 손괘에 보인다. 진(震)괘는 임금이 상세께 제사지내는 것으로 바로 손괘(損

---

28) 『주역·손괘』.

卦)에서 제사지낼 수 있다는 의미이다. 익괘(益卦䷩)에도 관괘(觀卦䷓)의 상이 있으니 설명은 앞에 있다. 『본의』에서 '교외에서 제사지내는 길함은 점의 이치가 또한 그런 것이다'라고 하였다. 「상전」에서 '어떤 이가 보탠다[或益之]'는 단지 앞에 있는 말[或益之]을 가져다가 여기에서 말한 것일 뿐이다. 손괘의 외괘에서 익괘의 내괘로 내려왔기 때문에 "밖으로부터 오는 것이다"라고 하였다.

이익(李瀷) 『역경질서(易經疾書)』

六二, 受益者也. 以中正之賢, 遇中正之君, 君所以益之者, 不以祿俸爲貴, 而以不食靈通之物益之. 龜者, 九五之所益, 非此爻有此象也. 雷遇風而奮, 有享帝之象, 豫象可證. 王用者, 九五用六二而享帝也, 六二安有王象. 九五言九而不言七, 變在其中, 五變則爲頤, 故有龜象. 二五中正相應, 君臣際會者也. 國之所重, 莫大乎得賢臣爲佐, 禮王郊天, 則后亞獻, 大宗伯終獻, 此豈非王用享帝乎. 傳云, 自外來也, 外者, 外卦也. 此卦多爲遷國說, 其享也, 卽亦以遷國告, 而賢臣主之也.

육이는 보태줌을 받는 자이다. 중정한 현자가 중정한 임금을 만나 임금이 보태주는 것으로 녹봉을 귀하게 여기지 않고 먹지 않는 영험하게 통하는 물건으로 보태준다. 거북은 구오가 보태주는 것이니, 이 효에 이런 상이 있는 것이 아니다. 우레가 바람을 만나 떨쳐서 상제께 제사지내는 상이 있으니 예괘(豫卦)의 「상전」으로 증명할 수 있다.[29] '임금[王用]'은 구오가 육이를 등용하여 상제께 제사지내는 것이니, 육이에 어떻게 왕의 상이 있겠는가? 구오에서 구(九)를 말하고 칠(七)을 말하지 않은 것은 변화가 그 속에 있음이니, 오효가 변하면 이괘(頤卦䷚)가 되기 때문에 거북의 상이 있다. 이효와 오효는 중정하면서 서로 호응하여 임금과 신하가 서로 만난 것이다. 나라에서 소중한 것은 현명한 신하를 얻어 보좌하는 것보다 큰 것이 없기에 예에서 왕이 하늘에 교제사를 지내면 제후가 아헌하고 대종백이 종헌한다. 그러니 이것이 어찌 왕이 상제께 제사지내는 것이 아니겠는가? 「상전」에서 "밖으로부터 오는 것이다"라고 했으니, 밖은 외괘이다. 익괘에서 대부분 나라를 옮기는 설명을 하는 것은 그것이 제사를 드리는 것이기 때문이니, 곧 또한 나라를 옮기는 것을 고하는데 현명한 신하가 주도하기 때문이다.

유정원(柳正源) 『역해참고(易解參攷)』

正義, 六二, 體柔居中, 當位應巽, 是居益而能用謙沖者也. 居益用謙, 則物自外來, 朋

---

29) 『周易·豫卦』: 象曰, 雷出地奮豫. 先王以, 作樂崇德, 殷薦之上帝, 以配祖考.

龜獻策不能違也.

『주역정의』에서 말하였다: 육이는 부드러운 몸체로 가운데 있고 자리에 합당하여 손괘에 호응하니, 바로 익괘에 있으면서 겸손하게 비울 수 있는 자이다. 익괘에 있으면서 겸손하면 사물이 밖으로부터 오니, 열쌍의 거북으로 대책을 올리는 것은 어길 수 없다.

○ 白雲郭氏曰, 損益相須以相成. 損之上, 益之初, 損之五, 益之二, 故損上益初, 其辭相屬, 而損五益二, 又大同矣. 損五曰元吉, 此曰永貞吉, 君臣之道不同, 故其爲吉亦異.

백운곽씨가 말하였다: 손괘(損卦䷨)와 익괘(益卦䷩)는 서로 의지해서 서로 이루어진다. 손괘의 상효가 익괘의 초효이고 손괘의 오효가 익괘의 이효이기 때문에 손괘의 상효가 익괘의 초효이다. 그 말이 서로 연결되어 손괘의 오효가 익괘의 이효인 것이 또한 크게는 같다. 손괘의 오효에서 "크게 길하다"고 하고 여기에서 "영원히 곧게 하면 길하다"고 한 것은 임금과 신하의 도가 같지 않기 때문에 길한 것도 다른 것이다.

○ 白雲蘭氏曰, 六二, 柔順受益之臣, 王用之, 可以享祭獲吉, 如成湯用伊尹而享天心, 太戊用伊陟而格上帝.

백운난씨가 말하였다: 육이는 유순하여 보태줌을 받는 신하이니, 왕이 그를 등용하여 제사를 지냄으로 길할 수 있으니, 탕임금이 이윤을 등용하여 하늘의 마음에 제사를 지내고, 태무가 이척을 등용하여 상제를 감동시켜 통하였다.

○ 厚齋馮氏曰, 王, 九五也, 帝, 上九也. 五用二所受之龜, 享上九之象.

후재풍씨가 말하였다: 임금은 구오이고, 상제는 상구이다. 오효가 이효에게 받은 거북으로 상구에게 제사드리는 상이 있다.

김상악(金相岳) 『산천역설(山天易說)』

六二, 當益下之時, 互體爲坤, 又爲離艮, 故與損五同象. 又爻位, 皆陰而得正, 故永貞則吉. 以震遇巽, 上應於五, 故王用享于帝, 則吉也.

육이는 아래에 보태주는 때에 호체가 곤괘이고 또 리괘·간괘가 되기 때문에 손괘 오효와 상이 같다. 또 효와 자리가 모두 음이면서 바름을 얻었기 때문에 영원히 곧게 하면 길하다. 진괘로 손괘를 만나 위로 오효와 호응하기 때문에 임금이 상제께 제사지내면 길하다.

○ 損五曰, 元吉, 柔得中而居尊也. 益之二曰, 永貞吉, 柔居下而固守也. 又二之永貞, 五之元吉, 有剛柔之別, 君臣之分也. 巽之究爲震, 帝出乎震. 下震爲王, 上震爲帝, 出可以守宗廟社稷, 以爲祭主也, 故曰, 王用享于帝. 渙之象曰, 享帝, 豫之象曰, 殷薦上帝, 鼎之象曰, 享上帝, 皆本乎是也. 損曰, 二簋可用享, 益曰, 王用享于帝, 所以損益盈虛, 與時偕行.

손괘 오효에서 "크게 길하다"고 한 것은 부드러움이 알맞음을 얻고 존귀한 자리에 있기 때문이다. 익괘의 이효에서 "영원히 곧게 하면 길하다"고 한 것은 부드러움이 아래에 있고 굳게 지키기 때문이다. 또 이효의 '영원히 곧게 함'과 오효의 '크게 길함'에는 굳셈과 부드러움의 구별이 있고 임금과 신하의 구분이 있다. 손괘(巽卦☴)가 마침내 진괘(震卦☳)가 되어 상제가 진괘에서 나온다. 아래의 진괘는 임금이고, 위의 진괘는 상제이니, 나와서 종묘사직을 지켜 제사를 주관하는 자가 되기 때문에 "임금이 상제께 제사지낸다"고 하였다. 환괘(渙卦)의 「대상전」에서 "상제께 제향한다"고 하고, 예괘(豫卦)의 「대상전」에서 "상제께 크게 제사를 올린다"고 하며, 정괘(鼎卦)의 「단전」에서 "상제께 제향한다"는 것이 모두 여기에 근본한다. 손괘(損卦)에서 "그릇 둘로도 제사지낼 수 있다"고 하고, 익괘(益卦)에서 "임금이 상제께 제사지낸다"고 한 것은 덜고 보태고 채우고 비움을 때에 맞게 행하기 때문이다.

서유신(徐有臣)『역의의언(易義擬言)』

下得初九之益, 上得九五之益, 以成大龜之象, 故辭與義與損五同也. 中正相應, 日進无疆, 故永貞而吉也. 自二至上, 互觀, 觀者, 省方觀民, 登山祭天之象. 帝出乎震, 六二實爲享帝之時, 故曰, 王用享于帝吉. 旣觀民而益下, 又祭天而受福也.

아래에서 초구의 보태줌을 얻고 위에서 구오의 보태줌을 얻어 큰 거북의 상을 이루기 때문에 말과 의미가 손괘의 오효와 같다. 중정으로 서로 호응하여 날마다 나아가 끝이 없기 때문에 영원히 곧게 하면 길하다. 이효부터 상효까지 호괘가 관괘(觀卦☴)이다. '보는 것[觀]'은 사방을 살펴 백성을 둘러보는 것으로 산에 올라 하늘에 제사지내는 상이다. 상제가 진괘에서 나와 육이가 실로 상제께 제사지내는 때이기 때문에 임금이 상제께 제사지내더라도 길하다. 이미 백성을 둘러보아 아래에 보태주고 또 하늘에 제사를 지내 복을 받는 것이다.

박제가(朴齊家)『주역(周易)』

六二, 與損六五同辭. 在五則爲損下, 在二則爲益下, 猶以爲不足以王享于帝, 明之. 二爲臣位, 而王在此者, 以王之上更有受益, 則以五爲天位矣. 自上益下, 若只說人道, 則王者爲不能受益, 故言天以極其義. 損五曰元吉, 此必曰永貞吉者, 則所謂寔命不同, 上下之分殊也, 先儒已言之. 象傳曰, 自外來也, 不言于損之五, 而必言於此者, 正以益之雖多, 乃外物也. 永貞乃修內也, 言不可徒恃命也, 損五則曰上祐者, 言自有其命也, 聖人之微意可見.

육이는 손괘 육오와 말이 같다. 오효에서는 아래에서 덜어내고 이효에서는 아래에 보태주니, 오히려 임금이 상제께 제사지내기 부족하다는 것으로 밝혔다. 이효는 신하의 자리인데 임금이 여기에 있을 경우에는 임금 이상은 다시 보태줌을 받으니, 오효가 하늘의 자리이기 때문이다. 위에서 아래에 보태주는 것이 단지 사람의 도를 설명하는 것이라면, 임금은 보태줌을 받을 수 없기 때문에 하늘을 말하여 그 의미를 다하였다. 손괘의 오효에서 "크게 길하다"고 했는데, 여기에서 굳이 "영원히 곧게 하면 길하다"고 한 것은 이른바 실로 명이 같지 않아 상하의 본분이 다르기 때문이니, 앞선 유학자들이 이미 말했다. 「상전」에서 "밖으로부터 오는 것이다"라고 한 것을 손괘의 오효에서 말하지 않고 굳이 여기에서 말한 것은 바로 보태주는 것이 많을지라도 밖에 있는 사물이기 때문이다. '영원히 곧게 한다'는 것은 내면을 닦는 것으로 한갓 명에 의지만 해서는 안 되기 때문이고, 손괘의 오효에서 "위로부터 돕는 것이다"라고 한 것은 본래 명이 있다는 말이니, 성인의 은미한 뜻을 알 수 있다.

박문건(朴文健) 『주역연의(周易衍義)』

從貴得助, 故有弗違之象. 盡誠享帝, 則又有受福之吉.

귀함을 따라 도움을 얻었기 때문에 어길 수 없는 상이 있다. 정성을 다해 상제께 제사지냈으니, 또 복을 받는 길함이 있다.

〈問, 或益之十朋之龜以下. 曰, 六二從初九之貴, 故或者益之, 此而弗能違也, 然永其柔貞, 則吉, 又用享於天帝, 則吉. 蓋六二比初應五, 故兼取從下事上之義也. 曰, 於損五言尙賢, 於益二言從貴, 何. 曰, 統衆, 故言賢, 下賤, 故言貴也.

물었다: "어떤 이가 열 쌍의 거북으로 보탠다" 이하는 무슨 뜻입니까?

답하였다: 육이가 초구의 귀함을 따랐기 때문에 어떤 이가 보태주었으니, 이것을 네가 어길 수 없겠지만 그 유순하여 곧음을 영원히 하면 길하다는 것이고, 또 천제에게 제사를 지내면 길하다는 것입니다. 육이는 초효와 가깝고 오효와 호응하기 때문에 아래를 따르고 위를 섬기는 뜻을 함께 취하는 것입니다.

물었다: 손괘의 오효에서는 현자를 높일 것을 말하였고, 익괘의 이효에서는 귀함을 따를 것을 말한 것은 무엇 때문입니까?

답하였다: 여러 사람을 통솔하기 때문에 현자를 말하였고, 천한 자들에게 낮추기 때문에 귀함을 말하였습니다.〉

이지연(李止淵) 『주역차의(周易箚疑)』

帝者, 天之神明也. 享于帝, 而帝亦感之, 此爻乃損六五之反. 損六五益之龜之說, 爲其神明所益之意, 至此而又可驗也. 自外來, 言自天也.

상제는 하늘의 신명이다. 상제께 제사지내고 상제도 감동하는 것은 이 효가 바로 손괘의 육오를 거꾸로 한 것이기 때문이다. 손괘의 육오와 익괘의 거북에 대한 설명은 그 신명이 보태주는 것의 의미임을 여기에서도 또 검증할 수 있다. '밖으로부터 오는 것'은 하늘에서 왔다는 말이다.

김기례(金箕澧) 「역요선의강목(易要選義綱目)」

益, 損之反, 益二與損五同.

익괘는 손괘가 거꾸로 된 괘여서 익괘의 이효와 손괘의 오효가 같다.

○ 二本臣位而曰王者, 言受益之多. 受益旣大, 不无報謝, 故祭天而得吉. 帝, 指九五.

이효는 본래 신하의 자리인데 '임금'이라고 한 것은 보태줌을 받은 것이 많다는 말이다. 보태줌을 받은 것이 이미 크고 은혜에 보답하는 제사를 드리지 않음이 없기 때문에 하늘에 제사를 지내 길함을 얻었다. 상제는 구오를 가리킨다.

○ 損五元吉, 以尊位履剛, 故善. 二爻位皆柔, 故雖有虛受益之利, 恐不能守貞, 故戒貞吉.

손괘의 오효가 크게 길한 것은 지위가 높고 굳셈을 밟고 있기 때문이니, 그러므로 선하다. 육이는 효와 자리가 모두 부드러우므로 비록 비어서 보태줌을 받는 이로움이 있을지라도 곧음을 지키지 못할까 염려되기 때문에 곧게 하면 길하다고 경계하였다.

○ 王用享帝, 言王者占則如是, 人臣占則當永貞. 故損益, 皆曰與時偕行.

왕이 상제께 제사를 지낸다는 것은 왕이 점치면 이와 같고, 신하가 점치면 영원히 곧게 해야 한다는 말이다. 그러므로 손괘와 익괘에서 모두 "때에 맞게 한다"고 하였다.

○ 十朋龜, 見上, 自外來, 自外卦來. 益而二以虛中受益, 則正應外, 亦多益者.

'열 쌍의 거북'은 앞에서 설명하였고, '밖으로부터 오는 것'은 외괘에서 오는 것이다. 보태주는데 이효가 마음을 비움으로 그것을 받아들이니, 정응하는 것 외에도 보태주는 자가 많다.

윤종섭(尹鍾燮) 『경(經)·역(易)』

益之亨于帝, 震爲祭主而帝出于震. 四之遷國, 在互坤之有遷國象. 古之聖王, 有爲民遷都, 如殷之盤庚, 是也.

익괘에서 상제께 제사지내는 것은 진괘가 제주이고 상제가 진괘에서 나와서이다. 사효에서 나라를 옮기는 것은 호괘 곤괘에 나라를 옮기는 상이 있어서이다. 옛날의 성왕은 백성을 위해 도읍을 옮겼으니, 은나라의 반경이 그런 분이다.

심대윤(沈大允) 『주역상의점법(周易象義占法)』

益之中孚䷞. 六二以柔道居柔有德, 而又懋功行, 又中正上下信之. 九五應之, 初九助之, 不求而名自盛, 故曰, 或, 益之十朋之龜, 弗克違, 人臣任天下事功之責, 而吉凶利害之所由生也. 懋功爲用力, 故不言元吉而言永貞吉. 永貞, 坎坤之德也. 變對小過全爲坎, 言二之能貞固幹事也. 王用享于帝, 言二之承五也. 以二之有德有功, 故稱王以貴之也, 猶君子乃王公之稱, 而稱于有德也. 明與无德而僅立功, 近乎勞役小人者, 不同也. 以五之德業廣大而无爲, 故稱帝也. 兌爲享, 重言吉者, 吉而又吉也. 朱子曰, 或, 衆, 无定主之辭.

익괘가 중부괘(中孚卦䷞)로 바뀌었다. 육이가 부드러운 도로 부드러운 자리에 있어 덕이 있는데다가 또 부지런히 일하며 돌아다니고 중정하기까지 하여 위아래에서 그를 믿는다. 구오가 호응하고 초구가 도와 구하지 않는데도 명성이 저절로 성대해지기 때문에 어떤 이가 열 쌍의 거북으로 보태면 어길 수 없으니, 신하가 천하의 일을 책임져 길흉과 이해가 그로부터 나오는 것이다. 부지런히 일하는 데에 힘쓰기 때문에 크게 길하다고 하지 않고 영원히 곧게 하면 길하다고 하였다. 영원히 곧게 하는 것은 감괘와 곤괘의 덕이다. 변한 중부괘(中孚卦䷞)의 음양이 바뀐 소과괘(小過卦䷽)는 전체로 보면 감괘(坎卦☵)이니, 이효가 정고하게 일을 주관할 수 있음을 말한다. 임금이 상제께 제사지내는 것은 이효가 오효를 잇는다는 말이다. 이효에게 덕과 공이 있기 때문에 '왕'을 말해 귀하게 여긴 것은 군자를 바로 왕공으로 부르는 것과 같은 것으로 덕이 있는 것에서 그렇게 부른 것이다. 그러니 덕 없이 겨우 공을 세워 노역하는 소인에 가까운 것과 같지 않음을 밝혔다. 오효의 덕업은 광대한데도 무위하기 때문에 상제라고 불렀다. 태괘(兌卦☱)는 제사인데 거듭해서 길하다고 한 것은 길하고 또 길하다는 것이다. 주자는 "'어떤 이[或]'란 여러 사람으로, 정해진 주체가 없다는 말이다"라고 하였다.

오치기(吳致箕) 「주역경전증해(周易經傳增解)」

六二柔得中正, 而上應九五剛中之君, 當益下之時, 所受君上之寵益者, 不期而自至. 如十朋之寶龜, 亦皆順受而弗克違, 是乃其德永居中正, 而致此吉. 故王知其賢德可以上格天心而任以享帝之事, 所以又言吉也.

육이는 부드러움이 중정함을 얻었는데 위로 구오라는 굳세고 알맞은 임금과 호응하면서 아래에 보태주는 때를 맞았으니, 임금이 총애하고 보태주는 것은 기대하지 않아도 저절로 이른다. 열쌍의 귀중한 거북 같은 것도 모두 순순히 받고 어길 수 없으니, 바로 그 덕이 영원히 중정한 데 있어 이 길함을 불러들였다. 그러므로 왕이 그 현명한 덕은 위로 천심에 이를 것을 알고 상제께 제사지내는 일을 맡기니, 또 길하다고 할 수 있는 까닭이다.

○ 十朋之龜已見損五, 而卦自損反, 故象同而位異也. 王指五, 而帝出於震, 故取於震而言帝也. 上云吉, 以德而言, 下云吉, 以功而言也.
열 쌍의 거북은 이미 손괘(損卦)의 오효에서 나왔는데, 괘가 손괘가 거꾸로 된 것이기 때문에 상은 같고 자리는 다르다. 왕은 오효를 가리키고 상제는 진괘에서 나왔기 때문에 진괘에서 취해 상제를 말하였다. 앞에서 길하다고 한 것은 덕으로 말한 것이고 아래에서 길하다고 한 것은 공으로 말한 것이다.

이진상(李震相) 『역학관규(易學管窺)』

損則坤體近上, 而六五陰故益, 朋龜言於五. 益則坤體近下, 而六二陰故言於二, 龜陰物也. 王九五也, 帝上九也. 九五得六二之應, 而昭事上帝以致二簋之誠, 巽乃郊象也. 成湯用伊尹而享天心, 太戊用伊陟而格上帝, 此其道也.
손괘(損卦䷨)에서는 곤괘(坤卦☷)의 몸체가 상괘와 가까운데 육오가 음효이기 때문에 보태주니, 열쌍의 거북을 오효에서 말했다. 익괘(益卦䷩)에서는 곤괘의 몸체가 하괘와 가까운데 육이가 음효이기 때문에 그것을 이효에서 말했으니, 거북은 음의 물건이기 때문이다. 임금은 구오이고 상제는 상구이다. 구오가 육이의 호응을 얻어 밝게 상제를 섬김으로 그릇 둘의 정성을 다했우니, 손괘(巽卦☴)가 바로 교제사를 지내는 상이다. 탕임금이 이윤을 등용하여 하늘의 마음에 제사지내고 태무가 이척을 등용하여 상제를 감동시켜 통했으니, 이것이 그 도이기 때문이다.

○ 王用享于帝.
임금이 상제께 제사지낸다.
人君占之, 則九五爲帝, 而王受其福. 人臣占之, 則當因郊禮慶, 賀覃恩及己. 馮氏以九五爲王, 上九爲帝, 而蘭氏以成湯用伊尹而享天心, 太戊用伊陟而格上帝證之, 其義亦通.
임금이 점을 치면 구오가 상제여서 임금이 그 복을 받는다. 신하가 점을 치면 교제사로 말미암아 예로 경하하니, 하례와 은택이 자신에게 미친다. 풍씨는 구오를 왕으로 상구를 상제로 여겼는데, 난씨는 탕임금이 이윤을 등용하여 하늘의 마음에 제사지내고 태무가 이척을 등용하여 상제를 감동시켜 통한 것으로 증명하였으니, 그런 의미도 통한다.

박문호(朴文鎬) 「경설(經說)·주역(周易)」

虛則來物, 物字或讀屬下句, 亦通. 註末特云, 祭天, 天子之事, 故云王用者, 所以示此與隨上六之王用亨于西山, 其義不同也. 雖然祭五岳, 亦天子之事. 但文王未有祭天之事, 此云云疑指武王也. 洵衡.

『정전』의 '비우면 사물이 오는 것이니[虛則來物]'에서 '사물[物]'은 혹 아래의 구절로 이어서 읽어도 통한다. 주석의 끝에서 특별히 "하늘에 제사지내는 것은 천자의 일이므로 '임금이 쓴다'고 하였다"고 한 것은 여기의 것이 수괘(隨卦)의 상육에서 "임금이 서쪽 산에서 제사지낸다"와 그 의미가 같지 않음을 보여준 것이다. 그러나 다섯 산에 제사지내는 것도 천자의 일이다. 다만 문왕은 하늘에 제사지내는 일이 없었으니, 여기에서 말한 것은 무왕을 가리킨 듯하다.

이병헌(李炳憲) 『역경금문고통론(易經今文考通論)』

本義曰, 六二當益之時, 虛中處下, 與損六五同爻, 位皆陰, 故以永貞爲戒王. 曰帝者, 生物之主出震而齊巽者也. 二居益之中, 體柔當位而應於巽, 享帝之美在此時也.

『본의』에서 말하였다: 육이는 익(益)의 때에 속을 비워 아래에 있으면서 손괘의 육오와 효가 같고 자리가 모두 음이기 때문에 '영원히 곧게 하는 것'으로 왕에게 경계를 삼았다. '상제'라고 한 것은 만물을 낳는 주인이 진괘에서 나와 손괘에서 가지런해지기 때문이다. 이효가 익괘의 가운데 있어 부드러움을 체득하고 자리를 마땅하게 하니, 상제를 제사지내는 아름다움이 이때에 있다.

姚曰, 王謂五. 五在外, 故自外來.

요신이 말하였다: "왕은 오효를 가리킨다. 오효는 외괘에 있기 때문에 밖으로부터 오는 것이다"라고 하였다.

按, 益二之或, 指九五, 損五之或, 指上九也.

내가 살펴보았다: 익괘 이효의 '어떤 이'는 구오를 가리키고, 손괘 오효의 어떤 이는 상구를 가리킨다.

象曰, 或益之, 自外來也.

정전 「상전」에서 말하였다: "혹 보탬"은 밖으로부터 오는 것이다.
본의 「상전」에서 말하였다: "어떤 이가 보탬"은 밖으로부터 오는 것이다.

┃中國大全┃

傳

旣中正虛中, 能受天下之善而固守, 則有有益之事, 衆人自外來益之矣. 或曰自外來, 豈非謂五乎. 曰如二之中正虛中, 天下孰不願益之. 五爲正應, 固在其中矣.

이미 중정하고 속을 비웠으니 천하의 착한 것을 받아 굳게 지킬 수 있으면 유익한 일이 있어, 여러 사람이 밖으로부터 와서 보태줄 것이다.
어떤 이가 물었다: "밖으로부터 옴이다"는 어찌 오효를 말하는 것이 아니겠습니까?
답하였다: 이효처럼 중정하고 속을 비우면 천하의 누가 보태주기를 원하지 않겠습니까? 오효는 바른 호응이 되니, 참으로 그 사람들 가운데 있을 것입니다.

本義

或者, 衆, 无定主之辭.

'어떤 이[或]'란 여러 사람으로, 정해진 주체가 없다는 말이다.

小註

雲峰胡氏曰, 乾言或躍, 坤言或從, 或, 在我者, 未定也. 恒或承之, 損益或益之, 或, 在人者, 未定也.

운봉호씨가 말하였다: 건괘(乾卦)에서 "혹 뛴다"고 하고, 곤괘에서 "혹 따른다"고 할 때의 '혹(或)'은 나에게 달린 것으로 아직 정해지지 않은 것이다. 항괘(恒卦)에서 "어떤 이가 받듦

이다"라고 하고, 손괘(損卦)와 익괘(益卦)에서 "어떤 이가 보탠다"고 할 때의 혹은 다른 사람에게 달린 것으로 아직 정해지지 않은 것이다.

▌韓國大全▌

조호익(曺好益) 『역상설(易象說)』

外指外卦.

밖은 외괘를 가리킨다.

유정원(柳正源) 『역해참고(易解參攷)』

自外來.

밖으로부터 오는 것이다.

正義, 明益之者, 從外自來, 不召而至也.

『주역정의』에서 보태주는 자가 밖에서 스스로 온 것은 부르지 않았는데 온 것임을 밝혔다.

本義, 或者.

『본의』의 '어떤 이란'이라고 한 것에 대해.

案, 爻辭不釋而於此釋之者, 以自外來者, 或字意也.

내가 살펴보았다: 효사에서 해석하지 않다가 여기에서 해석한 것은 밖에서 온 자가 어떤 이의 의미이기 때문이다.

김상악(金相岳) 『산천역설(山天易說)』

自外來, 謂自外卦來也, 損五曰, 自上祐也, 兼受上下之益也.

'밖으로부터 오는 것'은 외괘에서 온 것을 말하는 것으로 손괘의 오효에서 "위로부터 돕는 것이다"라고 한 것이니, 위아래로 보태줌을 아울러 받는 것이다.

서유신(徐有臣) 『역의의언(易義擬言)』

初九自四來也, 非其所自有也.

초구는 사효에서 왔으니, 그것이 본래 있던 것이 아니다.

강엄(康儼) 『주역(周易)』

傳, 能守天下之善而固守.

『정전』에서 말하였다: 천하의 착한 것을 지켜서 지킬 수 있으면,

按, 上守字, 或受字之誤耶, 當考他本.

내가 살펴보았다: 앞에 있는 '지켜서[守]'라는 말은 '받다[受]'는 말의 잘못일 수 있으니 다른 본을 살펴봐야 한다.

本義, 或者, 衆,[30] 无定主之辭.

'어떤 이[或]'란 여러 사람으로, 정해진 주체가 없다는 말이다.

按, 此或字, 與恆卦九三或承之或同. 故本義, 於恆卦則曰或者, 不知其何人之辭. 於此則曰衆, 无定主之辭, 蓋一義也. 然損六五, 亦曰, 或益之, 而本義不釋或字, 至此必釋之者, 何也. 竊謂損卦或字, 固是衆无定主之辭, 但象曰自上佑也, 則是露出其自天佑之之意, 故本義不釋. 此卦或字衆, 曰自外來也, 則外之一字, 所包甚廣, 故本義釋或字曰衆, 无定主之辭. 其釋經之錙銖不差, 此亦可見矣.

내가 살펴보았다: 여기서의 '어떤 이'라는 말은 항괘(恒卦) 구삼의 "어떤 이가 부끄러움을 받듦이다"라고 할 때의 '어떤 이'라는 말과 같다. 그러므로 『본의』는 항괘에서 '어떤 이'라고 한 것은 어떤 사람인지 모른다는 말이고, 여기에서 '여러 사람'이라고 한 것은 정해진 주체가 없다는 말이니, 대체로 같은 의미이다. 그러나 손괘(損卦)의 오효에서도 "어떤 이가 보태면"이라고 했는데, 『본의』에서 그것에 대해 해석하지 않다가 여기에서야 굳이 해석한 것은 무엇 때문인가? 곰곰이 생각해 보건대, 손괘에서 어떤 이는 진실로 여러 사람으로 정해진 주체가 없다는 말임에도 단지 「상전」에서 "위로부터 돕는 것이다"[31]라고 한 것은 하늘에서 돕는다는 의미를 드러내기 위한 것이기 때문에 『본의』에서 해석하지 않았던 것이다. 여기의 괘에서 '어떤 이'는 여러 사람으로 '밖으로부터 오는 것이다'라고 한 것은 밖이라는 말이 포함하는 의미가 아주 넓기 때문에 『본의』에서 어떤 이를 해석하여 여러 사람으로 주체가 없다는 말이라고 했던 것이다. 그러니 경을 해석함에 조금도 어긋나지 않으려는 것을 여기에서도 알 수 있다.

---

30) 衆: 경학자료집성DB에는 '象'으로 되어 있으나, 경학자료집성 영인본을 참조하여 '衆'으로 바로잡았다.

31) 『周易·損卦』六五: 象曰, 六五元吉, 自上祐也.

박문건(朴文健)『주역연의(周易衍義)』

外猶他也.

밖은 남과 같다.

심대윤(沈大允)『주역상의점법(周易象義占法)』

自外, 謂五也. 不言初而獨言五者, 與前卦自上祐, 互相發明也.

'밖으로부터'는 오효를 말한다. 초효라고 하지 않고 유독 오효라고 한 것은 손괘(損卦)의 "위로부터 돕는 것이다"라고 한 말과 서로 드러내 밝혀주기 때문이다.

오치기(吳致箕)「주역경전증해(周易經傳增解)」

君位在外卦, 故言所受之益, 自外而來也.

임금의 지위는 외괘에 있기 때문에 받은 바의 보태줌이 밖으로부터 오는 것이라고 하였다.

六三, 益之用凶事, 无咎, 有孚中行, 告公用圭.

정전 육삼은 보태줌을 흉한 일에 쓰면 허물은 없겠으나, 믿음을 가지고 알맞게 행하여야하니, 공(公)에게 고하되 홀을 쓰듯 해야 한다.

본의 육삼은 보태줌을 흉한 일에 쓰기에 허물이 없으니, 믿음을 가지고 알맞게 행하여 공(公)에게 고하되 홀로써 하여야 한다.

中國大全

傳

三, 居下體之上, 在民上者也, 乃守令也, 居陽應剛, 處動之極, 居民上而剛決, 果於爲益者也. 果於爲益, 用之凶事, 則无咎. 凶事, 謂患難非常之事. 三居下之上, 在下, 當承稟於上, 安得自任, 擅爲益乎. 唯於患難非常之事, 則可量宜應卒, 奮不顧身, 力庇其民. 故无咎也. 下專自任, 上必忌疾. 雖當凶難, 以義在可爲, 然必有其孚誠, 而所爲合於中道, 則誠意通於上, 而上信與之矣. 專爲而无爲上愛民之至誠, 固不可也, 雖有誠意, 而所爲不合中行, 亦不可也.

삼효는 하체의 위에 있으니 백성의 위에 있는 자로 곧 수령이다. 양의 자리에 있으면서 굳센 양과 호응하고, 움직임의 끝에 있으니, 백성의 위에 있으면서 굳세게 결단하여 보태줌에 과감한 자이다. 보태줌에 과감함은 흉한 일에 쓴다면 허물이 없다. 흉한 일이란 비상한 환난의 일을 말한다. 삼효는 하괘의 위에 있으나 하괘에 있으니, 마땅히 윗사람에게 여쭈어 받들어야지 어찌 스스로 자임하여 멋대로 보태줄 수 있겠는가? 오직 비상한 환난의 일이면 마땅함을 헤아려 갑작스러운 일에 대응하고, 제 몸을 돌보지 않고 분발하여 힘써 그 백성을 돌봐야 한다. 그러므로 허물이 없다. 아랫사람이 전적으로 맡아하면 윗사람이 반드시 꺼리고 미워할 것이다. 비록 흉하고 어려운 일을 만나 의리로는 해야 할지라도 반드시 믿음과 정성이 있고 하는 일이 알맞은 도리[中道]에 합하면 정성스런 뜻이 윗사람에게 통하여 윗사람이 믿고 그와 함께할 것이다. 전적으로 맡아하면서 윗사람을 위하고 백성을 아끼는 지극한 정성이 없다면 참으로 옳지 않고, 비록 정성스런 뜻이 있더라도 하는 일이 알맞게 행함[中行]에 합하지 않다면 또한 옳지 않다.

圭者, 通信之物, 禮云大夫執圭而使, 所以申信也. 凡祭祀朝聘, 用圭玉, 所以通達誠信也. 有誠孚而得中道, 則能使上信之, 是猶告公上, 用圭玉也, 其孚能通達於上矣. 在下而有爲之道, 固當有孚中行, 又三陰爻而不中, 故發此義.

'홀[圭]'이란 믿음을 징표하는 물건이니, 『예기』에 "대부가 홀을 받들어 사신을 가는 것은 믿음을 펴는 것이다"라고 하였다. 제사와 조빙(朝聘)에 규옥(圭玉)을 쓰는 것은 정성과 신뢰를 알리려는 것이다. 정성과 믿음이 있으며 알맞은 도리를 얻으면 윗사람이 믿게 할 수 있으니, 이는 공과 윗사람에게 고함에 규옥(圭玉)을 쓰는 것과 같아서, 그 믿음이 윗사람에게 통하여 전달될 수 있을 것이다. 아래에 있으면서 일을 도모하는 도리는 참으로 믿음을 가지고 알맞게 행하여야 하는 것이니, 또한 삼효가 음효이면서 알맞지 못하므로 이 뜻을 밝혔다.

或曰, 三乃陰柔, 何得反以剛果任事爲義. 曰, 三質雖本陰, 然其居陽, 乃自處以剛也, 應剛, 乃志在乎剛也. 居動之極, 剛果於行也, 以此行益, 非剛果而何. 易以所勝爲義, 故不論其本質也.

어떤 이가 물었다: 삼효는 부드러운 음인데 어째서 도리어 굳세고 과감하게 일을 맡는 것으로 뜻을 삼았습니까?
답하였다: 삼효의 바탕은 본래 음이지만, 양의 자리에 있으니 스스로 굳셈으로 처신하고, 굳센 양에 호응하니 뜻이 굳셈에 있습니다. 움직임의 끝에 있으면서 행하는데 굳세고 과감하니, 이로서 보태줌을 행한다면 굳세고 과감함이 아니고 무엇이겠습니까? 『주역』은 우세한 것으로 뜻을 삼으므로 그 본래의 바탕을 논하지 않았습니다.

小註

朱子曰, 伊川說易, 亦有不分曉處甚多. 如益之用凶事, 說作凶荒之凶, 直指刺史郡守而言, 在當時未見有這守令, 恐難如此說.

주자가 말하였다: 이천의 『주역』 해설은 또한 분명하지 않는 곳이 매우 많다. 예컨대 익괘의 '보태줌을 흉한 일에 쓰면[益之用凶事]'을 '흉작[凶荒]'할 때의 흉으로 설명해야 하는데, 이천은 곧바로 자사(刺史)·군수를 가리켜 말하였다. 당시에 이런 수령이 있는 것이 드러나지 않았으니, 이렇게 말하기는 어려울 듯하다.

○ 林氏栗曰, 凶事有三, 有扎瘥之政, 有死喪之禮, 有甲兵之事. 歉歲曰凶, 今益之時, 損上益下, 其凶荒扎瘥之政乎.

임률이 말하였다: 흉사에는 세 가지가 있는데, 고통을 감당하는 정치가 있고, 죽음에 대한 상례(喪禮)가 있고, 병력과 관계된 일이 있다. 농사가 잘못된 해를 '흉'이라 하는데, 이제 보태주는 때에 위를 덜어내어 아래에 보태주니, 흉작은 고통을 감당하는 정치일 것이다.

○ 隆山李氏曰, 周官以委積待凶荒, 以荒禮哀凶扎, 或弛其政, 或去其征, 皆損上之所取, 以益下之凶荒者也.

융산이씨가 말하였다: 『주례』에서는 미리 비축하여서 흉작에 대비하였고, 흉작의 예(禮)로 재앙을 슬퍼하였다. 혹 그 다스림을 느슨하게 하거나 혹 세금을 덜어주는 것이 모두 윗사람이 취한 것을 덜어내어 아래의 흉작에 보태주는 것이다.

○ 潘氏曰, 汲黯擅發倉廩, 以救飢民, 益之用凶事也. 何咎之有.

반씨가 말하였다: 급암[32]이 창고의 곡식을 임의로 꺼내어 굶주린 백성을 구휼한 것이 '보태줌을 흉한 일에 쓴 것'이니, 무슨 허물이 있겠는가?

○ 西溪李氏曰, 居下之上, 而長民奉君命, 以益民者也. 凶荒扎瘥, 益之用凶事也. 凶荒之年, 宜發倉廩以賑救, 乃非常之擧, 爲下爲民如此, 故可无咎. 有孚中行, 心苟自信, 酌中行之可也. 用圭告公, 正如汲黯河內之事.

서계이씨가 말하였다: 하괘의 위에 있으면서 백성을 기르고 임금의 명을 받들어 백성을 유익하게 하는 자이다. 흉작과 고통을 감당하는 것은 '보태줌을 흉한 일에 쓰는 것'이다. 흉작이 든 해에 창고의 곡식을 내어서 구휼해야 하는 것은 비상시의 조처로, 아랫사람을 위하고 백성을 위함이 이와 같으므로 허물이 없을 수 있다. 믿음을 가지고 알맞게 행하면 마음에 참으로 자신감이 생겨 알맞게 행함을 헤아릴 수 있다. '홀을 써서 공에게 고함'은 바로 급암이 하내(河內)[33]에서 한 일 같은 것이다.

○ 潛齋胡氏曰, 周禮, 珍圭以徵守, 以恤凶荒, 杜云, 珍作鎭, 鄭云, 王使人徵諸矦憂凶荒, 則授之以往, 致王命焉.

잠재호씨가 말하였다: 『주례』에 "진규(珍圭)를 가지고 제후들을 소집하여 흉작을 구휼한다"[34]고 하였는데, 두씨의 주석에서는 "진(珍)은 진(鎭)으로 써야한다"고 하였고, 정현은 "임금이 사람을 시켜 제후들을 소집하여 흉년을 근심하면, 홀을 받고 가서 임금의 명을 다한다"고 하였다.

---

32) 급암(汲黯: ?~112): 한나라 무제 때의 충신. 무제가 조정에서 자신의 정치적 포부를 밝히자, 급암이 "폐하께서는 속으로 욕심이 많으시면서 겉으로만 인의(仁義)를 베풀려고 하시니, 어떻게 요순의 정치를 본받으려 하시는 것입니까?"라고 하였다.

33) 『한서·장풍급정전』.

34) 징수(徵守): 천자가 수국(守國)의 제후들을 소집하는 것을 말한다.

本義

六三, 陰柔不中不正, 不當得益者也. 然當益下之時, 居下之上, 故有益之以凶
事者, 蓋警戒震動, 乃所以益之也. 占者, 如此然後, 可以无咎. 又戒以有孚中行
而告公用圭也. 用圭, 所以通信.

육삼은 부드러운 음으로 알맞지도 바르지도 않으니 마땅히 보태줄 수 없는 자이다. 그러나 아래를
보태주는 때를 당하여 하괘의 위에 있기 때문에 흉한 일에는 보태줌이 있는 자이니, 경계하고 움직임
이 바로 보태주는 것이다. 점치는 자가 이와 같이 한 뒤에 허물이 없을 수 있다. 또 '믿음을 가지고
알맞게 행하여 공에게 고하되 홀로 해야 한다'고 경계하였으니, '홀을 씀[用圭]'은 믿음을 소통하는
것이다.

小註

朱子曰, 益之用凶事, 猶書言用降我凶德, 嘉績于朕邦.
주자가 말하였다: "보태줌을 흉한 일에 쓴다"는 『서경』에 "우리의 흉한 덕을 낮추어 우리나
라에 아름다운 공적이 있게 하셨다"[35]고 한 것과 같다.

○ 節齋蔡氏曰, 凶事, 困心衡慮之事也. 六三與上爲應, 故有凶事之象, 中行在一卦之
中也, 故三四皆曰中行. 圭, 所以通其中之信, 告公. 雖見於外而所用者, 亦唯在通中之
信而已.
절재채씨가 말하였다: 흉한 일은 근심하고 이리저리 헤아리는 일이다.[36] 육삼은 상효와 호
응하므로 흉한 일의 상이 있으나, 알맞게 행하고 한 괘의 가운데에 있으므로 삼효와 사효에
서 모두 "알맞게 행한다"고 하였다. '홀[圭]'은 그 마음 속 믿음을 소통하는 것이니, '공에게
고함'이다. 비록 밖으로 드러나지만 쓰이는 것은 역시 오직 마음 속 신뢰를 소통하는 데
있을 뿐이다.

○ 雲峰胡氏曰, 下三爻, 皆當益下之時, 而受上之益者也. 三處多凶之地, 有益之以凶
事者, 困心衡慮, 乃所以增益其所不能也. 如此旣可以无咎, 又告之以有孚中行. 而告
公用圭者, 孚, 信也, 圭, 所以通信也, 當信上之人. 所以警戒震動我者, 益我者也, 信
之篤而行之必合乎中, 則可以通信于上矣. 或曰, 以二體則二五各居中, 以全體則三四
竝居中, 故中孚以三四爲中, 此三四稱中行.

---

35) 『서경·반경』.
36) 『孟子·告子』: 困於心, 衡於慮, 而後作.

운봉호씨가 말하였다: 아래의 세 효는 모두 아래에 보태주는 때에 윗사람의 보태줌을 받는 것이다. 삼효는 흉함이 많은 곳에 있으면서 흉한 일에 보태줌이 있는 것이니, 근심하고 이리 저리 헤아리기에 할 수 없는 일까지 보태줌을 더할 수 있는 것이다. 이처럼 이미 허물이 없을 수 있더라도 다시 믿음을 가지고 알맞게 행함으로 고해야 한다. 그런데 공에게 고하면 서 홀을 쓰는 것은 ‘부(孚)’는 믿음이고, ‘홀[圭]’은 믿음을 소통하기 때문이니, 위를 믿어야 하는 사람에 해당한다. 나를 경계하고 움직이는 것은 나에게 보태주는 자이기 때문이니, 믿음이 돈독하고 행동이 반드시 알맞음에 합하면 윗사람과 믿음을 소통할 수 있을 것이다. 어떤 이는 “두 몸체로는 이효와 오효가 각기 가운데 있지만, 전체로는 삼효와 사효가 함께 가운데 있으므로 중부괘(䷼)는 삼효와 사효가 가운데가 되고, 여기의 삼효와 사효는 ‘알맞게 행함[中行]’에 어울린다.

▌韓國大全▌

조호익(曺好益)『역상설(易象說)』

雙湖曰, 告, 自初至五有頤口象, 公, 指三. 圭, 以玉爲之, 三陽乾爲玉, 又全體似圭, 互艮手執圭象. 有孚, 虛中象, 告, 全體頤口象.

쌍호가 말하였다: ‘고함’은 초효부터 오효까지 턱과 입의 상이 있음이고, ‘공’은 삼효를 가리킨다. ‘홀’은 옥으로 만드니, 세 양이라는 건(乾)이 옥이고, 또 전체가 홀과 비슷하며, 호괘 간괘의 손이 홀을 잡은 상이다. ‘믿음을 가짐’은 가운데가 비어 있는 상이고, ‘고함’은 전체가 턱과 입의 상이다.

송시열(宋時烈)『역설(易說)』

六三, 損四之疾, 相對說凶事, 如離之戈兵, 坤之行師, 及涉大川等事也. 有孚者, 其志相孚也, 中行者, 獨行於坤之中爻也, 如復之六四之中行也. 離爲公, 上九亦爲公, 三爻告于正應之上九, 而通信以圭玉也. 圭者, 巽爲潔, 震爲玉, 潔玉之義也. 言三居坤之中爻, 凡於行師涉川等事, 任行難險, 而其誠信之孚, 則如用圭璧告公而行之, 所以无咎. 行師涉險之象, 本有於卦中, 故小象曰, 固有之也. 非分外慮外之事也. 來易云, 公指六四也, 更見下四五爻.

육삼은 손괘(損卦) 사효의 병으로 서로 마주하여 흉한 일로 설명하였으니, 이를테면 리괘의 무기와 곤괘의 군사를 행함과 큰 내를 건너는 등의 일이다. 믿음을 가짐은 그 뜻이 서로 믿는 것이다. 알맞게 행함은 곤괘의 가운데 효를 혼자서 지나감이니, 이를테면 복괘(復卦) 육사의 가운데를 지나감이다. 리괘(離卦)가 공(公)이고, 상구도 공(公)이니, 삼효가 정응인 상구에게 고하는데 옥홀로 믿음을 통한다. 홀은 손괘(巽卦)가 깨끗함이고 진괘가 옥이니, 깨끗한 옥이라는 의미이다. 삼효가 곤괘의 가운데 효에 있다고 말하는 것은 군사를 행하고 내를 건너는 등의 일에 험한 일을 책임지고 행하여 정성을 믿음을 믿는 것이니, 규옥으로 공에게 고하고 행하는 것과 같고, 허물이 없는 까닭이다. 군사를 행하고 험난함을 건너는 상은 본래 괘에 있기 때문에 「소상전」에서 "굳이 두기 때문이다"라고 하였으니, 본분과 생각을 벗어난 일이 아니다. 래지덕은 "공은 육사를 가리킨다"고 하였으니, 다시 아래의 사효와 오효에 보인다.

홍여하(洪汝河) 「책제(策題):문역(問易)·독서차기(讀書箚記)-주역(周易)」

凡民有喪, 匍匐救之. 震爲公象, 用圭以告.

『시경』의 백성이 상을 당하니 기어가서라도 돕는 것이다. 진괘(震卦☳)가 공의 상징이니 홀을 사용하여 고한다.

이익(李瀷) 『역경질서(易經疾書)』

六三, 陰柔不正有凶道. 凡大事不能純吉, 必有凶事間之. 固有之者, 謂理固如此也. 如疆土之有寇亂, 年穀之有水旱之類, 若事皆順從, 則君心又必因以豫怠, 反至於敗壞者, 多矣. 益之用凶事者, 以凶事爲益, 警懼之義也. 六三稍近於君, 如州長之類, 任職不重, 而臨民最親, 其間得失吉凶, 卽皆親歷者也. 中行者, 指九五也, 六三安有此象. 亦須與中行之君相孚信, 然後輒以凶事警懼之, 惟恐其或怠. 以至於成功. 公與功通, 詩所謂以奏膚公, 王公伊濯, 肇敏戎公, 皆可證. 告公用圭, 如禹錫玄圭, 告厥成功之義. 此亦遷國成功, 以圭告君也.

육삼은 음유하고 바르지 않아 흉한 도가 있음으로 큰일에는 순수하게 실할 수 없고 반드시 흉한 일이 끼어든다. '굳이 두려고 하는 것'은 이치가 진실로 이와 같다는 말이다. 이를테면 강토에 도적의 난이 있는 것이고 농사에 홍수와 가뭄이 있다는 종류로 만약 섬김에 모두 순종한다면, 임금의 마음이 또 반드시 그것으로 인해 안락에 빠져 잘못되어 도리어 잘못되는 경우가 많다. '보태줌을 흉한 일에 쓰는 것'은 흉한 일을 보태줌으로 여겨 경계하고 두려워한다는 의미다. 육삼이 차츰 임금에게 다가가는 것은 이를테면 고을의 수장이 맡은 직분은 무겁지 않으나 백성을 대하는 것이 가장 가까워 그들 사이의 득실과 길흉은 바로 모두 직접 겪는 것이다. '알맞게 행하는 것'은 구오를 가리키니, 육삼에 어찌 이런 상이 있겠는가? 또한 반드시 알맞게 행하는 임금과 서로 믿은 다음에 어느 순간 흉한 일로 경계하고 두려워한 것은 혹시 그가 나태함으로 일을 내게 될까 두려워해서이다. 공(公)과 공(功)은 통하니, 『시경』에서 이른바 '큰 공을 올린다'는 것과 '왕의 공이 크게 빛난다'는 것 '그대의 공을 열어 민첩하게 한다'는 것으로 모두 증명할 수 있다. '공에게 고하되 홀로써 하는 것'은 우(禹)가 검은 홀을 폐백으로 올리면서 그 일이 완성되었다고 고한다는 의미이다. 이것도 나라를 옮기는 일로 홀을 가지고 임금께 고한다는 것이다.

유정원(柳正源)『역해참고(易解參攷)』

潮州王氏曰, 圭東方之玉, 震動於三, 用圭之象.
조주왕씨가 말하였다: 홀은 동방의 옥이고, 진괘가 삼효에서 움직이니 홀을 쓰는 상이다.

○ 進齋徐氏曰, 三與上應而以爲有凶事者, 以上有或擊之凶, 而三位又多凶故也.
진재서씨가 말하였다: 삼효가 상효와 호응해서 흉한 일로 여긴 것이니, 상효에는 '혹 칠 것'이라는 흉함이 있고 삼효는 자리가 또 흉함이 많기 때문이다.

○ 案, 三居下之上上之下, 有擔當事務之責, 而必須益之以凶事, 何也. 三多凶之地也, 居上下之交, 而不中不正, 事之不中不正, 非患難非常之事乎. 如凶荒札瘥敵國外患, 皆凶事之大者也. 三之柔弱, 似有不勝其任之慮, 而居剛應剛, 又處一卦之中, 誠信交通於上下, 此所以益用凶事, 有困心衡慮之功也. 然亦不敢自任擅爲, 故曰告公用圭.
내가 살펴보았다: 삼효가 하괘의 꼭대기에 있고 상괘의 아래에 있어서 일을 떠맡아야 하는 책임이 있는데 반드시 흉한 일로 보태주는 것은 무엇 때문인가? 삼효는 흉함이 많은 곳으로 상하가 교차하는 데 있으면서 중정하지 않아 일이 중정하지 않으니 환난과 비상의 일이 아니겠는가? 이를테면 흉작의 고통과 적국의 외환은 모두 흉한 일 중에서 큰 것이다. 삼효의 유약함은 그 책임을 감당하지 못할 염려가 있는 것 같으나 굳센 자리에 있으면서 굳셈 효와 호응하고 또 한 괘의 가운데 있어 성실과 믿음으로 상하로 사귀어 통하니, 이것이 보태줌을 흉한 일에 써서 걱정하고 염려하는 공이 있는 까닭이다. 그러나 또한 감히 마음대로 전단하지 않기 때문에 "공(公)에게 고하되 홀로써 하여야 한다"고 하였다.

김상악(金相岳)『산천역설(山天易說)』

凶者, 凶荒也. 六三居震, 互坤比, 四巽體, 故益之用凶事而无咎. 公, 謂五也. 當益之時,救凶之事, 不可自專, 必以中行之道, 孚於五, 則可以告公而信之. 圭, 所以通信者也.

'흉함'은 흉작이다. 육삼이 진괘에 있고 호괘 곤괘가 가까이 있으며 사효가 손괘의 몸체이기 때문에 보태줌을 흉한 일에 썼는데도 허물이 없다. '공'은 오효를 말한다. 보태주는 때에 흉한 일을 구제함에 마음대로 해서는 안 되고 반드시 알맞게 행하는 도리로 오효에게 믿음을 가지니, 공에게 고하여 믿음을 얻는다. 홀은 믿음을 통하는 것이다.

○ 震之禾稼, 見害於巽風坤霜, 故取凶荒之象也. 孚者, 信也. 三四居中之象, 必曰有孚. 中行者, 有其信者必行之謂也. 以二體言, 二五居上下之中, 以全體言, 三四皆居卦之中, 與中孚同. 又先天方圖, 震巽居中, 雷風動散, 從中而起. 故二爻皆言中行. 公, 王公也. 五之居尊, 爲益之主, 有孚惠心, 故三四之告公, 所以有孚惠德也. 或曰, 震之帝在下, 故謂五爲公. 圭所以通神明, 而救凶事者. 鄭玄云, 玉震之象也. 在禮家不寶龜不藏圭, 故二之龜屬於王, 三之圭屬於公也. 禮云, 大夫執圭而使, 故周禮珍圭以徵守以恤荒, 是也.

진괘의 농사가 손괘의 바람과 곤괘의 서리에 피해를 입었기 때문에 흉작의 상을 취했다. 믿음은 미더운 것이다. 삼효와 사효가 가운데 있는 상이어서 반드시 "믿음을 가지고 알맞게 행한다"고 말한 것은 미더움이 있으면 반드시 행한다는 말이다. 두 몸체로 말하면 이효와 오효가 상하괘의 가운데 있는 것이고, 전체로 말하면 삼효와 사효가 모두 괘의 가운데 있는 것은 중부괘와 같다. 또 「선천방위도」에서 진괘와 손괘는 가운데 있어 우레와 바람으로 움직여 흩어버리는 것이 가운데에서 일어난다. 그러므로 두 효에서 모두 '알맞게 행한다'고 하였다. '공'은 왕공이다. 오효가 존귀한 자리에 있으므로 익괘의 주인이 되어 믿음을 가지고 마음을 은혜롭게 하기 때문에 삼효와 사효가 공에게 고하니 믿음을 가지고 덕을 은혜롭게 베푸는 것이다. 어떤 이는 "진괘의 임금이 아래에 있기 때문에 '오효가 공이다'고 하였다"고 하였다. 홀은 신명과 통하여 흉한 일을 구하는 것이다. 정현은 '옥은 진괘의 상이다'라고 하였다. 예(禮)에 집에서는 거북을 보배로 여기지 않고 홀을 소장하지 않는 것이기 때문에 이효의 거북은 왕에게 속하고 삼효의 홀은 공에게 속한다. 『예기』에서 '대부가 홀을 가지고 사신으로 간다'고 하였기 때문에 『주례』에서 '진규로 직무를 요구하고 흉년을 구휼한다'고 한 것이 여기에 해당한다.

서유신(徐有臣) 『역의의언(易義擬言)』

三多凶, 故所受益者, 凶事也, 如衛詩政事一埤益我也. 是亦其分內事, 故无咎也, 及其告功, 又反用凶事而成益也. 上下損益, 而成中虛之象, 故曰, 有孚也. 公與功通. 恒變爲益, 三自上六來, 四自初六往, 三四爲一卦之中, 故皆稱中行告功也. 用圭者, 告功之贊也. 卦形如圭也.

삼효는 흉함이 많기 때문에 보태줌을 받는 것이 흉한 일이니, 이를테면『시경・패풍(邶風)』의 '정사가 한결같이 나에게 더하여진다'는 것이다. 여기에서도 내사(內事)를 나누었기 때문에 허물이 없고, 일을 고함에 또 도리어 흉한 일에 썼지만 보태줌을 이루었다. 상하가 덜어내고 보태주어 가운데가 비어 있는 상을 이루었기 때문에 "믿음을 가지고"라고 하였다. 공(公)과 공(功)은 통용된다. 항괘(恒卦䷟)가 익괘(益卦䷩)로 변함으로 삼효가 상육에서 내려오고 사효는 초육에서 올라와 삼효와 사효가 한 괘의 가운데가 되었기 때문에 모두 '알맞게 행하여 일을 고한다'고 하였다. 홀을 사용하는 것은 일을 고할 때의 예물이다. 괘의 형태가 홀과 같다.

박제가(朴齊家)『주역(周易)』

六三, 益之用凶事.

육삼은 보태줌을 흉한 일에 쓰기에.

此三卽損四, 而損言疾, 此言凶, 亦相近. 傳云, 患難, 本義, 警戒震動, 或云, 凶荒扎瘥, 都無不 可然, 此亦自上而益者. 以象傳推之, 則凶禮爲近, 如致襚贈賵之屬, 是也. 蓋三非當位, 雖受益而不於平常之時, 乃於凶事而受之, 故象傳曰, 固有之也. 固有之者, 非刱見刱受, 而乃通行之禮, 所固有者也.

삼효는 곧 손괘의 사효로 손괘에서 병을 말하였고 여기에서 흉함을 말한 것도 서로 가깝다. 『정전』에서 환란을 말하고『본의』에서 경계하고 움직임을 말하였으며, 어떤 이는 흉작의 고통을 말한 것이 모두 그렇지 않음이 없으니, 이것도 위에서 보태주는 것이다. 「상전」으로 미루어보면 흉례(凶禮)에 가까우니, 이를테면 수의를 보내고 거마를 보내 돕는 것이 여기에 해당한다. 삼효는 마땅한 자리가 아니어서 보태줌을 받을지라도 평상시가 아니고 흉한 일에 받는 것이기 때문에「상전」에서 "굳이 두려고 해서이다"라고 하였다. 굳이 두려고 한다는 것은 처음 보고 처음 받는 것이 아니라 통행되는 예로 굳이 두려는 것이다.

강엄(康儼)『주역(周易)』

按, 六二六三, 皆居下而受上之益者也. 其所以益之者, 有吉凶之殊, 何也. 六二有柔順中正之德, 則益之以十朋之龜, 固宜也. 六三陰柔而不中不正, 則益之以凶事, 亦宜也. 然天之於物, 摧剝肅殺, 非害之也, 乃所以益之也, 聖人之於人, 警戒震動, 非害之也, 乃所以益之也. 是以爲善而得福, 則尤當勉於爲善, 爲惡而得禍, 則必思所以改惡, 西銘曰, 富貴福澤, 將厚吾之生也, 貧賤憂戚, 庸玉汝於成也. 愚於益之六二六三, 見之也.

내가 살펴보았다: 육이와 육삼은 모두 아래에서 위의 보태줌을 받는 자이다. 그런데 보태줌에 길함과 흉함으로 다른 것은 무엇 때문인가? 육이는 유순하고 중정한 덕이 있으니, 열쌍의 거북으로 보태주는 것이 진실로 마땅하다. 육삼은 음유하고 중정하지 않으니, 흉한 일로 보태주는 것도 당연하다. 그러나 하늘이 만물을 꺾고 찢음으로 냉혹히 죽이는 것은 해치려는 것이 아니라 보태주려는 것이고, 성인이 사람을 경계함으로 움직이게 하는 것은 해치려는 것이 아니라 보태주려는 것이다. 이 때문에 선을 행하여 복을 받으면 더욱 선을 행함에 힘써야 하고, 악을 행하여 화를 당하면 반드시 심사숙고하여 악을 고쳐야 하니, 장재(張載)의 『서명(西銘)』에서 "부귀와 복택은 나의 삶을 두텁게 하는 것이고 빈천과 근심은 그대를 옥처럼 빛나게 하려는 것이다"라고 하였다. 나는 익괘의 육이와 육삼에 이것을 알았다.

박문건(朴文健)『주역연의(周易衍義)』

捨應益他, 故有凶事之象. 告, 言告天命之存五也. 圭, 通信之瑞也.

호응하는 것을 버리고 다른 것에 보태주기 때문에 흉한 일이라는 상이 있다. 고함은 천명이 오효에 있음을 고한다는 말이다. 홀은 믿음을 통하는 징표이다.

〈問, 益之用凶事以下. 曰, 上九妄生疑慮, 故六三不助其上, 而反助九五. 是以六三之得九五之益者, 實用凶事之故也. 尙得位之賢, 雖无咎之道, 然自當有孚, 而信其志也. 處三陰之中, 而得中道者也, 是以告命於公, 而執圭爲群陰倡也. 凶事者, 益上之事, 違於常道, 故謂之凶也.

물었다: "보태줌을 흉한 일에 쓴다" 이하는 무슨 뜻입니까?

답하였다: 상구가 마음대로 의심하고 걱정하기 때문에 육삼이 상효를 돕지 않고 도리어 구오를 돕습니다. 이 때문에 육삼이 구오의 보태줌을 얻은 것은 실로 흉한 일에 썼기 때문입니다. 그런데 오히려 지위가 있는 현자를 얻었으니 허물이 없는 도일지라도 본래 믿음을 가지고 그 뜻을 믿어야 합니다. 음인 삼효의 알맞은 자리에 있어 중도를 얻었기 때문에 공에게 고하는데 홀을 가지고 여러 음을 인도합니다. 흉한 일은 상효에게 보태주는 일로 상도에 어긋나기 때문에 '흉한'이라고 하였습니다.〉

김기례(金箕澧)「역요선의강목(易要選義綱目)」

三爲多凶位, 故曰用事凶.

삼효는 대부분 흉한 자리이기 때문에 "흉한 일에 쓴다"고 하였다.

○ 才柔位剛, 居動之極下之上, 如凶年之爲守牧者, 承君益民, 以信誠中道告公而通信, 如汲黯河內之事, 則无咎.

부드러운 재질과 굳센 자리로 하괘의 꼭대기인 움직임의 끝에 있는 것은 흉년에 수령된 자가 임금을 이어 백성에게 보태주면서 믿음·성실·중도로 공에게 고하여 믿음을 통하는 것과 같으니, 급암이 하내에서 한 일과 같이 하면 허물이 없다.

○ 三中虛, 故曰有孚.

삼효는 가운데가 비어 있기 때문에 "믿음을 가진다"고 하였다.

○ 三四居卦中, 故曰中行. 益用凶事, 固有之也. 稟承而專任, 救民拯時, 固守自有也.

삼효·사효는 괘의 가운데 있기 때문에 "알맞게 행한다"고 하였다. 보태줌을 흉한 일에 쓰는 것은 굳이 두려는 것이다. 명을 받아 전임하여 백성을 구제하고 때를 구하는 것은 스스로 가지고 있던 것을 굳게 지키는 지키는 것이다.

○ 卦中上三爲凶, 上凶自取, 三凶人益也. 困心衡慮, 乃益之急也.[37]

괘에서 상효와 삼효는 흉하니, 상효는 스스로 취한 것이 흉하고 삼효는 사람이 보태주는 것이 흉하다. 걱정하며 생각하는 것은 보태주는 것이 시급하기 때문이다.

심대윤(沈大允) 『주역상의점법(周易象義占法)』

益之家人䷤, 私黨也. 六三居剛, 懋德者也, 有應於上, 而九五阻之. 德化浹於近, 而未及於遠, 有家人之義. 以其用力之艱, 故曰益之用凶事. 凶事, 憂患勞苦, 人所難堪之事也. 對恒巽爲事, 离爲凶, 言行難事以益人也. 有孚誠實, 而人信之也, 坎居上下离之中有其象. 中行, 過中而極也, 猶北極之爲中, 寒暑之極爲中也. 三之懋德, 爲過中而極也. 極而未已, 則太過而喪其性之利, 爲墨翟之道也. 以其才柔而居卦之中, 故不至於過極也. 告公用圭, 言以誠信應上也. 對恒乾爲玉, 互离信爲圭. 六三過於恩德, 故不言吉也.

익괘가 가인괘(家人卦䷤)로 바뀌었으니, 사사로운 당이다. 육삼이 굳센 자리에 있어 덕이 성대한 자로 상효와 호응하는데 구오가 저지하는 것이다. 덕의 교화가 가까이는 두루 퍼지지만 멀리는 미치지 못해 가인(家人)의 의미가 있다. 그가 힘쓰는 것이 힘들기 때문에 "보태줌을 흉한 일에 쓴다"고 하였다. 흉한 일은 근심하고 수고로운 것으로 사람들이 감당하기 어려운 일이다. 음양이 바뀐 항괘(恒卦䷟)의 손괘(巽卦☴)가 일이고 리괘(離卦☲)가 흉함

---

37) 也: 경학자료집성DB와 영인본에는 모두 '匕'로 되어 있으나, 문맥을 살펴 '也'로 바로잡았다.

이어서 어려운 일을 행하여 사람들에게 보태주는 것이다. 믿음을 가짐은 성실해서 사람들이 믿는 것으로 감괘(坎卦☵)가 위아래로 리괘(離卦☲)의 가운데에 있어 그 상이 있다. 알맞게 행함은 가운데를 지나쳐 끝까지 간 것이니, 북극성이 가운데인 것처럼 추위와 더위의 끝이 가운데이기 때문이다. 덕이 성대한 삼효는 가운데를 지나쳐 끝까지 간 것이다. 끝까지 갔는데 그치지 않는다면 너무 지나쳐서 그 본성의 이로움을 잃은 것으로 묵적(墨翟)의 도이다. 부드러운 재질로 괘의 가운데 있기 때문에 지나쳐서 끝까지 가지 않는다. "공에게 고하되 홀로써 한다"는 것은 성실과 믿음으로 상효와 호응한다는 말이다. 음양이 바뀐 항괘(恒卦☳)의 건괘(乾卦☰)가 옥(玉)이고 호괘인 리괘(離卦)의 믿음이 홀이다. 육삼이 은혜와 덕에서 지나쳤기 때문에 길함을 말하지 않았다.

오치기(吳致箕) 「주역경전증해(周易經傳增解)」

六三, 當益之時, 柔不得正, 而應上不正之剛, 故所益者, 多用凶事. 然凶事雖皆困心衡慮, 而亦是人事之固有, 實非我之所致咎者. 故言无咎, 而且戒言益, 此凶事之時, 亦當有孚信, 而用中行之道, 告近君之臣, 以達其誠意也. 事有吉凶順逆之異, 故其辭如此.
육삼은 익(益)의 때에 부드러움이 바른 자리에 있지 않으면서 위로 바르지 못한 굳센 양과 호응하기 때문에 보태주는 것이 대부분 흉사에 사용된다. 그러나 흉사에는 근심하고 이리저리 헤아릴지라도 사람의 일에 진실로 있는 것으로 실로 내가 허물을 불러들인 것이 아니다. 그러므로 허물이 없다고 말하고 또 경계하여 보태줄 것을 말하였으니, 이것은 흉사의 때에도 믿음이 있고 알맞게 행하는 도를 사용하여 임금에게 가까운 신하에게 고해 그 성의를 통하게 해야 하는 것이다. 일에는 길흉과 순역의 차이가 있기 때문에 그 말이 이와 같다.

○ 變離爲戈兵, 爻變互坎爲險難, 震爲恐懼, 皆爲凶事之類也. 有孚, 取於似離. 三四在全卦之中, 故言中行, 而行取於震. 告取對體互兌. 公指六四, 而四近君位, 主益之權, 故告之也. 圭, 通信之物, 喩其有誠信, 而取於互坤也.
변한 리괘가 무기이고, 효가 변한 호괘 감괘가 험난함이며, 진괘가 두려워함이니, 모두 흉사의 종류이다. '믿음을 가짐'은 리괘와 비슷한 것에서 취했다. 삼효와 사효는 전체괘의 중간이기 때문에 "알맞게 행한다"고 하였는데, '행함'은 진괘에서 취하였다. '고함'은 음양이 바뀐 괘의 몸체의 호괘 태괘에서 취하였다. '공'은 육사를 가리키는데 그것은 임금에 가까운 위치어서 보태주는 권세를 주도하기 때문에 고한 것이다. '홀'은 믿음을 징표하는 물건이니, 정성과 믿음이 있음을 비유했는데 호괘 곤괘에서 취하였다.

이진상(李震相) 『역학관규(易學管窺)』

三, 本多匈, 而六居之. 周禮鎭圭以恤匈荒. 告, 震象, 震爲聲也. 公, 上九也. 變坎, 故有孚. 三四居一卦之中, 而皆無行, 如復四之曰, 中行獨復也. 圭, 累土坤象.

삼효는 본래 대부분 흉한데 음효가 그곳에 있다. 『주례』에서는 "진규(鎭圭)로 흉작을 구휼한다"고 하였다. '고함'은 진괘의 상으로, 진괘는 소리가 된다. '공'은 상구이다. 감괘(坎卦 ☵)로 변했기 때문에 믿음을 가진다. 삼효와 사효는 한 괘의 가운에 있는데도 모두 지나감이 없으니, 이를테면 복괘(復卦)의 사효에서 "가운데를 지나가지만 혼자서 돌아온다"고 하는 것이다. 홀은 흙이 쌓인 곤괘의 상이다.

박문호(朴文鎬) 「경설(經說)・주역(周易)」

古之邑宰, 卽今之守令也. 其孚通達於上, 言守令之孚通達於公上也.

옛날의 읍재는 비로 오늘날의 수령이다. 믿음이 위로 통하는 것은 수령의 믿음이 상공에게 통한다는 말이다.

警戒震動, 言警戒之, 又震動之也. 蓋指困心橫慮之事, 卽凶事也.

움직이는 것을 경계하는 것은 경계했는데도 또 움직이기 때문이라는 말이다. 근심하고 이리저리 헤아리는 일을 가리키니 곧 흉사이다.

固有, 程傳訓固爲專, 訓有爲任, 恐不若本義之爲平順也.

"굳이 두려고 한대[固有]"는 『정전』에서 '굳이'는 '오로지'로, "두려고 한다"는 "맡는다"로 풀이했는데, 『본의』만큼 순조롭지 않은 듯하다.

告公用圭, 程傳釋作譬意, 此猶可也. 爲依遷國, 亦作譬意, 又分作二事, 恐非本文之意也.

'공(公)에게 고하되 홀[圭]로써 하여야 한다'는 것은 『정전』에서 비유의 의미로 풀이하였으니, 이것은 오히려 괜찮다. '의지해서 나라를 옮긴다'는 것도 비유의 의미로 하면서 또 두 가지 일로 나누었으니, 본문의 의미는 아닌 듯하다.

채종식(蔡鍾植) 「주역전의동귀해(周易傳義同歸解)」 [38]

六三, 益之用凶事.

---

38) 이 문장 전체는 경학자료집성DB에 누락되어 있으나, 경학자료집성 원문을 대조하여 보충하였다.

육삼은 보태줌을 흉한 일에 쓰기에.

傳云, 益之用患難非常之事, 本義云, 益之用警戒震動之事. 蓋程子之意, 以爲六三居剛應剛, 專擅爲益, 故用益於凶荒札瘥之禮, 如汲黯之擅發倉廩, 以救飢民之事也. 朱子之意, 以爲六三不中不正, 不當受益, 故益之以困心橫慮之事, 如書言用降我凶德, 嘉績于朕邦之類也. 然程子之說, 受上之益, 而以益於民也, 朱子之說, 受上之益, 而以益於已也. 益民益己, 其解雖殊, 而其益下之義, 則一也.

『정전』에서 "보태줌은 비상한 환난의 일에 쓴다"고 하였고, 『본의』에서 "보태줌은 경계하고 움직임에 쓴다"고 하였다. 정자의 의도는 육삼이 굳센 자리에 있으면서 굳센 양과 호응하여 보태주는 것을 마음대로하기 때문에 흉작의 고통에 보태주는 예(禮)를 쓰니, 급암이 곡식 창고의 문을 열어 굶주린 백성들을 구제하는 일과 같다. 주자의 뜻은 육삼이 중정하지 않아 보태줌을 받지 않아야 된다고 여겼기 때문에 근심하고 이리저리 헤아리는 일로 보태주었으니, 이를테면 『서경』에서 "우리의 흉한 덕을 낮추어 우리나라에 아름다운 공적이 있게 하셨다"는 것이다. 그러나 정자의 설명은 위의 보태줌을 받아 백성들에게 보태주었다는 것이고, 주자의 설명은 위의 보태줌을 받아 자신에게 보태주었다는 것이다. 백성들에게 보태주고 자신에게 보태주는 것으로 그 해석이 다르지만 아래에 보태주었다는 의미로는 하나이다.

象曰, 益用凶事, 固有之也.

정전 「상전」에서 말하였다: "보태줌을 흉한 일에 씀"은 굳이 두기 때문이다.
본의 「상전」에서 말하였다: "보태줌을 흉한 일에 씀"은 굳이 두려고 해서이다.

‖中國大全‖

傳

六三, 益之, 獨可用於凶事者, 以其固有之也, 謂專固自任其事也. 居下, 當稟承
於上, 乃專任其事, 唯救民之凶災, 拯時之艱急則可也. 乃處急難變故之權宜,
故得无咎, 若平時則不可也.

육삼이 보태줌을 흉한 일에만 쓸 수 있는 것은 그가 굳이 두기 때문이니, 전적으로 고집하여 그 일을
자임함을 말한다. 아래에 있으면 당연히 윗사람에게 여쭈어 받들어야 하는데 그 일을 전적으로 맡았
으니, 오직 백성들의 흉한 재앙을 구제하고 그 때의 위급한 어려움을 구한다면 괜찮다. 급하고 어려
운 변고에 대처하는 권도[權宜]는 마땅한 것이므로 허물이 없음을 얻으나 평상시라면 옳지 않다.

本義

益用凶事, 欲其困心衡慮而固有之也.

'보태줌을 흉한 일에 씀'은 근심하고 이리저리 헤아려 굳이 두려고 하는 것이다.

小註

雲峰胡氏曰, 爻唯三上言凶, 上之凶, 自取之也, 三之凶, 人益之也. 欲其困心衡慮而固
守之, 乃益之大者,

운봉호씨가 말하였다: 효에서 오직 삼효와 상효에서만 '흉함'을 말하였는데, 상효의 흉함은
스스로 취하는 것이고, 삼효의 흉함은 사람들이 도와주는 것이다. 그 근심하고 이리저리
헤아려 굳이 지키려 하니 이에 유익함이 큰 것이다.

‖韓國大全‖

김상악(金相岳) 『산천역설(山天易說)』

三之凶, 乃其本有也.
삼효의 흉함은 그야말로 본래 있는 것이다.

박문건(朴文健) 『주역연의(周易衍義)』

得五之益, 由於凶事者, 三之時, 固有之理也.
오효의 보태줌을 얻음은 흉한 일로 말미암으니, 삼효의 때에 굳이 두는 이치 때문이다.

심대윤(沈大允) 『주역상의점법(周易象義占法)』

困心衡慮而固執也.
근심하며 이리저리 헤아려 굳게 지키기 때문이다.

오치기(吳致箕) 「주역경전증해(周易經傳增解)」

凶事, 亦人事之所固有者, 而困心衡慮, 則爲益也.
흉한 일도 사람의 일에 꼭 있는 것인데, 근심하며 이리저리 헤아리는 것은 보태주기 위함이다.

이병헌(李炳憲) 『역경금문고통론(易經今文考通論)』

程傳曰, 凶事, 患難非常之事. 圭者, 通信之物.
『정전』에서 말하였다: 흉한 일이란 비상한 환난의 일을 말한다. '홀[圭]'이란 믿음을 징표하는 물건이다.

姚曰, 凶事, 征伐之事, 除暴救民, 此文王爲方伯, 率叛國以事殷之象.
요신이 말하였다: 흉한 일은 정벌하는 일로 난폭함을 제거하여 백성을 구제하는 것이니, 이것은 문왕이 방백이 되어 배반한 나라를 이끌면서 은나라를 섬기는 상이다.

六四, 中行, 告公從, 利用爲依, 遷國.

정전 육사는 알맞게 행하면 공에게 고하여 따를 것이니, 써서 의지하며 나라를 옮기는 것이 이롭다.
본의 육사는 알맞게 행하면 공에게 고하여 따를 것이니, 써서 의지해서 나라를 옮기는 것이 이롭다.

｜中國大全｜

傳

四, 當益時, 處近君之位, 居得其正, 以柔巽輔上而下順應於初之剛陽. 如是, 可以益於上也, 唯處不得其中, 而所應又不中, 是不足於中也. 故云若行得中道, 則可以益於君上, 告於上而獲信從矣. 以柔巽之體, 非有剛特之操, 故利用爲依遷國, 爲依, 依附於上也, 遷國, 順下而動也. 上依剛中之君, 而致其益, 下順剛陽之才, 以行其事, 利用如是也. 自古, 國邑, 民不安其居則遷, 遷國者, 順下而動也.

사효는 보태주는 때를 당하여 임금에 가까운 지위에 있고 거처함에 그 바름을 얻어 부드럽고 공손하게 위를 보좌하며 아래로 초효의 굳센 양에게 순응한다. 이와 같이 하면 윗사람을 유익하게 할 수 있으나, 오직 거처함이 그 가운데를 얻지 못하고, 호응하는 대상 또한 가운데가 아니니, 알맞기에는 부족한 것이다. 그러므로 만약 행함이 알맞은 도리를 얻는다면 임금을 유익하게 할 수 있어서, 윗사람에게 고하여 믿고 따름을 얻을 수 있을 것이라고 하였다. 부드럽고 공손한 몸체로서 굳세고 특별한 지조가 있는 것이 아니기 때문에 '써서 의지하며 나라를 옮김이 이롭다'고 하였다. '의지함'은 윗사람에게 의지하여 따르는 것이고, '나라를 옮김'은 아래에 순응하여 움직이는 것이다. 위로 굳세고 알맞은 임금에게 의지하여 그 유익하게 함을 이루고, 아래로 굳센 양의 재질에게 순응하여 그 일을 행하니 '써서 이로움'이 이와 같다. 예로부터 나라의 수도[國邑]는 백성들이 그 주거를 편하게 여기지 않으면 옮기니, 나라를 옮기는 것은 아래에 순응하여 움직이는 것이다.

小註

進齋徐氏曰, 四居近君之位, 必得中道而行, 則告諸公, 上而見從. 況四與初爲往來之爻, 四有上遷之象. 遷國順下而動也, 而利於用者, 爲依衆心之所欲. 雖遷徙國都之大勞, 亦可成功而致益矣.

진재서씨가 말하였다: 사효는 임금에 가까운 지위에 있으니 반드시 알맞은 도리를 얻어 행하면 공에게 고하여 윗사람인데도 따름을 받을 것이다. 게다가 사효는 초효와 왕래하는 효가 되고, 사효에는 위로 옮겨가려는 상이 있다. 나라를 옮김은 아랫사람에게 순응하여 움직이는 것이니, 씀에 이로운 것은 여러 사람의 마음이 원하는 대로 의지하기 때문이니, 비록 나라의 수도를 옮겨가는 큰 수고로움이라도 성공하여 유익함을 얻을 수 있을 것이다.

本義

三四, 皆不得中, 故皆以中行爲戒. 此言以益下爲心, 而合於中行, 則告公而見從矣. 傳曰, 周之東遷, 晉鄭焉依, 蓋古者, 遷國以益下, 必有所依然後, 能立. 此爻, 又爲遷國之吉占也

삼효와 사효가 모두 알맞음을 얻지 못했기 때문에 모두 알맞게 행해야한다고 경계하였다. 이는 '아래를 유익하게 함으로 마음을 삼아 알맞게 행함에 합하면 공에게 고하여 따름을 받는다'고 말한 것이다. 『춘추좌씨전』에 "주나라가 동쪽으로 옮김은 진(晉)나라와 정(鄭)나라에 의지했다"고 하였으니, 대체로 옛날에 나라를 옮겨 아랫사람들을 유익하게 함은 반드시 의지하는 바가 있은 뒤에야 성립하는 것이다. 이 효는 또한 나라를 옮기는 데 길한 점이 된다.

小註

雲峰胡氏曰, 遷, 四自上而遷於初, 初自下而遷於四也. 坤爲國, 四下之初, 有遷國象. 三四皆非中, 三而中, 則告公而可以用圭矣. 四而中, 告公則見從矣, 皆戒辭也. 於四復許之曰, 利用爲依遷國者, 損乾之初陽, 下益坤之初陰. 四與初, 上下往來之爻也, 故於初曰作, 於四曰遷, 二爲郊之吉占. 此爲遷國之吉占, 皆非小益之事也.

운봉호씨가 말하였다: '옮김'은 사효가 위로부터 초효로 옮기는 것이고, 초효가 아래로부터 사효로 옮기는 것이다. 곤괘는 나라가 되고, 사효가 초효로 내려감은 나라를 옮기는 상이다. 삼효와 사효는 모두 가운데 자리가 아니니, 삼효인데도 알맞으면 공에게 고하되 '홀'을 쓸 수 있을 것이고, 사효인데도 알맞아 공에게 고하면 따름을 받을 것이니, 모두 경계하는 말이다. 사효에서 다시 승인하여 '써서 의지하여 나라를 옮긴다'고 한 것은 건괘 초효의 양을 덜어내어 아래로 곤괘 초효인 음에 보태주는 것이다. 사효와 초효는 위아래로 왕래하는 효이기 때문에 초효에서는 '일으킨다[作]'고 하고, 사효에서는 '옮긴다[遷]'고 하였으며, 이효는 들제사를 지내는 데 길한 점이 된다. 이는 나라를 옮기는데 길한 점으로 모두 작게 유익한

일이 아니다.

○ 中溪張氏曰, 初本坤體, 而上遷於四, 有遷國之象. 依, 依五也, 以四依五, 是以柔附剛, 以弱附强, 得所依矣. 用之遷國, 何往不利.

중계장씨가 말하였다: 초효는 본래 곤의 몸체인데 위로 사효에 옮겨갔으니 나라를 옮기는 상이 있다. '의지한다'는 것은 오효를 의지함이다. 사효가 오효를 의지하니 이는 부드러운 음으로 굳센 양을 따르고, 약한 것이 강한 것을 따라서 의지할 바를 얻은 것이다. 의지할 바를 써서 나라를 옮기니 어찌 가는 것이 이롭지 않겠는가?

○ 誠齋楊氏曰, 周遷依晉鄭, 邢遷依齊, 許遷依楚, 皆弱故也. 若盤庚之遷亳, 高祖之遷長安, 光武之遷洛, 何依人之有.

성재양씨가 말하였다: 주왕조가 천도함에 진(晉)나라와 정(鄭)나라에 의지하였고, 형(邢)나라가 옮김은 제나라에 의지하였으며,[39] 허(許)나라가 옮김은 초나라에 의지하였으니,[40] 모두 약했기 때문이다. 반경(盤庚)이 호(亳)로 옮기고, 고조가 장안으로 옮기며, 광무제가 낙양으로 옮김에 어찌 다른 사람에게 의지함이 있었겠는가?

○ 隆山李氏曰, 初利用大作元吉, 是用之於大事也, 二王用享于帝吉, 是用之於大禮也, 三益用凶事, 是用之於大災也, 四利用爲依遷國, 是用之於大遷也.

융산이씨가 말하였다: 초효의 '크게 일을 일으킴이 이로우니, 크게 길해야'는 큰일에 쓴 것이고, 이효의 '임금이 상제께 제사지내더라도 길하다'는 큰 예(禮)에 쓴 것이며, 삼효의 '보태줌을 흉한 일에 쓰니'는 큰 재난에 쓴 것이고, 사효의 '써서 의지해 나라를 옮김이 이롭다'는 크게 옮김에 쓴 것이다.

‖韓國大全‖

조호익(曺好益) 『역상설(易象說)』

四本坤體, 上遷於四, 有遷國象. 雙湖曰, 公指四, 愚謂公指五. 從五從四, 依四依五,

---

39) 『춘추좌전 · 희공』.
40) 『춘추좌전 · 소공』.

皆以陰陽相比取象. 公非必指五爲公, 猶言公家耳.

사효는 본래 곤괘의 몸체인데 위로 사효로 옮겨 와서 나라를 옮기는 상이 있다. 쌍호는 "공(公)은 사효를 가리킨다"고 했는데, 내 생각에 공(公)은 오효를 가리킨다. 오효를 따르고 사효를 따르고 사효에 의지하고 오효에 의지하는 것은 모두 음과 양이 서로 가까운 것으로 상을 취한 것이다. 공(公)은 기필코 오효가 공이라고 가리킨 것이 아니니, 조정이라고 말하는 것과 같다.

송시열(宋時烈) 『역설(易說)』

此亦居中爻, 故曰, 中行. 三旣告公, 而四亦從隨而告之, 利用其事相爲依附, 故曰, 告公從, 利用爲依也. 遷國者, 坤爲國, 而坤道將變, 故曰, 遷國. 娄敬之說漢高徙都長安, 是也. 小象曰以益志者, 以益下爲心也.

육사 이것도 가운데 효에 있기 때문에 "알맞게 행한다"고 하였다. 삼효가 이미 공에게 고했고 사효도 따라서 고함에 그 일로 서로 의지하는 것을 이롭게 여기기 때문에 "공에게 고하여 따를 것이니, 써서 의지하는 것이 이롭다"고 하였다. '나라를 옮기는 것'은 곤(坤)이 나라인데 곤의 도가 없어지려고 하기 때문에 "나라를 옮긴다"고 하였다. 누경(娄敬)이 한고조에게 장안으로 도읍을 옮기자고 설득한 것이 여기에 해당한다. 「소상전」에서 "유익하게 하는 뜻으로 하는 것이다"라고 한 것은 아래에 보태주는 것을 마음으로 삼은 것이다.

홍여하(洪汝河) 「책제(策題):문역(問易)·독서차기(讀書箚記)-주역(周易)」

六四, 利用爲依, 遷國.

육사는 써서 의지해서 나라를 옮기는 것이 이롭다.

得位中行, 上公之宜. 巽伏震動, 坤邑相依.

자리를 얻어 알맞게 행하는 것이 상공의 마땅함이다. 손괘(巽卦☴)가 엎드려 있고 진괘(震卦☳)가 움직이니 곤괘(坤卦☷)의 읍이 서로 의지한다.

이현익(李顯益) 「주역설(周易說)」

中行, 傳謂, 三陰爻而不中, 故發此義, 本義謂, 三四皆不得中, 故皆以中行爲戒. 雲峯胡氏謂, 三四竝居中, 故稱中行, 非傳義之旨.

알맞게 행함에 대해 『정전』에서는 '삼효가 음효이면서 알맞지 못하므로 이 뜻을 밝혔다'고 하였고, 『본의』에서는 '삼효와 사효가 모두 알맞음을 얻지 못했기 때문에 모두 알맞게 행해야한다고 경계하였다'고 하였으며, 운봉호씨는 '삼효와 사효가 함께 가운데 있으므로 알맞게 행함[中行]이라 칭한다'고 하였는데, 『정전』과 『본의』의 의미는 아니다.

이익(李瀷) 『역경질서(易經疾書)』

六四, 居三五之間, 出納成功, 皆其驗也, 中行, 告公從, 謂九五之中行, 從六四之告功. 功者, 亦指遷國也. 一則曰中行, 二則曰中行, 大事之成, 皆由於九五, 中行之志也. 何謂中行. 卽有孚惠心, 是也. 旣以成功告之, 益勉其惠心, 故曰以益志也. 依者, 依民也, 謂爲其依民而遷国, 則利也.

육사는 삼효와 오효의 사이에 있어 출납과 '일을 이룸[成功]'이 모두 그것의 징표이니, '알맞게 행하면 공에게 고하여 따를 것임'은 구오의 알맞게 행함이 육사가 일을 고하는 것에 따름을 말한다. 일[功]은 또한 나라를 옮기는 것을 가리킨다. 한 번 "알맞게 행함"이라고 하고 두 번 "알맞게 행함"이라고 하는 것은[41] 큰일을 이룸이 모두 구오로 말미암아 알맞게 행한다는 뜻이다. 무엇이 알맞게 행함인가? 곧 '은혜로운 마음에 믿음이 있는 것'이 여기에 해당한다. 이미 일을 이룬 것으로 고하고 더욱 은혜로운 마음에 힘쓰기 때문에 "유익하게 하는 뜻으로 하는 것이다"라고 하였다. '의지한다'는 백성에게 의지하는 것이니, 백성에게 의지해서 나라를 옮기면 이롭다는 말이다.

유정원(柳正源) 『역해참고(易解參攷)』

王氏曰, 居益之時, 處巽之始, 體柔當位. 在上應下, 卑不窮下, 高不處亢, 位雖不中, 用中行者也. 以斯告公, 何有不從, 以斯依遷, 誰有不納.

왕필이 말하였다: 보태주는 때에 있고 손괘의 시작에 있어 몸체가 부드럽고 자리에 합당하다. 위에서 아래로 호응하여 낮음이 아래로 다하지 않고 높음이 지나친 데 있지 않아 자리가 알맞지 않아도 알맞게 행함을 쓰니, 이것으로 공에게 고하면 어찌 따르지 않겠으며 이것으로 옮기면 누가 받아들이지 않겠는가?

○ 丹陽都氏曰, 四以柔依五剛, 以弱依强之象.

단양도씨가 말하였다: 사효는 부드러움으로 굳센 오효에 의지하고 약함으로 굳셈에 의지하는 상이다.

○ 饒州李氏曰, 三賑濟凶荒之事, 若待告而後爲之, 則旡及矣, 故必成功而後告也. 四

---

41) 『周易·益卦』: 有孚中行, 告公用圭. ; 『周易·益卦』: 六四, 中行, 告公從.

遷國, 大事也, 必待告公上得從, 然後爲之, 可也.

요주이씨가 말하였다: 삼효의 흉작의 일을 구제함에 보고를 한 후에 처리할 것 같으면 제 때에 미치지 못하기 때문에 반드시 먼저 일을 완료한 다음에 보고한다. 사효의 나라를 옮기는 것은 큰일이기 때문에 반드시 공에게 보고하여 위로 따름을 얻기를 기다린 다음에 처리해야 한다.

○ 沙隨程氏曰, 衛遷楚丘, 依齊也, 杞遷緣陵, 依晉也. 卦體震, 互體坤, 諸矦之象也.

사수정씨가 말하였다: 위(衛)나라가 초구(楚丘)로 천도한 것은 제(齊)나라에 의탁한 것이고, 기(杞)나라가 연릉(緣陵)으로 천도한 것은 진(晉)나라에 의탁한 것이다. 괘의 몸체가 진괘이고 호괘의 몸체가 곤괘이니 제후의 상이다.

○ 朱子曰, 程昌寓守壽春, 虜⁴²⁾人來, 占得此爻, 遷來鼎州, 後平楊么有功.

주자가 말하였다: 정창우(程昌寓)가 수춘(壽春)을 수비함에 반란군이 오자 점을 쳐 이 효를 얻어 정주(鼎州)로 옮겨왔다. 뒤에 양요(楊么)⁴³⁾를 평정하는데 공이 있었다.

○ 林氏栗曰, 初者四之配. 初言利用大作, 四言利用遷國, 互明之也.

임률이 말하였다: 초효는 사효의 짝이다. 초효에서 '크게 일을 일으킴이 이롭다'고 하고, 사효에서 '써서 의지해서 나라를 옮김이 이롭다'고 하였으니 서로 밝히는 것이다.

○ 案, 四與初, 互爲往來, 四遷於初, 則爲依二, 初遷於四, 則爲依五

내가 살펴보았다: 사효와 초효는 서로 왕래하니 사효가 초효로 옮겨가면 이효에 의지하는 것이고, 초효가 사효로 옮겨가면 오효에 의지하는 것이다.

本義, 晉鄭焉依.

『본의』에서 말하였다: 주나라가 동쪽으로 옮김은 진(晉)나라와 정(鄭)나라에 의지했다.

〈左隱六年, 周桓公語, 註平王遷洛陽, 晉文矦鄭武公, 扞王于難.

『춘추좌전』은공 육년에 주나라 환공의 말에 대해 "평왕이 낙양으로 천도함에 진나라의 문후와 정나라의 무공이 어려움에서 왕을 보호하였다"고 주석하였다.〉

---

42) 虜: 경학자료집성DB와 영인본에는 모두 '盧'로 되어 있으나, 『주자어류』 원문에 따라 '虜'로 바로잡았다.
43) 양요(楊么): 송나라 사람으로 윤선(輪船)을 만들어 활용하였다. 농민봉기를 일으켰으나 6년만에 1135년 악비가 이끄는 군대에 진압당하였다.

김상악(金相岳) 『산천역설(山天易說)』

下卦之震, 自坤而變. 上又成巽, 六四承五而應初, 以益下爲心, 而合於中行. 故告公而見從, 爲依, 則能立遷國, 則益下矣.

하괘의 진괘는 곤괘에서 변하였다. 상괘는 또 손괘를 이루어 육사가 오효를 계승하면서 초효와 호응하고, 아래에 보태주는 것으로 마음을 삼아 알맞게 행하는 것에 합한다. 그러므로 공에게 고해 따름을 보고 의지하면 세워서 나라를 옮길 수 있으니 아래에 보태주는 것이다.

○ 從者, 巽之順也, 依者, 柔之附剛也. 四之與初, 爲上下往來之爻, 故初言作, 四言依. 遷國, 坤之邑國, 得震之動也. 又先天巽方, 卽後天坤位 四變爲巽, 又互坤體, 故以遷國言. 井之改邑, 亦巽之變也. 公, 卽坎之王公也. 用險之時, 則曰守國, 行益之時, 則曰遷國. 蓋以弱附强者, 得所依而後能立, 周遷依晉鄭, 邢遷依齊, 許遷依楚, 皆爲依而遷國者也. 益與渙上卦同巽體, 渙五曰, 王居, 而四變爲依, 故取是象. 又遷國者, 依山河形勝也, 故升之六四曰, 王用亨于岐山. 本爻變, 則又與升爲對也.

'따르는 것'은 손괘의 순함이고 '의지하는 것'은 부드러움이 굳셈에 의지하는 것이다. 사효는 초효와 위아래로 왕래하는 효이기 때문에 초효에서는 '일으킴'을, 사효에서는 '의지함'을 말하였다. 나라를 옮김은 곤괘의 읍과 나라가 진괘의 움직임을 얻은 것이다. 또 「선천방위도」에서 손괘의 방위는 바로 「후천방위도」 곤괘의 자리이고, 사효가 변하여 손괘가 되고 또 호괘가 곤괘의 몸체이기 때문에 나라를 옮기는 것으로 말하였다. 정괘(井卦)의 '고을을 바꿈'도 손괘의 변함이다. '공'은 곧 감괘의 왕공이다. 험함을 쓰는 때에는 "나라를 지킨다"[44]고 하고 보태줌을 행하는 때에는 "나라를 옮긴다"고 한다. 약한 것이 강한 것에 의탁할 경우에는 의탁할 바를 얻은 다음에 세울 수 있으니, 주나라의 옮김에는 진나라와 정나라에, 형나라의 옮김에는 제나라에, 허나라의 옮김에는 초나라에 의지한 것이 모두 의지해서 나라를 옮긴 것이다. 익괘(益卦☲)는 환괘(渙卦☲)와 상괘가 동일하게 손괘(巽卦)의 몸체여서 환괘의 오효에서는 "왕의 거처"[45]라고 하였지만, 사효가 변하여 의지하기 때문에 이런 상을 취하였다. 또 나라를 옮길 경우에 산과 내의 형세에 의지하기 때문에 승괘(升卦☷)의 육사에서는 "왕이 기산(岐山)에서 형통하듯이 한다"[46]고 하였다. 사효가 변화하면 또 승괘(升卦☷)와 거꾸로 된 괘가 된다.

---

44) 『周易·坎卦』: 天險, 不可升也, 地險, 山川丘陵也, 王公設險, 以守其國, 險之時用, 大矣哉.

45) 『周易·渙卦』: 九五, 渙, 汗其大號, 渙, 王居, 无咎.

46) 『周易·升卦』: 六四, 王用亨于岐山, 吉, 无咎.

서유신(徐有臣) 『역의의언(易義擬言)』

四往於初, 初來於四, 而成益, 故爲中行告功, 而民從之象也. 初爲民而正應, 故曰, 從也. 爲依者, 國依於民也. 四爲諸侯, 互坤爲國, 風雷有遷改之義. 恒變爲益, 亦變遷之象, 故曰遷國, 蓋遷國而成益民之功也.

사효는 초효로 가고, 초효는 사효로 와서 익괘가 되었기 때문에 알맞게 행하면 일을 고하여 백성들이 따른다는 상이 된다. 초효는 백성으로 바르게 호응하기 때문에 "따를 것이니"라고 하였다. '의지해서'는 나라가 백성에게 의지하는 것이다. 사효가 제후이고 호괘 곤이 나라이며, 바람과 우레에는 옮기고 고친다는 의미가 있다. 항괘(恒卦☴☳)가 변하여 익괘(益卦☲☳)가 된 것도 변해서 옮긴다는 상이기 때문에 "나라를 옮긴다"고 하였다. 나라를 옮겨 백성들에게 보태주는 일을 이룬다.

박제가(朴齊家) 『주역(周易)』

傳本義, 皆作聽從之從, 然恐當如從公于邁之從, 下動而處順篤, 從公遷國之象. 象傳曰, 以益志也, 此謂自下而益者, 然其志卽益下之志也.

『정전』과『본의』에서는 모두 듣고 따른다고 할 때의 따름으로 하였지만 공을 따라 간다고 할 때의 따름으로 해야 할 것 같으니, 아래에서 움직이면서 공손하고 독실하게 처신하여 공을 따라 나라를 옮기는 상이다. 「상전」에서 "유익하게 하는 뜻으로 하는 것이다"라고 하였으니, 이것을 아래로부터 보태주는 것이라고 하는 것이지만 그 뜻은 바로 아래에 보태주려는 뜻이다.

박문건(朴文健) 『주역연의(周易衍義)』

見逼從五, 故有遷國之象. 中行, 六三之稱也. 三得中道, 故六四目之也.

핍박을 당해 오효를 따르기 때문에 나라를 옮기는 상이 있다. '알맞게 행함'은 육삼을 일컫는다. 삼효가 중도를 얻었기 때문에 육사가 지목한 것이다.

〈問, 中行告公從以下. 曰, 中行告命於公而往從, 利用爲依三而共進遷國於九五之邑也. 蓋六四喪國於初九, 內附於九五, 故有此象也.

물었다: '알맞게 행하면 공에게 고하여 따를 것이니' 이하는 무슨 뜻입니까?

답하였다: 알맞게 행하면 공에게 명령을 고하여 가서 따름이 그것을 써서 삼효에 의지하여 함께 가서 구오의 읍으로 나라를 옮기는 것이 이롭다는 것이다. 육사는 초구에게 나라를 잃어 구오에게 안으로 의탁하기 때문에 이런 상이 있다.〉

이지연(李止淵) 『주역차의(周易箚疑)』

一二三, 乃受上之益者也, 六四以上, 乃益下者也. 六三之告公, 告于上也, 六四之告公, 告于下也. 故六三曰, 用圭, 圭者, 下之通上者也. 六四, 則曰從. 從者, 上爲下民之所從者也. 六三之公, 卽公侯之公也, 六四之公, 卽公事之公也. 利用爲依, 上之依下也. 遷國者, 上之爲下而遷者也, 故曰, 以益志也, 言益下之意也.

일효·이효·삼효는 바로 위의 보태줌을 받는 것이고, 육사 이상은 바로 아래에 보태주는 것이다. 육삼이 공에게 고하는 것은 위에 고하는 것이고, 육사가 공에게 고하는 것은 아래에 고하는 것이다. 그러므로 육삼에서 "홀로써 하여야 한다"고 하였으니 홀은 아래에서 위로 통하는 것이고, 육사에서는 "따를 것이니"라 하였으니 따르는 것은 위에서 아래 백성들이 따르는 것을 하는 것이다. 육삼의 '공(公)'은 곧 공후(公侯)의 공이고, 육사의 '공(公)'은 공사(公事)의 공이다. '써서 의지하는 것이 이롭다'는 위에서 아래에 의지하는 것이다. '나라를 옮기는 것'은 위에서 아래를 위해 옮기는 것이기 때문에 "유익하게 하는 뜻으로 하는 것이다"라고 하였으니, 아래에 유익하게 한다는 의미이다.

이항로(李恒老) 「주역전의동이석의(周易傳義同異釋義)」

傳, 遷國, 順下而動也.
『정전』에서 말하였다: '나라를 옮김'은 아래에 순응하여 움직이는 것이다.

本義, 爲遷國之吉占也.
『본의』에서 말하였다: 나라를 옮기는 데 길한 점이 된다.

按, 遷國, 大事也, 國勢隆替, 民生利病係焉, 而益之六四, 特爲遷國之象, 何也. 曰, 震, 爲陽開之始, 巽爲陰闔之始, 而後天方位, 震巽相隨, 遷居東南治事之地, 此爲遷國之象. 而必震巽爲依者, 以其長男長女, 代父母幹事也. 震巽之成, 皆主初爻, 故於震初言大作, 於巽初言遷國. 陽主義, 故統言大作, 包萬事而言也. 陰主利, 故止言遷國, 指一事而言也. 夫遷國上不行巽, 下不樂動而爲之, 則難免悔咎. 盤庚遷殷, 重巽申命, 而下順以動, 故无顚越之咎. 太王遷岐, 遜順避患, 民從如市, 故立興王之基. 楚覇東遷, 晉宋南遷, 上不順理, 下不樂從, 故未免顚覆衰替. 後之遷國者, 亦不可不鑑戒也.

내가 살펴보았다: 나라를 옮기는 것은 큰 일로 나라의 힘이 융성하고 쇠퇴하며 백성들의 삶이 이롭고 해로운 것이 그것에 달려있는데, 익괘의 사효를 특별히 나라를 옮기는 상으로 한 것은 무엇 때문인가? 진괘는 양이 열리는 시작이고 손괘는 음이 열리는 시작이어서 「후천방위도」에서 진괘와 손괘가 서로 이어지며 일을 다스리는 동남방으로 옮겨가서 있으니,

이것이 나라를 옮기는 상이다. 그런데 반드시 진괘와 손괘에 의지하는 것은 그것들이 장남과 장녀여서 부모를 대신해 일을 주관하기 때문이다. 진괘와 손괘가 이루어지는 것은 모두 초효를 주로하기 때문에 진괘의 초효에서 크게 일을 일으킴을 말하였고, 손괘의 초효에서 나라를 옮김을 말하였다. 양은 의로움을 주로 하기 때문에 총괄적으로 '크게 일을 일으킴'을 말하였으니, 만사를 포함하여 말한 것이다. 음은 이로움을 주로 하기 때문에 '단지 나라를 옮김'을 말하였으니, 하나의 일을 가리켜 말한 것이다. 나라 옮김을 위에서 공손함을 행하지 않고 아래에서 움직임을 기꺼워하지 않는데 한다면 후회와 허물을 면하기 어렵다. 반경이 은(殷)을 옮김에 공손함과 명령을 거듭하여 아랫사람들이 따라서 움직였기 때문에 잘못되는 허물이 없었다. 태왕이 기(岐)를 옮김에 겸손과 공손으로 우환을 피해 백성들이 장에 가듯이 따랐기 때문에 왕의 기틀을 세워서 일으켰다. 초패왕이 나라를 동쪽으로 옮기고 진(晉)나라와 송(宋)나라가 나라를 남쪽으로 옮김에 위에서 이치를 따르지 않고 아래에서 따르기를 기꺼워하지 않았기 때문에 전복되고 쇠퇴했다. 그러니 후대에 나라를 옮기는 자는 거울삼아 경계하지 않아서는 안 된다.

김기례(金箕澧) 「역요선의강목(易要選義綱目)」

依, 依五而附剛. 四本自下坤升爲互坤. 坤爲國, 故曰遷國.

'의지해서'는 오효에 의지해서 굳셈에 맡기는 것이다. 사효는 본래 하괘 곤괘에서 올라와 호괘 곤괘가 되었다. 곤괘는 나라이기 때문에 "나라를 옮긴다"라고 하였다.

○ 近君得正, 故曰中行.

임금에게 가까우면서 바름을 얻었기 때문에 '알맞게 행하면'이라고 하였다.

○ 告於上, 而有遷國之大事, 蓋益民之義, 如盤庚遷國, 蓋益民. 初曰, 大作, 二曰, 享帝, 三曰, 用凶, 四曰, 遷國, 皆所以益之大.

위에 고하는 것인데 나라를 옮기는 큰일이 있으니, 백성에게 보태주는 의미는 이를테면 반경이 나라를 옮기는 것이 백성에게 보태주는 것이다. 초효에서 "크게 일을 일으킴이", 이효에서 "상제께 제사지내더라도", 삼효에서 "흉한 일에 쓰면", 사효에서 "나라를 옮기는 것이"라고 한 것은 모두 보태주는 것이 큰 까닭이다.

심대윤(沈大允) 『주역상의점법(周易象義占法)』

益之无妄䷘. 无不也. 六四居柔, 懋功無不極力, 蓋懋功之過中, 而至於極者也. 以其

才柔而居卦之中, 其時未爲太過, 故曰, 中行. 應於初九, 而用其謀, 以上從下, 故曰,
告公從. 艮爲告. 初九之稱公, 猶六二之稱王也. 离巽爲信而行曰, 從. 民无不動而從
民之志者, 惟遷國爲然, 故曰, 利用爲依遷國. 爲依, 言依於五也. 上依剛中之君, 下順
剛陽之才, 故利也, 古者, 遷國必有依. 周之東遷晉鄭焉依, 依於侯邑也. 國必依山, 川
依於山也, 五爲艮山. 邑民爲主托曰, 依. 坤爲國爲衆. 六四本去坤而爲巽. 巽改易也.
坤得剛而爲震. 震, 遷動也, 亦有遷國之義. 以其懋功之過, 不言吉也.

익괘가 무망괘(无妄卦☰☷)로 바뀌었으니, 무(无)는 '~이 아니다[不]'는 의미이다. 육사가 부
드러운 자리에 있으면서 성대한 일에 힘을 다하지 않음이 없으니, 성대한 일로 알맞음을
지나쳐서 궁극에 이른 것이다. 부드러운 재질로 괘의 가운데 있고 때가 아직 너무 지나치지
않았기 때문에 "알맞게 행하면"이라고 했다. 초구와 호응하여 그 계책을 씀에 윗사람으로
아래를 따르기 때문에 "공에게 고하여 따를 것이니"라고 하였다. 간괘가 고함이다. 초구의
공을 일컬음은 육이의 왕을 일컬음과 같다. 리괘와 손괘가 믿음이 되어 행하기에 "따를 것이
니"라고 했다. 백성은 움직이지 않음이 없지만 백성의 뜻을 따르는 것은 오직 나라를 옮기는
것에 그럴 뿐이기 때문에 "써서 의지해서 나라를 옮기는 것이 이롭다"라고 하였다. '의지해
서'는 오효에 의지한다는 말이다. 위로 굳세고 알맞은 임금에 의지하고 아래로 굳센 양의
재질에 따르기 때문에 이로우니, 옛날에 나라를 옮기는 데는 반드시 의지함이 있었다. 주나
라가 동천함에는 진나라와 정나라에 의지하였으니, 제후의 읍에 의지한 것이다. 나라는 반
드시 산에 의지하고 내는 산에 의지하니, 오효는 간괘의 산이다. 간괘의 읍이 주로 의지하는
것이어서 "의지한다"라고 하였다. 곤괘는 나라이고 무리이다. 육사가 본래 곤괘를 떠나 손괘
가 되었다. 손괘는 고치는 것이다. 곤괘가 굳셈을 얻어 진괘가 되었다. 진괘는 옮겨 움직이
는 것이니, 또한 나라를 옮기는 의미가 있다. 지나치게 성대한 일이기 때문에 길함을 말하지
않았다.

오치기(吳致箕) 「주역경전증해(周易經傳增解)」

六四, 柔得其正, 而承九五之君, 居大臣之位, 而主益之權者也. 六三, 以同德而相比,
用中道可行之事, 告于公, 則公无不聽從. 而雖如依民心遷國都, 莫大之事, 苟益於下,
則亦皆利用爲之, 故其辭如此.

육사는 부드러움으로 바름을 얻어 구오의 임금을 받들고 대신의 지위에 있어 보태주는 권한
을 주도하는 자이다. 육삼은 같은 덕으로 서로 가까이 있어 중도로 행할 수 있는 일을 공에
게 고하니, 공이 듣고 따르지 않음이 없고, 민심에 의지하여 나라의 수도를 옮기는 막대한
일과 같은 것일지라도 진실로 아래에 보태주니, 또한 모두 그렇게 하는 것을 이롭게 여기기
때문에 그 말이 이와 같다.

○ 中行, 已見六三.[47] 告者, 三所告也, 公者, 四自指也. 從, 謂四之從也, 依, 謂依民心也. 遷, 動也, 取於應震, 國, 取於互坤也.

'알맞게 행함'은 이미 육삼에 있다. '고함'은 삼효가 고하는 것이다. '공'은 사효가 자신을 가리키는 것이다. '따를 것임'은 사효가 따를 것임이다. '의지함'은 민심에 의지함이다. '옮기는 것'은 움직이는 것이니, 호응하는 진괘(震卦)에서 취하였다. '나라'는 호괘인 곤괘(坤卦)에서 취하였다.

이진상(李震相) 『역학관규(易學管窺)』

近君而君信, 故告公而從. 從, 巽象也. 告, 變乾爲言也. 爲依, 上依於五也. 坤爲國, 而四爻遷下依上, 乃遷國之象也. 震體互坤, 有諸侯依遷之象.

임금을 가까이 하여 그가 믿기 때문에 공에게 고하여 따르는 것이다. '따르는 것'은 손괘의 상이다. '고하는 것'은 건괘가 변해 말이 된 것이다. '의지하는 것'은 위로 오효에게 의지하는 것이다. 곤괘가 나라인데 사효가 아래로 가서 위에 의지하는 것이 바로 나라를 옮기는 상이다. 진괘의 몸체와 호괘 곤괘에 제후가 의지하여 옮기는 상이 있다.

○ 告公從.

공에게 고하여 따를 것이니.

匈荒之事, 不待上請, 先發後聞, 汲黯之持節發倉, 是也, 告在事後. 遷國大事, 必待上命. 周公之獻圖營洛, 是也, 告在事前.

흉작의 일에는 위에서 청할 때까지 기다리지 않고 먼저 창고를 열어 구휼하고 뒤에 보고를 들으니, 급암이 부절을 가지고 창고를 열어 백성을 구제한 것이 여기에 해당하는 것으로 보고가 사후에 있는 것이다. 나라를 옮기는 큰일은 반드시 위의 명령을 기다리니, 주공이 지도를 바치며 낙읍을 경영한 것이 여기에 해당하는 것으로 보고가 사전에 있는 것이다.

○ 利用爲依.

써서 의지해서 나라를 옮기는 것이 이롭다.

參攷曰, 四與初, 互爲往來, 四遷於初, 則爲依二, 初遷於四則爲依五.

『역해참고』에서 말하였다: 사효와 초효는 서로 왕래하니, 사효가 초효로 옮겨가면 이효에 의지하는 것이고, 초효가 사효로 옮겨가면 오효에 의지하는 것이다.

박문호(朴文鎬) 「경설(經說)·주역(周易)」

以益志諺解, 不別釋其義, 蓋闕文也. 以益下爲心者, 見於上註, 豈偶未之察歟.

'유익하게 하는 뜻'의 언해로 그 의미를 별도로 해석하지 않은 것은 빼놓은 것이다. 아래에 보태주는 것을 마음으로 하는 자는 위의 주에 있으니, 어찌 잘못 살핀 것이겠는가?

이용구(李容九) 「역주해선(易註解選)」

六四, 遷國.

육사는 나라를 옮기는 것이 이롭다.

張氏曰, 觀盤庚之遷篇, 可見古人益民之實.

장씨가 말하였다: 반경(盤庚)이 천도한 것에 대한 글을 보면 옛사람들이 백성들에게 보태주는 행적을 알 수 있다.

象曰, 告公從, 以益志也.

「상전」에서 말하였다: "공에게 고해서 따름"은 유익하게 하는 뜻으로 하는 것이다.

‖中國大全‖

傳

爻辭, 但云, 得中行則告公而獲從, 象復明之, 曰告公而獲從者, 告之以益天下之
志也. 志苟在於益天下, 上必信而從之, 事君者, 不患上之不從, 患其志之不誠也.

효사에서 단지 '알맞게 행할 수 있으면 공에게 고하여 따름을 얻을 것'이라고만 하고, 「상전」에서
다시 밝혀, '공에게 고하여 따름을 얻음은 천하를 유익하게 하는 뜻으로 고하는 것'이라고 하였다.
뜻이 참으로 천하를 유익하게 하는데 있으면 위에서 반드시 믿고서 따를 것이니, 임금을 섬기는 자가
윗사람이 따라주지 않음을 걱정하지 말고 자기의 뜻이 정성스럽지 못함을 걱정해야 할 것이다.

小註

中溪張氏曰, 益志, 謂益民之志也. 夫遷國者, 不以利己, 唯欲益民, 此所以告公上而見
從也. 觀盤庚三篇, 可見古人益民之實矣.

중계장씨가 말하였다: '유익하게 하는 뜻'이란 백성들을 유익하게 하려는 뜻을 말한다. '나라
를 옮김'은 자신에게 이롭게 하려 함이 아니라, 오직 백성을 유익하게 하고자 함이니, 이것이
공에게 고하여 따름을 받는 이유이다. 『서경·반경』세 편을 살펴보면 옛 사람들이 백성을
유익하게 한 실정을 알 수 있다.

‖韓國大全‖

김상악(金相岳) 『산천역설(山天易說)』

四以益下爲志, 故告公而從也.

사효는 아래에 보태주는 것을 뜻으로 하기 때문에 공에게 고해 따른다.

서유신(徐有臣) 『역의의언(易義擬言)』

告公從, 以益志也.
"공에게 고해서 따름"은 유익하게 하는 뜻으로 하는 것이다.

爻不稱益, 故言其爲益也. 志在相益, 故告功民從也.
효에서 보태주는 것을 말하지 않았기 때문에 그것이 유익한 것임을 말하였다. 뜻이 서로
유익하게 하는 데 있기 때문에 일을 고하니 백성이 따른다.

박문건(朴文健) 『주역연의(周易衍義)』

告命於公, 而往從者, 以益六四從上之志也.
공에게 명을 고하고 가서 따르는 것은 육사가 위를 따르는 뜻에 유익하기 때문이다.

심대윤(沈大允) 『주역상의점법(周易象義占法)』

言用初之謀以助成其志也.
초효의 계략을 사용하여 그 뜻을 도와 이룬다는 말이다.

오치기(吳致箕) 「주역경전증해(周易經傳增解)」

告公而從者, 以其有益下之志也.
공에게 고해 따르는 것은 아래에 유익하게 하려는 뜻이 있기 때문이다.

이병헌(李炳憲) 『역경금문고통론(易經今文考通論)』

王曰, 體柔當位, 位雖不中, 用中行者也. 以斯依遷, 志得益也.
왕필이 말하였다: 부드러운 음의 몸체가 제자리를 얻었으니, 자리가 비록 가운데는 아니지
만 알맞게 행하는 자이다. 그것으로써 의지해 옮기니 뜻이 보태줌을 얻는다.

九五, 有孚惠心. 勿問, 元吉, 有孚, 惠我德.

구오는 은혜로운 마음에 믿음이 있다. 묻지 않아도 크게 선해서 길하니, 믿음이 있어서 나의 덕을 은혜롭게 여긴다.

‖中國大全‖

傳

五剛陽中正, 居尊位, 又得六二之中正相應, 以行其益, 何所不利. 以陽實在中, 有孚之象也, 以九五之德之才之位而中心至誠, 在惠益於物, 其至善大吉, 不問可知. 故云勿問元吉. 人君居得致之位, 操可致之權, 苟至誠益於天下, 天下受其大福, 其元吉, 不假言也. 有孚惠我德, 人君至誠益於天下, 天下之人, 无不至誠愛戴, 以君之德澤, 爲恩惠也.

오효는 굳센 양으로 중정하며 존귀한 자리에 있고, 또 중정한 육이와 서로 호응함을 얻어 그 유익함을 행하니 무엇이 이롭지 않겠는가? 충실한 양으로서 가운데 있으니 믿음이 있는 상이고, 구오의 덕·재질·지위로서 속마음의 지극한 정성이 만물을 은혜롭고 유익하게 하는 데 있으니, 지극히 선해서 크게 길할 것은 묻지 않아도 알 수 있다. 그러므로 "묻지 않아도 크게 선해서 길하다"고 하였다. 임금이 이룰 수 있는 자리에 있고 이룰 수 있는 권세를 잡아서 참으로 지성껏 천하를 유익하게 하여 천하가 그 큰 복을 받으니, 크게 선해서 길함은 말이 필요가 없다. "믿음이 있어서 나의 덕을 은혜롭게 여긴다"는 임금이 지성으로 천하를 유익하게 하면 천하 사람들이 지성으로 아끼고 추대하지 않음이 없어서 임금의 덕택을 은혜롭게 여기는 것이다.

本義

上有信以惠于下, 則下亦有信以惠於上矣, 不問而元吉, 可知.

윗사람이 믿음을 가지고 아랫사람에게 은혜를 베풀면 아랫사람도 믿음을 가지고 윗사람을 은혜롭다 할 것이니, 묻지 않더라도 크게 길함을 알 수 있다.

小註

隆山李氏曰, 剛中有孚象, 惠心者, 非可人給而家養之也. 聖人之仁, 如一氣之春, 擧斯加彼, 使欲富壽安佚之心, 皆遂所欲也. 我之所惠以心, 則人之感惠, 以爲德矣.

융산이씨가 말하였다: 굳세고 알맞아 믿음이 있는 상이다. '은혜로운 마음'은 남이 주어서 집에서 기를 수 있는 것이 아니다. 성인의 어짊은 한줄기 봄기운과 같아서 이것을 들어내 저것에 더해주어, (백성들이) 부유하고 장수하고 편안하고 싶은 마음을 원하는 대로 다 이룰 수 있도록 하는 것이다. 내가 마음으로 은혜를 베풀면 다른 사람들이 은혜를 느껴서 덕으로 여길 것이다.

○ 中溪張氏曰, 上之孚下, 以心爲惠, 下之孚上, 以德爲惠.

중계장씨가 말하였다: 윗사람이 아랫사람을 믿어 마음으로 은혜를 베풀면, 아랫사람이 윗사람을 믿어, 윗사람의 덕을 은혜롭게 여긴다.

○ 雲峰胡氏曰, 益莫大於信, 惠莫大於心. 有孚惠心, 上有信以益下也, 有孚惠我德, 下有德信以益上也. 言惠不言益, 益之大者也, 不問而元吉, 可知矣.

운봉호씨가 말하였다: 유익함은 믿음보다 큰 것이 없고, 은혜로움은 마음보다 큰 것이 없다. "은혜로운 마음에 믿음이 있다"는 위에서 믿음으로 아랫사람을 유익하게 하는 것이고, "믿음이 있어서 나의 덕을 은혜롭게 여긴다"는 아래에서 덕과 믿음을 가지고 윗사람을 유익하게 하는 것이다. 은혜롭다고 하고 유익하다고 하지 않은 것은 유익함이 큰 것이니, 묻지 않아도 크게 길함을 알 수 있다.

○ 節齋蔡氏曰, 上以有孚而順下之心, 卽洪範所謂皇建有極, 用敷錫厥庶民者也. 下亦以有孚而順上之德, 卽洪範所謂錫汝保極者是也.

절재채씨가 말하였다: 윗사람이 믿음을 가지고 아랫사람의 마음을 따름은 곧 『서경・홍범』에서 말하는 "임금이 법칙을 세움이니, 여러 백성들에게 펴서 준다"는 것이다. 아랫사람 역시 믿음을 가지고 윗사람의 덕을 따름은 곧 「홍범」에서 말하는 "그대에게 그 법칙을 보호하게 해 줄 것이다"가 이것이다.[48]

---

48) 『書經・洪範』: 五, 皇極, 皇建其有極, 斂時五福, 用敷錫厥庶民, 惟時厥庶民, 于汝極, 錫汝保極.

▐ 韓國大全 ▐

조호익(曺好益) 『역상설(易象說)』

心, 五, 坎位象. 問, 頤口象, 勿, 艮止象. 我, 指五, 惠, 因卦名取義.

'마음'은 오효로 감괘가 자리하는 상이다. '묻다'는 이괘(頤卦)의 입의 상이고, '~ 않다[勿]'는 간괘의 정지하는 상이다. '나'는 오효를 가리키고 '은혜'는 괘의 이름으로 뜻을 취했다.

송시열(宋時烈) 『역설(易說)』

九五居上之位, 以誠信益下, 此有孚惠心也. 不問其下之感應與否, 而誠信如此, 其道吉矣, 故曰勿問元吉. 下之人, 亦有孚感誠心, 愛載以爲惠我. 以大德云則此辭當分上下看. 來氏曰, 二三受上之益, 比于四兩, 以中行告于四, 四從之, 五亦不問于四, 益之權在四云云, 未知是否.

구오가 위의 자리에 있으면서 진실과 믿음으로 아래에 보태주니, 이것이 은혜로운 마음에 믿음이 있는 것이다. 아래에서 감사하여 호응하는 여부를 묻지 않고 진실과 믿음이 이와 같으니 그 도가 길하기 때문에 "묻지 않아도 크게 선해서 길하다"고 하였다. 아랫사람도 믿고 감사하는 진실한 마음이 있으니, 사랑하고 추대하여 나를 은혜롭게 여긴다. 큰 덕으로 말하면 이 말은 상하로 나눠 봐야 한다. 래씨가 "이효와 삼효가 위에서 보태주는 것을 받고 사효와 가까운 것이 둘이지만 알맞게 행함으로 사효에게 고하여 사효가 따르고 오효도 사효에게 묻지 않으니, 보태주는 권세가 사효에 있다"[49]고 하였는데, 옳은지는 모르겠다.

석지형(石之珩) 『오위귀감(五位龜鑑)』

臣謹按, 益之九五, 其曰有孚惠心者, 我有惠物之誠也, 其曰有孚惠我德者, 彼感自我之惠也. 取洪範所謂用敷錫厥庶民, 錫汝保極之訓, 叅互觀之, 則有以相發, 故先儒亦引此, 以明之. 伏願殿下考信而體行焉.

신이 삼가 살펴보았습니다: 익괘의 구오에서 '은혜로운 마음에 믿음이 있다'고 한 것은 나에게 사물을 은혜롭게 하는 진실이 있음이고, '믿음이 있어 나의 덕을 은혜롭게 여긴다'고 한 것은 저들이 나의 은혜에 감사하는 것입니다. 『서경·홍범』에서 말한 '여러 백성에게 펴서

---

49) 『周易傳義大全·益卦』: 二三, 皆受上之益者也, 則益之權在四矣. 三比四, 有孚于四, 以中行告四, 四從之, 五比四, 有孚于四, 四不必告五, 五亦不必問四矣. 下于上曰告, 上于下曰問. 蓋正位在四, 知其必能惠下也, 所以勿問也.

주고 그대에게 그 법칙을 보호하게 해줄 것이다'는 훈계로 참고해서 함께 보면 서로 밝혀주는 것이 있기 때문에 앞선 유학자들도 이것을 인용하여 분명히 하였습니다. 전하께서 상고하여 징험하고 체득해서 행하시길 엎드려 바라옵니다.

이현익(李顯益) 「주역설(周易說)」

惠心, 傳, 作惠益天下之心. 而隆山李氏謂, 所惠以心, 中溪張氏謂, 以心爲惠, 雲峯胡氏謂, 惠莫大於心, 皆非是, 惠我德. 傳作天下懷吾德以爲惠, 而雲峯胡氏謂, 下有德以益上, 亦非是.

'은혜로운 마음'에 대해『정전』에서는 천하에 은혜를 베풀고 유익하게 하려는 마음이라고 했고, 융산이씨는 마음으로 은혜를 베푸는 것이라고 했으며, 중계장씨고 '마음으로 은혜를 베푸는 것'이라 했고, 운봉호씨는 은혜로움은 마음보다 큰 것이 없다고 했으니 모두 옳지 않다. '나의 덕을 은혜롭게 여기는 것'에 대해『정전』에서는 천하가 나의 덕을 은혜롭게 여기는 것이라고 하고, 운봉호씨는 아래에서 덕을 가지고 윗사람을 유익하게 하는 것이라고 했는데 또한 옳지 않다.

이익(李瀷)『역경질서(易經疾書)』

有孚惠心者, 謂其所遷國, 非人主自爲己私, 其實由於慈惠群生而爲之也, 如盤庚之遷都. 雖有一二歧貳之論, 若信有惠心, 而非爲己私, 則勿問而斷行矣. 如是則其終民亦必感惠我德澤.

'은혜로운 마음에 믿음이 있는 것'은 나라를 옮기는 것은 임금이 사적으로 마음대로 할 수 있는 것이 아니라 실로 백성들의 삶을 은혜롭게 하는 것에 따라 해야 함을 말하니, 이를테면 반경이 천도하는 것이다. 하나 둘 다른 논의가 있을지라도 진실로 은혜로운 마음이 있어 사사롭게 한 것이 아니라면 묻지 않고도 단행한다. 이렇게 하는 것은 끝내 백성들도 나의 은택에 반드시 감사하고 은혜롭게 여긴다.

유정원(柳正源)『역해참고(易解參攷)』

王氏曰, 得位履尊, 爲益之主者也. 爲益之道, 莫大於信, 爲惠之道, 莫大於心. 因民所利而利之焉, 惠而不費. 惠心者也, 信而惠心, 盡物之願, 固不待問而元吉. 有孚惠我心也, 以誠惠物, 物亦應之, 故曰, 有孚惠我德也.

왕씨가 말하였다: 지위를 얻어 존귀하니 보태줌을 행하는 주인이다. 보태줌을 행하는 도는

믿음보다 큰 것이 없고, 은혜를 행하는 도는 마음보다 큰 것이 없다. 백성들이 이롭게 여기는 것에 따라 이롭게 하여 은혜롭게 하면서도 낭비하지 않는다. 마음을 은혜롭게 여기는 것은 믿고서 마음을 은혜롭게 여기니, 만물을 극진하게 하는 소원은 진실로 물을 필요도 없이 크게 선해서 길하다. 믿음이 있어서 나의 마음을 은혜롭게 여기는 것은 진심으로 사물을 은혜롭게 하니 사물도 호응하기 때문에 "믿음이 있어서 나의 덕을 은혜롭게 여긴다"고 하였다.

○ 雙湖胡氏曰, 心只是本爻取象. 九五以陽居陽, 故有孚惠心. 上九以陽居陰, 故立心勿恒.

쌍호호씨가 말하였다: 마음은 오효로 상을 취한 것일 뿐이다. 구오는 양으로 양의 자리에 있기 때문에 은혜로운 마음에 믿음이 있다. 상구는 양으로 음의 자리에 있기 때문에 마음을 세우는 것이 일정하지 않다.

○ 案, 五有信惠二, 二有信惠五. 然有孚惠德, 通指在下言也.

내가 살펴보았다: 오효는 이효를 믿고 은혜롭게 여기며, 이효는 오효를 믿고 은혜롭게 여긴다. 그러나 믿음이 있어서 덕을 은혜롭게 여기는 것은 통괄적으로 아래에 있는 것을 가리켜서 말하였다.

김상악(金相岳) 『산천역설(山天易說)』

上卦本乾, 五居其中, 損四以益下. 故在五爲惠心, 在下爲惠德, 不問而元吉. 民不求其所欲而得之, 謂之信, 是也. 故私惠不歸德, 君子不自留焉.

위의 괘는 본래 건괘(乾卦☰)인데 오효가 그 가운데 있으면서 사효를 덜어내어 아래에 보태주었다. 그러므로 오효에게는 은혜로운 마음이고 아래의 괘에게는 은혜로운 덕이니, 묻지 않아도 크게 선해서 길하다. 백성이 바라는 것을 요구하지 않았는데도 얻은 것을 믿음이라고 한다는 것이 여기에 해당한다. 그러므로 사적인 은혜를 베푼 것이어서 덕으로 돌아가지 않는 것이라면 군자는 스스로 그것에 머무르지 않는 것이다.

○ 震巽之木, 其數在一五之間, 其位在五行之中, 其德爲仁, 故曰, 有孚惠心. 有孚惠德, 五與二爲應而益下, 則變爲中孚, 中孚之五曰, 有孚攣如, 取象相似. 震巽二木, 生於坎水, 坎象曰, 有孚, 維心亨, 心之蘊於中者也. 益爻曰, 有孚惠心, 惠德, 心之發於外者也. 勿問者, 巽之命, 互艮而止也. 事之吉凶, 龜必先知, 而五之元吉, 乃其所自知者, 故不問于二之龜也. 革則當革之時, 故雖未占有孚, 不言其吉. 此則行益之時, 故上下交孚, 勿問元吉. 初之元吉, 以受益而言, 五之元吉, 以行益而言.

진괘와 손괘의 나무는 그 수가 일과 오 사이에 있고 그 위치는 오행의 가운데 있으며, 그 덕은 어짊이기 때문에 "은혜로운 마음에 믿음이 있다"고 하였다. 은혜로운 덕에 믿음이 있어 오효와 이효가 호응하여 아래에 보태주면, 중부괘(中孚卦䷼)로 변해 그 오효에서 "구오는 미더움이 있는 것이 잡아당기듯 한다"고 하였으니, 상을 취한 것이 서로 비슷하다. 진괘와 손괘의 두 나무가 감괘인 물에서 나와 감괘의 「단전」에서 "믿음이 있어서 마음 때문에 형통하다"라고 하였으니, 마음은 가운데에 온축된 것이기 때문이다. 익괘의 효에서 "은혜로운 마음에 믿음이 있다고 하였으니, 은혜로운 덕은 마음이 밖으로 드러난 것이다. '묻지 않는 것'은 손괘의 명령이 호괘가 간괘여서 멈춘 것이다. 일의 길흉은 거북이 먼저 알지만 오효의 크게 선해서 길한 것은 바로 저절로 아는 것이기 때문에 이효의 거북에게 묻지 않는 것이다. 혁괘(革卦)에서는 변혁의 때이기 때문에 점치기 전일지라도 믿음이 있어[50] 그 길함을 말하지 않았다. 여기에서는 보태줌을 행하는 때이기 때문에 위아래로 서로 믿어 묻지 않아도 크게 선해서 길하다. 초효의 크게 길함은 보태줌을 받는 것으로 말하였고, 오효의 크게 선해서 길함은 보태줌을 행하는 것으로 말하였다.

서유신(徐有臣) 『역의의언(易義擬言)』

九五與六二, 中正相應, 有交孚相益之象也. 上孚, 實心也, 下孚, 虛心也, 上惠, 益下也, 下惠, 益上也. 勿問元吉, 不待占而知其吉也. 上之人旣有實心之益矣, 下之人必有虛心之應矣, 故元吉, 可前知也. 惠我德者, 以德助我爲益大矣, 詩云, 示我周行.

구오와 육이는 중정으로 서로 호응하여 서로 믿고 서로 보태주는 상이 있다. 위에서 믿는 것은 마음이 참되기 때문이고 아래에서 믿는 것은 마음을 비웠기 때문이니, 위에서 은혜로우면 아래에 보태주고 아래에서 은혜로우면 위에 보태준다. '묻지 않아도 크게 선해서 길한 것'은 점치지 않아도 그 길함을 아는 것이다. 윗사람이 이미 참된 마음으로 보태주었다면 아랫사람도 반드시 마음을 비우고 호응하기 때문에 크게 선해서 길할 것이니, 이전부터 알 수 있는 것이다. '나의 덕을 은혜롭게 여기는 것'은 덕으로 나를 돕는 것을 유익하고 크게 여기기 때문이니, 『시경』에서 "내게 큰 길을 일러 주시네"[51]라는 것이다.

박제가(朴齊家) 『주역(周易)』

但有此心已, 爲勿問之元吉, 況有孚惠我之德乎. 蓋心, 仁心而已, 德則行仁政, 而被其

---

50) 『周易·革卦』: 九五, 大人虎變, 未占, 有孚.

51) 『詩經·鹿鳴』: 我有嘉賓, 鼓瑟吹笙. 吹笙鼓簧, 承筐是將. 人之好我, 示我周行.

澤矣.

그냥 이런 마음을 가지기만 할 뿐이고 묻지 않아도 크게 선해서 길하니, 하물며 믿음이 있어서 나의 덕을 은혜롭게 여김에야 말해 무엇 하겠는가? '마음'은 어진 마음일 뿐이고, '덕'은 어진 정치를 행하여 그 혜택을 입는 것이다.

박문건(朴文健) 『주역연의(周易衍義)』

恐生疑慮, 故有勿問之象. 惠, 順也. 我, 九五也.

의심하고 염려할 것을 걱정하기 때문에 묻지 않는다는 상이 있다. '은혜롭게 여기는 것'은 따르는 것이다. 나는 구오이다.

〈問, 有孚惠心, 勿問以下. 曰, 九五但有孚於在下三陰, 勿問其順我之本心, 必得其大吉也. 但有孚而已, 則自然順我之中德也. 再言有孚者, 勉九五之辭也, 蓋惠心. 勿問者, 二則比初, 三四則皆有應而從己. 若問其所以然, 則彼生疑慮, 而不來也. 故勿問, 然後得大吉也.

물었다: "은혜로운 마음에 믿음이 있다. 묻지 않아도" 이하는 무슨 뜻입니까?

답하였다: 구오는 아래의 세 음을 믿기만 하고 그들이 나를 따르는 본심을 묻지 않으니, 반드시 크게 길할 것입니다. 믿기만 하면 저절로 나의 알맞은 덕을 따를 것입니다. 거푸 '믿음이 있다'고 한 것은 구오에게 권면하는 말로 은혜로운 마음입니다. '묻지 않는 것'은 이효는 초효와 가깝고 삼효와 사효는 모두 호응하여 나를 따르는데, 그렇게 하는 까닭은 묻는다면 저들이 의심해서 오지 않기 때문입니다. 그러므로 묻지 않은 다음에 크게 길한 것입니다.〉

이지연(李止淵) 『주역차의(周易箚疑)』

帝則曰, 下民其咨, 民則曰, 莫非爾極, 君則曰, 駿發爾私, 民則曰, 雨我公田.

임금이라면 "백성들이 감탄한다"고 하고, 백성이라면 "임금의 지극한 덕이 아님이 없다"고 하며, 임금이라면 "크게 네 밭을 간다"고 하고, 백성이라면 "나라의 밭에 비를 내려라"고 한다

김기례(金箕澧) 「역요선의강목(易要選義綱目)」

上有孚, 指君, 下有孚, 指民. 五中實, 故曰有孚. 剛中居尊, 應中正而行益, 以惠及下, 下亦誠感其惠德也.

위에 믿음이 있는 것은 임금을 가리키고 아래에 믿음이 있는 것은 백성을 가리킨다. 오효는 중심이 채워져 있기 때문에 "믿음이 있다"고 하였다. 굳셈이 알맞고 존귀한 자리에 있으면서 중정한 것과 호응하고 보태줌을 행하여 은혜를 아래에 미치니, 아래에서도 성심으로 그 은혜와 덕에 감사한다.

심대윤(沈大允)『주역상의점법(周易象義占法)』

益之頤䷚, 養之漸成也. 九五以陽德當位, 大業旣廣, 居剛懋德, 而得中, 馴致萬姓于仁壽之域, 泰己垂衣无爲, 而致熙皥之治. 故曰勿問, 其有孚惠心矣. 离爲孚, 對大過兌爲惠, 兌互艮爲問. 有孚, 信天下之无好邪, 而不生猜疑之心也. 惠心, 仁愛之心也. 勿問, 言蕩蕩乎无能名也, 所以元吉也. 有孚惠我德, 言天下信我, 而惠我之德也.

익괘가 이괘(頤卦䷚)로 바뀌었으니, 기르는 것이 점차로 이루어지는 것이다. 구오는 양의 덕으로 지위에 마땅하여 큰일이 이미 광대하고, 굳센 자리에 있어 덕을 성대하게 하면서도 알맞음을 얻어 만민을 어질어 장수하는 영역으로 달려가게 하고, 공손히 의상을 드리우고 아무 것도 하지 않으면서도 빛나고 밝은 다스림을 이룬다. 그러므로 "묻지 않는다"고 하였으니, 믿음이 있어서 나의 마음을 은혜롭게 여기는 것이다. 리괘(離卦)가 '믿음'이고, 음양이 바뀐 괘인 대과괘(大過卦䷛)의 태괘(兌卦)가 '은혜'이며, 태괘와 호괘 간괘가 '묻는 것'이다. '믿음이 있는 것'은 천하가 사악함을 좋아함이 없는 것을 믿고 의심하는 마음을 내지 않는 것이다. '은혜로운 마음'은 어질게 대하고 아끼는 마음이다. '묻지 않은 것'은 넓고 넓어 무엇이라고 이름 붙일 수 없는 것으로 크게 선해서 길한 까닭이라는 말이다. '믿음이 있어서 나의 덕을 은혜롭게 여기는 것'은 천하가 나를 믿어 나의 덕을 은혜롭게 여긴다는 말이다.

오치기(吳致箕) 「주역경전증해(周易經傳增解)」

九五, 陽剛中正而居尊, 爲益下之君, 應六二柔中之賢, 比六四順正之臣, 以益下之惠心有孚于下, 而不問其感與不感, 但行益道, 故言大善而吉. 下亦有孚于上, 而惠之以德, 斯可見大得民志也. 是以其辭如此.

구오는 굳센 양이 중정하고 존엄한 자리에 있어 아래에 보태주는 임금으로 유순하고 알맞은 육이라는 현자와 호응하고, 순종하며 바른 육사라는 신하와 가까우면서 아래에 보태주는 은혜로운 마음으로 아래에 믿음을 두어 그들이 감사하는지 여부를 묻지 않고 단지 보태주는 도를 행할 뿐이기 때문에 크게 선해서 길하다고 하였다. 아래에서도 위를 믿어 덕을 은혜롭게 여기니, 이것으로 크게 백성들의 마음을 얻었음을 알 수 있다. 이 때문에 그 말이 이와 같다.

○ 上言有孚, 君之信下也, 下言有孚, 下之信君也. 惠與心, 取於似離, 勿者, 止也, 取於變艮而與不之義通. 問, 取對體互兌, 我指五, 而德, 取對體似坎也.

위에서 믿음이 있다고 하는 것은 임금이 아래를 믿는 것이고, 아래에서 믿음이 있다고 하는 것은 아래에서 임금을 믿는 것이다. 은혜와 마음은 리괘와 비슷한 것에서 취했고, '~하지 않다[勿]'는 금지하는 것으로 간괘(艮卦)로 변한 것에서 취했는데, '~하지 않다[不]'는 의미와 통한다. '묻다'는 음양이 바뀐 몸체**言**의 호괘 태괘(兌卦)에서 취했고, '나'는 오효를 가리키며, '덕'은 음양이 바뀐 몸체가 감괘(坎卦)와 유사한 것에서 취했다.

이진상(李震相)『역학관규(易學管窺)』

厚離, 火體, 中虛, 有心象. 離本伏坎, 巽且從坎, 有心孚象. 巽以入之, 所以能孚.

두터운 리괘는 화의 몸체로 가운데가 비어 있어 마음의 상이 있다. 리괘(離卦)에는 본래 감괘(坎卦)가 숨어 있고, 손괘(巽卦)는 또 감괘를 따르므로 마음과 믿음의 상이 있다. 공손하게 들어가기 때문에 믿을 수 있다.

박문호(朴文鎬)「경설(經說)·주역(周易)」

九五之德之才之位, 下二之字上, 亦當各有九五二字, 而無者, 省文也. 凡省文之法, 多有下省, 而此則上省也.

'구오의 덕·재질·지위로서'라는 말에서 '재질·지위'라는 말의 앞에도 '구오의'라는 말이 있어야 하는데 없는 것은 글을 생략한 것이다. 글을 생략하는 법은 대부분 뒤에서 생략하는데 여기서는 앞에서 생략했다.

이용구(李容九)「역주해선(易註解選)」

九五, 聖人之仁, 如一氣之春.

구오는 성인의 어짊으로 한 줄기 봄기운과 같다.

○ 節齋蔡氏曰, 上以有孚, 而順下之心, 卽皇建有極, 用敷錫厥庶民, 是也. 下亦以有孚, 而順上之德, 卽錫汝保極, 是也.

절재채씨가 말하였다: 윗사람이 믿음이 있어 아랫사람의 마음을 따르는 것은 곧 '임금이 법칙을 세움이니, 여러 백성들에게 펴서 준다'는 것이 여기에 해당한다. 아랫사람 역시 믿음을 가지고 윗사람의 덕을 따르는 것은 곧 「홍범」에서 말하는 '그대에게 그 법칙을 보호하게 해 줄 것이다'가 여기에 해당한다.

이병헌(李炳憲) 『역경금문고통론(易經今文考通論)』

程傳曰, 五陽中居尊, 又得二相應. 陽實在中, 有孚之象也. 有至誠惠益之心, 元吉不暇言也. 天下至誠懷吾德以爲惠, 是其道大行人君之志得矣.

『정전』에서 말하였다: 오효는 양으로 알맞으며 존귀한 자리에 있고, 이효와 서로 호응한다. 충실한 양으로 가운데 있으니, 믿음이 있는 상이다. 지극한 정성으로 은혜롭고 유익하게 하는 마음이 있으니, 크게 선해서 길한 것은 말할 필요가 없다. 천하가 지극한 정성으로 나의 덕을 품어 은혜롭게 여기니, 이것은 그 도가 크게 행해져 임금이 뜻을 얻은 것이다.

按, 九五有德, 則易以興, 無德則易以亡, 勿, 禁止辭.

내가 살펴보았다: 구오가 덕이 있으면 일으키기 쉽고, 덕이 없으면 망하기 쉽다. '~하지 않다[勿]'는 금지하는 말이다.

象曰, 有孚惠心, 勿問之矣, 惠我德, 大得志也.

「상전」에서 말하였다: "은혜로운 마음에 믿음이 있음"은 묻지 않는 것이며, "나의 덕을 은혜롭게 여김"은 크게 뜻을 얻은 것이다.

中國大全

傳

人君, 有至誠惠益天下之心, 其元吉, 不假言也. 故云勿問之矣. 天下至誠, 懷吾德, 以爲惠, 是其道大行, 人君之志得矣.

임금이 지극한 정성으로 천하에 은혜를 베풀고 유익하게 하려는 마음이 있으니, 크게 선해서 길함은 말이 필요 없다. 그러므로 '묻지 않는다'고 하였다. 천하가 지극한 정성으로 나의 덕을 그리워해서 은혜롭게 여김은 그 도가 크게 행해짐이니, 임금이 뜻을 얻은 것이다.

小註

白雲郭氏曰, 損之上九, 言大得志, 蓋自損得益而爲得志也. 此言大得志, 蓋有君惠天下之志, 至於天下信, 而懷其德, 是爲大得志之時也.

백운곽씨가 말하였다: 손괘의 상구효에서 '크게 뜻을 얻었다'고 한 것은 대체로 자기를 덜어 유익하게 할 수 있어서 뜻을 얻은 것이 된다. 여기에서 '크게 뜻을 얻었다'고 한 것은 대체로 임금이 천하에 은혜를 베풀려는 뜻이 있어서 천하 사람들이 믿기에 이르러 그 덕을 그리워 하니, 이는 크게 뜻을 얻은 때가 된다.

‖韓國大全‖

김상악(金相岳) 『산천역설(山天易說)』

志者, 心之所之也.

뜻은 마음이 가는 것이다.

서유신(徐有臣) 『역의의언(易義擬言)』

勿問之者, 知其將然也. 大得志者, 言其已然也.

묻지 않는 것은 그것이 그럴 것임을 알기 때문이다. 크게 뜻을 얻는 것은 이미 그런 것을 말한 것이다.

오치기(吳致箕) 「주역경전증해(周易經傳增解)」

上有信以惠下, 而不問其感否, 下亦有信於上, 而惠之以德, 是乃大得下之志也.

위에서 믿음을 가지고 아래에 은혜를 베풀어 그들이 감사하는지 여부를 묻지 않고, 아래에서도 위에 믿음이 있어 덕을 은혜롭게 여겼으니, 이것은 바로 아래의 뜻을 크게 얻은 것이다.

上九, 莫益之. 或擊之. 立心勿恒, 凶.

정전 상구는 보태주는 이가 없으니, 혹 칠 것이다. 항상 이익에 마음을 세워서는 안 되니, 흉하다.

본의 상구는 보태주는 이가 없으니, 혹 칠 것이다. 마음을 세우는 것이 항상되지 않으니, 흉하다.

‖中國大全‖

傳

上居无位之地, 非行益於人者也. 以剛, 處益之極, 求益之甚者也, 所應者陰, 非取善自益者也. 利者, 衆人所同欲也, 專欲益己, 其害大矣. 欲之甚, 則昏蔽而忘義理, 求之極, 則侵奪而致仇怨. 故夫子曰, 放於利而行, 多怨, 孟子謂先利, 則不奪不饜, 聖賢之深戒也. 九以剛而求益之極, 衆人所共惡, 故无益之者而或攻擊之矣. 立心勿恒凶, 聖人戒人存心不可專利. 云勿恒, 如是, 凶之道也, 所當速改也.

상효는 지위가 없는 자리에 있으니 남에게 유익함을 행하는 자가 아니다. 굳센 양으로 익괘의 끝에 있으니 보태주기를 심하게 구하는 자이고, 호응하는 자도 음이어서 착함을 취해 스스로 유익하게 하는 자가 아니다. 이로움은 여러 사람이 같이 욕심내는 것인데 전적으로 자기만 유익하고자 하니 그 해로움이 크다. 욕심냄이 심하면 어둡고 가려서 의리를 잊고, 구함이 지극하면 쳐서 빼앗아 원수와 원망을 이룰 것이다. 그러므로 공자는, "이익에 따라 행하면 원망이 많다"고 하였고, 맹자는 "이익을 앞세우면 빼앗지 않고는 만족하지 않을 것"이라고 하였으니 성현의 깊은 경계이다. 상구가 굳센 양으로서 보태주기를 구함이 극에 달하니 여러 사람들이 같이 미워하는 바이므로 보태주는 이는 없고 혹 공격할 것이다. "항상 이익에 마음을 세워서는 안 되니, 흉하다"는 성인이 사람들에게 마음을 두는 곳이 전적으로 이로움이어서는 안된다고 경계한 것이다. "항상 ~ 안 된다"고 한 것은 이와 같으면 흉한 도리라고 한 것이니 마땅히 빨리 고쳐야 한다

本義

以陽居益之極, 求益不已. 故莫益而或擊之. 立心勿恒, 戒之也.

양으로 익괘의 끝에 있어서 보태주기를 구함이 끝이 없다. 그러므로 보태줌이 없고 혹 치는 것이다. "마음을 세우는 것이 항상되지 않다"는 경계한 것이다.

小註

或問, 或擊之. 朱子曰, 或字, 衆无定主之辭, 言非但一人擊之也. 立心勿恒, 勿字, 只是不字, 非禁止之辭. 此處亦可疑, 且闕之.

어떤 이가 물었다: "혹 칠 것이다"는 무슨 뜻입니까?

주자가 답하였다: '혹'자는 여러 명이라 특정한 주인이 없다는 말이니, 한 사람이 치는 것만이 아님을 말합니다. "마음을 세우는 것이 항상되지 않다[立心勿恒]"에서 "않다[勿]"는 말은 "~하지 않는다[不]"는 말이니, 금지하는 말이 아닙니다. 이곳도 의심스러워서 우선 빼놓습니다.

○ 損益二卦, 諸爻皆互換, 損好益卻不好. 如損六五, 卻成益六二, 損上九好, 益上九卻不好.

손괘와 익괘 두 괘는 여러 효가 모두 서로 주고받으니, 손괘에서 좋은 것이 익괘에서는 도리어 좋지 않다. 예컨대 손괘의 육오는 바로 익괘의 육이가 되고, 손괘 상구는 좋으나 익괘 상구는 도리어 좋지 않다.

○ 雙峰胡氏曰, 益之上九, 卽恒之九三, 不安於恒, 陵躐等級, 超於震上, 以求益者也, 故其辭同. 三上皆巽體, 說卦謂巽爲不果, 爲進退, 爲躁卦, 其立心勿恒之驗歟. 此所以莫有以益之而反或有以擊之也. 此爻其戒恒之九三乎. 大抵損極則益而吉, 益極則損而凶, 是以君子恒處其益之極也.

쌍봉호씨가 말하였다: 익괘의 상구는 곧 항괘의 구삼이니, 항상됨을 편안해 하지 못해서 등급을 뛰어넘어 상괘인 진괘(☳)를 추월하여 유익함을 구하는 자이므로 그 효사가 같다.[52] 항괘의 삼효와 익괘의 상효는 모두 손괘의 몸체인데, 「설괘전」에서 손괘는 '과감하지 못함'이 되고, '나아가고 물러남'이 되며, '조급한' 괘가 되니, 그 마음을 세움이 항상되지 않은 증험이다. 이것이 유익하게 함이 있지 않고 도리어 혹 치는 자가 있는 까닭이다. 이 효는 그 경계해 줌이 항괘의 구삼과 같다. 대체로 덜어냄이 극에 이르면 보태져서 길하고, 보태줌이 지극하면 덜어져서 흉하기 때문에 군자는 항상 그 보태줌을 지극히 하는 데에 머문다.

---

52) 『周易·恒卦』 不恒其德. 或承之羞, 貞, 吝.

○ 雲峰胡氏曰, 六二柔居下之中, 不求益而或益之, 上九剛居上之極, 求益不已, 人莫益之而或擊之. 嗚呼, 九五之吉, 由中心之有孚, 上九之凶, 由立心之勿恒, 吉凶之道, 孰有不自心生者哉.

운봉호씨가 말하였다: 육이는 부드러운 음이 하괘의 가운데에 있어 유익함을 구하지 않아도 어떤 이가 보태주고, 상구는 굳센 양으로 상괘의 끝에 있어 유익함을 구하길 그치지 않으니, 남들이 보태주지 않고 혹 친다. 아, 구오의 길함은 마음속으로 믿음이 있는 데서 말미암고, 상구의 흉함은 마음을 세움이 항상되지 않은 데에서 말미암으니, 길흉의 도는 무엇이 마음으로부터 생기지 않는 것이 있겠는가?

○ 厚齋馮氏曰, 益卦恒之交也, 巽下震上爲恒, 震下巽上爲益. 今益之窮, 將復易位而爲恒矣, 故聖人戒之以立心可恒也. 不然凶矣.

후재풍씨가 말하였다: 익괘(益卦䷩)는 항괘(恒卦䷟)와 주고받으니, 손괘(☴)가 아래, 진괘(☳)가 위에 있는 것이 항괘(恒卦䷟)이고, 진괘가 아래, 손괘가 위에 있는 것이 익괘(益卦䷩)이다. 이제 보태줌이 다하여 다시 자리를 바꾸어 항괘가 될 것이므로, 성인이 '마음을 세움이 항상 되어야 한다'고 경계하였다. 그렇지 않으면 흉할 것이다.

‖韓國大全‖

곽설(郭說) 『역전요의(易傳要義)』

益上九爻, 子曰, 君子安其身而後動, 易其心而後語, 定其交而後求. 君子備此三者, 故全也. 危而動, 則民不與也, 懼而語, 則民不應也, 无交而求, 則民不與也. 莫之與, 則傷之者, 至矣. 易曰莫益之, 或擊之. 立心勿恒, 凶.

익괘 상구에서 공자는 말하였다: 군자가 그 몸을 편안히 한 뒤에야 움직이며 그 마음을 가다듬은 뒤에야 말하며 그 사귐을 안정시킨 뒤에야 구하니, 군자가 이 세 가지를 닦으므로 온전한 것이다. 위태하면서 움직이면 백성이 함께하지 않고 두려워하면서 말하면 백성이 응대하지 않고 사귐이 없이 구하면 백성이 도와주지 않는다. 도와줄 이가 없으면 다치게 할 자가 이르니, 『주역』에 "보태주는 이가 없으니 혹 칠 것이다. 마음을 세우는 것이 일정하지 않으니 흉하다"고 하였다.

조호익(曺好益) 『역상설(易象說)』

莫益, 益極而變之象. 擊, 下艮手象. 心上變, 則爲坎, 又上卦位坎, 有心象. 立心勿恒, 巽象.

보태주는 이가 없는 것은 익괘의 끝이어서 변화하는 상이다. '친다'는 아래의 간괘(艮卦)인 손의 상이다. '마음'은 상효가 변하면 감괘(坎卦)가 되고, 또 상괘는 자리로는 감괘여서 마음의 상이 있는 것이다. '마음을 세우는 것이 일정하지 않다'는 손괘(巽卦)의 상이다.

송시열(宋時烈) 『역설(易說)』

此則不如損之上九. 九五, 以陽剛處君位, 能盡益之道, 而主張之. 此過高無位, 不能祐助, 而但有過剛之德, 故有時攻擊之, 其立心不能如一日, 故凶. 離爲父, 艮爲手, 以手持兵而擊之之象. 繫辭曰, 危而動, 則民不與,[53] 懼而語, 則民不應, 此所謂偏辭也. 二之自外來說見上, 上九之自外來, 非謂下之來助也. 九自亢極遠外而來, 故下不應與, 是以不勝其怨怒而擊之也. 若民不與以擊之, 則是內也非外也. 以傷之者至矣觀之, 則似以慮外之傷害言之, 此亦活看, 如何.

상구는 손괘의 상구만도 못하다. 구오는 굳센 양으로 임금의 자리에 있어 보태주는 도를 다하여 주장할 수 있다. 그런데 상구는 지위 없이 지나치게 높아 도울 수 없는데도 지나치게 굳센 덕만 있기 때문에 때로 공격하고, 마음을 세움에 하루라도 같지 않기 때문에 흉하다. 리괘(離卦)는 아버지이고 간괘(艮卦)는 손이니, 손으로 무기를 잡고 치는 상이다. 「계사전」에서 "위태하면서 움직이면 백성이 함께 하지 않고 두려워하면서 말하면 백성이 응대하지 않는다"고 하였으니, 이것이 이른바 '말을 치우치게 했다[偏辭]'는 것이다. 이효의 '밖으로부터 오는 것이다'에 대한 설명은 앞에 있다. 상구의 '밖으로부터 오는 것이다'는 아래에서 와서 돕는 것을 말하는 것이 아니다. 상구가 극히 높고 멀리 밖에서 왔기 때문에 아래에서 호응하여 함께 하지 않으니, 이 때문에 그 원망과 분노를 이기지 못하여 치는 것이다. 백성들이 함께 하지 않아 그들을 친다면 이것은 안이지 밖이 아니다. 해치는 자가 오는 것으로 본다면 뜻밖의 상해로 말하는 것처럼 된다. 이 역시 융통성있게 보는 것이 어떠하겠는가?

이익(李瀷) 『역경질서(易經疾書)』

上九, 過剛失位, 益之極而反害也. 立心勿恒, 是倒句法也, 謂其莫益或擊, 由於立心勿恒也. 勿恒, 則不徒莫益. 擊之者, 又或至矣. 傳云偏辭也, 此謂一偏之辭也. 其擊之者

---

53) 與: 경학자료집성DB와 영인본에는 모두 '如'로 되어 있으나, 『주역전의대전』 원문에 따라 '與'로 바로잡았다.

或有或無, 猶有未可知者. 謂之莫益, 則絶無可知, 孔子恐人賺連或字看, 故謂此偏主一邊說, 而無可疑也. 自外來, 謂患不必在內也. 從子秉休曰, 恒益, 皆風遇雷之象, 恒三曰, 不恒其德, 益上曰, 立心勿恒, 益上卽恒三, 故云爾.

상구는 지나치게 굳세어 지위를 잃었고 보태주는 것이 다해서 도리어 해롭다. '마음을 세우는 것이 일정하지 않다'는 것은 도치법으로 '보태주는 이가 없으니 혹 치는 것'이 마음을 세우는 것이 일정하지 않기 때문이라는 말이다. 일정하지 않으면 보태주는 것이 없을 뿐만 아니라 치는 것이 이를 수도 있다는 것이다. 「상전」에서 '치우친 말이다'라고 했으니, 이것은 한쪽으로 치우친 말이라는 말이다. 치는 자가 혹 있을 수도 있고 혹 없을 수도 있어서 여전히 알 수 없는 것이 있다. '보태주는 이가 없다[莫益]'고 하였으니 절대로 없음을 알 수 있는데, 공자는 사람들이 속아서 '혹'이라는 말과 연결해 볼까봐 염려했기 때문에, 여기에서 '편'자를 말한 것은 한편을 위주로 말한 것이니, 의심할 것이 없다. '밖으로부터 오는 것은 환난이 반드시 안에 있다는 것이 아니라는 말이다. 조카 병휴가 "항괘(恒卦䷟)와 익괘(益卦䷩)는 모두 바람이 우레는 만나는 상이어서 항괘의 삼효에서 '그 덕을 일정하게 하지 않음이다'라고 하고 익괘의 상효에서 '마음을 세우는 것이 일정하지 않다'고 했으니 익괘의 상효가 바로 항괘의 삼효이기 때문에 그렇게 말했던 것입니다"라고 하였다.

유정원(柳正源) 『역해참고(易解參攷)』

潮州王氏曰, 剛爲益, 柔爲損. 上九應於六三, 莫益之象, 比於九五或擊之之象.

조주왕씨가 말하였다: 굳셈은 보태주는 것이고, 부드러움은 덜어내는 것이다. 상구가 육삼과 호응하여 보태주는 이가 없는 상이니, 구오가 혹 치는 상과 비교된다.

○ 案, 求益於三, 而恣欲不已, 則以三之不正, 攻擊之必矣. 或者, 自外忽至之辭也.

내가 살펴보았다: 삼효에게 보태주기를 구해 마음대로 욕심 부리기를 그치지 않으니, 부정한 삼효가 반드시 공격할 것이다. '혹'은 바깥에서 갑자기 이른다는 말이다.

김상악(金相岳) 『산천역설(山天易說)』

上之陽與三爲應, 亦有益下之義, 而巽互艮體, 反求益不已. 故莫益之, 而或擊之, 此由於立心勿恒, 其凶, 宜矣. 損益, 盛衰之始也, 故與損上九, 吉凶相反.

상구의 양이 삼효와 호응하는 것에도 아래로 보태주는 의미가 있는데, 손괘(巽卦)와 호괘 간괘(艮卦)의 몸체가 도리어 보태주기를 구하는 것이 끝이 없다. 그러므로 보태주는 이가 없어 혹 칠 것이니, 이것은 마음을 세우는 것이 일정하지 않은 것으로 말미암아 흉한 것이 당연한 것이다. 손익은 성쇠의 시작이기 때문에 손괘(損卦)의 상구와 길흉이 상반된다.

○ 巽爲不果爲進退, 艮又爲止, 莫益之象. 擊者, 艮之手也, 立心勿恒, 亦巽象. 或擊之, 與或益之, 相反, 立心勿恒, 與有孚惠心, 相反. 又益者, 恒之交也. 恒九三不恒其德, 故或承之羞, 益則立心勿恒, 故或擊之凶. 詳見恒卦. 或曰, 或擊者, 三爲上所擊, 非上之受擊於外也. 旣莫益之, 又或擊之者, 皆上之爲所以立心勿恒, 而象傳曰, 自外來也. 然此之言外者, 自卦外而來也, 孔子所謂, 自益者, 必有決之, 是也. 故傳義, 皆從繫辭爲解.

손괘(巽卦)는 과단성이 없음이고 진퇴이고, 간괘(艮卦)는 멈춤이니, 보태주는 이가 없는 상이다. '치는 것'은 간괘(艮卦)라는 손이고 '마음을 세우는 것이 일정하지 않은 것'도 손괘(巽卦)의 상이다. '혹 치는 것'은 '혹 보태는 것'과 상반되고, '마음을 세우는 것이 일정하지 않은 것'은 '은혜로운 마음에 믿음이 있다'는 것과 상반된다. 또 '보태주는 것'은 일정한 사귐이다. 항괘(恒卦)의 구삼은 그 덕을 일정하게 하지 않기 때문에 혹자가 부끄러움을 받들고, 익괘는 마음을 세우는 것이 일정하지 않기 때문에 혹 칠 것이고 흉하다. 자세한 것은 항괘에 있다.

어떤 이가 말하였다: '혹 치는 것'은 삼효가 상효에게 공격받는 것이지 상효가 밖으로부터 공격받는 것이 아니다. 이미 보태주는 이가 없으니, 또 혹 치는 것은 모두 상효가 마음을 세우는 것이 일정하지 않기 때문인데, 「상전」에서는 "밖으로부터 오는 것이다"라고 하였다. 그러나 여기서 밖이라고 한 것은 괘 밖에서 오는 것이니, 공자가 말한 '자신에게 보태는 자는 반드시 결단남이 있다'[54]는 것이 여기에 해당한다. 그러므로 『정전』과 『본의』에서 모두 「계사전」에 따라 풀이하였다.

서유신(徐有臣) 『역의의언(易義擬言)』

上九剛而亢, 六三柔而不正, 有不相親與之象也. 不親與, 則不相益矣, 不相益, 則亂必作矣. 故曰, 莫益之, 或擊之也. 正應而不相與, 不相益, 失其常矣, 故曰, 立心勿恒凶也. 卦爲恒之變, 故爲不恒也. 上下相與, 則爲雷風相薄而益矣, 不相與, 則爲相悖而擊矣. 雷風有常者, 恒也, 相悖者, 不得其恒也.

상구는 굳세지만 끝까지 올라갔고, 육삼은 부드럽지만 바르지 않아 서로 친하고 함께 하지 못하는 상이 있다. 친하게 함께 하지 않으니 서로 보태주지 않고, 서로 보태주지 않으니, 혼란이 반드시 생긴다. 그러므로 "보태주는 이가 없으니 혹 칠 것이다"라고 하였다. 바르게

---

54) 『周易·序卦傳』: 益而已, 必決, 故受之以夬.

호응하지만 서로 함께 하지 않고 서로 보태주지 않아 그 일정함을 상실했기 때문에 "마음을 세우는 것이 일정하지 않으니 흉하다"라고 하였다. 괘가 항괘(恒卦䷟)에서 변했기 때문에 일정하지 않은 것이다. 위아래가 서로 함께 하면 우레와 바람이 서로 다가가서 보태주고, 서로 함께 하지 않으면 서로 어긋나서 친다. 우레와 바람이 변함없는 것이 일정함[恒]이다. 서로 어그러지는 것은 그 일정함을 얻지 못했기 때문이다.

박제가(朴齊家) 『주역(周易)』

上九, 〈或擊.〉
상구, 〈혹 칠 것이다.〉

趙廣漢之果敢, 害已及身. 天理至公, 人不可獨勝, 己不可專益, 是以强梁者, 不得其死, 好勝者, 必遇其敵, 凡事必須謙遜愼德. 固不可尙氣淩人, 自取恥辱, 亦不可專利肆欲, 以致怨害也.
조광한(趙廣漢)[55]의 과감함은 그 해로움이 이미 자신에게 미쳤다. 하늘의 이치는 지극히 공평하여 사람들이 홀로 우세할 수 없고 자신이 이익을 오로지 할 수 없기 때문에 강포한 자는 제 명에 죽지 못하고 이기기를 좋아하는 자는 그 적수를 반드시 만나니, 모든 일에 반드시 겸손하고 덕을 신중히 해야 한다. 진실로 기운을 숭상하고 남을 능멸하여 스스로 치욕을 취해서는 안 되고, 또한 이익을 오로지 하고 마음껏 욕심대로 하여 원망과 해로움을 불러들여서는 안 된다.

박문건(朴文健) 『주역연의(周易衍義)』

處極有疑, 故有勿恒之象. 或擊, 言災自外至也.
끝에 있어 의심이 있기 때문에 일정하지 않은 상이 있다. "혹 친다"는 재앙이 밖에서 온다는 말이다.
〈問, 莫益之以下. 曰, 上九處極而有疑, 危懼而不安者也, 故有此象也. 內无益之者, 則外必有擊之者有[56]焉. 由乎危懼, 而立心之勿恒也, 所以有凶. 立心勿恒, 言有疑而

---

55) 조광한(趙廣漢): 전한 탁군(涿郡) 여오(蠡吾) 사람으로 자는 자도(子都)다. 곽광(霍光)과 함께 선제(宣帝)를 옹립하는 일에 참여하여 관내후(關內侯)에 봉해졌다. 본시(本始) 2년(기원전 72) 조충국(趙充國) 등 5장군(將軍)을 따라 흉노(匈奴)를 격파했다. 다시 경조윤에 올랐는데, 자신의 직분에 충실하여 법을 집행할 때 권귀(權貴)라도 용서하지 않았다. 나중에 일 때문에 정위사직(廷尉司直) 소망지(蕭望之)의 탄핵을 받아 요참(腰斬)을 당했다.

56) 有: 경학자료집성DB에는 '者'로 되어 있으나, 경학자료집성 영인본을 참조하여 '有'로 바로잡았다.

振恒也.

물었다: “보태주는 이가 없다” 이하는 무슨 뜻입니까?

답하였다: 상구는 끝에 있어 의심이 있고 위태롭고 두려워하여 불안한 자이기 때문에 이런 상이 있습니다. 안에서 보태주는 이가 없으면 밖에서 반드시 치는 자가 있습니다. 위태롭고 두려워하는 것으로 말미암아 마음을 세우는 것이 일정하지 않기 때문에 흉합니다. ‘마음을 세우는 것이 일정하지 않은 것’은 의심해서 일정함을 그만둔다는 말입니다.)

심대윤(沈大允) 『주역상의점법(周易象義占法)』

益之屯䷂, 艱苦也. 上九以剛居柔, 而處益之極, 无事之地. 德業旣隆, 而懋功不已, 是爲太過者也. 應於三, 而爲五所阻, 勞其心苦其身, 毁其家薄其親, 而以偏厚於楚越之人, 此賊其性, 喪其利, 而爲無父之道者也. 此厚其基, 而不知增高者也, 不徒無功而已, 且有凌踏蔑侮之志矣, 故曰莫益之或擊之, 言五與初之不從也. 震爲擊, 言不得三也, 名德之不可過, 猶風雷之聲勢之不可常也, 故曰立心勿恒. 上九立离上, 曰立心. 震爲立, 巽爲恒, 所爲如此, 其凶可知矣.

익괘가 준괘(屯卦䷂)로 바뀌었으니, 고통스러운 것이다. 상구는 굳셈으로 부드러운 자리에 있고 익괘의 끝에 있어 일이 없는 곳이다. 덕과 일이 이미 높은데 공에 힘쓰는 것을 멈추지 않으니, 이것은 너무 지나친 것이다. 삼효와 호응하지만 오효가 막고 있어 마음과 몸을 수고롭게 괴롭히며 그 집안과 친한 이들을 헐고 박하게 해서 초나라와 월나라의 사람처럼 한쪽으로 두텁게 하니 이것은 그 본성을 해치고 그 이로움을 잃어 아비를 무시하는 도를 행하는 자이다. 이것은 그 터전을 두텁게 하지만 높게 쌓을 줄 모르는 것이니, 공이 없을 뿐만 아니라 또 업신여기는 뜻이 있기 때문에 “보태주는 이가 없으니 혹 칠 것이다”라고 하였으니 오효와 초효가 따르지 않는다는 말이다. 진괘가 ‘치는 것’이니, 삼효를 얻지 못한다는 말이다. 이름과 덕이 지나쳐서는 안 되는 것은 바람과 우레의 소리와 기세가 일정하지 않아서는 안 되는 것과 같기 때문에 “마음을 세우는 것이 일정하지 않다”고 하였다. 상구는 리괘(離卦)의 위에서 세워졌으니, “마음을 세운다”고 하였다. 진괘(震卦)는 세움이고 손괘(巽卦)는 일정함이니, 하는 것이 이와 같으면 흉함을 알 수 있다.

夫人之性, 必自爲者也, 故君子之學爲己也. 成物所以成己也, 故君子養其心, 而後安其身, 安其身, 而後惠天下, 正其心, 而后脩其德, 脩其德, 而后圖其功, 保其家, 而后恤其黨, 恤其黨, 而后憂天下. 其身且不能安樂, 危懼以動, 則何以惠天下. 其交親且不能周恤, 冷薄而不厚, 則何以利天下. 是故君子必自近而及遠, 自親而達疏, 等殺有禮節, 文得中裁斷得宜, 然後能盡其性, 盡物之性而全其利也.

사람의 본성은 반드시 자신을 위하는 것이기 때문에 군자의 학문은 자신을 위하는 것이다. 사물을 완성하는 것은 자신을 완성하는 것이기 때문에 군자는 그 마음을 기른 다음에 그 몸을 편안히 하고 그 몸을 편안히 한 다음에 천하를 은혜롭게 하며, 그 마음을 바르게 한 다음에 그 덕을 닦고 그 덕을 닦은 다음에 그 공을 계획하고 그 집안을 보전한 다음에 그 무리를 구휼하며 그 무리를 구휼한 다음에 천하를 위해 근심한다. 그 몸을 또 안락하게 하지 못해 위태롭게 여기고 두려워하면서 움직이면 어떻게 천하를 은혜롭게 하겠는가? 사귀는 친한 자들을 또 두루 구휼하지 못해 쌀쌀하고 가볍게 하여 두터이 하지 못하면 어떻게 천하를 이롭게 하겠는가? 이 때문에 군자는 반드시 가까운 곳에서 멀리 미치고 친한 이에서 소원한 이들에 이르며, 등차에 예절이 있고 문식이 중도로 재재함을 얻어 결단이 마땅한 다음에 그 본성을 다하고 사물의 본성을 다할 수 있어 그 이로움을 온전하게 한다.

懋德者, 无太過, 而懋功者, 獨有太過, 何也. 曰, 德必因功而施, 若不懋功而專懋德, 則德无以至於太過也. 益之居柔者, 皆有德, 又有功者也. 功立則德在其中矣. 故六二爲卦之主也. 上九之太過者, 爲民懋功也. 爲民懋功, 德也. 益之初上无位, 五君也, 故以剛居之, 其位卑者, 皆以柔居之也.

덕에 힘쓰는 것에는 너무 지나침이 없는데, 공에 힘쓰는 것에만 너무 지나침이 있는 것은 무엇 때문인가? 말하자면, 덕은 반드시 공으로 말미암아 베풀어지니, 공에 힘쓰지 않고 오로지 덕에만 힘쓰면 덕이 너무 지나치게 될 까닭이 없다. 익괘에서 부드러운 자리에 있을 경우 모두 덕이 있고 또 공이 있는 것이다. 공이 서면 덕은 그 속에 있기 때문에 육이가 괘의 주인이다. 상구가 너무 지나친 것은 백성을 위해 공에 힘쓰는 것이다. 백성을 위해 공에 힘쓰는 것은 덕이다. 익괘의 초구와 상구는 지위가 없고 오효는 임금이기 때문에 굳셈으로 그곳에 있다. 그 지위가 낮은 것은 모두 부드러움으로 그곳에 있기 때문이다.

〈上九之功德太過, 有夬之澤高而將決之義. 若師傅之道, 則苦心爲人者也.
상구의 공과 덕이 너무 지나치니, 쾌괘의 은택이 높지만 결단하려는 의미가 있다. 사부의 도라면 고심하며 사람을 위하는 것이다.〉

오치기(吳致箕) 「수역경전증해(周易經傳增解)」

上九剛失其正而居上, 在益之極而志變, 无益下之心者也. 莫能益下, 則反有所損, 而大失民志, 終又或擊傷之, 是由於立心之不能恒, 故言凶.

굳센 상구는 바름을 잃었는데 위에 있고, 보태줌의 끝에 있는데 뜻이 변해서 아래에 보태주려는 마음이 없는 것이다. 아래에 보태주지 않으면 도리어 덜어내는 것이 있고 백성들의 뜻을 크게 잃어 끝내 또 혹 쳐서 부상을 입으니, 이것은 마음을 세우는 것이 일정할 수 없기 때문에 흉하다는 말이다.

○ 或者, 未定之辭也. 攻伐曰擊, 而變坎爲盜, 互艮爲手, 似離爲戈兵, 卽寇盜持戈兵來擊之象. 巽爲進退, 故爲不恒之象, 而恒三亦, 言不恒也. 益而不已, 則必損, 故爻至上九而凶也.

'혹'은 아직 정해지지 않았다는 말이다. 공격하여 토벌하는 것을 '치는 것'이라고 하는데 감괘로 변하여 도적이 되고 호괘 간괘가 손이 되며 리괘가 무기가 되는 것과 비슷하니, 곧 도적이 무장하고 와서 치는 상이다. 손괘는 진퇴이기 때문에 일정하지 않은 상인데, 항괘의 삼효에서도 "일정하지 않음"을 말하였다. 보태주는데 끝내지 않는다면 반드시 덜어내기 때문에 효가 상구에 와서는 흉한 것이다.

이진상(李震相) 『역학관규(易學管窺)』

陰虛應遠, 故莫益. 離爲戈兵, 故或擊, 而爻變成坎, 有心象. 震木有立, 巽風無定, 故有立心勿恒之象.

음은 공연히 멀리 호응하기 때문에 보태주지 않는다. 리괘가 무기이기 때문에 혹 칠 것인데, 효가 감괘로 변하여 마음의 상이 있다. 진괘의 목에는 세움이 있고, 손괘의 바람에는 일정함이 없기 때문에 마음을 세우는 것이 일정하지 않다는 상이 있다.

박문호(朴文鎬) 「경설(經說)·주역(周易)」

勿問之矣, 以矣易也, 欲便於文勢也, 視比卦之乎字, 又別一例也.

'묻지 않는 것이다[勿問之矣]'에서 어조사 의(矣)자를 야(也)자로 바꾼 것은 문세를 편하게 하고자 한 것으로 비괘(比卦)의 호(乎)자와 비교되니, 또 별도로 하나의 사례이다.

戒人存心不可專利, 而云勿恆. 此訓恆以專也, 於勿字爲戒之義, 可謂得矣. 然於凶字之義, 則有所斷落而不相貫, 故添如是二字, 以足其意云.

사람들이 마음을 보존하여 이익을 오로지 해서는 안됨을 경계하여 '항상 하지 말라'고 하였다. 여기서 '항상 하는 것'을 '오로지 하는 것'으로 풀이했으니, '말래[勿]'는 말에서 경계하는 의미를 얻었다고 할 수 있다. 그러나 흉함의 의미에는 끊어져 서로 이어지지 않는 것이 있기 때문에 '이와 같으면[如是]'이라는 말을 덧붙여서 그 의미를 풍족하게 했다.

이정규(李正奎)「독역기(讀易記)」

上九, 莫益之, 或擊之, 凶, 與損之上九, 弗損, 益之, 无咎, 貞吉, 比而言之, 吉凶相反, 何也. 蓋損極必益, 益極必損, 大理固然也.

상구의 '보태주는 이가 없으니 혹 칠 것이니 흉하다'는 손괘 상구의 '덜지 않더라도 보탤 것이니 허물이 없지만 곧으면 길하다'와 비교해서 말하면 길흉이 상반되는 것은 무엇 때문인가? 덜어냄이 다하면 반드시 보태주고 보태줌이 다하면 반드시 덜어내니, 큰 이치는 진실로 그런 것이다.

이병헌(李炳憲)『역경금문고통론(易經今文考通論)』

王曰, 處益之極, 求益無已, 心无恒者也.

왕필이 말하였다: 익괘의 끝에 있으면서 보태주기를 구함이 끝이 없으니, 마음이 일정하지 않은 자이다.

虞曰, 莫, 無也, 徧, 周匝也.

우번이 말하였다: '~가 없다[莫]'는 없다는 것이다. '두루 함[徧]'은 두루 널리 한다는 것이다.

王曰, 怨者, 非一, 故或擊之. 按, 自外來成否道, 則擊之.

왕필이 말하였다: 원망하는 자가 하나가 아니기 때문에 혹 치는 것이다. 살펴보건대, 밖으로부터 와서 부정하는 도를 이루니, 치는 것이다.

按, 下篇之有損益, 猶上篇之有泰否. 陰陽之往來, 奇偶之回互, 皆當細察. 易於時之爲義, 申複提示而損益之剛柔盈虛, 與時偕行者, 尤當深玩.

내가 살펴보았다:『주역』하편에 손괘와 익괘가 있는 것은 상편에 태괘와 비괘가 있는 것과 같다. 음과 양의 왕래와 기수와 우수의 돌아가며 갈마듦은 모두 자세히 살펴야 한다. 역은 때를 뜻으로 하여 거듭 반복하며 제시하는데, 손괘의 익괘의 강유와 영허는 때에 따라 행하는 것이니, 더욱 깊이 완미해야 한다.

象曰, 莫益之, 偏辭也, 或擊之, 自外來也.

「상전」에서 말하였다: "보태주는 이가 없음"은 치우쳤다는 말이고, "혹 칠 것"은 밖으로부터 오는 것이다.

║中國大全║

傳

理者, 天下之至公, 利者, 衆人所同欲. 苟公其心, 不失其正理, 則與衆同利, 无侵於人, 人亦欲與之. 若切於好利, 蔽於自私, 求自益以損於人, 則人亦與之力爭, 故莫肯益之而有擊奪之者矣. 云莫益之者, 非有偏己之辭也. 苟不偏己, 合於公道, 則人亦益之, 何爲擊之乎. 旣求益於人, 至於甚極, 則人皆惡而欲攻之, 故擊之者自外來也.

이치는 천하의 지극히 공평한 것이고, 이로움은 여러 사람들이 다 욕심내는 것이다. 참으로 그 마음을 공공하게 하여 그 바른 이치를 잃지 않는다면 여러 사람들과 이로움을 함께 해서 남을 침해하지 않으니, 남들도 주려고 한다. 만약 이익을 좋아함에 절실하고 사사로움에 가려져 남에게서 덜어내어 자기가 유익하기를 구한다면 남들도 그와 힘으로 다툴 것이므로 보태주려 하지 않고 쳐서 빼앗는 자도 있을 것이다. '보태주는 이가 없다'고 하는 것은 자기에게 치우침이 있음을 비난하는 말이다. 참으로 자기에게 치우치지 않고 공공한 도에 합한다면 남들도 보태줄 것이니 무엇 때문에 치겠는가? 이미 보태주기를 남에게 구함이 너무 심하면 사람들이 모두 미워하여 공격하고자 하므로 치는 자가 밖으로부터 오는 것이다.

人爲善則千里之外, 應之, 六二中正虛己, 益之者自外而至是也. 苟爲不善則千里之外, 違之, 上九求益之極, 擊之者, 自外而至是也. 繫辭曰, 君子安其身而後動, 易其心而後語, 定其交而後求, 君子修此三者, 故全也. 危以動, 則民不與也, 懼以語, 則民不應也, 无交而求, 則民不與也, 莫之與, 則傷之者, 至矣, 易曰莫益之, 或擊之, 立心勿恒, 凶. 君子言動與求, 皆以其道, 乃完善也, 不然則取傷而凶矣.

사람이 착한 일을 하면 천리 밖에서도 호응하니, 육이는 중정하고 자기를 비워서 보태주는 자가 밖으로부터 여기에 이른다. 참으로 착하지 못한 일을 하면 천리 밖에서도 어기니, 상구는 보태주기를 구함이 지극하여 치는 자가 밖으로부터 여기에 이른다. 「계사전」에 이렇게 말하였다. "군자가 그 몸을 편안히 한 뒤에야 움직이며 그 마음을 가다듬은 뒤에야 말하며 그 사귐을 안정시킨 뒤에야 구하니, 군자가 이 세 가지를 닦으므로 온전한 것이다. 위태하면서 움직이면 백성이 함께하지 않고 두려워하면서 말하면 백성이 응대하지 않고 사귐이 없이 구하면 백성이 도와주지 않는다. 도와줄 이가 없으면 다치게 할 자가 이르니, 『주역』에 '보태주는 이가 없으니 혹 칠 것이나, 마음을 세우는 것이 일정하지 않으니 흉하다'고 하였다."[57] 군자의 언동과 구함을 모두 그 도로써 해야 이에 완전하게 착할 것이니, 그렇지 않으면 상해서 흉할 것이다.

本義

莫益之者, 猶從其求益之偏辭而言也, 若究而言之, 則又有擊之者矣.

"보태주는 이가 없다"는 그 보태주기를 구한다는 치우친 말을 여전히 좇아서 말한 것이고, 궁극적으로 말하면 또한 치는 자가 있을 것이다.

小註

雲峰胡氏曰, 莫益之者, 以上九求益, 姑從其求益之偏辭而言也. 究其極, 則非特莫益之, 且有擊之者矣. 二不求益, 而或益之自外來也, 上求益而或擊之, 亦自外來也. 嗚呼, 是孰有以來之哉.

운봉호씨가 말하였다: '보태주는 자가 없다'는 상구가 보태주기를 구하기 때문에 우선 보태주기를 구한다는 치우친 말을 따라서 말한 것이다. 그 끝을 다하면 보태주지 않을 뿐만 아니라 또 치는 자가 있을 것이다. 이효는 보태주기를 구하지 않아도 혹 보태줌이 밖으로부터 오고, 상구는 보태주기를 구하여도 어떤 이가 치니, 역시 밖에서 오는 것이다. 아, 이는 누가 오게 하는 것인가?

○ 建安丘氏曰, 益者, 損上乾之陽, 以益下坤之陰也. 合六爻觀之, 損在上則益在下矣. 其在下卦, 初與四爲往來之爻, 受四之制者, 故曰利用大作, 二得五之益而又受初之益, 故曰或益之, 三處益時, 唯凶事則不可不益, 故曰益用凶事, 此三爻皆受益者也. 其在上卦, 四以順下之動而爲益, 故曰利用遷國, 五以感人以誠而致益, 故曰有孚惠心,

---

57) 『주역 · 계사전』.

上則不知損己, 反以求人之益, 而人或擊之矣. 故曰莫益之或擊之, 此三爻則處益而當損者也.

건안구씨가 말하였다: 익(益)이란 상괘인 건괘의 양을 덜어내어 하괘인 곤괘의 음에 보태는 것이다. 여섯 효를 합하여 살펴보면 덜어냄은 위에 있고, 보태줌은 아래에 있다. 하괘에서 초효는 사효와 왕래하는 효여서 사효의 제재를 받으므로 '크게 일으킴이 이롭다'고 하였고, 이효는 오효의 보태줌을 얻고 또 초효의 보태줌을 얻으므로 '어떤 이가 보탠다'고 하였으며, 삼효는 보태주는 때에 있어 오직 흉한 일이라면 보태주지 않을 수 없으므로 '보태줌을 흉한 일에 쓴다'고 하였으니, 이 세 효는 모두 보태줌을 받는 자이다. 그 상괘에 있어서 사효는 아래의 움직임을 따르는 것을 유익함으로 삼으므로 '써서 나라를 옮김이 이롭다'고 하였고, 오효는 정성으로 남을 감동시켜 유익함을 이루므로 '은혜로운 마음에 믿음이 있다'고 하였으며, 상효는 자기를 덜어낼 줄을 모르고 도리어 남이 보태주기를 구하니 다른 사람이 혹 칠 것이다. 그러므로 '보태주는 이가 없다. 혹 칠 것이다'라고 하였으니, 이 세 효는 보태줌에 처하여 덜어내야 하는 것들이다.

‖韓國大全‖

유정원(柳正源) 『역해참고(易解參攷)』

董氏曰, 利, 无獨專之理, 謂可獨專而不必益人者, 一偏之辭. 衆心所不與, 縱使三不擊之, 三之外, 或有來擊之者, 甚言專欲之犯衆怒也.

동씨가 말하였다: 이로움은 홀로 오로지 하는 이치가 없으니, 홀로 오로지 하여 반드시 남들에게 보태주지 않는 것을 한쪽으로 치우친 말이라고 한다. 여러 사람들이 마음으로 함께 하지 않으니 설령 삼효가 치지 않더라도 삼효의 밖에서 치는 자가 혹 올 것이니, 오로지 하려고 하는 것이 여러 사람의 분노를 샀다는 것을 심하게 말하였다.

傳, 非有.
『정전』의 "~이 있음을 비난한다"에 대해.
〈案, 有一作其.
내가 살펴보았다: '있음[有]'은 어떤 본에 기(其)자로 되어 있다.〉

김상악(金相岳) 『산천역설(山天易說)』

偏者, 全之反也. 君子安其身而後動, 易其心而後語, 定其交而後求. 君子修此三者, 故全也. 上之莫益, 而或擊者, 不得其全, 故曰, 偏辭也.

'치우친 것'은 완전한 것과 상반된다. 군자는 몸을 편안히 한 뒤에 움직이고, 마음을 가다듬은 뒤에 말하며, 사귐을 안정시킨 뒤에야 구한다. 군자는 이 세 가지를 닦은 자이기 때문에 완전하다. 위에서 보태주는 이가 없는데 혹 치는 것은 그 완전함을 얻지 못한 것이므로 "치우쳤다는 말이다"라고 하였다.

서유신(徐有臣) 『역의의언(易義擬言)』

此有辭, 而彼無答, 是偏辭也. 六三, 自恒之外卦來, 而互艮手爲擊, 故曰, 自外來也. 夫或益之, 或擊之, 其來自外, 然皆致之自我也.

여기에서 말을 했는데 저기에서 답이 없으니, 이것이 치우쳤다는 말이다. 육삼은 항괘(恒卦䷟)의 외괘에서 왔고, 호괘인 간괘의 손이 치는 것이기 때문에 "밖으로부터 오는 것이다"라고 하였다. 혹 보태고 혹 치는 것은 그것이 밖으로부터 왔지만 모두 자신에게서 불러들인 것이다.

박문건(朴文健) 『주역연의(周易衍義)』

危懼, 故偏其辭, 而失正也.

위태롭고 두렵기 때문에 말을 치우치게 하고 바름을 잃는다.

〈問, 何以取偏辭之義. 曰, 上九深懼六三之害己, 其中心之發, 未免苟且, 故取偏辭之義也. 言辭之失正, 莫益之道也.

물었다: 어째서 치우쳤다는 말의 의미를 취한 것입니까?

답하였다: 상구는 육삼이 자신을 해칠 것을 아주 두려워하여 속마음을 드러내는 것이 구차함을 면할 수 없으므로 치우쳤다는 말의 의미를 취한 것입니다. 말이 바름을 잃으면 보태주는 도가 없음을 말합니다.〉

이지연(李止淵) 『주역차의(周易箚疑)』

居卦之上, 爲益之極. 極將變矣, 故不欲益下, 而妄欲自益, 以不中正之剛, 應不中正之柔. 況巽有近利三倍之性, 名利關頭, 兩貪雙慾, 安得无爭奪攻擊之患乎. 或曰, 上九當損上益下之時, 當以益下爲心. 而性好近利, 故小无損我益下之心, 反有攻擊奪利之計. 其立心如此, 則其凶可知也, 故象傳曰, 偏辭者, 專利之說也. 自外來者, 自外下來, 而擊在內之六三之謂也. 似亦通也.

괘의 꼭대기에 있어 익괘의 궁극이다. 궁극은 변하기 때문에 아래에 보태주려고 하지 않고 함부로 자신에게 보태 중정하지 못한 굳셈이 중정하지 못한 부드러움과 호응한다. 하물며 손괘에는 이로움을 가까이 하여 세 배로 하는 특성이 있어 명리를 내세우며 둘 모두에 탐욕을 부리니, 어찌 쟁탈과 공격의 환난이 없겠는가?

어떤 이가 말하였다: 상구는 위에서 덜어내 아래에 보태주는 때에 아래에 보태주는 것으로 마음을 삼아야 한다. 그런데 성품이 이로움을 가까이 하기를 좋아하기 때문에 자신에게서 덜어내어 아래로 보태주려는 마음은 조금도 없고 도리어 공격하여 이로움을 빼앗으려는 계획을 세운다. 마음을 세우는 것이 이와 같으니 그 흉함을 알만하기 때문에 상전에서 "치우쳤다는 말"이라고 한 것이니, 이로움을 오로지 한다는 설명이다. '밖으로부터 오는 것'은 밖에서 내려오는 것이고 치는 것이 내괘의 육삼에 있다는 말이다. 의미가 통하는 것 같다.

按, 諺釋程傳云, 偏라ᄒᆞᄂᆞᆫ辭오, 本義云偏한辭오, 兩釋分明. 而傳非有二字未詳, 豈或有訛字歟.

내가 살펴보았다: 언해의 해석『정전』에서는 "'치우쳤다'라고 하는 말이다"라고 하였고,『본의』에서는 "치우친 말이다"라고 하였으니, 두 해석이 분명하다. 그런데 『정전』에서 "~이 있음을 비난한다"는 말은 자세하지 않으니, 어쩌면 혹 잘못된 글자가 있을 수 있다.

이항로(李恒老) 「주역전의동이석의(周易傳義同異釋義)」

傳, 云莫益之者, 非有偏己之辭也.

『정전』에서 말하였다: "보태주는 이가 없다"고 하는 것은 자기에게 치우침이 있음을 비난하는 말이다.

本義, 莫益之者,[58] 猶從其求益之偏辭而言也.

『본의』에서 말하였다: "보태주는 이가 없다"는 그 보태주기를 구한다는 치우친 말을 여전히 좇아서 말한 것이다.

按, 諺釋程傳云, 偏라ᄒᆞᄂᆞᆫ辭오, 本義云偏한辭오, 兩釋分明. 而傳非有二字未詳, 豈或有訛字歟.

---

58) 者: 경학자료집성DB와 영인본에는 모두 '渚'로 되어 있으나, 문맥을 살펴 '者'로 바로잡았다.

내가 살펴보았다: 언해의 해석『정전』에서는 "'치우쳤다'라고 하는 말이다"라고 하였고,『본의』에서는 "치우친 말이다"라고 하였으니, 두 해석이 분명하다. 그런데『정전』에서 '~이 있음을 비난한다'는 말은 자세하지 않으니, 어쩌면 혹 잘못된 글자가 있을 수 있다.

심대윤(沈大允)『주역상의점법(周易象義占法)』

偏辭, 言薄其身, 而偏厚於人之詞也. 上九無外, 而言自外來, 何也. 言自取也. 繫辭傳, 明言上九之自取. 而此以上九之在外, 故言自外來, 以明上九取禍之由, 不在於初與五, 而在己也.

치우쳤다는 말은 자신에게는 야박하게 하지만 남에게는 치우치게 두텁게 한다는 말이다. 상구는 바깥이 없는데 밖으로부터 온다고 한 것은 무엇 때문인가? 스스로 불러들였다는 말로「계사전」에서 상구가 스스로 불러들였다고 분명히 말하였다. 그런데 여기에서는 상구가 바깥에 있기 때문에 "밖으로부터 오는 것이다"라고 하여 상구가 화를 불러들인 이유가 초효와 오효에게 있지 않고 자신에게 있음을 밝혔다.

오치기(吳致箕)「주역경전증해(周易經傳增解)」

上莫之益下, 則必損下自益, 而爻辭單言莫益之, 而不言損下, 卽偏辭也. 三爲上之所擊, 故謂患自外至, 而如六二象辭.

위에서 아래에 보태주지 않았다면 반드시 아래에서 덜어내 자신에게 보태는데, 효사에서 "보태주는 이가 없다"고만 하고 "아래에서 덜어낸다"고 하지 않았으니 곧 치우쳤다는 말이다. 삼효를 상효가 치기 때문에 "환난이 밖으로부터 오는 것이다"라고 하였으니, 육이효「상전」의 말과 같다.

박문호(朴文鎬)「경설(經說)·주역(周易)」

立心勿恆, 戒之者, 此亦取程傳之意耶. 以小註[59]朱子說觀之, 戒字非特指勿字而已, 乃兼指立心勿恆凶五字耳, 非有偏己, 其義未詳, 或是非其有而取之之謂耶. 猶從之猶, 當讀如姑義, 小註胡氏說可考.

"마음을 세움이 일정하지 않다"는 것은 경계하는 것이니, 여기에서도『정전』의 의미를 취한 것인가? 소주에 있는 주자설명으로 보면 '경계[戒]'는 "~하지 않는 것이다[勿]"는 말을 가리킬

---

59) 以小註: 경학자료집성DB와 영인본에는 모두 '小以註'로 되어 있으나, 문맥을 살펴 '以小註'로 바로잡았다.

뿐만 아니라 "마음을 세우는 것이 일정하지 않다"까지 아울러서 가리킨다. 『정전』의 "자기에게 치우침이 있음을 비난한다[非有偏己]"는 말은 그 의미가 자세하지 않으니, 혹 그 소유가 아닌데 취한다는 것을 이름인가? 『본의』의 '여전히 좇아서[猶從]'의 '여전히[猶]'는 우선[姑]과 같은 의미로 읽어야 하니, 소주에서 호씨의 설명을 참고할만하다.

43. 쾌괘(夬卦䷪)

‖中國大全‖

傳

夬, 序卦, 益而不已, 必決, 故受之以夬. 夬者, 決也. 益之極, 必決而後止. 理無常益, 益而不已, 已乃決也. 夬所以次益也. 爲卦, 兌上乾下. 以二體言之, 澤, 水之聚也, 乃上於至高之處, 有潰決之象. 以爻言之, 五陽在下, 長而將極, 一陰在上, 消而將盡, 衆陽上進, 決去一陰, 所以爲夬也. 夬者, 剛決之義, 衆陽進而決去一陰, 君子道長, 小人消將盡之時也.

쾌괘(夬卦䷪)는 「서괘전(序卦傳)」에 "더하면서 그치지 않으면 반드시 터지기 때문에 쾌괘로써 받았다. 쾌(夬)는 터짐이다"라고 하였다. 더하기를 끝까지 하다가 반드시 터진 뒤에 그친다. 이치는 항상 더함이 없으니, 더하면서 그치지 않으면 끝내는 터진다. 쾌괘가 이 때문에 익괘(益卦)의 다음이 되었다. 괘의 모양은 태괘(☱)가 위에 있고 건괘(☰)가 아래에 있다. 두 몸체로써 말하면 못은 물을 모아둔 곳인데 지극히 높은 곳에 올라가 있으니 터지는 상이 있다. 효로써 말하면 다섯 양이 아래에 있어 자라나 지극하게 되려고 하고, 한 음이 위에 있어 사라져 다하려고 하니, 여러 양이 위로 나아가 한 음을 결단하여 제거하기 때문에 쾌(夬)이다. 쾌(夬)는 강하게 결단하는 뜻이다. 여러 양이 나아가 한 음을 결단하여 제거하니, 군자의 도가 자라나고 소인이 사라지고 다하려는 때이다.

小註

隆山李氏曰, 上古結繩而治, 後世聖人易之以書契, 百官以治, 萬民以察, 蓋取諸夬. 夬者, 決也. 天下之事, 不至於決則不通, 故雜卦之次序, 與十三卦之制器尙象, 皆終于夬.

융산이씨가 말하였다: 상고시대에는 노끈을 묶어 다스렸는데, 후세의 성인이 글과 부절(符節)로 바꾸어 백관이 이것으로 다스리며 온 백성들이 이것으로 살피니, 쾌괘에서 취하였다.[1] 쾌(夬)는 결단함이다. 천하의 일을 결단하지 않으면 통하지 않기 때문에 「잡괘전」에서 괘의 순서를 지은 것과 열세 괘에서 그릇을 만들 때 상을 높임은 모두 쾌괘에서 마쳤다.

---

1) 『周易・繫辭下』: 上古結繩而治, 後世聖人易之以書契, 百官以治, 萬民以察, 蓋取諸夬.

夫, 揚于王庭, 孚號有厲.

정전 쾌(夬)는 왕의 조정에서 드날림이니, 미덥게 호령하여 위태롭게 여김이 있어야 한다.

夫, 揚于王庭孚號, 有厲,

본의 쾌(夬)는 왕의 조정에서 드날려 미덥게 호소하나 위태롭게 여김이 있어야 하며,

中國大全

傳

小人方盛之時, 君子之道未勝, 安能顯然以正道決去之. 故含晦俟時, 漸圖消之之道. 今旣小人衰微, 君子道盛, 當顯行之於公朝, 使人明知善惡, 故云揚于王庭. 孚, 信之在中, 誠意也, 號者, 命衆之辭. 君子之道, 雖長盛, 而不敢忘戒備. 故至誠以命衆, 使知尙有危道. 雖以此之甚盛, 決彼之甚衰, 若易而無備, 則有不虞之悔. 是尙有危理, 必有戒懼之心則无患也. 聖人設戒之意深矣.

소인이 막 성할 때에는 군자의 도가 이기지 못하니, 어찌 드러내놓고 바른 도로써 결단하여 제거하겠는가? 그러므로 머금고 감추어 때를 기다려서 점차 소인을 사라지게 할 방법을 도모해야 한다. 이제는 이미 소인들이 쇠퇴하여 군자의 도가 성대하니 마땅히 드러내놓고 조정에서 행하여 사람들이 선과 악을 분명히 알게 해야 한다. 그러므로 "왕의 조정에서 드날린다"고 한 것이다. '미덥다[孚]'는 믿음이 마음속에 있는 것이니 성의(誠意)이며, '호령[號]'은 사람들에게 명령하는 말이다. 군자의 도가 비록 자라고 성대하나 감히 경계와 대비를 잊어서는 안 된다. 그러므로 지극한 정성으로 사람들에게 명령하여 아직도 위태롭게 될 수 있는 길이 있음을 알게 해야 한다. 비록 이쪽의 극히 성대함으로써 저쪽의 극히 쇠약함을 결단하나, 만일 쉽게 여겨 대비함이 없으면 예상하지 못한 후회가 있을 것이다. 이것은 아직도 위태롭게 될 수 있는 이치가 있는 것이니, 반드시 경계하고 두려워하는 마음이 있으면 화가 없을 것이다. 성인이 경계를 베푼 뜻이 깊다.

小註

朱子曰, 上卦有兌體, 兌爲口, 故多言號.
주자가 말하였다: 쾌괘(夬卦䷪)는 위의 괘에 태(兌☱)의 몸체가 있다. 태가 입이기 때문에 대부분 호령함을 말하였다.

○ 夬卦號字, 皆作戶羔反. 唯孚號只作去聲讀, 看來亦只當平聲.
쾌괘의 '호(號)'자는 모두 호(戶)자와 고(羔)의 반절이다. '부호(孚號)'의 의미일 때만 거성으로 읽어야 하나 평성으로 읽어도 된다.

○ 進齋徐氏曰, 王五也, 王庭君位之前.
진재서씨가 말하였다: 왕은 오효이고, 왕의 조정은 임금 자리의 앞이다.

○ 林氏栗曰, 庭內而虛. 九五爲王宮, 上六爲王庭之象.
임율이 말하였다: 조정은 안이고 비어 있다. 구오가 왕궁이고 상육이 왕의 조정의 상이다.

○ 蘭氏廷瑞曰, 孚信以布號令, 與衆棄之也.
난정서가 말하였다: 믿음으로써 명령하니, 무리와 함께해서 버리는 것이다.[2]

○ 丹陽都氏曰, 乾剛實有孚之象, 兌號令之象.
단양도씨가 말하였다: 건은 굳세고 차 있어 믿음의 상이 있고, 태는 호령의 상이다.

○ 隆山李氏曰, 孚號有厲有之爲言, 不必然之辭也. 五陽相信, 而不忘於號令, 知其危而戒之, 斯有萬全之勢, 无一跌之虞矣.
융산이씨가 말하였다: '미덥게 호령함'은 위태로움이 있고 가는 것이 있다는 말이지만 반드시 그렇다는 말은 아니다. 다섯 양이 서로 믿어 호령을 잊지 않고 그 위기를 알아서 경계하니, 만전을 기하는 형세가 있어 한 번이라도 넘어지는 잘못이 없다.

○ 進齋徐氏曰, 陽剛之長, 當終於六位, 不可有未盡之陰也. 除惡務本, 君子雖盛, 不可以小人之勢孤, 謂无能爲不盡去之而存其孽也. 唐五王不去一武三思而患生於所忽, 不旋踵而君子之禍烈矣. 聖人於夬, 設戒之意甚深.

---

2) 『禮記·王制』: 刑人於市, 與衆棄之.

진재서씨가 말하였다: 굳센 양이 자라 상육의 자리에서 마쳐야 하고 없어지지 않는 음을 두어서는 안 된다. 악을 제거하여 근본에 힘씀에 군자가 성대할지라도 소인의 세력을 하나라도 두어서는 안 되니, 다 제거하지 않아 재앙을 남겨둠이 없어야 한다는 말이다. 당나라 측천무후 때 다섯 왕이 무삼사 한 사람을 제거하지 않아서[3] 환란이 소홀함에서 발생하였으니, 발길을 돌리지 못해 군자의 화가 심해진다. 성인이 쾌괘에서 경계한 뜻이 매우 깊다.

▎韓國大全▏

김장생(金長生) 『주역(周易)』

夫, 孚號.

쾌괘는 미덥게 호령하다.

號傳去聲, 本義平聲. 此書作圈平聲, 從本義. 下竝同.

호(號)를 『정전』에서는 거성(去聲)이라 하였으니 '호령'이고, 『본의』에서는 평성(平聲)이라 하였으니 '호소하다'이다. 이 책에서는 평성위치에 권점을 썼으니 『본의』를 따랐다. 아래문장도 모두 이와 같다.

조호익(曺好益) 『역상설(易象說)』

夫, 揚于王庭.

쾌괘는 왕의 조정에서 드날린다.

揚, 陽明象. 全體伏剝卦, 有王庭象.

'양(揚)'은 양(陽)의 밝은 상이다. 괘 몸체의 복체(伏體)가 박괘(剝卦䷖)이니 '왕의 조정'의 상이 있다.

---

3) 오왕(五王)과 무삼사(武三思): 오왕은 당나라 측천무후 때 중종(中宗)을 복위시키고 왕에 봉해졌던 장간지(張柬之)·적인걸(狄仁傑) 등 5명을 말한다. 무삼사는 측천무후의 조카. 장간지 등이 무삼사를 죽이지 않고 살려 두어 결국 장간지 등과 중종이 시해되었다.

유정원(柳正源) 『역해참고(易解參攷)』

正義, 揚于王庭者, 明行決斷之法. 王庭是百官所在之處. 以君子決小人. 故可以顯然發揚決斷於王者之庭, 公正而无私隱也.

『주역정의』에서 말하였다: '왕의 조정에서 드날림'은 결단의 법을 밝게 행함이다. 왕의 조정은 백관이 있는 곳이다. 군자가 소인을 결단하기 때문에 환하게 왕자(王者)의 조정에서 결단함을 드러낼 수 있으니 공정하고도 사사로이 숨김이 없다.

○ 朱子曰, 孚號有厲, 若合開口處, 便雖有劍從自家頭上落, 也須著說. 但使功罪各當, 是非顯白, 於吾何慊.

주자가 말하였다: "미덥게 호소하나 위태롭게 여김이 있어야 함"은 말해야 하는 때에는 곧 목에 칼이 들어와도 반드시 말해야 한다. 다만 공과 죄를 합당하게 하고 시비를 분명하게 하니 나에게 어떤 혐의가 있겠는가?

○ 隆山李氏曰, 上下无陰, 一陰者衆陽之所與. 上六雖處至窮之勢, 然九五與之比, 九三與之應, 九四與之同體. 其與之敵者, 唯初九九二耳, 又遠於上, 雖欲決之, 其勢有所不及, 故曰有厲.

융산이씨가 말하였다: 위아래에 음이 없고 하나의 음이 여러 양들과 함께 한다. 상육이 지극히 궁벽한 형세에 있으나 구오가 그와 가까이 있고, 구삼이 그와 호응하며, 구사가 그와 같은 몸체이다. 상육과 대적하는 것은 초구와 구이 뿐이고 또 상효에서 멀리 있으니 비록 결단하고자 하더라도 형편상 미칠 수 없는 것이 있기 때문에 위태롭게 여김이 있어야 한다고 하였다.

송시열(宋時烈) 『역설(易說)』

乾爲剛健, 兌爲附決. 附決於乾剛爲明夬, 故以夬名卦. 五爲王位, 乾爲君爲王, 而一陰騰揚于其上也. 兌爲口有天始言之象. 號者, 口號之謂. 且兌綜則爲巽, 巽爲號, 所謂孚號也. 有厲者, 有危厲之道也. 五陽方進一陰在上, 有不久將窮之象故也. 告自邑者, 與泰之上六同辭, 泰之上六將窮復爲天地否, 故坤爲邑象, 而來告其命也. 此亦一陽窮上, 將復自初爻爲陰, 此乾變爲坤之象也. 故曰告自邑而告也. 乾雖本剛, 錯爲坤順, 不可尙威武, 故曰不利卽戎. 利往見象, 蓋內乾變爲坤, 然後辭亦多通.

건괘는 강건함이 되고 태괘는 결단함을 따름이 된다. 강건한 건괘를 따라 결단하니 밝은 결단이 되기 때문에 쾌(夬)로 괘를 명명하였다. 오효는 왕의 자리가 되며 건괘는 임금이 되고 왕이 되는데, 하나의 음이 그 위에 올라 드날린다. 태괘는 입이 되니 하늘이 비로소 말하는 상이 있다. 호(號)라는 것은 입으로 부르짖음을 이른다. 또 태괘(兌卦☱)의 거꾸로 된 괘는 손괘(巽卦☴)인데 손괘는 '부르짖음'이 되니 이른바 "미덥게 호소함"이다. 유려(有厲)라는 것은 위태롭게 여김이 있는 도이다. 다섯 양이 바야흐로 위에 있는 한 음에 나아감은 오래지 않아 장차 곤궁하게 되는 상이 있기 되는 이유이다. 읍으로부터 고함[告自邑]은 태괘(泰卦䷊)의 상육과 효사가 같은데 태괘의 상육은 장차 곤궁하여 돌아가 천지비(天地否)가 될 것이기 때문에 곤괘가 읍의 상이 되어 와서 명을 고하는 것이다. 이 또한 한 양이 위에서 다하면 장차 돌아와 초효부터 음이 되니 이것이 건괘가 변하여 곤괘가 되는 상이다. 그러므로 "읍으로부터 고하여 알린다"고 하였다. 건괘는 본래 굳세나 음양이 바뀐 괘는 순한 곤괘이니 위엄과 무용을 숭상할 수 없기 때문에 "전쟁에 나아감은 이롭지 않다"고 하였다. '가는 것이 이로움'은 「단전」에서 알 수 있으니 내괘인 건괘(乾卦☰)가 변하여 곤괘(坤卦☷)가 된 뒤에 단사도 많이 통하게 된다.

김상악(金相岳) 『산천역설(山天易說)』

揚于王庭, 指上一陰也, 孚號有厲以下, 指下五陽也. 揚者, 得志放肆之意也, 以一陰而乘五陽, 是放肆於王庭也. 在下之陽, 必至誠以命衆, 尙有危厲, 當先治其私, 不可專尙剛武. 而陽長則陰必終消, 故利有攸往.

'왕의 조정에서 드날림'은 위의 한 음을 가리키고, "미덥게 호령하여 위태롭게 여김이 있어야 함" 이하는 아래의 다섯 양을 가리킨다. '드날림'은 뜻을 얻어 방자하다는 의미이니 하나의 음으로서 다섯 양을 타고 있는 것이 왕의 조정에서 방자한 것이다. 아래에 있는 양은 반드시 지극한 정성으로 대중에게 명하여도 오히려 위태로움이 있을 것이니, 먼저 사사로움을 다스려야 마땅하고 전적으로 굳센 무력을 숭상하면 안 된다. 그러나 양을 기른다면 음이 반드시 끝내 사라지기 때문에 가는 것이 이롭다.

서유신(徐有臣) 『역의의언(易義擬言)』

夬, 決也. 決者陰也, 決之者陽也. 揚登顯也. 一陰登於九五之前, 有乘陵之勢, 故曰揚于王庭也. 卦形上坼, 開口號呼之象. 群陽齊聲同出一口, 故曰孚號也. 小人揚庭, 故君子相孚號呼也.

쾌(夬)는 터짐이다. 터진 것은 음이고 터지게 하는 것은 양이다. 양(揚)은 드러남이다. 하나의 음이 구오의 앞에 타서 능멸하는 기세가 있기 때문에 '왕의 조정에서 드날림'이라고 하였다. 괘의 모양이 위가 터졌으니 입을 벌려 호령하는 상이다. 여러 양이 일제히 한 입에서 똑같이 소리를 내기 때문에 '미덥게 호소함'이라고 하였다. 소인이 조정에서 드날리기 때문에 군자가 서로 미덥게 호소하는 것이다.

강엄(康儼) 『주역(周易)』

按, 此卦以五陽而決一陰, 雖若甚易, 然以小人言之, 則脅從己治, 而元惡未去之象也, 以人身言之, 則諸疾已袪, 而原症尙存之象也. 其勢似弱而實强, 其決似易而實難, 若不汲汲治之, 則蔓或可滋, 窮或爲敵, 而終至於覆國喪身也必矣. 是以聖人繫辭, 必致其危懼警戒之意, 要使天[4]下後世之爲君子者, 不以小人之孤, 而怠其決去之志, 不以君子之衆, 而忘其惕厲之心, 其所以爲君子謀者至矣.

내가 살펴보았다: 이 괘는 다섯 양으로서 한 음을 결단하는 것이니 매우 쉬울 듯하지만 소인으로 말하면 위협에 따라 자기를 다스리니 원래의 악이 아직 제거되지 않은 상이고, 몸으로 말하면 여러 병을 이미 털어버렸으나 원래의 증상이 여전히 존재하는 상이다. 그 형세가 약한듯하면서 실제로는 강하고 그 결단이 쉬운듯하면서 실제로는 어려우니 급하게 다스리지 않으면 뻗혀서 불어날 수 있으며 곤궁한 이가 대적하는 이로 변할 수 있어서 끝내 나라가 망하게 되고 몸이 잘못될 것이 분명하다. 그러므로 성인이 「계사전」에서 반드시 두려워하고 경계하는 뜻을 다하였으니 후세에 천하의 군자된 자가 소인의 세력이 작다고 여겨 결단하여 제거하는 뜻을 태만히 하지 않고 군자의 세력이 많다고 여겨 두렵고 위태롭게 여기는 마음을 잊지 않는다면 군자를 위해 계획하는 것이 지극할 것이다.

김기례(金箕澧) 「역요선의강목(易要選義綱目)」

三月卦, 決也. 益之不已則決. 澤聚於至高之上, 有潰決之象.

3월의 괘이니 '터짐'이다. 더함이 그치지 않으면 터진다. 못이 지극히 높은 꼭대기에 모여 있으니 터지는 상이 있다.

王, 五也. 君位之前, 爲王庭, 指上六.

'왕'은 오효이다. 임금 자리의 앞은 왕의 조정이니 상육을 가리킨다.

○ 乾, 剛而實, 故曰孚.

건괘는 굳세면서 채워있기 때문에 '미더움'이라고 하였다.

○ 兌爲口, 故曰號.

---

4) 天: 경학자료집성DB에는 '太'로 되어 있으나, 경학자료집성 영인본을 참조하여 '天'으로 바로잡았다.

태괘는 입이기 때문에 '호령[號]'이라고 하였다.

○ 陽盛陰微, 君子道長, 小人浸衰. 當使衆人知小人之罪, 故明其惡於王庭, 信誠命衆. 雖我盛彼衰之時, 戒君子不可安肆而危懼也.

양은 번성하고 음은 미약하니 군자의 도가 자라고 소인이 쇠약하다. 마땅히 대중에게 소인의 죄를 알게 해야 하기 때문에 왕의 조정에서 그의 죄를 밝혀 미더움과 정성으로 대중에게 명한다. 비록 내가 번성하고 상대가 쇠약한 때이나 군자는 편안하게 여겨 방자하게 굴어서는 안 되며 위태롭게 여기고 두려워해야 한다고 경계하였다.

이항로(李恒老) 「주역전의동이석의(周易傳義同異釋義)」

傳, 至誠以命衆, 使知尙有危道.

『정전』에서 말하였다: 그러므로 지극한 정성으로 사람들에게 명령하여 아직도 위태롭게 될 수 있는 길이 있음을 알게 해야 한다.

本義, 盡誠以呼號其衆, 相與合力, 然亦尙有危厲.

『본의』에서 말하였다: 그 죄에 대해 바르게 이름 붙이고, 성의를 다하여 무리에게 호소하여 서로 힘을 합해야 하지만 또한 아직도 위태로움이 남아 있다.

按, 象傳, 孚號有厲其危乃光, 觀此則孚號當句.

내가 살펴보았다: 「단전」에서 "미덥게 호소하나 위태롭게 여김이 있어야 함은 그 위태로움이 이에 빛남이다"고 하였으니, 이것을 살펴보면 '부호(孚號)'에서 구두를 끊어야 한다.

오치기(吳致箕) 「주역경전증해(周易經傳增解)」

夬者, 決也, 剛決柔也. 澤處至高, 必潰于下, 故爲決之象. 五剛浸盛, 而一柔將消, 亦爲決之象也. 一柔在上, 故曰揚于王庭, 而卽象傳所言, 柔乘五剛也. 上與九五爲比, 九三爲應, 有相孚而號訴其危之象. 故曰孚號有厲, 而象傳所言, 其危乃光也, 決去小人之道, 當告誠邑國, 使知其惡而斥退, 不必尙戎兵窮極之事. 乃健而說, 決而和之義. 故曰告自邑, 不利卽戎, 而象傳所言, 所尙乃窮也. 剛浸盛, 而君子道長, 故曰利有攸往, 而象傳所言, 剛長乃終也.

쾌(夬)는 '결단함'이니 굳센 양이 부드러운 음을 결단함이다. 못이 지극히 높은 데에 있어서 반드시 아래에서 터지기 때문에 터지는 상이 된다. 다섯의 굳센 양이 점점 번성하고 하나의 부드러운 음이 장차 사라지는 것도 터짐의 상이다. 하나의 부드러운 음이 위에 있다. 그러므로 '왕의 조정에서 드날림'이라고 말하였으니 곧 「단전」에서 말한 "부드러운 음이 다섯 굳센 양을 탄 것"이다. 상효는 구오와 가깝고 구삼과 호응하여 미더워 위태로움을 호소하는 상이 있다. 그러므로 "미덥게 호소하여 위태롭게 여김이 있어야 한다"라고 하였으니 「단전」에서 말한 '그 위태로움이 이에 빛남'이다. 소인을 결단하여 없애는 도는 마땅히 읍과 나라에 알리고 경계하여 그 악을 알게 하며 배척하여 물리쳐야하니 반드시 군대를 남용하는 일을 숭상할 필요는 없다. 이것이 바로 강건하면서도 기쁘고 결단하면서도 화합하는 의리이다. 그러므로 "읍으로부터 고하고, 전쟁에 나아감은 이롭지 않다"라고 하였으니 「단전」에서 말한 "숭상하는 것이 이에 궁하게 된다"이다. 굳센 양이 점점 번성하여 군자의 도가 자라기 때문에 '가는 것이 이로움'이라고 말하였으니 「단전」에서 말한 "굳센 양의 자람이 이에 마칠 것이다"이다.

이진상(李震相) 『역학관규(易學管窺)』

揚于王庭.
왕의 조정에서 드날린다.

九五爲王宮, 而上六爲王庭. 庭者宮前之虛處, 衆君子來會之地也. 此謂上六處尊顯之極, 而五陽上進, 將欲決去. 蓋其妨賢僭上之罪, 不可不討, 而負嵎之勢, 亦難遽攖, 故聖人設戒曰, 彼小人者, 雖勢窮無援, 而所處尊貴, 無異城狐社鼠. 苟顯揚其罪於王庭, 則雖以衆君子之同心齊聲, 猶有危厲之機, 不可以勢衰而忽之也.
구오는 왕의 궁궐이고 상육은 왕의 조정이다. 조정은 궁궐 앞의 빈 곳이니 여러 군자들이 찾아와서 모이는 자리이다. 이것은 상육이 존귀하고 현달한 극치에 처하였으나 다섯 양이 위로 나아가 장차 결단하여 제거하고자 함을 이른다. 이는 현인을 방해하고 윗사람에게 참람한 죄를 토벌하지 않을 수 없으나 산을 등지고 있는 호랑이 같은 기세[5]에 또한 갑자기 다가설 수 없기 때문에 성인이 가르침을 베풀어 "저 소인들은 형세가 곤궁하여 응원이 없으나 자리가 존귀하니 성곽에 사는 여우와 사직단의 쥐와 같다. 만일 왕의 조정에서 그 죄를 드날린다면 여러 군자가 이구동성으로 참여할 것이나 오히려 위태롭게 되는 기미가 있을 것이니 형세가 미약하더라도 소홀히 여겨서는 안 된다"고 한 것이다.

諺釋當曰, 揚于王庭이면 孚號ㅣ라도 有厲ㅣ니. 蓋上六雖罪極, 當決處高位而臨下, 一

---

5) 『孟子·盡心』: 孟子曰, 是爲馮婦也. 晉人有馮婦者, 善搏虎, 卒爲善士. 則之野, 有衆逐虎. 虎負嵎, 莫之敢攖. 望見馮婦, 趨而迎之. 馮婦攘臂下車. 衆皆悅之, 其爲士者笑之.

難也, 只有一陰爲衆陽之所與, 二難也, 五爲君位, 而密比之疏不問親, 三難也, 九三與
爲正應, 四難也. 初九處卑而遠往亦不勝, 五難也, 九二得中, 與五同德, 其於決陰, 最
爲有力, 而非應非與, 只能警備而已, 六難也, 九四不中不正, 未必克己而從義, 七難
也. 大率一爻之動, 俱未易決去, 而惟象則擧全卦而言. 衆陽恊力, 俱進顯行聲討, 可得
以決去, 而尙有戒懼之心焉. 一小人之難除, 有如此者, 必待在下者, 咸知其罪惡, 而上
心勇決, 廓揮乾斷, 然後可也.

언해의 풀이는 "왕의 조정에서 드날리면 미덥게 호소하더라도 위태롭게 여김이 있을 것이
니"로 읽어야 한다. 이는 상육이 비록 죄가 극에 달했으나 결단하는 때에 높은 자리에 있으
면서 아래에 임하고 있는 것이 첫째 어려움이고, 단지 하나의 음으로서 여러 양과 함께 하는
것이 둘째 어려움이며, 오효는 임금의 자리인데 상육이 친밀하여 매우 가깝게 지내는 것이
셋째 어려움이고, 구삼이 정응이 되는 것이 넷째 어려움이며, 초구는 낮은데 있으니 멀리
가더라도 이길 수 없는 것이 다섯째 어려움이고, 구이는 가운데자리를 얻고 오효와 같은
덕이니 쾌괘의 음 가운데 가장 힘이 있으나 응여(應與)가 아니라 단지 경계하고 대비할 수
있는 것이 여섯째 어려움이며, 구사는 가운데 자리도 아니고 바른 자리도 아니어서 사욕을
극복하여 정의를 따를 수 없는 것이 일곱째 어려움이다. 대체로 하나의 효가 움직이나 모두
쉽게 결단하여 제거할 수 없으므로 「단전」에서는 전체 괘를 들어서 말하였다. 여러 양이
협력하여 함께 나아가 드러내어 성토하면 결단하여 제거할 수 있으나 여전히 경계하고 두려
워하는 마음이 있어야 한다. 하나의 소인도 제거하기 어려움이 이와 같은 것이 있으니 반드
시 아래에 있는 자들이 모두 그의 죄악을 알기를 기다려 윗사람이 마음으로 용기 있게 결단
하여 널리 임금의 용단을 발휘한 뒤에야 할 수 있는 것이다.

告自邑, 不利卽戎, 利有攸往.

정전 읍으로부터 고하고, 전쟁에 나아감은 이롭지 않으며, 가는 것이 이롭다.
본의 읍으로부터 고하고, 전쟁에 나아감을 이롭게 여기지 않으면 가는 것이 이롭다.

中國大全

傳

君子之治小人, 以其不善也, 必以己之善道, 勝革之. 故聖人誅亂, 必先修己, 舜
之敷文德是也. 邑, 私邑, 告自邑, 先自治也. 以衆陽之盛, 決於一陰, 力固有餘.
然不可極其剛, 至於太過. 太過, 乃如蒙上九之爲寇也. 戎, 兵者, 强武之事. 不
利卽戎, 謂不宜尙壯武也. 卽, 從也, 從戎, 尙武也. 利有攸往, 陽雖盛, 未極乎
上, 陰雖微, 猶有未去, 是小人尙有存者, 君子之道, 有未至也, 故宜進而往也,
不尙剛武而其道益進, 乃夬之善也.

군자가 소인을 다스림은 소인이 착하지 않기 때문이니, 반드시 자기의 착한 도로써 이겨서 고쳐야
한다. 그러므로 성인이 어지러움을 다스릴 때에는 반드시 먼저 자신을 닦는 것이니, 순임금이 문덕
(文德)을 편 것이 이것이다. '읍(邑)'은 '본인의 읍[私邑]'이니, "읍으로부터 고한다"는 것은 먼저
스스로 다스리는 것이다. 여러 양의 성대함으로 한 음을 결단하면 힘은 진실로 넘친다. 그러나 끝까
지 강하게 하여 너무 지나치게 해서는 안 된다. 너무 지나치면 마침내 몽괘(蒙卦) 상구(上九)의 도
적이 됨[6]과 같아질 것이다. '전쟁[戎]'은 싸우는 것으로 용맹하고 굳센 일이다. "전쟁에 나아감은
이롭지 않다"는 것은 무력을 숭상해서는 안 됨을 말한 것이다. '나아감[卽]'은 따름이니, 전쟁을 따름
[從戎]은 무력을 숭상하는 것이다. "가는 것이 이롭다"는 것은 양이 성대하나 아직 상육까지 다하지
않았고, 음이 미약하나 아직 제거되지 않아 소인이 아직도 남아 있는 것으로 군자의 도가 지극하지
못하기 때문에 나아가야 하는 것이다. 강한 무력을 숭상하지 않으면서 그 도가 더욱 나아감이 바로
쾌(夬)의 선함이다.

---

6) 『周易·蒙卦』: 上九, 擊蒙, 不利爲寇, 利禦寇.

小註

建安丘氏曰, 不利卽戎, 與莫夜有戎相應. 莫夜有戎, 言小人常伺隙興兵寇君子, 不利卽戎, 言君子不當專尙威力以勝小人. 蓋君子之勝小人, 固自有道, 若徒以力角力, 則君子未必有加於小人, 而適以敗天下之事爾. 此聖人之所以深戒也.

건안구씨가 말하였다: "전쟁에 나아감은 이롭지 않다"는 구이의 "늦은 밤에 적군이 있다"와 서로 호응한다. "늦은 밤에 적군이 있다"는 소인은 항상 틈을 노리고 군대를 일으켜 군자를 해치려한다는 말이고, "전쟁에 나아감은 이롭지 않다"는 군자는 무력만을 숭상하여 소인을 이겨서는 안 된다는 말이다. 군자가 소인을 이기는 데에는 참으로 본래 도가 있으니, 만약 힘으로 힘을 겨루기만 한다면 군자는 소인에게 반드시 더할 것이 없어서 오로지 천하의 일을 무너지게 할 것이다. 이것을 성인이 깊이 경계한 까닭이다.

○ 中溪張氏曰, 一決之後, 則由夬而乾, 往无不利矣, 故曰利有攸往.

중계장씨가 말하였다: 한 번 결단한 이후가 되면 결단으로 말미암아 강건하게 되어 어디를 가더라도 이롭지 않음이 없기 때문에 "가는 것이 이롭다"고 하였다.

本義

夬, 決也. 陽決陰也, 三月之卦也. 以五陽去一陰, 決之而已. 然其決之也, 必正名其罪而盡誠以呼號其衆, 相與合力, 然亦尙有危屬, 不可安肆. 又當先治其私, 而不可專尙威武, 則利有所往也, 皆戒之之辭.

쾌(夬)는 결단함이다. 양이 음을 결단하는 것이 삼월(三月)의 괘이다. 다섯 양으로 한 음을 제거하여 결단할 뿐이다. 그런데 결단할 때에 그 죄에 대해 바르게 이름 붙이고, 성의를 다하여 무리에게 호소하여 서로 힘을 합하여야 하지만 또한 아직도 위태로움이 남아 있으니 편안히 여기지 말아야 한다. 또한 먼저 자신의 사사로움을 다스려야 하고 오로지 위엄과 무력만을 숭상해서는 안 되니, 가는 것이 이로움은 모두 경계하는 말이다.

小註

朱子曰, 夬以五陽之盛而比一陰, 猶欲決之, 故其繇曰, 揚于王庭, 孚號有厲, 告自邑, 不利卽戎, 利有攸往. 蓋雖危懼自修, 不極其武, 而揚庭孚號, 利有攸往, 初不顧後患, 而小卻也.

주자가 말하였다: 쾌쾌는 다섯 양이 성대하면서 음과 겨루어 오히려 결단하려고 하기 때문에 그 점사에서 "왕의 조정에서 드날림이니, 미덥게 호령하여 위태로움을 있게 하여야 한다. 읍으로부터 고하고, 전쟁에 나아감은 이롭지 않으며, 가는 것이 이롭다"고 하였다. 위태로우나 스스로 닦으면 무력을 모두 사용하지 않고 조정에서 드날려 미덥게 호령하여 가는 것이 이로우니, 처음부터 후환을 돌아보고 잠시도 쉬지 않는다.

○ 問, 夬卦, 聖人於陰消陽長之時, 亦如此戒懼, 其警戒之意深矣. 曰, 不用如此說, 自是无時不戒警恐懼, 不是到這時方戒懼. 不成說天下已平治, 可以安意肆志, 只纔有些放肆, 便弄得靡所不至.
물었다: 쾌쾌에서 성인이 음이 사라지고 양이 자라는 때에도 이와 같이 경계하고 두려워했으니, 그 경계하는 뜻이 깊습니다.
답하였다: 이와 같이 말하지 않더라도 본래 어느 때라도 경계하고 두려워하지 않음이 없어야 하는 것이지 이때가 되어서야 경계하고 두려워할 것이 아닙니다. 천하가 이미 바르게 다스려졌다고 마음을 편안하게 할 수 있다고 말하지 않으니, 단지 조금이라도 제멋대로 하면 이르지 않는 곳이 없게 될 것입니다.

○ 雲峰胡氏曰, 夬以五陽去一陰, 亦易易爾, 而象爲危懼警戒之辭不一. 蓋必揚于王庭, 使小人之罪明, 以至誠呼號其衆, 使君子之類合, 不可以小人之衰, 而遂安肆也, 有危道焉. 不可以君子之盛, 而事威武也, 有自治之道焉. 必如是, 乃利有攸往. 復利往, 往而爲臨爲泰爲夬也. 夬利往, 往而爲乾也. 聖人象復其辭平, 象夬其辭危. 蓋陰之勢雖微, 蔓或可滋, 窮或爲敵. 君子固无時不戒懼, 尤不可於小人道衰之時, 忘戒懼也. 聖人爲君子謀至矣. 於剝見剝一陽之易, 於夬見決一陰之難, 君子難進易退, 小人易進難退故也. 爲君子者, 安可以易心處之也哉.
운봉호씨가 말하였다: 쾌쾌는 다섯 양이 하나의 양을 제거하는 것이라서 매우 쉬울 텐데 「단전」에는 두려워하고 경계하는 말이 한 가지가 아니다. 반드시 왕의 조정에서 드날리어 소인의 죄를 밝히고, 지극한 정성으로 무리에게 호소하여 군자의 무리를 합하게 하고, 소인이 쇠약해지더라도 편안하게 여겨서는 안 될 것이니, 위태롭게 될 수 있는 도가 있기 때문이다. 군자가 성대하더라도 위엄과 무력을 일삼아서는 안 되는 것은 스스로 다스리는 도가 있기 때문이다. 반드시 이와 같이 하여야 곧 가는 것이 이로울 것이다. 복괘에서 가는 것이 이로움은 가서 림괘(臨卦䷒)・태괘(泰卦䷊)・쾌괘(夬卦䷪)가 된다. 쾌괘에서 가는 것이 이로움은 가서 건괘(乾卦䷀)가 된다. 성인은 복괘(復卦䷗)의 「단사」에서 그 말이 편안하고, 쾌괘의 「단사」에서는 그 말이 위태롭다. 음의 세력이 미약하지만 뻗어나가면 자랄 수도 있고, 어려워지면 적이 될 수도 있다. 군자는 참으로 어느 때라도 경계하고 두려워하지 않을

수 없어 소인의 도가 쇠약한 때라도 경계하고 두려워함을 더욱 잊어서는 안 되니, 성인이 군자를 위한 생각이 지극하다. 박괘(剝卦䷖)에서 하나의 양을 제거함이 쉽다는 것을 볼 수 있고, 쾌괘에서 하나의 음을 결단함이 어렵다는 것을 볼 수 있으니, 군자는 나아가기는 어렵고 물러나기는 쉬우며, 소인은 나아가기는 쉽고 물러나기는 어렵기 때문이다. 군자가 어찌 쉬운 마음으로 대처하겠는가?

▌韓國大全▌

권근(權近) 『주역천견록(周易淺見錄)』

夫五陽決去一陰. 小人衰微, 君子道盛, 顯揚于王庭, 以孚誠號令於衆, 明正小人之罪, 而決去之. 然尙有危道, 不敢忘戒備. 若易而無備, 則有不虞之悔矣. 當先正己以自治, 使無可乘之. 豪不可過於剛武而致患, 亦不可務爲姑息而不決也. 自古君子小人相爲消長. 三代以後, 正而勝者, 常少, 不正而勝者, 常多. 蓋君子之去小人, 其心公, 故其言以義. 君相聽之, 始未嘗不以爲然. 君子恃其事之正, 信其上之從, 而忽於戒備, 終或有不虞之變. 小人之譖君子, 其心私, 故其謀以密. 或附言以惑之, 或危言以動之, 或託近倖, 或因內謁, 浸潤膚受, 靡所不至. 君相聽之, 始雖不以爲然, 終必信而從之矣. 惟君相有剛明上智之資, 則能不惑於讒邪之說. 中人以下之資, 鮮不惑矣. 故雖衆君子決去一小人之時, 尙當知有危厲, 而不忘戒備也. 戒備之道, 在乎自治. 君子持身, 本無不謹, 其去小人之時, 尤加謹愼. 察其時勢之難易, 重其事機之周防, 不動聲色, 以漸圖之, 此自治之道. 不可過爲剛武, 使無所容. 小人自知其無所容, 則欲害君子, 無所不至, 必將有疾之已甚之乱. 故不利卽戎. 然在小人將衰之時, 又不可安然不爲, 以致其復盛也. 明揚俊彦布列王庭, 上下恊力, 開誠心, 而布公道, 使衆明知善惡, 而治道日進. 則讒邪不去而自無, 去之亦無所患矣. 是利有攸往也. 必當以漸而馴致之, 不可以欲速也. 故當先務爲決之之道, 不可逸⁷⁾爲決之之事. 如舜擧皐陶, 而不仁者遠, 是眞得決之之道也. 夫四凶在堯朝, 非不知其爲小人. 謂共工爲靜言庸違, 謂鯀爲方命圯⁸⁾族, 是明知其爲惡也. 然不務於去此疇, 咨四岳, 得舜攝政. 而舜又咨岳牧, 以命九官.

---

7) 逸: 경학자료집성DB와 영인본에 모두 '退'로 되어 있으나, 문맥을 살펴 '逸'로 바로잡았다.
8) 圯: 경학자료집성DB와 영인본에 모두 '地'로 되어 있으나, 문맥을 살펴 '圯'로 바로잡았다.

契明五教, 皐陶明五刑, 野無遺賢, 民恊于中. 四方風動, 比屋可封, 而天下皆知四凶之罪, 然後去之, 故天下咸服. 此卽自治而不卽戎, 利有攸往者也. 厥後, 漢之平勃將相交驩, 以制諸呂, 猶先自備而不輕動, 故卒能成安劉之功. 自是以降, 如陳竇輩欲決小人, 反以速禍者多矣. 是不知⁹⁾告自邑, 不利卽戎之戒也, 可勝惜哉. 易於夬卦, 五陽決去一陰, 其勢易而猶爲有厲之戒, 其慮後世而爲君子謀, 至矣. 吁, 君子之行事, 在正其義而已, 成敗利鈍非所計也. 然君子之得志, 世道之大幸, 小人之得志, 世道之不幸也. 後世乱亡相繼而無善治, 以小人之得志也. 易豈私於君子哉.

쾌괘는 다섯 양이 하나의 음을 결단하여 제거하는 것이다. 소인은 쇠미하고 군자의 도는 융성하며 왕의 뜰에 밝게 휘날려 믿음과 정성으로 무리에게 호령하고 소인의 죄를 분명히 바로잡아 결단하여 제거한다. 그러나 여전히 위태로우므로 경계와 대비를 잊어서는 안 된다. 만일 쉽게 생각하여 대비하지 않으면 예기치 못한 후회가 있게 되니 먼저 자기를 바르게 하여 자신을 다스려서 소인들이 틈탈 기회가 없게 해야 한다. 조금이라도 지나치게 굳센 무력을 사용하여 환난을 초래해서는 안 되고, 또한 고식적으로 대처하여 결단하지 않아서도 안 된다. 예로부터 군자와 소인은 한쪽이 자라면 한쪽이 사그라진다. 삼대(三代) 이후 바른 도를 통해 승리한 경우는 항상 적었고, 바르지 못하면서 승리한 경우가 항상 많았다. 군자가 소인을 제거할 때는 그 마음이 공정하므로 정의에 근거하여 주장한다. 군주와 재상이 그 말을 듣고 처음에는 동의하지 않은 적이 없다. 군자는 그 일이 정의롭다는 것을 믿고 윗사람도 따를 것이라 믿어 경계와 대비를 소홀히 하니 끝내는 예기치 못한 변란이 생긴다. 소인이 군자를 참소할 때는 그 마음이 사사로우므로 은밀하게 일을 도모한다. 덧붙이는 말로 미혹시키기도 하고, 바른 말로 움직이기도 하며, 총애를 받는 근신에게 청탁하기도 하고, 은밀히 만나기도 하며, 조금씩 스며들게 하기도 하고, 피부를 찌르듯 급하게도 하여 못하는 일이 없다. 군주와 재상이 그의 말을 듣고 처음에는 그렇다고 동의하지 않지만 끝내는 믿고 따르게 된다. 오직 군주와 재상이 강명(剛明)하고 상지(上智)의 자질을 지닌 경우라야 참소하고 비방하는 주장에 미혹되지 않을 수 있다. 중인(中人) 이하의 자질을 가진 경우라면 미혹되지 않는 이가 드물 것이다. 그러므로 여러 군자가 소인 한 사람을 결단하여 제거하려 할 때도 그것이 위태롭고 어렵다는 것을 알아 경계하고 대비하기를 잊어서는 안 된다. 경계하고 대비하는 방법은 스스로를 다스리는 데 있다. 본래 군자는 몸가짐을 삼가지 않는 때가 없지만 소인을 제거하려 할 때는 더욱 더 삼가고 신중해야 한다. 시세(時勢)가 어려운지 용이한지를 살피고 일의 기틀을 중시하여 두루 방비한 뒤에 소리와 낯빛을 움직이지 않고 조금씩 도모해야 하니 이것이 자신을 다스리는 방법이다. 지나치게 굳세고 무력적이어서 용납될 곳이 없도록 해서는 안 된다. 소인이 용납되지 않는다는 것을 스스로 알게 되면 군자

---

9) 知: 경학자료집성DB와 영인본에 모두 '如'로 되어 있으나, 문맥을 살펴 '知'로 바로잡았다.

를 해치고자 수단과 방법을 가리지 않을 것이니 반드시 '너무 지나치게 싫어하는 것'에서 야기되는 환난이 있게 될 것이다. 그러므로 "전쟁에 나아감은 이롭지 않다"고 한 것이다. 그러나 소인이 쇠미해 질 때라도 또 편안히 아무것도 하지 않아 소인들이 다시 융성하게 해서도 안 된다. 명(明)나라 양준언(楊俊彦)이 조정의 반열에 있자 위아래가 힘을 합해 진실된 마음으로 공정한 도(道)를 시행하여 사람들로 하여금 선과 악을 분명히 알게 하여 치도(治道)가 날로 나아지니 참소하고 사악한 자들을 제거하지 않아도 저절로 없어졌으며, 제거하여도 또한 아무런 환난이 없었다. 이것이 "가는 것이 이롭다"는 것이다. 반드시 조금씩 길들여야 하고 서둘러 하고자 해서는 안 된다. 그러므로 먼저 그것을 결단할 방법에 힘쓰고 안일하게 그것을 결단하는 일을 해서는 안 된다. 예컨대 "순임금이 고요를 등용하자 어질지 못한 이들이 떠나갔다"고 하였으니 이것이 진실로 결단하는 방법을 얻은 것이다. 사흉(四凶)은 요(堯)의 조정에 있었는데 요임금은 그들이 소인이라는 것을 모르지 않았다. 공공에 대해서는 조용할 때 말은 잘하지만 실천은 어긋난다고 평가하였고, 곤에 대해서는 명령을 어기고 사람들을 해친다고 평가하였으니, 이것은 그들이 악인임을 분명히 안 것이다. 그런데도 이들을 제거하고자 힘쓰지 않고 사악(四岳)에게 자문하여 순을 얻어 정사를 맡겼으며, 순은 또 사악(四岳)과 십이목(十二牧)에게 자문하여 구관(九官)을 임명하였다. 설(契)이 오교(五敎)를 밝히고, 고요(皐陶)가 오형(五刑)을 밝히자 재야에는 버려진 현인이 없었고 백성들은 마음속으로 협력하였다. 사방의 풍속이 교화되어 집집마다 벼슬을 내릴 만하게 되고 천하 사람들 모두가 사흉의 죄악을 안 뒤에 제거하였으므로 천하가 모두 감복하였다. 이것이 바로 스스로를 다스려 '전쟁에 나아가지 않으며 가는 것이 이롭게 된' 경우이다. 그 후 한(漢) 나라의 진평(陳平)과 주발(周勃)이 장수와 재상으로서 서로 기뻐하며 여씨(呂氏)를 제압하게 된 것도 오히려 먼저 스스로 대비하고 경솔하게 움직이지 않았기 때문에 마침내 유씨(劉氏)의 왕실을 편안하게 한 공을 이룰 수 있었던 것이다. 이후로는 진번(陣蕃)과 두무(竇武)의 무리처럼 소인을 급박하게 제거하려다가 도리어 화를 당한 경우가 많았다. 이는 "읍으로부터 고하고 전쟁에 나아감은 이롭지 않다"는 경계를 모른 것이니, 애석하기 이를 데 없다. 『역』의 쾌괘는 다섯 양이 음 하나를 결단하여 제거하려는 것이므로 그 세가 쉬운데도 오히려 위태로움이 있다고 경계하였으니 후세를 염려하고 군자를 위해 도모함이 지극하다. 아! 군자의 일 처리는 자신을 바르게 함에 달려 있을 뿐 성공과 실패 이익과 손해는 고려할 대상이 아니다. 그러나 군자가 뜻을 얻으면 세도(世道)의 크게 다행스러운 일이고 소인이 뜻을 얻으면 세도의 불행이다. 후세에 혼란과 멸망이 계속되고 좋은 정치가 없었던 것은 소인이 뜻을 얻었기 때문이니 『역』이 어찌 군자에 대해 사사로워서이겠는가?

조호익(曺好益) 『역상설(易象說)』

告, 兌口象. 邑兌得坤之上爻爲邑象. 或曰, 下卦乾伏坤象. 戎兌金象. 不利卽戎, 兌說象. 利往, 往則由夬而爲乾也.

'고(告)'는 태괘인 '입'의 상이다. '읍(邑)'은 태괘가 곤괘의 상효를 얻었으니 읍의 상이 된다. 어떤 이는 "하괘인 건괘의 복체인 곤괘의 상이다"고 하였다. '융(戎)'은 태괘인 쇠의 상이다. "전쟁에 나아감은 이롭지 않음"은 태괘인 '기쁨'의 상이다. '감이 이로움'은 가면 결단함으로 말미암으니 건괘가 된다.

이익(李瀷) 『역경질서(易經疾書)』

乾剛爲一柔所畜曰小畜, 爲二柔所畜曰大畜, 二剛居四柔之中曰小過, 四剛居二柔之中曰大過. 以此倒之, 四剛進決二柔曰大壯, 則五剛進決一柔, 何不言壯. 此蓋必決之勢, 不必用壯, 故彼旣爲大壯, 而此但爲夬. 是以只用孚號, 而不利卽戎, 卽戎, 君子之不得已也. 苟可以戒備而得, 安君子不爲也. 此聖人之志也, 九二辭詳之. 九五君位而得中正, 有王庭之象. 而五剛同德, 上六一陰, 加之其上, 不待人之暴揚, 而其情迹自露也. 如此者, 但孚號其有厲亦足矣, 何必卽戎. 陰雖衰微, 不戒則有危厲. 其戒也, 必自近邑, 始近而可止則止, 又不必遠告也.

건괘의 굳센 양이 하나의 부드러운 음에 쌓여진 것을 소축괘(小畜卦☴)라 하고 두 부드러운 음에 쌓여진 것을 대축괘(大畜卦☶)라 하며, 두 굳센 양이 네 부드러운 음의 가운데에 있는 것을 소과괘(小過卦☵)라 하고 네 굳센 양이 두 부드러운 음의 가운데에 있는 것을 대과괘(大過卦☰)라 한다. 이를 통해 뒤집어보면 네 굳센 양이 두 부드러운 음으로 나아가 결단하는 것을 대장괘(大壯卦☳)라 하는데 다섯의 굳센 양이 하나의 부드러운 음으로 나아가 결단하는 것에 대해서는 어찌하여 씩씩함[壯]을 말하지 않았는가? 이것은 반드시 결단하는 형세에서는 씩씩함을 쓸 필요가 없기 때문에 저기에서는 이미 대장괘라고 하였지만 여기에서는 다만 쾌괘라고만 하였다. 그러므로 미덥게 호령만 하고 전쟁에 나아감은 이롭지 않으니 전쟁에 나아감은 군자가 부득이해서이다. 만일 경계하고 대비하여 얻을 수 있다면 어찌 군자가 하지 않겠는가? 이것은 성인의 뜻이니 구이의 말이 상세하다. 구오는 임금의 자리이면서 중정을 얻었으니 '왕의 조정'의 상이 있다. 다섯 굳센 양이 같은 덕인데 상육의 한 음이 그 위에 더해졌으니 사람들이 드러내 주기를 기다리지 않아도 그 실정의 자취가 저절로 드러날 것이다. 이와 같은 자는 다만 "미덥게 호령하여 위태로움을 있게 하여야" 또한 족하니 어찌 꼭 전쟁에 나가야 하겠는가? 음이 비록 쇠미하나 경계하지 않으면 위태로움이 있을 것이다. 경계는 반드시 가까운 읍으로부터 해야 하니 가까운데서 시작하여 그칠만하면 그치니 또한 굳이 먼데에서 고할 필요는 없다.

유정원(柳正源) 『역해참고(易解參攷)』

西溪李氏曰, 一陰在五陽之上, 小人之據尊位而[10]在君側, 善固結其君而不去者也. 小人彌縫之計密, 而君子不以爲疑, 必揚其過於王庭, 使人主明知其爲小人也, 號令於衆, 謂將有危事, 使擧朝皆知其爲小人也. 又告令於邑中, 使擧國皆知其爲小人也. 擧兵誅之, 惡在君側. 其勢不順, 故不利卽戎, 陽氣方長, 陰道必終, 往則有功.

서계이씨가 말하였다: 하나의 음이 다섯 양의 위에 있음은 소인이 높은 자리를 차지하여 임금 곁에 있는 것이니 임금과 단단히 맺기를 잘하여 떠나지 않는 자이다. 소인의 미봉책이 세밀하여 군자가 의심하지 아니하나 반드시 왕의 조정에 그의 허물이 드러남은 군주로 하여금 그의 소인됨을 밝게 알도록 한 것이고, 대중에게 호령함은 장차 위태로운 일이 있게 됨을 이르니 온 조정이 그의 소인됨을 알게 한 것이다. 또 읍안에 호령함은 온 나라가 그가 소인임을 알게 한 것이다. 병사를 동원하여 주벌하니 어찌 임금 곁에 있겠는가? 형세상 순조롭지 못하기 때문에 전쟁에 나아감은 이롭지 않으나 양의 기운이 바야흐로 자라나면 음의 도는 반드시 끝마치니 가면 공이 있는 것이다.

○ 雙湖胡氏曰, 邑只取上六一陰象. 戎兌金象. 夬三月卦, 金囚故不利卽戎, 利有攸往. 卦變也剛長變上成乾无不利矣.

쌍호호씨가 말하였다: '읍'은 단지 상육인 하나의 음의 상을 취하였다. '전쟁'은 금인 태괘의 상이다. 쾌괘는 3월의 괘이고 금은 갇혀있기 때문에 전쟁에 나아감은 이롭지 않으며, 가는 것이 이롭다. 괘가 변하면 또한 굳센 양이 자라서 변하여 올라가 건괘를 이루게 되니 이롭지 않음이 없다.

○ 案, 以旣盛之君子, 決方窮之小人, 則必須揚之於王朝大庭, 使天下明知善惡, 此君子處夬之道也. 若在陽弱陰强之時, 反欲揚于王庭, 如陳蕃之以章昭示, 則必不免不密失身之譏, 此不可以一槪論也. 揚庭孚號, 師出有名也. 兵凶器也, 故亦有厲. 戒外攘, 必先內修, 故曰告之自邑. 專尙剛武, 恐有窮黷之慮, 故戒之以不利卽戎, 不獨征伐, 小事亦有然者.

내가 살펴보았다: 이미 왕성한 군자가 한창 궁색한 소인을 결단한다면 반드시 왕의 큰 조정에서 드날려 천하 사람들에게 선악을 분명히 알게 한 것이니 이것이 군자가 결단에 대처하

---

10) 而: 경학자료집성DB와 영인본에 모두 '而'와 '在'사이에 '而'가 더 있으나 문맥을 살펴 삭제하였다.

는 도이다. 만약 양이 약하고 음이 강한 때에 도리어 왕의 조정에서 드날리고자 하여 진번(陳蕃)이 헌장(憲章)으로 밝게 제시했던 것처럼 한다면[11] 반드시 정밀하지 못하여 몸을 망치는 기미를 면하지 못할 것이니 이것은 한 가지로 싸잡아 논의해서는 안 된다. "왕의 조정에서 드날림이니 미덥게 호령함"은 군사를 내는 데에 명분이 있는 것이다. 무기는 흉한 기구이기 때문에 위태로움이 있다. 외부의 어지러움을 경계하려면 반드시 먼저 내부를 정비해야 하기 때문에 "읍으로부터 고한다"고 하였다. 전적으로 강한 무력을 숭상하면 무력을 남용하는 우려가 있기 때문에 "전쟁에 나아감은 이롭지 않음"으로 경계하였으니 정벌하는 일 뿐만 아니라 작은 일에서도 또한 그러함이 있다.

○ 息齋余氏曰, 澤上於天則決, 上於地則聚.
식재여씨가 말하였다: 못이 하늘에 올라가면 터지고 땅에 올라오면 모인다.

○ 雙湖胡氏曰, 澤上於天, 勢必當決. 君子施祿, 亦當然之事, 乃以德自居, 非所宜也, 故忌.
쌍호호씨가 말하였다: 못이 하늘에 올라가 높이 있으면 형세상 반드시 터진다. 군자가 복록을 베푸는 것은 또한 당연한 일이니 곧 덕에 자처하는 것을 당연하다고 여기는 것이 아니기 때문에 금기한다.

○ 梁山來氏曰, 夬三月之卦也, 正天子春行布德行惠之時, 乃惠澤之澤也, 祿者澤之物也, 德者, 澤之善也, 居者, 施之反也. 紂鹿臺之財, 居德也, 周有大賚, 施祿也, 言澤在于君, 當施其澤, 不可居其澤也. 居澤, 乃人君之所深忌者.
양산래씨가 말하였다: 쾌괘는 3월의 괘이니 바로 천자가 봄철에 덕과 은혜를 베푸는 일을 시행하는 때이다. 곧 혜택의 택이며, '녹'은 혜택의 물건이고 '덕'은 혜택의 선행이다. '자처함'은 '베풂'의 반대이다. 주왕(紂王)의 '녹대(鹿臺)의 재물'[12]은 '덕에 자처함'이고, 주 무왕의 '큰 베풂'[13]은 '녹을 베풂'이니 은택은 임금에게 달려 있으므로 마땅히 은택을 베풀어야지 그 은택을 자처해서는 안 된다는 말이다. '은택을 자처함'은 바로 임금이 깊이 금해야 하는 것이다.

---

11) 후한 영제(靈帝) 때 진번(陳蕃)은 이응(李膺), 대장군 두무(竇武) 등과 함께 환관들의 전횡을 막기 위해 환관을 모살(謀殺)하려다가 오히려 실패한 나머지 진번과 이응 등 100여 인이 피살을 당한 뒤를 이어 계속해서 사형과 유배를 당하고 수금된 자가 700여 인에 이르렀다. 『후한서·당고열전』 참조.
12) 녹대(鹿臺): 은(殷)나라 주왕(紂王)이 주옥(珠玉)과 전백(錢帛) 등을 저장했던 누대의 이름이다.
13) 『서경』에는 주 무왕(周武王)이 상(商) 나라를 쳐서 이긴 뒤에 사해(四海)에 크게 베풀었다는 기록이 있고, 『논어』에는 "주(周)나라에 큰 베풂이 있으니, 선인(善人)이 이에 부유하게 되었다[周有大賚, 善人是富]"고 하였다.

○ 案, 居德, 如孟子居仁是也. 忌, 忌惡也. 居乎天德, 无有邪惡, 乾之象也. 居德則所施者普, 忌惡則放流而迸諸, 亦有潰決之意.

내가 살펴보았다: '덕에 거함'은 『맹자』의 '인(仁)에 거함'[14]이 이것이다. '금기'는 악을 금함이다. 하늘의 덕에 거하여 사악함이 없는 것이 건괘의 상이다. 덕에 거하면 베푸는 것이 넓고 사악함을 금하면 추방하여 사방 오랑캐로 내 쫓으니[15] 또한 결단의 뜻이 있다.

傳.

『정전』에 대하여.

〈案, 傳末, 本有上時掌反四字.

내가 살펴보았다: 『정전』 끝에는 본래 "'상'자는 '시'자와 '장'자의 반절이다[上時掌反]"는 네 글자가 있다.〉

김상악(金相岳) 『산천역설(山天易說)』

王庭上六象, 兌之一陰, 見于上揚之象. 號與告, 乾兌二象, 而有文誡武令之異. 告自邑不利卽戎, 與泰上六曰勿用師自邑告命相似. 乾之德健, 故利有攸往. 卽亦往也, 用德而往則利, 用剛而卽則不利.

'왕의 조정'은 상육의 상이니 태괘의 한 음은 위로 드날리는 상을 드러내었다. '호령'과 '고함'은 건괘와 태괘의 두 상이면서 문덕(文德)으로 경계하고 무력(武力)으로 명령하는 다름이 있다. "읍으로부터 고하고, 전쟁에 나아감은 이롭지 않음"은 태괘 상육의 "군대를 쓰지 말고 읍으로부터 명을 고함"[16]과 서로 흡사하다. 건괘의 덕이 강건하기 때문에 가는 것이 이롭다. 즉(卽)도 '감'이니 덕을 써서 가면 이롭고 굳센 양을 써서 나아간다면 이롭지 않다.

서유신(徐有臣) 『역의의언(易義擬言)』

又有告自邑之象, 又有不利卽戎之象, 又有利有攸往之象也. 此三節, 不必與上文同爲一事也. 上六爲口, 告命自上六出也. 不出於九五, 而出於上六, 是不出於國, 而出於邑, 故曰告自邑也. 兌爲戎象, 窮上之兌, 不利於用, 故曰不利卽戎也. 此與泰上六勿用師自邑告命, 辭與義相似. 蓋上六乃坤上六, 故有是象也.

또 '읍으로부터 고함'의 상이 있고, 또 '전쟁에 나아감은 이롭지 않음'의 상이 있으며, 또 '가

---

14) 『孟子·離婁』: 孟子曰, 自暴者, 不可與有言也, 自棄者, 不可與有爲也. 言非禮義, 謂之自暴也, 吾身不能居仁由義, 謂之自棄也.

15) 『大學』: 唯仁人, 放流之, 迸諸四夷, 不與同中國, 此謂唯仁人, 爲能愛人, 能惡人.

16) 『周易·泰卦』: 上六, 城復于隍, 勿用師, 自邑告命, 貞吝.

는 것이 이로움'의 상이 있으니, 이 세 구절을 굳이 윗글과 똑같이 동일한 일로 여길 필요는 없다. 상육은 입이 되니 명을 고함은 상육에서 나온 것이다. 구오에서 나오지 않고 상육에서 나왔으니 이는 나라에서 나오지 않고 읍에서 나왔기 때문에 '읍으로부터 고함'이라고 하였다. 태괘는 군대의 상인데 위로 궁극한 태괘는 쓰기에 이롭지 않기 때문에 '전쟁에 나아감은 이롭지 않음'이라고 하였다. 이것은 태괘(泰卦) 상육의 "군대를 쓰지 말고 읍으로부터 명을 고함"과 말과 뜻이 서로 흡사하다. 이는 상육이 바로 곤괘(坤卦)의 상육이기 때문에 이런 상이 있다.

강엄(康儼) 『주역(周易)』

又按, 泰之上六曰勿用師自邑告命, 此曰告自邑不利卽戎, 其辭略同者, 何也. 蓋泰極否來, 天運之自然, 君子於此, 不可以力爭. 但當自治其身以待, 无往不復之理而已. 故曰勿用師自邑告命. 至於夬, 則以五陽決一陰, 雖若甚易. 然聖人惟恐君子恃其同德之衆, 或忘其自治之道, 而惟事剛武, 則小人未及去, 而吾道已病, 吾道病, 則小人得以棄之, 而君子反見逐矣. 故曰告自邑不利卽戎. 蓋君子之道, 固當先於自治, 而不可專尙威武. 然於處否凌陰之時, 尤不可以不如是, 故聖人特著之云.

또 살펴보았다: 태괘(泰卦) 상육에서는 "군대를 쓰지 말고 읍으로부터 명을 고함"이라고 하였고, 여기에서는 "읍으로부터 고하고, 전쟁에 나아감은 이롭지 않음"이라고 하였으니 그 말이 대략 같은 것은 어째서인가? 통함[泰]이 다하면 막힘[否]이 오는 것이 저절로 그러한 하늘의 운행이니 군자가 이에 대하여 억지로 다투어서는 안 된다. 다만 스스로 자신을 수양하여 기다린다면 어디서든 회복하지 않을 이치는 없을 것이다. 그러므로 "군대를 쓰지 말고 읍으로부터 명을 고함"이라고 하였다. 쾌괘에서는 다섯 양이 한 음을 결단하니 매우 수월할 듯하다. 그러나 오직 성인이 걱정한 것은 군자가 같은 덕의 무리를 특별히 여겨 자신을 수양하는 도리를 잊어버려서 굳센 무력만 일삼는다면 소인이 제거되기 전에 우리의 도가 이미 병들 것이니 우리의 도가 병들면 소인이 버릴 수 있게 되어 군자가 도리어 축출을 당할 것이다. 그러므로 "읍으로부터 고하고, 전쟁에 나아감은 이롭지 않음"이라고 하였다. 이는 군자의 도는 진실로 자신을 수양하는 것을 우선해야 하고 전적으로 위엄과 무력만을 숭상해서는 안 되기 때문이다. 그러나 비괘(否卦)에 있거나 음이 능멸을 당하는 때에는 더욱 이와 같지 않아서는 안 되기 때문에 성인이 다만 이것을 드러낸 것이다.

박문건(朴文健) 『주역연의(周易衍義)』

揚, 擧而明之, 上六雖用柔順和附之道, 未免見決, 故揚其志於王庭也. 告言告天命之不存也. 戎謂五剛犯上, 故斥之也.

'드러냄'은 들어서 밝히는 것이니 상육이 비록 유순함으로 화합하는 도를 쓰나 결단을 당함에서 벗어나지 못하기 때문에 왕의 조정에서 뜻을 드러낸다. '고함'은 천명을 보존하지 못함을 고한다는 말이다. '전쟁'은 굳센 오효가 상효를 범하기 때문에 가리킨 것이다.

〈問, 揚于王庭以下. 曰, 上六居極剛之前, 而以明其志, 故取揚于王庭之象. 雖有孚於五剛, 未免號咷, 故有危厲之道. 又告命自邑, 雖不利行師卽戎17), 然進處五剛之上, 而爲剛所載, 故利有所往也.

물었다: '왕의 조정에서 드날림' 이하는 무슨 뜻입니까?

답하였다: 상육은 궁극에 있는 굳센 양의 앞에 있으면서 그 뜻을 밝히기 때문에 왕의 조정에서 드날리는 상을 취하였습니다. 비록 굳센 오효에게 미더움이 있으나 호령을 면하지 못하기 때문에 위태로운 도가 있습니다. 또 읍으로부터 명을 고하고, 군대를 행하여 전쟁에 나아감이 이롭지 않으나 나아가 굳센 오효의 위에 처하여 굳센 양에 실려 있기 때문에 가는 바가 이롭습니다.〉

〈○ 問, 傳義皆云揚罪王庭, 何如. 曰, 夫子於雜卦, 雖取君子小人之義, 然此辭則三聖俱取消長之義, 恐不可必以君子小人釋其義也.

물었다: 『정전』과 『본의』에서 모두 '왕의 조정에서 죄를 드러냄'이라 한 것은 어떻습니까?

답하였다: 공자가 「잡괘전」에서 비록 군자와 소인의 뜻을 취하였으나18) 이 말에 대하여 복희씨·문왕·공자가 모두 '사라지고 자라는 뜻'을 취하였으니 반드시 군자와 소인으로만 그 뜻을 해석해서는 안 될 듯합니다.〉

〈○ 問, 剝言不利有攸往, 而夬言利有攸往, 何. 曰, 陽性剛而陰性柔, 剛止者必相戾, 柔說者必相得, 故取義不同也.

물었다: 박괘(剝卦)에서는 "가는 것이 이롭지 않다"19)고 말하고, 쾌괘(夬卦)에서는 "가는 것이 이롭다"고 말한 것은 어째서입니까?

답하였다: 양의 성질은 굳세고 음의 성질은 부드러우니, 굳센 양으로 저지하는 자는 반드시 서로 어긋나고, 부드러운 음으로 기뻐하는 자는 반드시 서로 마음이 맞기 때문에 뜻을 취한 것이 같지 않습니다.〉

---

17) 戎: 경학자료집성DB에는 '戒'로 되어 있으나, 경학자료집성 영인본을 참조하여 '戎'으로 바로잡았다.
18) 『周易·雜卦傳』: 夬, 決也. 剛決柔也, 君子道長, 小人道憂也.
19) 『周易·剝卦』: 剝, 不利有攸往.

이지연(李止淵) 『주역차의(周易箚疑)』

兵法亦有窮寇莫追之說, 六雖陰柔小人, 而勢已極矣, 明知其必爲所夬, 而自分必死, 背城一戰, 則患生於所忽, 變起於不虞. 且其爲上六者, 以說體有口, 足以口舌之辯說人者也. 而九五與之密邇, 此所謂小人密邇於君, 而固結其心者也. 然則其夬去之際, 固不可易而无備, 而又不可專尚剛武, 如漢唐之招致外兵之境也.

『손자병법』에도 "곤궁한 적은 추격하지 말아라"[20]라는 말이 있다. 육효가 비록 유약한 음인 소인이지만 형세가 이미 꼭대기에 있으니 반드시 결단될 것을 밝게 알아 스스로 반드시 죽게 됨을 분별하여 성을 등지고 최후의 일전(一戰)[21]을 한다면 환란이 소홀한데서 생기고 변란이 예기치 못한 데서 생길 것이다. 또 상육은 기뻐하는 몸체에 입이 있으니 혀를 놀리는 변설로 남을 기쁘게 하기에 충분한 자이다. 구오가 그와 가까워 친밀하니 이것이 이른바 "소인이 임금과 밀접하여 그 마음을 단단하게 묶어놓은 것"이다. 그렇다면 결단하는 때에 진실로 쉽게 여겨 대비하지 않아서도 안 되고, 또 굳센 무력만을 숭상하여 한나라와 당나라처럼 나라 밖의 군대를 끌어들이는 지경이 되어서도 안 된다.

김기례(金箕澧) 「역요선의강목(易要選義綱目)」

小人雖衰, 君子相告而當自治其通, 不可肆然威武.
소인이 쇠약하나 군자는 서로 고하여 스스로 통하도록 다스려야 하고 함부로 위엄과 무력을 써서는 안 된다.

○ 決一陰則爲乾, 故曰利有往.
한 음을 결단하면 건괘(乾卦☰)가 되기 때문에 "가는 것이 이롭다"고 하였다.

윤종섭(尹鍾燮) 『경(經)·역(易)』

上經置剝復主陽, 下經置夬姤主陰, 蓋先陽後陰之義而已, 於先天圖可見. 乾爲陰生之位, 兌而乾爲夬, 乾而巽爲姤. 坤爲陽生之方, 艮而坤爲剝, 坤而震爲復. 邵子所謂天根月窟是也.

『주역상경』에서 박괘(剝卦☶☷)와 복괘(復卦☷☳)를 두어 양을 위주로 하고, 『주역하경』에서

---

20) 『孫子·軍爭』: 窮寇勿迫, 此用兵之法也.
21) 『春秋左傳·成公』: 吾子惠徼齊國之福, 不泯其社稷, 使繼舊好, 唯是先君之敝器土地不敢愛, 子又不許, 請收合餘燼, 背城借一.

쾌괘(夬卦☰)와 구괘(姤卦☰)를 두어 음을 위주로 한 것은 양을 먼저하고 음을 뒤로하는
의리일 뿐이니 「선천도」에서 알 수 있다. 건괘(乾卦☰)는 음이 생겨나는 자리이니 태괘(兌
卦☱)이면서 건괘(乾卦☰)인 것이 쾌괘(夬卦☰)이고, 건괘(乾卦☰)이면서 손괘(巽卦☴)
인 것이 구괘(姤卦☰)이다. 곤괘(坤卦☷)는 양이 생겨나는 방위이니 간괘(艮卦☶)이면서
곤괘(坤卦☷)인 것이 박괘(剝卦☶)이고 곤괘(坤卦☷)이면서 진괘(震卦☳)인 것이 복괘(復
卦☳)이다. 이것이 소자(邵子)가 말한 천근월굴(天根月窟)[22]이다.

이항로(李恒老) 「주역전의동이석의(周易傳義同異釋義)」

傳, 利有攸往, 云云.
『정전』에서 말하였다: '가는 것이 이롭다'는 것은, 운운.

本義, 不可專尙威武, 則利有所往也,
『본의』에서 말하였다: 오로지 위엄과 무력만을 숭상해서는 안 되니, 가는 것이 이로움은,

按, 不利卽戎, 卽利有攸往之節度也. 分作各[23]段說, 則語急意迫, 差欠婉轉, 故本義加
一則字以足之.
내가 살펴보았다: "전쟁에 나아감은 이롭지 않음"은 곧 "가는 것이 이롭다"의 규범이 된다.
각 단의 말을 나누어 놓으면 말이 급하고 뜻이 촉박하여 완곡한 흐름에 방해가 되기 때문에
『본의』에서는 '즉(則)'이라는 한 글자를 보태어 충족하였다.

심대윤(沈大允) 『주역상의점법(周易象義占法)』

君子之勢旣成, 小人甘悅諂附, 而爲君子者, 當敬健自治, 明決以辨. 不可忽易狎侮而
无備, 係戀姑息而无決, 以效唐五王之於武三思也. 坤入乾爲巽曰揚, 乾爲王, 乾入坤
爲震, 震爲庭. 君子得君以行道, 則小人自遠揚于王庭, 言得君以行道也. 孚號有厲, 言
至誠以誥戒同事之人, 危懼而不驕惰也. 小人尙未盡去, 而君子自相猜貳, 携異而不

22) 천근월굴(天根月窟): 천근은 양(陽)에 해당하고, 월굴은 음(陰)에 해당하는 것으로서 천지 음양의 이치를
말한다. 소옹(邵雍)의 「관물음(觀物吟)」에 "이목 총명한 남자 몸으로 태어났으니, 천지조화의 부여가 인색하
지 않구나. 월굴을 탐구해야만 물을 알 수 있거니와, 천근을 못 오르니 어찌 사람을 알리오. 건이 손을
만난 때 월굴을 보게 되고, 지가 뇌를 만난 때 천근을 볼 수 있으니, 천근과 월굴이 한가로이 왕래하는
가운데 삼십육궁이 온통 봄이네[耳目聰明男子身 洪鈞賦與不爲貧 須探月窟方知物 未躡天根豈識人 乾
遇巽時觀月窟 地逢雷處見天根 天根月窟間往來 三十六宮都是春]"라고 하였다.
23) 各: 경학자료집성DB에는 '谷'으로 되어 있으나, 경학자료집성 영인본을 참조하여 '各'으로 바로잡았다.

和, 則小人得以乘其隙矣. 兌教戒, 离爲孚. 告自邑, 言先自治也. 不利卽戎[24], 言不可恃强而驟進也. 君子之於小人, 不可優緩而无斷, 亦不可剛猛而急擊也. 乾之變, 自兌而离曰孚號. 對艮爲告爲邑. 离艮繫爲行而麗於位曰卽, 离爲戎, 反姤爲巽, 對小人. 恐其復生於內, 故取反也. 利有攸往, 言利以有爲也.

군자의 형세가 이미 완성되면 소인이 달콤한 기쁨으로 아첨하여 따르니 군자는 공경과 굳센 양으로 스스로 다스리고 밝은 결단으로 분별해야한다. 그렇지 않고 가볍게 보고 업신여겨서 대비하지 않거나 동정에 매어 우선 편안하게 하고 결단함이 없어 당나라 오왕(五王)[25]이 무삼사(武三思)[26]에게 한 일을 본받아서는 안 된다. 곤괘(坤卦☷)가 건괘(乾卦☰)로 들어간 것이 손괘(巽卦☴)이므로 ‘드날림’이라 하였으니 건괘는 왕이 되고, 건괘(乾卦☰)가 곤괘(坤卦☷)로 들어가 진괘(震卦☳)가 되었으니 진괘는 조정이 된다. 군자가 임금의 신임을 얻어 도를 행하면 소인이 저절로 왕의 조정에서 멀어지니 임금의 신임을 얻어 도를 행함을 말한다. “미덥게 호령하여 위태로움이 있게 함”은 지극한 정성으로 함께 일하는 사람에게 알려주어 위태롭게 여기는 마음으로 교만하거나 게으르지 않게 함을 말한다. 소인이 아직도 다 제거되지 않았는데 군자가 서로 시기하여 두 마음을 품어서 분열되어 화합하지 않는다면 소인이 그 틈을 탈 수 있다. 태괘는 가르쳐 경계함이고 리괘는 미더움이다. 읍으로부터 고함은 먼저 스스로 다스림을 말한다. “전쟁에 나아감은 이롭지 않음”은 강함을 믿고서 재빠르게 나아가서는 안 됨을 말한다. 군자는 소인에 대하여 넉넉하고 느슨하게 하여 결단이 없어서도 안 되고 굳세고 사나워서 급히 쳐서도 안 된다. 건괘(乾卦☰)가 변하여 태괘(兌卦☱)에서 리괘(離卦☲)가 되는 것을 ‘미덥게 호령함’이라고 하였다. 반대괘인 간괘(艮卦☶)는 고함이 되고 읍이 된다. 리괘와 간괘로 매어 행하여 자리에 걸리니 ‘나아감[卽]’이다. 리괘는 무기이고 거꾸로 된 괘인 구괘가 손이 되어 소인을 대처한다. 안으로 돌아올까 두렵기 때문에 거꾸로 된 괘를 취했다. ‘가는 것이 이로움’은 큰일을 해내기에 이롭다는 말이다.

오치기(吳致箕) 「주역경전증해(周易經傳增解)」

揚者, 高擧之謂也. 王指五, 而庭謂王之前也. 上與三應, 而相交易, 則成互離, 故言孚亦言戎. 而戎者戈兵也. 號謂訴其危也, 號與告, 皆取於兌, 邑取於對坤. 卽者就也, 取於對艮也. 不言亨之義, 已見大壯. 乾失正位, 故不言貞.

---

24) 戎: 경학자료집성DB에는 ‘戒’로 되어 있으나, 경학자료집성 영인본을 참조하여 ‘戎’으로 바로잡았다.

25) 오왕(五王): 당나라 때에 중종(中宗)을 복위시킨 공으로 왕에 봉해진 장간지(張柬之)·경휘(敬暉)·최현위(崔玄暐)·원서기(袁恕己)·환언범(桓彦範)을 이른다.

26) 무삼사(武三思): 당나라 고종(高宗)의 황후인 측천무후(則天武后)의 친정 조카이다. 장간지 등이 무삼사를 죽이지 않고 살려 두어 결국 장간지 등과 중종이 시해되었다.

'드날림'은 높이 듦을 이른다. '왕'은 오효를 가리키고 '조정'은 왕의 앞을 이른다. 상효는 삼효와 호응하여 서로 교역해서 호괘인 리괘(離卦☲)를 이루기 때문에 '미더움'을 말하고 또 '전쟁'을 말하였다. '융(戎)'은 무기이다. '호(號)'는 위험을 호소함을 이른다. '호(號)'와 '고(告)'는 모두 태괘(兌卦☱)에서 취하였고 '읍(邑)'은 음양이 바뀐 괘인 곤괘(坤卦☷)에서 취하였다. '즉(卽)'은 나아감이니 음양이 바뀐 괘인 간괘(艮卦☶)에서 취하였다. 형통을 말하지 않은 뜻은 이미 대장괘(大壯卦䷡)에 보인다.[27] 건괘(乾卦☰)가 바른 자리를 잃었기 때문에 '곧음'을 말하지 않았다.

이진상(李震相) 『역학관규(易學管窺)』

邑, 以內卦言. 邪物在上, 窮則噬人, 故告戒邑中, 使相警備. 不可以卽戎爲利, 特群賢彙征, 正氣足以勝邪, 則彼將消縮, 失其所據. 始可以明正典刑矣, 蓋以人臣而欲除君側之惡, 遽興晉陽之甲, 則有逼上之咎. 且將挾天子而自衛, 加之以叛逆之名, 勢必不順, 所以申戒之也.

읍은 내괘를 가지고 말하였다. 간사한 사람이 위에 있으면서 곤궁하면 남을 깨물기 때문에 읍안에 고하고 경계시켜 서로 조심하여 대비하게 한 것이다. 그러니 전쟁에 나아가는 것을 이롭게 여겨서는 안 되고 여러 어진 이들과 함께 가서 바른 기운이 간사함을 이길 수 있다면 저들이 장차 위축되어 근거지를 잃게 될 것이다. 그렇게 되고서야 비로소 법률을 바르고 밝게 행할 수 있다. 대개 신하로서 임금 곁의 악인을 제거하고자 하여 갑자기 진양(晉陽)의 군대[28]를 일으킨다면 윗사람을 핍박한다는 허물이 있게 된다. 장차 천자의 신임을 믿고서 스스로 지키다가 반역의 이름을 입게 된다면 형편상 반드시 따르지 않을 것이니 이 때문에 거듭 경계하는 것이다.

○ 象.[29]
「단사」에 대하여.

---

27) 『周易本義·大壯卦』: 陽壯則占者吉亨, 不假言, 但利在正固而已.

28) 진양(晉陽)의 군대: 진양은 조앙(趙鞅)이 윤탁(尹鐸)을 시켜 다스리게 하면서 세금을 경감하고 선정을 베풀게 하여 보장지지(保障之地)로 만든 곳으로, 튼튼한 국가의 기반이 되는 지역을 비유하는 말로 쓰이는 곳이다. 춘추 시대 노(魯)나라 정공(定公) 13년에, 진(晉)나라에서 순인(荀寅)과 사길역(士吉射)이 반란을 일으키자 조앙이 진양(晉陽)의 군대를 취하여, 군주 측근의 악인(惡人)을 축출한다는 명분을 내세우며 그들을 축출하였다. '진양의 군대〔晉陽之甲〕'는, 후세에는 지방의 수령이 조정에 불만을 품고 거병하는 것을 가리키는 말로 쓰이기도 하고, 지방의 수령이 조정의 명령을 받지 않은 상태에서 악인을 공격하는 것을 가리키는 말로 쓰이기도 하였다. 여기서는 후자의 뜻에 가깝다.

29) 경학자료집성DB에 단전에 편집되어 있으나 경학자료집성 영인본의 체재에 의거하여 단사로 옮겨 해석하였다.

王庭, 兌上虛象, 在九五上, 故曰王庭. 揚疑小人顯揚之揚, 以象傳柔乘五剛推之可見. 孚號者, 衆君子之欲決去小人者, 相與號召而竝力也. 有厲, 言其勢難圖而可懼也, 蓋上六雖窮陰勢孤, 五爲君位而密比之, 九三正應而曲護之. 獨據高位, 若負嵎然. 豈易勝哉. 孚者, 衆陽同德象. 號, 乾象. 荀九家曰, 乾爲言, 同人之號, 亦乾象也. 利攸往, 乾行之健也. 夬盡則純乾矣. 易爲君子謀, 故剝則勿用攸往, 夬則曰利攸往也.

'왕의 조정'은 태괘 위의 비어있는 상이니 구오의 위에 있기 때문에 '왕의 조정'이라고 하였다. '드날림'은 "소인이 현달하여 드날리다"의 '드날림'일 듯하니 「단전」의 '다섯 굳센 양을 탄 것'을 미루어 알 수 있다. '미덥게 호령함'은 소인을 결단하여 제거하고자 하는 여러 군자가 서로 더불어 불러서 힘을 함께하는 것이다. '위태로움이 있음'은 형세가 도모하기 어려워 두려워할 만하다는 말이다. 상육이 비록 곤궁한 음으로서 형세가 외로우나 임금의 자리인 오효와 친밀하고 정응인 구삼이 간곡히 보호하니 홀로 높은 자리를 점거하여 호랑이가 산을 등지고 있는 듯한 기세이다. 그러니 어찌 쉽게 이길 수 있겠는가? '미더움'이란 여러 양들이 덕을 함께 하는 상이고, "호령하다[號]"는 건괘의 상이다. 순상(荀爽)의 『구가역(九家易)』에 "건괘(乾卦☰)는 말이 된다"고 하였고, 동인괘(同人卦䷌)의 호(號)[30]도 건괘(乾卦☰)의 상이다. '가는 것이 이로움'은 건괘의 행실이 굳건한 것이다. 쾌괘(夬卦䷪)가 다하면 순전한 건괘(乾卦☰)이다. 『역』은 군자를 위하여 도모하기 때문에 박괘(剝卦)에서는 "가는 것이 이롭지 않다"[31]고 하였고, 쾌괘(夬卦)에서는 "가는 것이 이롭다"고 하였다.

〈定軒李丈曰, 告自邑不利卽戎, 似指一坤爻而言. 蓋坤爲邑爲衆, 本卽戎之吉卦, 夬乃坤爻垂窮之卦, 故有不利卽戎之占象. 傳所謂所尙乃窮者, 此也.

정헌이장(定軒李丈)이 말하였다: "읍으로부터 고하고, 전쟁에 나아감은 이롭지 않음"은 곤효 하나를 가리켜서 말한 듯하다. 곤괘는 읍이 되고 무리가 되니 본래 전쟁에 나아감이 길한 괘이나 쾌괘는 곤효가 곤궁하게 되는 괘이기 때문에 전쟁에 나아감이 이롭지 않은 점과 상이 있다. 「단전」에서 말한 "숭상하는 것이 이에 궁하게 됨"이 이것이다.〉

박문호(朴文鎬) 「경설(經說)·주역(周易)」

益之爲字, 皿中盛水. 盛之不已, 旣滿則必決. 此益夬之所以相次也. 所尙乃至窮極, 是窮兵之窮也. 卦辭本義所云, 專尙威武是也.

"숭상하는 것이 이에 매우 곤궁하게 되고"는 "군대 일에 곤궁하다"의 곤궁이다. 「괘사」의 『본의』에서 말한 "전적으로 위엄과 무력만을 숭상함"이라고 한 것이 이것이다. 익(益)이라

---

30) 『周易·同人卦』: 九五, 同人, 先號咷而後笑, 大師克, 相遇.
31) 『周易·剝卦』: 剝, 不利有攸往.

는 글자는 그릇[皿]안에 물[水]이 담긴 모양이다. 담기를 그치지 않아 이미 가득차면 반드시 터진다. 이것이 쾌괘가 익괘(益卦) 다음이 된 이유이다.

이정규(李正奎) 「독역기(讀易記)」

夬卦辭與爻辭, 以決去小人爲義, 而皆有兢兢惕厲之意. 以五陽方盛之君子, 決去一陰衰退之小人, 何難之有而如是哉. 嗚呼. 聖人豈過慮哉. 實理然也. 卦辭揚于王庭孚號有厲者, 以衆盛之君子, 顯斥其罪於公朝, 宜无有難, 而終不以勢孤而忽之也. 告自邑不利卽戎者, 必先自治而不可專尙剛武也.

쾌괘의 괘사와 효사는 소인을 결단해 버리는 것을 의리로 삼았으니 모두 전전긍긍하며 두려워하고 위태롭게 여기는 뜻이 있다. 다섯 양의 한창 성한 군자가 하나의 음인 쇠퇴한 소인을 결단해 버리는데 무슨 어려움이 있다고 이와 같이 하는가? 아! 성인이 어찌 지나치게 염려하겠는가? 실제로 이치가 그러해서이다. 「괘사」의 "왕의 조정에서 드날림이니, 미덥게 호령하여 위태로움을 있게 하여야 한다"는 번성한 여러 군자들이 그의 죄를 공의 조정에서 드러내니 으레 어려움이 없을 것이나 끝내 소인의 형세가 작다고 단정하여 소홀하게 여기지 않음이다. "읍으로부터 고하고, 전쟁에 나아감은 이롭지 않음"은 반드시 먼저 자신을 다스리고 전적으로 굳센 무력만을 숭상해서는 안 됨이다.

象曰, 夬, 決也. 剛決柔也, 健而說, 決而和.

「단전」에서 말하였다: 쾌(夬)는 결단함이다. 굳셈[剛]이 부드러움[柔]을 결단하는 것이니, 굳세고 기뻐하며 결단하고 화합한다.

‖中國大全‖

傳

夬爲決義, 五陽決上之一陰也. 健而說, 決而和, 以二體言卦才也. 下健而上說, 是健而能說, 決而能和, 決之至善也. 兌說爲和.

쾌(夬)가 결단하는 뜻이 됨은 다섯 양이 위의 한 음을 결단하기 때문이다. ‘굳세고 기뻐하며 결단하고 화합함’은 두 몸체로써 괘의 재질을 말한 것이다. 아래는 굳세고 위는 기뻐함은 굳세고 기뻐하며, 결단하고 화합함이니, 결단함의 지극히 좋은 것이다. 태(兌☱)의 기뻐함[說]이 화합함이 된다.

小註

蘭氏廷瑞曰, 內健則能決, 外說則能和.
난정서가 말하였다: 안이 굳세면 결단할 수 있고, 밖이 기쁘면 화합할 수 있다.

○ 隆山李氏曰, 健決乾體, 說和兌體, 以和說濟健決, 則決之道不傷太過, 於是爲得矣.
융산이씨가 말하였다: 굳세어서 결단함이 건(乾☰)의 몸체이며, 기뻐서 화합함이 태(兌☱)의 몸체이니, 화합하는 기쁨으로 굳센 결단을 해결하면 결단하는 도가 너무 지나치게 손상되지 않아 이에 알맞게 될 것이다.

本義

釋卦名義而贊其德.
괘 이름을 풀이하고 그 덕을 칭찬한 것이다.

小註

雲峰胡氏曰, 他卦或以卦德釋卦名義, 此旣釋卦義而復贊其德, 是德也, 君子之德也. 以五剛決一柔, 宜无難者. 然君子勢雖可如此, 健而說, 決而和, 君子之德, 固自如此也.

운봉호씨가 말하였다: 다른 괘에서는 간혹 괘의 덕으로 괘의 이름을 해석하였고, 여기에서는 이미 괘의 뜻을 해석하고 다시 그 덕을 찬미하였으니, 이 덕이 군자의 덕이다. 다섯 굳센 양으로 하나의 부드러운 음을 결단하는 것은 마땅히 어려울 것이 아니다. 그러나 군자의 기세가 이와 같지만 굳세고 기뻐하며 결단하고 화합하니, 군자의 덕은 참으로 본래 이와 같다.

○ 臨川吳氏曰, 夬雖以五陽決去一陰, 然不可恃陽之盛而過於猛. 卦德內健而外說, 健說相濟, 則其決陰也, 无不及亦无過, 故和. 和者无過不及之中也.

임천오씨가 말하였다: 쾌괘가 다섯 양으로 하나의 음을 결단하지만 양의 성대함을 믿고 지나치게 사납게 해서는 안 된다. 괘의 덕이 안은 굳세지만 밖은 기뻐하니, 굳셈과 기뻐함이 서로 구제하면 음을 결단함에 미치지 못하거나 지나침이 없기 때문에 화합한다. 화합함은 지나침과 미치지 못함이 없는 알맞음이다.

▎韓國大全▎

권만(權萬) 『역설(易說)』

此言夬五陽竝進, 決去一陰., 宜若有剛柔太快之象, 而下健上說, 兩情相安. 故決之者, 不至於過剛, 見決者, 亦無怨尤, 故和也. 此吐以健而說이라[32] 決而和하니라[33] 讀之, 亦可也.

이것은 결단하는 다섯 양이 함께 나아가 하나의 음을 판결하여 제거한다는 말이다. 으레 굳센 양과 부드러운 음이 매우 유쾌한 상이 있어서 아래가 강건하고 위가 기뻐하니 양쪽의 실정이 서로 편안한 듯하다. 그러므로 결단하는 자가 지나치게 강함에 이르지 않고 판결을 받는 자도 원망하거나 탓하는 일이 없기 때문에 화합한다. 이 글은 "건이열(健而說)이라

---

32) 이라: 경학자료집성DB에는 구결이 없으나 영인본에 따라 구결을 보충하였다.
33) 하니라: 경학자료집성DB에는 구결이 없으나 영인본에 따라 구결을 보충하였다.

결이화(決而和)하니라"로 토(吐)를 달아 읽는 것이 좋겠다.

심조(沈潮) 「역상차론(易象箚論)」

陽爻廣有庭象, 故稱庭, 乾爲君, 故稱王.

양효는 넓어서 조정의 상이 있으므로 '조정'이라고 칭하였고, 건괘는 임금이 되므로 '왕'이라고 칭하였다.

김상악(金相岳) 『산천역설(山天易說)』

釋卦名義, 而贊其德. 內健則能決, 外說則能和. 決而和, 決之善也.

괘명의 뜻을 해석하여 덕을 찬술하였다. 내괘는 강건하니 결단할 수 있고, 외괘는 기뻐하니 화합할 수 있다. 결단하고 화합할 수 있는 것이 훌륭한 결단이다.

서유신(徐有臣) 『역의의언(易義擬言)』

健而說, 以一卦而言也, 決而和, 只以九五言也.

'굳세고 기뻐함'은 괘 전체로써 말할 것이고, '결단하고 화합함'은 단지 구오로써 말한 것이다.

박문건(朴文健) 『주역연의(周易衍義)』

此以卦體, 釋卦名, 而贊其德也.

이글은 괘의 몸체로 괘의 이름을 풀고 그 덕을 찬술하였다.

〈問, 健而說決而和. 曰, 乾雖健, 兌則用說, 剛雖決, 柔則用和也. 此贊二體, 與剛柔之俱, 不失道也, 與他卦, 取卦德之義, 不同也.

물었다: '굳세고 기뻐하며 결단하고 화합함'은 무슨 뜻입니까?

답하였다: 건괘(乾卦☰)가 강건하나 태괘(兌卦☱)는 기뻐함을 쓰고 굳센 양이 결단하기는 하나 부드러운 음이 화합함을 씁니다. 이것은 두 몸체 및 굳센 양과 부드러운 음이 갖추어져 도를 잃지 않음을 찬술한 것이니 다른 괘에서 괘의 덕을 취한 뜻과는 같지 않습니다.〉

김기례(金箕澧) 「역요선의강목(易要選義綱目)」

以陽決陰. 乾健兌悅, 則君子以和悅之道, 除惡.

양으로서 음을 결단함이다. 건괘는 강건하고 태괘는 기뻐하니 군자가 화합하고 기뻐하는 도로써 악을 제거함이다.

심대윤(沈大允) 『주역상의점법(周易象義占法)』

明健而說之, 爲決而和也. 君子[34]同心共力, 健進而和合, 然後能成功也. 將帥和而戰勝, 國家和而難靖, 君臣和而功立, 朋類和而事成, 以有禮讓, 故能和也. 天澤爲禮, 澤天爲讓. 凡柔在剛上, 皆有推讓之義也.

밝고 굳세어 기뻐하니 결단하여 화합하는 것이다. 군자가 한 마음으로 힘을 합하여 강건하게 나아가 화합한 뒤에 일을 이룰 수 있다. 장수는 화합하여 전쟁에서 승리하고 국가는 화합하여 난리를 안정시키며 군신은 화합하여 공을 세우고 벗들은 화합하여 일을 이룰 수 있으니 예로 양보함이 있기 때문에 화합할 수 있다. 상괘가 천(天)이고 하괘가 택(澤)인 것이 예(禮)[35]이고, 상괘가 택(澤)이고 하괘가 천(天)인 것이 양보[讓][36]이다. 부드러운 음이 굳센 양의 위에 있는 것은 모두 미루어 양보하는 뜻이 있다.

최세학(崔世鶴) 「주역단전괘변설(周易彖傳卦變說)」

夫, 乾之一體變也, 上一爻爲主, 然彖以剛決柔言之. 坤上往居於上體之上, 以一柔乘五剛, 非理之甚, 故欲其決也.

쾌괘는 건괘에서 한 몸이 변한 것이니 상효 한 효가 주인이지만 「단전」에서는 굳센 양이 부드러운 음을 결단하는 것으로 말하였다. 곤괘의 상효가 가서 상체의 위에 있으니 하나의 부드러운 음이 다섯의 굳센 양을 타고 있는 것이 매우 바른 이치가 아니기 때문에 결단하고자 하는 것이다.

---

34) 子: 경학자료집성DB에는 '于'로 되어 있으나, 경학자료집성 영인본을 참조하여 '子'로 바로잡았다.

35) 천택리괘(天澤履卦)를 가리킨다.

36) 『周易·夬卦』의 구사효에 "양을 끌듯 하면 후회가 없다[牽羊悔亡]"고 하였는데 이에 대하여 장재(張載)가 "양을 몰고 갈 때는 양보하여 먼저 가게 하여야 한다[牽羊讓而先之]"라 하였다.

揚于王庭, 柔乘五剛也,

"왕의 조정에서 드날림"은 부드러운 음이 다섯 굳센 양을 탄 것이고,

中國大全

傳

柔雖消矣, 然居五剛之上, 猶爲乘陵之象. 陰而乘陽, 非理之甚. 君子勢旣足以去之, 當顯陽其罪於王朝大庭, 使衆知善惡也.

부드러움[柔]이 사라졌으나 다섯 굳셈[剛]의 위에 자리하여 아직도 올라타고 능멸하는 상이 된다. 음이 양을 타고 있음은 이치에 매우 어긋난 것이다. 군자의 세력이 이미 음을 제거할 수 있으니, 그 죄를 왕의 큰 조정에서 드러내어 사람들에게 선과 악을 알게 하여야 한다.

▌韓國大全▌

권만(權萬) 『역설(易說)』

一陰有方決之勢, 小人之情宜若有戚戚之意. 而以陰陽相慕之道言之, 則一陰爲五陽之所慕, 故猶翺翔于外, 有婆娑宛丘之象. 揚有揚揚自得之意.

하나의 음이 바야흐로 결단 받는 형세가 있으니 소인의 심정이 으레 근심스런 뜻이 있을 듯하다. 그러나 음양이 서로 사모하는 도로 말하면 하나의 음이 다섯 양의 사모함을 받으므로 오히려 밖에서 활개치고 다니며37) 완구(宛丘)38)에서 너울너울 춤추는39) 상이 있다. 드날림[揚]은 의기양양하게 스스로 만족하는 뜻이 있다.

서유신(徐有臣) 『역의의언(易義擬言)』

柔乘五剛, 爲揚于王庭之象也.

부드러운 음이 다섯 굳센 양을 타고 있음은 왕의 조정에서 드날리는 상이 된다.

김기례(金箕澧) 「역요선의강목(易要選義綱目)」

易中, 以陰乘陽謂非理, 而今一陰乘五陽, 則勢甚易除. 故揚其罪於王庭.

『주역』에서는 음이 양을 타고 있는 것을 바른 도리가 아니라고 하였는데 지금 하나의 음이 다섯 양을 타고 있으니 형세가 제거하기에 매우 쉽다. 그러므로 왕의 조정에서 그의 죄를 드날리는 것이다.

---

37) 『詩經·載驅』: 汶水湯湯, 行人彭彭, 魯道有蕩, 齊子翺翔.
38) 완구(宛丘): 춘추 시대 진(陳)나라 도읍지이다.
39) 파사(婆娑): 춤추는 모양이다.

孚號有厲, 其危乃光也,

정전 "미덥게 호령하여 위태롭게 여김이 있어야 함"은 그 위태로움이 이에 빛남이고,
본의 "미덥게 호소하나 위태롭게 여김이 있음"은 그 위태로움이 이에 빛남이고,

┃中國大全┃

傳

盡誠信以命其衆, 而知有危懼, 則君子之道, 乃无虞而光大也.

정성과 믿음을 다하여 무리들에게 호령하여 위태로움과 두려움이 있음을 알게 하면 군자의 도가 근심이 없어져 빛나고 커질 것이다.

┃韓國大全┃

이익(李瀷) 『역경질서(易經疾書)』

其危乃光, 屬孚號說, 不帖有厲. 所尙, 帖夬字說, 窮止也.

'그 위태로움이 이에 빛남'은 '미덥게 호령함'에 해당하는 말이고 '위태롭게 여김이 있어야 함'에는 연결되지 않는다. '숭상하는 것'은 쾌(夬)에 연결되는 말이고, 궁함窮은 그침이다.

권만(權萬) 『역설(易說)』

孚信也. 無應則無孚. 而上六與九三爲正應, 是雖在逐中, 而尙有內應, 故恃三而號, 望其有援也. 兌有口象, 而上爻之坼爲口. 故於上六言號. 厲易解皆以惕慮憂厲爲辭. 然以象言之, 則厲爲水濱, 凡三畫卦, 初爲厲, 三爲厲. 此曰有厲, 言有下體九陽之厲也.

其危言九三介在群陽之中. 內懷應上之心, 而外示逐陰之形, 至上六孚號而後, 危厲之
本情乃光. 光猶章也彰也.

부(孚)는 미더움이다. 호응이 없으면 미더움도 없다. 상육은 구삼과 정응이니 쫓기는 가운
데 있더라도 오히려 안에 호응이 있기 때문에 삼효를 믿고서 호령하여 구원이 있기를 희망
한다. 태괘는 입의 상이 있으니 상효의 터짐이 입이다. 그러므로 상육에서 '호령'을 말하였
다. 려(厲)는 『주역』의 해석에서 모두 근심하고 우려하는 것으로 말하였다. 그러나 상으로
말하면 려(厲)는 물가이니 모든 삼획괘는 초효가 려(厲)이고 삼효가 려(厲)이다. 여기에서
"위태롭게 여김이 있어야 함[有厲]"이라고 한 것은 하체의 양효에게 위태로움이 있다는 말이
다. '그 위태로움[其危]'은 구삼이 여러 양의 가운데에 끼어있음을 말한다. 구삼은 안으로
상효와 호응하는 마음을 품고 있으면서 밖으로 음을 쫓는 형상을 보이니 상육이 미덥게 호령
한 뒤에야 위태롭게 여기는 본래의 심정이 이에 빛난다. 광(光)은 드러냄·빛남과 같다.

서유신(徐有臣) 『역의의언(易義擬言)』

上六表著, 故曰光也. 凡小人情態隱秘, 機關巧密, 遽然攻之, 則或疑其褊, 卒然斥之,
則或疑其激. 雖明君哲士, 疑信相衆, 故小人未易論也. 若上六者, 情狀已著, 人皆見
而知之, 故群陽得以孚號也. 夫姤之陰始生, 治之在於含章, 夬之陰在上, 決之在於孚
號也.

상육은 겉에서 드러나기 때문에 '빛남'이라고 하였다. 소인은 실정과 태도가 은미하고 비밀
스러우며 역할과 목적이 교묘하고 은밀하니 대번에 공격하면 좁다고 의심받고 갑자기 배척
하면 격렬하다고 의심받는다. 현명한 임금이나 현철한 선비라도 의심과 미더움이 함께 들기
때문에 소인을 쉽게 의론해서는 안 된다. 상육 같은 이는 정상이 이미 드러나 사람들이 모두
보고 알기 때문에 여러 양이 미덥게 호령하는 것이다. 구괘(姤卦䷫)의 음은 처음으로 생겨
나니 빛남을 머금은 데[40]에서 다스려지고, 쾌괘(夬卦䷪)의 음은 상효에 있으니 미덥게 호령
하는 데에서 결단된다.

김기례(金箕澧) 「역요선의강목(易要選義綱目)」

孚號, 則戒不虞, 防未然, 故厲有生光.

'미덥게 호령하면' 예기치 못한 일을 경계하여 미연에 방비하기 때문에 위태로움에 빛남이
있는 것이다.

---

40) 『周易·姤卦』: 九五, 以杞包瓜, 含章, 有隕自天.

告自邑, 不利卽戎, 所尙, 乃窮也,

"읍으로부터 고하고, 전쟁에 나아감은 이롭지 않음"은 숭상하는 것이 이에 궁하게 되고,

‖中國大全‖

傳

當先自治, 不宜專向剛武, 卽戎則所尙, 乃至窮極矣. 夬之時所尙, 謂剛武也.

먼저 스스로 다스려야 하고, 오로지 강한 무력만 숭상해서는 안 되니, 전쟁에 나아가면 숭상하는 것이 끝남에 이를 것이다. 쾌(夬)의 때에 숭상하는 것은 강한 무력을 말한다.

‖韓國大全‖

홍여하(洪汝河) 「책제(策題): 문역(問易)·독서차기(讀書箚記)-주역(周易)」[41]

師謙豫, 一陽主五陰, 故利行師, 夬之不利卽戎, 可知也.

사괘(師卦䷆)·겸괘(謙卦䷠)·예괘(豫卦䷏)는 하나의 양이 다섯 음을 주관하기 때문에 군대를 행하는 것이 이롭고, 음이 하나인 쾌괘(夬卦䷪)는 전쟁에 나아감이 이롭지 않음을 알 수 있다.

권만(權萬) 『역설(易說)』

此言告其垂亡之狀, 只當於見在之位爲之. 邑在外者. 而上六在外, 是在邑也. 不宜往卽九三, 九三過剛而不中, 有戎兵之象. 故曰卽戎. 蓋垂盡之陰, 勢窮情蹙, 不得不號且告, 而只得自告其邑, 爲自謀之圖而已. 若恃九三, 而告於九三, 則無益而爲尙口乃窮之

歸也. 九三雖有救上九之隱情, 而人言可畏, 必不樂爲之應援. 故上六之告爲不利也.

이것은 망해가는 형상을 고한다는 말이니 다만 현재의 자리에서 해야 한다. 읍은 밖에 있는 것이다. 상육이 밖에 있으니 바로 읍에 있는 것이다. 구삼에게 가서는 안 되니 구삼은 지나친 굳센 양이면서 가운데 자리가 아니고 군대의 상이 있다. 그러므로 "전쟁에 나아간다"고 하였다. 다해가는 음은 형세가 곤궁하고 심정이 위축되어 호소하여 고하지 않을 수 없으니, 다만 읍으로부터 고하여 스스로 도모하는 계책을 써야 한다. 만일 구삼을 믿고서 구삼에게 고하면 이익될 것이 없어 '읍을 숭상한 것이 이에 궁하게 되는' 데로 귀결될 것이다. 구삼은 상구를 구원하는 숨은 뜻이 있으나 남의 말이 두려워 반드시 그를 위해 호응하여 구원하는 것을 기꺼이 하지 않을 것이다. 그러므로 상육이 고하는 것이 이롭지 않음이 된다.

유정원(柳正源) 『역해참고(易解參攷)』[42]

正義, 剛克之道, 不可常行. 若專用威猛, 以此卽戎, 則便爲尙力取勝, 卽是決而不和, 其道窮矣.

『주역정의』에서 말하였다: 굳센 양으로 이기는 도는 상용해서는 안 된다. 전적으로 위엄과 사나움으로 전쟁에 나아간다면 곧 무력을 숭상하여 승리를 취함이 되니, 이는 결단하였으나 화합하지 못하여 그 도가 곤궁하다.

서유신(徐有臣) 『역의의언(易義擬言)』

卦有尊尙上六之象, 而是乃上窮之陰也. 所尙如此, 故告命自邑矣, 卽戎不利矣.

괘에는 상육을 높이는 상이 있으나 여기에서는 위에서 곤궁한 음이다. 숭상하는 것이 이와 같기 때문에 읍으로부터 명을 고하고 전쟁에 나아감이 이롭지 않다.

김기례(金箕澧) 「역요선의강목(易要選義綱目)」

所尙乃窮.

숭상하는 것이 이에 궁하게 된다.

君子當自治嚴而治人寬. 若因時夬而尙剛, 則非寬仁而實窮極之道也.

군자는 자신을 다스리는 것은 엄중히 하고 남을 다스리는 것은 너그럽게 해야 한다. 만약 때가 되어 결단함에 굳센 양을 숭상한다면 너그럽고 인자한 것이 아니어서 실제로 곤궁하게 되는 도이다.

---

42) 경학자료집성DB에 단사로 편집되어 있으나 경학자료집성 영인본의 체재에 의거하여 단전으로 옮겨 해석하였다.

利有攸往, 剛長, 乃終也.

"가는 것이 이로움"은 굳센 양의 자람이 이에 마칠 것이다.

中國大全

傳

陽剛雖盛, 長猶未終, 尙有一陰. 更當決去, 則君子之道, 純一而无害之者矣, 乃剛長之終也.

굳센 양이 성대하나 자람이 아직 끝나지 않아 아직도 한 음이 있다. 다시 결단하여 제거하면 군자의 도가 순수하고 한결 같아서 해치는 자가 없을 것이니, 바로 굳센 양의 자람이 마칠 것이다.

本義

此釋卦辭. 柔乘五剛, 以卦體言, 謂以一小人加于衆君子之上, 是其罪也. 剛長乃終, 謂一變則爲純乾也.

이것은 괘의 말을 해석한 것이다. 부드러움[柔]이 다섯 굳셈[剛]을 타고 있다는 것은 괘의 몸체로써 말한 것으로 한 소인이 여러 군자의 위에 있는 것은 그 죄이다. "굳센 양의 자람이 이에 마친다"는 것은 하나가 변하면 순수한 건(乾☰)이 됨을 말한다.

小註

朱子曰, 彖云利有攸往, 剛長乃終, 今人以爲陽不能无陰, 中國不能无夷狄, 君子不能无小人, 故小人不可盡去. 今觀剛長乃終之言, 則聖人豈不欲小人之盡去耶. 但所以決之者自有道耳.

주자가 말하였다: 「단전」에서 "'가는 것이 이로움'은 굳센 양의 자람이 이에 마칠 것이다"라

고 하였다. 요즘 사람들은 양에 음이 없을 수 없고, 중국에 오랑캐가 없을 수 없으며, 군자에 소인이 없을 수 없기 때문에 소인을 모두 없앨 수 없다고 여긴다. 지금 "굳센 양의 자람이 이에 마칠 것이다"는 말을 살펴보면 성인이 어찌 소인을 모두 없애고자 하지 않았겠는가? 다만 결단하는 자가 스스로 도(道)로 여긴 것일 뿐이다.

○ 雲峰胡氏曰, 易於剛乘柔不書, 柔乘剛則書, 志變也, 一柔乘五剛, 變甚易矣. 復利有攸往, 剛長也, 夬利有攸往, 剛長乃終也. 小人有一人之未去, 猶足爲君子之憂, 人欲有一分之未盡, 猶足爲天理之累. 復之陽必至於純陽爲乾, 方爲剛長乃終也.

운봉호씨가 말하였다: 굳셈이 부드러움을 탄 것으로 바뀐 것은 말하지 않고 부드러운 음이 굳센 양을 탄 것은 말했으니, 변화를 의미하기 때문이다. 하나의 부드러운 음이 강한 다섯 양을 탄 것은 변화가 심하게 바뀐 것이다. 복괘에서 가는 것이 이로움은 강한 양이 자라남이고, 쾌괘에서 가는 것이 이로움은 강한 양의 자람이 이에 마치는 것이다. 소인 중에 한 사람이라도 아직 제거되지 않았다면 여전히 군자의 걱정이 되기에 충분하고, 인욕이 조금이라도 다 제거되지 않았다면 여전히 천리의 장애가 되기에 충분하다. 복괘의 양이 반드시 순수한 양에 이르러 건괘(乾卦䷀)가 되어야 강한 양의 자람이 이에 마칠 것이다.

○ 中溪張氏曰, 夬言利有攸往, 蓋欲其爲純乾, 剝言不利有攸往, 蓋不欲其爲純坤, 此亦崇陽抑陰之微意也.

중계장씨가 말하였다: 쾌괘에서 "가는 것이 이롭다"는 순수한 건괘가 되고 싶은 것이고, 박괘에서 "가는 것이 이롭지 않다"는 순수한 곤괘가 되고 싶지 않은 것이다. 이것도 양을 높이고 음을 억제하려는 숨은 뜻이다.

○ 進齋徐氏曰, 以盛進之五剛, 衰退之一柔, 勢若甚易, 而聖人不敢以易而忽之. 於夬之一卦, 丁寧深切其道, 貴審而不貴迫, 所以周防戒備者, 无所不至.

진재서씨가 말하였다: 성대하게 나아가는 다섯의 굳셈으로 하나의 부드러운 음을 쇠퇴시키는 것은 형세상 아주 쉬울 것 같은데 성인은 감히 쉽다고 소홀하게 여기지 않았다. 쾌괘에서 그 도를 참으로 깊고 절실하게 여길 것을 재삼 당부하여 살핌을 귀하게 여기고 다급하게 함을 귀하게 여기지 않았으니, 두루 막아 경계하고 대비한 것이 이르지 않은 것이 없다. 又曰, 君子自治甚嚴, 治人甚寬, 固不爲疾惡之已甚, 未嘗容惡而不去也. 俾小人自知惡大罪積不可久, 居其上而甘心於退屈也, 衆剛從而決之, 則不勞餘力, 一決而爲乾矣, 若虞朝之去四凶, 周室之誅三監. 藹藹賢才之盛, 无復貞勝之憂, 是得決之義也. 後世衆賢在位, 得時得君, 其始未嘗不欲去小人以除君側之惡. 大抵不知夬夬之義, 而勇於一決, 機失事敗. 禍亂相尋, 卒貽衆君子之害, 而家國從之者, 何可勝數, 可不戒哉.

또 말하였다: 군자가 자신을 다스림에는 매우 엄격하게 하고, 다른 사람을 다스림에는 매우 관대했으니, 진실로 너무 심하게 미워하지는 않았지만 일찍이 악을 용인하거나 제거하지 않은 적은 없다. 소인들이 악이 큰 죄여서 오래도록 쌓아두어서는 안 된다는 것을 스스로 알게 하면 위에 있을지라도 기꺼이 물러날 것이고, 여러 굳센 양이 그에 맞추어 결단하면 남은 힘을 들이지 않더라도 한 번의 결단으로 건괘가 될 것이니, 순임금이 네 명의 흉악한 사람을 제거하고, 주나라 때 동쪽·서쪽·북쪽의 책임자인 동생들 관숙(管叔)·채숙(蔡叔)·곽숙(霍叔)인 삼감(三監)을 죽인 것과 같다. 현명한 인재가 많으면 다시 곧음으로 이겨야 하는 걱정이 없었으니, 이것이 결단하는 뜻이다. 후세에 여러 현명한 자가 재위에 있으면서 때와 임금을 얻어 처음에 일찍이 소인을 없애고 임금 곁의 악을 제거하려고 하지 않은 적이 없었다. 그러나 결단할 것을 결단하는 뜻을 알지 못하고 한 번의 결단에 용맹하여 기회를 잃고 일에 실패하였다. 재앙과 난리가 서로 이어지고 끝내 여러 군자에게 해로움을 끼치면서 집안과 국가까지 그렇게 된 것을 어떻게 이루 다 헤아릴 수 있겠으며, 경계하지 않아서야 되겠는가!

‖ 韓國大全 ‖

권만(權萬) 『역설(易說)』

言上六知其道窮, 而勿與陽抗, 浩然而去可也. 剛之長, 乃陰之終也, 復淹留兮, 焉求上六. 利往, 无悋情去雷之意, 亦達理也. 況消於夬而長於姤耶.

상육은 자신의 도가 곤궁한 줄 알아 양에 대항하지 않고 호연히 떠나는 것이 옳다는 말이다. 굳센 양이 자라는 것이 음의 종말이니 다시 지체한들 어찌 상육을 구하겠는가? '가는 것이 이로움'은 떠나거나 머무르는 데에 주저하는 마음이 없는 뜻이니 또한 이치에 통달한 것이다. 하물며 쾌괘에서 사라지고 구괘에서 자라는 데이겠는가?

유정원(柳正源) 『역해참고(易解參攷)』[43)

王氏曰, 剛德愈長, 柔邪愈消, 故利有攸往, 道乃成也.

---

43) 경학자료집성DB에 단사로 편집되어 있으나 경학자료집성 영인본의 체재에 의거하여 「단전」으로 옮겨 해석하였다.

왕필이 말하였다: 굳센 양의 덕이 자랄수록 간사한 부드러운 음이 줄어들기 때문에 가는 것이 이로워 도가 이루어진다.

김상악(金相岳) 『산천역설(山天易說)』

釋卦辭. 柔乘五剛, 則君亦在下矣. 其危乃光者, 衆陽爲一陰所蔽, 始雖危厲, 終能決去, 故君子之道有光也. 所尙乃窮者, 專尙剛武, 非決而和之義也. 剛長乃終, 謂一變則爲純乾矣, 復之利往, 剛長之始, 夬之利往, 剛長之終也. 三乃字皆在陽也.

괘사를 풀었다. 부드러운 음이 다섯의 굳센 양을 타니 임금도 아래에 있다. '위태로움이 이에 빛남'은 여러 양이 하나의 음에 가림을 당하니 처음에는 비록 위태로움이 있으나 끝내 결단하여 제거할 수 있기 때문에 군자의 도가 빛남이 있다. '숭상하는 것이 이에 궁하게 됨'은 전적으로 굳센 무력만을 숭상하는 것은 결단하고 화합하는 뜻이 아니다. '굳센 양의 자람이 이에 마칠 것임'은 한번 변하면 순전한 건괘가 됨을 이르니, 복괘의 '가는 것이 이로움'은 굳센 양이 처음 자라나는 것이고, 쾌괘의 '가는 것이 이로움'은 굳센 양이 끝까지 자란 것이다. 세 내(乃)자는 모두 양효에 있다.

서유신(徐有臣) 『역의의언(易義擬言)』

陽道盛長, 將爲六陽而後已. 故利有攸往也.

양의 도가 번성하게 자라서 장차 여섯의 양이 된 뒤에야 그칠 것이다. 그러므로 가는 것이 이롭다.

윤행임(尹行恁) 『신호수필(薪湖隨筆)·역(易)』

小人之道雖向消, 旣有所未盡消者, 則無以倣寅協之治. 故決而去之則和, 君子和而不同.

소인의 도는 앞으로 사라질 것일지라도 아직 다 사라지지 않은 것이 있으면 신하들이 협력히어 공경히 임금을 섬기는 다스림을 할 수 없다.[44] 그러므로 결단하여 제거하면 화합하니 군자는 화합하나 부화뇌동하지 않는다.[45]

---

44) 원문의 인협지치(寅協之治)를 풀었다. 『서경(書經)·고요모(皐陶謨)』에 "다 같이 경건하고 함께 공손하여 마음을 합하십시오[同寅協恭, 和衷哉]"라는 구절에서 따온 말이다. 원래는 고요가 순(舜) 임금 앞에서 우(禹)에게 말한 것인데, 뒤에는 동료 관원들이 공경히 임금을 섬기면서 다 함께 훌륭한 정사를 이루기 위해 협력하는 뜻으로 쓰이게 되었다.

박문건(朴文健) 『주역연의(周易衍義)』

柔乘五剛, 故取王庭有厲之義也. 光, 言光大也. 所尙乃窮者, 言柔順非卽戎之道也, 剛長乃終者, 言剛陽進高極之地也. 此亦以卦體釋卦辭.

부드러운 음이 다섯 굳센 양을 탔기 때문에 왕의 조정에서 위태로움이 있는 뜻을 취하였다. '빛남'은 광대함을 말한다. '숭상하는 것이 이에 궁하게 됨'은 유순함은 전쟁에 나아가는 도가 아니라는 말이고, "굳센 양이 자라서 이에 마칠 것이다"는 굳센 양이 극단의 높은 곳으로 나아간다는 말이다. 이 또한 괘의 몸체로 괘사를 해석하였다.

〈問, 剝之小人長, 與夬之剛長乃終, 其義同歟. 曰, 觀於乃終二字之多, 則可知其義之不同也. 剝之不利往, 指上九而言也, 夬之利往, 指五剛而言也.

물었다: 박괘(剝卦䷖)의 '소인이 자람'과 쾌괘(夬卦䷪)의 "굳센 양이 자람이 이에 마칠 것이다"는 뜻이 같습니까?

답하였다: '내종(乃終)' 두 글자가 많음을 살펴보면 그 뜻이 같지 않음을 알 수 있습니다. 박괘에서 '가는 것이 이롭지 않음'은 상구를 가리켜서 말한 것이고 쾌괘에서 '가는 것이 이로움'은 굳센 양인 오효를 가리켜서 말한 것입니다.〉

김기례(金箕澧) 「역요선의강목(易要選義綱目)」

剛長乃終.

굳센 양의 자람이 이에 마칠 것이다.

一陰盡決, 則爲純乾, 君子利往.

하나의 음이 다 결단되면 순전한 건괘(乾卦䷀)가 되니 군자가 가는 것이 이롭다.

심대윤(沈大允) 『주역상의점법(周易象義占法)』

〈乃者, 離辭也, 不容易之意也. 三言乃者, 以明夬之, 世尤不可容易處之也.

내(乃)는 연결하는 말이니 쉽지 않다는 뜻이다. 세 번 내(乃)를 말한 것은 밝게 결단함이니 세상에서는 더욱 쉽게 대처해서는 안 된다.〉

柔乘五剛, 以柔之自決爲辭, 言君子行道, 而小人自去也. 澤處高而自決, 柔居尊而自退, 非君子之務決也, 小人自當決耳. 所尙乃窮, 言卽戎而專尙剛勇則窮也. 剛長乃終,

---

45) 『論語・子路』: 君子和而不同, 小人同而不和.

雲峰胡氏曰, 小人有一人之未去, 猶足爲君子之憂, 人欲有一分未盡, 猶足爲天理之累.〈乃□□□〉[46]

"부드러운 음이 다섯 굳센 양을 탄 것"은 부드러운 음이 스스로 결단하는 것으로 말하였으니 군자가 도를 행하자 소인이 스스로 떠난다는 말이다. 못이 높은 데 있어서 스스로 터지고 부드러운 음이 높은 자리에 있어서 스스로 물러가니 군자가 결단하기를 힘쓰는 것이 아니라 소인이 스스로 결단을 감당할 뿐이다. "숭상하는 것이 이에 궁하게 됨"은 전쟁에 나아감에 굳센 용맹만을 숭상하면 곤궁하게 된다는 말이다. "굳센 양의 자람이 이에 마칠 것임"에 대하여 운봉호씨는 "소인 중에 한 사람이라도 아직 제거되지 않았다면 여전히 군자의 걱정이 되기에 충분하고, 인욕이 조금이라도 다 제거되지 않았다면 여전히 천리의 장애가 되기에 충분하다"고 하였다.

오치기(吳致箕)「주역경전증해(周易經傳增解)」

此以卦體卦德, 釋卦名義及卦辭也. 兌有和說之象, 故言和. 光者著也, 言其危厲之狀, 已著見也. 餘見象解.

이것은 괘체와 괘덕으로 괘명의 뜻과 괘사를 해석하였다. 태괘는 화합하고 기뻐하는 상이 있기 때문에 '화합'을 말하였다. 빛남[光]은 드러남이니 위태로운 상이 이미 드러났다는 말이다. 나머지는 단전의 해석에 보인다.

이진상(李震相)『역학관규(易學管窺)』

傳.

「단전」에 대하여.

小人而據高位, 其患甚切, 而其勢難圖. 危惡之形, 乃著於孚號之厲也. 光乃著見之義. 陰邪之所尚者, 植黨于厥邑, 擅用兵戎, 而君子之告曉明, 邑人亦知其惡. 不待卽戎, 自可消除, 乃渠所尚之窮也. 苟其不告而卽戎, 則適中其所尚, 邑人竝起, 而黨惡未必遽勝. 惟當强此之進, 而使之自消耳. 利有攸往下, 始言剛長, 可見其危與所尚, 皆指一柔而言.

소인이면서 높은 자리를 차지하고 있으니 그 환란이 매우 절실하나 형편상 도모하기 어렵다. 곧 위험하고 악한 형상이 미덥게 호령하는 위태로움보다 드러난다. 빛남[光]은 드러난다

는 뜻이다. 사악한 음이 숭상하는 것은 그 읍에 당여를 심고 군대를 멋대로 쓰는 것이니 군자의 고함이 밝아 읍인도 그의 악을 안다. 그래서 전쟁에 나아가기를 기다리지 않아도 저절로 없어질 수 있으니 곧 그가 숭상하는 것이 곤궁해지는 것이다. 만일 고하지 않고 전쟁에 나아간다면 다만 그가 숭상하는 것에 맞는 것이니 읍인이 아울러 일어나도 악한 당여를 갑자기 이겨낼 수는 없을 것이다. 오직 이보다 강하게 하여 나아가야 그로 하여금 스스로 없어지게 할 수 있을 뿐이다. "가는 것이 이롭다" 아래에 비로소 '굳센 양의 자람'을 말하였으니 '그 위태로움'과 '숭상하는 것'은 모두 하나의 부드러운 음을 가리켜서 말하는 것임을 알 수 있다.

이병헌(李炳憲) 『역경금문고통론(易經今文考通論)』

鄭曰, 陽氣浸長, 至於五. 揚越也. 五居尊位, 王庭之象也.

정현이 말하였다: 양기가 점점 자라나 다섯이 되었다. 양(揚)은 드러냄이다. 오효는 높은 자리에 있으니 '왕의 조정'의 상이다.

按, 夬之五陽方盛, 一陰在上, 以剛決柔, 似非難事, 而反有厲, 何也. 陰亦無可盡之理, 五剛亦未調和, 先決去柔, 危道也. 必決而和, 然後其危乃光也. 此戒陽保陰之義也. 夬姤之在損益後, 猶遯大壯之在咸恒後也, 以辟卦而承綱領卦.

내가 살펴보았다: 쾌괘의 다섯 양이 바야흐로 번성한데 한 음이 위에 있어서 굳센 양으로 부드러운 음을 결단하니 어려운 일이 아닐 것 같은데 도리어 위태로움이 있다고 하는 것은 어째서인가? 음이 또한 다할만한 이치가 없고 다섯 굳센 양도 아직 조화롭지 못한데도 먼저 부드러운 음을 결단해 제거한다면 위태롭게 되는 도이다. 반드시 결단하여 화합한 뒤에야 위태로움이 이에 빛날 것이다. 이것이 양을 경계하여 음을 보전하는 의리이다. 쾌괘·구괘가 손괘·익괘의 뒤에 있는 것은 둔괘·대장괘가 함괘·항괘의 뒤에 있는 것과 같으니 벽괘(辟卦)[47]로써 강령괘를 이었다.

---

47) 십이벽괘(十二辟卦)는 아래 표와 같다.

월(月)	괘상(卦象)	괘명(卦名)	월(月)	괘상(卦象)	괘명(卦名)
11월	䷖	지뢰복(地雷復)	5월	䷫	천풍구(天風姤)
12월	䷒	지택림(地澤臨)	6월	䷠	천산둔(天山遯)
1월	䷊	지천태(地天泰)	7월	䷋	천지비(天地否)
2월	䷡	뢰천대장(雷天大壯)	8월	䷓	풍지관(風地觀)
3월	䷪	택천쾌(澤天夬)	9월	䷖	산지박(山地剝)
4월	䷀	중천건(重天乾)	10월	䷁	중지곤(重地坤)

象曰, 澤上於天, 夬, 君子以, 施祿及下, 居德則忌.

「상전」에서 말하였다: 못이 하늘에 올라가는 것이 쾌(夬)이니, 군자가 그것을 본받아 녹(祿)을 베풀어 아래에 미치며, 덕에 거하여 금기사항을 법제화한다.

‖中國大全‖

傳

澤, 水之聚也, 而上於天至高之處, 故爲夬象. 君子觀澤決於上而注漑於下之象, 則以施祿及下, 謂施其祿澤, 以及於下也. 觀其決潰之象, 則以居德則忌. 居德, 謂安處其德. 則, 約也, 忌, 防也, 謂約立防禁. 有防禁則无潰散也. 王弼作明忌, 亦通. 不云澤在天上而云澤上於天, 上於天, 則意不安而有決潰之勢, 云在天上, 乃安辭也.

못은 물이 모인 곳인데 하늘의 지극히 높은 곳에 올라가 있기 때문에 쾌(夬)의 상이 된다. 군자가 못이 위에서 터져 아래로 대주는 상을 관찰하면 녹(祿)을 베풀어 아래에 미치니, 녹과 혜택을 베풀어 아래에 미침을 말한다. 터져 무너지는 상을 보면 덕에 거하여 금기사항을 법제화한다. ‘덕에 거함’은 덕에 편안히 처함을 말한다. ‘칙(則)’은 약속함이고 ‘기(忌)’는 방지함이니, 방지하여 금하는 것을 약속하여 세움을 이른다. 막고 금하는 것이 있으면 무너져 흩어짐이 없게 된다. 왕필은 “방지하는 것을 밝힌다[明忌]”로 해놓았으니, 또한 통한다. 못이 하늘 위에 있다고 말하지 않고 못이 하늘에 올라간다고 한 것은 하늘에 올라가면 마음이 불안하여 터져 무너지는 형세가 있고, 하늘 위에 있다고 하면 편안한 말이기 때문이다.

本義

澤上於天, 潰決之勢也, 施祿及下, 潰決之意也, 居德則忌, 未詳.

못이 하늘에 올라감은 터지는 형세이고, 녹(祿)을 베풀어 아래에 미침은 터지는 뜻이다. ‘거덕칙기(居德則忌)’는 잘 모르겠다.

小註

中溪張氏曰, 雲上於天需, 則澤不及下, 澤上於天夬, 則天之所以澤萬物者決矣. 君子觀澤決於上而注於下之象, 則施布其祿澤以及于下也. 居者, 止也, 若自止其德而澤不下施, 則非夬決之義矣, 故忌.

중계장씨가 말하였다: 구름이 하늘로 올라감이 수괘(需卦䷄)이니, 혜택이 아래에 미치지 못하고, 못이 하늘에 올라감이 쾌괘(夬卦䷪)이니, 하늘이 만물에게 혜택을 주는 것이 터짐이다. 군자가 못이 위에서 터져 아래에 물을 대는 상을 보면 녹과 혜택을 베풀어 아래에 미친다. '거함[居]'은 머무름이니, 만약 스스로 그 덕을 머물러 혜택이 아래에 베풀어지지 않으면 쾌괘의 터지는 뜻이 아니다.

○ 隆山李氏曰, 居德則忌, 居者積而不流之謂, 若傳所謂奇貨可居之居.

융산이씨가 말하였다: "덕에 거하여 금기사항을 법제화한다"에서 '거함[居]'은 쌓아두어 흐르지 않게 하는 것이니, 『사기열전·여불위전』에서 말한 "진귀한 재화이니 쌓아둘만 하다"고 할 때의 '쌓아두다[居]'와 같다.

○ 平庵項氏曰, 居訓積. 書之化居, 易之居業皆是, 漢人猶言居積.

평암항씨가 말하였다: '거함[居]'의 뜻은 '쌓음'이다. 『서경』[48]에서 "쌓아둔 것을 변화하게 함"과 『주역』에서 "업을 쌓는다"[49]가 모두 이것이니, 한나라 사람들이 '쌓는다'[50]라고 말한 것과 같다.

○ 雲峰胡氏曰, 居德則忌, 程傳, 則約也, 忌防也. 以爲約立防禁, 則與潰決之意相妨. 王弼作明忌, 非也. 諸家以爲居其德而不決則忌, 則大象例无反辭, 本義缺之爲是.

운봉호씨가 말하였다: "덕에 거하여 금기사항을 법제화한다"는 『정전』에서는 '칙(則)'을 요약함 '기(忌)'를 방지함이라 하여 막고 금하는 것을 요약하여 세움이라고 여겼으니, 무너져 터지는 뜻과 서로 맞지 않다. 왕필은 "방지하는 것을 밝힌다[明忌]"로 썼으니 잘못되었다. 여러 학자들이 덕에 거하면서도 결단하지 못하여 금기사항을 법제화하는 것으로 여긴 것은 「대상전」에서 되풀이한 말이 없으니, 『본의』에서 해석하지 않고 빼 놓은 것이 옳다.

---

48) 『書經·益稷』: 懋遷有無, 化居, 烝民乃粒, 萬邦作乂.

49) 『周易·乾卦·文言傳』: 修辭立其誠, 所以居業也.

50) 『論衡·知實』: 子貢 善居積.

‖韓國大全‖

조호익(曺好益) 『역상설(易象說)』

澤氣上於天, 則蒸潤而成雨, 卽潰決之象. 君子法之, 施祿澤而及下. 澤豈有上天之理. 以氣言耳, 韓子曰, 天將雨, 水氣上.

못의 기운이 하늘로 올라가면 수증기가 되었다가 비로 변하니 곧 터지는 상이다. 군자가 이를 본받아서 녹(祿)을 베풀어 아래에 미치게 한다. 어찌 못이 하늘로 올라갈 리가 있겠는가? 기(氣)로써 말한 것일 뿐이다. 한유는 "하늘에서 비가 오려고 하면 수증기가 위로 올라간다."고 했다.

송시열(宋時烈) 『역설(易說)』

大象祿者, 君之所賜. 乾爲德爲施, 兌爲口食象. 居者, 如書之化居, 史之貨居之居同. 蓋施之返也, 言臧居而不施其德, 君子所忌也.

「대상전」의 녹(祿)이라는 것은 임금이 하사한 것이다. 건괘는 덕이 되고 베풂이 되며 태괘는 입으로 먹는 상이 된다. 거(居)라는 것은 『서경(書經)』의 "쌓아 둔 것을 변화하게 하다"[51]와 『사기(史記)』의 "재화이니 쌓아 둘만 하다"[52]의 '쌓아 둠'과 같다. 이는 베풀어 되돌려 주는 것이니, 감추어 쌓아 두고 은덕을 베풀지 않은 것을 군자는 꺼린다는 말이다.

김도(金濤) 「주역천설(周易淺說)」

愚按, 本義下所釋, 張氏李氏項氏凡四條, 而胡氏之說, 最爲明備矣. 大槪程傳本義, 意各有異, 而居德則忌, 程傳備釋之, 本義則未詳. 愚不敢强爲之說, 姑闕之, 以竢他日學進, 然後更爲之說云.

내가 살펴보았다: 『본의』 아래에서 해석한 장씨·이씨·항씨 등의 네 조항 중에 호씨의 말이 가장 명백하게 구비되었다. 대체로 『정전』과 『본의』의 뜻이 각기 다르니 '거덕칙기(居德則忌)'를 『정전』에서는 갖추어 설명하였고, 『본의』에서는 "잘 모르겠다"고 하였다. 나는 감히 억지로 해석하지 않고 우선 빼놓아 훗날 학문이 발전된 뒤에 다시 설명하고자 한다.

---

51) 『書經·益稷』: 懋遷有無, 化居, 烝民乃粒, 萬邦作乂.
52) 『史記·呂不韋列傳』: 呂不韋賈邯鄲, 見而憐之曰, 此奇貨可居. 以子楚方財貨也.

이만부(李萬敷)「역통(易統)·역대상편람(易大象便覽)·잡서변(雜書辨)」

待臣民.

신민을 대하다.

傳曰, 澤, 水之聚也, 而上於天至高之處, 故爲夬象. 君子觀澤決於上而注漑於下之象,
則以施祿及下, 謂施其祿澤, 以及於下也. 觀其決潰之象, 則以居德則忌. 居德, 謂安處
其德. 則, 約也, 忌, 防也, 謂約立防禁. 有防禁則无潰散也.

『정전』에서 말하였다: 못은 물이 모인 곳인데 하늘의 지극히 높은 곳에 올라가 있기 때문에
쾌(夬)의 상이 된다. 군자가 못이 위에서 터져 아래로 대주는 상을 관찰하면 녹(祿)을 베풀
어 아래에 미치니, 녹과 혜택을 베풀어 아래에 미침을 말한다. 터져 무너지는 상을 보면
덕에 거하여 금기사항을 법제화한다. '덕에 거함'은 덕에 편안히 처함을 말한다. '칙(則)'은
약속이고 '기(忌)'는 방지함이니, 방지하여 금하는 것을 약속으로 세움을 이른다. 막고 금하
는 것이 있으면 무너져 흩어짐이 없게 된다.

本義曰, 澤上於天, 潰決之勢也, 施祿及下, 潰決之意也, 居德則忌, 未詳.

『본의』에서 말하였다: 못이 하늘에 올라감은 터지는 형세이고, 녹(祿)을 베풀어 아래에 미
침은 터지는 뜻이다. '거덕칙기(居德則忌)'는 잘 모르겠다.

臣謹按, 本義謂居德則忌未詳, 然先儒有謂居者止也, 若自止其德, 而澤不下施, 則非
夬決之義矣. 故忌其說亦通.

신이 삼가 살펴보았습니다: 『본의』에서 "거덕칙기(居德則忌)는 잘 모르겠다"고 하였으나
선유들이 거(居)는 '그침'이라고 하였으니 만일 스스로 그 덕에 그쳐서 은택이 아래에 베풀
어지지 않는다면 터져서 결단하는 뜻이 아닐 것입니다. 그러므로 '금기'라고 하는 말도 통합
니다.

이익(李瀷)『역경질서(易經疾書)』[53]

施祿宜夬而無吝, 至於處其德, 必須小心畏愼, 方免墜失. 若復快意肆行, 終不克保有
之矣, 豈非君子之所忌乎. 履之九五夬履貞厲, 履者禮也, 行禮太快, 雖貞亦厲. 可以相
照, 此義吾得之良溪.

---

53) 경학자료집성DB에 「단전」에 편집되어 있으나 경학자료집성 영인본의 체재에 의거하여 「대상전」으로 옮겨
해석하였다.

녹을 베풀 때에는 마땅히 결단해야 하고 인색함은 없어야 하며, 덕에 처할 때에는 반드시 조심하고 두려워하며 삼가야 실추되지 않는다. 다시 방종한 뜻으로 멋대로 행한다면 끝내 보전할 수 없을 것이니, 그러니 어찌 군자가 꺼리는 것이 아니겠는가? 리괘(履卦䷆)의 "구오는 과감하게 결단하여 실천하니, 곧게 하더라도 위태롭다"에서 '실천함[履]'은 예(禮)이니 예를 행하는 것이 너무 빠르면 곧게 하더라도 위태롭다. 이와 서로 참조하여 볼 수 있으니 나는 이 뜻을 양계(良溪)[54]에게서 배웠다.

심조(沈潮) 「역상차론(易象箚論)」

一陰上拆, 有決堤縱水之象. 祿可食之物也. 兌爲口故稱祿.

하나의 음이 위에서 터져 있으니 제방이 터지고 물이 쏟아지는 상이 있다. 녹(祿)은 먹을 수 있는 물건이다. 태괘(兌卦☱)는 입이 되므로 '녹(祿)'이라고 칭하였다.

유정원(柳正源) 『역해참고(易解參攷)』[55]

王氏曰, 澤上於天, 必來下潤, 施祿及下之義也. 夬者, 明法而決斷之象也. 忌禁也. 法明斷嚴, 不可以慢, 故居德以明禁也. 明而能嚴, 嚴而能施, 健而能說, 決而能和, 美道也.

왕필이 말하였다: 못이 하늘에 올라가면 반드시 내려와 적셔주니 봉록을 베풂이 아래에 미치는 뜻이다. 쾌(夬)는 법을 밝혀 결단하는 상이다. 기(忌)는 금기함이다. 법이 밝고 결단이 엄하여 태만히 해서는 안 되기 때문에 덕에 거하여 법을 밝게 처리한다. 밝아서 엄중하고 엄중하여 시행될 수 있으며 굳세고 기뻐하며 결단하여 화합할 수 있는 것이 아름다운 도이다.

김상악(金相岳) 『산천역설(山天易說)』

施, 卽雨施之施. 施祿及下, 乾施之行於下也. 居, 猶居積之居, 居德則忌, 兌水之止於上也, 祿澤居而不施則忌. 屯之五曰屯其膏, 卽居德之忌也. 故其象傳曰施未光也.

시(施)는 곧 '우시(雨施)'의 '시(施)'이다. 녹을 베풀어 아래에 미치니 건괘의 베풂이 아래에 행해짐이다. 거(居)는 '거적(居積)'의 '거(居)'와 같으니 거덕칙기(居德則忌)는 태괘의 물이

---

54) 양계(良溪): 성호(星湖) 이익(李瀷)의 종형인 이진(李濟)이다.

55) 경학자료집성DB에 「단전」에 편집되어 있으나 경학자료집성 영인본의 체재에 의거하여 「대상전」으로 옮겨 해석하였다.

위에 머물러 있어서 은택을 쌓아 두고 베풀지 않는 것을 금기함이다. 준괘(屯卦)의 오효에 "은택을 베풀기 어렵다"[56]고 한 것이 바로 '거덕(居德)'의 '기(忌)'이다. 그러므로 「상전」에서 "베풂이 빛나지 못한 것이다"[57]고 하였다.

서유신(徐有臣) 『역의의언(易義擬言)』

澤上於天, 猶雲上於天. 澤謂雨也. 澤上於天, 則下施而不壅, 故爲夬也. 周禮, 班祿, 自公卿大夫, 至於下士, 有尊卑遠近之別, 天澤之下施, 其所沾潤, 必有高下遠近之等. 故施祿及下, 亦此象也. 居德則忌, 諸家所釋, 終未曉然, 闕之可也.

못이 하늘에 올라가는 것은 구름이 하늘로 올라가는 것과 같다. 못은 비를 이른다. 못이 하늘에 올라가면 아래로 베풀어져서 막히지 않기 때문에 터짐이 된다. 『주례』에 "반록(班祿)은 공경대부로부터 하사(下士)에 이르기까지 높고 낮음과 멀고 가까움의 차이가 있다"고 하였으니, 하늘의 못이 아래로 베풀어지면 적셔져서 윤택함에 반드시 높고 낮음과 멀고 가까움의 차등이 있다. 그러므로 "녹을 베풂이 아래에 미침"도 이러한 상이다. 거덕칙기(居德則忌)에 대한 여러 학자들의 해석은 끝내 분명하지 않으니 빼놓는 것이 좋겠다.

박제가(朴齊家) 『주역(周易)』

大象居德則忌, 德猶德色之德, 謂施德於人而不處也. 君子觀澤上於天之象, 而知恩澤之自天降. 故必施祿及下, 所以體天也. 若以恩出於己, 而有德色焉, 則所謂貪天之功, 以爲己功者. 故曰忌, 猶侯嬴所謂公子有德於人, 願公子之忘之也. 不曰忘, 不曰勿居德, 而必曰居德則忌者, 戒之切, 而有所憚也. 禮立容德, 康成曰如有予也, 則德色之義可見.

「대상전」의 '거덕칙기(居德則忌)'의 '덕(德)'은 '은덕을 베풀었다고 생색냄[德色]'의 '덕(德)'과 같으니 남에게 덕을 베풀고 자처하지 않음을 이른다. 군자는 못이 하늘에 올라가는 상을 보고서 은택이 하늘로부터 내려옴을 알았다. 그러므로 반드시 은택을 베풀어 아래에 미치는 것은 하늘을 본받은 것이다. 만일 은혜가 자기에게서 나옴에 은덕을 베풀었다고 생색을 낸다면 이른바 '하늘의 공을 탐하여 자기의 공으로 삼는 자'이다. 그러므로 '금기[忌]'라고 말하였으니 후영(侯嬴)이 말한 "공자(公子)께서 남에게 은덕을 베풀었다면 공자께서는 그 사실을 잊으시기 바랍니다"[58]와 같다. '잊다[忘]'라고 말하지 않고, 또 '은덕을 자처하지 말라'고도

---

56) 『周易·屯卦』: 九五, 屯其膏, 小貞, 吉, 大貞, 凶.
57) 『周易·屯卦』: 象曰, 屯其膏, 施未光也.
58) 『史記·魏公子列傳』: 客有說公子曰, 物有不可忘, 或有不可不忘. 夫人有德於公子, 公子不可忘也, 公

말하지 않았는데, 굳이 '거덕칙기(居德則忌)'라고 말한 것은 경계함이 절실하여 꺼리는 것이 있어서이다. 『예기(禮記)』에 "서 있는 모양은 덕 있는 기상이어야 한다"[59]에 대하여 정강성[鄭玄]이 "주어지는 것이 있는 듯이 해야 한다"[60]고 하였으니 은덕에 대한 표현임을 알 수 있다.

윤행임(尹行恁) 『신호수필(薪湖隨筆)·역(易)』

夬之象, 爻之繫, 多未曉處. 居德則忌一也, 莧陸二也. 硬解終覺苟且, 闕疑爲得.

쾌괘의 상과 효의 말에 알 수 없는 부분이 많다. 거덕칙기(居德則忌)가 그렇고 현륙(莧陸)이 또 그러하다. 억지로 해석하면 끝내 구차하게 될 것이니 의심나는 것은 빼놓는 것이 좋겠다.

박문건(朴文健) 『주역연의(周易衍義)』

居, 積也. 積其德而不施者, 君子之所忌也.

거(居)는 쌓아둠이다. 덕을 쌓아 두고서 베풀지 않는 것을 군자는 금기한다.

〈問, 澤非上天之物, 而謂之澤上於天夬者, 何. 曰, 此取其潰決之義. 若水溢於坎, 則勢必滔天而四散也.

물었다: 못은 하늘에 있는 물건이 아닌데 못이 하늘에 올라가는 것이 쾌괘라고 이른 것은 어째서입니까?

답하였다: 이것은 터지는 뜻을 취한 것입니다. 만일 물이 구덩이에서 넘친다면 형세상 반드시 하늘에서 넘실거려 사방으로 흩어질 것입니다.〉

〈○ 問, 卦象皆直敍其義, 而謂之居德則忌者, 何. 曰, 此象居德之戒, 與蒙象果行之勉, 同也.

물었다: 괘의 「상전」은 모두 곧바로 그 뜻을 서술하였는데 거덕칙기(居德則忌)라고 이른 것은 어째서 입니까?

답하였다: 쾌괘 「상전」의 '덕에 거함으로 경계함'은 몽괘(蒙卦) 「상전」의 '과감하게 행함으로 권면함'[61]과 같습니다.〉

子有德於人, 原公子忘之也.

59) 『禮記·玉藻』: 君子之容舒遲, 見所尊者齊遬. 足容重, 手容恭, 目容端, 口容止, 聲容靜, 頭容直, 氣容肅, 立容德, 色容莊, 坐如屍.

60) 『禮記注疏·玉藻』: 德, 得也. 如人授物於己. 己得之, 己授物於人, 人得之形.

이지연(李止淵) 『주역차의(周易箚疑)』

祿以在下之物, 斂而貢, 上施及於在下之臣. 澤以在下之水, 上於天, 施及於在下之物也. 居德則忌, 本義亦曰未詳.

녹은 아래에 있는 물건으로서 거두어 공물로 바치면 위에서 베풀어 아래에 있는 신하에게 미친다. 못은 아래에 있는 물건으로서 하늘에 올라가면 베풀어서 아래에 있는 물건에 미친다. 거덕칙기(居德則忌)는 『본의』에서도 "잘 모르겠다"고 하였다.

김기례(金箕澧) 「역요선의강목(易要選義綱目)」

則, 約也, 忌, 防也. 施祿惠民, 如澤之潤下, 處德防禁, 如澤之隄防.

칙(則)은 '약속함'이고 기(忌)는 '막음'이다. 녹을 베풀어 백성에게 은혜를 내리는 것이 마치 못이 아래를 적셔주는 것과 같고, 덕에 거처하여 금지하는 것이 마치 못의 제방과 같다.

이항로(李恒老) 「주역전의동이석의(周易傳義同異釋義)」

傳, 則, 約也, 忌, 防也, 謂約立防禁.

『정전』에서 말하였다: '칙(則)'은 약속함이고 '기(忌)'는 방지함이니, 방지하여 금하는 것을 약속하여 세움을 이른다.

本義, 居德則忌, 未詳.

『본의』에서 말하였다: '거덕칙기(居德則忌)'는 잘 모르겠다.

按, 居德之居, 恐當如居業居賢德之居, 則, 如惟堯則之之則, 忌, 如文王敬忌之忌. 如此看, 亦无大悖否.

내가 살펴보았다: 거덕(居德)의 '거(居)'는 '본업을 닦음[居業]'[62]이나 '현명한 덕에 머무름[居賢德]'[63]의 '거(居)'와 같아야 하고, '칙(則)'은 "오직 요임금이 본받았다[惟堯則之]"[64]의 '본받았다[則]'와 같아야 하며, '기(忌)'는 "문왕이 공경하고 두려워하였다[文王敬忌]"[65]의 '두려워함[忌]'과 같아야 할 듯하다. 이와 같이 본다면 또한 크게 어긋남이 없을 것이다.

---

61) 『周易·蒙卦』: 象曰, 山下出泉, 蒙, 君子以, 果行育德.
62) 『周易·乾卦·文言傳』: 修辭立其誠, 所以居業也.
63) 『周易·漸卦』: 象曰, 山上有木, 漸. 君子以居賢德, 善俗.
64) 『論語·泰伯』: 巍巍乎, 唯天爲大, 唯堯則之.
65) 『書經·康誥』: 汝亦罔不克敬典, 乃由裕民, 惟文王之敬忌.

심대윤(沈大允)『주역상의점법(周易象義占法)』[66]

施祿及下, 象澤之高而能決也, 居德則忌, 象天之高而能安也. 德欲崇, 而无危, 澤欲決, 而下施. 兌爲施爲祿, 艮爲居爲德爲忌. 忌者忌其潰決也. 對剝爲艮. 〈居德則忌, 非卦內之象也, 故曰則也.〉

'녹(祿)을 베풀어 아래에 미침'은 못이 높아 터질 수 있음을 형상하였고, '덕에 거하여 금기사항을 법제화함'은 하늘이 높아 편안할 수 있음을 형상하였다. 덕은 높고자 해도 위태로움이 없고 못은 터지고자 함에 아래에 베푼다. 태괘(兌卦☱)는 베풂이 되고 녹이 되며, 간괘(艮卦☶)는 거처함이 되고 덕이 되며 금기가 된다. '금기'는 터질까 꺼리는 것이다. 음양이 반대인 괘가 간괘(艮卦☶)이다. 〈'덕에 거하여 금기사항을 법제화함'은 괘 안의 상이 아니기 때문에 '법제화한다'고 하였다.〉

오치기(吳致箕)「주역경전증해(周易經傳增解)」

澤水之聚, 居于天至高之處, 爲夬, 而君子觀澤決於上, 而注漑于下之象, 以施祿澤, 而及於下. 若居之則不及下, 故爲所當忌也. 祿者, 施澤之物也, 德者, 布澤之善心也, 居者, 止而不行也, 言不行布澤之德而止之也. 取於對艮爲止也.

못은 물이 모인 곳인데 하늘의 지극히 높은 곳에 거한 것이 쾌괘이니, 군자가 못이 위에서 터져 아래에 물을 대는 상을 보고서 녹과 은택을 베풀어 아래에 미친다. 거하기만하고 아래에 미치지 못할 것 같기 때문에 마땅히 금기하는 것이 된다. 녹(祿)이란 은택을 베푸는 물건이고 덕(德)이란 은택을 펴는 선한 마음이며, 거(居)란 그치고 행하지 않음이니 은택을 펼치는 덕을 행하지 않고 그치는 것을 말한다. 음양이 바뀐 괘인 간괘(艮卦☶)가 그침이 됨을 취하였다.

이진상(李震相)『역학관규(易學管窺)』

居德則忌.

덕에 거하여 금기사항을 법제화한다.

王弼本作明忌. 忌, 如文王敬忌之忌, 言明其所忌惡也. 蓋施祿及下, 兌說之象, 居德明忌, 乾斷之象. 居德者, 自治之事, 決去其邪累而後, 可以存誠, 明忌者, 治人之事, 潰決其邪類而後, 可以善世. 彼所忌之人, 明正典刑, 放流之, 迸諸四夷, 不與同中國, 非

明忌之謂乎.

왕필본에는 '명기(明忌)'로 되어있다. 기(忌)는 "문왕이 공경하고 두려워하였다[文王敬忌]"의 '두려움[忌]'과 같으니 악을 두려워함을 밝힌다는 말이다. 녹을 베풀어 아래에 미침은 태괘의 기뻐하는 상이고 덕에 거하여 두려운 일을 밝히는 것은 건괘의 결단하는 상이다. 덕에 거처하는 일은 자신을 닦는 일이니 간사함에 억매인 것을 결단하여 제거한 뒤에야 성의를 보존할 수 있고, 두려운 일을 밝히는 것은 남을 다스리는 일이니 간사한 무리를 결단해 버린 뒤에야 세상을 잘 다스릴 수 있다. 저 두려워하는 사람은 법을 밝히고 바르게 하여 악한 무리를 추방하여 멀리 보내 사방 오랑캐 땅으로 내쫓아서 중국과 함께 하지 않게 하니[67] 두려움을 밝힘을 이르는 것이 아니겠는가?

○ 來氏曰, 夬三月之卦也, 正天子春令布德行惠之時也. 乃恩澤之澤也, 澤在於君, 當施其澤, 不可居其澤也. 居澤, 乃人君之所深忌者.

래지덕이 말하였다: 쾌괘는 삼월의 괘이니 바로 천자가 봄철에 덕을 펴고 은혜를 시행하는 때이다. 바로 은택의 택이니 은택은 임금에게 달려 있어서 마땅히 은택을 베풀고, 그 은택을 자처해서는 안 된다. 은택을 자처하는 것이 바로 임금이 매우 두려워하는 일이다.

愚按, 先儒說多如此, 可備一義. 然乾德在下, 故曰居德, 兌澤決上, 故曰明忌. 君子之所忌者, 邪惡之在位也, 明察而去之, 乾斷之象.

내가 살펴보았다: 선유들의 학설이 대부분 이와 같으니 하나의 뜻을 갖추었다고 할 수 있다. 그러나 건괘(乾卦☰)의 덕이 아래에 있기 때문에 '덕에 거함'이라고 하였고, 태괘(兌卦☱)의 은택이 위에 있기 때문에 '두려움을 밝힘'이라고 하였다. 군자가 두려워하는 것이 간악한 이가 지위에 있는 것이니, 밝게 살펴서 제거하는 것이 건괘(乾卦☰)인 결단의 상이다.

박문호(朴文鎬) 「경설(經說)·주역(周易)」

居德則忌, 程傳之釋, 終是未快, 且則之訓約, 更無他據, 當以本義未詳者, 爲正.

'거덕칙기(居德則忌)'에 대한 『정전』의 해석이 끝내 명확하지 않고, 또 '칙(則)'의 훈고를 '약속[約]'이라고 한 것은 더욱 다른 근거가 없으니, 『본의』에서 "잘 모르겠다"고 한 것이 바르다.

---

67) 『大學』: 唯仁人, 放流之, 迸諸四夷, 不與同中國, 此謂唯仁人, 爲能愛人, 能惡人.

이병헌(李炳憲) 『역경금문고통론(易經今文考通論)』

陸曰, 水氣上天, 決降成雨, 故曰夬.

육적(陸續)이 말하였다: 물의 기운이 하늘로 올라가면 터져 내려와 비로 변하기 때문에 '터짐'이라고 하였다.

按, 居德則忌, 忌居德也.

내가 살펴보았다: '거덕칙기(居德則忌)'는 덕에 자처하는 것을 꺼림이다.

初九, 壯于前趾, 往不勝, 爲咎.

정전 초구는 발이 나아감에 씩씩하니, 가서 이기지 못하면 허물이 되리라.
본의 초구는 발이 나아감에 씩씩하니, 가서 이기지 못하여 허물이 되리라.

┃中國大全┃

傳

九, 陽爻而乾體, 剛健在上之物, 乃在下而居決時, 壯于前進者也. 前趾, 謂進行. 人之決於行也, 行而宜則其決爲是, 往而不宜則決之過也, 故往而不勝則爲咎也. 夬之時而往, 往決也, 故以勝負言. 九居初而壯于進, 躁于動者也, 故有不勝之戒. 陰雖將盡, 而已之躁動, 自宜有不勝之咎, 不計彼也.

구(九)는 양효이고 건의 몸체이니, 강건하여 위에 있어야 하는 물건인데 아래에 있고 결단하는 때에 있으니 앞으로 나아감에 씩씩한 자이다. 발이 나아감은 나아감을 말한다. 사람이 가기를 결단할 때에는 가서 마땅하면 결단함이 옳은 것이고 가서 마땅하지 않으면 결단함이 잘못된 것이다. 그러므로 가서 이기지 못하면 허물이 된다. 쾌(夬)의 때에 감은 가기를 결단하는 것이기 때문에 승부로써 말했다. 구(九)가 초효에 있고 나아감에 씩씩하여 조급히 움직이는 자이기 때문에 이기지 못한다는 경계를 하였다. 음이 다하게 될지라도 자기의 조급한 행동에는 으레 이기지 못하는 허물이 있으니, 상대를 따지지 않는다.

本義

前, 猶進也. 當決之時, 居下任壯, 不勝宜矣, 故其象占如此.

'나아감[前]'은 전진하는 것과 같다. 결단할 때에 아래에 있으면서 씩씩함만 믿는다면 이기지 못함이 당연하기 때문에 그 상과 점이 이와 같다.

小註

朱子曰, 壯于前趾, 與大壯初爻同. 此卦大率似大壯, 只爭一畫.
주자가 말하였다: '발이 나아감에 씩씩하니'는 대장괘의 초효[68]와 같다. 쾌괘(夬卦䷪)는 대장괘(大壯卦䷡)와 대체로 비슷하지만 한 획을 다툰다.

○ 節齋蔡氏曰, 壯者, 決之勇也.
절재채씨가 말하였다: 씩씩함은 용감하게 결단하는 것이다.

○ 臨川吳氏曰, 陽盛之時, 陽居陽位, 故戒其輕往.
임천오씨가 말하였다: 양이 성대한 때에 양이 양의 자리에 있기 때문에 경솔하게 가는 것을 경계하였다.

○ 盧川毛氏曰, 勝在往前者, 兵法也, 必往之道也. 往不勝爲咎者, 遠慮也, 所以戒其往也. 聖人於五陽之盛, 而有不勝之憂, 微矣哉.
노천모씨가 말하였다: 승리가 앞으로 나아감에 있음은 병법이니, 반드시 나아가는 도이다. 나아가서 이기지 못함을 허물로 여김은 앞날을 염려함이니, 나아감을 경계하는 것이다. 성인은 다섯 양이 성대한데도 이기지 못하는 것에 대해 걱정을 하니, 은미하도다.

○ 潘氏曰, 趾在下而先動者也. 初九在四陽之下, 首以剛進, 壯于前趾也. 陰居高位, 而初欲決之, 猶布衣論權臣, 不量力之甚, 往則不勝, 其咎宜也.
반씨가 말하였다: '발'은 아래에 있지만 먼저 움직이는 것이다. 초구가 네 양의 아래에 있지만 가장 먼저 굳세게 앞으로 나아가니, '발이 나아감이 씩씩함'이다. 음이 가장 높이 있는데 초구가 음을 결단하려고 함은 벼슬 없는 선비가 권력 있는 신하를 논의하려는 것과 같아 힘을 헤아리지 못함이 심하니, 나아가면 이기지 못함이 당연히 그의 허물이다.

○ 雲峰胡氏曰, 夬五陽由五陽之壯而成, 故初與三猶存壯之名, 而初象又與壯同. 壯之初, 而壯于趾, 征, 凶有孚, 夬之初, 而壯于前趾, 往不勝宜矣. 夬五陽一陰, 君子豈不足以勝小人. 然居下而早用其壯, 固自有不勝之理, 不可不戒. 勝在往前, 可必其往, 往而不勝, 故戒其往.
운봉호씨가 말하였다: 쾌괘(夬卦䷪)의 다섯 양은 다섯 양의 씩씩함으로 이루어지기 때문에

---

[68] 『周易·大壯卦』: 初九, 壯于趾, 征, 凶有孚.

초구와 구삼은 여전히 씩씩하다는 명칭이 있고, 초구의 상 또한 대장괘(大壯卦䷡)와 동일하다.[69] 대장괘의 초구인데 "발에 장성하여, 가면 흉함이 틀림없이 있게 되며", 쾌괘의 초구인데 "발이 나아감이 씩씩하니, 가서 이기지 못함"이 마땅하다. 쾌괘(夬卦䷪)는 다섯 양에 하나의 음이니, 군자가 어찌 소인을 이기기에 부족하겠는가? 그러나 아래에 있으면서 그 씩씩함을 빨리 사용하면 참으로 저절로 이기지 못하는 이치가 있으니, 경계하지 않을 수 없다. 승리가 앞으로 나아감에 있으면 반드시 나아가야 하지만 가서 이기지 못하기 때문에 가는 것을 경계하였다.

○ 李氏曰, 壯于趾征凶, 當壯之時, 而戒其用壯也. 壯于前趾, 往不勝爲咎, 當決之初而戒其好勝也.
이씨가 말하였다: 대장괘의 "발에 장성하여, 가면 흉함"은 장성할 때에 장성함을 쓰는 것을 경계한 것이다. 쾌괘의 "발이 나아감에 씩씩하니, 가서 이기지 못하면 허물이 됨"은 결단의 초기에 이기기를 좋아함을 경계한 것이다.

┃韓國大全┃

조호익(曺好益) 『역상설(易象說)』

以陽居陽, 而又乾體有壯象. 趾, 初下象.
양효로서 양의 자리에 있고 또 건괘의 몸체여서 씩씩한 상이 있다. '발'은 아래 초효의 상이다.

송시열(宋時烈) 『역설(易說)』

初旣穉陽, 又上六之陰, 將復生於下, 則初爻不必言壯也. 猶言上卦之下爻旣壯, 雖欲往敵, 必不勝也. 知其不勝而欲往, 則咎將至矣. 占亦如之. 前者上也, 趾者在下, 指四爻也. 與大壯初九同. 上卦綜巽錯震, 則有大壯象. 內卦將變爲坤順, 則初九將衰之陽也. 四爻之陽, 方盛之時也, 故曰壯于前趾, 言盛壯于上卦下爻也. 四旣壯陽, 故初陽雖

---

69) 『周易·大壯卦』: 初九, 壯于趾, 征, 凶有孚.

往, 必不敵勝, 其咎可知.

초효는 어린 양이고 또 상육의 음이 장차 다시 아래에서 생겨날 것이니 초효에서 씩씩하다고 말할 필요는 없다. 그러니 상괘의 아래 효가 이미 씩씩하여 가서 대적하고자 하더라도 꼭 이기지는 못할 것이라고 말하는 것과 같다. 이기지 못함을 알면서도 가고자 한다면 허물이 이를 것이다. 점도 이와 같다. 나아감[前]이란 앞이고 발[趾]이란 아래이니 사효를 가리킨다. 이는 대장괘(大壯卦)의 초구[70]와 같다. 상괘의 종괘(綜卦: 거꾸로 뒤집은 괘)는 손괘(巽卦☴)이고 손괘의 착괘(錯卦: 음양이 바뀐 괘)는 진괘(震卦☳)이니 크게 씩씩한[大壯卦] 상이 있다. 내괘가 변하면 곤괘(坤卦☷)의 순함이 되니 초구는 장차 쇠약해지는 양이다. 사효의 양은 한창 번성하는 때이므로 '발이 나아감에 씩씩함'이라고 하였으니 상괘의 아래 효에서 번성하고 씩씩하다는 말이다. 사효가 이미 씩씩한 양이기 때문에 초효의 양이 가더라도 반드시 대적하여 이길 수 없으니 허물이 됨을 알 수 있다.

홍여하(洪汝河) 「책제(策題): 문역(問易)·독서차기(讀書箚記)-주역(周易)」[71]

初九, 壯于前趾.

초구는 발이 나아감에 씩씩하니.

卦類大壯, 故爻辭亦多倣大壯.

괘가 대장괘(大壯卦䷡)와 유사하기 때문에 효사도 대장괘와 비슷한 것이 많다.

이익(李瀷) 『역경질서(易經疾書)』

大壯初九之趾, 卽九四藩決羊之趾, 夬初九之前趾, 亦豈非九四牽羊之趾乎. 夬之決柔, 從大壯之決藩來, 前有大壯, 後有夬, 其文義相貫. 夬比於壯, 又前一位, 故曰前趾. 謂兩卦義同, 而無他意也. 初九雖遠於陰, 於此之時往, 豈有不勝之理. 但不可躁動也, 躁動則爲咎. 傳云不勝而往, 謂不勝其躁動而往也.

대장괘(大壯卦䷡) 초구의 발[72]은 바로 대장괘 구사의 울타리를 터지게 한 양(羊)의 발[73]이니 쾌괘 초구의 나아가는 발도 어찌 구사의 양을 끄는 발이 아니겠는가? 부드러운 음을 결단하는 쾌괘가 울타리를 터지게 하는 대장괘를 따라 와서 앞에는 대장괘가 있고 뒤에는 쾌괘

---

70) 『周易·大壯卦』: 初九, 壯于趾, 征, 凶有孚.
71) 경학자료집성DB에 단사에 편집되어 있으나 경학자료집성 영인본의 체재에 의거하여 초구효사로 옮겨 해석하였다.
72) 『周易·大壯卦』: 初九, 壯于趾, 征, 凶有孚.
73) 『周易·大壯卦』: 九四, 貞吉, 悔亡, 藩決不羸, 壯于大輿之輹.

가 있으니 글의 뜻이 서로 관련 있다. 쾌괘는 대장괘에 비해 한 자리가 더 나아갔기 때문에 '발이 나아감'이라고 하였으니 두 괘의 뜻이 같고 다른 뜻이 없음을 이른다. 초구가 비록 음에서 멀지만 이런 때에 나아가면 어찌 이기지 못할 리가 있겠는가? 다만 조급하게 움직여 서는 안 되니 조급하게 움직이면 허물이 된다. 『정전』에서는 "이기지 못하더라도 간다"고 하였으니 조급하게 움직임을 이기지 못하여 감을 이른다.

유정원(柳正源) 『역해참고(易解參攷)』

正義, 初九居夬之初, 當須審其籌策, 然後乃往. 而體健處下, 徒欲果決, 壯健前進其 趾, 以此而往, 必不克勝, 非夬之謀, 所以爲咎.
『주역정의』에 말하였다: 초구는 쾌괘의 초기에 있으니 마땅히 산가지의 책수를 잘 살핀 뒤에 가야한다. 몸체가 굳세면서 아래에 있으니 다만 과감하게 결단하여 씩씩하게 앞으로 발이 나아가고자 하나 이것으로 간다면 반드시 이기지 못할 것이니 쾌괘를 위한 도모가 아니다. 이 때문에 허물이 된다.

○ 白雲郭氏曰, 大壯初九壯于趾, 而此曰壯于前趾, 欲速其往也.
백운곽씨가 말하였다: 대장괘의 초구에서는 "발에 씩씩하다"고 하였고 여기에서는 "발이 나아감에 씩씩하다"고 하였으니 빨리 가고자하는 것이다.

○ 案, 以剛健之才, 位卑居下, 而必欲勇往, 直前與小人角勝, 則凶咎必矣. 能知其不勝之爲咎, 而遠慮深戒者, 以陽明之智也.
내가 살펴보았다: 굳센 재질로 자리가 낮고 아래에 있어서 반드시 용감히 가고자 하나, 다만 나아가 소인과 이기기를 다툰다면 흉한 허물을 받게 됨이 분명하다. 능히 이기지 못함이 허물이 됨을 알아 멀리 생각하고 깊이 경계하는 것은 양의 밝은 지혜 때문이다.

김상악(金相岳) 『산천역설(山天易說)』

前猶進也. 往者往決于陰也. 初九以剛居下, 故有壯于前趾之象. 任壯而進, 不勝則爲咎也.
전(前)은 나아감과 같다. 왕(往)이란 가서 음을 결단함이다. 초구는 굳센 양으로 아래에 있기 때문에 발이 나아감에 씩씩한 상이 있다. 씩씩함을 믿고서 나아가니 이기지 못하면 허물이 된다.

○ 趾者, 在下而動者也, 與大壯同象. 前者, 勇往而前, 卽小人用壯也. 二之戒懼, 卽
君子用罔貞厲也. 初爲陽之穉, 穉陽不能勝過極之陰. 而兩金相敵, 兌又掩剛, 知其不
勝而往, 則爲諸陽之咎也. 君子之決小人, 非背于理也. 然上无應與, 恃剛急進, 猶布衣
而論權貴, 不量力甚矣. 蓋此爻之咎, 專由於趾壯而志不堅貞也. 故鬪伯比送屈瑕伐
羅, 而知其必敗曰, 擧趾高, 心不固矣.

'발'은 아래에서 움직이는 것이니 대장괘(大壯卦)와 같은 상이다. '나아감'은 용감하게 가서
나아감이니 곧 소인이 씩씩한 것이다. 두 괘가 경계하고 두려워해야 할 것은 바로 "군자는
멸시함을 사용하니, 곧으면 위태로움"[74]이다. 초효는 양 중에 어린 것이니 어린 양은 지나치
게 극단인 음을 이길 수 없다. 아래괘인 건괘(☰)의 두 금(金)이 서로 대적하고 태괘가 또
굳센 양을 가리고 있으니 이기지 못함을 알면서도 간다면 여러 양의 허물이 될 것이다. 군자
가 소인을 결단하는 것은 이치에 위배되는 것이 아니다. 그러나 위에 호응하여 함께 할 이가
없는데도 굳센 양을 믿고 급히 나아가서 평민으로서 권신을 논핵(論劾)하는 것과 같이 한다
면 힘을 헤아리지 못함이 심한 것이다. 이는 초효의 허물이 전적으로 발이 씩씩하나 뜻이
견고하지 못함에서 연유한다. 그러므로 투백비(鬪伯比)가 나국(羅國)을 치러가는 굴하(屈
瑕)를 전송하면서 그가 반드시 실패하리라는 것을 알고 "발을 높이 들고 걷는 것은 마음이
견고하지 못해서이다"[75]라고 말하였다.

서유신(徐有臣) 『역의의언(易義擬言)』

稱前趾, 較大壯進一步也, 壯于前趾, 行之果決也. 初爲夬之始也. 斷事當審於始, 而壯
于前趾, 往而不勝, 失之果也. 是爲不審之咎也. 九四聞言不信, 有往不勝之象也. 不
勝猶云敗事, 非謂與上六戰而不勝也.

'발이 나아감'이라고 한 것은 대장괘(大壯卦)에 비해 한 걸음 나아간 것이니 '발이 나아감에
씩씩함'은 과감하고 결단력 있는 행동이다. 초효는 쾌괘의 시작이다. 일을 결단할 때에는
마땅히 처음에 살펴야 하는데 발이 나아감에 씩씩하여, 나아가나 이기지 못하니, 잘못함의
결과이다. 이것이 살피지 못한 허물이다. 구사의 '말을 듣더라도 믿지 않음'은 가서 이기지
못하는 상이 있다. 이기지 못함은 여전히 일에 실패함을 말하나 상육과 싸워 이기지 못함을
이르는 것은 아니다.

박문건(朴文健) 『주역연의(周易衍義)』

---

74) 『周易·大壯卦』: 九三, 小人用壯, 君子用罔, 貞厲, 羝羊觸藩, 羸其角.
75) 『春秋左傳·桓公』: 楚屈瑕伐羅, 鬪伯比, 送之, 還, 謂其御曰, 莫敖必敗. 擧趾高, 心不固矣.

將進擧趾, 故有前趾之象. 前趾, 言前進之趾也.

발을 들어 나아가려 하기 때문에 발이 나아가는 상이 있다. '발이 나아감'은 전진하는 발이라는 말이다.

〈問, 壯于前趾以下. 曰, 初九, 有犯上之志, 故雖壯其前趾, 然往則必見敗也, 反爲自己之咎而已.

물었다: '발이 나아감에 씩씩하니' 이하는 무슨 뜻입니까?

답하였다: 초구는 상효를 침범하는 뜻이 있기 때문에 발이 나아감에 씩씩하더라도 가면 반드시 패배를 당하게 되니 도리어 자신의 허물이 될 뿐입니다.〉

이지연(李止淵) 『주역차의(周易箚疑)』

在上小人之權, 雖衰而猶可施之於在下之人, 邪正之分, 雖疏而貴賤之別自在此, 與老蘇之作辨姦論同也. 其免於禍者, 幸也, 在初九, 安得不深戒乎.

윗자리에 있는 소인의 권세는 쇠퇴하였더라도 여전히 아랫자리에 있는 소인에게 시행할 수 있고, 간사함과 바름의 분별로는 소원하더라도 귀천의 분별은 본래 여기에 있으니, 노소(老蘇)[76]가 「변간론(辨姦論)」[77]을 지은 의미와 같다. 화에서 면하면 다행이니 초구의 입장에서 어찌 깊이 경계하지 않을 수 있겠는가?

김기례(金箕澧) 「역요선의강목(易要選義綱目)」

在下而先動, 故曰前趾.

아래에 있으면서 먼저 움직이기 때문에 '발이 나아감'이라고 하였다.

○ 初在四陽之下, 當夬決之時. 以上進之性, 急於躁決之心, 則一陰雖微, 猶居高位, 若布衣之斥權臣也. 其咎可勝哉.

초효는 네 양의 아래에 있으면서 쾌괘의 결단하는 때를 당하였다. 위로 나아가는 성질로 조급히 결단하는 마음을 급하게 한다면 하나의 음이 비록 쇠미할지라도 여전히 높은 지위에 있으니 평민으로서 권신을 배척하는 것과 같을 것이다. 그러니 그 허물됨을 이겨낼 수 있겠는가?

---

76) 노소(老蘇): 소식(蘇軾)의 아버지인 소순(蘇洵)을 가리킨다.

77) 변간론(辨姦論): 소순이 지은 논설문으로서 왕안석(王安石)을 혹독하게 비판한 글이다.

이항로(李恒老) 「주역전의동이석의(周易傳義同異釋義)」

傳, 陰雖將盡, 而已之躁動, 自宜有不勝之咎, 不計彼也.
『정전』에서 말하였다: 음이 다하게 될지라도 자기의 조급한 행동에는 으레 이기지 못하는 허물이 있으니, 상대를 따지지 않는다.

本義, 居下任壯, 不勝宜矣.
『본의』에서 말하였다: 아래에 있으면서 씩씩함만 믿는다면 이기지 못함이 당연하다.

或問, 上六垂盡之陰, 在无位之地, 初九用剛壯果敢之勇, 據强盛衆大之勢, 決一衆所共知之元惡, 脆如噬膚, 利如財阜, 顧乃往以不勝, 何也. 曰, 陰陽消息, 自有定數. 君子誅惡, 亦不違時已, 非從人之所欲, 而可以遲速之也. 且彼陰邪小人, 起姤至夬, 乘運竊位, 閱歷已久, 根盤鞏固, 枝葉繁殖. 今雖日就銷縮, 而尙居高顯之位, 不失柔說之色, 雖以九五勢尊德剛, 猶有莧陸未光之疑. 雖以九三過剛絶私, 不无遇雨若濡之嫌, 九二之惕號, 九四之次且, 皆懷兢兢惴惴, 而猶恐其不勝. 況初九, 位卑人微, 名德未顯, 感望未孚, 徒以一段尙德嫉惡之心, 出位踰分, 嘵嘵噍噍, 如暴虎憑河之爲, 則豈不見摧而反傷乎.

어떤 이가 물었다: 상육은 다 없어져가는 음으로 지위 없는 자리에 있고, 초구는 씩씩하고 과감한 용맹으로 강성하고 큰 형세를 차지하고서, 온 무리가 함께 알고 있는 원흉을 결단하고자 하니, 살갗을 깨물듯이 무르고 재산이 쌓이듯이 이로울 것인데, 다만 "가서 이기지 못한다"고 한 것은 어째서입니까?

답하였다: 음양이 사라지고 자람은 본래 정해진 수가 있습니다. 군자가 악인을 주벌하는 것도 때를 어기지 않을 뿐이니 자기가 남이 하고자 하는 것을 따라 더디거나 빨리 할 수 있는 것이 아닙니다. 또 저 간사한 음인 소인이 구괘(姤卦䷫)에서 일어나 쾌괘(夬卦䷪)에 이르렀으니 기운을 타고 자리를 훔친 지가 이미 오래되어 근본과 기반이 공고하고 가지와 이파리가 무성하게 번식하였습니다. 지금 날마다 위축되고 있더라도 여전히 높은 지위에 있으면서 부드럽고 기뻐하는 안색을 잃지 아니하니, 기세 높고 덕이 굳센 구오라 할지라도 오히려 비름나물같아 아직 빛나지 못하는 의심이 있습니다. 그러니 구삼이 굳센 양이 지나쳐서 사사로움을 끊을지라도 비를 만나 젖은 듯한 혐의가 없을 수 없고, 두려워 호령하는 구이와 머뭇거리는 구사도 모두 조심하고 두려워함을 품고서 오히려 이기지 못할까 걱정합니다. 하물며 초구는 자리가 낮고 사람이 미천하여 명예와 덕이 드러나지 않고 느낌과 바람이 미덥지 못하니 한갓 덕을 숭상하고 악을 미워하는 마음으로 자리를 벗어나고 분수를 넘어 시끄럽고 간절한 것이 마치 맨손으로 호랑이를 잡고 맨몸으로 하수를 건너듯이 하니 어

찌 좌절을 당하여 도리어 상처입지 않겠습니까?

然則君子之於小人, 只當銷聲屛氣, 默視其自進自退, 而无所用力於其間可乎. 曰, 何爲其然也, 胡不觀於文王之象乎. 曰揚于王庭, 言先明其罪惡於帝王之庭, 使天下之人无尊卑賢愚, 而明知天顯民彝之所在而不可易也. 又曰孚號, 言至誠孚感, 號呼其衆, 使知合心竝力, 而不可挫也. 又曰有厲, 言宿虎衝鼻, 窮寇倒戈, 不可恃其易制, 而釋其慮患, 懈於防危也. 又曰, 告自邑, 言[78]欲攻人之惡, 必先修己之善. 如舜罪四凶, 先立恭己之本, 禹征三苗, 先敷舞干之化, 孔子之作春秋, 先務躬行之實, 孟子[79]之闢楊墨, 先致養氣之工. 使藏于我者, 器利而力足, 絶無罅隙, 莫可摧挫, 然後乃可爲也.

물었다: 그렇다면 군자가 소인에 대해서 다만 소리를 죽이고 기운을 낮추어 스스로 나아가고 스스로 물러남을 묵묵히 보고서 그 사이에 힘을 쓰지 않는 것이 옳지 않습니까?

답하였다: 어찌하여 그렇게 하겠습니까? 어찌 문왕의 단사를 보지 않으십니까? "왕의 조정에서 드날린다"고 말한 것은 먼저 제왕의 조정에서 그의 죄악을 밝혀 신분과 자질에 상관없이 천하 사람으로 하여금 하늘이 제시하는 뜻과 백성의 떳떳한 본성이 있는 곳은 바꿀 수 없음을 분명히 알게 한다는 말입니다. 또 '미덥게 호령함'이라고 말한 것은 지극한 정성과 미더운 감동으로 대중에게 호소하여 한마음으로 힘을 합하고 좌절해서는 안 됨을 알게 한다는 말입니다. 또 "위태로움이 있다"고 말한 것은 잠자는 호랑이의 코를 찌르거나 곤궁한 적은 창을 거꾸로 드는 식이니, 제압하기 쉽다고 믿고서 우려하는 마음을 풀어 위태로운 일에 방비함을 게으르게 해서는 안 된다는 말입니다. 또 "읍으로부터 고한다"고 말한 것은 남의 악행을 공격하고자 한다면 반드시 먼저 자신의 선을 닦아야 한다는 말입니다. 예컨대 순임금이 사흉(四凶)을 벌줄 때 먼저 자기 몸을 공손히 하는 근본[80]을 세웠고, 우임금이 삼묘(三苗)를 정벌할 때 먼저 방패와 깃일산으로 두 뜰에서 춤추는 교화를 펼쳤으며[81], 공자가 『춘추』를 지을 때 먼저 몸소 행하는 성실을 힘썼고, 맹자가 양주(楊朱)와 묵적(墨翟)을 물리칠 때 먼저 호연지기를 기르는 공부를 다한 것과 같습니다. 가령 내가 간직하고 있는 것이 도구가 예리하고 힘이 풍족하더라도 결코 빈틈이 없어 나를 꺾을 수 있는 이가 없고서야 해낼 수 있는 것입니다.

又曰, 不利卽戎, 言彼一箇贏豕, 高壓五龍之頭, 罪固難赦, 力非不敵, 若用剛太過, 攻治太深, 則反傷天地生物之心. 亦非聖人好生之仁. 孔子所謂人之不仁[82], 疾[83]之已甚

---

78) 言: 경학자료집성DB에는 '宮'으로 되어 있으나, 경학자료집성 영인본을 참조하여 '言'으로 바로잡았다.
79) 子: 경학자료집성DB에는 '于'로 되어 있으나, 경학자료집성 영인본을 참조하여 '子'로 바로잡았다.
80) 『論語·衛靈公』: 子曰, 無爲而治者其舜也與. 夫何爲哉. 恭己正南面而已矣.
81) 『書經·大禹謨』: 禹拜昌言曰兪, 班師振旅. 帝乃誕敷文德, 舞干羽于兩階. 七旬有苗格.

則亂, 離上所謂王用出征, 有嘉折首, 獲非其醜, 正此意也. 終之曰利有攸往, 言上天之命, 有善无惡, 不可幸彼暫衰而不問也, 不可恃我差强而不慮也. 書所謂除惡務本, 解象所謂有攸往夙吉, 此之謂也. 此六言者, 君子治小人之大法畢具焉, 當爲天下萬世之龜鑑也.

또 "전쟁에 나아감은 이롭지 않다"고 말한 것은 약한 돼지가 높은 곳에서 다섯 용의 머리를 누르고 있으니 진실로 용서하기 어려운 죄라서 힘써 대적하지 않아서는 안 되나, 만일 굳센 양을 써서 너무 지나치게 하여 공격해 다스리기를 심하게 하면 도리어 천지가 만물을 내는 마음을 상하게 할 것이니 성인의 살리기를 좋아하는 인자함이 아니라는 말입니다. 공자가 말한 "어질지 않은 사람은 너무 심하게 미워하면 난리를 일으킨다"[84]에 해당하니 리괘(離卦䷝) 상효에서 "왕이 출정하면 아름다움이 있을 것이니, 괴수(魁首)만 잡고, 잡은 것이 일반 무리가 아니다"[85]고 한 것이 바로 이런 뜻입니다. 끝으로 "가는 것이 이롭다"고 말한 것은 상천의 명은 선은 있고 악은 없으니 저 상대가 잠시 쇠퇴함을 다행으로 여겨 살펴보지 않아서는 안 되고, 내가 다소 강함을 믿고서 염려하지 않아서도 안 된다는 말입니다. 『서경·태서』에 이른바 "악을 제거하고 근본에 힘씀"[86]과 해괘(解卦)의 단사에 "갈 곳이 있거든 일찍 하면 길하다"[87]고 한 것이 이것을 말합니다. 이 여섯 가지 말은 군자가 소인을 다스리는 큰 법도가 다 구비 되었으니 만세토록 천하에 귀감이 될 것입니다.

심대윤(沈大允) 『주역상의점법(周易象義占法)』

夬之義, 君子之道, 得時大行, 小人勢孤情見, 而當決去之也. 夬之爻位, 居剛, 用力者也, 居柔, 不用力者也.

쾌괘의 뜻은 군자의 도가 때를 얻어 크게 행하고 소인은 형세가 고립되고 실정이 드러나니 마땅히 결단하여 제거되어야 한다. 쾌괘의 효와 자리는 굳센 양에 있으면 힘을 쓰는 자이고 부드러운 음에 있으면 힘을 쓰지 못하는 자이다.

夬之大過䷛, 過而有形也. 初九, 處夬之初, 居剛用力太早, 而无周愼之慮, 故曰壯于前趾. 坎爲前進之前, 兌爲前面之前, 趾在下而行之象, 前趾先進也, 言早也. 以其早, 故

---

82) 仁: 경학자료집성DB와 영인본에는 모두 '□'로 되어 있으나, 문맥을 살펴 '仁'으로 비로잡았다.
83) 疾: 경학자료집성DB와 영인본에는 모두 '□'로 되어 있으나, 문맥을 살펴 '疾'로 바로잡았다.
84) 『論語·泰伯』: 子曰, 好勇疾貧, 亂也. 人而不仁, 疾之已甚, 亂也.
85) 『周易·離卦』: 上九, 王用出征, 有嘉, 折首, 獲匪其醜, 无咎.
86) 『書經·泰誓下』: 樹德務滋, 除惡務本, 肆予小子, 誕以爾衆士殄殲乃讎, 爾衆士其尙迪果毅, 以登乃辟.
87) 『周易·解卦』: 解, 利西南, 无所往, 其來復, 吉. 有攸往, 夙, 吉.

曰往不勝爲咎. 艮得巽伏爲勝, 互兌爲不勝. 初九非有不善, 而但以早動而不成爲咎也, 明與有咎不同也.

쾌괘가 대과괘(大過卦䷛)로 바뀌었으니, 지나쳐서 드러남이 있는 것이다. 초구는 쾌괘의 초기에 거처하여 굳센 자리에 있고 힘을 쓰는 것이 너무 일러 두루 삼가는 염려가 없다. 그러므로 "발이 나아감에 씩씩하다"고 하였다. 감괘는 '앞으로 나아감[前進]'의 '앞[前]'이고, 태괘는 '앞면[前面]'의 '앞[前]'이며 '발[趾]'은 아래에 있으면서 가는 상이니, 전지(前趾)는 먼저 나아감이며 이르다는 말이다. 이르기 때문에 가서 이기지 못하여 허물이 된다. 간괘(☶)에 손괘(☴)가 숨어 있음은 이김이 되고, 호괘인 태괘는 이기지 못함이 된다. 초구가 안 좋은 것이 있음이 아니라 다만 일찍 움직여서 이루지 못하는 것이 허물이 되니 허물이 있는 것과는 분명히 같지 않다.

오치기(吳致箕) 「주역경전증해(周易經傳增解)」

初九剛健而得正, 在夬之初, 欲決去小人者也. 質剛而性健, 壯其趾而前進. 然在下无位, 而上无應援. 若恃其剛而遽往, 則必不能勝而爲輕動之咎, 故其戒如此.

초구는 강건하고 바른 자리를 얻었으니 쾌괘의 초기에 있어서 소인을 결단하여 제거하고자 하는 자이다. 바탕이 굳세고 성질이 씩씩하여 발이 씩씩하게 나아간다. 그러나 아래에 있어서 지위가 없고 위에 응원도 없다. 만일 굳센 양을 믿고 갑자기 나아간다면 반드시 이길 수 없어서 경솔하게 움직였다는 허물이 되기 때문에 경계함이 이와 같다.

○ 四陽爲壯, 而夬自壯漸長. 故初與三剛位, 皆言壯也. 在下故言趾, 而亦以對體變震爲足也. 前趾言進其趾而前也. 大壯初九言趾, 此言前趾者, 五剛比壯尤長, 故異其辭也. 不勝言爲陰所傷也.

네 양은 장성함이 되는데 쾌괘는 장성함에서 더 자랐다. 그러므로 초효와 삼효는 굳센 양의 자리로서 모두 씩씩함을 말하였다. 아래에 있기 때문에 발을 말하고 또한 반대괘(거꾸로 된 괘)인 몸체가 변한 진괘(震卦☳)가 발이 된다. 전지(前趾)는 발이 나아가 앞으로 감을 말한다. 대장괘(大壯卦䷡)의 초구에서 '발'을 말하였는데 여기에서는 '발이 나아간다'고 한 것은 다섯의 굳센 양이 대장괘보다 더욱 자랐기 때문에 그 말이 다르다. '이기지 못함'은 음에게 상처를 받음이다.

이진상(李震相) 『역학관규(易學管窺)』

變巽爲服, 而初卑在下, 以陽居陽, 故曰前趾. 雖有躁進之心, 處遠而莫決, 故往不勝.

不勝而猶往, 乾健象.

변한 손괘는 복종이 되고, 초효는 낮아서 아래에 있으나 양으로서 양의 자리에 있기 때문에 '발이 나아간다'고 하였다. 비록 조급하게 나아가려는 마음이 있으나 먼데 처하여 결단할 수 없기 때문에 가서 이기지 못한다. 이기지 못하더라도 오히려 가는 것이 건괘의 강건한 상이다.

박문호(朴文鎬)「경설(經說)·주역(周易)」

前趾, 言前其趾也, 諺釋未瑩. 初爻之以足爲象, 有八卦. 剝噬嗑賁大壯夬鼎艮之趾咸之拇, 是也, 皆取在下之象.

'발이 나아감'은 발로 나아간다는 말이니 언해의 풀이가 분명하지 못하다. 초효에 발로 상을 삼은 것이 여덟 괘가 있다. 박괘(剝卦)·서합괘(噬嗑卦)·비괘(賁卦)·대장괘(大壯卦)·쾌괘(夬卦)·정괘(鼎卦), 그리고 간괘(艮卦)의 발[趾]과 함괘(咸卦)의 엄지발가락이 이것이니 모두 아래에 있는 상을 취하였다.

不計彼, 言不暇計, 一陰之將盡也.

『정전』의 "상대를 따지지 않는다"는 따질 겨를이 없다는 말이니 하나의 음이 장차 없어질 것이다.

이정규(李正奎)「독역기(讀易記)」

初九, 壯于前趾, 往不勝, 爲咎者. 慮躁動而不勝也.

"초구는 발이 나아감에 씩씩하니, 가서 이기지 못하면 허물이 되리라"는 생각이 조급하게 움직여서 이기지 못함이다.

이병헌(李炳憲)『역경금문고통론(易經今文考通論)』

王曰, 居健之初, 爲決之始, 宜審其策, 以行其事, 壯其前趾, 往而不勝, 宜其咎也. 不勝之理, 在往前也.

왕필이 말하였다: 굳센 양의 초기에 있어서 결단의 처음이 되니 의당 책략을 살펴서 일을 행해야 하는데 발이 나아감에 씩씩하여 가서 이기지 못하니 허물이 있음이 당연하다. 이기지 못하는 이치가 가기 전에 있는 것이다.

象曰, 不勝而往, 咎也.

「상전」에서 말하였다: 이길 수 없는데도 가는 것이 허물이다.

中國大全

傳

人之行, 必度其事, 可爲然後, 決之則无過矣, 理不能勝而且往, 其咎可知. 凡行而有咎者, 皆決之過也.

사람이 행동할 때에는 반드시 그 일을 헤아려 행동할 만한 뒤에 결단하면 허물이 없을 것인데, 이치가 이길 수 없는데도 간다면 그 허물을 알 수 있다. 행하여 허물이 있는 것은 모두 결단함의 잘못이다.

小註

中溪張氏曰, 陰居高位, 而初欲決之, 往必不勝, 徒取咎爾. 知其不勝而且往, 焉能无咎乎.

중계장씨가 말하였다: 음이 높은 자리에 있는데 초구가 음을 결단하려고 하여 간다면 반드시 이기지 못하고 다만 허물만 취할 뿐이다. 이기지 못할 것을 알고도 간다면 어찌 허물이 없을 수 있는가?

○ 誠齋楊氏曰, 勝在往先者勝, 往在勝先者負. 況不勝在往先者乎. 故周公言往不勝, 而仲尼斷之曰, 不勝而往, 咎也.

성재양씨가 말하였다: 승리가 가는 것보다 먼저 있는 자는 승리하고, 가는 것이 승리하는 것보다 먼저 있는 자는 질 것이다. 하물며 이기지 못함이 가는 것보다 먼저 있는 자이겠는가? 그러므로 주공은 "가서 이기지 못한다"고 하였고, 공자는 그것을 판단하여 "이길 수 없는데도 가는 것이 허물이다"라고 하였다.

○ 潛齋胡氏曰, 京房欲去恭顯, 而卒困於恭顯, 劉蕡欲去宦官, 而卒困于宦官, 皆不勝而往之咎也.

잠재호씨가 말하였다: 경방이 석현과 홍공[88]을 제거하려고 하였지만 끝내 그들에게 곤란을 겪었고, 유분[89]이 환관을 제거하려다가 환관에게 곤란을 겪었으니, 모두 이길 수 없는데도 가는 허물이다.

▌韓國大全▐

조호익(曺好益) 『역상설(易象說)』

往陽進象. 不勝初微象.

'감'은 양이 나아가는 상이다. '이기지 못함'은 초효의 미약한 상이다.

潘氏曰, 猶布衣而論權臣, 不量力之甚.

반씨(潘氏)가 말하였다: 평민으로서 권신을 논핵하는 것과 같으니, 전혀 자신의 힘을 헤아리지 못한 것이다.

유정원(柳正源) 『역해참고(易解參攷)』[90]

王氏曰, 不勝之理, 在往前也.

왕필이 말하였다: 이기지 못하는 이치가 나아감에 있다.

○ 正義, 暴虎憑河, 孔子所忌, 謬於用壯, 必无勝理. 孰知不勝. 果決而往, 所以致咎過.

『주역정의』에 말하였다: 맨손으로 호랑이를 잡고 맨몸으로 하수를 건너는 것을 공자는 기피

---

88) 공현(恭顯): 중국 한나라 원제(元帝) 때 총애를 받던 환관 홍공(弘恭)과 석현(石顯)의 합칭인데, 이들이 참소하여 대신을 해치고 정권을 장악하였으므로 권세 부리는 환관의 뜻으로 흔히 쓰인다.

89) 유분(劉蕡): 당나라 문종 때 사람으로, 현량과(賢良科) 대책(對策)에 응하여 환관의 폐해를 지적하였는데, 시험관이 환관을 두려워하여 낙방시켰다.

90) 경학자료집성DB에 쾌괘 초구 효사에 편집되어 있으나 경학자료집성 영인본의 체재에 의거하여 초구「상전」으로 옮겨 해석하였다.

하였으니 씩씩함을 잘못 쓰면 반드시 이길 리가 없기 때문이다. 누가 이기지 못함을 알겠는 가? 과감하게 결단하여 간다면 잘못된 허물이 이르게 될 것이다.

김상악(金相岳) 『산천역설(山天易說)』

不勝在往先, 故爲咎也.

이기지 못하는 이유가 가기 전에 있으므로 허물이 된다.

서유신(徐有臣) 『역의의언(易義擬言)』

爻曰往不勝, 象曰不勝而往, 蓋不可勝而往, 故往而不勝也. 天下事勝在往前, 不勝亦 在往前. 往不往, 不可不審決也.

효사에서는 ‘가서 이기지 못함’이라고 하였고 「상전」에서는 ‘이길 수 없는데도 감’이라고 하 였으니 이길 수 없는데도 가기 때문에 가서 이기지 못하는 것이다. 천하의 일이란 이기는 이치가 나아가기 전에 있으니 이기지 못하는 것도 나아가기 전에 있다. 그러니 가고 가지 않는 것을 잘 살펴 결정하지 않아서는 안 된다.

강엄(康儼) 『주역(周易)』[91]

按, 爻辭曰往不勝, 象傳曰不勝而往, 其義若相反者, 何也. 曰, 初九居下任壯, 是布衣 而欲去權臣者也. 如是而往, 必不勝矣, 故爻辭如此, 蓋辭雖平而意已切矣. 夫子又恐 後人但以不勝爲咎, 而不知往之爲咎, 故曰不勝而往咎也, 言其不勝非咎, 而往者已爲 咎也. 假使初九往, 而或勝之, 是乃適然之事, 聖人其以適然而勝者, 不謂之咎乎. 大抵 爻辭之所未明者, 象傳必明之, 爻辭之所未盡者, 象傳必盡之, 觀於此等處可見矣.

내가 살펴보았다: 효사에서는 "가서 이기지 못한다"고 하고 「상전」에서는 "이길 수 없는데도 감"이라고 하였으니 그 뜻이 서로 반대인 것 같은 것은 어째서인가? 초구가 아래에 있으면서 씩씩함을 믿는 것은 평민으로서 권신을 제거하고자 하는 것이다. 이와 같은데도 간다면 반 드시 이기지 못할 것이므로 효사가 이와 같으니 말은 평이하나 의미는 간절하다. 공자가 또 후세 사람들이 다만 이기지 못하는 것이 허물인 줄만 알고 가는 것이 허물인 것은 몰랐기 때문에 "이길 수 없는데도 가는 것이 허물이다"고 말하였으니 이기지 못하는 것이 허물이 아니라 가는 것이 이미 허물이 된다는 말이다. 가령 초구가 나아갔는데 혹시 승리한다면

---

91) 경학자료집성DB에 초구효사에 편집되어 있으나 경학자료집성 영인본의 체재에 의거하여 초구 「상전」으로 옮겨 해석하였다.

이것은 곧 우연의 일이니 성인이 우연하게 이기는 것을 허물이라고는 하지 않았을 것이다. 대체로 효사에서 분명하지 않은 말은 「상전」에서 반드시 밝혀 주고 효사에서 미진한 것은 「상전」에서 반드시 다 설명해 주니 여기와 같은 데서 살펴보면 알 수 있다.

오치기(吳致箕) 「주역경전증해(周易經傳增解)」

理不能勝而往, 則決之過也. 是以爲咎矣.

이치상 이길 수 없는데도 간다면 결단함이 잘못되었다. 이러므로 허물이 된다.

九二, 惕號, 莫夜, 有戎, 勿恤.

구이는 두려워 호령함이니, 늦은 밤에 적군이 있더라도 걱정할 것이 없다.

‖中國大全‖

傳

夬者, 陽決陰, 君子決小人之時, 不可忘戒備也. 陽長將極之時, 而二處中居柔, 不爲過剛, 能知戒備, 處夬之至善也. 內懷兢惕而外嚴誡號, 雖莫夜有兵戎, 亦可勿恤矣.

쾌는 양이 음을 결단함이니, 군자가 소인을 결단하는 때에 경계와 대비를 잊어서는 안 된다. 양이 자라나 지극해질 때인데, 구이가 가운데에 처하고 부드러움에 있어 지나치게 굳세게 하지 않고 경계하고 대비할 줄을 아니, 쾌에 처하기를 지극히 잘하는 것이다. 안으로 두려워하는 마음을 품고 밖으로 경계와 호령을 엄하게 하니, 비록 늦은 밤에 적군이 있더라도 걱정할 필요가 없다.

本義

九二, 當決之時, 剛而居柔, 又得中道. 故能憂惕號呼, 以自戒備, 而莫夜有戎, 亦可无患也.

구이는 결단할 때에 굳셈으로 부드러움에 있고 또 알맞은 도를 얻었다. 그러므로 두려워 호령하여 스스로 경계하고 대비하니, 늦은 밤에 적군이 있더라도 걱정할 필요가 없다.

小註

朱子曰, 王子獻卜, 遇夬之九二, 卜者告之曰, 必夜有驚恐, 後有兵權. 未幾果夜遇寇, 旋得洪帥.

주자가 말하였다: 왕자헌이 점을 쳐 쾌괘의 구이효를 만나자, 점치는 자가 말하기를 "반드시

밤에 놀랄 일이 있고, 뒤에 병권을 잡을 것이다"라고 하였다. 얼마 되지 않아 과연 밤에 도적을 만났고, 곧 홍광렬(洪光烈)[92]이라는 장수를 얻었다.

○ 臨川吳氏曰, 能惕號則有戒備矣, 故雖莫夜之時, 卒有兵戎之變, 亦不用憂恤也.
임천오씨가 말하였다: 두려워 호령하면 경계하고 대비함이 있을 것이기 때문에 비록 늦은 밤에 마침내 전쟁의 변고가 있더라도 근심할 필요가 없다.

○ 誠齋楊氏曰, 九二以剛陽之才, 當夬決之時, 能居柔以晦其剛, 得中而戒於過. 雖與四陽之盛, 而決一陰之衰, 乃惕然若臨大敵, 諄然若警夕搣有備如此, 雖有兵戎而驟至, 亦勿憂恤矣. 此狄仁傑從容存唐之事也.
성재양씨가 말하였다: 구이는 굳센 양의 자질로 결단하는 때에 부드러움에 거하여 그 굳셈을 감추고 가운데를 얻어 허물을 경계한다. 성대한 네 양과 함께 쇠락한 한 음을 결단하지만 이처럼 큰 적에 임하듯이 두려워하고 정성스럽게 저녁에 야경을 서듯이 대비하니, 적군이 갑자기 이르더라도 근심하지 않는다. 이것은 적인걸이 침착하게 당나라를 지키던 일이다.

○ 雲峰胡氏曰, 惕號, 孚號, 皆取號呼之義. 象合衆剛爻而言, 剛實故孚號, 此指九二一爻而言, 二柔故惕號.
운봉호씨가 말하였다: '두려워 호령함'과 '미덥게 호령함'은 모두 호령하고 부르는 뜻을 취하였다. 「단전」에서는 여러 굳센 양의 효를 합하여 말하였으니 굳세고 차있기 때문에 '미덥게 호령함'이고, 여기에서는 구이 한 효를 지적하여 말하였으니 이효가 부드럽기 때문에 '두려워 호령함'이다.

韓國大全

조호익(曺好益) 『역상설(易象說)』

惕兌象. 素問金在志爲憂. 號兌口象. 莫夜下體離位之終象. 戎兌金象, 勿恤占辭.

92) 『資治通鑑·晉紀九』: 虎分命諸將屯、隴, 遣將軍麻秋討蒲洪. 洪帥戶二萬降於虎, 虎迎拜洪光烈將軍, 護校尉.

'두려워 함'은 태괘의 상이다. 『소문(素問)』에서는 "금(金)에 뜻을 두는 것이 걱정이 된다"고 하였다. '호(號)'는 태괘인 입[口]의 상이다. '늦은 밤[莫夜]'은 하체가 리괘 자리의 끝인 상이다. '적군[戎]'은 태괘인 금(金)의 상이고 '걱정할 것이 없음[勿恤]'은 점사이다.

송시열(宋時烈) 『역설(易說)』

惕夜恤三字, 皆坎象, 下乾變坤, 則上有坎象故也. 象之孚號, 以九五處兌中言之. 蓋口號自上而發, 則在下者當怵惕于心. 然後雖於坎夜之中, 有戒心之事, 無憂恤之意, 蓋二居中位得正道故也. 來氏戒字當作戎, 以坎之寇戎言也, 未詳是否. 須看小象.

척(惕)·야(夜)·혈(恤) 세 글자는 모두 감괘(坎卦☵)의 상이니 아래의 건괘(乾卦☰)가 곤괘(坤卦☷)로 변하면 위에 감괘의 상이 있기 때문이다. 단사의 '미덥게 호령함'은 구오가 태괘(兌卦☱)의 가운데에 처한 것으로 말하였다. 입으로 호령함을 위에서 발하면 아래 있는 자들이 마음으로 두려워한다. 그런 뒤에야 비록 감괘의 밤에 마음으로 경계할 일이 있더라도 걱정하는 뜻이 없게 되니 이효가 가운데 자리에 있어서 정도를 얻었기 때문이다. 래씨는 "계(戒)자는 융(戎)자가 되어야 한다"고 하였는데 감괘의 도적으로 말하였으나 옳은 주장인지 잘 모르겠다. 「소상전」을 살펴보아야 한다.

이익(李瀷) 『역경질서(易經疾書)』

惕覺呼號, 尤宜於暮夜. 暮夜惕號, 則可以無憂, 雖有戒勿恤可也, 與象辭帖者.

두려움을 깨우쳐 호령함은 늦은 밤에 더욱 마땅하다. 늦은 밤에 호령하면 근심이 없을 수 있으니 비록 경계는 있으나 걱정할 일은 없는 것이 가능하니 단사에 연결되는 말이다.

심조(沈潮) 「역상차론(易象箚論)」

九二, 惕呼.

구이는 두려워하여 호령함이니.

惕乾象.

'두려움'은 건괘의 상이다.

유정원(柳正源) 『역해참고(易解參攷)』

莆陽張氏曰, 兌爲兵戎, 故曰有戎.

포양장씨가 말하였다: 태괘는 군대가 되기 때문에 "적군이 있다"고 하였다.

○ 林氏〈栗〉曰, 易以下卦爲晝, 上卦爲夜. 二之視三四, 有暮夜之象, 猶乾九三之夕惕也.

임율이 말하였다:『주역』은 하괘가 낮이 되고 상괘는 밤이 된다. 이효는 삼효·사효에 비해 밤의 상이 있으니 건괘 구삼의 '석척(夕惕)'과 같다.

○ 案, 兌之一陰, 伺隙窺釁, 藏戎於暗昧之地, 可畏之甚者也, 九二之剛柔相濟, 備禦已具, 小人之陰謀, 卒不得行矣. 何憂之有.

내가 살펴보았다: 태괘의 한 음이 틈을 엿보고 살피니 어둠속에 적군이 숨어있는 것은 매우 두려워할 만한 것이나 구이의 굳셈과 부드러운 음이 서로 도와서 대비하고 막음이 이미 갖추어졌으니 소인의 음모가 끝내 행해질 수 없다. 무슨 걱정이 있겠는가?

小註誠齋說夕㭒.
소주 성재양씨가 말한 '석추(夕㭒)'에 대하여.

案, 左傳陪臣干掫註, 干掫行夜也. 干音扞, 掫音鄒. 賓將掫註, 行夜以助守備, 蓋如刁斗之類. 唐本作析非.

내가 살펴보았다:『춘추좌씨전』에 "배신이 밤에 순찰하다[陪臣干掫]"[93]의 주석에 "간추(干掫)는 밤에 순찰함이다"고 하였다. '干'자는 음이 '한(扞)'이고 '掫'자는 음이 '추(鄒)'이다. "빈이 위후를 위해 야경을 돌다[賓將掫]"[94]의 주석에 "밤에 순찰하여 경비를 돕는 것이다" 고 하였으니 조두(刁斗)의 종류와 같다. 당본에는 '석비(析非)'라고 되어있다.

김상악(金相岳)『산천역설(山天易說)』

惕號, 卽孚號有厲也. 當決之時, 以乾遇兌, 居柔而得中, 能戒懼號令. 不輕其進, 故雖暮夜有戎, 亦可无患也.

'두려워 호령함'은 바로 괘사의 "미덥게 호령하여 위태로움을 있게 함"이다. 결단하는 때에 건괘가 태괘를 만났으니 부드러운 자리에 있고 가운데 자리를 얻었으므로 두려움을 경계하고 호령할 수 있다. 경솔하게 나아가지 않기 때문에 늦은 밤에 적군이 있더라도 걱정할 것이 없다.

○ 惕者, 乾之惕也, 乾則在三, 故曰夕惕若. 號者, 兌之口也, 暮者, 兌居酉也. 勿恤,

93)『春秋左傳·襄公』: 甲興… 皆曰, 君之臣杼疾病, 不能聽命. 近於公宮, 陪臣干掫有淫者, 不知二命.
94)『春秋左傳·昭公』: 衛侯以爲乘馬. 賓將掫, 主人辭曰, 亡人之憂, 不可以及吾子, 草莽之中, 不足以辱從者, 敢辭.

惕之反也, 憂惕則思慮深, 號呼則黨與衆矣, 故雖不卽戎, 亦无患矣. 夬與革爭二一爻, 革則離日居兌西之下, 故曰已日乃革之, 夬則有兌无離, 故只言其暮夜. 與晉之晝日爲對. 又夬萃二卦, 以兌居上, 乾與坤對, 萃之象曰, 除戎器戒不虞. 所以有戎勿恤.

'두려움'은 건괘의 '두려움'이니 건괘(乾卦☰)는 삼효에 두려움이 있기 때문에 '저녁까지 두려워함'이라고 하였다. '호령함'은 태괘(兌卦☱)인 입이고 '늦음'은 태괘(兌卦☱)가 유시(酉時)에 해당하기 때문이다. '걱정할 것이 없음'은 두려움의 반대이니 두려움을 우려하면 사려가 깊어지고, 호령하면 무리가 여러 사람과 함께하기 때문에 전쟁에 나아가지 않아도 걱정이 없다. 쾌괘(夬卦䷪)와 혁괘(革卦䷰)는 이효(二爻) 한 효가 차이가 나니 혁괘(革卦䷰)는 리괘(離卦☲)인 해가 태괘(兌卦☱)인 서쪽 아래에 있으므로 "육이는 시일이 지나서야 변혁할 수 있다"[95]고 하였고, 쾌괘는 태괘는 있으나 리괘는 없기 때문에 '늦은 밤'이라고만 말했다. 이것은 진괘(晉卦䷢)의 낮[晝日][96]과는 반대이다. 또 쾌괘(夬卦䷪)·취괘(萃卦䷬) 두 괘는 태괘(兌卦☱)가 위에 있고 건괘(乾卦☰)와 곤괘(坤卦☷)가 반대이니 취괘의 「상전」에 "무기를 정비하여 예기치 못함을 경계한다"[97]고 하였다. 이 때문에 적군이 있더라도 걱정할 것이 없다.

서유신(徐有臣) 『역의의언(易義擬言)』

惕號莫夜, 如云夕惕若也. 日夕警畏, 自脩不可少忽也, 戎賊不憂, 自重不欲輕動也. 惕乾象, 戎上六也. 二與五相應, 故莫夜勿恤之象, 得於九五之兌也.

"두려워 호령함이니, 늦은 밤에"는 '저녁까지 두려워함'이라고 말하는 것과 같다. 날마다 저녁까지 경계하고 두려워함은 스스로 수양함을 조금도 소홀히 해서는 안 되기 때문이고, 적군을 근심하지 않음은 스스로 진중하여 가벼이 움직이고자 하지 않는 것이다. '두려움'은 건괘의 상이고 '적군'은 상육이다. 이효는 오효와 서로 호응하기 때문에 늦은 밤에 걱정할 것이 없는 상이니 이는 구오의 기쁨을 얻어서이다.

박문건(朴文健) 『주역연의(周易衍義)』

懼其逼己, 故有惕號之象.[98] 惕號, 言恐惕而號咷也. 戎謂九五也.

두려움은 자기를 핍박하기 때문에 두려워 호령하는 상이 있다. 두려워 호령함은 두려워서

---

95) 『周易·革卦』: 六二, 已日, 乃革之, 征吉, 无咎.
96) 『周易·晉卦』: 晉, 康侯, 用錫馬蕃庶, 晝日三接.
97) 『周易·萃卦』: 象曰, 澤上於地, 萃, 君子以, 除戎器, 戒不虞.
98) 象: 경학자료집성DB와 영인본에 모두 '衆'으로 되어 있으나, 문맥을 살펴 '象'으로 바로잡았다.

부르짖는다는 말이다. 적군은 구오를 이른다.

〈問, 惕號以下. 曰, 九二見害於其敵, 故有惕號之象. 莫夜之間, 雖有寇戎之至, 然得其中道, 故寇必自退而勿憂也. 蓋九二勢不相敵, 故退而不犯上, 是自盡其道者也. 雖九五妄爲寇, 而乘其隱暗, 然理曲者, 必不勝而自退, 故所以勿憂也.

물었다: ‘두려워 호령함’ 이하는 무슨 뜻입니까?

답하였다: 구이가 적에게 해를 받기 때문에 두려워 호령하는 상이 있습니다. 늦은 밤에 비록 적군이 이르더라도 중도를 얻었기 때문에 적군이 반드시 스스로 물러갈 것이니 걱정할 것이 없습니다. 이는 구이의 기세를 서로 대적하지 못하기 때문에 물러가고 윗사람을 침범하지 않는 것이니 스스로 도를 극진히 하는 자입니다. 비록 구오가 함부로 도적이 되어 어두운 틈을 탔으나 이치가 굽은 자는 반드시 이기지 못하고 스스로 후퇴하기 때문에 걱정할 것이 없습니다.〉

이지연(李止淵) 『주역차의(周易箚疑)』

自備之道得中, 則有寇在垣, 无足爲憂也.

스스로 방비하는 도가 중도를 얻으면 도적이 담장을 쳐들어와도 걱정할 것이 없다.

김기례(金箕澧) 「역요선의강목(易要選義綱目)」

衆陽決陰之時, 二以剛居陰, 晦剛而戒備, 兢惕呼號, 雖有暮夜不意之兵, 至无憂也. 與卦辭孚號卽戎相應, 卽戎戒君子, 有戎忌小人. 陰位故曰暮夜.

여러 양이 음을 결단하는 때에 이효는 굳센 양으로 음의 자리에 있으니 어둡고 굳센 양이어서 경계하고 대비하여 두려워 호령하니 비록 늦은 밤에 예기치 못한 병란이 있더라도 걱정할 것이 없다. 괘사의 “미덥게 호령하여 전쟁에 나아감”과 서로 호응하니 ‘전쟁에 나아감’은 군자를 경계한 것이고 ‘적군이 있음’은 소인을 꺼린 것이다. 음의 자리이기 때문에 ‘늦은 밤’이라고 하였다.

○ 爻剛, 故曰有戎.

효가 굳센 양이기 때문에 “적군이 있다”고 말하였다.

○ 柔位故口惕, 惕而備, 故勿恤.

부드러운 음의 자리이기 때문에 ‘두려움’이라고 하였으니 두려워 대비하기 때문에 걱정할 것이 없다.

심대윤(沈大允) 『주역상의점법(周易象義占法)』

夬之革䷰, 去故也. 君子始與小人周旋同事, 如遯之所云, 而至是時可以革而去之也.
九二居柔, 不能用力明決, 不免小人之伺隙暗圖. 故曰, 惕號莫夜有戎. 惕號驚呼也.
离中虛爲恐怯象. 全卦兌爲號, 离坎爲莫夜象. 君子分別小人之初必有伺隙暗圖之奸
計, 而以九二之才與時俱可, 而又得中. 故勿憂也.

쾌괘가 혁괘(革卦䷰)로 바뀌었으니, 낡은 것을 제거함[99]이다. 군자가 처음에 소인과 두루
일을 함께 하니 예컨대 돈괘(遯卦䷠)에서 말한 대로 "이때에 이르러 변혁하여 제거할 수
있다"는 것이다. 구이는 부드러운 음의 자리에 있어서 힘써 밝게 결단할 수 없으니 소인이
틈을 엿보아 몰래 도모하는 화를 면할 수 없다. 그러므로 "두려워 호령함이니, 늦은 밤에
적군이 있음"이라고 하였다. '두려워 호령함'은 놀라 부르짖음이다. 리괘는 속이 비어있어
두려워하고 겁먹은 상이 된다. 전체 괘에서 태괘는 호령이 되고 리괘·감괘는 늦은 밤의
상이 된다. 군자는 소인이 처음에 반드시 틈을 엿보아 몰래 도모하는 간사한 계책을 분별하
고, 구이의 재주와 때가 모두 가능하고 또 중도를 얻었기 때문에 걱정할 것이 없는 것이다.

오치기(吳致箕) 「주역경전증해(周易經傳增解)」

九二, 以剛居柔而得中, 當夬之時, 能內懷兢惕, 而外嚴誡號, 以備不虞. 故雖値小人不
測之亂, 有莫夜起戎之患, 亦可以无憂. 是以其辭如此.

구이는 굳센 양으로 부드러운 자리에 있어서 중도를 얻어서 결단하는 때에 안으로 두려움을
품고 밖으로 엄히 경계하여 예기치 못한 일에 대비한다. 그러므로 예기치 못한 소인의 난리
를 만나 늦은 밤에 도적이 일어나는 환란이 있어도 걱정이 없게 할 수 있다. 이러므로 말이
이와 같다.

○ 惕與恤, 取於對體變坎爲加憂也. 號取於應兌. 日入于地爲莫夜, 而變離爲日. 變之
互巽爲入, 而在地位, 故言莫夜也. 對體變坎爲盜, 變離爲戈兵, 故言戎也. 勿取於對
艮, 已見上諸卦.

'두려움'과 '걱정'은 음양이 바뀐 몸체에서 변한 감괘(坎卦☵)가 근심을 더함이 된다. '호령'
은 호응하는 태괘(兌卦☱)에서 취하였다. 해가 땅에 들어가면 늦은 저녁이 되고 변한 리괘
(離卦☲)는 해이다. 변한 괘의 호괘인 손괘(巽卦☴)는 들어감이 되고 땅의 자리이기 때문
에 늦은 밤을 말하였다. 음양이 바뀐 몸체[剝卦䷖]에서 변한 감괘(坎卦☵)는 도적이 되고
변한 리괘(離卦☲)는 창과 무기가 되기 때문에 '적군'을 말하였다. 음양이 바뀐 간괘(艮卦

---

99) 『周易·雜卦傳』: 革, 去故也.

☷)를 취하지 않은 이유는 이미 위의 여러 괘에 나타난다.

이진상(李震相) 『역학관규(易學管窺)』

有戎勿恤.

적군이 있더라도 걱정할 것이 없다.

九二動則爲離, 離爲戈兵, 故有戎象. 上六陰暗而居終, 故有暮夜象. 乾九三, 亦曰夕惕.

구이가 움직이면 리괘가 되니 리괘는 창과 무기이므로 적군의 상이 있다. 상육은 어두운 음으로서 끝에 있기 때문에 늦은 저녁의 상이 있다. 건괘의 구삼에서도 '저녁까지도 두려움' 이라고 하였다.

○ 九二惕號 [至] 勿恤.

구이는 두려워하여 호령함이니 … 걱정할 것이 없다.

變離爲暗暮夜象, 離爲戈兵戎象. 但上六遠, 而九五庇之, 故有惕號之象. 惕號, 乾象, 九三之夕惕. 因離而在二. 我旣中正, 又能警備, 彼安能爲患乎. 所以勿恤也. 但上六之所以加戎於九二者, 以其同德於九五, 而規其庇邪之失, 最爲害己也.

변한 리괘는 어두운 늦은 밤의 상이 되고, 리괘는 창과 무기의 상이 된다. 다만 상육이 멀리 있고 구오가 비호하고 있기 때문에 두려워 호령하는 상이 있다. 두려워 호령함은 건괘의 상이니 건괘 구삼의 "저녁까지도 두려워 함"이다. 변한 리괘가 이효에 있음에 따라 내가 이미 중정하고 또 경계하여 대비할 수 있으니 저 상대가 어찌 근심이 될 수 있겠는가? 이 때문에 걱정할 것이 없다. 다만 상육이 구이에게 적군을 더함이 되는 이유는 구이가 구오와 같은 덕인데 구오가 간사함을 비호하는 잘못을 엿보니 가장 자기를 해침이 되기 때문이다.

이용구(李容九) 「역주해선(易註解選)」

夬九二惕號莫夜有戎勿恤, 此狄仁傑從容存唐之事.

쾌괘의 "구이는 두려워 호령함이니, 늦은 밤에 적군이 있더라도 걱정할 것이 없다"는 적인걸이 조용히 당나라를 보존한 일에 해당한다.

이정규(李正奎)「독역기(讀易記)」

九二, 惕號, 莫夜有戎勿恤者, 不可忽而嚴戒備也.

"구이는 두려워 호령함이니, 늦은 밤에 적군이 있더라도 걱정할 것이 없다"는 소홀하게 여기지 않고 경계와 대비를 엄중하게 함이다.

이병헌(李炳憲)『역경금문고통론(易經今文考通論)』

本義曰, 剛而居柔, 又得中道, 故能憂惕號呼, 而莫夜无患也.

『본의』에서 말하였다: 굳센 양으로 부드러운 음에 있고 또 알맞은 도를 얻었다. 그러므로 근심하고 두려워 호령하니, 늦은 밤에 적군이 있더라도 걱정할 필요가 없다.

象曰, 有戎勿恤, 得中道也.

「상전」에서 말하였다: "적군이 있더라도 걱정할 것이 없음"은 중도(中道)를 얻었기 때문이다.

‖中國大全‖

傳

莫夜有兵戎, 可懼之甚也, 然可勿恤者, 以自處之善也. 旣得中道, 又知惕懼, 且有戒備, 何事之足恤也. 九居二, 雖得中, 然非正, 其爲至善, 何也. 曰陽決陰, 君子決小人. 而得中, 豈有不正也. 知時識勢, 學易之大方也.

늦은 밤에 적군이 있음은 매우 두려워할 만하나 걱정할 것이 없는 것은 스스로 처신을 잘하기 때문이다. 이미 중도를 얻었고 또 두려워할 줄 알며 또한 경계하고 대비하니, 무슨 일을 걱정하겠는가? 양효인 구가 이효에 있으니 비록 가운데를 얻었으나 바른 자리가 아닌데 지극히 좋은 것은 어째서인가? 말하자면, 양이 음을 결단함은 군자가 소인을 결단하는 것이다. 그런데 가운데를 얻었으니, 어찌 바르지 않음이 있겠는가? 때와 형세를 아는 것이 역(易)을 배우는 큰 방법이다.

小註

中溪張氏曰, 寇至而勿憂, 以九二得處中之道, 而不忘戒備故也.

중계장씨가 말하였다: 적군이 와도 걱정이 없는 것은 구이가 가운데에 처하는 도를 얻어 경계와 대비를 잃지 않기 때문이다.

○ 臨川吳氏曰, 得中, 則不恃剛而能惕, 能惕, 則有備, 故雖有戎而无憂也.

임천오씨가 말하였다: 가운데를 얻으면 굳셈을 믿지 않고 두려워하고, 두려워하면 대비하기 때문에 비록 전쟁이 있더라도 걱정이 없을 것이다.

▌韓國大全▌

유정원(柳正源) 『역해참고(易解參攷)』

有戎 [至] 道也.

적군이 있더라도 … 중도를 얻었기 때문이다.

正義, 決事而得乎道, 故不以有戎爲憂.

『주역정의』에서 말하였다: 일을 결정할 때에 중도를 얻었기 때문에 적군이 있는 것을 근심으로 삼지 않는다.

○ 節齋蔡氏曰, 先事則當惕, 及事不可憂, 得中道也.

절재채씨가 말하였다: 일에 앞서 두려워해야하고, 일에 미쳐서 근심해서는 안 되는 것이 '중도를 얻음'이다.

김상악(金相岳) 『산천역설(山天易說)』

以陽決陰而不忘戒懼, 得處中之道也.

양으로서 음을 결단하여 경계하고 두려워함을 잊지 않으니 중도에 처한 도를 얻었다.

서유신(徐有臣) 『역의의언(易義擬言)』

能惕號, 又能勿恤, 是得中也.

능히 두려워 부르짖고 또 걱정할 것이 없을 수 있으니 중도를 얻은 것이다.

오치기(吳致箕) 「주역경전증해(周易經傳增解)」

剛不自恃, 能居柔而戒備, 乃得中之道也.

굳센 양을 자신하지 않고 부드러운 음에 있으면서 경계하고 대비할 수 있으니 바로 중도를 얻음이다.

九三, 壯于頄, 有凶, 獨行遇雨, 君子夬夬. 若濡有慍, 无咎.

정전 구삼은 광대뼈에 씩씩하여 흉함이 있고, 홀로 가면 비를 만나니, 군자는 결단할 것을 결단한다. 젖는 듯이 하여 성냄이 있으면 허물이 없으리라.

九三, 壯于頄, 有凶, 君子夬夬, 獨行遇雨, 若濡有慍, 无咎.

본의 구삼은 광대뼈에 씩씩하니, 흉함이 있으나 군자가 결단할 것을 결단하면 홀로 감에 비를 만나 젖는 듯이 하여 성냄이 있으나 허물이 없으리라.

∥中國大全∥

傳

爻辭差錯. 安定胡公, 移其文曰, 壯于頄, 有凶, 獨行遇雨, 若濡有慍, 君子夬夬, 无咎, 亦未安也. 當云, 壯于頄, 有凶, 獨行遇雨, 君子, 夬夬, 若濡有慍, 无咎. 夬, 決. 尙剛健之時, 三居下體之上, 又處健體之極, 剛果於決者也. 頄, 顴骨也, 在上而未極於上者也. 三居下體之上, 雖在上而未爲最上, 上有君而自任其剛決, 壯于頄者也, 有凶之道也. 獨行遇雨, 三與上六, 爲正應, 方群陽共決一陰之時, 已若以私應之, 故不與衆同而獨行. 則與上六陰陽和合, 故云遇雨. 易中言雨者, 皆謂陰陽和也. 君子道長, 決去小人之時, 而已獨與之和, 其非可知. 唯君子處斯時, 則能夬夬, 謂夬其夬, 果決其斷也. 雖其私與, 當遠絶之, 若見濡汙. 有慍惡之色如此, 則无過咎也. 三健體而處正, 非必有是失也, 因此義, 以爲敎耳. 爻文所以爻錯者, 由有遇雨字, 又有濡字, 故誤以爲連也.

효사의 순서가 틀리고 앞뒤가 맞지 않다. 안정호공(安定胡公)[호원(胡瑗)]은 그 글을 옮겨 "광대뼈에 씩씩하여 흉함이 있고, 홀로 가면 비를 만나니, 젖는 듯이 하여 성냄이 있으면 군자는 결단할 것을 결단하여 허물이 없다"고 하였는데, 또한 자연스럽지 않다. 그러니 "광대뼈에 씩씩하여 흉함이 있고, 홀로 가면 비를 만나니, 군자는 결단할 것을 결단 한다. 젖는 듯이 하여 성냄이 있으면 허물이 없으리라"로 하여야 할 것이다. 쾌는 결단함이다. 강건을 숭상하는 때에 구삼은 아래 몸체의 위에 있고 또 굳센 몸체의 끝에 처하여 결단하기를 굳세고 과감하게 하는 자이다. 구(頄)는 광대뼈이니, 위에 있으나 제일 위에 있는 것은 아니다. 구삼이 아래 몸체의 위에 있어 비록 위에 있으나 제일 위는 아니니, 위에 군주가 있는데 강하게 결단함을 자임하면 광대뼈에 씩씩한 자여서 흉함이 있는 도이다. '홀로 가면 비를 만난다[獨行遇雨]'는 구삼이 상육과 정응이 되어 여러 양이 함께 한 음을 결단하는 때에 자신이 사사롭게 호응한 것과 같기 때문에 여럿과 함께 하지 않고 홀로 간다. 그렇다면 상육과 더불어 음양이 화합하게 되기 때문에 비를 만난다고 말하였다. 『역』에서 비라고 말한 경우는 모두 음양이 화합함을 이른다. 군자의 도가 자라나 소인을 결단하여 제거할 때인데 자기만 홀로 소인과 화합한다면 그 그릇됨을 알만하다. 군자만이 이러한 때에 결단할 것을 결단할 수 있으니, 그 결단할 것을 결단하여 그 결단을 과감하게 한다는 말이다. 비록 사사로이 함께 했을지라도 멀리하고 끊어서 마치 더러움에 젖는 듯이 여겨야 한다. 성내고 미워하는 기색이 이와 같으면 허물이 없을 것이다. 구삼은 굳센 몸체로서 바른 자리에 처하니, 반드시 이러한 잘못이 있다는 것이 아니라 이러한 뜻으로 가르침을 삼았을 뿐이다. 효의 글이 서로 뒤섞인 것은 우(遇)자와 우(雨)자가 있고 또 유(濡)자가 있으므로 잘못 연결했기 때문이다.

小註

一作誤而相連也.
어떤 판본에서 잘못하여 서로 연결하였던 것이다.

○ 朱子曰, 卦中與復卦六四有獨字, 此卦諸爻皆欲去陰, 獨此一爻與六爲應也, 是惡模樣.
주자가 말하였다: 괘 가운데 복괘의 육사효에 '홀로[獨]'[100]가 있는 것과 이 괘에서 여러 효는 모두 음을 제거하고자 하지만 이 한 효만 상육과 호응하니, 이는 나쁜 모양이다.

○ 九三舊文本義自順. 不知程子何故欲易之. 看來不必易.
구삼의 옛글을 『본의』에서 본래 순서대로 하였다. 정자가 무슨 까닭으로 바꾸고자 하였는지 모르겠다. 살펴보건대 굳이 바꿀 필요는 없다.

○ 建安邱氏曰, 復六四處五陰之中, 與初九應, 故爻言獨復, 夬九三處五陽之中, 與上六應, 故爻言獨行. 獨者違衆而自立之辭也. 陰處陰中, 獨復以應陽, 陽善也, 則爲捨小人從君子, 陽處陽中, 獨行以應陰, 陰惡也, 則爲捨君子從小人. 聖人於此爻, 故以獨言之.
건안구씨가 말하였다: 복괘의 육사는 다섯 음 가운데에서 초구와 호응하기 때문에 효사에 "홀로 돌아온다[獨復]"고 하였고, 쾌괘의 구삼은 다섯 양의 가운데에서 상육과 호응하기 때문에 효사에서 "홀로 간다[獨行]"고 하였다. 홀로[獨]는 무리를 떠나 홀로 선다는 말이다.

---

100) 『周易·復卦』: 六四, 中行, 獨復.

음이 음 가운데에서 홀로 돌아가 양에 호응함에 양이 선하니 소인을 버리고 군자를 쫓는 것이 된다. 양이 양 가운데에서 홀로 가서 음과 호응함에 음이 악하니 군자를 버리고 소인을 쫓는 것이 된다. 성인이 이 효 때문에 '홀로[獨]'로 말하였던 것이다.

○ 誠齋楊氏曰, 九三處五陽衆君子之林, 而獨與上六一小人爲正應, 此小人之諜也. 聖人曉之曰, 來汝九三, 取凶在汝, 取无咎亦在汝. 汝君子徒也. 舍君子從小人, 凶之道也. 決然舍小人從君子, 无咎之道也. 爲九三者, 盍亦謹所擇乎.

성재양씨가 말하였다: 구삼이 다섯 양인 여러 군자의 숲에 있으면서도 홀로 상육의 한 소인과 바르게 호응하니, 이것은 소인의 첩자이다. 성인이 그것을 알고 "오라, 너 구삼아! 흉함을 취함이 너에게 있으나 잘못이 없음을 취함도 너에게 있다. 너는 군자의 무리이다"라고 하였으니, 군자를 버리고 소인을 따르는 것은 흉한 도이다. 결연히 소인을 버리고 군자를 따르는 것이 허물이 없는 도이다. 구삼이 된 자가 어찌 또한 선택을 삼가지 않겠는가?

本義

頄, 觀也. 九三, 當決之時, 以剛而過乎中, 是欲決小人而剛壯, 見于面目也, 如是則有凶道矣. 然在衆陽之中, 獨與上六爲應, 若能果決其決, 不係私愛, 則雖合於上六, 如獨行遇雨, 至於若濡, 而爲君子所慍, 然終必能決去小人, 而无所咎也. 溫嶠之於王敦, 其事類此.

'구[頄]'는 광대뼈[觀]이다. 구삼은 결단할 때에 굳셈으로 알맞음을 지나쳤으니, 이는 소인을 결단하고자 하여 강하고 씩씩함이 용모에 나타난 것으로 이와 같이 하면 흉한 도가 있다. 그러나 여러 양 가운데에 있으면서 홀로 상육과 호응하니, 만약 그 결단을 과감히 결단하여 사사로운 사랑에 얽매이지 않는다면 비록 상육과 합하여 홀로 감에 비를 만나 젖는 듯이 하여 군자에게 성냄을 받으나 끝내는 반드시 소인을 결단하여 제거해서 허물이 없을 것이다. 온교(溫嶠)가 왕돈(王敦)에게 한 그 일[101]이 이와 같다.

---

101) 온교(溫嶠: 288~329)와 왕돈(王敦: 266~324)은 모두 진(晉)나라 사람이다. 당시 권력자인 왕돈이 반란을 일으키자 온교가 덕으로 이를 진압한 일을 말한다.

或問, 九三壯于頄. 朱子曰, 君子之去小人, 不必悻悻然見于面目, 至於遇雨而爲所濡濕, 雖爲衆陽所慍, 然志在決陰, 必能終去小人, 故亦可得无咎也. 蓋九三雖與上六爲應, 而實以剛居剛, 有能決之象, 故壯于頄則有凶, 而和柔以去之, 乃无咎. 如王允之於董卓, 溫嶠之於王敦, 是也.

어떤 이가 물었다: "구삼이 광대뼈에 씩씩하다"는 것은 무슨 뜻입니까?

주자가 답하였다: 군자가 소인을 제거할 때 굳이 성내면서 용모에 드러낼 필요가 없습니다. 비를 만나 젖게 되어 여러 양의 성냄을 받게 되지만 뜻이 음을 결단함에 있어 반드시 끝내 소인을 제거하는 까닭에 또한 허물이 없을 것입니다. 구삼이 상육과 호응하지만 참으로 굳셈으로써 굳센 양의 자리에 있어 결단하는 상이 있기 때문에 광대뼈에 씩씩하여 흉함이 있으나 조화와 부드러움으로 제거하여 허물이 없습니다. 왕윤[102]이 동탁에게 한 일, 온교가 왕돈에게 한 일이 이것입니다.

○ 有慍也, 是自不能堪. 如顔杲卿使安祿山, 受其衣服, 至道間與其徒曰, 吾輩何爲服此, 歸而借兵伐之, 正類此也.

'성냄이 있음'은 본래 감당할 수 없는 것이다. 안고경[103]이 안록산에게 가서 고관들이 입는 붉은 색 옷을 받고, 돌아오는 길에 그 무리에게 "우리가 어찌 이것을 입겠는가"라고 하고는 돌아가서 군대를 빌려 그를 쳤다고 하였으니, 바로 이것이다.

○ 漢上朱氏曰, 面外爲頰, 頄, 頰骨間也.

한상주씨가 말하였다: 얼굴 바깥은 뺨이며, 광대뼈는 뺨의 뼈 사이이다.

○ 童溪王氏曰, 壯于頄, 聖人戒剛也. 居乾健之極, 而疾惡之心見於顔色, 此凶之道也. 何則小人我疑也, 小人我疑, 君子之禍至矣.

동계왕씨가 말하였다: "광대뼈에 씩씩하다"는 성인이 굳센 양을 경계한 것이다. 건의 지극히 강건함에 있으면서 미워하는 마음이 안색에 나타나니, 이것은 흉한 도이다. 어떻게 하였으면 소인이 나를 의심하였겠는가? 소인이 나를 의심하면 군자에게 화가 닥칠 것이다.

○ 雲峰胡氏曰, 頄, 以九三本爻取象. 雨濡, 連上六應爻取象. 夬夬二字, 則聖人深勉

102) 왕윤(王允: 137~192): 한나라 말의 정치가이다. 왕윤이 여포를 시켜 동탁을 죽인 일을 말한다.
103) 안고경(顔杲卿: 692~756): 안진경(顔眞卿, 709-785)의 사촌형으로 안록산의 난(755년)에 항거하다가 죽임을 당하였다.

九三之辭. 蓋謂九三之去上六, 露其剛如頄之壯, 固自是凶, 若獨與上六爲應, 如雨之濡, 亦豈爲吉. 睽之時, 上九與六三爲應陽求陰也, 曰往遇雨吉. 夬之時, 亦陽求陰也, 曰遇雨而不曰吉者, 當衆陽之中而獨應乎陰, 不能不爲陰所濡, 不能不爲陽所慍矣. 然君子果能能決其夬, 不牽於私應, 則雖遇雨若濡有慍, 而猶可以无咎矣. 蓋其以勢不能不合於上六, 而其心能決於去之也.

운봉호씨가 말하였다: '광대뼈'는 구삼이라는 본래 효로 상을 취한 것이다. '비'와 '젖음'은 호응하는 효인 상육과 연결하여 상을 취하였다. "결단할 것을 결단한다[夬夬]"는 말은 성인이 구삼을 깊이 권한 말이다. 구삼이 상육에게 가서 그 굳셈을 마치 광대뼈의 씩씩함 같이 노출하면 참으로 스스로 흉하니, 만약 홀로 상육과 호응하여 비에 젖듯이 하면 또한 어찌 길하겠는가? 규괘의 때에 상구가 육삼과 호응하여 양이 음을 구하니, "가서 비를 만나면 길하다"고 하였다. 쾌의 때에도 양이 음을 구하는 것인데, '비를 만난다'고 하고 '길하다'고 하지 않은 것은 여러 양의 가운데에 있으면서 홀로 음과 호응하여 음에게 적셔지지 않을 수 없고, 양에게 성냄을 당하지 않을 수 없기 때문이다. 그러나 군자가 과감하게 결단할 것을 결단하여 사사로이 호응함에 이끌리지 않으면 비록 비를 만나 젖고 성냄이 있더라도 여전히 허물이 없을 것이다. 그 형세가 상육과 합하지 않을 수 없겠지만 그 마음은 상육을 제거하는 것을 결단한다.

○ 息齋余氏曰, 夬之三與五皆曰夬夬者, 一應陰, 一比陰, 非倍其決不可也.

식재여씨가 말하였다: 쾌괘의 구삼과 구오에서 모두 "결단할 것을 결단한다"고 한 것은 하나는 음에 호응하고 하나는 음에 가까우니, 그 결단을 배반하지 않을 수 없는 것이다.

○ 厚齋馮氏曰, 或疑咸之象, 腓股脢輔, 嘗逆施. 今初爲趾, 而四爲臀, 何也. 曰是與咸異. 咸合六爻取象, 猶剝艮之類也. 夬分二體爲象, 猶大過鼎之類也. 故三在下卦上爲頄, 四在上卦下爲臀, 六爻不相蒙也. 不然臀下體也, 上體烏得而象之, 此易之所以爲易, 而不可一說定也.

후재풍씨가 말하였다: 어떤 이가 "함괘의 상은 장딴지·넓적다리·등살·볼로 일찍이 차례를 바꾸어 행하였는데, 지금 초효는 발, 사효는 볼기라 한 것은 어째서 입니까?"라고 이상하게 여겨서, "이것은 함괘와 다릅니다. 함괘는 여섯 효를 합하여 상을 취하였으니 박괘·간괘와 같습니다. 쾌괘는 두 몸체를 나누어 상으로 삼았으니 대과괘·정괘와 같습니다. 그러므로 구삼은 하괘의 위에 있어서 광대뼈가 되고, 구사는 상괘의 아래에 있어서 볼기가 되니, 여섯 효가 서로 연결되지 않습니다. 그렇지 않다면 볼기가 아래 몸체인데 위 몸체가 어찌 그것을 상징할 수 있겠습니까? 이것이 『역』이 『역』이 되는 까닭이니 하나의 학설로 정할 수 없습니다."라고 답하였다.

‖韓國大全‖

권근(權近) 『주역천견록(周易淺見錄)』

此爻之義, 與卦辭略同. 言君子之去小人, 不可過剛而取凶, 唯當寬和以致決然後爲无咎也. 壯于頄, 剛壯現于顔色也. 若濡有慍, 和而不流也. 九三以剛居剛, 而在乾體之上, 剛之過也. 尤與上六相應, 而反爲對敵, 是衆陽共去一陰之時, 而以過剛之性, 特與陰對, 欲夬之甚, 而悻悻然現於顔色也. 過於剛決, 使無所自容, 則彼必盡力以犯君子, 將有不測之患, 故有凶也. 若不過剛, 唯以相應而和, 則在諸陽決陰之時, 獨與陰和, 當有其咎. 然和而不流, 以決其所當決, 則無咎也. 慍含怒意. 若濡有慍, 言雖獨行與陰相遇, 和而成雨, 然其心不肯彼之所爲, 而欲決去之. 若見露濡而含怒於心, 但不敢現於顔色爾. 蓋外爲寬和以待之, 使彼悅服, 以潛消其悖逆作乱之心, 內不與彼同心而相濟, 必圖所以決之之道, 是有慍也. 有慍對壯于頄而言. 壯頄現于顔色, 故有凶, 有慍不現于顔色, 故無咎也. 程傳君子遠絶小人, 有慍怒之色, 似與壯頄無異. 本義九三獨與上六相應而遇雨, 至於若濡, 爲君子所慍, 然終決去小人, 故無咎. 是則此爻夬夬有兩君子之象. 胡安定及程子皆改此文, 朱子以爲不必易, 是也.

이 효의 의미는 괘사와 대략 같다. 군자가 소인을 제거할 때는 지나치게 굳세게 밀어붙여 흉함을 취해서는 안 되고 오직 관대하고 온화함으로써 결단을 한 뒤에야 허물이 없게 된다. "광대뼈에 씩씩하다"는 것은 굳셈이 안색에 드러난다는 것이다. "젖은 듯이 하여 성냄이 있다"는 것은 조화를 이루되 휩쓸리지는 않는다는 뜻이다. 구삼은 굳센 양으로서 굳센 양의 자리에 있고 건괘 몸체의 윗자리에 있어 강이 지나친 것이다. 더욱이 상육과 서로 호응하면서도 오히려 대적하니, 이것이 뭇 양이 한 음을 함께 제거하려는 때에 지나치게 굳센 성질 때문에 특히 음과 대립하면서 심하게 결단하고자 하는 마음이 오만하게 얼굴에 드러난 것이다. 지나치게 굳세게 결단하여 용납 받을 곳이 없게 한다면 저 상대가 반드시 온 힘을 다해 군자를 침범하여 장차 예기치 못한 환난이 있게 될 것이므로 흉함이 있다. 만약 지나치게 굳세게 하지 않고 서로 호응하여 화합하면 여러 양이 음을 결단하려는 때에 홀로 음과 화합하니 당연히 허물이 있을 것이다. 그러나 화합하면서도 휩쓸리지 않아 결단해야 할 것을 결단한다면 허물이 없다. '온(慍)'은 성낸다는 뜻을 포함한다. "비를 만나 젖는 듯이 한다"는 것은 비록 혼자 음과 만나 화합하여 이루어 비를 내리기는 하지만 마음으로는 소인의 행위를 못마땅하게 여겨 결단하여 제거하고자 한다는 말이다. 이슬이 젖어드는 것을 보고 마음속에 분노를 품기는 하지만 감히 안색으로 드러내지 않을 뿐이다. 밖으로는 관대하고 온화한 태도로 대하여 저들로 하여금 기뻐 복종하게 함으로써 패역하고 난을 일으키려는 마음을 누그러뜨리게 한다. 그러나 안으로는 저들과 한 마음으로 일을 이루려고 하지 않고 반드시 결단하려는 방법을 도모하니 이것이 "성냄이 있다"는 것이다. "성냄이 있다"는 말은 "광대뼈에 씩씩하다"는 말과 상대해서 말한 것이다. "광대뼈에 씩씩하다"는 것은 안색에 드러나므로 "흉함이 있고", "성냄이 있음"은 안색에 나타나지 않으므로 "허물이 없다." 『정전』에서 군자가 소인을 멀리하고 끊으면서 성내고 미워하는 빛이 있다고 풀이한 것은 "광대뼈에 씩씩하다"는 것과 차이가 없는 듯하다. 『본의』는 구삼만이 상육과 호응하여 비를 만나 젖은 듯하니 군자의 노여움을 사게 되지만 마침내 소인을 결단하여 제거하므로 허물이 없다고 보았다. 그렇다면 이 효에 결단할 것을 결단하는 두 군자의 상이 있게 된다. 호안정(胡安定)과 정자(程子)는 모두 이 문장을 고쳤으나 주자는 바꿀 필요가 없다고 보았으니 이것이 옳다.

조호익(曺好益) 『역상설(易象說)』

壯全體似大壯取象. 頄乾首象, 君子三象.

'씩씩함'은 전체적으로 대장괘(大壯卦)에서 상을 취하였다. '광대뼈'는 건괘인 머리의 상이고 '군자'는 삼효의 상이다.

夬夬, 息齋余氏曰, 三與五皆曰夬夬. 一應陰, 一比陽, 非倍其決不可也. 獨三在五陽之中, 與上六應, 故曰獨行. 雨指上兌澤象, 澤氣蒸上於天, 有雨象. 濡因雨取象. 慍因違衆應上取象.

"결단할 것을 결단함[夬夬]"에 대하여 식재여씨가 말하였다: 삼효와 오효에서 모두 "결단할 것을 결단함"이라고 하였다. 하나는 음과 호응하고, 하나는 양과 가까이 있어서 배반이 아니니 결단할 수 없다. 유독 삼효는 다섯 양의 가운데에 있고 상육과 호응하기 때문에 "홀로 감"이라고 말하였다. '비'는 상괘인 태괘의 못의 상을 가리킨다. 못의 기운이 수증기가 되어 하늘로 올라가니 '비'의 상이 있다. '젖음'은 비 때문에 상을 취한 것이고, '성냄'은 여럿을 어기고 상효에 호응하기 때문에 상을 취하였다.

송시열(宋時烈) 『역설(易說)』

壯與初同. 頄面上顴骨也. 乾爲首, 故以頄言, 三爲人位, 人之頄骨. 大壯則有過剛之象, 故曰有凶. 三爲重剛, 上爻亦剛陽, 故疊言夬夬. 諸爻無應, 而三獨進遇陰爻, 故曰獨行遇雨. 內變爲坤, 則有坎. 坎爲雨, 遇雨則濡湿, 故曰若濡. 上兌爲澤, 亦內濡之象. 濡則濕汚也. 有慍者, 諸陽皆溫怒也. 然終必无咎也. 夬夬以心言.

'씩씩함'은 초효와 같다. '광대뼈'는 얼굴 위의 광대뼈이다. 건괘는 머리가 되기 때문에 '광대뼈'로 말하였고, 삼효는 사람 자리이니 사람의 광대뼈이다. 대장괘(大壯卦䷡)에서는 지나치게 굳센 상이 있기 때문에 "흉함이 있다"고 말하였다. 삼효는 거듭된 양이고 삼획괘의 상효도 굳센 양이기 때문에 '결단할 것을 결단함'이라고 중첩하여 말하였다. 여러 효에는 호응이 없지만 삼효만이 나아가 음효를 만나기 때문에 '홀로 감에 비를 만남'이라고 말하였다. 내괘가 변하여 곤괘가 되면 감괘가 있다. 감괘는 비가 되니 비를 만나면 젖기 때문에 '젖은 듯이 함'이라고 말하였다. 상괘인 태괘는 못이 되니 또한 안이 젖은 상이다. 젖으면 습기가 있어 오염된다. 성냄이 있음은 여러 양이 모두 성내는 것이다. 그러나 마침내 반드시 허물이 없게 될 것이다. '결단할 것을 결단함'은 마음으로 말하였다.

홍여하(洪汝河) 「책제(策題):문역(問易)·독서차기(讀書箚記)-주역(周易)」[104]

臀居上, 頄居下, 易無此例. 頄疑作尻, 如後世以尻輿神馬, 爲遊行之象. 蓋九三重剛, 處多凶, 而其志壯于行進, 故曰壯于頄有凶也. 蓋欲決小人, 剛壯見于面目, 則豈復有遇雨若濡之象乎. 上下文義, 似不相應, 更詳之.

볼기[臀]는 위에 있고 광대뼈[頄]는 아래에 있으니 『주역』에 이런 사례는 없다. '광대뼈 구(頄)'는 '꽁무니 고(尻)'로 써야 할 듯하니 예컨대 후세에 '고여신마(尻輿神馬)'[105]를 돌아다니는 상으로 여긴 것과 같다. 구삼은 거듭된 굳센 양으로 흉함이 많은 데에 거처하여 그 뜻이 나아감에 씩씩하기 때문에 "광대뼈에 씩씩하여 흉함이 있음"이라고 하였다. 소인을 결단하고자 하여 씩씩함이 얼굴에 드러나면 어찌 다시 비를 만나 젖는 듯이 하는 상이 있겠는가? 위아래의 글 뜻이 서로 호응하지 않는 듯하니 다시 자세히 살펴보아야 한다.

이현익(李顯益) 「주역설(周易說)」

有慍, 傳作九三慍惡, 本義作君子所慍, 語類, 作衆陽所慍. 但語類又曰, 有慍也是自不能堪. 正如顏杲卿使安祿山, 受其衣服, 至道間與其徒曰, 吾輩何爲服此, 歸而借兵伐之, 正類此也. 此則與傳同意.

'성냄이 있음'에 대하여 『정전』에서는 구삼이 성내고 미워함이라고 하였고, 『본의』에서는 군자가 성내는 것이라고 하였으니, 『주자어류』에 여러 양이 성내는 것이라고 하였다. 다만 『주자어류』에서 또 말하기를 "'성냄이 있음'은 본래 감당할 수 없는 것이다. 바로 안고경[106]

---

104) 경학자료집성DB에 단사에 편집되어 있으나, 경학자료집성 영인본의 체재에 의거하여 구삼효사로 옮겨 해석하였다.

105) 『莊子·大宗師』: 浸假而化予之尻以爲輪, 以神爲馬, 予因以乘之, 豈更駕哉.

106) 안고경(顏杲卿: 692~756): 안진경(顏眞卿, 709-785)의 사촌형으로 안록산의 난(755년)에 항거하다가 죽임을 당하였다.

이 안록산에게 가서 고관들이 입는 붉은 색 옷을 받고, 돌아오는 길에 그 무리에게 '우리가 어찌 이것을 입겠는가'라고 하고는 돌아가서 군대를 빌려 그를 쳤다고 하였으니, 바로 이것 이다"고 하였으니 이렇다면 『정전』과 같은 뜻이다.

이익(李瀷) 『역경질서(易經疾書)』

頄屬頭部, 九三安有此象. 此豫指上六而戒之也. 三爲壯頄之根, 謂不戒于此, 終凶於 彼也. 上六無號終有凶, 彼傳云終不可長也. 長自九三始, 苟不呼號戒備, 則不無可長 之理. 或至於長也, 則豈非壯于頄乎. 此云者, 謂壯頄則將終凶, 彼云者, 謂無號則必壯 也, 可以相照. 如此則君子當夬夬獨行. 若二與四, 皆失位, 惟三得位, 而與上爲應, 故 有此象.

광대뼈는 두부(頭部)에 속하니 구삼에게 어찌 이런 상이 있겠는가? 이 상은 상육을 가리켜 경계한 것이다. 삼효는 '광대뼈의 씩씩함의 뿌리'가 되니 삼효를 경계하는 것이 아니라 상 육에서 끝내 흉하게 됨을 이른다. 상육은 호소할 데가 없어 끝내 흉함이 있으니 상육의 「상전」에서는 "끝내 길지 못할 것이다"고 하였다. '긺'은 구삼에서 시작하였으니 만일 호소 하여 경계하고 대비하지 않으면 길 수 있는 이치가 없을 수 없다. 혹 길어진다면 어찌 '광대 뼈에 씩씩함' 때문이 아니겠는가? 구삼에서 말한 것은 광대뼈에 씩씩하면 장차 끝내 흉할 것임을 이르고 상육에서 말한 것은 호소할 데가 없으면 반드시 씩씩함을 이르니 서로 참조 해 볼 수 있다. 이와 같다면 군자는 홀로 가서 결단할 것을 결단해야 한다. 이효와 사효는 모두 제자리를 잃었고 삼효만이 제자리를 얻어 상효와 호응이 되기 때문에 이런 상이 있다.

君子以下, 方說本爻稱君子以別之, 則壯于頄者, 異乎是矣. 惟君子行不失正故也. 夬 夬獨行爲句, 遇雨[107]雨若濡爲句[108], 有慍无咎爲句. 夬夬獨行, 陽剛得正, 故不拘於衆 也. 乾而遇兌, 有遇雨之象. 若濡周洽也, 當行而行, 其難可解矣. 慍如肆不殄厥慍之 慍. 九三雖陽剛得正, 違衆獨行, 或失於時中, 而不免慍怒者. 肰所行旣正, 復何咎乎. '군자(君子)' 이하는 바야흐로 본효가 군자를 일컬음을 말하여 구별하였으니 광대뼈에 씩씩 한 자는 이와 다르다. 이는 군자만이 행동에 바름을 잃지 않았기 때문이다. '쾌쾌독행(夬夬 獨行)'이 한 구(句)이고, '우우약유(遇雨若濡)'가 한 구이며 '유온무구(有慍无咎)'가 한 구 이다. 쾌쾌독행(夬夬獨行)은 양강이 바른 자리를 얻었기 때문에 무리에게 구속받지 않음이 다. 건괘가 태괘를 만났으니 비를 만난 상이 있다. '약유(若濡)'는 두루 젖음이니 가야하므로

---

107) 雨: 경학자료집성DB와 영인본에 모두 '兩'으로 되어 있으나, 문맥을 살펴 '雨'로 바로잡았다.
108) 句: 경학자료집성DB와 영인본에 모두 '苟'로 되어 있으나, 문맥을 살펴 '句'로 바로잡았다.

가지만 그 어려움을 풀 수 없다. 온(慍)은 "이러므로 오랑캐의 성냄을 끊지 못하셨으나"[109]
의 '성냄[慍]'과 같다. 구삼이 양강으로 바른 자리를 얻었으나 무리를 위배하고 홀로 가니
혹 시중(時中)의 도에 잘못되어 성냄을 받는 데서 면할 수 없는 자이다. 그러나 행함이 이미
바르니 다시 무슨 허물이 있겠는가?

심조(沈潮) 「역상차론(易象箚論)」

九三遇雨.
구삼은 비를 만나니.

前有兌澤, 故曰遇雨.
앞에 태괘인 못이 있기 때문에 "비를 만난다"고 하였다.

유정원(柳正源) 『역해참고(易解參攷)』

王氏曰, 頄面權也, 謂上六也. 最處上體, 故曰權也. 夬爲剛長, 而三獨應上六, 助於小
人. 是以凶也.
왕필이 말하였다: 구(頄)는 광대뼈[110]이니 상육을 이른다. 상체의 가장 높은 곳에 있기 때문
에 권(權)이라고 하였다. 괘는 굳센 양이 자라는데 삼효만이 상육에 호응하여 소인을 돕는
다. 이러므로 흉하다.

○ 莆陽張氏曰, 兌爲雨澤.
포양장씨가 말하였다: 태괘는 비와 못이 된다.

○ 縉雲馮氏曰, 剝之六四, 猶夬之九三. 三於衆陽中, 獨應上六, 爲獨行遇雨之象.
진운풍씨가 말하였다: 박괘(剝卦)의 육사와 쾌괘의 구삼이 같다. 삼효는 여러 양 중에서
홀로 상육과 호응하니, 홀로 감에 비를 만나는 상이 된다.

○ 節齋蔡氏曰, 雨上也, 獨行遇雨, 獨應乎上也. 若濡, 不至爲雨所濡也. 有慍, 有夬
夬之意也. 以是爲決決而无咎, 唯君子能之.
절재채씨가 말하였다: '비'는 '위'이니 '홀로 가서 비를 만남'은 홀로 위에 호응한 것이다. '젖

---

109) 『詩經·緜』: 肆不殄厥慍, 亦不隕厥問.
110) 원문의 권(權)은 광대뼈이며, 관(顴)과 같은 말이다.

은 듯이 함'은 비에 적셔지지는 않은 것이다. '성냄이 있음'은 결단할 것을 결단하는 뜻이다. 이것으로 결단할 것을 결단하여 허물이 없음은 군자만이 할 수 있다.

本義, 溫嶠王敦.
『본의』에서 온교(溫嶠)와 왕돈(王敦)을 말한 것에 대하여.

晉書, 明帝親任中書令溫嶠, 敦惡之, 嶠乃謬爲謹敬, 以附其欲. 會丹陽尹缺, 敦表用之, 使覘朝廷, 嶠以敦逆謀, 告帝討之.
『진서(晉書)』에서 말하였다: 명제(明帝)가 중서령 온교를 가까이하고 신임하자 왕돈이 미워하였는데 이에 온교가 거짓으로 삼가고 공경하여 왕돈이 바라는 대로 따랐다. 마침 단양윤(丹陽尹)의 자리가 비자 왕돈이 표문을 올려 등용하게 하고 그에게 조정을 엿보게 하였는데 온교가 왕돈의 역모를 황제에게 고하여 토벌했다.

김상악(金相岳) 『산천역설(山天易說)』

頄, 顴也. 九三居乾之終, 應兌之六, 用剛欲決, 而剛壯見于面則凶矣. 惟君子去小人之志, 決而又決, 雖與之交, 如獨行遇雨, 爲其所濡, 不免爲衆陽所慍, 終能決去, 故无所咎也.
구(頄)는 광대뼈이다. 구삼은 건괘의 끝에 있으면서 태괘의 음과 호응하니 굳센 양으로 결단하고자 하면서 굳센 양의 씩씩함을 얼굴에 드러내면 흉하다. 오직 군자가 소인을 제거하는 뜻을 결단하고 또 결단하여 비록 함께 하더라도 홀로 가서 비를 만나듯이 하면 젖는 바가 되어 무리의 성냄을 받는 데서 면치 못하나 끝내 결단하여 제거할 수 있기 때문에 허물할 것이 없다.

○ 兌爲輔頰, 頄在頰骨間也. 初取趾象, 而三言頄, 四言臀者, 三居下體之上, 四居上體之下也. 壯于頄, 則事未成, 而幾先露, 不免於凶, 所以乾壯惡首. 夬則方決之始, 故三曰壯于頄, 革則已革之後, 故上曰小人革面. 夬者, 兌之決也, 三五與上, 爲應爲比, 故皆有夬夬之戒. 雨兌象. 遇雨若濡者, 謂其形之渥也. 慍者, 見恨于同類之君子也. 无咎者, 善補過之辭也.
태괘는 광대뼈와 뺨이고 구(頄)는 뺨의 뼈 사이에 있다. 초효에서 발의 상을 취하고 삼효에서 광대뼈를 말하고 사효에서 볼기를 말한 것은 삼효는 하체의 위에 있고 사효는 상체의 아래에 있기 때문이다. 광대뼈에 씩씩한 것은 일이 이루어지기 전에 기미가 먼저 드러나 흉함을 면하지 못함이니 이 때문에 건괘의 씩씩함은 머리가 되는 것을 싫어한다. 쾌괘는 막 결단하는 처음이므로 삼효에서 '광대뼈에 씩씩함'이라고 하였고, 혁괘는 이미 변혁한 뒤이므로 상효에서 '소인은 얼굴만 바꿈'[111]이라고 하였다. 쾌괘는 태괘를 결단하는 것이니 삼효·오효가 상효와 호응이 되고 이웃이 되기 때문에 모두 결단할 것을 결단하는 경계가 있다. 비는 태괘의 상이다. 비를 만나 젖은 듯이 함은 모양이 젖은 것을 이른다. '성냄'은 동류인 군자에게 유감을 드러냄이다. '허물이 없음'은 허물을 잘 보충하는 말이다.

김규오(金奎五) 「독역기의(讀易記疑)」

九三壯頄, 與若濡相反. 蓋謂欲去小人, 而聲色先露, 則事未成而禍已及, 須是中存夬夬之心, 而外因相應之意, 勿遽[112]斥絶, 而成就吾心云也. 狄梁公溫太眞近之. 然一差便陷深阬, 正非學者所敢遽議也.

'구삼은 광대뼈에 씩씩함'과 '젖은 듯이 함'은 서로 반대이다. 소인을 제거하고자 하면서 목소리와 안색이 먼저 드러나면 일이 이루어지기도 전에 화가 이미 미칠 것이니 모름지기 마음 속에 결단할 것을 결단하려는 마음을 간직하고 밖으로 서로 호응하는 뜻을 말미암아 대번에 배척하여 끊지 않아야 내 마음의 일을 성취할 수 있음을 이른다. 적양공(狄梁公)[113]과 온태진(溫太眞)[114]이 여기에 가깝다. 그러나 조금이라도 잘못되면 곧 깊은 함정에 빠질 것이니 바로 배우는 자가 감히 대번에 의론할 것이 아니다.

서유신(徐有臣) 『역의의언(易義擬言)』

頄牙關也, 今人謂之牙頄也. 凡口之動頄爲之應, 頄之剛爲口之壯也. 上六爲口, 三爲其應, 有壯頄之象焉, 有必凶之義焉. 夬夬猶云果決, 獨行猶云特立. 雨兌之膏澤也. 九三剛健之君子也. 自知其所處之地, 擧足左右, 賢邪所判, 乃毅然果斷而無所顧戀, 介然特行而无所依阿. 彼欲以恩澤相加, 而視之若將浼焉, 過剛之象也, 彼雖慍憾, 亦自无害也, 剛長之故也.

광대뼈[頄]는 위·아래 턱 사이의 관절이니 요즘 사람은 아구(牙頄)라고 이른다. 입이 광대뼈를 움직이는 것을 '호응'이라하니, 광대뼈가 강한 것이 입이 씩씩한 것이다. 상육은 입이고

---

111) 『周易·革卦』: 上六, 君子豹變, 小人革面, 征凶, 居貞吉.

112) 遽: 경학자료집성DB에는 '□'로 되어 있으나, 경학자료집성 영인본을 참조하여 '遽'로 바로잡았다.

113) 적양공(狄梁公): 당나라 적인걸(狄仁傑)의 별칭이다. 예종(睿宗) 때에 양국공(梁国公)으로 봉(封)해졌으므로 적양공(狄梁公)으로도 불리운다. 측천무후(則天武后)가 세운 무주(武周) 시대에 재상(宰相)을 지냈으며 중종(中宗)을 복위하여 당(唐) 왕조의 부활에 공을 세웠다.

114) 온태진(溫太眞): 진(晉)나라 사람인 온교(288~329)를 가리킨다. 그는 당시 권력자인 왕돈(266~324)의 역모를 진압하였다.

삼효는 거기에 호응하니 광대뼈에 씩씩한 상이 있고 반드시 흉한 뜻이 있다. '결단할 것을 결단함'은 과감하게 결단한다고 말하는 것과 같고 홀로 감은 우뚝하게 선다고 말하는 것과 같다. 비는 태괘인 은택과 못이다. 구삼은 굳세고 씩씩한 군자이다. 스스로 있는 곳을 알아 발을 들어 좌우의 현명함과 간사함을 판단하는 것이 곧 굳세게 과단하여 돌아보거나 연연해 함이 없고 꼿꼿하게 우뚝 행하여 의지하는 것이 없다. 저 상대가 은택을 더하고자 함에 장차 더럽혀질 것처럼 보는 것은 지나친 굳센 양의 상이고, 저 상대가 성내고 유감이 있으나 또한 스스로 해가 없는 것은 굳센 양이 자라기 때문이다.

박제가(朴齊家) 『주역(周易)』

壯于頄, 慚而面赤之貌, 慚者何也. 獨行遇雨之情, 不掩於衆君子之中耳. 夫欲決小人, 剛壯見于面目過則過矣, 亦不至凶, 亦豈有獨與小人爲應之理乎. 不壯于心, 而徒壯于無用之頄, 故爻因其慚而設戒曰, 若濡有慍則無咎. 變無用之慚, 而爲有益之慍, 所謂善導之者也. 以其才位俱剛, 故謂之君子, 而夬夬, 故曰无咎. 此爻專指應言.

광대뼈에서 씩씩함은 부끄러워 얼굴이 붉어지는 모양이니 부끄러운 것은 어째서인가? 홀로 가서 비를 만나는 실정이 여러 군자들 속에 감춰지지 않아서일 뿐이다. 소인을 결단하고자 함에 굳세고 씩씩함이 얼굴에 드러남이 지나치면 잘못될 것이니 또한 흉하게 되지는 않을 지라도 어찌 혼자서 소인과 호응할 리가 있겠는가? 마음에 씩씩하지 못하고 한갓 쓸데없는 광대뼈에 씩씩하기 때문에 효에서 부끄러움으로 인하여 가설해서 "젖는 듯이 하여 성냄이 있으면 허물이 없을 것이다"고 경계하였다. 쓸데없는 부끄러움이 변하여 유익한 성냄이 되는 것이 이른바 잘 인도한다는 것이다. 재질과 자리가 모두 굳세기 때문에 그것을 군자라고 칭하였고 결단할 것을 결단하기 때문에 "허물이 없다"고 말하였다. 삼효는 전적으로 호응을 가리켜 말하였다.

本義比傳爲簡當. 但至於若濡而爲君子所慍一句, 恐反不如傳之若見濡汗有慍惡之色之云也. 蓋人不沾濕[115]而已, 獨冒雨, 則雖無歸咎, 自不免有含恨者, 常人之情也. 有慍則當自止而不出, 言三旣有應於上則知其染汚, 而慍而不出則无咎. 此之爲義當. 曰如濡之有慍, 非濡則有慍, 此又傳之未備也. 夫旣遇雨則必濡, 不可曰將濡, 濡則自慍. 若未及濡而先爲將濡之辭, 則乃必慍, 非已慍矣.

『본의』는 『정전』에 비해 간단하고 타당하다. 다만 "젖는 듯이 하여 군자에게 성냄을 받는 다"는 한 구절은 도리어 『정전』의 "더러움에 젖는 듯이 여겨야 하고, 성내고 미워하는 기색

---

115) 濕: 경학자료집성DB에는 '浧'으로 되어 있으나, 경학자료집성 영인본을 참조하여 '濕'으로 바로잡았다.

이 있다"고 한 것만 못한 듯하다. 다른 사람들은 젖지 않았을 뿐인데 홀로 비를 맞았다면 허물을 돌릴 곳이 없더라도 스스로 유감이 없을 수 없는 것이 보통 사람의 심정이다. 성냄이 있으면 스스로 멈추고 나가지 말아야 한다. 삼효는 이미 위에 호응이 있으니 더럽게 물들 줄을 알아서 성내고 나가지 않는다면 허물이 없을 것이라는 말이다. 이것이 의리상 타당하다. "젖은 듯이 하여 성냄이 있음"이라고 말한 것은 젖어서 성냄이 있다는 것이 아니니 이것은 또 『정전』에 갖추어지지 않았다. 이미 비를 만났다면 반드시 젖었을 것이니 장차 젖을 것이라고 말할 수 없고, 젖었다면 스스로 성낼 것이다. 만일 미처 젖기 전에 먼저 장차 젖게 될 것이라는 말이라면 반드시 성내게 될 것이니 이미 성낸 것이 아니다.

박문건(朴文健) 『주역연의(周易衍義)』

志在必決, 故有壯于頄之象. 頄顴也. 夬夬言決又決也. 雨謂上六也.

마음이 반드시 결단하는 데 있기 때문에 광대뼈에 씩씩한 상이 있다. 구(頄)는 광대뼈이다. 쾌쾌(夬夬)는 결단하고 또 결단함이다. 비는 상육을 이른다.

〈問, 壯于頄[116]以下. 曰, 九三自恃剛健者也. 若壯其頄而進, 則必敗而有凶也, 是自失其道者也. 若君子之夬夬, 必待己是彼非而後行之也. 是以捨類獨行, 而欲遇雨, 若或有霑濡之災, 則始發溫怒而決之也. 所以爲无咎之道也. 獨行者, 恐其有疑也, 遇雨者, 欲遇應與也, 有慍者, 義理[117]之所不能已也, 與恃剛壯頄者, 有異也.

물었다: '광대뼈에 씩씩함' 이하는 무슨 뜻입니까?

답하였다: 구삼은 강건함을 자신하는 자입니다. 만일 광대뼈에 씩씩한데도 나아간다면 반드시 실패하여 흉함이 있을 것이니 스스로 바른 도를 잃은 자입니다. 군자가 결단하고 또 결단한다면 반드시 자신이 옳고 상대가 그름을 기다린 뒤에 행할 것입니다. 이러므로 무리를 버리고 홀로 가서 비를 만나고자 하여 혹 젖게 되는 재앙이 있게 된다면 비로소 성내어 결단할 것입니다. 이 때문에 허물이 없는 도가 됩니다. 홀로 가는 것은 의심이 있을까 두려워함이고 비를 만남은 호응과 도움을 만나고자 함이며 성냄이 있음은 의리상 그만둘 수 없는 것이니 광대뼈에 씩씩함을 믿는 자와는 다릅니다.〉

이지연(李止淵) 『주역차의(周易箚疑)』

有報人之志, 而使人知者愚也. 垂紳正笏, 不動聲氣, 而可以措天下於泰山之安, 何必

見於辭色, 以爲招禍之端也. 此所謂先生之志則可矣, 號則不可者也. 有慍二字, 本義亦以爲爲君子之所慍. 然而實則自慍者也. 觀其色現於顴, 則性之剛過可知也. 衆君子同力夬小人之時, 己獨與小人爲應者, 如擧世皆淸我獨濁, 甚可愧憤者也.

남에게 갚고자 하는 마음이 있으면서 남이 알게 하는 자는 어리석은 자이다. 인끈을 늘어뜨리고 홀을 바르게 잡고서 목소리와 안색이 변하지 않아 태산 같은 편안함을 천하에 둘 수 있어야 하는데 하필 목소리와 안색에 드러내어 화를 초래하는 단서를 만드는가? 이것이 이른바 "선생의 뜻은 괜찮지만 구호는 불가하다"[118]는 것이다. "성냄이 있다"는 말은 『본의』에서도 '군자의 성냄을 받음'이라고 하였다. 그러나 실제로는 스스로 성내는 것이다. 안색을 살펴보아 광대뼈에 드러났다면 성질이 지나치게 굳셈을 알만하다. 여러 군자가 힘을 함께하여 소인을 결단하는 때에 자기만이 홀로 소인과 호응이 된 것은 온 세상이 모두 맑은데 나만 홀로 흐린 것과 같으니 매우 부끄럽게 여기고 성낼 만하다.

김기례(金箕澧) 「역요선의강목(易要選義綱目)」

過剛而處乾極, 當夬時, 決小人之心, 見於顴骨, 則過暴, 故凶. 卦辭不利卽戎之意. 然三本應上, 則若與上陰相利, 獨溺私應, 則非君子道. 君子當反身自決, 有若汚染而還, 有慍心則无咎. 陰陽和則成雨, 三獨應上, 故曰獨行遇雨.

지나치게 굳세면서 건괘의 끝에 있으니 결단하는 때에 소인을 결단하려는 마음이 광대뼈에 드러난다면 지나치게 포악하기 때문에 흉하다. 이는 괘사의 "전쟁에 나아감은 이롭지 않음"의 뜻이다. 그러나 삼효는 본래 상효와 호응하니 만일 위의 음과 서로 이롭게 여겨 홀로 사사로운 호응에 빠진다면 군자의 도가 아니다. 군자는 자신을 반성하여 스스로 결단해야 하니 더럽혀질 것 같음이 있으면 돌아와 성내는 마음이 있다면 허물이 없을 것이다. 음양이 화합하면 비가 되니 삼효만 홀로 상효와 호응하기 때문에 "홀로 가서 비를 만난다"고 하였다.

이항로(李恒老) 「주역전의동이석의(周易傳義同異釋義)」

傳, 雖其私與, 當遠絶之, 若見濡汚. 有慍惡之色如此, 則无過咎也.

비록 사사로이 함께 했을지라도 멀리하고 끊어서 마치 더러움에 젖는 듯이 여겨야 한다. 성내고 미워하는 기색이 이와 같으면 허물이 없을 것이다.

---

118) 『孟子·告子下』: 先生之志則大矣, 先生之號則不可.

本義, 若能果決其決, 不係私愛, 則雖合於上六, 如獨行遇雨, 至於若濡, 而爲君子所慍, 然終必能決去小人, 而无所咎也.

만약 그 결단을 과감히 결단하여 사사로운 사랑에 얽매이지 않는다면, 비록 상육과 합하여 홀로 감에 비를 만나 젖는 듯이 하여 군자에게 성냄을 받으나 끝내는 반드시 소인을 결단하여 제거해서 허물이 없을 것이다.

按, 慍是見慍於人, 非是嫉惡之辭. 且若曰如見濡汚, 而有嫉惡之色, 則語恐緩歇, 與夫夫之義牴牾. 故本義只得從舊文.

내가 살펴보았다: 온(慍)은 남에게 성냄을 받음이지 질투하거나 미워하는 말이 아니다. 또 '더러운 것에 젖어 질투하거나 미워하는 기색이 있다'고 말한다면 말이 절실하지 않을 듯하니 '결단할 것을 결단함'과 어긋난다. 그러므로 『본의』에서는 다만 옛글을 따랐다.

심대윤(沈大允) 『주역상의점법(周易象義占法)』

夬之兌䷹. 九三居剛而不中, 用力太過, 故曰壯于頄. 頄顴骨也. 三以全卦兌骨, 至剛之體, 居變卦兌口之上, 而連于坎耳离目, 有顴骨之象. 三之時未可極意, 而疾惡太甚, 亂之道也, 故有凶, 而亦不至於全凶也. 對艮爲君子, 君子夬夬, 言其剛決明斷也. 明辨小人, 而上有應援, 能和說相得 有兌之義 故曰獨行遇雨. 遇雨言和合也. 陰陽和合而雨, 故爲獨. 巽爲行爲遇, 坎兌爲雨, 言誠實而和. 巽以道相得, 非諂媚苟合, 故曰若濡有慍, 和而不同者也. 离坎爲濡, 艮爲慍. 三之得君而遠小人, 合于揚于王庭之道, 嚴于小人而親于同德, 合于決而和之道. 故特言君子以美之也. 三之時, 君子和合, 而小人屛氣, 然猶未可遽盡也.

쾌괘가 태괘(兌卦䷹)로 바뀌었다. 구삼은 굳센 양에 있으면서 가운데 자리가 아니니 힘을 씀이 너무 지나치기 때문에 광대뼈에 씩씩함이라고 하였다. 구(頄)는 광대뼈이다. 삼효는 전체 괘가 뼈인 태괘가 되어 매우 굳센 몸체로서 변괘인 태괘(兌卦☱)의 입 위에 있어서 감괘(坎卦☵)의 귀와 리괘(離卦☲)의 눈에 연결되어 있으니 광대뼈의 상이 있다. 삼효의 때는 뜻을 극도로 해서는 안 되는데 너무 심하게 악을 미워하는 것이 어지럽게 되는 도이기 때문에 흉함이 있으나 또한 전부 흉하게 되지는 않는다. 음양이 바뀐 괘인 간괘(艮卦☶)는 군자가 되니 군자가 결단할 것을 결단함은 굳세게 판결하고 밝게 결단함을 말한다. 밝게 소인을 분별하나 위에 응원이 있으니 능히 화합하고 기뻐하고 서로 신임하여 태괘의 뜻이 있기 때문에 '홀로 가서 비를 만남'이라고 하였다. '비를 만남'은 화합한다는 말이다. 음양이 화합하여 비가 되기 때문에 '홀로'가 된다. 손괘는 감이 되고 만남이 되며 감괘와 태괘는 비가 되니 성실하고 화합한다는 말이다. 손괘는 도로서 서로 신임하고 아첨으로 구차히 영합하는 것이 아니기 때문에 젖은 듯이 하여 성냄이 있다고 하였으니 화합하나 부화뇌동하지 않는 자[119]이다. 리괘와 감괘는 젖음이 되고 간괘는 성냄이 된다. 삼효가 임금의 신임을 얻어 소인을 멀리하는 것은 '왕의 조정에서 드날림'에 부합하고 소인에게 엄하고 덕이 같은 이에게 친근함은 결단하여 화합하는 도에 부합한다. 그러므로 다만 군자를 말하여 찬미하였다. 삼효의 때에는 군자가 화합하고 소인이 기세를 죽이나 여전히 대번에 다 없앨 수는 없다.

오치기(吳致箕) 「주역경전증해(周易經傳增解)」

九三過剛不中, 而居健之極. 當夬之時, 欲決小人之心, 壯見于面, 卽幾事不密者也. 故戒言有凶. 而衆陽之中, 獨與上六爲應, 宜若有咎. 然以君子剛健之志, 期欲決而又決, 不以私好而變其志. 乃若獨行而遇雨, 濡汚而慍怒, 必能遂其決去, 故言无咎.

구삼은 지나친 굳센 양으로 가운데자리가 아니면서 굳셈의 궁극에 있다. 결단하는 때에 소인을 결단하고자 하는 마음으로 씩씩함이 얼굴에 드러나니 바로 일을 하는 기미가 정밀하지 못한 자이다. 그러므로 흉함이 있다고 경계하였다. 여러 양의 가운데 홀로 상육과 호응하여 으레 허물이 있을 것 같다. 그러나 군자의 강건한 마음으로 기필코 결단하고 또 결단하고자 사사로이 좋아함으로 그 마음을 변하지 않는다. 곧 홀로 가서 비를 만나듯이 하여 더러움에 젖어 성내어 반드시 결단하여 제거함을 이룰 수 있기 때문에 허물이 없다고 말하였다.

○ 頄顴骨而屬于首, 故取於乾爲首也. 雨取於對體變坎, 而獨與上應, 故言獨行. 陰陽和應, 故言遇雨. 慍在心而取於爻變, 互離爲心也.

구(頄)는 광대뼈이며 머리에 속하기 때문에 건괘에서 머리가 됨을 취하였다. 비는 음양이 바뀐 몸체의 변한 감괘(坎卦☵)에서 취하여 홀로 상효와 호응하기 때문에 홀로 간다고 말했다. 음양이 화합하고 호응하기 때문에 비를 만난다고 말했다. 마음에서 성냄은 효변에서 취하였으니 호괘인 리괘(離卦☲)가 마음이다.

이진상(李震相) 『역학관규(易學管窺)』

壯于頄,

광대뼈에 씩씩함.

頄, 面上權骨. 上六之在高位, 如顴骨然, 而九二獨應之. 是其上進之壯, 達于頄者也. 若三則在下體之上, 恐不得爲頄也. 且君子而獨應小人, 必其誤以爲善人. 如胡侍郞誤

---

119) 『論語·子路』: 君子和而不同, 小人同而不和.

信秦檜, 元祐諸賢誤認王介甫者也. 以君子應小人, 未有不被其陷害, 所以匈也. 故戒
之以夬夬之決. 使其悔悟, 如獨行遇雨濡汚, 而有慍容, 則亦可以无咎矣. 蓋其獨應上
六, 獨行之象也, 被小人擧薦, 若濡之象也. 知其爲見汚而慍之者, 夬夬之幾也. 程子之
欲易經文, 未見其是本義, 終恐未安. 溫嶠之謬爲謹敬, 以附其欲, 乃詭道制人之事. 非
知道君子之所爲, 不可以爲訓逢迎小人. 至見慍於君子則後, 雖有決去之功, 何足貴
哉. 節齋以有慍爲夬夬之意, 是亦不用師說矣.

구(頄)는 얼굴 위의 광대뼈이다. 상육이 높은 자리에 있으니 광대뼈와 같은데 구삼이 홀로
그에 호응한다. 이것이 위로 나아감에 씩씩하여 광대뼈에 드러난 자이다. 삼효는 하체의
위에 있으니 광대뼈가 될 수 없을 듯하다. 또 군자로서 홀로 소인과 호응하는 것은 반드시
그가 선인(善人)이라고 잘못 생각해서이다. 예컨대 호시랑이 곧 진회(秦檜)를 잘못 믿었
고,[120] 원우[121] 연간의 여러 현인들이 왕개보(王介甫)[122]를 잘못 안 것과 같은 것이다. 군
자로서 소인에게 호응하면 모함과 상해를 입지 않은 적이 없으니 이 때문에 흉하다. 그러므
로 쾌쾌(夬夬)의 결단으로 경계하였다. 가령 후회하고 깨닫기를 홀로 가서 비를 만나 더러
움에 젖어서 성내는 용모가 있는 것 같이 하면 또한 허물이 없을 수 있다. 홀로 상육에 호응
하는 것이 홀로 가는 상이고, 소인에게 천거를 받는 것이 젖은 듯한 상이다. 더럽혀지게
됨을 알아서 성내는 것이 결단할 것을 결단하는 기미이다. 정자가 경문을 바꾸고자 한 것은
본의를 알지 못한 것이니 끝내 자연스럽지 못한 듯하다. 온교(溫嶠)가 거짓으로 삼가고 공
경하여 왕돈이 바라는 대로 따랐던 것은 곧 속이는 도로 남을 제압하는 일이다. 도를 아는
군자가 하는 일이 아니니 소인을 맞이하는 것으로 가르침을 삼아서는 안 된다. 군자에게
성냄을 받은 뒤에야 결단하여 제거하는 공이 있다면 어찌 귀하겠는가? 절재(節齋)가 성냄이
있는 것을 쾌쾌(夬夬)의 뜻이라고 한 것도 스승의 학설을 쓰지 않은 것이다.

○ 九三, 壯于頄 [至] 无咎.
구삼은 광대뼈에 씩씩하니 … 허물이 없으리라.

頄權骨, 上六在乾首之上, 有權力者也. 三與上應, 壯進之勢, 達于頄也. 夬夬重剛, 在
上下之際故也. 獨行者, 以乾健之性, 而獨應小人也. 雨兌澤象, 爲雨所濡, 爲上六所汚

---

120) 호시랑(胡侍郞): 문정공(文定公) 호안국(胡安國)이다. 애초에 호안국은 진회를 신임하였고 관계도 긴밀했
다. 호안국이 죽고 난 뒤에도 진회는 호안국의 아들들을 중용하였고, 이후 진회의 전횡과 거취로 인해
생전 호안국의 행적은 비판을 받는다.
121) 원우(元祐): 송 철종(宋哲宗)의 연호이다.
122) 왕개보(王介甫): 왕안석(王安石: 1021~1086)을 말한다. 개보는 자이고 호는 반산(半山), 시호는 문(文)이며
임천(臨川) 사람이다. 원우 연간에 사마광(司馬光), 문언박(文彦博), 여문저(呂文著), 정이(程頤), 소식(蘇
軾) 등 명현들이 당시의 문인, 학자 119명을 모아 왕안석(王安石)의 신법(新法)을 반대하다가 찬축되었다.

染也. 若濡有慍, 則知其見欺, 而終能遠絶矣. 此夬夬之事也, 善於補過, 有何咎乎.

구(頄)는 광대뼈[權骨]이니 상육이 건괘의 머리 위에 있어 권력이 있는 자이기 때문이다. 삼효는 상효와 호응하니 씩씩하게 나아가는 형세가 광대뼈에 드러난 것이다. 결단할 것을 결단함은 중첩된 굳셈이니 상괘와 하괘의 사이에 있기 때문이다. 홀로 가는 것은 건괘의 굳셈 성품으로 홀로 소인에 호응함이다. 비는 태괘인 못의 상이니 비에 젖음은 상육에게 더럽혀진 것이다. 젖은 듯하여 성냄이 있다면 속임을 당하는 줄을 알아 끝내 멀리하고 절교할 수 있다. 이것이 결단할 것을 결단하는 일이니 잘못을 보충하기를 잘한다면 무슨 허물이 있겠는가?

박문호(朴文鎬) 「경설(經說)·주역(周易)」

與上六爲應, 故獨行遇雨, 若濡爲慍也. 果決不係, 故決去小人, 而无所咎也.

상육과 호응하기 때문에 홀로 가서 비를 만나 젖은 듯이 하여 성냄이 된다. 과감히 결단하여 얽매이지 않기 때문에 소인을 결단하여 제거하여 허물할 것이 없다.

이정규(李正奎) 「독역기(讀易記)」

九三, 君子夬夬, 獨行遇雨者, 三與上六爲正應, 則或慮不能果深也.

"구삼은 군자가 결단할 것을 결단하면 홀로 감에 비를 만나 젖는 듯이 함"은 삼효와 상육이 정응이니 혹시 염려하더라도 과감하게 깊을 수는 없음이다.

이병헌(李炳憲) 『역경금문고통론(易經今文考通論)』

王注頄謂上六, 本義顴也. 三與四陽同決上六, 則其凶必矣. 獨行孚上六之號, 則匪戎伊和, 遇雨而無咎, 以三與上爲正應也. 夬三之孚上, 如履上之視三, 於此可見易中戒陽扶陰之義也. 獨行遇雨, 謂孚上六之號也.

왕필 주에 '구(頄)'는 "상육을 이른다"고 하였고, 『본의』에서는 '광대뼈'라고 하였다. 삼효가 네 양과 함께 상육을 결단하니 흉하게 될 것이 분명하다. 홀로 가서 상육의 호소를 미덥게 어기면 전쟁이 아니라 이에 화합하여 비를 만나 허물이 없을 것이니 삼효가 상효와 정응이기 때문이다. 쾌괘의 삼효가 상효를 믿는 것이 리괘(履卦)의 상효가 삼효를 보는 것[123]과 같으니 여기에서 『주역』 안의 양을 경계하고 음을 돕는 뜻을 볼 수 있다. 홀로 가서 비를 만남은 상육의 호소를 믿음을 이른다.

---

123) 『周易·履掛』: 上九, 視履考祥, 其旋元吉.

象曰, 君子夬夬, 終无咎也.

「상전」에서 말하였다: "군자가 결단할 것을 결단함"은 끝내 허물이 없는 것이다.

‖中國大全‖

傳

牽梏於私好, 由无決也. 君子義之與比, 決於當決, 故終不至於有咎也.

사사로이 좋아함에 끌리고 매이는 것은 결단하지 못해서이다. 군자는 의로움을 따라 결단해야 할 때에 결단하기 때문에 끝내 허물이 있음에 이르지 않는 것이다.

小註

臨川吳氏曰, 君子之夬夬也, 雖和於柔而終能決去之. 故无咎, 與壯而有凶者異矣.

임천오씨가 말하였다: 군자가 결단할 것을 결단할 때 비록 부드럽게 조화하지만 끝내 결단하여 제거한다. 그러므로 허물이 없으니, 씩씩하게 하여 흉이 있는 것과는 다르다.

∥韓國大全∥

김상악(金相岳) 『산천역설(山天易說)』

終无咎者, 始若有咎, 而終得无也.

끝내 허물이 없다는 것은 처음에는 허물이 있을 듯하였으나 끝내 없을 수 있음이다.

서유신(徐有臣) 『역의의언(易義擬言)』

乾剛之君子, 故終能夬夬而无咎也.

건괘인 굳센 양의 군자이기 때문에 끝내 결단할 것을 결단하여 허물이 없을 수 있다.

오치기(吳致箕) 「주역경전증해(周易經傳增解)」

君子不以私好變志, 欲決而又決, 故終不至於有咎也.

군자가 사사로이 좋아함으로 뜻을 변하지 않고 결단하고 또 결단하고자 하기 때문에 끝내 허물이 있는 데에 이르지 않는 것이다.

九四, 臀无膚, 其行次且, 牽羊, 悔亡, 聞言, 不信.

구사는 볼기에 살이 없으며 그 감을 머뭇거리니, 양을 끌듯하면 후회가 없겠으나 말을 듣더라도 믿지 않으리라.

┃中國大全┃

傳

臀无膚, 居不安也, 行次且, 進不前也, 次且, 進難之狀. 九四以陽居陰, 剛決不足. 欲止則衆陽竝進於下, 勢不得安, 猶臀傷而居不能安也. 欲行則居柔, 失其剛壯, 不能强進, 故其行次且也. 牽羊悔亡, 羊者群行之物, 牽者挽拽之義, 言若能自强而牽挽, 以從群行, 則可以亡其悔. 然旣處柔, 必不能也, 雖使聞是言, 亦必不能信用也. 夫過而能改, 聞善而能用, 克己以從義, 唯剛明者能之. 在它卦, 九居四, 其失未至如此之甚, 在夬而居柔, 其害大矣.

볼기에 살이 없음은 거처가 불안한 것이고, 감을 머뭇거림은 앞으로 나아가지 못하는 것이며, '머뭇거림[次且]'은 나아감을 어렵게 여기는 모양이다. 구사는 양으로 음의 자리에 거하여 굳세게 결단함이 부족하다. 머물고자 하면 여러 양이 아래에서 함께 올라와 형세가 편안할 수 없으니, 마치 볼기가 상하여 거처함이 편안할 수 없는 것과 같다. 가고자 하면 부드러운 자리에 거하여 강하고 씩씩함을 잃어서 강하게 나아가지 못하기 때문에 감을 머뭇거리는 것이다. "양을 끌듯 하면 후회가 없다"는 양은 떼지어 다니는 동물이고 '끈다[牽]'는 당기고 끄는 뜻이니, 만일 스스로 강하게 끌어당겨서 무리를 따라 가면 후회가 없을 것이라는 말이다. 그러나 이미 부드러움에 처하여 반드시 할 수 없으니, 비록 이러한 말을 듣더라도 또한 반드시 믿고 쓰지 않을 것이다. 잘못을 하면 고칠 수 있고 선을 들으면 사용할 수 있으며 사사로움을 이겨 의로움을 따름은 오직 강하고 밝은 자만이 할 수 있다. 다른 괘는 구(九)가 사효에 있어도 잘못이 이와 같이 심하지 않은데, 쾌괘에서는 부드러움에 있으면 그 해로움이 크다.

鄭氏剛中曰, 膚陰柔之物. 故噬嗑剝言膚, 皆陰爻.

정강중이 말하였다: 살은 부드러운 음의 물건이다. 그러므로 서합괘와 박괘에서 살을 말한 것은 모두 음효이다.

○ 李氏曰, 四以剛居柔, 欲決而泥於和. 故止則不能安, 有臀无膚之象, 進則不能前, 有其行次且之象, 不果於決也.

이씨가 말하였다: 구사는 굳셈으로 부드러움에 있어 결단하고자 하나 조화로움에 빠진다. 그러므로 머물면 편하지 못하여 볼기에 살이 없는 상이 있고, 나아가면 앞으로 가지 못하여 그 감을 머뭇거리는 상이 있으니, 결단을 과감하게 하지 못한다.

○ 西溪李氏曰, 四與上同在君側, 位望已重无意除亂. 欲止則衆陽竝進於下, 勢不能安, 故臀无膚, 欲往則與六同事, 心不能斷, 故其行次且. 四若能牽引群陽以進, 則悔可亡. 然四不中正非能決者, 雖聞此言, 亦必不信.

서계이씨가 말하였다: 구사는 상육과 함께 임금의 곁에 있어 지위가 이미 무거운데도 난리를 제거할 뜻이 없다. 머물고자 하면 여러 양이 아래에서 함께 올라와 형세가 편안할 수 없기 때문에 볼기에 살이 없으며, 가고자 하면 상육과 함께 일을 하여 마음으로 결단할 수 없기 때문에 감을 머뭇거린다. 구사가 만약 여러 양을 이끌어서 나아가면 후회가 없을 것이다. 그러나 구사는 알맞고 바르지 않아 결단할 수 있는 자가 아니니, 이 말을 듣더라도 반드시 믿지 않을 것이다.

以陽居陰, 不中不正, 居則不安, 行則不進. 若不與衆陽競進, 而安出其後, 則可以亡其悔. 然當決之時, 志在上進, 必不能也, 占者聞其言而信, 則轉凶而吉矣. 牽羊者, 當其前則不進, 縱之使前而隨其後, 則可以行矣.

양이 음의 자리에 있으면서 알맞지 않고 바르지 않으니 거하면 편하지 못하고 가면 나아가지 못한다. 만일 여러 양과 앞 다투어 나아가지 않고 편안히 그 뒤에 나오면 후회가 없을 수 있다. 그러나 결단할 때에 뜻이 위로 나아감에 있어 반드시 능하지 못할 것이니, 점치는 자가 이 말을 듣고서 믿으면 흉함이 바뀌어 길하게 될 것이다. 양을 모는 자가 그 앞을 가로 막으면 나아가지 않으나 풀어놓아 앞으로 가게 해놓고 그 뒤를 따라가면 양을 가게 할 수 있다.

小註

朱子曰, 牽羊悔亡, 其說得於許愼之.

주자가 말하였다: "양을 끌듯 하면 후회가 없다"는 것은 그 설명이 허신과 합치한다.

○ 張子曰, 牽羊讓而先之. 蓋牽羊者, 非挽拽之謂也, 讓之使先行, 則有肯前之勢故也.

장재[張載]가 말하였다: 양을 몰고 갈 때는 양보하여 먼저 가게 하여야 한다. 양을 모는 것은 당기고 끄는 것이 아니다. 양보하여 먼저 가게 하면 기꺼이 앞으로 나아가는 기세가 있기 때문이다.

○ 東谷鄭氏曰, 羊之性狠, 居前而力挽之, 則忿而不行, 卻行而使之先則行矣.

동곡정씨가 말하였다: 양은 성질이 삐딱해서 앞에서 힘껏 당기면 성내어 가지 않고 뒤에서 따라가면서 먼저 가게 하면 간다.

○ 雲峰胡氏曰, 牽羊, 諸家以爲牽連衆陽而進, 橫渠獨謂牽羊者讓而先之. 九五陽居陽, 又君位, 在陽之先可也, 九四以陽居陰, 而在陽之先, 宜乎有无膚次且之悔. 唯如牽羊然, 不與衆陽竝進, 而安出其後, 則可以亡其悔. 然又曰聞言不信者, 蓋如牽羊則悔亡, 而九剛必无下人之志, 聞牽羊之言當信, 而四柔必无克己之功.

운봉호씨가 말하였다: '양을 끄는 것'을 여러 학자들은 여러 양을 끌고 나아간다고 여겼고, 장재만 양을 끄는 것은 양보하여 먼저 가게 하는 것이라고 하였다. 구오는 양이 양의 자리에 있고 또 임금의 자리여서 양의 앞에 있어도 괜찮지만 구사는 양이 음의 자리에 있어 양의 앞에 있으면 마땅히 살이 없고 머뭇거리는 후회가 있을 것이다. 오직 양을 끌어당기는 것처럼 함께 나아가지 않고 편안히 그 뒤에 나오면 후회가 없을 수 있다. 그렇지만 또한 "말을 듣더라도 믿지 않으리라"고 한 것은 양을 끌듯이 하면 후회가 없겠지만 구는 굳세어서 반드시 다른 사람에게 낮추려는 뜻이 없고, 양을 끌듯이 하는 말을 듣고 당연히 믿어야 하지만 사의 자리는 부드러워서 반드시 자기를 이기는 공이 없다는 것이다.

‖韓國大全‖

조호익(曺好益)『역상설(易象說)』

臀兌爲巽之反, 巽爲股, 四在股之上, 正臀象. 膚陰柔之物, 无膚爻剛象. 行次且, 巽爲
進退不果象. 羊兌象. 四在兌體後, 有牽羊象. 言兌口象. 聞言不信, 兌體坎耳內塞象.
或曰, 臀坐則在下, 立則在上, 兌爲巽之反, 有坐象. 夬四言臀, 坐之象, 姤三言臀, 立
之象.

‘둔(臀)’은, 태괘(兌卦䷹)의 거꾸로 된 괘가 손괘(巽卦䷸)인데 손괘는 다리[股]가 되고, 사효
는 다리 위에 있으니, 바로 볼기인 ‘둔(臀)’의 상이 되는 것이다. ‘부(膚)’는 부드러운 음의
물체이니, ‘무부(无膚)’는 굳센 양효의 상이다. ‘행차저(行次且)’는 손괘가 나아가고 물러남
을 과감히 하지 못하는 상이다. ‘양(羊)’은 태괘의 상이다. 사효가 태괘의 몸체 뒤에 있으니
양을 끄는 상이 있다. ‘언(言)’은 태괘인 ‘입[口]’의 상이다. ‘문언불신(聞言不信)’은 태괘의
몸체가 감괘인 귀의 안을 막은 상이다.

어떤 이가 말하였다: ‘볼기’는 앉으면 아래에 있고 서면 위에 있다. 태괘는 손괘가 거꾸로
된 괘이니 앉는 상이 있다. 쾌괘의 사효에서 말한 볼기는 앉아 있을 때의 상이고, 구괘(姤
卦)의 삼효에서 말한 볼기[124]는 서 있을 때의 상이다.

송시열(宋時烈)『역설(易說)』

下乾變則爲坎象耶. 卦與姤相綜, 此卽姤之九三, 故皆言臀無膚也. 坎爲臀象. 骨者陽
也, 膚者陰也, 以陽遇陽, 有骨無膚之象. 無膚, 故居不安, 行不進, 有咨嗟之象. 若牽
連於兌羊, 與上六爲應, 則可無悔吝, 聞兌之言, 我亦不信也. 聞與不信, 皆以坎象言.
坎爲耳, 又爲疑也. 小象位不當者, 旣非君位難於近比, 又非與上六爲應之位也. 雖有
坎象, 其數隱微, 故聰不明也.

하괘인 건괘(乾卦☰)가 변하면 감괘(坎卦☵)의 상이 될 것이다. 쾌괘(夬卦䷪)는 구괘(姤
卦䷫)와 서로 종괘(거꾸로 된 괘)의 관계이니 쾌괘의 구사는 구괘의 구삼[125]이기 때문에
모두 “볼기에 살이 없다.”고 하였다. 감괘는 볼기의 상이 된다. 뼈는 양이고 피부는 음이니
양으로서 양을 만나면 뼈에 살이 없는 상이 있다. 살이 없기 때문에 거처해도 편안하지 못하

---

124)『周易·姤卦』: 九三, 臀无膚, 其行次且, 厲, 无大咎.
125)『周易·姤卦』: 九三, 臀无膚, 其行次且, 厲, 无大咎.

고 길을 가도 나아가지 못하니 한탄하는 상이 있다. 태괘인 양을 끌듯이 하여 상육과 호응한 다면 후회가 없을 수 있으나 태괘의 말을 들어도 내가 또한 믿지 못한다. '들음'과 '믿지 못함' 은 모두 감괘의 상으로 말하였다. 감괘는 귀가 되고 또 의심이 된다. 소상전에서 "자리가 마땅하지 않기 때문이다"는 것은 이미 임금의 자리에 가까이 하기에 어려운 자리가 아니고, 또 상육과 호응이 되는 자리도 아니기 때문이다. 비록 감괘의 상이 있더라도 수(數)가 은미 하기 때문에 귀가 밝지 못하다.

이익(李瀷) 『역경질서(易經疾書)』[126]

九四陽剛失位, 當行而不行. 臀者脚之所附, 臀無膚則行不利. 所以次且, 若牽引如羊, 又可以悔亡. 姤九三同辭, 而傳云行未牽也, 謂未牽故次且, 可以相照. 牽之如羊, 猶可 以免於次且, 其牽之者, 指九五也. 兌爲口, 有言之象. 九四變則爲坎, 坎爲耳, 有聞之 象. 九四位不正, 有不明之義, 五雖牽引行, 非本意, 故有此象, 與困象帖看.

구사는 양강으로 제자리를 잃어 가야하지만 가지 못한다. '볼기'는 다리가 붙어있는 것이니 볼기에 살이 없다면 가는데 이롭지 못하다. 이 때문에 머뭇거리나 만일 양을 끌듯이 하면 후회가 없을 것이다. 구괘의 삼효[127]와 말이 같은데 「상전」에서 '가기를 재촉하지 않음'[128] 이라고 한 것은 재촉하지 않기 때문에 주저함을 이르니 서로 참조해 볼 수 있다. 양을 끌듯 이 하면 오히려 주저함을 면할 수 있으니 끄는 자는 구오를 가리킨다. 태괘는 입이 되니 말하는 상이 있다. 구사가 변하면 감괘(坎卦☵)가 되고 감괘는 귀이니 듣는 상이 있다. 구 사는 자리가 바르지 않으니 밝지 못한 뜻이 있어서 오효가 비록 끌고 가려 하지만 본뜻이 아니기 때문에 이런 상이 있으니 곤괘(困卦)의 단사[129]와 연결하여 살펴보아야 한다.

유정원(柳正源) 『역해참고(易解參攷)』

李氏鼎祚曰, 四雖陰位, 以陽居之, 是无膚.

이정조가 말하였다: 사효가 음의 자리이지만 양으로서 거처하니 살이 없는 것이다.

○ 莆陽張氏曰, 以兌居坎之變. 本爻變則爲坎. 兌爲口, 坎爲耳, 變故聞言, 不終成坎, 故不信. 坎水有信義.

---

126) 경학자료집성DB에 구삼효사에 편집되어 있으나, 영인본의 체재에 의거하여 구사효사로 옮겨 해석하였다.
127) 『周易・姤卦』: 九三, 臀无膚, 其行次且, 厲, 无大咎.
128) 『周易・姤卦』: 象曰, 其行次且, 行未牽也.
129) 『周易・困卦』: 亨貞大人吉无咎, 有言不信.

포양장씨가 말하였다: 태괘로서 변한 감괘의 자리에 있다. 본효가 변하면 감괘가 된다. 태괘는 입이고 감괘가 귀이니 변하였기 때문에 말을 듣고, 끝내 감괘를 이루지 못하기 때문에 믿지 않는다. 감괘인 물에 '믿음'의 뜻이 있다.

○ 節齋蔡氏曰, 臀无膚, 後傷乎三也, 其行次且, 前犯乎五也. 次且不進貌. 羊兌象. 五也牽羊, 謂牽挽五, 而進不暴, 可以免悔也.
절재채씨가 말하였다: "볼기에 살이 없음"은 뒤의 삼효에 상처 입은 것이고, "그 감을 머뭇거림"은 앞의 오효를 침범함이다. 차저(次且)는 나아가지 못하는 모양이다. 양은 태괘의 상이다. 오효가 양을 끄는 것이니 오효에게 당겨지나 나아가기를 갑자기 하지 않으면 후회해서 면할 수 있음을 이른다.

○ 厚齋馮氏曰, 大壯夬二卦 相因爲義, 故藩決, 則壯亦取決象. 合全體觀之, 壯四陽, 夬五陽, 上進而消陰, 此卦義也. 分上下二體觀之, 乾三陽, 本在上之物, 下非所居, 勢必上進, 不容有一陰之當其前. 故兩卦乾三陽, 率與上體爲敵, 其或相見者, 陰陽之情也.
후재풍씨가 말하였다: 대장괘(大壯卦䷡)와 쾌괘(夬卦䷪) 두괘의 뜻은 서로 관련되기 때문에 "울타리가 터짐"[130]이라고 하였으니 대장괘도 터지는 상이 있다. 전체를 합하여 살펴보면 대장괘의 네 양과 쾌괘의 다섯 양이 위로 나아감에 음이 사라지는 것이 이 괘의 뜻이다. 상괘와 하괘 두 몸체로 나누어 보면 건괘의 세 양이 본래 위에 있는 물건이고 아래에 있는 것이 아니니 형세상 반드시 위로 나아가 하나의 음이라도 그 앞에 당해 있는 것을 용납하지 못한다. 그러므로 두괘의 건괘(☰) 세 양은 대체로 상체와 대적하나, 혹 서로 만나는 것은 음양의 정이다.

○ 案, 兌爲羊, 牽之者, 在乾之前也. 言不信者, 居上之極, 而易於言也.
내가 살펴보았다: 태괘는 양이니 그것을 끄는 자는 건괘의 앞에 있다. '믿지 않음'이라고 말한 것은 상괘의 극단에 있어서 말을 바꾸기 때문이다.

김상악(金相岳) 『산천역설(山天易說)』

九四兌體. 居陰无應於下, 猶臀之无膚也. 行次且者, 見阻於五也. 五陽相連以進如牽羊, 然則可无其不進之悔, 而乘乾以進, 志在附決, 故雖聞言而不信也.
구사는 태괘의 몸체이다. 음의 자리에 있으면서 아래에 호응이 없으니 볼기에 살이 없는

---

130) 『周易·大壯卦』: 九四, 貞吉, 悔亡, 藩決不羸, 壯于大輿之輹.

것과 같다. '감을 머뭇거림'이란 오효에 막힘을 당해서이다. 다섯 양이 서로 이어서 나아가 양을 끌듯이 한다. 그렇다면 나아가지 못하는 후회가 없을 수 있으나 건괘를 타고 나아가 뜻이 결단함을 따르는데 있기 때문에 말을 듣더라도 믿지 않는 것이다.

○ 臀居人身之後, 行則臀在中而動, 故夬姤繫三四. 坐則臀在下而靜, 故困係初. 來註臀坎象. 坎居北而爲溝瀆, 臀之象. 四變則爲坎也. 膚陰柔之物, 故噬嗑剝之言膚, 皆在陰爻. 而夬則四之剛, 遇兌之毁也, 行次且者, 以陽居陰也. 大壯上六, 則陰之用壯, 居卦之極, 故不能退不能遂, 亦次且之象也. 羊兌畜牽羊. 本義不與衆陽競進安出其後是也. 羊性狠, 居前而挽之則不行, 隨後而麾之則行矣. 詩云麾之以肱, 畢來旣升, 可見牽羊之義也. 蓋夬自大壯而成, 故皆取象于羊. 而大壯六五, 不宜用壯, 故喪羊而无悔. 夬九四, 宜用決, 故牽羊則悔亡言者, 乾之象. 四居乾體之外, 故聞言不信. 信字從人, 在困之象, 則己雖有言, 人自不信, 在夬之爻, 則人雖有言, 我自不信.

'볼기'는 몸의 뒤에 있으니 걸어가면 볼기가 가운데서 움직이기 때문에 쾌괘와 구괘131)의 삼효 · 사효에 이 말이 달려있다. 앉으면 볼기가 아래에 있어서 고요하기 때문에 곤괘(困卦)에는 초효132)에 달려있다. 래지덕(來知德)의 주에 볼기는 감괘의 상이라고 하였다.133) 감괘는 북쪽에 있어서 도랑이 되니 볼기의 상이다. 사효가 변하면 감괘가 된다. 피부는 부드러운 음의 물건이기 때문에 서합괘134)와 박괘135)에서 피부를 말한 것이 모두 음효에 해당한다. 쾌괘는 사효의 굳센 양이 태괘의 훼방을 만나니 "감을 머뭇거림"은 양으로서 음의 자리에 있기 때문이다. 대장괘의 상육은 음이 씩씩함을 쓰니 괘의 극단에 있기 때문에 물러갈 수도 없고 이룰 수도 없으니 또한 머뭇거리는 상이다.136) 태괘인 양이 저지당하니 양을 끌 듯함이다. 『본의』에서 "만일 여러 양과 앞 다투어 나아가지 않고 편안히 그 뒤에 나오면" 이라고 한 것이 이것이다. 양(羊)의 성질은 삐딱해서 앞에 있으면서 당기면 오지 않고 뒤 따라가면서 휘저으면 나아간다. 『시경(詩經) · 무양(無羊)』에 "손으로 그것들을 지휘하니 모두 와서 다 우리로 들어가도다"라 하였으니 양(羊)을 끄는 뜻을 볼 수 있다. 쾌괘는 대장괘에서 이루어지기 때문에 모두 양(羊)에서 상을 취하였다. 대장괘의 육오137)는 으레 씩씩함을 쓰지 않기 때문에 양을 잃어도 후회가 없다. 쾌괘의 구사는 으레 결단함을 쓰기 때문에 양을 끌듯

---

131) 『周易 · 姤卦』: 九三, 臀无膚, 其行次且, 厲, 无大咎.

132) 『周易 · 困卦』: 初六, 臀困于株木. 入于幽谷, 三歲不覿.

133) 來知德의 『周易集注』에 보인다.

134) 『周易 · 噬嗑卦』: 六二, 噬膚, 滅鼻, 无咎.

135) 『周易 · 剝卦』: 六四, 剝牀以膚, 凶.

136) 『周易 · 大壯卦』: 上六, 羝羊觸藩, 不能退, 不能遂, 无攸利, 艱則吉.

137) 『周易 · 大壯卦』: 六五, 喪羊于易, 无悔.

이 하면 후회가 없다고 말한 것은 건괘의 상이다. 사효는 건괘의 몸체 밖에 있기 때문에 말을 듣더라도 믿지 않는다. 신(信)자는 사람인[人] 부수이니 곤괘(困卦)의 단사[138]에서는 자기가 말을 해도 남이 스스로 믿지 않는 것이고, 쾌괘의 효사에서는 남이 말을 해줘도 나 스스로 믿지 않는 것이다.

조유선(趙有善) 「경의-주역본의(經義-周易本義)」

九四, 程傳曰, 以陽居陰, 剛決不足. 欲止則衆陽竝進於下, 勢不得安, 猶臀傷而居不能安也. 欲行則居柔, 失其剛壯, 不能强進, 其行次且也.

구사에 대해『정전』에서는 "양으로 음의 자리에 거하여 굳세게 결단함이 부족하다. 머물고 자 하면 여러 양이 아래에서 함께 올라와 형세가 편안할 수 없으니, 마치 볼기가 상하여 거처함이 편안할 수 없는 것과 같다. 가고자 하면 부드러운 자리에 있어서 강하고 씩씩함을 잃었으므로 강하게 나아가지 못하니 감을 머뭇거리는 것이다"고 하였다.

按, 本義謂不與衆陽競進, 而安出其後, 可以亡其悔. 傳說則以從群行, 爲亡其悔. 蓋當衆陽決陰之時, 與之競進, 爲合陽剛之道, 而九四之有悔者, 以其居柔也. 以此言之, 傳說似長, 更當詳之. 牽羊只取群行之義, 雖從本義說, 恐亦無妨.

내가 살펴보았다:『본의』에서는 "만일 여러 양과 앞 다투어 나아가지 않고 편안히 그 뒤에 나오면 후회가 없을 수 있다"고 하였다.『정전』의 말은 무리가 감을 따라가는 것으로 후회 가 없게 된다고 여겼다. 이는 여러 양이 음을 결단하는 때에 양과 다투어 나아가 굳센 양의 도리에 부합하나 구사가 후회가 있을 수 있는 것은 부드러운 자리에 있기 때문이다. 이것으 로 말하면『정전』의 설명이 좋은 듯하니 더욱 상세하다. '양을 끌듯이 함'은 다만 여럿이서 가는 뜻을 취하였으니『본의』의 설명을 따르더라도 무방할 듯하다.

서유신(徐有臣) 『역의의언(易義擬言)』

臀无膚, 坐不安也, 其行次且, 行不果也. 進退无與, 猶豫不斷, 是宜有悔也. 羊隊之行, 一羊作頭, 群羊隨之. 四從於五, 相牽如羊, 故悔亡也. 然勉强從之, 非快於心, 故聞言而不肯信也. 塞, 坎耳之象也.

"볼기에 살이 없음"은 앉을 때에 편하지 못하고 "그 감을 머뭇거림"은 가기를 결행하지 못하 는 것이다. 나아가고 물러남에 함께 하는 이가 없어 망설이며 결단하지 못하니 으레 후회가

---

138)『周易·困卦』: 困, 亨貞大人吉无咎, 有言不信.

있을 것이다. 양(羊) 무리의 행렬은 한 마리의 양이 선두가 되면 여러 양들이 따라간다. 사효가 오효를 따라가 양처럼 서로 끌기 때문에 후회가 없을 것이다. 그러나 억지로 따르니 마음속으로 유쾌한 것이 아니기 때문에 말을 듣더라도 믿으려 하지 않는다. '막힘'은 귀인 감괘의 상이다.

박제가(朴齊家) 『주역(周易)』

它卦多言悔亡, 而此悔亡, 當爲亡羊之亡. 此羊非它卽六也, 卦爲兌體, 政爲羊. 四與六同體, 故牽羊, 而六陰有將盡之勢, 故有失羊之悔. 牽羊讓先之義, 出於張子. 然乾之三陽, 未必爲羊. 羊當爲兌體而言.

다른 괘에서는 대부분 "후회가 없다"고 말하였으나 여기에서의 '회망(悔亡)'은 '양을 잃어버림[亡羊]'의 '잃어버림[亡]'이 되어야 한다. 이 양은 다름이 아니라 바로 상효이며, 괘가 태괘의 몸체이니 바로 양(羊)이다. 사효와 상효는 같은 몸체이기 때문에 양을 끌고 가나 상육의 음이 다하려는 형세가 있으므로 양을 잃어버리는 후회가 있다. '양을 끌고 감'에 대하여 "양보하여 먼저가게 하여야 한다"는 뜻은 장자(張子)에게서 나왔다. 그러나 건괘의 세 양이 반드시 양(羊)이 되는 것은 아니다. 양(羊)은 당연히 태괘의 몸체로 말한 것이다.

박문건(朴文健) 『주역연의(周易衍義)』

欲進見傷, 故有臀无膚之象. 次且, 行不進之貌也. 牽前進也, 牽羊, 言使羊前行也.

나아가고자 하나 상처를 입었기 때문에 볼기에 살이 없는 상이 있다. '머뭇거림'은 길을 감에 나아가지 못하는 모양이다. '끎'은 앞으로 나아가게 함이니 '양을 끎'은 양에게 앞으로 나아가게 함이다.

〈問, 臀之取義. 曰, 夬之四, 姤之三, 竝取臀義者, 臀居上下體之中也. 若困初則取在下之義也.

물었다: '볼기'에서 취한 뜻은 무엇입니까?

답하였다: 쾌괘의 사효와 구괘의 삼효에서 모두 볼기를 취한 것은 볼기가 상체와 하체의 중간에 있기 때문입니다. 곤괘(困卦) 초효는 아래에 있는 뜻을 취하였습니다.〉

〈○ 問, 臀无膚以下. 曰, 九四, 捨剛用柔而進, 故爲初所傷. 雖致无膚而其行次且, 然若或用剛而前進, 則其悔必亡也. 但聰不明, 故不信傍人牽羊之說, 何可得悔亡乎. 夫捨剛用柔者, 乃在下從上者之道也, 非在上制下者之道也.

물었다: "볼기에 살이 없다" 이하는 무슨 뜻입니까?

답하였다: 구사는 굳센 양을 버리고 부드러운 음을 써서 나아가기 때문에 초효에게 상처받습니다. 비록 살이 없게 되어 감에 머뭇거리나 굳센 양을 써서 앞으로 나아간다면 후회가 반드시 없어질 것입니다. 다만 들음이 밝지 못하기 때문에 주변 사람의 '양을 끌듯이 하라'는 말을 믿지 못하니 어찌 후회가 없을 수 있겠습니까? 굳센 양을 버리고 부드러운 음을 쓰는 것은 바로 아래에서 위를 따르는 자의 도(道)이지 위에서 아래를 제재하는 자의 도는 아닙니다.〉

이지연(李止淵) 『주역차의(周易箚疑)』

當仁之事, 則不讓於師可也, 成功之際, 則退於人一步可也. 一則避觸禍之道, 一則免奔競之嫌. 如是則剛而處柔, 不必爲害耶.

인(仁)을 행하는 일은 스승에게도 양보하지 않는 것[139]이 옳고, 일을 이루는 때에는 남에게 한 걸음 양보하는 것이 옳다. 하나는 화에 저촉됨을 피하는 도이고 하나는 분주히 벼슬을 청탁하러 다닌다는 혐의를 면하는 것이다. 이와 같다면 굳세면서 부드러움에 처할 수 있으니 반드시 해가 되지 않을 것이다.

김기례(金箕澧) 「역요선의강목(易要選義綱目)」

陽居陰位, 不能剛決上進, 而衆陽自下竝進, 則坐不安. 故曰[140]臀无膚.

양으로서 음의 자리에 있어서 굳게 결단하여 위로 나아갈 수 없고 여러 양이 아래에서 함께 나아오니 앉아 있는 것이 편하지 못하다. 그러므로 "볼기에 살이 없다"고 말하였다.

○ 欲進, 則柔不能決陰, 故曰行趑趄.

나아가고자 하면 유약하여 음을 결단할 수 없기 때문에 감을 주저하는 것이다.

이항로(李恒老) 「주역전의동이석의(周易傳義同異釋義)」

傳, 牽羊悔亡, 羊者群行之物, 牽者挽曳之義, 言若能自强而牽挽, 以從群行, 則可以亡其悔

『정전』에서 말하였다: "양을 끌듯 하면 후회가 없다"는 양은 떼지어 다니는 동물이고 '끈다[牽]'는 당기고 끄는 뜻이니, 만일 스스로 강하게 끌어당겨서 무리를 따라 가면 후회가 없을

139) 『論語·衛靈公』: 子曰, 當仁, 不讓於師.
140) 曰: 경학자료집성DB에는 '白'으로 되어 있으나, 경학자료집성 영인본을 참조하여 '曰'로 바로잡았다.

것이라는 말이다.

本義, 牽羊者, 當其前則不進, 縱之使前而隨其後, 則可以行矣.
『본의』에서 말하였다: 양을 모는 자가 그 앞을 가로 막으면 나아가지 않으나 풀어놓아 앞으로 가게 해놓고 그 뒤를 따라가면 양을 가게 할 수 있다.

按, 朱子曰牽羊之說, 得於許愼之, 橫渠亦從此說.
내가 살펴보았다: 주자가 "'양을 끌 듯 한다'에 대한 설명은 허신과 합치한다"고 하였는데 횡거(橫渠)도 이 설을 따랐다.

심대윤(沈大允)『주역상의점법(周易象義占法)』

夬之需䷄, 待人也. 九四居柔, 而不用力, 欲進則阻於五, 欲止則群陽竝進, 勢不可已, 需人以成者也. 故曰臀无膚, 其行次且. 坎爲臀. 互兌离曰无膚, 言行不快也. 坎性下流, 离性上行, 曰次且. 坤之變自坎, 而巽爲行. 次且在心, 故取變也. 牽羊悔亡, 言從五而進則可矣. 巽离爲牽羊, 謂五也. 朱子曰, 牽羊者, 當前不行, 縱之使前, 而隨其後則行, 四之次且如此者, 以其聞言不信, 明不足決幾也. 坎巽爲入耳, 曰聞. 對晉有艮爲言, 兌离爲不信, 蓋言審愼也. 〈四之時, 包當用力, 而四下用力, 故爻辭如此.〉

쾌괘가 수괘(需卦䷄)로 바뀌었으니, 사람을 기다리는 것이다. 구사는 부드러운 음에 있어서 힘을 쓰지 못하니 나아가고자 하면 오효에 막히고 머무르고자 하면 여러 양이 함께 나아가 형세상 그만 둘 수 없으니 사람을 기다려 이루고자 하는 자이다. 그러므로 "볼기에 살이 없고 그 감에 머뭇거린다"고 하였다. 감괘는 볼기가 된다. 호괘인 태괘와 리괘를 "살이 없다"고 한 것은 가는 것을 유쾌하게 여기지 않는다는 말이다. 감괘의 성질은 아래로 내려가고 리괘의 성질은 위로 올라가니 "머뭇거린다"고 하였다. 곤괘는 감괘에서 변하였고 손괘는 감이 된다. 머뭇거림이 마음에 있기 때문에 변을 취하였다. "양을 끌듯 하면 후회가 없음"은 오효를 따라 나아가면 괜찮다는 말이다. 손괘와 리괘가 양을 끄는 듯이 함은 오효를 이른다. 주자는 "양을 모는 자가 그 앞을 가로 막으면 나아가지 않으나 풀어놓아 앞으로 가게 해놓고 그 뒤를 따라가면 양을 가게 할 수 있다"고 하였으니, 사효의 주저함이 이와 같은 것은 말을 듣더라도 믿지 않아 밝음이 기미를 결단하기에 부족해서이다. 감괘와 손괘는 귀에 들어감이 됨으로 '들음'이라고 하였다. 음양이 바뀐 괘가 진괘(晉卦䷢)인데 이것의 호괘인 간괘가 말이 되고 태괘·리괘가 '믿지 못함'이 되니 잘 살피고 삼간다는 말이다. 〈사효의 때는 힘을 써야 하는 때에 해당하나 사효가 아래에서 힘을 쓰기 때문에 효사가 이와 같다.〉

오치기(吳致箕) 「주역경전증해(周易經傳增解)」

九四, 剛不中正, 而當決之時, 欲行則居柔而失其剛壯, 欲止則衆陽在下竝進, 勢不得安. 有臀无膚之象, 而其行次且, 不進, 故言能連下三陽, 合力竝進, 如牽羊之前驅, 則可以无不能決之悔. 然以其失正而无應, 故雖聞言, 而不能信, 此蓋切戒之辭也. 臀无膚, 居不安之象也. 臀取於變坎, 而 行則臀在中, 故言于四也. 膚屬陰而陽過, 故言无膚也. 次且, 不進之貌. 牽取對艮, 羊取於兌, 聞在耳而取變坎, 言在口而取兌也.

구사는 굳센 양으로 중정이 아니니 결단하는 때에 가고자 하면 부드러운 자리에 있어서 씩씩함을 잃고, 머물고자 하면 여러 양이 아래에서 함께 나아가 형세상 편안할 수 없다. 볼기에 살이 없는 상이 있어서 그 감이 머뭇거리고 나아가지 못하기 때문에, 아래의 세 양과 연결하여 협력해서 함께 나아가 양을 끌듯이 앞으로 몰아가면, 결단하지 못하는 후회가 없을 수 있다는 말이다. 그러나 바름을 잃고 호응이 없기 때문에 말을 듣더라도 믿을 수가 없으니 이것은 절실하게 경계하는 말이다. 볼기에 살이 없음은 거처에 편안하지 못한 상이다. 볼기는 변한 감괘(坎卦☵)에서 취하였으니 가면 볼기가 중간에 있기 때문에 사효에서 말하였다. '살'은 음에 속하는데 양이 지나치므로 살이 없다고 말하였다. '머뭇거림'은 나아가지 못하는 모양이다. '끌다'는 음양이 바뀐괘인 간괘(艮卦☶)에서 취하였고, 양은 태괘(兌卦☱)에서 취하였으며, 들음은 귀에 해당하니 변한 감괘(坎卦☵)에서 취하였고, '말'은 입에 해당하니 태괘에서 취하였다.

이진상(李震相) 『역학관규(易學管窺)』

牽羊悔亡.

양을 끌듯 하면 후회가 없겠으나.

參攷, 兌爲羊, 牽之者在乾之前也.

『역해참고』에서 말하였다: 태괘는 양이 되고 그것을 끄는 자는 건괘의 앞에 있다.

○ 九四, 臀无膚 [至] 不信.

구사는 볼기에 살이 없으며 … 믿지 않으리라.

四居上體之下, 而陽在陰位, 故臀爲无膚. 臀者, 膀胱[141]之表也. 爻變成坎, 臀乃坎象也. 乾健入於坎險, 故其行次且. 兌爲羊, 四乃從後牽之者也. 坎爲耳, 而反塞, 乾爲言,

---

141) 胱: 경학자료집성DB와 영인본에는 모두 '□'로 되어 있으나, 문맥을 살펴 '胱'자로 바로잡았다.

而不從, 乃聞言不信之象. 變坎當信, 而處柔不明, 故不信.

구사는 상체의 아래에 있으면서 양이 음의 자리에 있기 때문에 볼기에 살이 없음이 된다. '볼기'란 방광의 겉이다. 효가 변하면 감괘가 되니 볼기가 곧 감괘의 상이다. 강건한 건괘가 험한 감괘로 들어가기 때문에 그 감이 머뭇거린다. 태괘는 양이 되니 사효가 바로 뒤에서 끄는 자이다. 감괘는 귀가 되나 도리어 막히고 건괘는 말[言]이 되나 따르지 않기 때문에 곧 말을 듣더라도 믿지 않는 상이다. 변한 감괘는 믿어야 하나 부드러운 음에 처하여 밝지 못하기 때문에 믿지 않는다.

채종식(蔡鍾植) 「주역전의동귀해(周易傳義同歸解)」

夫九四牽羊, 傳解作牽拽在後也, 本義解作牽之使前也. 蓋九四居三五兩剛之間, 進則 礙五, 居則礙三. 故戒之曰牽羊. 則悔亡也. 羊者卦之五陽象也. 故程子解以牽拽在後之 三陽, 而從行則悔亡, 朱子解以牽縱在前之一陽, 而隨後則悔亡, 兩說備, 而其旨益明.

쾌괘 구사의 '양을 끌다'를 『정전』에서는 뒤에서 끌어당기는 것으로 풀었고, 『본의』에서는 끌어서 앞에 나아가게 하는 것으로 풀었다. 구사는 삼효와 오효 두 굳센 양 사이에 있어서 나아가면 오효에 막히고, 있으면 삼효에 막히기 때문에 양을 끌듯이 하면 후회가 없을 것이라고 경계하였다. 양(羊)은 괘의 다섯 양(陽)의 상이다. 그러므로 정자는 뒤에 있는 세 양을 끌어 당겨 쫓아 가면 후회가 없을 것으로 풀었고, 주자는 앞에 있는 한 양을 풀어놓아 뒤를 따라가면 후회가 없을 것이라고 풀었으니 두 설을 구비하면 그 뜻이 더욱 분명해진다.

박문호(朴文鎬) 「경설(經說)·주역(周易)」

本義之末, 雖特釋牽羊之義, 然終是前挽之義多, 後隨之義少, 恐合更詳.

『본의』의 끝에 특히 '양을 끌 듯이 함'의 뜻을 해석하였으나 끝내 앞에서 끄는 뜻이 많고 뒤에서 따르는 뜻은 적으니 더욱 자세히 살펴야 할 듯하다.

이병헌(李炳憲) 『역경금문고통론(易經今文考通論)』

趑, 正義本作次, 或作(足+次)或作趄.

자(趑)는 『주역정의』에 "본래 차(次)로 되어 있으니 혹은 차(足+次)라고도 하고 혹은 단(趄)이라고도 한다"고 하였다.

象曰, 其行次且, 位不當也, 聞言不信, 聰不明也.

「상전」에서 말하였다: "그 감을 머뭇거림"은 자리가 마땅하지 않기 때문이고, "말을 듣더라도 믿지 않음"은 귀가 밝지 못하기 때문이다.

‖中國大全‖

傳

九處陰, 位不當也. 以剛居柔, 失其剛決, 故不能强進, 其行次且. 剛然後能明, 處柔則遷, 失其正性, 豈復有明也. 故聞言而不能信者, 蓋其聰聽之不明也.

구가 음의 자리에 처함은 자리가 마땅하지 않은 것이다. 굳센 양으로 부드러운 음의 자리에 거하여 굳세게 결단함을 잃었기 때문에 강하게 나아가지 못하여 그 감을 머뭇거린다. 굳센 뒤에 밝을 수 있는데, 부드러운 음에 처하면 옮겨가서 바른 본성을 잃으니, 어찌 다시 밝음이 있겠는가. 그러므로 말을 듣고도 믿지 않음은 그 총명하게 들음이 밝지 못한 것이다.

小註

臨川吳氏曰, 位不當, 謂以剛居柔, 故次且. 聰不明, 謂坎耳塞其內也, 故不聰於聽.

임천오씨가 말하였다: "자리가 마땅하지 않음"은 굳센 양이 부드러운 음의 자리에 있기 때문에 머뭇거린다는 것이다. "귀가 밝지 못함"은 감괘(☵)의 귀가 그 안을 막았기 때문에 총명하게 듣지 못하는 것이다.

║韓國大全║

유정원(柳正源) 『역해참고(易解參攷)』

聰不明.

귀가 밝지 못하기 때문이다.

王氏曰, 同於噬嗑滅耳之凶.

왕필이 말하였다: 서합괘의 "귀를 없어지게 하는 흉함"[142]과 같다.

小註臨川說, 坎耳塞.

소주에서 임천오씨가 말하였다: 감괘(☵)의 귀가 막혔기 때문이다.

案, 此謂上卦兌. 四若陰爻, 則爲坎爲耳, 而以其陽爻, 故塞之也.

내가 살펴보았다: 이것은 상괘인 태괘를 이른다. 만일 사효가 음효라면 감괘가 되고 귀가 되지만 사효가 양효이기 때문에 막히는 것이다.

김규오(金奎五) 「독역기의(讀易記疑)」

九四牽羊, 兌初象也. 曰聞曰聰, 四變爲坎也. 言者, 互乾也. 不信者, 志在前進不顧, 下卦之互也.

구사의 "양을 끌다"는 태괘 초효의 상이다. '듣다'라 하고 '귀밝다'라 하는 것은 사효가 변하면 감괘가 되기 때문이다. '말'은 호괘인 건괘이고 믿지 못함은 뜻이 앞으로 나아가고 돌아보지 않음이니 호괘로 보면 하괘(下卦)이다.

김상악(金相岳) 『산천역설(山天易說)』

剛爲陰掩,. 故聰聽不明也.

군센 양이 음에 가려졌기 때문에 총명이 밝지 못한 것이다.

---

142) 『周易·噬嗑卦』: 上九, 何校, 滅耳, 凶.

서유신(徐有臣) 『역의의언(易義擬言)』

位不當, 則不自安矣, 聰不明, 則不能斷矣.

자리가 마땅하지 않으면 스스로 편안하지 못하고 귀 밝음이 밝지 못하면 결단할 수 없다.

박문건(朴文健) 『주역연의(周易衍義)』

位不當, 言所爲不當, 而致次且之患也.

자리가 마땅하지 못함은 하는 바가 마땅하지 못하여 머뭇거리는 근심을 초래한다는 말이다.

김기례(金箕澧) 「역요선의강목(易要選義綱目)」

旣不能前進, 則使衆陽居前, 而自退居後如牽羊者. 縱羊居後, 則當无悔, 然位柔而性剛, 故聞此言不信, 不肯後於人, 則不讓不先, 故曰位不當聰不明者.

이미 앞으로 나아갈 수 없으니 여러 양에게 앞에 있게 하고 자신은 물러나 뒤에 있기를 양을 끌 듯이 하는 자이다. 비록 양(羊)이 뒤에 있다면 후회가 없어야 하지만 자리가 부드럽고 성질이 굳세기 때문에 이런 말을 듣고 믿지 않아 다른 사람보다 뒤에 있으려하지 않으니 양보하지도 않고 앞서지도 못하기 때문에 "자리가 마땅하지 않은 자이고, 귀가 밝기 못한 자"라고 하였다.

오치기(吳致箕) 「주역경전증해(周易經傳增解)」

以剛居柔, 而位不當, 故不能決行矣, 坎耳內塞, 而聰不明, 故不能信言也.

굳센 양으로 부드러운 자리에 있어서 자리가 마땅하지 못하기 때문에 결단하여 행할 수 없고, 감괘인 귀가 안에서 막혀 귀 밝음이 밝지 못하기 때문에 말을 믿지 못한다.

이정규(李正奎) 「독역기(讀易記)」

九四, 臀无膚, 其行次且者, 慮處柔而不能自强也.

"구사는 볼기에 살이 없으며 그 감을 머뭇거림"은 부드러운 음에 처함을 염려하여 스스로 강할 수 없음이다.

이병헌(李炳憲) 『역경금문고통론(易經今文考通論)』[143]

孟曰, 越七私反, 倉卒也.

맹씨가 말하였다: 자(越)는 칠(七)과 사(私)의 반절음이니 당황함을 말한다.

程傳曰, 臀無膚, 居不安也, 行次且, 進不前也. 羊者, 群行之物, 若能自強, 而牽挽以從群行, 則可以亡其悔. 然處位不當, 柔失正性, 聰聽不明也.

『정전』에서 말하였다: 볼기에 살이 없음은 거처가 불안한 것이고, 감을 머뭇거림은 앞으로 나아가지 못하는 것이다. 양은 떼지어 다니는 동물이니 만일 스스로 힘써서 끌어당겨 무리를 따라 간다면 후회가 없을 수 있다. 그러나 자리에 처함이 마땅하지 않고 부드러운 음으로 바른 성품을 잃으니, 귀밝게 들음이 밝지 못하다.[144]

---

143) 경학자료집성DB에 구오효사에 편집되어 있으나, 경학자료집성 영인본의 체재에 의거하여 구오상전으로 옮겨 해석하였다.

144) 이 부분은 이병헌이 『정전』을 요약하였다.

九五, 莧陸, 夬夬, 中行, 无咎.

정전 구오는 비름나물을 결단하듯이 결단하면 중도(中道)를 행함에 허물이 없을 것이다.
본의 구오는 비름나물이니, 결단하고 결단하되 중도(中道)를 행하면 허물이 없을 것이다.

‖中國大全‖

傳

五雖剛陽中正, 居尊位, 然切近於上六, 上六, 說體而卦獨一陰, 陽之所比也. 五爲決陰之主而反比之, 其咎大矣. 故必決其決, 如莧陸然, 則於其中行之德, 爲无咎也. 中行, 中道也. 莧陸, 今所謂馬齒莧, 是也. 曝之難乾, 感陰氣之多者也, 而脆易折. 五若如莧陸, 雖感於陰, 而決斷之易, 則於中行, 无過咎矣, 不然則失其中正也. 感陰多之物, 莧陸, 爲易斷, 故取爲象.

구오가 비록 굳센 양으로 중정하여 높은 자리에 있으나 상육과 매우 가까우니, 상육은 기뻐하는 몸체(☱)이고 쾌괘의 유일한 음이어서 양이 친하게 여기는 것이다. 구오는 음을 결단하는 주체인데도 도리어 음을 가까이 하니 그 허물이 크다. 그러므로 반드시 결단할 것을 결단하기를 비름나물 같이 하면 중도를 행하는 덕에 허물이 없을 것이다. '중도를 행함[中行]'은 도에 알맞게 하는 것이다. '비름[莧陸]'은 지금의 이른바 쇠비름[馬齒莧]이 이것이다. 햇볕에 말려도 말리기 어려울 정도로 음기를 많이 품고 있으니 취약하여 끊기가 쉽다. 구오가 마치 비름나물과 같아 비록 음기를 품고 있지만 쉽게 결단하면 중도를 행함에 허물이 없을 것이고, 그렇지 않으면 알맞고 바름을 잃을 것이다. 음을 많이 받은 것이 비름나물이라 끊기가 쉽기 때문에 상으로 취하였다.

本義

莧陸, 今馬齒莧, 感陰氣之多者. 九五當決之時, 爲決之主, 而切近上六之陰, 如莧陸然, 若決而決之, 而又不爲過暴, 合於中行, 則无咎矣. 戒占者當如是也.

'비름나물[莧陸]'은 지금의 쇠비름이니, 음기를 많이 품고 있는 것이다. 구오가 결단할 때에 결단하는 주체가 되었는데, 상육의 음과 매우 가까우니, 비름나물과 같이 하여 만약 결단하고 결단하되 또 지나치게 포악하게 하지 아니하여 중도를 행함에 합당하게 하면 허물이 없을 것이다. 점치는 자에게 마땅히 이와 같이 해야 한다고 경계하였다.

小註

朱子曰, 莧陸, 是兩物. 莧者馬齒莧, 陸者章陸, 一名商陸, 皆感陰氣多之物. 藥中用商陸治水腫, 其物難乾, 其子紅.

주자가 말하였다: 현(莧)과 육(陸)은 두 가지 사물이다. 현은 쇠비름이고, 육은 '자리공뿌리[章陸]'로 상육(商陸)이라고도 하는데 모두 음기를 많이 품고 있는 것들이다. 약재 중에서 자리공뿌리로 수종(水腫)을 치료하는데, 그것은 말리기 어렵고, 그 열매는 붉다.

○ 漢上朱氏曰, 莧, 蕢澤草也, 葉柔根小堅. 且赤陸, 商陸, 亦澤草也. 葉大而柔, 根猥大而深, 有赤白二種.

한상주씨가 말하였다: 비름[莧]은 '썩은 못에 있는 풀[蕢澤草]'로 잎은 부드럽고 뿌리는 작으면서 견고하다. 적륙(赤陸)과 상륙(商陸)도 못에 있는 풀로 잎이 크고 부드러우며 뿌리는 많고 크면서 깊으니, 붉은 것과 흰 것 두 종류가 있다.

○ 建安丘氏曰, 夬五陽爻, 而三五皆稱夬夬者, 蓋三應上, 五比上, 皆當決柔之任, 故欲其決而又決, 而不係累於柔也. 又皆以剛居剛, 亦有夬夬之義.

건안구씨가 말하였다: 쾌괘는 양이 다섯 효인데 구삼과 구오에서 모두 '쾌쾌'를 말한 것은 구삼이 상육과 응하고, 구오는 상육과 가까이 있어 모두 결단을 부드럽게 하는 임무에 해당한다. 그러므로 결단하고자 하면 또한 결단하여 부드러움에 얽매이지 않는다. 또한 모두 굳센 양으로 굳센 양의 자리에 있어 결단할 것을 결단하는 뜻이 있다.

○ 雲峰胡氏曰, 決陰者陽也. 初九陽位在下不能決, 三五陽位當決者也, 而三有相應之情, 五有相比之情, 故皆曰夬夬. 三取雨象, 五取莧陸象, 皆象其感於陰, 而莧陸又感陰氣之多者. 勉之以夬夬, 而又戒其中行則无咎者, 五當可決之位, 其勢易於三. 三唯其夬夬卽可以无咎, 五之夬夬或失之過暴, 則猶爲有咎也. 或曰, 夬三月卦, 莧始生之時, 姤五月卦, 瓜始生之時, 故以取象.

운봉호씨가 말하였다: 음을 결단하는 것은 양이다. 초구는 양의 자리이지만 아래에 있어 결단할 수 없고, 구삼과 구오는 양의 자리여서 결단해야 하는 것들인데 구삼은 서로 응하는

정이 있고, 구오는 서로 가까이 하는 정이 있기 때문에 "결단할 것을 결단한다"고 하였다. 구삼이 비의 상을, 구오가 비름나물의 상을 취한 것은 모두 음기를 품고 있는 것을 본뜬 것인데, 비름나물은 또한 음기를 많이 품고 있는 것이다. 결단할 것을 결단함에 힘쓰게 하고, 또 중도를 행하면 허물이 없을 것임을 경계한 것은 구오가 결단할 수 있는 자리에서 그 형세가 구삼보다 쉬워서인데, 구삼은 단지 결단할 것을 결단하면 허물이 없을 것이고, 구오는 결단할 것을 결단함에 혹시 지나치고 사납게 하면 오히려 허물이 있을 것이다. 어떤 이가 말하였다. 쾌괘는 삼월의 괘로 비름나물이 처음 나는 때이고, 구괘는 오월의 괘로 오이가 처음 나는 때이기 때문에 상으로 취하였다고 하였다.

▌韓國大全▐

김장생(金長生)『주역(周易)』

九五象傳卦, 辭言夬夬.
구오「상전」의『정전』에서 말하였다: 괘사에서 결단하듯이 결단한다.

卦辭, 當作爻辭.
괘사는 마땅히 효사로 써야 한다.

조호익(曺好益)『역상설(易象說)』

莧陸皆澤草, 兌爲澤, 故取象. 夬夬以剛居剛象. 中行五中象. 雲峯曰, 夬三月卦, 莧始生之時, 姤五月卦, 瓜始生之時, 故以取象.
'현(莧)'과 '육(陸)'은 모두 못에서 자라는 풀이니 태괘가 못이므로 상을 취하였다. '쾌쾌(夬夬)'는 굳센 양으로서 굳센 양의 자리에 있는 상이다. '중도를 행함'은 오효가 가운데에 있는 상이다. 운봉호씨가 말하기를, "쾌괘는 삼월의 괘로 비름나물이 처음 나는 때이고, 구괘(姤卦䷫)는 오월의 괘로 오이가 처음 나는 때이기 때문에 상으로 취하였다고 하였다"[145]고 하였다.

---

145)『周易·姤卦』: 九五, 以杞包瓜, 含章, 有隕自天.

송시열(宋時烈) 『역설(易說)』

莧今之半憂草也. 三月多生于田陸. 夬者三月之卦也. 莧之爲物, 根圓而葉柔, 下單而
上岐, 如乾之下圓而兌之上坼也. 若姤之言瓜, 姤五月之卦, 五月瓜始[146]生. 瓜之爲物,
下蔓而顆圓, 如上圓而下坼耶. 無師說不敢自信. 疊夬字, 重剛, 主夬之意. 中行, 與九
二同. 小象中未光者, 言此雖无咎, 猶有坎象, 而不能如離卦之光明也. 此夬夬以事言.

'비름[莧]'은 지금의 반우초(半憂草)이다. 삼월에 들판에서 많이 자란다. 쾌괘는 삼월의 괘이
다. 비름은 뿌리가 둥글고 이파리가 부드러우며 아래는 하나의 줄기이고 위는 갈라져 있으
니 아래에 둥근 건괘가 있고 위에 터진 태괘가 있는 것과 같다. 구괘(姤卦☴)에서 오이를
말한 것은 구괘가 오월이 괘이니 오월에 오이가 처음 나오기 때문이다. 오이는 아래에 덩굴
이 있고 열매가 둥그니 위가 둥글고 아래가 터진 것과 같을 것이다. '쾌(夬)'자를 중첩한
것은 굳센 양을 중첩하여 쾌괘를 주관하는 뜻이 있다. '중도를 행함[中行]'은 구이와 같다.
「소상전」의 "아직 빛나지 못하기 때문이다"는 이것이 비록 허물이 없다고는 하지만 여전히
감괘의 상이 있으니 리괘의 '광명'과 같을 수는 없다. 여기에서의 '결단하듯이 결단함'은 일로
말하였다.

석지형(石之珩) 『오위귀감(五位龜鑑)』

臣謹按, 夬之九五, 乘四陽之盛, 決一陰之弱, 其勢甚易. 而爲其與陰昵比, 受感已多,
若不能決之又決如莧陸之易折, 則難免牽拘之累矣. 人主之去邪, 當用此道. 然必須不
至過暴, 合於中行, 可謂盡善. 不然所決雖善, 未爲光大也. 伏願殿下, 念聖人慮患之深
意焉.

신이 삼가 살펴보았습니다: 쾌괘의 구오는 번성한 네 양을 타고서 쇠약한 하나의 음을 결단
하니 그 형세가 매우 쉽습니다. 그러나 구오가 음과 친밀하기 때문에 느낌을 받는 것이 너무
많으니 비름나물을 쉽게 끊어낼 수 있듯이 결단하고 또 결단할 수 없으면 얽매이는 잘못에
서 면하기 힘듭니다. 임금이 간사함을 제거할 때에 마땅히 이 도를 써야 합니다. 그러나
반드시 지나치게 포악해서는 안 되고 중도를 행하는 데에 합당하다면 '지극한 선'이라고 할
수 있습니다. 그렇지 않다면 결단함이 비록 선하더라도 광대하지 못합니다. 엎드려 바라옵
건대 전하께서는 성인이 환란을 염려한 깊은 뜻을 염두에 두시기 바랍니다.

---

146) 始: 경학자료집성DB와 영인본에 모두 '姤'로 되어 있으나, 문맥을 살펴 '始'로 바로잡았다.

이익(李瀷) 『역경질서(易經疾書)』[147]

按, 字書, 莧音桓, 山羊細角形大. 從非從草, 又加一點象羊之頭角. 說卦兌爲羊是也.
陸與鹿通. 晉有大陸, 卽鉅鹿也. 馬援傳陸陸註, 與鹿鹿同, 又見蕭曹贊註, 鹿亦有角之
獸. 羊之爲莧, 鹿之爲陸, 皆變文也. 莧陸皆山獸, 有角而自進, 與九四可牽之畜異也.
二物雖銳於進決, 山羊性警, 宿必掛角, 鹿亦備患, 止必環角向外, 與九二爲應, 故暮夜
惕號, 莫此物若也. 言莧陸而不言頭角, 上六當之也. 蓋一陰將消猶有警畏之心, 所以
爲中行也.

내가 살펴보았다: 『자서』에 "현(莧)의 음은 환(桓)이고 산양으로서 뿔이 가늘고 형체가 크
다. 비(非)부수에 초(草)자를 합하고 또 점 하나를 더한 것은 양 머리의 뿔을 상징한 것이
다"[148]고 하였다. 「설괘전」에 "태괘는 양이 된다"는 것이 이것이다. 육(陸)은 녹(鹿)과 통용
한다. 진(晉)나라에 '대륙(大陸)'이 있으니 곧 '거록(鉅鹿)'이다. 『한서·마원전』의 '육륙(陸
陸)'의 주에 "녹록(鹿鹿)과 같다"고 하였고, 또 『한서·소하조참전』 찬왈(贊曰)의 주에 "녹
(鹿)은 뿔이 있는 짐승이다"라고 하였다. '양(羊)'을 '현(莧)'이라하고 '녹(鹿)'을 '육(陸)'이라
고 한 것은 모두 변문(變文)이다. '현(莧)'과 '육(陸)'은 모두 산짐승으로서 뿔이 있으며 스스
로 나아가니 끌려갈 만한 짐승인 구사와는 다르다. 두 짐승은 나아가 결단하는 데에는 예리
하나 산양은 경계하는 성질이 있어서 잘 때에는 반드시 뿔을 걸어 두고,[149] 사슴도 환난에
대비하여 머무를 때에는 반드시 밖을 향해 뿔을 둥그렇게 둘러놓으니 구이와 호응하기 때문
에 늦은 밤에 두려워 호령하는 것이 이만한 짐승이 없다. 현륙(莧陸)을 말하고 머리의 뿔[頭
角]을 말하지 않은 것은 머리의 뿔은 상육에 해당하기 때문이다. 하나의 음이 사라지려함에
도 오히려 경계하고 두려워하는 마음이 있는 것은 중도를 행하기 때문이다.

심조(沈潮) 「역상차론(易象箚論)」

九五, 莧陸.
구오는 비름나물.

莧, 쇼비롬이오, 陸 쟈리광이불희라.
현(莧)은 '쇠비름'이고, 육(陸)은 '자리광이뿌리'이다.

---

147) 경학자료집성DB에 구사효사에 편집되어 있으나, 경학자료집성 영인본의 체재에 의거하여 구오효사로 옮겨
    해석하였다.
148) 『說文解字』: 胡官切, 音桓.山羊細角也.『六書正譌』: 上从芉, 是羊頭, 非艸頭. 下从見, 如兎字, 非見字.
149) 영양(羚羊)은 잘 때 뿔을 나무에 걸어두어 자던 자리의 흔적을 없앤다는 뜻이다.

유정원(柳正源) 『역해참고(易解參攷)』

子夏傳, 莧陸, 木根草莖, 剛下柔上也.

『자하역전(子夏易傳)』에서 말하였다: 현륙(莧陸)은 나무의 뿌리에 풀의 가지이니, 아래가 단단하고 위가 부드럽다.

○ 縉雲馮氏曰, 率衆陽以決一陰, 乃不能去, 豈非如莧陸之浸潤, 而失其剛決者耶. 唯其得中道, 故勉爲夬決之事.

진운풍씨가 말하였다: 대체로 여러 양이 하나의 음을 결단하는데 바로 할 수 없다면 어찌 비름나물이 점점 스며들어서 굳세게 결단함을 잃은 것과 같음이 아니겠는가? 오직 중도를 얻었기 때문에 결단하듯이 결단하는 일을 힘쓰는 것이다.

○ 建安丘氏曰, 凡陽之決陰, 遠則不能相及, 唯比與應當之. 五比上者也, 故曰莧陸夬夬, 三應上者也, 故曰君子夬夬. 夬者, 言當決而又決, 不可繫累於陰也.

건안구씨가 말하였다: 무릇 양이 음을 결단할 때에 멀면 서로 미칠 수 없고 오직 가깝거나 호응하여야 감당할 수 있다. 오효는 상효와 가까운 자이기 때문에 "비름나물이 끊듯이 결단함"이라고 하였고, 삼효는 상효와 호응하기 때문에 "군자가 결단할 것을 결단함"이라고 하였다. 쾌(夬)는 마땅히 결단하고 또 결단하여 음에 얽매여서는 안 된다는 말이다.

○ 趙氏曰, 莧山羊也. 兌爲羊, 因九四牽羊悔亡, 亦有此象. 陸无水路也, 君子決小人, 如驅羊於陸, 則前无阻滯.

조씨가 말하였다: 현(莧)은 산양이다. 태괘는 양이니 구사의 "양을 끌듯이 하면 후회가 없을 것이다"로 인하여 이런 상이 있다. 육지[陸]는 물이 없는 길이니 군자가 소인을 결단하는 것이 육지에서 양을 몰듯이 하면 전진하는 데에 장애가 없는 것과 같다.

○ 廬陵龍氏曰, 上體兌, 羊象, 高平曰陸. 五陽連亘, 有陸路坦夷象. 爻變之大壯, 亦有震大塗象.

여릉용씨가 말하였다: 상체는 태괘이니 양의 상이고 높고 평평한 것을 륙(陸)이라고 한다. 다섯의 양이 이어서 뻗혀있으니 평탄한 육로의 상이 있다. 오효가 변한 대장괘(大壯卦☳☰)에 또한 진괘(震卦☳)의 큰 길의 상이 있다.

○ 梁山來氏曰, 陸者地也, 地之高平曰陸. 莧乃柔物, 上六之象也. 陸地所以生莧者, 六乃陰, 土陸之象也. 莧陸夬夬者, 卽俗言斬草除根之意, 言欲決去其莧, 竝其所種之地亦決之. 上夬者, 決莧也, 下夬者, 決陸也. 決而又決, 則根本枝葉, 皆以決去, 无復潛滋暗長矣.

양산래씨가 말하였다: 육지[陸]는 땅이니 땅이 높고 평평한 것을 육지라고 한다. 비름나물[莧]은 부드러운 음의 식물이니 상육의 상이다. 육지에서 비름나물이 자라는 것은 상효가 음효이니 육지의 상이다. "비름나물을 결단하고 결단함"은 세속에서 말하는 "풀을 베고 뿌리를 제거함"의 뜻이니 비름나물을 제거하고자 하면 아울러 그것이 심어진 땅도 결단해야 한다는 말이다. 위의 쾌자는 비름나물을 결단하는 것이고, 아래 쾌자는 땅을 결단하는 것이다. 결단하고 또 결단한다면 뿌리와 가지 · 잎사귀가 모두 결단되어 제거되어서 다시는 숨어서 번식하거나 몰래 자라는 일이 없을 것이다.

傳, 馬齒莧. 〈本草, 葉形, 如馬齒, 故名. 又名五行草, 葉靑莖赤, 花黃根白子黑.〉
『정전』에서 말하였다: 쇠비름[馬齒莧]이다. 〈『본초』에서 말하였다: 잎사귀의 모양이 말의 이빨 같기 때문에 그렇게 불리운다. 또 오행초(五行草)라고도 하니 잎사귀가 파랗고 줄기가 붉으며, 꽃이 노랗고 뿌리가 희며 열매는 검다.〉

김상악(金相岳) 『산천역설(山天易說)』

莧陸澤草, 柔脆而感陰氣之多者. 五爲決陰之主, 與上相比, 故有莧陸夬夬之象. 必果決而決去之, 則合於中行之道, 而无過咎也.
비름나물은 못가의 풀로 부드럽고 무르며 음기를 품은 것이 많다. 오효는 음기를 결단하는 주체이나 상효와 서로 가깝기 때문에 비름나물을 결단하듯이 결단하는 상이 있다. 반드시 과감하게 결단하듯이 결단하여 제거한다면 중행의 도에 합치하여 허물이 없을 것이다.

○ 莧陸, 子夏傳, 木根草莖, 剛下柔上也. 莧生於三月, 故言之於夬, 瓜生於五月, 故言之於姤. 夬夬見九三, 三之夬夬, 以心言, 五之夬夬, 以事言. 或曰, 莧與陸是二物, 故夬夬重二字. 五上之比, 同體而說易, 失其剛決之義. 故有中行之戒. 泰九二亦言中行. 然泰則剛柔不偏, 夬則掩於柔, 故傳辭相反.
현륙(莧陸)은 『자하역전』에 "나무의 뿌리에 풀의 가지이니, 아래가 단단하고 위가 부드럽다"고 하였다. 현(莧)은 삼월에 나기 때문에 쾌괘에서 말했고, 오이는 오월에 나기 때문에 구괘에서 말하였다. 쾌쾌(夬夬)는 구삼에서도 보이는데 삼효의 '쾌쾌'는 마음으로 말하였고, 오효의 '쾌쾌'는 일로 말하였다. 어떤 이가 말하였다: 현(莧)과 륙(陸)은 두 가지 물체이기 때문에 두 글자를 중첩하여 '쾌쾌'라고 하였다. 오효와 상효가 가까이 있으니 같은 몸체로서 기뻐하고 편안히 여겨 군세게 결단하려는 뜻을 잃는다. 그러므로 중도로 행하라는 경계가 있다. 태괘(泰卦䷊)의 구이도 '중도로 행함'을 말했다. 그러나 태괘는 군센 양과 부드러운 음이 치우치지 않고, 쾌괘는 부드러운 음에 가렸기 때문에 두 괘의 상전과 효사가 서로 반대이다.

서유신(徐有臣) 『역의의언(易義擬言)』

莧陸, 易斷易[150]之物. 九五斷如莧陸, 又得中故无咎也.

현륙(莧陸)은 끊기 쉬운 식물이다. 구오는 결단하기를 현륙처럼 하고, 또 중도를 얻었기 때문에 허물이 없다.

박제가(朴齊家) 『주역(周易)』

九五, 莧陸.

구오는 비름나물.

莧與陸, 爲二物. 朱子說之, 而本義單言馬齒莧, 豈未及補歟.

현(莧)과 육(陸)은 두 가지 물체이다. 주자가 그렇게 말하고 『본의』에서는 쇠비름[馬齒莧] 하나 만을 말했으니 미처 보충하지 못해서가 아니겠는가.

박문건(朴文健) 『주역연의(周易衍義)』

欲決未能, 故有莧陸之象. 莧陸言馬齒之處陸者也.

결단하고자 하나 할 수 없기 때문에 현륙(莧陸)의 상이 있다. 현륙(莧陸)은 쇠비름이 육지에 있는 것을 말한다.

〈問, 莧陸之取義. 曰, 莧夏[151]月結實 陰物之感陽氣者也 陸高平之地也. 故於九五取其象也.

물었다: 현륙(莧陸)은 무슨 뜻을 취한 것입니까?

답하였다: 현(莧)은 여름에 결실을 맺으니 음물(陰物)로서 양기(陽氣)에 감동한 식물이고, ‘륙’은 높고 평평한 땅입니다. 그러므로 구오에서 그 상을 취하였습니다.〉

〈○ 問, 莧陸夬夬, 中行无咎. 曰, 九五, 欲進而恒退, 雖如莧之處陸而夬夬然, 合於中道也, 故所以无咎. 蓋莧之處陸者, 必葉常仰, 而莖常臥, 故取此義也. 夫九五處群剛之

---

150) 易: 연자(衍字)인 듯하다.
151) 夏: 경학자료집성DB에는 ‘憂’로 되어있으나, 경학자료집성 영인본을 참조하여 ‘夏’로 바로잡았다.

上, 若率其類而進, 則決一陰也不難, 但嫌其犯上之難, 故欲進而未能. 是守常之中, 而不知時變之中者也. 故只許其无咎而已, 夫子所謂中道之未大者也.

물었다: "비름나물을 끊듯이 결단하면 중도를 행함에 허물이 없을 것이다"는 무슨 뜻입니까?

답하였다: 구오는 나아가고자 하나 항상 물러나니 육지에 있는 비름나물처럼 결단하고 결단하여 중도에 합하기 때문에 허물이 없는 것입니다. 육지에 사는 비름나물은 반드시 잎사귀가 항상 위를 향하고 줄기가 항상 누워있기 때문에 이런 뜻을 취하였습니다. 구오가 여러 굳센 양의 위에 처하여 그 무리를 거느리고 나아간다면 하나의 음을 결단하는 것이 어렵지 않을 것이나, 윗사람을 범하는 어려움을 혐의쩍어 하기 때문에 나아가고자 하나 하지 못합니다. 이것은 상도만 지키는 중도이니 때의 변화에 맞는 중도는 모르는 자입니다. 그러므로 허물이 없는 것만을 허여했을 뿐이니 공자의 이른바 중도가 원대하지 못하다는 것입니다.)

김기례(金箕澧) 「역요선의강목(易要選義綱目)」

莧馬齒莧. 陸商陸, 皆易折而感陰之草.

현(莧)은 쇠비름이고, 륙(陸)은 상륙(商陸)이니 모두 꺾기 쉽고 음기를 품은 풀이다.

○ 五陽剛居尊, 當夬次上陰, 而昵[152]比兌陰不能決. 故歎其欲決之, 若莧陸夬夬.

다섯 양이 굳셈으로 높은 자리에 있으니 위에 있는 음을 결단해야 하나 기뻐하는 음과 친밀하고 가까워 결단할 수 없다. 그러므로 결단하기를 쇠비름을 결단하고 결단하는 것처럼 하라고 탄식한 것이다.

○ 言雖感於陰易決, 不至過暴, 得中道則无咎.

음기를 품고 있어 결단하기 쉬우나 지나치게 포악하지 않아 중도를 얻는다면 허물이 없을 것이라는 말이다.

○ 卦中三五, 皆以陽居剛, 足以決陰. 然三應五比, 故戒夬夬. 中未光, 歎其私比而不能決陰, 則雖剛中而未光.

괘안의 삼효와 오효는 모두 양으로서 굳센 양의 자리에 있으니 음은 결단하기에 충분하다. 그러나 삼효는 상효와 호응하고 오효는 상효와 가깝기 때문에 결단하고 결단하라고 경계하였다. 중(中)이 아직 빛나지 못함은 사사로이 친하여 음을 결단할 수 없음을 탄식하였으니 비록 굳센 양이고 가운데 자리에 있다 해도 아직 빛나지 못한 것이다.

---

152) 昵: 경학자료집성DB에는 '□'로 되어 있으나, 경학자료집성 영인본을 참조하여 '昵'로 바로잡았다.

이항로(李恒老) 「주역전의동이석의(周易傳義同異釋義)」

傳, 莧陸, 今所謂馬齒莧, 是也. 五若如莧陸, 雖感於陰, 而決斷之易, 則於中行, 无過咎矣.

『정전』에서 말하였다: '비름[莧陸]'은 지금의 이른바 쇠비름[馬齒莧]이 이것이다. 구오가 마치 비름나물과 같아 비록 음기를 품고 있지만 쉽게 결단하면 중도를 행함에 허물이 없을 것이다.

本義, 莧陸, 今馬齒莧, 若決而決之, 而又不爲過暴, 合於中行, 則无咎矣.

『본의』에서 말하였다: '비름나물[莧陸]'은 지금의 쇠비름이니, 만약 결단하고 결단하되 또 지나치게 포악하게 하지 아니하여 중도를 행함에 합당하게 하면 허물이 없을 것이다.

按, 朱子曰莧陸是兩物, 而本義只從程傳可疑. 中行无咎, 戒占者辭也, 故不從. 或問, 九五剛健中正, 德无不備, 而象云莧陸, 傳曰未光, 猶有不足之辭, 何也. 曰, 九五居說, 以陽說陰, 理之常也. 且彼上六一陰, 性柔體說, 其所以順適媚附於五者, 无所不至. 則在人君仁民愛物之德, 蕩平寬大之政, 不能無禹泣之哀, 湯解之恩. 是以社鼠避薰穴之禍, 堰蟻養潰河之勢, 國綱日就委靡, 人心日益渙散, 未必不由於此. 此聖人所以深戒而勉之以中行也. 中行何也. 一於公而无一毫之私, 一於正而无一息之邪. 象賢如日月之光明, 絶惡如斧鉞之斷物, 不容些兒蔽障於其間, 然後洪範所謂建極之中, 堯舜所謂執中之中, 於是乎在矣, 後之有是德而當此位者, 宜鑑于玆.

내가 살펴보았다: 주자가 "현륙(莧陸)은 두 가지 물체이다"고 하였는데 『본의』에서는 단지 『정전』를 따랐으니 의아하다. 그러나 "중도를 행하면 허물이 없을 것이다"는 점치는 자를 경계한 말이므로 따르지 않았다.

어떤 이가 물었다: 구오는 씩씩하고 중정하니 덕에 갖추지 않은 것이 없는데 상(象)을 현륙(莧陸)이라 하고 「상전」에서는 "빛나지 못하기 때문이다"고 하였으니 오히려 부족함이 있는 말을 한 것은 어째서입니까?

답하였다: 구오가 기쁜 자리에 있으니 양으로서 음을 기뻐하는 것은 이치의 일상입니다. 또 하나의 음인 상육은 성질이 부드럽고 몸체가 기쁨이니 오효를 순히 따르고 아첨하여 쫓아가는 일을 하지 않는 것이 없습니다. 임금이 백성을 사랑하고 만물을 아끼는 덕과 크고 공평하며 너그럽게 하는 정치에 우임금이 죄인을 보고 슬프게 울었던 일[153]과 탕임금이 그물을 풀어놓은 은혜[154]가 없지 않습니다. 이러므로 사직단의 쥐는 쥐구멍에 불을 놓는 화에

---

153) 『설원·군도』.

154) 『史記·殷本紀』: 湯出見野張網四面, 祝曰自天下四方皆入吾網, 湯日嘻盡之矣. 乃去其三面, 祝曰欲

서 면하고 제방의 개미는 하수를 무너뜨릴 기세[155]를 기르니 나라의 기강이 날마다 쇠약해지고 인심이 날마다 흩어지는 것이 반드시 이런 데에서 연유하지 않는다고는 못합니다. 이것이 성인이 깊이 경계하여 중도를 행하기를 권면한 것입니다. 중도를 행하는 것이 무엇이겠습니까? 한결같이 공변되어 터럭만치도 사심이 없고, 한결같이 올발라서 한 순간의 사심도 없는 것입니다. 현인을 본받기를 일월의 광명을 보듯이 하며 악을 끊기를 도끼로 물건을 절단하듯이 하여 그 사이에 조금의 가림이나 막힘을 용납하지 않은 뒤에야 「홍범」에 이른바 '법도[極]를 세우는 중(中)'이고, 요순이 이른바 '중도를 지키는 중(中)'이 여기에 있게 될 것입니다. 훗날 이런 덕을 가지고 이런 지위에 있는 자는 마땅히 이것을 거울로 삼아야 할 것입니다.

박종영(朴宗永) 「경지몽해(經旨蒙解)·주역(周易)」

程傳曰, 莧陸, 今所謂馬齒莧也, 曝之難乾, 感陰氣之多者也, 而脆易折. 五若如莧陸, 雖感於陰 而決斷之易, 則於中行无[156]咎矣.

『정전』에서 말하였다: '비름나물[莧陸]'은 지금의 이른바 쇠비름[馬齒莧]이 이것이다. 햇볕에 말려도 말리기 어려울 정도로 음기를 많이 품고 있으니 취약하여 끊기가 쉽다. 구오가 마치 비름나물과 같아 비록 음기를 품고 있지만 쉽게 결단하면 중도를 행함에 허물이 없을 것이다.

蓋五爲陽剛之君, 而昵[157]於六爻陰柔之小人, 感於陰雖多, 而決能如莧陸之夬, 則於中正之道, 无害矣. 此非獨人君取象行決斷之夬也. 大凡君子與小人處也, 雖或在親比之地, 不失其中正, 而夬施斷折宜也. 而雖以爲學工夫言之, 目前之私欲雖逼, 而克制之夬, 如莧陸之易斷,[158] 則天理流行, 而無浸漸之害矣, 豈不夬且利哉. 蓋天地之間, 陰陽剛[159]柔, 賢邪淑慝, 公私是非, 互對而相勝負者多矣. 天道不能調其陰陽, 則四時不得順序, 人君不能親賢去邪, 則政治不得休明, 人事不能袪私務公, 則施措不得就正, 此必然之理也. 雖知其然, 而不能循理得中者, 其患在果斷不足. 而優游姑息, 終至於淪胥以敗, 可勝歎哉. 聖人以莧陸垂戒者, 其意深切, 學者其致思焉.

左左欲右右, 不用命乃入吾網, 諸侯聞之曰, 湯德至矣及禽獸.

155) 『韓非子·喩老』: 千丈之隄 以螻蟻之穴潰.

156) 无: 경학자료집성DB에는 '牙'로 되어 있으나, 경학자료집성 영인본을 참조하여 '无'로 바로잡았다.

157) 昵: 경학자료집성DB에는 '呢'로 되어 있으나, 경학자료집성 영인본을 참조하여 '昵'로 바로잡았다.

158) 斷: 경학자료집성DB와 영인본에는 모두 '□'로 되어 있으나, 문맥을 살펴 '斷'으로 바로잡았다.

159) 剛: 경학자료집성DB에는 '鬪'로 되어 있으나, 경학자료집성 영인본을 참조하여 '剛'으로 바로잡았다.

오효가 양강의 임금으로 상효인 부드러운 음의 소인과 친압하여 음기를 느끼는 것이 많으나 쇠비름을 결단하는 것처럼 결단할 수 있다면 중정의 도에 해될 것이 없을 것이다. 이것은 임금만이 이 상을 취하여 결단하는 결단을 행할 뿐만이 아니다. 대체로 군자가 소인과 처함에 비록 친하고 가까운 처지에 있더라도 중정을 잃지 않고서 결단하여 단절을 시행하는 것이 마땅하다. 공부하는 일로 말하더라도, 눈앞의 사사로운 욕심이 핍박해도 능히 제재하여 결단하기를 비름나물이 끊기를 쉽게 하는 것처럼 한다면 천리가 유행하여 점점 적셔지는 해는 없을 것이니 어찌 결단함이 장차 이롭지 않겠는가? 천지 사이에는 음·양, 굳셈·부드러움, 어짊·간사함, 착함·사특함, 그리고 공과 사, 옳고 그름이 서로 짝이 되어 한쪽이 이기면 한쪽이 지게 되는 경우가 많다. 천도가 음양을 조화롭게 하지 못하면 사시(四時)가 순서에 순조롭지 못하고 임금이 어진 이를 가까이하고 간사한 이를 물리치지 못하면 정치가 밝을 수 없으며 인사에 사사로움을 없애고 공변됨을 힘써 못하면 시행하는 일이 바르게 될 수 없는 것이 필연의 이치이다. 비록 그것을 알더라도 이치를 따라 중도를 얻을 수 없는 것은 과단성이 부족한 데에 그 근심이 있다. 한가롭고 안일하여 끝내 서로 빠져 패망하는 데에 이르니 이루 다 탄식할 수 있을까? 성인이 비름나물로 경계를 드리운 것이 그 뜻이 매우 절실하니 배우는 자는 생각을 다하여야 한다.

심대윤(沈大允) 『주역상의점법(周易象義占法)』

夫之大壯䷡. 九五居剛用力, 位可以有爲, 時可以果斷, 才可以剛決. 大壯有不實之象[160], 夬[161]上有陰亦爲不實之象. 比於上有係於人之意. 當群陽同進決陰之世, 論議雷動, 專以激厲爲務, 五爲之主, 而得其中. 然亦不可痛排群議, 而失同類之和氣, 故不能盡以忠實行之, 而或濫於文法, 此古今之大敝也. 故曰莧陸夬夬. 莧陸以象推之, 乃近澤之艸, 剛而華美者也. 震爲萑葦之屬. 漢上朱氏曰, 莧莧澤草也, 葉柔根小堅而赤. 商陸亦澤草也, 葉大而柔, 根猥大而深, 有赤白二種. 中行, 言夬之道過而極不可復過也, 以其得中, 故无咎. 五之時夬道極, 而其事則中也. 一陰尙在, 謂之極, 何也. 曰一陰尙在時也, 過而極道也.

쾌괘가 대장괘(大壯卦䷡)로 바뀌었다. 구오는 굳센 자리에 있으면서 힘을 쓰니 큰일을 할 수 있는 자리이고, 과감하게 결단할 수 있는 때이며 굳세게 결단할 수 있는 재질을 갖추고 있다. 대장괘는 충실하지 못한 상이 있는데 쾌괘의 위에 음이 있는 것도 충실하지 못한 상이 된다. 오효는 상효와 가까워 남과 관계하려는 뜻이 있다. 여러 양이 함께 나아가 음을 결단

---

160) 象: 경학자료집성DB와 영인본에는 모두 '口'로 되어 있으나, 문맥을 살펴 '象'으로 바로잡았다.
161) 夬: 경학자료집성DB와 영인본에는 모두 '口'로 되어 있으나, 문맥을 살펴 '夬'로 바로잡았다.

하려는 세상에 논의가 우레처럼 움직여 전적으로 격렬하고 사납게 하는 것만 힘쓰니, 오효는 그것의 주동이 되나 중도를 얻었다. 그러나 여럿의 의론을 통렬히 배척하여 동류와 화합하는 기운을 잃기 때문에 충실하게 행하기를 극진히 할 수 없고 때로는 형법을 남용하니 이것이 고금의 큰 병폐이다. 그러므로 "비름나물을 끊듯이 결단함"이라고 하였다. '비름나물'은 상으로 미루어 설명한 것이니 못 가까이서 자라는 풀로서 굳세고도 화려하고 아름다운 것이다. 진괘(震卦☳)는 갈대의 종류가 된다. 한상주씨는 "현괴(莧蕡)는 못 풀이니 이파리가 부드럽고 뿌리가 작으며 붉다. 상륙(商陸)도 못 풀이니 이파리는 크고 부드러우며, 뿌리는 많고도 크며 깊이 박혀있는데 적색과 백색 두 종류가 있다"고 하였다. '중도로 행함'은 쾌괘의 도가 지나쳐서 더 이상 지나칠 수 없을 정도로 극에 달하였으나 중도를 얻었기 때문에 허물이 없다는 말이다. 오효의 때에 쾌괘의 도가 극도에 달하였으나 그 일은 중도에 맞다. 하나의 음이 여전히 있는데 극도에 달하였다고 하는 것은 어째서인가? 하나의 음이 여전히 때에 있으니 지나쳐서 도가 극에 달한 것이다.

오치기(吳致箕) 「주역경전증해(周易經傳增解)」

九五, 陽剛中正而居尊, 可以決去小人者也. 然下无正應, 而居兌體, 與上六之陰切比而相說, 有莧陸之象. 恐不能決去而有咎, 故戒言決而又決. 用中行之道, 去其私心之說, 而期於必決, 則可以无咎也. 莧陸未詳, 而蓋陰柔難除之草, 以喩上六也. 取象於對體變巽也. 中取五, 而行取變震也. 三則應上, 五則比上, 故兩爻俱言夬夬, 而三譽五戒, 所指不同也.

구오는 굳센 양으로 중정이면서 높은 자리에 있으니 소인을 결단해 제거할 수 있는 자이다. 그러나 아래에 정응이 없고 태괘의 몸체에 있어서 상육의 음과 매우 가까워 서로 기뻐하니 비름나물의 상이 있다. 결단하여 제거할 수 없어 허물이 없을 것 같기 때문에 결단하고 또 결단할 것을 경계하여 말하였다. 중도를 행하는 도를 써서 사사로운 마음의 기쁨을 제거하여 반드시 결단하기를 기필한다면 허물이 없을 수 있다. 현륙(莧陸)은 자세히 알 수 없으나 부드러운 음기를 가져 제거하기 어려운 풀이라서 상육을 비유한 듯하다. 음양이 바뀐 몸체의 본효가 변한 손괘에서 상을 취하였다. '중(中)'은 오효에서 취하였고 '행(行)'은 변한 진괘에서 취하였다. 삼효는 상효와 호응하고 오효는 상효와 가깝다. 그러므로 두 효에서 모두 '쾌쾌(夬夬)'라고 말하였으나 삼효에서는 칭찬하고 오효에서는 경계하였으니 가리키는 바가 같지 않다.

이진상(李震相) 『역학관규(易學管窺)』

爻變成震. 震爲蕃鮮, 莧乃感陰易決之草也. 夬夬重剛象. 中行者, 互乾健而得中也.

震爲大塗亦行也.

본효가 변하면 진괘(震卦☳)가 된다. 진괘는 무성하고 윤기있는 것이 되니 비름나물은 곧 음기를 품고 있어 끊기 쉬운 풀이다. '쾌쾌(夬夬)'는 굳센 양이 중첩된 상이다. '중도로 행함'은 호괘인 건괘(乾卦☰)가 강건하여 중도를 얻은 것이다. 진괘는 큰 길이 되니 또한 '행함'이다.

박문호(朴文鎬) 「경설(經說)・주역(周易)」

莧陸之爲物, 倒懸其根於盛夏曝陽之中, 至數日不乾, 以其感陰之多故也. 若其易斷, 則他草亦或有然者. 故本義不竝取易斷之義.

비름나물은 무더운 여름날 내리쬐는 태양아래에서 며칠 동안 그 뿌리를 거꾸로 매달아 놓아도 마르지 않으니 이는 음기를 품고 있는 것이 많기 때문이다. 끊기 쉬운 것이라면 다른 풀도 더러 그러한 것이 있다. 그러므로『본의』에서는 쉽게 끊어진다는 뜻을 아울러 취하지 않았다.

이병헌(李炳憲)『역경금문고통론(易經今文考通論)』

孟曰, 莧胡練反. 莧陸獸名, 夬有兌, 兌爲羊也.

맹희가 말하였다: 현(莧)은 호(胡)와 련(練)의 반절음이다. 현륙(莧陸)은 짐승이름이고 쾌괘에 태괘(兌卦)가 있으니 태괘는 양이 된다.

象曰, 中行无咎, 中未光也.

「상전」에서 말하였다: "중도를 행함에 허물이 없음"은 알맞음이 아직 빛나지 못하기 때문이다.

‖中國大全‖

傳

卦辭, 言夬夬則於中行爲无咎矣, 象復盡其義, 云中未光也, 夫人心正意誠, 乃能極中正之道, 而充實光輝, 五心有所比, 以義之不可而決之, 雖行於外, 不失中正之義, 可以无咎, 然於中道, 未得爲光大也. 蓋人心一有所欲, 則離道矣, 夫子於此, 示人之意深矣.

「괘사」에 결단하듯이 결단하면 중도를 행함에 허물이 없을 것이라고 말하였는데,「상전」에는 다시 그 뜻을 다하여 "알맞음이 아직 빛나지 못하기 때문이다"고 하였다. 사람은 마음이 바르고 뜻이 성실하여야 알맞고 바른 도를 지극히 하여 충실하고 빛날 것인데, 구오는 마음에 가까이 하는 것이 있어 의롭지 못한 것으로 결단하니, 비록 밖에 행함에 있어서는 알맞고 바른 뜻을 잃지 아니하여 허물이 없을 수 있으나 중도(中道)에 있어서는 아직 빛나고 클 수 없다. 사람의 마음은 하나라도 욕심내는 것이 있으면 도를 떠나게 되니, 공자가 여기에서 사람에게 보여준 뜻이 깊다.

本義

程傳備矣

『정전(程傳)』에 자세하다.

小註

朱子曰, 中行无咎, 言人能剛決自勝其私, 合乎中行則无咎, 但能補過而已, 未是極至處. 這是說那微茫間有些箇意思斷未得, 釋氏所謂流注想, 荀子謂偸則自行, 便是這意思. 照管不著, 便走將那裏去. 爻雖無此意, 孔子作象, 所以裨爻辭之不足, 如自我致寇, 敬愼不敗之類甚多. 中行无咎, 易中卻不恁地看. 言人占得此爻者, 能中則无咎, 不然則有咎.

주자가 말하였다: "중도를 행하면 허물이 없음"은 굳세게 결단하여 스스로 자신의 사사로움을 이겨서 중도를 행함에 합치되면 허물이 없다는 말이다. (허물이 없음은) 그냥 허물을 보충할 뿐이고 아직 지극한 경지가 아니다. 이것은 뚜렷하지 않은 사이에 생각을 조금이라도 끊지 못하면 불교에서 말하는 "생각이 딴 곳으로 흘러가는 것"이고, 『순자』에서 이른바 "틈이 나면 제멋대로 한다"[162]는 것이 곧 이러한 뜻이니, 살피지 못하여 그 곳으로 가는 것이다. 효에는 이런 뜻이 없는데 공자가 「상전」을 지어 「효사」의 부족함을 보충했기 때문에 "내가 도적이 옴을 불렀으니, 공경하고 삼가면 패망하지 않을 것이다"[163]는 것들이 매우 많다. "중도를 행하면 허물이 없음"을 『역』에서는 이렇게 보지 않았으니, 사람이 점을 쳐서 이러한 효를 얻었을 경우에 중도를 행하면 허물이 없고, 그렇지 않으면 허물이 있다는 말이다.

○ 中未光也, 言事雖正而意潛有所係者, 流注不斷, 皆意不誠之本也.
"알맞음이 아직 빛나지 못함"은 일이 비록 바르지만 생각이 남모르게 얽매여 부끄러운 것이 있어 딴 곳으로 끊임없이 흘러가니 모두 근본적으로 생각이 참되지 못하기 때문이라는 것이다.

○ 鄭氏剛中曰, 五陽竝進同力爲夬. 而夬夬之戒獨見於三五者, 蓋三與六應, 五與六比, 當決陰之時, 二爻容有牽私愛昵近習之心, 故雖以九五之尊得中行之道, 而象猶以爲未光也.
정강중이 말하였다: 다섯 양이 함께 나아가 힘을 합해 결단한다. 그런데 결단할 것을 결단하는 경계가 구삼과 구오에만 보이는 것은 구삼은 상육과 응하고 구오는 상육과 가까워서 음을 결단해야 하는 때에 두 효가 사사로운 사랑에 이끌리고 가까운 사람들을 친하게 지내는 마음을 용납하기 때문에 구오가 존귀하여 중도를 행하는 도를 얻었지만 「상전」에서 오히려 아직 빛나지 못한다고 여겼다.

○ 雲峰胡氏曰, 三與上應, 三健體也, 健於決之, 終可无咎. 五與上比, 皆說體也. 程傳曰, 人有所欲則離道矣, 事雖正而意有所係, 故於中道未得爲光大也. 本義於履大象及此, 獨曰程傳備矣, 蓋其於履也, 痛後世風俗之弊甚切, 於夬也, 誅後世君心之非甚嚴.

---

162) 『荀子·解蔽』: 心臥則夢, 偸則自行, 使之則謀.
163) 『周易·需卦』: 象曰, 需于泥, 災在外也. 自我致寇, 敬愼, 不敗也.

운봉호씨가 말하였다: 구삼이 상육과 호응하지만 구삼은 굳센 몸체로 굳세게 결단하여 끝내 허물이 없을 것이다. 구오는 상육과 가까운데 모두 기뻐하는 몸체이다. 『정전』에서 "사람이 욕심내는 것이 있으면 도를 떠나게 된다"고 하였으니, 일이 비록 바르지만 생각이 매인 것이 있는 까닭에 중도에 대해 아직 빛나고 끌 수 없는 것이다. 『본의』에서는 리괘 「대상전」과 여기에서 유독 "정전에 구비되었다"과 하였는데, 리괘에서는 후세 풍속의 폐단을 괴로워한 것이 매우 절실하고, 쾌괘에서는 후세 임금 마음의 잘못을 꾸짖은 것이 매우 엄격하다.

┃韓國大全┃

유정원(柳正源) 『역해참고(易解參攷)』

中未光.

중(中)이 아직 빛나지 못하기 때문이다.

案, 以義決之, 雖不失中正之道, 而決之之心未誠, 猶有一毫係戀之意. 是中道之未光大也.

내가 살펴보았다: 의로움으로 결단하면 비록 중정의 도를 잃지 않았지만 결단하는 마음이 성실하지 않아 아직도 연연해하는 마음이 한 터럭만큼 남아있다. 이것은 중도가 아직 광대하지 못하기 때문이다.

傳, 卦辭.

『정전』에서 말한 '괘사(卦辭)'에 대하여.

〈案, 卦恐當作爻.

내가 살펴보았다: 괘(卦)자는 마땅히 효(爻)자로 써야 할 듯하다.〉

小註, 朱子說, 釋氏 [至] 自行.

소주에서 주자가 말하였다: 불교에서 … 제멋대로 한다.

〈荀了, 心卧則夢, 偸則自行. ○ 朱子曰, 偸心是不知不覺自走去, 不出自家使底. 佛家亦有所謂流注想. 潙山禪師云, 某參禪幾年, 至今不曾斷得流注想, 此卽荀子所謂偸則自行之心也.

『순자 · 해폐』에 "마음이 잠을 자면 꿈을 꾸고, 틈이 나면 제멋대로 한다"고 하였다.
○ 주자가 말하였다: 투심(偸心)은 자신도 모르는 사이에 저절로 일어나는 것이니 자신으로 말미암아 그렇게 된 것이 아니다. 불교에서도 또한 "생각이 딴 곳으로 흘러가는 것"이라는 말이 있다. 위산선사(潙山禪師)가 말하기를 "내가 몇 년 동안 참선을 하였는데 지금까지 생각이 딴 곳으로 흘러가는 것을 끊은 적이 없다"고 하였으니 이것이 바로 순자가 말한 "틈이 나면 제멋대로 한다"는 마음이다.〉

김상악(金相岳)『산천역설(山天易說)』

未光者, 事雖正而意有所係也. 象傳曰其危乃光者, 以全體言, 爻辭曰中未光者, 以一爻言. 周易折中, 中未光, 故貴於中行, 非謂雖中行, 而猶未光也.

'아직 빛나지 않음'은 일이 비록 바르나 뜻이 매인 것이 있는 것이다. 「단전」에서 "그 위태로움이 이에 빛남"이라고 한 것은 전체로써 말한 것이고, 효사에서 "중이 아직 빛나지 않음"이라고 한 것은 하나의 효로 말하였다.『주역절중』에 "알맞음이 아직 빛나지 않기 때문에 중도로 행함을 귀하게 여기는 것이지 중도로 행한다하더라도 오히려 아직 빛나지 않음을 이르는 것은 아니다" 라 하였다.

서유신(徐有臣)『역의의언(易義擬言)』

雖云中行无咎, 終不能決去上六, 惡在其夬夬乎. 是爲未光也. 蓋快於易斷者, 類不能快於難斷也.

비록 "중도를 행함에 허물이 없음"이라고 하였더라도 끝내 상육을 결단하여 끊어내지 못하니 어디에 '결단하듯이 결단함'이 있겠는가? 이것이 '빛나지 못함'이 된다. 결단을 쉽게 함을 유쾌하게 여기는 것은 결단을 어렵게 함을 불쾌하게 여기는 것과 유사하다.

하우현(河友賢)『역의의(易疑義)』

九五象曰中未光也. 蓋九三若濡有慍, 然中心夬夬, 不繫私愛, 則初雖取慍, 而終无咎. 九五中行無咎. 然中心有比, 未免牽昵, 故外雖不失, 而內未光也. 然則君子之所貴者, 非中心乎.

구오의 상전에서 "알맞음이 아직 빛나지 못하기 때문이다"고 하였다. 구삼이 젖는 듯이 하여 성냄이 있으나 속마음을 결단하듯이 결단하여 사사로운 사랑에 매이지 않는다면 처음에는 성냄을 받으나 끝내 허물이 없을 것이다. 구오는 중도로 행하여 허물이 없다. 그러나 속마음에 가까운 것을 담고 있어 친압함을 면치 못하기 때문에 밖으로 잃음이 없을지라도 안으로 빛나지 못하는 것이다. 그렇다면 군자가 귀하게 여기는 것이 속마음이 아니겠는가?

이지연(李止淵) 『주역차의(周易箚疑)』

九二以陽剛之臣, 惕號備戎, 如陳玄禮之請誅貴妃. 而九五如明皇愛護係戀未嘗无也, 當如太公之蒙面而斬妲己已, 然後可謂中道之大光也.

구이는 굳센 양의 신하로서 두려워 호령하여 적군에 대비하니 진현례(陳玄禮)[164]가 귀비(貴妃)를 주벌할 것을 청한 것과 같다. 구오는 당 현종이 귀비를 애호하고 연민하지 않는 적이 없는 것과 같으니 마땅히 태공(太公)이 얼굴을 가리고 달기(妲己)를 참수한 것과 같이 한 뒤에야 중도가 크게 빛날 것이다.

심대윤(沈大允) 『주역상의점법(周易象義占法)』

有所牽係, 而極其夬, 故曰中未光也.

매이는 것이 있으나 쾌괘가 결단함을 다하기 때문에 "알맞음이 아직 빛나지 못하기 때문이다"고 하였다.

오치기(吳致箕) 「주역경전증해(周易經傳增解)」

親比陰邪, 而不能決去, 則中德未光. 故戒以无咎之道也.

간사한 음과 친애하고 가까워 결단하여 제거할 수 없으니 알맞은 덕이 빛나지 못한다. 그러므로 허물이 없는 도로 경계하였다.

이정규(李正奎) 「독역기(讀易記)」

九五, 莧陸夬夬, 中行无咎者, 五居君位, 而比近小人, 如莧陸之感險, 而不能決決之. 而或慮過中故也.

"구오는 비름나물을 끊듯이 결단하면 중도(中道)를 행함에 허물이 없을 것이다"는 오효가 임금 자리에 있으면서 소인과 가까우니 마치 비름나물이 음험함에 감동하고 결단하여 끊지 못하는 것과 같다. 이는 혹 염려가 중도를 지나쳤기 때문이다.

---

164) 진현례(陳玄禮): 당 현종(唐玄宗) 때 좌용무대장군(左龍武大將軍)으로 안녹산(安祿山)과 양귀비(楊貴妃)를 죽일 것을 주창(主唱)하였다. 그 공으로 채국공(蔡國公)에 봉해졌다.

上六, 无號, 終有凶.

정전 상육은 호소할 수 없을 것이니, 마침내 흉함이 있다.
본의 상육은 호소할 곳이 없으니, 마침내 흉함이 있다.

∥中國大全∥

傳

陽長將極, 陰消將盡, 獨一陰, 處窮極之地, 是衆君子得時, 決去危極之小人也. 其勢必須消盡, 故云无用號咷畏懼, 終必有凶也.

양의 자라남이 극에 달하고 음의 사라짐이 다하게 되었는데 단지 음 하나가 끝의 자리에 있으니, 이는 여러 군자가 때를 얻어 지극히 위험한 소인을 결단하여 제거하는 것이다. 형세상으로 반드시 없어지고 말 것이기 때문에 두려움을 호소하고 울부짖을 데가 없으니, 끝내 반드시 흉함이 있다고 한 것이다.

小註

中溪張氏曰, 上以一柔而乘五剛之上, 怗終不悛, 其罪大矣, 其危甚矣. 決而去之, 則夬其乾矣. 陽長陰消, 理之必然, 勿用號咷, 其終有凶, 不可以久處也. 終卽象辭剛長乃終之終.

중계장씨가 말하였다: 상육은 하나의 부드러운 음으로 다섯 굳센 양의 위에 타고 있어 믿으나 끝내 고치지 않아 그 죄가 크고 위험이 심하다. 결단하여 제거하면 그 굳셈을 결단하는 것이다. 양이 자라면 음이 사라지는 것은 필연적인 이치로 호소할 수 없어 마침내 흉함이 있으니, 오래 있을 수 없다. '마칠 것이다[終]'는 「단전」에서 "굳센 양의 자람이 이에 마칠 것이다"의 '마칠 것이다[終]'이다.

○ 潘氏曰, 小人在上, 高而危, 滿而溢, 豈能長守富貴哉, 无用號咷終於凶爾.

반씨가 말하였다: 소인이 윗자리에 있으면 높아서 위태롭고 가득차서 넘칠 것이니, 어째 부

귀를 길이 지키겠는가? 호소할 수 없어서 끝내 흉함이 있을 뿐이다.

本義

陰柔小人, 居窮極之時, 黨類已盡, 无所號呼, 終必有凶也. 占者有君子之德, 則其敵當之, 不然反是.

부드러운 음인 소인이 궁극한 때에 거하여 무리들이 이미 없어지고 호소할 데가 없으니, 끝내 반드시 흉함이 있을 것이다. 점치는 자가 군자의 덕이 있으면 상대방이 여기에 해당할 것이고 그렇지 않으면 이와 반대일 것이다.

小註

或問, 夬卦辭言孚號, 九二言惕號, 上言无號, 取象之義如何. 朱子曰, 卦有兌體, 兌爲口, 故多言號也. 又問, 以五陽決一陰, 君子盛而小人衰之勢, 而卦辭則曰, 告自邑, 不利卽戎, 初九壯于前趾則往不勝, 九二惕號則有戎勿恤, 壯于頄則凶, 牽羊則悔亡, 中行无咎, 豈去小人之道, 須先自治而嚴厲戒懼, 不可安肆耶. 曰, 觀上六一爻, 則小人勢窮, 无號有凶之時, 而君子去之之道, 猶當如此嚴謹, 自做手脚. 蓋不可以其勢衰而安意自肆也, 其爲戒深矣.

어떤 이가 물었다: 쾌괘 괘사에서 "미덥게 호령한다"고 하고, 구이에서 "두려워 호령한다"고 하였으며, 상육에서 "호소할 수 없다"고 하였는데, 상을 취한 뜻이 어떠합니까?

주자가 답하였다: 괘에 태(☱)의 몸체가 있는데, 태는 입이기 때문에 호령을 많이 말했습니다. 또 물었다: 다섯 양이 한 음을 결단함으로 군자는 성대하고 소인은 쇠퇴하는 형세입니다. 그런데 괘사에서 "읍으로부터 고하고, 전쟁에 나아감은 이롭지 않다"고 하고, 초구에서 "발이 나아감에 씩씩하니 가서 이기지 못한다"고 하였으며, 구이에서 "두려워 호령함이니, 적군이 있더라도 걱정할 것이 없다"고 하고, "구삼은 광대뼈에 씩씩하여 흉하다"고 하였으며, "양을 끌듯 하면 후회가 없다"고 하고, "중도를 행함에 허물이 없을 것이다"고 하였으니, 소인을 제거하는 도에 반드시 먼저 스스로 다스려서 엄숙히 두려워하여 경계하면서 해야지 편안히 하고 마음대로 해서는 안 될 것입니다.

답하였다: 상육 한 효를 보면 소인의 형세가 궁극하여 호소할 길 없이 흉한 때이지만 군자가 소인을 제거하는 도는 오히려 이처럼 엄숙하고 삼가기를 스스로 해야 합니다. 그 형세가 쇠약해 졌다고 편안히 제멋대로 해서는 안 되니, 경계함이 깊습니다.

○ 雲峰胡氏曰, 九二惕號, 呼衆陽也, 上六一陰, 何所號哉. 終凶而已. 聖人於五陽,未嘗許之曰吉, 一陰爻直絶之曰凶, 意最可見.

운봉호씨가 말하였다: 구이의 "두려워 호령함"은 여러 양을 부르는 것이니, 상육의 한 음이 어디에 호소하겠는가? 흉함으로 끝날 뿐이다. 성인이 다섯 양에 대해 일찍이 '길하다'고 허락한 적이 없고, 한 음효를 바로 끊어 놓고는 '흉하다'고 하였으니, 뜻을 가장 잘 알 수 있다.

○ 厚齋馮氏曰, 易於剝見剝一陽之易, 於夬見決一陰之難, 蓋君子明白洞達, 難進易退, 而小人綢繆固結, 麾之不去也.

후재풍씨가 말하였다: 역에서 박괘에서는 한 양을 깎아내기 쉬움을 알 수 있고, 쾌괘에서는 한 음을 결단하기가 어렵다는 것을 알 수 있으니, 군자는 명백하게 통달하였을지라도 나아가기는 어렵고 물러나기는 쉬우며, 소인은 단단히 얽어매어 있어 시원하게 제거되지 않는다.

‖韓國大全‖

조호익(曺好益) 『역상설(易象說)』

號兌口象. 无號雲峯曰, 九二[165]惕號, 呼衆陽也. 上六一陰, 何所號哉. 終上象. 終有凶, 終爲五陽所決去也.

'호소'는 태괘인 입의 상이다. "호소할 수 없다"에 대해서 운봉호씨가 말하기를, "구이의 '두려워 호령함'은 여러 양에게 소리치는 것이다. 상육은 하나의 음일뿐이니 어디에다가 소리치겠는가?" 하였다. '종(終)'은 상효의 상이다. '마침내 흉함이 있다'는 끝내 다섯 양에게 결단되어 제거되는 것이다.

송시열(宋時烈) 『역설(易說)』

兌巽爲號, 而五旣主夬. 此則將窮上反, 故無發號之象. 所以終凶也. 蓋卦內三言號, 兌之綜爲巽, 巽爲號耶. 見卦下註而不敢質言.

태괘(兌卦☱)와 손괘(巽卦☴)는 호소가 되고 오효는 이미 쾌괘를 주관한다. 상효는 위에서

---

165) 二: 경학자료집성DB와 영인본에 모두 '三'으로 되어 있으나, 문맥을 살펴 '二'로 바로잡았다.

다해서 아래로 돌아가려는 것이기 때문에 호소하는 상이 없다. 이 때문에 마침내 흉함이 있다. 괘 안에 세 번 '호(號)'를 말했는데, 태괘(兌卦☱)의 거꾸로 된 괘가 손괘(巽卦☴)가 되니 손괘는 '호소'가 된다. 괘 밑에 주가 있으나 감히 질정하여 말하지 못한다.

이익(李瀷) 『역경질서(易經疾書)』

此都轇著上六一號字說. 無號終有凶, 緻象文孚號說, 九二惕號已發其端矣. 雖曰衰微, 苟無呼號戒備, 亦終有凶. 九三所謂壯于頄是也.

이것은 모두 상육의 '호소[號]'로 모여든다. 상육의 "호소할 수 없을 것이니, 마침내 흉함이 있다"는 말은 단사의 글인 '미덥게 호령함'의 말에 관련하고, 구이의 '두렵게 호령함'에서 이미 그 단서가 드러났다. 비록 쇠미하다고 할지라도 만일 호소하여 경계하고 대비하지 않으면 또한 끝내 흉함이 있을 것이다. 구삼의 이른바 '광대뼈에 씩씩함'이 이것이다.

유정원(柳正源) 『역해참고(易解參攷)』

王氏曰, 處夬之極, 小人在上, 君子道長, 衆所共棄, 故非號咷所能延也.

왕필이 말하였다: 쾌괘의 끝에 처하여 소인이 위에 있으니 군자의 도가 자라나 무리가 함께 버리기 때문에 울부짖어 연장할 수 있는 것이 아니다.

○ 案, 夬決之時, 陰柔旣窮, 黨類俱盡, 則不待孚號, 而其決也易矣. 然而君子之決去小人, 不以其易去而忽之也. 故揚庭孚號, 盡其自治之道焉. 若以上六之勢窮力盡爲可忽, 而不用惕號, 則其終也必有凶矣. 夬之後, 受之以姤, 陰極於上, 則反於下, 而必將爲羸豕之凶. 聖人戒之以无號, 則終有凶象. 又申之曰, 終不可長也, 言陰之不可使長也. 此諸家所未言者, 姑識之.

내가 살펴보았다: 쾌괘의 결단하는 때에 부드러운 음이 이미 궁극에 달하여 무리가 모두 다하였으니 미덥게 호령하기를 기다리지 않아도 쉽게 결단될 것이다. 그러나 군자가 소인을 결단하여 제거할 때에 쉽게 제거할 수 있다고 여겨 경솔하게 해서는 안 된다. 그러므로 조정에서 드릴러 미덥게 호령해서 스스로 나스리는 도를 다하는 것이다. 만약 상육이 형세가 궁극에 달하고 힘이 다한 것을 대수롭지 않게 여겨 두려움으로 호령하지 않는다면 마침내 반드시 흉함이 있을 것이나. 쾌괘의 뒤에 구괘(姤卦)로 받았으니 음이 위에서 극에 달하면 반드시 아래로 돌아와 장차 여윈 돼지의 흉함이 된다.[166] 성인이 "호령할 곳이 없음"으로

---

166) 『周易·姤卦』: 初六, 繫于金柅, 貞吉, 有攸往, 見凶, 羸豕孚蹢躅.

경계하였으니 마침내 흉한 상이 있다. 또 거듭하여 말하기를 "끝내 길지 못할 것이다"고 하였으니 음을 자라게 해서는 안 된다는 말이다. 이것은 여러 학자들이 미처 언급하지 못한 것이니 우선 기록한다.

김상악(金相岳) 『산천역설(山天易說)』

上六居兌之終, 處窮極之地, 其勢必消. 而五之比三之應, 皆果於決者也, 不可恃其應與之私, 而呼號終必有凶. 或曰, 終卽剛長, 乃終之終也. 非始吉而終凶, 謂夫將終而陰有凶也.

상육은 태괘의 끝에 거하여 궁극의 처지에 있으니 형세상 반드시 사라질 것이다. 가까이 있는 오효와 호응하는 삼효가 모두 결행에 과감한 자이니, 호응함을 믿고 사사로이 더불어, 호소해서 끝내 흉함이 있게 해서는 안 된다.

어떤 이가 말하였다: '마침내[終]'는 굳센 양이 자란 것이니 곧 종극(終極)의 '마침내[終]'이지 처음에 길했다가 마침내 흉한 것이 아니다. 이는 쾌괘가 끝나려함에 음에게 흉함이 있음을 이른다.

○ 兌爲口號之象. 曰无號者, 戒小人以不可揚于王庭也. 蓋君子雖道長之時, 猶能戒懼, 故卦曰孚號有厲, 小人雖道憂之時, 无所忌憚, 故爻曰无號有凶. 所以三與上, 皆言有凶, 而小象於三則曰終无咎也, 上曰終不可長也.

태괘는 입으로 호령하는 상이 된다. "호령할 곳이 없다"고 하는 것은 소인에게 왕의 조정에서 드날리게 해서는 안 됨을 경계한 것이다. 군자는 도가 자라는 때이더라도 오히려 경계하고 두려워하기 때문에 괘사에서 "미덥게 호령하여 위태로움이 있게 하여야 한다"고 하였고, 소인은 도가 근심스러운 때이더라도 꺼리고 삼가는 것이 없기 때문에 효사에서 "호소할 데가 없으니 흉하다"고 하였다. 이 때문에 삼효와 상효에서 모두 흉함을 말하였으나 소상전에서는 삼효는 "끝내 허물이 없는 것이다"고 하였고 상효는 "끝내 길지 못할 것이다"고 하였다.

서유신(徐有臣) 『역의의언(易義擬言)』

五剛而止, 不復號呼, 故曰无號也, 一陰而終, 是將爲姤爲遯, 故曰有凶也.

다섯 굳센 양이 그쳐서 더 이상 호소하지 않기 때문에 "호소할 곳이 없다"고 말하였고, 하나의 음이 끝에 있으니 장차 구괘(姤卦)가 되고 돈괘(遯卦)가 될 것이기 때문에 "흉함이 있다"고 말하였다.

박제가(朴齊家) 『주역(周易)』

象之孚號, 謂君子之號, 二之惕號, 亦自警之號, 此之無號, 何獨爲小人之號邪. 夫惕號
與无號, 皆爻之所以發明象之注脚也, 言無此孚號, 則終必有凶. 蓋不可不號而斥之,
期於盡之也, 若以陰之微而易, 而不號則必凶者, 戒之至也, 卽剛長乃終之義也. 易爲
君子謀. 若小人則凶在目下, 不必以終必有凶恐之也. 其曰終曰有者, 將然之辭, 故知
爲衆陽言也. 易之道在小人, 則當作論小人看, 不可自爲小人看. 所謂用易之道者也.

「단사」의 '미덥게 호령함'은 군자의 호령을 이르고, 이효의 '두려워 호령함'은 스스로 경계하
는 호령이니, 여기서의 '호소할 곳이 없음'만 어찌 소인의 호소가 되겠는가? '두려워 호령함'
과 '호소할 곳이 없음'은 둘 다 효사로서 단사를 밝게 설명한 주석이니 이러한 '미덥게 호령
함'이 없다면 끝내 반드시 흉함이 있을 것이라는 말이다. 호령하여 배척해서 다 없어지기를
기약하지 않아서는 안 되니 음의 미약함을 쉽게 여겨 호령하지 않으면 반드시 흉하게 된다
는 것은 지극히 경계한 것으로 곧 굳센 양이 자라서 마쳐지는 뜻이다. 『역』은 군자를 위한
도모이다. 소인의 경우는 흉함이 목전에 있으니 '끝내 반드시 흉하고 두려운 일이 있을 것'이
라고 굳이 말할 필요가 없다. '마침내'라 말하고 '있을 것이다'고 말한 것은 장차 그렇게 된다
는 말이므로 여러 양을 위하여 말한 것임을 알 수 있다. 『역』에서 말하고자 하는 것이 소인
에게 있다면 소인을 논하는 것으로 봐야하지 자신을 소인으로 간주해서는 안 된다. 이것이
이른바 『역』을 쓰는 방법이라는 것이다.

하우현(河友賢) 『역의의(易疑義)』

上六本義, 占者有君子之德, 則其敵當之. 本義示人之意, 可謂切矣. 雖如黃裳元吉, 占
者无其德, 則有南蒯之敗, 雖无號有凶, 占者有其德, 則其敵當之. 所以戒後世, 避凶趨
吉, 開物成務之義, 暸然於占辭之間, 而其道無乎不在此. 本義之書, 所以大有功於三
聖之經也, 學者於此等處, 不可不深思而自勉焉.

상육의 『본의』에서 "점치는 자가 군자의 덕이 있으면 상대방이 여기에 해당할 것이다"고
하였으니 『본의』가 사람에게 제시한 뜻이 절실하다고 이를 만하다. 예컨대 "황색 치마이니
크게 길하다"고 하더라도 점치는 자에게 군자의 덕이 없다면 '남괴(南蒯)의 실패'[167]가 있는
것이고, "호소할 데가 없으니 흉함이 있을 것이다"고 하더라도 점치는 자가 군자의 덕이 있
으면 상대방이 여기에 해당할 것이다. 이것으로 후세사람을 경계히여 흉함을 피하고 길함으
로 나아가게 하고 사물의 이치를 깨달아 일을 이루는 뜻이 점사에 환하여 그 도가 여기에
있지 않음이 없다. 이 때문에 『본의』라는 책이 세 성인의 『역경』에 크게 공이 있는 것이니

---

167) 『춘추좌전·소공』.

배우는 자들은 이런 곳에 깊이 생각하여 스스로 힘쓰지 않으면 안 된다.

박문건(朴文健) 『주역연의(周易衍義)』

用順和附, 故有无號之象, 无號言无用號呲也.

순함으로 화합하고 따르기 때문에 호소할 수 없는 상이 있으니 '무호(无號)'는 호소할 필요가 없다는 말이다.

〈問, 无號終有凶. 曰, 上六和附於五剛, 雖无號呲, 然終未免潰決, 故云有凶. 蓋言无號之勢, 不久也. 曰, 文王取孚號之義, 周公取无號之義, 其義不同何, 曰, 文王取卦體之象而言也, 周公取始吉終凶之義而言也.

물었다: "호소할 수 없을 것이니 마침내 흉함이 있다"는 무슨 뜻입니까?

답하였다: 상육이 다섯 굳센 양과 화합하고 따르니 호소할 필요가 없으나 끝내 결단됨을 면하지 못하기 때문에 흉함이 있다고 하였습니다. 이는 호소할 필요가 없는 형세가 오래가지 못함을 말합니다.

물었다: 문왕은 미덥게 호령하는 뜻을 취하였고, 주공은 호소할 수 없는 뜻을 취하였으니 그 뜻이 같지 않음은 어째서 입니까?

답하였다: 문왕은 괘체의 상을 취하여 말했고, 주공은 처음에는 길하고 끝에는 흉하게 되는 뜻을 취하여 말했기 때문입니다.〉

김기례(金箕灃) 「역요선의강목(易要選義綱目)」

陰將盡而无朋, 則无號援之類, 豈不終凶.

음이 다하려하는데 벗이 없다면 호소하여 구원해주는 무리가 없는 것이니 어찌 끝내 흉하지 않겠는가?

○ 蓋剝一陽則易決, 一陰則難, 可見小人盤結綢繆之深也.

박괘(剝卦)의 양 하나는 결단하기 쉬우나 쾌괘의 음 하나는 결단하기 어려우니, 소인이 심하게 서로 결탁하고 얽혀있음을 알 수 있다.

贊曰, 罪人斯得, 顯于[168]王庭. 信誠惕號, 夬正厥刑. 決之不早, 致敗丁寧. 愼君勿遇, 遇則忘形.[169]

---

168) 于: 경학자료집성DB와 영인본에는 모두 '子'으로 되어 있으나, 문맥을 살펴 '于'로 바로잡았다.

찬미하여 말하였다: 죄인을 잡아서 왕의 조정에서 드날리네. 미더움과 정성으로 두렵게 호령하니 결단하여 법을 바르게 하였네. 결단을 서둘러 하지 않으면 정녕코 일을 망치리라. 삼가 그대는 악인을 만나지 말지어다. 만나면 상도(常道)를 잊어버리리라.

이항로(李恒老) 「주역전의동이석의(周易傳義同異釋義)」

傳, 无用號咷.

『정전』에서 말하였다: 울부짖는 데가 없으니.

本義, 无所號呼.

『본의』에서 말하였다: 호소할 데가 없으니.

按, 卦中孚號惕號, 皆號呼命衆之辭. 上六无號, 亦作一意看有味. 小人勢窮黨盡, 利害俱冷, 是非大定, 天下无一人與之矣, 將誰呼而與之比同乎.

내가 살펴보았다: 괘 안의 '미덥게 호령함'과 '두려워 호령함'은 모두 호령하여 무리에게 명한다는 말이다. 상육의 "호소할 수 없다"도 별도의 뜻으로 보아야 글의 맛이 있다. 소인의 형세가 곤궁하고 무리가 다하여 이로운 일이나 해로운 일이 모두 쓸쓸하고 옳고 그름이 크게 정해져서 천하에 한사람도 그와 함께하는 이가 없으니 장차 누가 호소하여 그와 가까이하고 함께하겠는가?

심대윤(沈大允) 『주역상의점법(周易象義占法)』

夬之乾䷀. 上六之時, 夬之旣極, 而小人之勢已消, 可指顧而盡之, 其威甚嚴矣. 然才柔而居柔, 不用力以處无事之地, 故曰无號. 言失其孚號有厲之道也, 不可以小人之旣盡而忘備也. 夫國之有小人, 如人之有疾病, 元氣虛而調養不愼則生焉. 故曰終有凶. 乾之對坤, 爲終夬之世, 已吉而利矣, 故不言吉利也, 危懼而防患, 故多咎凶也. 嗚呼. 觀其柔處夬終, 而知其盈虛盛衰之不可爲也夫. 且而陽氣可虛而不可滅, 陰氣可滅而不可斷其復生. 嗚呼, 君子胡不自强而深戒焉. (陰夬於上, 而已生於下, 夬與姤致一矣.)

쾌괘가 건괘(乾卦䷀)로 바뀌었다. 상육의 때에 쾌괘가 이미 극에 달하여 소인의 형세가 사라지니 삽시간에 다 없어질 수 있어서 그 위엄이 매우 엄중하다. 그러나 재질과 사리가 유약하여 힘을 쓰지 않고 일 없는 자리에 있기 때문에 "호소할 곳이 없다"고 하였다. 이는 "미덥

---

169) 망형(忘形): 일반적으로 '물아(物我)를 초월함'의 의미로 쓰이나, 여기에서는 '지나치게 흥분하여 정상적인 모습을 잃어버림[形容過度高興而失去常態, 『한어대사전(漢語大詞典)』]'의 뜻으로 번역하였다.

게 호령하여 위태로움이 있게 함"의 도를 잃었으니 소인의 형세가 이미 다했다고 여겨 대비함을 잊어서는 안 된다는 말이다. 무릇 나라에 소인이 있는 것은 사람에게 질병이 있는 것과 같아서 원기가 비고 몸조리를 살피지 않는다면 생겨난다. 그러므로 "끝내 흉함이 있게 된다"고 하였다. 건괘의 음양이 반대인 괘는 곤괘이니 결단을 마치는 세상은 이미 길하고도 이롭기 때문에 길하고 이로움을 말하지 않았고, 위태롭고 두려우며 환란에 방비하기 때문에 허물과 흉이 많다. 아! 부드러운 음이 쾌괘의 끝에 있음을 관찰해보니 차고 비고 번성하고 쇠퇴함을 사람이 어떻게 할 수 없음을 알겠다. 또한 양의 기운은 빌 수는 있을지언정 없어지게 해서는 안 되고, 음의 기운은 없앨 수는 있을지언정 결단코 다시 생겨나게 해서는 안 된다. 아! 군자가 어찌 스스로 힘쓰고 깊이 경계하지 않겠는가? 〈음이 위에서 결단됨에 이미 아래에서 생겨나니 쾌괘와 구괘는 이치가 한가지이다.〉

오치기(吳致箕) 「주역경전증해(周易經傳增解)」

上六一柔居夬之極, 將至決矣, 雖有九五之切比, 九三之正應, 而无可號訴. 故言終有其凶也.

상육은 하나의 부드러운 음이 쾌괘의 극단에 있어서 결단됨에 이를 것이니 비록 매우 가까운 구오와 정응인 구삼이 있더라도 호소할 수가 없다. 그러므로 끝내 흉함이 있는 것이다.

○ 號取於兌, 與象同.

'호(號)'는 태괘에서 취하였으니 단사와 같다.

이진상(李震相) 『역학관규(易學管窺)』

乾體已盡, 疑於无號, 故以无號爲戒.

건괘의 몸체가 이미 다하여 호소할 수 없을까 의심하였기 때문에 '호소할 수 없음'으로 경계하였다.

三山柳公曰, 夬決之時, 陰柔旣窮, 黨類俱盡, 則不待乎號, 而其決也易矣. 然而君子之決去小人, 不以其易去而忽之也. 若以上六之勢窮力盡爲可忽, 而不用惕號, 則其終也必有凶矣.

삼산 유정원이 말하였다: 쾌괘의 결단하는 때에 부드러운 음이 이미 궁극에 달하여 무리가 모두 다하였으니 미덥게 호령하기를 기다리지 않아도 쉽게 결단될 것이다. 그러나 군자가 소인을 결단하여 제거할 때에 쉽게 제거할 수 있다고 여겨 경솔하게 해서는 안 된다. 만약 상육이 형세가 궁극에 달하고 힘이 다한 것을 대수롭지 않게 여겨 두려움으로 호령하지 않는다면 마침내 반드시 흉함이 있을 것이다.

박문호(朴文鎬)「경설(經說)·주역(周易)」

其敵當之, 如戰伐訟爭之事, 皆有其敵也. 當之言當其凶也.

『본의』에서 말한 "상대방이 여기에 해당할 것이고"는 전쟁에서 정벌하고 송사에서 쟁송하는 일과 같으니 모두 상대방이 있다. '해당함'은 흉함을 당한다는 말이다.

以无號爲无號作去聲, 蓋上號字平聲, 下號字去聲, 雖然此語終未甚瑩.

『정전』에서 "'호소할 데가 없는 것[无號]'을 '호령함이 없는 것[无號]'으로 여겨 거성(去聲)으로 하였다"고 하였으니, 앞의 호(號)자는 평성이고, 뒤의 호(號)자는 거성이다. 그렇기는 하나 이 말은 그다지 명확하지 않다.

이병헌(李炳憲)『역경금문고통론(易經今文考通論)』

夬上之陰, 如澤上天, 不可直遂, 而必曲全. 故無號于三, 則終不得孚也.

쾌괘 상효의 음은 못이 하늘에 올라가는 것과 같으니 곧바로 이룰 수 없어 반드시 왜곡하여 온전하기를 구할 것이다. 그러므로 삼효에 호소할 수 없으니 끝내 신임을 얻지 못함이다.

象曰, 无號之凶, 終不可長也.

정전 「상전」에서 말하였다: "호소할 수 없는 흉함"은 끝내 길지 못할 것이다.
본의 「상전」에서 말하였다: "호소할 곳이 없는 흉함"은 끝내 길지 못할 것이다.

中國大全

傳

陽剛君子之道, 進而益盛, 小人之道, 旣已窮極, 自然消亡, 豈復能長久乎. 雖號咷, 无以爲也, 故云終不可長也. 先儒, 以卦中, 有孚號惕號, 欲以无號, 爲无號, 作去聲, 謂无用更加號令, 非也. 一卦中, 適有兩去聲字, 一平聲字, 何害. 而讀易者, 率皆疑之. 或曰聖人之於天下, 雖大惡, 未嘗必絶之也, 今直使之无號, 謂必有凶, 可乎. 曰夬者, 小人之道, 消亡之時也, 決去小人之道, 豈必盡誅之乎. 使之變革, 乃小人之道, 亡也, 道亡, 乃其凶也.

굳센 양인 군자의 도는 나아가 더욱 성대하고 소인의 도는 이미 끝까지 가서 자연히 없어질 것이니, 어찌 다시 오래 갈 수 있겠는가? 비록 울부짖어도 쓸 데가 없기 때문에 '끝내 길지 못할 것이다'고 한 것이다. 이전의 선비들이 괘 가운데 '미덥게 호령함[孚號]'과 '두려워 호령함(惕號)'이 있기 때문에 '호소할 데가 없는 것[无號]'을 '호령함이 없는 것[无號]'으로 여기려고 하면서 호(號)자를 거성(去聲)으로 하고는 '다시 호령(號令)할 필요가 없다'고 말하였으니, 잘못이다. 한 괘 안에 거성(去聲)의 글자 둘과 평성(平聲)의 글자 하나가 있는 것이 어찌 방해가 되겠는가? 그러나 『역』을 읽는 자들이 모두 이것을 의심한다.

어떤 이가 물었다: 성인이 천하에 있어 비록 크게 악한 사람이라도 일찍이 반드시 끊어버리지 않는데, 이제 곧바로 호소할 데가 없다고 하면서 반드시 흉함이 있다고 하는 것이 옳겠습니까?

답하였다: 쾌는 소인의 도가 없어지는 때이니, 소인을 결단하여 제거하는 도가 어찌 반드시 모두 죽이는 것이겠습니까? 변혁하게 하는 것이 바로 소인의 도가 없어지는 것이니, 도가 없어지는 것이 바로 그들이 흉하게 되는 것입니다.

小註

臨川吳氏曰, 一柔在上, 終不可以長久, 必爲五陽所決去也.

임천오씨가 말하였다: 하나의 부드러운 음이 위에 있어 끝내 오래 갈 수 없으니, 반드시 다섯 양이 결단해서 제거할 것이다.

○ 建安丘氏曰, 夬者, 決也. 以五陽而決上之一陰也, 故六爻以上陰爲主, 而下五陽則皆以上取義. 凡陽之決陰, 遠則不能相及. 唯比與應當之. 五比上者也, 故曰莧陸夬夬, 三應上者也, 故曰君子夬夬. 夬夬者, 言當決而又決, 不可係累於陰也. 四介三五兩剛之間, 亦欲決上, 以進則礙五, 居則礙三, 故有臀无膚行次且之象. 至二去上, 遠則无相及之理矣, 故但惕號以爲莫夜有戎之備而已, 初又最遠者也, 故有壯趾往不勝之戒.

건안구씨가 말하였다: 쾌는 결단하는 것이다. 다섯 양이 상육의 하나의 음을 결단하는 까닭에 여섯 효가 상육의 음을 위주로 하여, 아래 다섯 양이 모두 상육으로 뜻을 취하였다. 그런데 양이 음을 결단할 때 멀리 있으면 서로 미칠 수 없다. 가까움[比]와 호응함[應]만이 거기에 해당된다. 구오는 상육에 가까이 있는 것이기 때문에 "비름나물을 결단하듯이 결단한다"고 하였고, 구삼이 상육과 호응하기 때문에 "군자는 결단할 것을 결단한다"고 하였다. 결단할 것을 결단하는 것은 결단해야 해서 또 결단할 때에 음에 얽매여서는 안 된다는 말이다. 구사가 구삼과 구오의 두 굳센 양 사이에 끼어 상육을 결단하고자 하나 나아가면 구오에 막히고, 그 자리에 있으면 구삼에 막히는 까닭에 "볼기에 살이 없으며 그 감을 머뭇거리는" 상이 있다. 구이에서 상육까지 멀리 있으면 서로 미치지 못하는 이치가 있기 때문에 다만 "두려워 호령하여", "늦은 밤에 적군이 있더라도"를 대비로 삼았을 뿐이고, 초구가 가장 멀리 있기 때문에 "발이 나아감에 씩씩하니, 가서 이기지 못한다"는 경계를 하였다.

∥韓國大全∥

김상악(金相岳) 『산천역설(山天易說)』

剛長乃終, 則柔終不可長也. 雜卦於夬, 不曰小人道消, 而曰憂者, 由於書契之取夬也. 書契作而小人之惡昭著, 難掩遺臭, 萬年乃其无窮之憂也.

굳센 양이 자라야 끝나니 부드러운 음은 끝내 장구할 수 없다. 「잡괘전」에서 쾌괘를 "소인의 도가 사라진다"고 하지 않고 "근심스럽다"[170]고 한 것은 글과 부절을 쾌괘에서 취한 데에 기인한다.[171] 글과 부절이 생기자 소인의 악이 환하게 드러나 흔적을 가리기 어렵게 되었으니 이것이 바로 만년토록 무궁한 근심이다.

서유신(徐有臣) 『역의의언(易義擬言)』

以陰終之, 姤不遠也.

음으로서 끝에 있으니 구괘(姤卦)가 멀지 않은 것이다.

오치기(吳致箕) 「주역경전증해(周易經傳增解)」

小人之道, 已至窮極, 自然消亡, 終不可以久長也.

소인의 도가 이미 궁극에 달하여 저절로 사라지고 없어지니 끝내 장구할 수 없는 것이다.

이진상(李震相) 『역학관규(易學管窺)』[172]

傳, 終不可長.

「상전」에서 말하였다: 끝내 길지 못할 것이다.

三山柳公曰, 聖人戒之以无號, 則終有凶象. 又申之曰, 終不可長也, 言陰之不可使長也.

삼산 유정원이 말하였다: 성인이 "호령할 곳이 없음"으로 경계하였으니 마침내 흉한 상이 있다. 또 거듭하여 "끝내 길지 못할 것이다"고 하였으니 음을 자라게 해서는 안 된다는 말이다.

愚按, 此長字, 亦長久之義, 謂不可使之長久也.

내가 살펴보았다: 여기에서의 '길대[長]'도 '장구하다'는 뜻이니 장구하게 해서는 안 됨을 이른다.

이정규(李正奎) 「독역기(讀易記)」

歷數古今小人之禍, 皆不出此也. 忽武三思之勢孤者, 唐五王之禍也. 專尙剛武者, 東

---

170) 『周易・雜卦傳』: 夬, 決也. 剛決柔也, 君子道長, 小人道憂也.

171) 『周易・繫辭下』: 上古, 結繩而治, 後世聖人, 易之以書契, 百官以治, 萬民以察, 蓋取諸夬.

172) 경학자료집성DB에 상육효사에 편집되어 있으나, 경학자료집성 영인본의 체재에 의거하여 상육상전으로 옮겨 해석하였다.

漢黨人之禍也, 躁動不勝者, 西漢蕭望之劉蕢京房之禍也, 不嚴戒備者, 元祐群賢之禍也. 又或姻戚於小人, 而不能果決者有之, 性質和緩中立, 而不能自強者有之, 在上者非不賢明, 而不能力絶柔牽, 浸淫其中, 而反疑君子者有之, 此豈以小人勢孤而忽之哉. 小人雖退而盤結已固, 君子難進易退. 故百君子不能勝一小人, 自三代以來, 厥已久矣.

고금에 일어난 소인의 화를 일일이 헤아려보면 모두 여기에서 벗어나지 않는다. 무삼사의 세력이 작다고 여겨 소홀하게 대처한 것이 당(唐)나라 오왕(五王)의 화이고, 전적으로 굳센 무력만을 숭상한 것이 동한(東漢) 당인(黨人)의 화이며, 조급하게 움직여 이기지 못한 것이 서한(西漢)의 소망지(蕭望之)·유분(劉蕢)·경방(京房)의 화이고, 엄중하게 경계하여 대비하지 못한 것이 원우 연간 군현(群賢)의 화이다. 또한 소인과 인척관계라서 과감하게 결단하지 못한 자도 있고, 성질이 온화하고 느려서 중립에 서있으면서 스스로 강하게 결단할 수 없는 자도 있으며, 윗자리에 있는 자가 현명하지 않은 것은 아니나 부드러운 음이 끌고 나아가는 것을[173] 힘써 끊지 못하고 그 속에 점점 빠져서 도리어 군자를 의심하는 자도 있다. 이것이 어찌 세력이 작다고 여겨 소홀하게 대처한 것이 아니겠는가? 소인은 물러나더라도 서로 결탁하는 것이 이미 견고하고 군자는 나아가기는 어렵게 여기고 물러가기는 쉽게 여긴다. 그러므로 여러 군자가 한 명의 소인을 이기지 못하니 하·은·주 이래로 이미 그런지가 오래되었다.

---

173) 『周易·姤卦』: 象曰, 繫于金柅, 柔道牽也.

44

구괘

姤卦

‖中國大全‖

姤, 序卦, 夬, 決也. 決必有遇. 故受之以姤, 姤, 遇也. 決, 判也. 物之決判則有遇合, 本合則何遇, 姤所以次夬也. 爲卦, 乾上巽下, 以二體言之, 風行天下, 天之下者, 萬物也. 風之行, 无不經觸, 乃遇之象, 又一陰始生於下, 陰與陽遇也, 故爲姤.

구괘(姤卦䷫)는 「서괘전(序卦傳)」에서 "쾌(夬)는 결단함이다. 결단하면 반드시 만남이 있기 때문에 구괘(姤卦)로 받았으니, 구(姤)는 만남이다"라고 하였다. 결(決)은 판가름함이다. 물건은 결단하여 판가름하면 만나 합함이 있으니, 본래 합했으면 무슨 만남이 있겠는가? 구괘가 이 때문에 쾌괘의 다음이다. 괘됨이 건괘(☰)가 위에 있고 손괘(☴)가 아래에 있고, 두 몸체로 말하면 바람이 하늘 아래에 다니니, 하늘 아래는 만물이다. 바람이 다님에 경유하고 접촉하지 않음이 없으니 만나는 상이고, 또 한 음이 아래에서 처음 생겨 음이 양과 만나기 때문에 구괘가 되었다.

邵子曰, 復次剝, 明治生於亂乎, 姤次夬, 明亂生於治乎, 時哉時哉. 未有剝而不復, 夬而不姤者. 防乎其防, 邦家其長, 子孫其昌. 是以聖人貴未然之防, 是謂易之大綱.

소옹이 말하였다: 복괘가 박괘 다음이어서 다스려짐이 어지러움에서 생기는 것이 명백하고, 구괘가 쾌괘 다음이어서 어지러움이 다스려짐에서 생기는 것이 명백하니, 때에 맞도다! 박괘에서 복괘로 되지 않는 경우가 없고, 쾌괘에서 구괘로 되지 않는 경우가 없다. 막고 막아서 나라가 자라나고 자손이 번창하게 된다. 그래서 성인이 아직 그렇지 않은 때에 방지하는 것을 귀하게 여기니, 이것이 역의 큰 줄거리이다.

○ 厚齋馮氏曰, 古文姤作遘, 遇也, 亦婚媾也. 以女遇男爲象. 王洙易改爲今文爲姤, 雜卦猶是古文, 鄭本同.

후재풍씨가 말하였다: 고문에서 '구(姤)'는 '구(遘)'로 되어 있으니, 만남이고 혼인함이다. 여자가 남자를 만나는 것으로 상을 삼았다. 왕수[1]의 『역전』에서는 금문으로 고쳐 '구(姤)'로 하였다. 「잡괘전」에서는 오히려 고문으로 되어 있으니, 정현의 판본과 동일하다.

---

1) 왕수(王洙, 997~1057): 중국 송나라 때 사람. 관직은 한림학사를 지냈으며, 『역전(易傳)』 10권을 지었다.

║韓國大全║

윤행임(尹行恁) 『신호수필(薪湖隨筆)·역(易)』[2]

姤一陰始生, 其時則夏五月也. 其漸則冬十月也, 此爲履霜之會. 逆折奸萌, 不使之滋蔓者, 在此一卦. 姤一變而爲遯, 則君子將退, 小人將進, 爲人上者, 奈何不愼.

구괘는 한 음이 처음으로 나오는 것이니, 때로는 여름인 5월이다. 점진하면 겨울인 10월이니 이것이 서리를 밟는 때가 된다. 간사한 싹을 꺾어 뻗어나가지 않도록 함은 이 한 괘에 달려있다. 구괘가 한 번 변하여 돈괘가 되면, 군자는 물러나려 하고 소인은 나아가려 하니, 임금이 된 자가 어떻게 조심하지 않을 수 있겠는가?

김기례(金箕澧) 「역요선의강목(易要選義綱目)」

姤五月卦.

구는 5월괘이다.

○ 夬姤之間, 不言四月者, 蓋夬下乾姤上乾, 自有四月之象於其間也.

쾌괘(夬卦䷪)와 구괘(姤卦䷫)의 사이에 4월을 말하지 않은 것은 쾌괘의 하괘인 건괘(☰)와 구괘의 상괘인 건괘에는 그 사이에 저절로 4월의 상이 있기 때문이다.

○ 物決則有遇, 風行天下, 无所不遇.

물건이 터지면 만남이 있으니, 바람이 하늘아래에 불면 만나지 않음이 없다.

---

2) 경학자료집성DB에서는 구괘「단전」에 해당하는 것으로 분류했으나, 내용에 따라 이 자리로 옮겨왔다.

姤, 女壯, 勿用取女.

구(姤)는 여자가 건장하니, 여자를 취하지 말아야 한다.

‖中國大全‖

傳

一陰始生, 自是而長, 漸以盛大, 是女之將長壯也. 陰長則陽消, 女壯則男弱. 故戒勿用取如是之女. 取女者, 欲其柔和順從, 以成家道, 姤乃方進之陰, 漸壯而敵陽者, 是以不可取也. 女漸壯則失男女之正, 家道敗矣. 姤雖一陰甚微, 然有漸壯之道, 所以戒也.

한 음이 처음 생겨 이로부터 자라나 점점 성대해지니, 이것은 여자가 자라나 장성하게 되려는 것이다. 음이 자라면 양이 사라지고, 여자가 장성하면 남자가 약해진다. 그러므로 이와 같은 여자를 취하지 말라고 경계한 것이다. 여자를 취하는 것은 부드럽게 조화하고 순종하여 집안의 도를 이루려는 것인데, 구괘는 막 나오는 음으로 점점 장성하여 양을 대적하는 것이기 때문에 취할 수 없다. 여자가 점점 장성하면 남·여의 바름을 잃어 집안의 도가 무너지게 될 것이다. 구괘는 비록 한 음이 매우 미약하나 점점 장성해지는 도가 있기 때문에 경계한 것이다.

本義

姤, 遇也. 決盡則爲純乾四月之卦, 至姤然後一陰可見, 而爲五月之卦. 以其本非所望而卒然値之, 如不期而遇者, 故爲遇. 遇已非正, 又一陰而遇五陽, 則女德不貞而壯之甚也. 取以自配, 必害乎陽, 故其象占如此.

구(姤)는 만남이다. 결단을 다하면 순수한 건괘[純乾䷀]인 사월의 괘가 되고, 구괘에 이른 뒤에 한 음을 볼 수 있어 오월의 괘가 된다. 본래 바란 것이 아닌데 갑작스레 만나서 마치 기약하지 않았는데 만난 것과 같기 때문에 ‘만남[遇]’이라 한 것이다. 만남이 이미 바른 것이 아니고, 또 한 음이 다섯 양을 만났으니, 여자의 덕이 바르지 않은데 장성함이 심한 것이다. 취하여 자신의 짝으로 하면 반드시 양을 해치기 때문에 그 상과 점이 이와 같다.

小註

朱子曰, 不是說陰漸長爲女壯, 乃是一陰遇五陽.

주자가 말하였다: 음이 점점 자라 여자가 건장해진다는 말이 아니라 한 음이 다섯 양을 만난다는 것이다.

○ 姤卦上五爻皆陽, 下面一陰生, 五陽便立不住了.

구괘는 위의 다섯 효가 모두 양인데 아래에서 한 음이 생겨나 다섯 양이 서 있을 수 없다.

○ 中溪張氏曰, 姤一陰方生, 始與陽遇, 而遽曰女壯何也. 蓋陰陽往來, 機不容息, 未有剝而不復者, 亦未有夬而不姤者. 夫一陰方決於上, 而一陰已生於下, 陽不擬陰之來, 而與之邂逅, 故名曰姤. 自姤以往爲遯爲否爲觀爲剝爲坤, 皆初六之爲也, 非女壯而何. 女壯則男弱, 故以勿用取女, 戒之也.

중계장씨가 말하였다: 구괘는 한 음이 막 생겨 처음으로 양과 만났는데 갑자기 "여자가 건장하다"고 한 것은 어째서인가? 음양은 왕래하면서 그친 적이 없으니, 박괘에서 복괘로 되지 않는 경우도 없고, 쾌괘에서 구괘로 되지 않는 경우도 없다. 한 음이 위에서 막 결단하여(夬卦䷪) 한 음이 아래에서 이미 생겨나더라도(姤卦䷫) 양은 음이 오는 것을 의심하지 않고 그것과 만나기 때문에 '만남[姤]'이라고 이름 붙였다. 구괘로부터 가서 돈괘(䷠)·비괘(䷋)·관괘(䷓)·박괘(䷖)·곤괘(䷁)가 되니, 모두 초육이 그렇게 한 것으로 여자가 건장하지 않다면 어떻게 그렇게 하겠는가? 여자가 건장하면 남자가 약해지기 때문에 "여자를 취하지 말아야 한다"고 경계한 것이다.

○ 誠齋楊氏曰, 陰陽之相爲消長, 如循環然. 剝者陽之消, 然剝極爲復, 不旋踵而一陽生. 夬者陰之消, 然夬極爲姤, 不旋踵而一陰生. 當一陽之生也, 聖人未敢爲君子而喜, 必曰朋來无咎, 言一陽未易勝五陰也. 當一陰之生也, 聖人已爲君子而憂, 遽曰女壯, 言一陰已有敵五陽之志也. 旣曰女壯, 又曰勿用取女, 申戒五陽以勿輕一陰之微, 而親暱之也.

성재양씨가 말하였다: 음과 양은 서로 사라지고 자라면서 마치 순환하는 것 같다. 박괘는 양이 사라지는 듯 하지만 박괘가 극에 달해 복괘가 되니, 얼마 지나지 않아 한 양이 생긴 것이다. 쾌괘는 음이 사라지는 듯 하지만 쾌괘가 극에 달해 구괘가 되니, 얼마 지나지 않아 한 음이 생긴 것이다. 한 양이 생길 때 성인은 감히 군자를 위하여 기뻐하지 않고 반드시 "벗이 와야 허물이 없을 것이다"라고 하였으니, 하나의 양이 다섯 음을 쉽게 이길지 못할 것이라는 말이다. 한 음이 생길 때 성인은 이미 군자를 위하여 걱정하여 갑자기 "여자가 건장하다"고 하였으니, 한 음이 이미 다섯 양을 대적하려는 뜻이 있다는 말이다. "여자가

건장하다"고 하고 나서, 또 "여자를 취하지 말아야 한다"고 하였으니, 다섯 양이 한 음이 미약하다고 경솔하게 여겨 친하게 지내지 말라고 거듭 경계한 것이다.

○ 雲峰胡氏曰, 女壯, 諸家皆以爲一陰有將盛之漸. 本義以爲一陰當五陽, 已有女壯之象. 本義於復曰剝盡則爲純坤十月之卦, 而陽氣已生於下, 積之踰月, 而復一陽之體, 始成而來復, 於陽言其理生之漸, 於陰不言者, 亦扶陽抑陰之意也. 況謂之復者, 本失之而今來復, 謂之姤者, 本非所望者而卒然值之也哉.

운봉호씨가 말하였다: "여자가 건장하다"는 여러 학자들이 모두 한 음이 장차 점점 성대해지는 것으로 여겼다. 그런데 『본의』에서는 한 음이 다섯 양을 상대하는 것으로 여겼으니, 이미 여자가 건장한 상이 있다. 『본의』는 복괘에서 "박이 다하면 순수한 곤괘(坤卦䷁)인 시월의 괘가 되어 양기가 이미 아래에서 생기니, 이것이 쌓여 한 달이 지난 뒤에 양 하나의 몸체를 회복함이 비로소 이루어져 되돌아온다"고 하였으니, 양에 대해서 이치가 점점 생긴다고 말하고 음에 대해서 말하지 않은 것은 또한 양을 높이고 음을 억누르는 뜻이다. 하물며 복괘에서는 본래 잃었으나 지금 되돌아온다고 하였고, 구괘에서는 "본래 바란 것이 아닌데 갑작스레 만났다"고 하는 경우이겠습니까?

‖韓國大全‖

송시열(宋時烈) 『역설(易說)』[3]

以字體言, 女之邂逅也, 以卦象言, 一陰遇五男也. 又巽長女也, 一陰方長, 必將消乾, 女之壯者也. 如此之女勿取可也, 以象戒占之辭.

글자로 말하면 여자가 해후함이고, 괘의 상으로 말하면 하나의 음이 다섯 남자를 만남이다. 또 손괘(☴)는 맏딸인데, 한 음이 막 자라나 반드시 장차 건괘(☰)를 없애려 하니, 여자가 건장한 것이다. 이와 같은 여자는 취하지 말아야 되니, 상으로 점을 경계하는 말이다.

---

3) 이 문장 전체는 한국경학자료집성DB에 누락되어 있으나, 경학자료집성 원문을 대조하여 보충하였다.

강석경(姜碩慶)『역의문답(易疑問答)』

問, 姤之爲卦與復正相反, 復旣爲好底卦, 則姤之凶可反隅. 況文王戒以女壯勿取, 則
義又昭然矣. 而三聖之議互有牴牾, 二賢之解自相矛盾. 楢檋初爻金柅羸豕之義, 固不
戾於本卦之義, 而又相反於復初之占也. 其餘諸爻以例推之, 則宜其每每相反於復卦
之爻矣. 而義非一例, 有難推究. 今以復卦論之, 一陽初復於下, 是爲群陽竝進之兆也.
故周公爻辭特許元吉. 其次二爻周公稱其休復之吉, 孔子贊其下仁之美者, 以二之切
比於初九也. 其次四爻周公稱其獨復之美, 孔子贊其從道之義者, 以四之正應於初九
也. 五爲敦復者, 尊統一卦也. 六爲迷復者, 與初最遠也. 蓋復旣爲德之本, 而初乃成
卦之主, 則得於初者宜吉, 失於初者宜凶矣. 以復反觀, 則姤當爲惡之根, 而初亦成卦
之主也. 得於初者宜凶, 失於初者宜吉矣, 而諸爻之辭實有不然. 二比於初則曰包有魚
不利賓, 賓雖不利而主則利矣. 四失初應則曰包无魚起凶, 其所以失者, 正所以得也.
五居尊位而象杞包瓜, 則程傳言其求賢之誠, 本義喩其防陰之道. 夫瓜魚羸豕同爲陰
物, 而取比賢者似不穩當不思遠伶只爲包畜而冀回造化亦近疏迂. 二賢之論雖各不同,
而意欠穩帖彼此無異. 至若上九與初甚遠, 則其象有似復上六矣, 其占宜反迷復凶矣.
爻辭所謂姤其角吝无咎者, 意不明的. 程傳之意以不遇爲欠, 本義之意則以不遇爲得.
故无咎之辭雖同, 而傳義之解各異. 三聖二賢所見所言, 其無正耶, 正反爲奇耶, 何若
是無定耶.

물었다: 구괘는 복괘와 상반되는데 복괘가 좋은 괘이면 구괘는 흉하다는 것을 알 수 있습니
다. 하물며 문왕이 여자를 취하지 말라고 경계하였다면 그 뜻은 분명합니다. 그런데 세 성인
의 의론이 조금씩 다르고 두 현인의 해설도 서로 모순됩니다. 초효의 쇠말뚝과 마른 돼지의
뜻은 본괘의 뜻과 어긋나지 않고 복괘 초효의 점과 상반됩니다.

그 나머지 효들을 사례별로 추론해보면 복괘의 효와 모두 상반됩니다. 그렇지만 의미는 동
일한 예가 아니어서 추구하기 어려움이 있습니다. 복괘로 논해보면, 하나의 양이 아래에
돌아온 것이 모든 양들이 함께 나아갈 조짐입니다. 그러므로 주공의 효사에서 특별히 원길
이라고 허락했습니다. 그 다음으로 이효는 주공이 휴복(休復)의 길함이라고 하였고, 공자가
그 어짊에 아래하는 아름다움을 찬미하였으니 이효가 초구에 매우 가깝기 때문입니다. 사효
는 추구와 정응입니다. 오효가 돈복(敦復)이 되는 것은 한 괘를 높이 통합한 것입니다. 상효
가 미복(迷復)이 되는 것은 초효와 가장 먼 것입니다. 복괘는 덕의 근본이고 초효가 괘를
이루는 주효이니 초효를 얻은 것은 길하고 초효를 잃은 것은 흉합니다.

복괘를 가지고 반대로 보면 구괘는 마땅히 악의 근본이 되고 초효도 괘를 이루는 주효입니
다. 초효를 얻으면 흉하고 초효를 잃으면 흉하지만 모든 효는 실제로 그렇지 않음이 있습니
다. 이효가 초효와 가까워 "꾸러미에 물고기가 있는데 손님에게 이롭비 않다"고 했는데 손님

은 불리하지만 주인은 이롭습니다. 오효가 존위에 있어 "박달나무 잎으로 오이를 싸는‘ 상이 있는데,『정전』에서는 현인을 구하는 정성을 말했고,『본의』에서는 음을 막는 도리로 비유했습니다.

오이나 물고기나 마른 돼지는 모두 음물인데 현인을 비유한 것은 온당하지 않고 멀리 생각하지 않은듯하지만 단지 함축한 것으로 조화에도 근소한 차이가 있습니다. 두 현인의 의론이 다르지만 뜻은 다름이 없습니다. 상구의 경우는 초효와 매우 멀어 그 상이 복괘의 상육과 비슷하니 그 점도 미복(迷復)의 흉함이 되어야 합니다. 효사에서 말한 "만남에 그 뿔이라서 부끄러우니, 허물할 데가 없다."는 것은 뜻이 분명하지 않습니다.

『정전』의 뜻은 만나지 못함을 흠으로 여겼고,『본의』의 뜻은 만나지 못함을 ‘얻음’으로 여겼습니다. 그러므로 무구(无咎)라는 단어가 같지만『정전』과『본의』의 풀이는 각기 다릅니다. 세 성인과 두 현인의 견해와 말씀이 바름이 없는 것입니까? 아니면 정 반대여서 이상한 것입니까? 어찌 이리 정함이 없습니까?

曰, 卦體大象雖如此而爻象變遷自無常. 義理許多隨處不同, 聖人繫易專無用意. 到這裏見有這箇象, 則便說出這一句, 到那裏見有那箇象, 則便說出那一句. 此非硬定本子可爲典要也, 豈可以淺末之見執一例求乎.

답하였다: 괘체의 대상은 이와 같지만 효상은 변천하여 일정함이 없습니다. 의리는 매번 곳에 따라 달라 성인이 괘효사를 매닮에 일정한 뜻을 쓰지 않습니다. 이런 곳에서 이런 상을 보면 이런 말을 하고 저런 곳에서 저런 상을 보면 저런 말을 합니다. 이것은 확정되어있지 않아 일정한 규칙이 없는데 어찌 천박한 견해로 동일한 예로 잡을 수 있습니까?

序卦曰決必有所遇, 故受之以姤. 姤之爲名, 只是遇字之義, 而孔子象傳又有天地相遇剛遇中正等語. 故程子只取卦名以起義, 而以遇不遇爲得失之占. 朱子因其卦體以觀象, 而以消與長存幾微之戒. 義雖不同, 同出經意, 惟在占者, 臨時隨事而因其所値看得如何耳. 第以初六之陰比側微之賢則大戾象意有所不敢知也.

「서괘전」에 "결단하면 반드시 만나는 것이 있다. 그러므로 구괘로 차례했다"고 하였습니다. 구괘의 이름은 만난다는 뜻의 글자인데 공자는「단전」에 천지가 서로 만나고 강유가 서로 만나고 알맞고 바르다는 등의 말을 했습니다. 그래서 정자는 괘의 이름을 가지고 의미를 일으켜 만나고 만나지 못함을 가지고 득실의 점을 삼았습니다. 주자는 괘체를 가지고 상을 보아 소장과 기미의 경계를 두었습니다. 의미는 다르지만 모두 경전의 뜻에서 나왔으며 오직 점에 있어서 때에 임해 일에 따라 얻은 대로 어떠한가를 볼 뿐입니다. 초육의 음을 미천한 현인에 비유한다면 상의 뜻에 크게 어긋날 것 같은데 잘 모르겠습니다.

최규서(崔奎瑞) 「병후만록:역(病後漫錄:易)」

姤之一陰至微, 而至於坤則著, 復之一陽至微, 而至於乾則著, 夫微之顯, 誠之不可掩, 如是夫.[圓圖] 姤復之間其幾乎. 至於乾, 至於坤, 皆姤復之爲也, 可不愼乎. [橫圖]

구괘의 한 음은 지극히 은미하여 곤괘(坤卦䷁)에 이르러 드러나고 복괘(復卦䷗)의 한 양은 지극히 은미하여 건괘(乾卦䷀)에 이르러 드러나니 "은미함이 드러남이니 진실을 가릴 수 없음이 이와 같구나!"[4] 구괘와 복괘의 사이가 기미로운 곳이다. 건괘에 이르고 곤괘에 이름은 모두 구괘와 복괘가 하는 것이니 삼가지 않을 수 있을까!

권만(權萬) 『역설(易說)』[5]

姤女壯, 一陰初生, 弱而非壯, 而聖人以壯戒之, 亦坤初堅冰之義.

구괘의 여자의 건장함은 한 음이 처음 생겨나 약하고 건장하지 않은데 성인이 건장함으로 경계한 것은 또한 곤괘 초육의 견고한 얼음의 뜻이다.

심조(沈潮) 「역상차론(易象箚論)」[6]

彖, 女壯.

단사에서 말하였다: 여자가 건장하다.

巽爲長女, 故稱女壯.

손괘는 장녀가 되기 때문에 여자가 건장하다고 하였다.

유정원(柳正源) 『역해참고(易解參攷)』

姤, 女 [至] 取女.

구는 여자가 … 여자를 취하지 말라.

○ 擧正, 取字卜誤增女字.

『주역거정』에서 말하였다: 취(取)자 아래에 여(女)자가 잘못 더해졌다.

---

4) 『中庸』: 詩曰, 神之格思不可度思矧可射思. 夫微之顯, 誠之不可揜, 如此夫.
5) 경학자료집성DB에서는 구괘 「단전」에 해당하는 것으로 분류했으나, 내용에 따라 이 자리로 옮겨왔다.
6) 경학자료집성DB에서는 구괘 「단전」에 해당하는 것으로 분류했으나, 내용에 따라 이 자리로 옮겨왔다.

正義, 姤遇也, 此卦一柔而遇五剛, 故名爲姤. 施之於人, 則是一女而遇五男, 爲壯至甚, 故戒之曰此女壯甚, 勿用取此女也.

『주역정의』에서 말하였다: 구는 만남이다. 이 괘는 하나의 부드러운 음이 다섯 굳센 양을 만나기 때문에 이름이 '구(姤)'이다. 사람에게 적용하면 한 여자가 다섯 남자를 만나 건장함이 지극히 심하기 때문에 경계하여 "이런 여자는 지극히 건장하니 이런 여자는 취해서는 안된다"고 한 것이다.

○ 雙湖胡氏曰, 一陰方生于下甚微, 聖人遽惡之如此. 其至旣曰女壯, 又曰勿用取女. 直棄之絶之, 使无所容, 豈私意哉, 不正故也.

쌍호호씨가 말하였다: 하나의 음이 막 아래에서 생겨 심히 미약한데 성인은 절박하게 미워하길 이처럼 하였다. 이미 "여자가 건장하다"고 해놓고 또 "여자를 취하지 말라"고 했으니 곧바로 버리고 끊어서 용납할 수 없게 하였으니 어찌 사적인 의도이겠는가, 바르지 못하기 때문이다.

김상악(金相岳) 『산천역설(山天易說)』

姤之一陰始生, 自是有將盛之漸, 女壯之象, 故有勿用取之戒. 本義, 一陰而遇五陽, 則女德不貞而壯之甚也. 此於姤遇也之義爲切矣.

구괘는 한 음이 처음으로 생겨 이로부터 장차 장성해나가 여자가 건장한 상이기 때문에 "여자를 취하지 말라"는 경계를 두었다. 『본의』에서 "한 음이 다섯 양을 만났으니, 여자의 덕이 바르지 않으니 장성함이 심한 것이다"라고 하였는데, 이것은 "구(姤)는 만남이다"라는 뜻에 절실한 것이다.

○ 女巽象. 陰生而至初, 則曰女壯, 陽長而至四, 則曰大壯, 可見消長之理. 巽乾交則爲小畜, 在姤之時, 柔未至長, 故謂之女. 若取而爲配, 則在下而遇剛者, 終必在上而畜陽, 夫妻反目, 故曰勿用取女. 女下男上, 无交感之義, 故與咸取女吉, 不同.

여자는 손괘(☴)의 상이다. 음이 생겨 초효에 이르면 '여장(女壯)'이라 하고, 양이 장성하여 사효에 이르면 '대장(大壯)'이라 하니, 사라지고 자라나는 이치를 볼 수 있다. 손괘(☴)가 건괘(☰)와 교제하면 소축이 되는데, 구괘의 때는 부드러운 음이 아직 장성함에 이르진 않아서 여자[女]라고 하였다. 만약 취해서 짝으로 삼는다면 아래에서 굳센 양을 만난 것이 마침내 반드시 위로 올라가 양을 저지하여 남편과 아내가 반목(反目)하기 때문에 "여자를 취하지 말라"고 하였다. 여자가 아래에 있고 남자가 위에 있으면 교감하는 뜻이 없기 때문에 함괘(咸卦䷞)에서 "여자를 취함이 길하다"는 것과는 같지 않다.

서유신(徐有臣) 『역의의언(易義擬言)』

或謂, 取女之女衍文, 蓋疑於女字之疊也. 愚疑女壯爲衍, 象無釋可據也. 一陰便有霜氷之漸, 慮夫馴致其道, 故不可取女也. 然一陰而止, 不復浸長, 又自有不取之象也.

어떤 이가 "여자를 취한다의 '여재[女]'는 연문이다"라고 한 것은 '여(女)'자가 중첩된다고 의심한 것이다. 내가 생각하기에는 '여장(女壯)'이 연문이니, 「단전」에 풀이가 없는 것을 근거로 삼을 만하다. 하나의 음(陰)에는 곧 서리가 얼음으로 점진함이 있는데 그 도에 길들여질 것을 걱정하기 때문에 여자를 취하지 말라는 것이다. 그렇지만 한 음으로 그쳐있어 계속해서 자라나지 않는다면, 또한 저절로 취하지 않는 상이 있는 것이다.

박제가(朴齊家) 『주역(周易)』

傳, 一陰始生, 漸以盛大, 是女之將長壯也.

『정전』에서 말하였다: 한 음이 처음 생겨 점점 성대해지니, 이것은 여자가 자라나 장성하게 되려는 것이다.

案, 巽爲長女, 乃已長之女, 豈必不言現在, 而待其將來之漸長云耶. 象之不曰長女, 而曰女壯者, 取從陽而言耳. 朱子曰, 不是說陰漸長, 乃一陰遇五陽者, 是也.

내가 살펴보았다: 손괘(☴)는 맏딸이 되어 이미 자라난 여자인데, 왜 현재를 말하지 않고 꼭 장래에 점점 자라난다고 해야 하는가? 단사에서 '장녀(長女)'라 하지 않고 '여장(女壯)'이라 한 것은 양을 따름을 취해서 말한 것일 뿐이다. 주자가 말한 "음이 점점 자란다는 말이 아니라, 한 음이 다섯 양을 만난다는 것이다"가 그것이다.

박문건(朴文健) 『주역연의(周易衍義)』

一陰載五陽, 故有女用彊壯之象. 是以五陽所以勿取也.

한 음이 다섯 양을 싣고 있기 때문에 여자가 굳세고 건장함을 쓰는 상이 있다. 이 때문에 다섯 양이 취하지 말아야 하는 것이다.

〈問, 姤字之義. 曰, 姤與媾同. 姤取女逅男之義, 媾取女遘男之義, 其實一也.

물었다: '구(姤)'자의 뜻은 무엇입니까?

답하였다: '구(姤)'는 '구(媾)'와 같습니다. 구(姤)는 여자가 남자를 만나는 뜻이고, 구(媾)는 여자가 남자와 교접하는 뜻이니 실제로는 동일합니다.〉

〈○ 問, 女壯勿用取女. 曰, 女壯則必損其夫也, 是非永其終者也. 是以剛所以勿取也.

물었다: "여자가 건장하니, 여자를 취하지 말아야 한다"는 무슨 뜻입니까?

답하였다: 여자가 건장하면 반드시 그 남편을 손상시키는데, 이는 삶을 오래가게 하는 것이 아닙니다. 이 때문에 굳센 양이 취하지 말아야 한다는 것입니다.〉

이지연(李止淵) 『주역차의(周易箚疑)』

女之遇陽不可用也, 剛之遇中正可喜也. 君子之遇小人不可用也, 君子之遇君子可喜也. 不幸而遇之於初, 故云勿用也, 若幸而遇之於五, 則亦可謂勿用耶. 易之所可觀者時與位, 良以此也.

여자가 양을 만나면 써서는 안 되고 굳센 양이 중정을 만나면 기뻐할 만하다. 군자가 소인을 만나면 써서는 안 되고 군자가 군자를 만나면 기뻐할 만하다. 불행하게도 초효에서 만났기 때문에 '쓰지 말라'고 하였는데, 만약 다행히 오효에서 만났다면 그래도 '쓰지말라'고 했겠는가? 역에서 볼 만한 것이 때와 자리인 것은 진실로 이 때문이다.

김기례(金箕澧) 「역요선의강목(易要選義綱目)」

巽爲長女, 故曰女壯.

손괘(☴)가 맏딸이기 때문에 "여자가 건장하다"고 하였다.

○ 朱子曰, 一陰遇五陽, 則女德不貞而壯, 故取而爲配, 則必害乎陽也.

주자가 말하였다: 한 음이 다섯 양을 만났으니, 여자의 덕이 바르지 않고 건장하기 때문에 취하여 자신의 짝으로 하면 반드시 양을 해친다.

윤종섭(尹鍾燮) 『경(經)·역(易)』

姤之勿用取女, 不可使陰長也. 聖人於復, 閉關不省方, 於姤施命誥四方, 陽之初動, 靜而扶養, 絶彼柔道, 道心惟微之時也. 陰之方動, 抑而戒愼, 布其政令, 人心惟危之時也. 危而豫防之, 申命於天下也, 微而暗長之, 閉關而不省也. 姤不言天地之心, 而復曰見天地之心, 心者生道也. 天地之大德曰生, 而陽氣發處爲仁, 方其陽生之初, 天地之仁心可見, 方其靜而坤也, 是未發之中心, 豈可見哉. 太極動而生陽, 天心藹然生生之妙, 從可見矣.

구괘의 "여자를 취하지 말라"는 것은 음이 자라나지 못하게 함이다. 성인이 복괘에서는 '관문을 닫아걸고 지방을 살피지 않고' 구괘에서는 "명령을 베풀어 사방에 알린다"고 하였으니, 양이 처음 움직일 때는 고요히 도와서 길러주며 저 음유한 도를 끊어버리니, 도심이 은미한 때이다. 음이 막 움직일 때는 억제하여 경계하고 조심하면서 정사와 명령을 베푸니, 인심이 위태로운 때이다. 위태하여 미리 예방하기에 천하에 명령을 베풀고, 은미하여 몰래 기르기에 관문을 닫아 살피지 않는다. 구괘에서는 천지의 마음을 말하지 않고 복괘(復卦䷗)에서는 "천지의 마음을 본다"고 하였으니, 마음은 낳는 도리이다. 천지의 큰 덕을 '낳음[生]'이라 하고, 양기가 발하는 것이 인(仁)이니, 막 양이 나오는 시초에 천지의 인심(仁心)을 볼 수 있으며, 막 고요해져 곤괘(坤卦)가 되면 이는 발하지 않은 속마음이니, 어떻게 볼 수 있겠는가! 태극이 움직여 양을 낳음에서 하늘의 마음이 온화하게 낳고 낳는 묘함을 따라서 볼 수 있다.

이항로(李恒老) 「주역전의동이석의(周易傳義同異釋義)」

傳, 一陰始生, 自是而長, 漸以盛大, 是女之將長壯也.
『정전』에서 말하였다: 한 음이 처음 생겨 이로부터 자라나 점점 성대해지니, 이것은 여자가 자라나 장성하게 되려는 것이다.

本義, 一陰而遇五陽, 則女德不貞, 而壯之甚也.
『본의』에서 말하였다: 한 음이 다섯 양을 만났으니, 여자의 덕이 바르지 않은데 장성함이 심한 것이다.

按, 傳以漸長言, 本義以已壯言. 漸長則變爲他卦矣, 於此不必言. 一陰遇五陽, 五陽求一陰, 德不貞正, 勢已張旺, 不待漸長而已壯矣. 蓋一陰之卦凡六, 而除大有六五一爻外, 皆有戒辭, 亦陰陽淑慝之分也.
내가 살펴보았다: 『정전』에서는 점점 자라나는 것으로 말했고, 『본의』에서는 이미 장성한 것으로 말했다. 점차 자라나면 변하여 다른 괘가 되니 여기서 말할 필요는 없다. 한 음이 다섯 양을 만나고 다섯 양이 한 음을 구하는 것은 덕이 곧고 바르지 못하고 형세는 이미 장성해진 것이어서 점점 자라남을 기다리는 것이 아니라 이미 건장한 것이다. 음이 하나인 괘가 여섯인데, 대유괘 육오효 하나만 제외하고는 모두 경계하는 말이 있으니, 또한 음과 양이 맑음과 사특함의 분별이다.

허전(許傳) 「역고(易考)」

巽長女也, 故曰女壯. 一陰遇五陽, 不貞之甚, 故戒其勿取也.
손괘(☴)는 맏딸이기 때문에 "여자가 건장하다"고 하였고, 한 음이 다섯 양을 만나서 바르지 못함이 심하기 때문에 "취하지 말라"고 경계하였다.

심대윤(沈大允) 『주역상의점법(周易象義占法)』

取舍之權在乎女, 故曰女壯. 乾爲壯, 以姤之道, 擇君簡夫, 則可矣. 若以事君從人, 則是下奪上權也, 大亂之道也. 故曰勿用娶女. 艮姤爲剝之始, 女壯爲亂之始也, 世之爲人君爲人夫者, 可以鑒焉.

취하고 버리는 권한이 여자에게 있기 때문에 "여자가 건장하다"고 하였다. 건괘(☰)가 건장함이 되니, 구괘(姤卦)의 도로 임금을 택하고 남편을 고르다면 괜찮다. 구괘의 도로 임금을 섬기고 남편을 따른다면 이는 아랫사람이 윗사람의 권한을 빼앗는 것이니, 크게 어지럽히는 도이다. 그러므로 여자를 취하지 말아야 한다고 했다. 간괘(艮卦)와 구괘(姤卦)는 박괘(剝卦)의 시작이며, 여자가 건장하면 어지러움의 시작이니, 세상의 인군과 남편들은 성찰해보아야 한다.

오치기(吳致箕) 「주역경전증해(周易經傳增解)」

姤者遇也, 一柔忽生於下, 爲柔與剛相遇之象. 風行天下而萬物无不經觸, 亦爲遇之象也. 一柔處五剛之下而漸長, 故曰女壯勿用取女.

구괘는 만남인데 부드러운 한 음이 아래에서 생겨나 부드러운 음이 굳센 양과 서로 만나는 상이다. 바람이 하늘 아래로 불어 만물을 지나며 접촉하는 것도 만나는 상이다. 부드러운 한 음이 굳센 다섯 양의 아래에서 점점 자라나기 때문에 "여자가 건장하니, 여자를 취하지 말아야 한다"고 하였다.

○ 巽一陰爲卦主, 故以女言也. 陰浸長故不言亨, 巽失正位故不言貞.

손괘(☴)는 한 음이 괘의 주인이 되기 때문에 여자로 말하였다. 음이 점차 자라나기 때문에 '형통하다'고 하지 않았고 손괘(☴)가 바른 자리를 잃었기 때문에 '곧다'고 하지 않았다.

이진상(李震相) 『역학관규(易學管窺)』

卦體.

괘의 몸체.

夫之反也, 五月之卦. 姤以長女處老陽之下, 適遇而已.

쾌괘(夬卦☰)가 거꾸로 된 것으로 5월의 괘이다. 구괘(姤卦)는 맏딸이 노양(老陽)의 아래에 있어 만나러 갈 뿐이다.

채종식(蔡鍾植) 「주역전의동귀해(周易傳義同歸解)」

姤女壯, 傳云一陰漸長是女之將長壯也, 本義云一陰遇五陽則女德不貞而壯之甚也. 蓋程易有陰壯敵陽之戒, 朱易則以爲以女下男, 一陰五陽, 則失其婚姻之正, 而有一女五夫之象. 所以言女德不貞 而壯之甚者也. 然是義也, 包在程傳中陰壯敵陽之一句矣. 旣曰陰壯, 則本義所謂壯甚者也, 旣曰敵陽, 則本義所謂不貞者也. 故兩釋, 雖有詳略之不同, 而旡異義也.

구괘의 "여자가 건장하다"에 대해, 『정전』에서는 "한 음이 점차 자라나니, 이것은 여자가 자라나 장성하게 되려는 것이다"고 하였고, 『본의』에서는 "한 음이 다섯 양을 만났으니, 여자의 덕이 바르지 않은데 장성함이 심한 것이다"라고 하였다. 정이천의 『정전』에는 음이 건장하여 양과 대적한다는 경계가 있고, 주자의 『본의』는 여자가 남자 아래에 있고 음이 하나에 양이 다섯이면 혼인의 바름을 잃어 한 여자에 지아비가 다섯인 상이 있다고 여겼다. 그래서 여자의 덕이 바르지 않음이니 장성함이 심한 것이라고 했던 것이다. 그렇지만 그 뜻은 『정전』 가운데의 "음이 건장하여 양을 대적한다"는 한 구절에 포함되어 있다. 이미 "음이 건장하다"고 했으니 『본의』에서 말한 장성함이 심한 것이고, 이미 "양을 대적한다"고 했으니 『본의』에서 말한 바르지 못하다는 것이다. 그러므로 두 해석이 상세하고 간략한 차이는 있지만 다른 뜻은 아니다.

박문호(朴文鎬) 「경설(經說)・주역(周易)」

姤字當讀如逅字. 故本義以不期而遇言之. 一陰而遇五陽, 此遇字兼有敵義言. 以一陰而敵五陽, 故陰雖微而壯之甚也, 此與程傳之將壯者不同.

'구(姤)'자는 '후(逅)'자로 읽어야 한다. 그러므로 『본의』에서 기약하지 않고 만나는 것으로 말하였다. "한 음이 다섯 양을 만난다"에서 '만남[遇]'은 대적의 뜻을 포함하여 말한 것이다. 한 음이 다섯 양을 대적하기 때문에 비록 미약하지만 씩씩함이 심한 것이니, 이것은 『정전』의 '상사 선상함'과 다른 것이다.

象曰, 姤, 遇也, 柔遇剛也.

「단전」에서 말하였다: 구(姤)는 만남이니, 부드러운 음이 굳센 양을 만난 것이다.

‖中國大全‖

傳

姤之義, 遇也, 卦之爲姤, 以柔遇剛也. 一陰方生, 始與陽相遇也.

구(姤)의 뜻은 만남이니, 괘가 구가 된 것은 부드러움이 굳셈을 만났기 때문이다. 한 음이 막 생겨나 비로소 양과 서로 만난 것이다.

本義

釋卦名.

괘의 이름을 풀이하였다.

小註

或問, 陰何以比小人. 朱子曰, 有時如此. 平看之, 則都好, 以類言之, 則有不好. 然亦只是皮不好, 骨子卻好. 大抵發生都卽是一個陽氣, 只是有消長. 陽消[7]一分, 下面陰生一分. 又不是討個陰來, 卽是陽消處便是陰. 故陽來謂之復, 復者是本來物事, 陰來謂之姤, 姤是偶然相遇.

어떤 이가 물었다: 음이 어떻게 소인이 비유됩니까?

주자가 답하였다: 때에 따라 이와 같을 수 있습니다. 평범하게 보면 모두 좋으나 종류대로

---

7) 消: 경학자료집성DB와 영인본에는 모두 ‘長’로 되어 있으나, 『주자어류』 원문에 따라 ‘消’로 바로잡았다.

보면 좋지 않을 수도 있습니다. 또한 겉은 좋지 않더라도 안은 좋을 수 있습니다. 발생한 것이 모두 하나의 양기라도 사라지고 자라는 것이 있습니다. 양이 조금 사라지면 아래에서 음이 그만큼 생겨납니다. 또한 음이 오는 것을 꾸짖는 것이 아니라 양이 사라지면 음이라는 것입니다. 그러므로 양이 오는 것을 복이라고 합니다. 복은 본래 오는 사물이고, 음이 오는 것을 구라고 하니, 구는 우연히 서로 만나는 것입니다.

○ 李氏元量曰, 夬之一陰不爲主者, 陰往而窮也, 故曰剛決柔. 姤之五陽不爲主者, 陰來而信也, 故曰柔遇剛. 月建一陰月曰蕤賓, 則陰爲主而陽已爲之賓矣. 是姤主陰遇陽而爲言也.

이원량이 말하였다: 쾌괘의 한 음은 주인이 되지 못하는 것으로 음이 가서 마치기 때문에 "굳셈이 부드러움을 결단한다"고 하였다. 구괘의 다섯 양이 주인이 되지 못하는 것은 음이 와서 믿게 되므로 "부드러운 음이 굳센 양을 만난다"고 하였다. 한 음이 있는 달을 5월에 해당하는 '십이율의 다섯 째 음인 유빈(蕤賓)'이라고 하는데, 음이 주인이 되어 양이 이미 손님이 된다. 이것은 구괘에서 음이 양을 만나는 것을 위주로 말한 것이다.

▌韓國大全▐

김상악(金相岳) 『산천역설(山天易說)』

釋卦名. 遇者, 本非所望, 而卒然値之, 如不期而遇者也. 夬之一陰, 消盡於上, 又見於下, 與陽相遇, 故曰柔遇剛也.

괘의 이름을 풀이하였다. '만남[遇]'은 본래 바라지 않았는데 우연히 맞닥뜨리는 것으로 기약하지 않았는데 만나는 것과 같다. 쾌괘(夬卦☰)의 한 음이 위에서 사라졌다가 다시 아래에 나타나서 양과 서로 만나기 때문에 "부드러운 음이 굳센 양을 만난 것이다"라고 하였다.

박문건(朴文健) 『주역연의(周易衍義)』

此以卦體釋卦名.

이것은 괘의 몸체로 괘의 이름을 해석한 것이다.

김기례(金箕澧) 「역요선의강목(易要選義綱目)」

柔遇剛.

부드러운 음이 굳센 양을 만난 것이다.

夫一陰極於上, 旡可號之朋, 則不期遇, 而卒然遇下陰, 故曰遇, 姤邂逅之義同.

쾌괘(䷪)는 한 음이 위에서 지극하여 부를 수 있는 벗이 없으니, 만남을 기약하지 않고 우연히 아래의 음을 만나기 때문에 '만남[遇]'이라고 하였다. '구(姤)'는 해후의 의미와 같다.

○ 夫一陰在上, 不爲主而往而窮, 故曰剛決柔. 姤一陰在下, 爲主而始壯, 故曰柔遇剛. 卦一陰雖在下爲主.

쾌괘(夬卦)는 한 음이 맨 위에 있어 주인이 되지 못하고 가서 다하기 때문에 "굳센 양이 부드러운 음을 결단한다"고 하였다. 구괘(姤卦)는 한 음이 아래에 있어 주인이 되어 건장해지기 시작하기 때문에 "부드러운 음이 양을 만난다"고 하였다. 괘의 한 음이 비록 괘 아래에 있지만 주인이 된다.

최세학(崔世鶴) 「주역단전괘변설(周易彖傳卦變說)」

姤, 乾之一體變也. 初一爻爲主, 故象以柔遇剛言之. 坤初來居於下體之下, 爲柔遇剛也.

구괘는 건괘의 한 몸체가 변한 것이다. 초효는 주인이 되기 때문에 「단전」에서 '부드러운 음이 굳센 양을 만남'으로 말하였다. 곤괘의 초효가 하체의 맨 아래에 내려와서 있어 부드러운 음이 굳센 양을 만남이 된다.

勿用取女, 不可與長也.

"여자를 취하지 말아야 함"은 더불어 오래할 수 없기 때문이다.

‖中國大全‖

傳

一陰旣生, 漸長而盛. 陰盛則陽衰矣. 取女者, 欲長久而成家也, 此漸盛之陰, 將消勝於陽, 不可與之長久也. 凡女子小人夷狄, 勢苟漸盛, 何可與久也. 故戒勿用取如是之女.

한 음이 이미 생겨나 점점 자라서 성대하다. 음이 성대하면 양이 쇠퇴한다. 여자를 취하는 것은 오래도록 집안을 이루고자 함인데, 점점 성대해지는 음은 양을 이겨 사라지게 할 것이니, 더불어 오래할 수 없는 것이다. 여자와 소인과 오랑캐는 세력이 만일 점점 성대해지면 어찌 더불어 오래 할 수 있겠는가? 그러므로 이와 같은 여자를 취하지 말라고 경계한 것이다.

本義

釋卦辭.

괘의 말을 해석하였다.

小註

隆山李氏曰, 以一陰遇五陽, 女下於男, 卽相比附, 有女不正之象, 故曰勿用取女. 咸所以取女吉者, 以男下女, 得婚姻正禮故也. 若蒙之六三, 以陰而先求陽, 其行不順, 故亦曰勿用取女.

융산이씨가 말하였다: 한 음이 다섯 양을 만났는데 여자가 남자 아래에 있어 서로 가깝지만

여자에게 바르지 않은 상이 있기 때문에 "여자를 취하지 말아야 한다"고 하였다. 함괘에서 "여자를 취하면 길하다"는 남자가 여자 아래에 있어 혼인하는 바른 예이기 때문이다. 몽괘 육삼효는 음으로 양을 먼저 구하여 그 행실이 불순하기 때문에 "여자를 맞이하지 말아야 한다"고 하였다.

▌韓國大全▐

권만(權萬) 『역설(易說)』

姤雖一陰初生, 而有寖長之勢, 遇姤取女, 其能久長乎. 姤猶坤之履, 姤初猶坤初之霜. 故聖人便有勿取之戒. 且一陰自何方來, 干於衆陽之底, 是女干男陰先倡之象, 取之無生育之利. 且姤非剛遇柔, 乃柔遇剛, 是女干男陰倡陽.

구괘는 한 음이 처음 생겨나 점차 자라나는 기세가 있으니, 구괘를 만나 여자를 취하면 오래 갈 수 있겠는가? 구괘(姤卦䷫)는 곤괘(坤卦䷁)의 '밟음'과 같으니, 구괘의 초효는 곤괘 초육의 '서리'와 같다. 그러므로 성인이 '취하지 말라'는 경계를 두었다. 또 하나의 음이 어디선가 와서 많은 양들을 어지럽히는 것은 여자가 남자를 어지럽히고 음이 양보다 선창하는 상이니, 취하더라도 낳고 기르는 이로움이 없다. 또 구괘는 굳센 양이 부드러운 음을 만나는 것이 아니고 부드러운 음이 굳센 양을 만나는 것이니, 여자가 남자를 어지럽히고 음이 양을 부르는 것이다.

유정원(柳正源) 『역해참고(易解參攷)』

不可與長.

더불어 오래할 수 없다.

案, 此防微杜漸之意. 一陰至微, 而有漸盛之勢, 當及時沮遏之, 不可使長也.

내가 살펴보았다: 이것은 미약할 때 막고 자라남을 막는다는 뜻이다. 하나의 음이 지극히 미약하지만 점차 장성하는 기세가 있으니, 때에 미쳐서 막아서 자라나게 해서는 안 된다.

서유신(徐有臣)『역의의언(易義擬言)』

姤遇也, 柔遇剛也. 勿用取女, 不可與長也.
구(姤)는 만남이니, 부드러운 음이 굳센 양을 만나는 것이다. '여자를 취하지 말아야 함'은 더불어 오래할 수 없기 때문이다.

柔遇故姤, 從女也. 不可與長, 謂不可馴致其道也.
부드러운 음이 만나기 때문에 구(姤)이니, 여자를 따름이다. '더불어 오래할 수 없음'은 그 도에 길들여서는 안 됨을 말한다.

강엄(康儼)『주역(周易)』

象曰 [止] 與長也.
「단전」에서 말하였다 … 더불어 오래할 수 없기 때문이다.

按, 柔遇剛, 是釋卦名. 然女壯之義, 已在其中, 故其釋卦辭, 不復釋女壯, 而但釋勿用取女一句. 觀本義可知矣.
내가 살펴보았다: "부드러운 음이 굳센 양을 만난 것이다"는 괘의 이름을 해석한 것이다. 그렇지만 "여자가 건장하다"는 뜻은 이미 그 속에 들어 있기 때문에 괘사를 해석함에 다시 "여자가 건장하다"는 해석하지 않고, 다만 "여자를 취하지 말아야 한다"는 한 구절만 해석하였다. 『본의』를 보면 알 수 있다.

박문건(朴文健)『주역연의(周易衍義)』

與, 相與也. 陰壯陽損, 非可久之勢也. 此釋卦辭.
여(與)는 서로 함께 하는 것이다. 음이 건장하면 양이 손실되니, 오래갈 수 있는 형세가 아니다. 이것은 괘사를 해석한 것이다.

김기례(金箕澧)「역요선의강목(易要選義綱目)」

不可與長.
더불어 오래할 수 없기 때문이다.

陰盛則陽必衰, 不宜取. 漸盛之陰以害陽, 故勿用取女, 勢難俱長.

음이 장성하면 양은 반드시 쇠퇴하기 때문에 취하면 안된다. 점점 성장하는 음은 양을 해치기 때문에 "여자를 취하지 말아야 한다"고 하였으니, 기세가 함께 오래할 수 없다.

이진상(李震相) 『역학관규(易學管窺)』

不可與長.

더불어 오래할 수 없기 때문이다.

參攷以爲及時沮遏, 不可使長之謂, 義甚正矣. 但此長字與剛章恊韻. 蓋女壯則害陽, 苟取此女, 不能與之長久也.

때에 미쳐 막아서 자라나지 않게 함을 말하는 것으로 살펴보면 뜻이 매우 바르다. 다만 여기의 '장(長)'자는 '강(剛)'하고 '장(章)'과 운을 맞추었다. 여자가 건장하면 양을 해치니 진실로 이런 여자를 취하면 더불어 오래할 수 없다.

天地相遇, 品物咸章也,

하늘과 땅이 서로 만나 만물이 모두 빛나고,

中國大全

傳

陰始生於下, 與陽相遇, 天地相遇也. 陰陽不相交遇, 則萬物不生, 天地相遇, 則化育庶類, 品物咸章, 萬物章明也.

음이 처음 아래에서 생겨나 양과 서로 만났으니, 하늘과 땅이 서로 만난 것이다. 음과 양이 서로 사귀고 만나지 않으면 만물이 생기지 못하고, 하늘과 땅이 서로 만나면 여러 종류를 화육하니, "만물이 모두 빛남"은 만물이 빛나고 밝은 것이다.

本義

以卦體言.

괘의 몸체로써 말하였다.

小註

朱子曰, 大率姤是一個女遇五陽, 是個不正當底, 如人盡夫也之事. 聖人去這裏, 又看見得那天地相遇底道理出來.

주자가 말하였다: 구괘에서 한 여자가 다섯 양을 만나는 것은 부당한 것으로 "다른 사람은 모두 남편이 될 수 있다"[8]는 일과 같다. 성인은 여기에서 또한 천지가 서로 만나는 도리를

---

8) 『春秋左傳 · 桓公』: 雍姬知之, 謂其母曰, 父與夫孰親, 其母曰, 人盡夫也, 父一而已, 胡可比也.

볼 수 있다.

○ 隆山李氏曰, 姤巽下乾上, 有以坤之初六變乾初九之義, 是爲天地相遇之象. 以畫觀之, 則一陰之生是爲五月, 五月在辰爲午, 南離之光所照耀者也. 萬物相見乎離, 而蕃衍乎大夏, 非品物咸章而何.

융산이씨가 말하였다: 구괘는 아래가 손괘, 위가 건괘로 곤괘의 초육이 건괘의 초구로 변하는 뜻이 있으니, 천지가 서로 만나는 상이 된다. 획으로 보면 한 음이 생하는 것이 오월이니, 오월은 12지지[辰]에서 오(午)로 남방 리괘의 빛이 비추이는 곳이다. 만물은 밝은 리괘에서 서로 드러나서 한여름에 번성하니, "만물이 모두 빛남"이 아니고 무엇이겠는가?

○ 中溪張氏曰, 五陽在上而一陰生於下, 以陰遇陽, 是天地相遇也, 於時爲夏至. 夫天地不遇則已, 遇則品物皆茂育而章著矣. 萬物相見乎離, 亦有品物咸章之義.

중계장씨가 말하였다: 다섯 양이 위에 있고 한 음이 아래에서 생겨나 음으로서 양을 만나니, 이는 천지가 서로 만나는 것으로 계절로는 하지이다. 천지가 만나지 않으면 그만이지만 만나면 만물이 모두 무성하게 자라나 빛난다. 만물은 밝은 리괘에서 서로 드러나니, 또한 "만물이 모두 빛나는" 뜻이 있다.

韓國大全

권만(權萬) 『역설(易說)』

天地相遇, 以陰陽言.

하늘과 땅이 서로 만남은 음양으로 말하였다.

○ 品物咸章, 陰陽相遇, 品物化生. 故曰咸章, 以平說陰陽之遇, 非戒之也, 卻贊之也. 聖人憂陰之得志, 而與陰陽之相合, 憂喜至公, 不以一事而廢全卦如此. 姤爲五月卦, 中夏爲萬物章美之時, 故曰咸章.

'만물이 모두 빛남'은 음과 양이 서로 만나 만물이 화생(化生)한다. 그러므로 "모두 빛난다"고 하여 음양이 서로 만남을 평범하게 말했으니, 경계한 것이 아니고 도리어 찬미한 것이다. 성인이 음이 뜻을 얻을까를 걱정하지만 음양이 서로 합함에는 걱정과 기쁨을 지극히 공정하게 하니 한 가지 일로 모든 괘를 덮지 않음이 이와 같다. 구괘는 5월괘이니 한 여름에 만물이 아름답게 빛나는 때이기 때문에 "모두 빛난다"고 하였다.

서유신(徐有臣) 『역의의언(易義擬言)』

初六乃坤之所由始, 故曰天地相遇. 以乾坤十二爻, 相聯而圓轉, 則十二辟卦循環之象, 瞭然可見. 姤爲仲夏之月, 乾與坤相遇, 而其時則萬物章明也.

초육은 곤괘를 말미암아 시작되었기 때문에 "하늘과 땅이 서로 만난다"고 하였다. 건곤괘의 12효를 서로 잇달아 둥글게 굴리면 12벽괘가 순환하는 상을 분명히 볼 수 있다. 구괘는 한 여름의 달이어서 건괘와 곤괘가 서로 만나는데, 그 시절에는 만물이 빛나고 밝다.

강엄(康儼) 『주역(周易)』

本義, 以卦體言.

『본의』에서 말하였다: 괘의 몸체로 말하였다.

按, 益之象傳曰, 天施地生其益无方, 而本義曰, 乾下施坤上生, 亦上文卦體之義. 此處則但言卦體而不言其義. 李氏曰, 姤巽下乾上, 有以坤之初六變乾初九之象, 是爲天地相遇之象, 張氏曰, 五陽在上而一陰生於下, 以陰遇陽, 是天地相遇也, 未知何說得本義之旨也, 妄謂張說似是.

내가 살펴보았다: 익괘(益卦)의 「단전」에서 말한 "하늘이 베풀고 땅이 낳으니 그 유익함이 방소가 없다"에 대해, 『본의』에서 "건괘(☰)는 아래로 베풀고 곤괘(☷)는 위로 낳는다는 것도 위 글의 괘의 몸체를 뜻한다"라고 하였는데, 이곳에서는 괘의 몸체만 말하고 그 뜻은 말하지 않았다. 이씨는 "구괘(䷫)는 아래가 손괘(☴)이고 위가 건괘(☰)여서 곤괘(坤卦)의 초육이 건괘(乾卦)의 초구로 변한 상이 있으니, 천지가 서로 만나는 상이 된다"고 하고, 장씨는 "다섯 양이 위에 있고 한 음이 아래에서 나와 음이 양을 만나니, 이것이 하늘과 땅이 서로 만나는 것이다"라고 하였는데, 어느 설명이 『본의』의 취지에 맞는지 모르겠지만 장씨의 설명이 옳은 것 같다.

김기례(金箕澧) 「역요선의강목(易要選義綱目)」

乾初九變爲姤初六, 而爲五月卦. 說卦所謂萬物相見乎離者也. 于斯時也, 天地不遇則已, 遇則品物所以咸章也.

건괘의 초구가 변하면 구괘의 초육이 되며 5월괘가 된다. 「설괘전」에서 말한 "만물이 리괘 (☲)에서 서로 본다"는 것이다. 이때에 천지가 만나지 않으면 그만이지만, 만난다면 만물이 모두 빛나게 된다.

○ 非謂卦善也, 遇時則然也.
괘가 좋다는 것이 아니라, 만나는 때가 그렇다는 것이다.

박문호(朴文鎬) 「경설(經說)·주역(周易)」

天地相遇, 本義以巽當坤者, 以初陰漸進, 必至爲坤, 而後已故也. 然則小註李氏說, 恐 未瑩.

"하늘과 땅이 서로 만난다"에서 『본의』가 손괘(☴)를 곤괘(☷)에 해당시킨 것은 초효의 음이 점점 나아가면 반드시 곤괘(☷)가 된 뒤에라야 그치기 때문이다. 그렇다면 소주의 이씨의 설명은 분명하지 않은 것 같다.

剛遇中正, 天下大行也,

굳셈이 중정(中正)을 만나 천하에 크게 행해지리니,

┃中國大全┃

傳

以卦才言也. 五與二皆以陽剛, 居中與正, 以中正相遇也. 君得剛中之臣, 臣遇中正之君, 君臣, 以剛陽遇中正, 其道可以大行於天下矣.

괘의 재질로써 말하였다. 오효와 이효가 모두 굳센 양으로 가운데와 바름에 있으니, 중정(中正)으로써 서로 만난 것이다. 임금이 굳세고 알맞은 신하를 얻고, 신하가 중정한 임금을 만나, 임금과 신하가 굳센 양으로 중정을 만난다면 그 도가 천하에 크게 행해질 것이다.

本義

指九五.

구오를 가리킨 것이다.

小註

朱子曰, 姤是不好底卦, 然天地相遇, 品物咸章, 剛遇中正, 天下大行, 卻又甚好. 蓋天地相遇, 又是別取一義. 剛遇中正, 只取九五, 或謂亦以九二言, 非也.

주자가 말하였다: 구괘는 좋지 않은 괘이나 "하늘과 땅이 서로 만나 만물이 모두 빛나고, 굳셈이 중정을 만나 천하에 크게 행해지리니," 매우 좋다. 하늘과 땅이 서로 만남은 별도로 하나의 뜻을 취한다. "굳셈이 중정을 만남"은 구오를 취한 것이니, 어떤 이가 구이로 말했다고 하나 잘못이다.

○ 節齋蔡氏曰, 中正五也, 以剛明之才, 遇中正之位也.

절재채씨가 말하였다: 중정은 오효이니, 굳세고 밝은 재주로 중정한 지위를 만나는 것이다.

○ 臨川吳氏曰, 九五以陽剛居中正之位, 故曰剛遇中正. 有德有位, 居尊臨下, 其陽剛之道, 得行於天下, 故曰天下大行. 卦之一陰遇五陽, 乃陰始生而消陽之卦. 然九五剛中正居尊位, 故象辭雖慮小者之始生而勢漸盛, 象傳又喜大者之居尊而道得行, 亦扶陽抑陰之意也.

임천오씨가 말하였다: 구오는 굳센 양으로 중정한 자리에 있기 때문에 “굳셈이 중정을 만난다”고 하였다. 지위와 덕이 있으면서 높은 자리에서 아래에 임하니, 굳센 양의 도가 천하에서 행해지는 까닭에 “천하에 크게 행해진다”고 하였다. 구괘는 한 음이 다섯 양을 만나니, 음이 처음 생겨나서 양을 사라지게 하는 괘이다. 그러나 구오는 굳센 중정으로 높은 자리에 있기 때문에 「단사」에서 작은 것이 처음 생겨나서 세력이 점점 성대해진다고 염려하였을지라도 「단전」에서 또 큰 것이 높은 자리에 있어 도가 행해지는 것을 기뻐하니, 또한 양을 돕고 음을 억누르는 뜻이다.

‖韓國大全‖

권만(權萬) 『역설(易說)』

剛遇中正, 天下大行, 以卦體言. 乾九五之剛, 遇巽九二之中正, 猶聖君遇賢臣, 故可大行於天下也. 且易之辭, 皆曲有字義, 風是行物而在乾天之下, 故曰天下.

“굳셈이 중정을 만나 천하에 크게 행해진다”는 괘의 몸체로 말하였다. 건괘(乾卦) 구오의 굳셈이 손괘(巽卦) 구이의 중정(中正)을 만난 것이 성군이 어진 신하를 만나는 것과 같기 때문에 천하에 크게 행해질 수 있다. 또 『주역』의 글은 모두 글자의 뜻이 곡진하니, 바람은 부는 물건인데 건괘(乾卦)인 하늘의 아래에 있기 때문에 ‘하늘아래’라고 하였다.

○ 以乾遇巽, 是月窟卦. 巽是乾體, 而風有迅疾之象, 巽陰之生, 不浸而疾, 尤可懼也.

건괘(☰)가 손괘(☴)를 만났으니 이것은 월굴괘이다. 손괘는 건괘의 몸체이고 바람에는 빠른 상이 있으니, 손괘의 음이 생겨나 스며들지 않았어도 빠름은 더욱 두려워할 만하다.

유정원(柳正源) 『역해참고(易解參攷)』

天下大行.

천하에 크게 행해진다.

案, 堯舜在上, 猶有四凶, 不可以天下大行, 而忽其小人也. 故本義曰, 幾微之際, 聖人所謹. 姤是不好底卦, 而討出相遇底義, 亦言吉不言凶之意也.

내가 살펴보았다: 요·순이 임금일 때에도 사흉은 있었으니, 천하에 크게 행해진다고 해서 소인을 소홀하게 여겨서는 안된다. 그러므로 『본의』에서 "조짐이 은미한 때에 성인이 삼가는 것이다"라고 하였다. 구(姤)는 좋지 않은 괘인데 "서로 만난다"고 표출한 뜻은 길한 것을 말하고 흉한 것을 말하지 않는다는 의미이다.

서유신(徐有臣) 『역의의언(易義擬言)』

二五剛德方盛, 當姤之時, 故相遇也. 一陰尙微, 不害於君子之行道, 故曰天下大行也. 此贊君臣相遇, 如天地之相遇也. 然羸豕履霜, 漸已萌矣, 良足唏也.

이효와 오효의 굳센 덕이 막 성대하고 구괘의 때에 해당되므로 서로 만난다. 한 음은 오히려 아직 미약하여 군자가 도를 행함에 해롭지 않기 때문에 "천하에 크게 향해진다"고 하였다. 이는 군신이 서로 만나는 것이 천지가 서로 만나는 것과 같음을 찬미한 것이다. 그렇지만 '여윈 돼지'와 '서리를 밟음'이 점점 싹이 트니, 진실로 슬퍼할 만하다.

김기례(金箕澧) 「역요선의강목(易要選義綱目)」

指五剛居尊, 中正而大行.

오효인 굳센 양이 높은 자리에 있어 중정하고 크게 행해짐을 가리킨다.

○ 雖嫌一陰之始生, 又喜剛君之得位, 蓋扶陽抑陰之一意.

한 음이 처음 생겨나는 것을 겸하였지만 다시 굳센 임금이 자리를 얻음을 기뻐하였으니, 양은 돕고 음을 억제하려는 한 가지 뜻이다.

박문호(朴文鎬) 「경설(經說)·주역(周易)」

剛遇中正, 程傳之釋, 於文勢有齟齬. 蓋言九五以剛而遇中正之位, 此本義之意也.

"굳셈이 중정(中正)을 만난다"에 대한 『정전』의 해석은 문리의 흐름이 맞지 않는다. 구오가 굳셈으로 중정한 자리를 만난 것을 말한 것이니, 이것이 『본의』의 뜻이다.

姤之時義, 大矣哉.

구(姤)의 때와 뜻이 크도다!

‖中國大全‖

傳

贊姤之時與姤之義至大也. 天地不相遇則萬物不生, 君臣不相遇則政治不興, 聖賢不相遇則道德不亨, 事物不相遇則功用不成, 姤之時與義皆甚大也.

구(姤)의 때와 뜻이 지극히 큼을 칭찬한 것이다. 천지가 서로 만나지 않으면 만물이 생기지 못하고, 임금과 신하가 서로 만나지 않으면 정치가 일어나지 못하며, 성현이 서로 만나지 않으면 도덕이 형통하지 못하고, 사물이 서로 만나지 않으면 공용(功用)이 이루어지지 못하니, 구(姤)의 때와 뜻이 모두 매우 큰 것이다.

小註

涑水司馬氏曰, 姤, 遇也. 世之治亂, 人之窮通, 事之成敗, 不可以力致, 不可以數求, 遇不遇而已矣. 舜遇堯, 而五典克從, 百揆時敍. 禹稷皐陶遇舜, 而六府三事允治, 地平天成. 不然則泯泯於衆人之中, 後世誰知哉. 姤之時義大矣.

속수사마씨가 말하였다: 구는 만남이다. 세상의 다스림과 어지러움·사람의 궁함과 통함·일의 성공과 실패는 힘으로 이루거나 수로 구할 수 없는 것이고, 만나고 만나지 못하고에 달려있을 뿐이다. 순임금이 요임금을 만나 오전(五典)이 순하게 되었으며 백규(百揆)가 때로 펴졌다. 우·후직·고요가 순임금을 만나 육부와 삼사가 진실로 다스려져 땅이 평안해지고 하늘이 이루어졌다. 그렇지 않았다면 여러 사람들에게 어지럽게 뒤섞였을 것이니, 후세에 누가 알았겠는가? 구괘의 때와 뜻이 크다.

本義

幾微之際, 聖人所謹.

조짐이 은미한 때에 성인이 삼가는 것이다.

小註

或問, 本義云, 幾微之際, 聖人所謹. 與伊川之說不同, 何也. 朱子曰, 上面說天地相遇,
至天下大行也, 正是好時節, 而不好之漸已生於微矣, 故當謹於此.

어떤 이가 물었다: 『본의』에서 말한 "기미가 은미한 때라서 성인이 삼가는 것이다"가 이천이
말한 것과 같지 않은 것은 어째서 입니까?

주자가 답하였다: 위에서 말한 "하늘과 땅이 서로 만난다"에서 "천하에 크게 행해지리니"까
지는 바로 좋은 시절인데 좋지 않은 것이 기미에서 점점 이미 생기기 때문에 이것을 삼가야
하는 것입니다.

○ 雲峰胡氏曰, 他卦言大矣哉者, 多是釋卦辭後, 別引天地聖人而極言之, 姤亦然. 本
義不曰極言之何也. 蓋柔遇剛, 遇之不善者也. 別取一義曰, 天地相遇, 曰剛遇中正, 遇
之善者也. 曰品物咸章, 曰天下大行, 亦旣極言之矣. 姤之時義大矣哉, 非贊遇之大也,
一陰之生雖微, 可慮者大也. 人之爲善, 亦旣誠意, 忽有一念之自欺潛萌於中, 衆君子
在上, 忽有一小人欲長於下, 幾微之際, 大可慮也, 故聖人謹之.

운봉호씨가 말하였다: 다른 괘에서 말한 "크도다"는 대부분 괘사를 풀이한 후에 따로 천지와
성인을 인용하여 지극하게 말한 것으로 구괘에서도 그렇다. 『본의』에서 지극하게 말하였다
고 하지 않은 것은 어째서 인가? "부드러운 음이 굳센 양을 만난 것"은 좋지 않은 것이다.
따로 한 뜻을 취하여 "하늘과 땅이 서로 만난다", "굳셈이 중정을 만난다"고 한 것은 만남의
좋은 것이고, "만물이 모두 빛난다", "천하에 크게 행해진다"고 한 것이 이미 지극하게 말한
것이다. "구의 때와 뜻이 크도다"는 만남의 큼을 찬미한 것이 아니니, 한 음이 생기는 것이
비록 미약하더라도 걱정해야 할 것은 크기 때문이다. 사람이 선을 행함에 이미 뜻을 참되게
했는데 홀연히 마음에 자신을 속이는 한 생각이 움트고, 여러 군자가 위에 있는데 홀연히
아래에서 한 소인이 자라니, 기미가 은미한 때에 크게 걱정해야 하기 때문에 성인이 삼간
것이다.

‖韓國大全‖

이익(李瀷) 『역경질서(易經疾書)』

陰陽以方長爲主. 姤主其柔而言, 故曰遇剛. 陰陽不可以相無, 一苟無矣, 品物亦何能咸章. 上乾下巽, 卽坤一索乾而得者, 其陰之始遇陽, 惟姤也, 故曰天地相遇也. 剛遇中正, 承剛字說, 陰遇五剛, 而五剛之中又遇中正, 此九五之剛也. 天下大行, 承品物咸章說, 天地之道, 吉凶消長, 理必皆有, 聖人則之, 隨所遇處之. 故陰長之會而亦有咸章之實, 易中十二卦大矣之贊, 皆以此意. 看易擧正, 象傳勿用取上脫女壯二字, 下無女字.

음과 양은 장차 자라남을 주인으로 삼는다. 구괘는 부드러운 음을 주로 해서 말했기 때문에 "굳센 양을 만난다"고 하였다. 음양은 서로 없을 수 없으니 한 쪽이 없으면 만물이 또한 어떻게 모두 빛날 수 있겠는가? 위는 건괘(☰)이고 아래는 손괘(☴)로 곤괘가 한 번 건괘를 구해서 얻은 것이니, 음이 처음으로 양을 만난 것은 오로지 구괘이기 때문에 "하늘과 땅이 서로 만난다"고 하였다. '굳셈이 중정함을 만남'은 굳세다는 강(剛)자를 이어서 말한 것이니, 음이 굳센 다섯 양을 만나고, 굳센 다섯 양 가운데 또 중정을 만남이니, 이는 구오의 굳셈이다. 천지의 도가 길하고 흉하며 사라지고 자라나는 것은 이치가 반드시 모두 있어서 성인이 본받아 만나는 것에 따라 처리한 것이다. 그렇기 때문에 음이 자라나는 때에도 모두 빛나는 실질이 있으니, 『주역』에서 '크다'고 찬탄한 12괘가 모두 이런 뜻이다. 『주역거정』을 보면 「단전」의 "취하지 말아야 한다"의 앞에 "여자가 건장하다[女壯]"는 말이 없고 아래에도 '여자[女]'라는 말이 없다.

김상악(金相岳) 『산천역설(山天易說)』

釋卦辭. 凡小人之始進者, 類皆君子有以與之, 未幾繁殖. 故不可與之, 令其滋長也, 剝曰小人長, 卽所以與之也. 天地相遇, 成姤之義, 剛遇中正, 治姤之道也. 故物不可以无遇, 遇不可以不正, 可見時義之大.

괘사를 해석하였다. 소인이 처음 나아가는 것은 대부분 모두 군자가 함께해서 오래지 않아 번성하게 된다. 그러므로 그들과 함께해서 자라게 해서는 안 된다. 박괘에서 "소인이 자라난다"고 한 것은 바로 군자가 함께 하기 때문이다. '천지가 서로 만남'은 '만남[姤]'을 이룬다는 뜻이고, '굳셈이 중정을 만남'은 '만남[姤]'을 다스리는 도이다. 그렇기 때문에 사물은 만남이 없을 수 없고 만남은 바르지 않을 수 없으니, 때와 의미가 중대함을 볼 수 있다.

○ 長巽象, 巽爲陰之始生, 而自陽而言, 故曰與長也. 姤是不好底卦, 而推言天地君臣之遇, 以贊時義者, 是別取一義於遇之善者, 而本義幾微之際聖人所謹者, 又是象外意也, 學者尤宜玩索.

'자라남[長]'은 손괘(☴)의 상이다. 손괘는 음(陰)이 처음 생겨남이 되는데, 양(陽)의 입장에서 말했기 때문에 '함께 자라남'이라고 하였다. 구괘는 좋지 않은 괘인데, 천지와 군신의 만남으로 미루어 말하여 때와 의미를 찬미한 것은 만남에서 별도로 좋다는 뜻을 취한 것이며, 『본의』의 "조짐이 은미한 때에 성인이 삼가는 것이다"도 또한 「단전」 밖의 뜻이니, 배우는 자가 더욱 연구해야 할 것이다.

서유신(徐有臣) 『역의의언(易義擬言)』

有不可遇者焉, 有不可不遇者焉, 故其時義爲大也.

만나서는 안 되는 경우가 있고 만나지 않을 수 없는 경우가 있기 때문에 그 때와 의미가 크다.

박제가(朴齊家) 『주역(周易)』

本義不以它卦例之, 而特曰幾微之際聖人所謹者, 至矣, 得聖人之心矣. 非深觀復姤之理, 而有得於心者, 能之矣.

『본의』에서 다른 괘로 예를 들지 않고, 특별히 "조짐이 은미한 때에 성인이 삼가는 것이다"라고 말한 것은 지극하니, 성인의 마음을 얻은 것이다. 복괘(復卦䷗)와 구괘(☴)의 이치를 깊이 살펴 마음으로 얻은 자가 아니라면 어찌 할 수 있겠는가!

강엄(康儼) 『주역(周易)』

本義, 幾徵之際, 聖人所謹.

『본의』에서 말하였다: 조짐이 은미한 때에 성인이 삼가는 것이다.

按, 遇本非其正, 而象傳卻說天地相遇剛遇中正者, 何也. 卦雖不好, 而聖人必取好底道理以言之. 蓋以柔遇剛, 雖非正而遇, 如天地之相遇, 則品物咸章, 如陽剛之遇中正, 則天下大行矣. 是乃就不好中取好底道理言之. 然好之中, 又有不好之漸, 故結之曰姤之時義大矣哉, 而本義曰, 幾微之際, 聖人所謹. 此與他卦大矣哉之例不同者, 亦以姤之爲卦, 畢竟是不正底卦也. 或曰, 天地相遇剛遇中正兩節, 卽夫子別取一義而極言之, 至於姤之時義一節, 乃所以接了勿用取女不可與長之意而言之者, 故本義以謹微言之, 是否.

내가 살펴보았다: '만남'은 본래 바르지 않은 것인데, 「단전」에서 도리어 "하늘과 땅이 서로 만나 굳셈이 중정(中正)을 만난다"고 한 것은 어째서인가? 괘가 비록 좋지 않지만, 성인이 반드시 좋은 도리를 취한 것으로 말하였다. 부드러운 음으로 굳센 양을 만난 것은 비록 바르지 않게 만난 것이지만, 하늘과 땅이 서로 만남과 같다면 만물이 모두 빛나고, 굳센 양이 중정을 만남과 같다면 천하에 크게 행해질 것이다. 이는 좋지 않은 가운데 좋은 도리를 취한 것에서 말한 것이다. 그렇지만 좋은 것 가운데 좋지 않은 것의 자라남이 있기 때문에 "구(姤)의 때와 뜻이 크다"는 것으로 맺었고, 『본의』에서는 "조짐이 은미한 때에 성인이 삼가는 것이다"라고 하였다. 이것은 다른 괘에서 '크다'고 한 경우와는 같지 않은 것이니, 또한 구괘가 필경 바르지 않은 괘이기 때문이다. 어떤 이가 "하늘과 땅이 서로 만나고 굳센 양이 중정을 만난다"는 두 구절은 공자가 별도로 하나의 뜻을 취해서 지극히 말한 것이지만, '구(姤)의 때와 뜻'이라는 한 구절에 이르면 바로 "여자를 취하지 말아야 함은 더불어 오래할 수 없기 때문이다"라는 뜻을 이어서 말한 것이므로 『본의』에서 '은미한 때에 삼가는 것'으로 말하였는데, 맞는지는 모르겠다.

박문건(朴文健) 『주역연의(周易衍義)』

天地相遇, 指剛柔而言也, 剛遇中正, 指二五而言也. 天地成咸章之功, 中正致大行之效, 故贊其義之大也.

'하늘과 땅이 서로 만남'은 굳셈과 부드러움을 가리켜 말했고, '굳셈이 중정을 만남'은 이효와 오효를 가리켜 말했다. 천지는 모두 빛나는 공업을 이루고 중정은 크게 행하는 효과를 이루기 때문에 그 의미가 큼을 찬미하였다.

〈問, 剛遇中正, 天下大行也, 曰, 上下皆以剛明之體, 而共遇中正之位, 故其道大行於天下也.

물었다: "굳셈이 중정을 만나 천하에 크게 행해진다"는 무슨 뜻입니까?

답하였다: 위아래가 모두 굳세고 밝은 몸체로서 같이 중정한 자리를 만났기 때문에 천하에 크게 행해진다는 것입니다.〉

김기례(金箕澧) 「역요선의강목(易要選義綱目)」

非贊相遇之大也, 以小人漸長之爲大, 可慮也.

서로 만남이 큼을 찬미한 것이 아니라, 소인이 점점 자라나 크게 되기 때문에 염려한 것이다.

이항로(李恒老) 「주역전의동이석의(周易傳義同異釋義)」

傳, 贊姤之時與姤之義至大也.

『정전』에서 말하였다: 구(姤)의 때와 뜻이 지극히 큼을 칭찬한 것이다.

本義, 幾微之際, 聖人所謹.

『본의』에서 말하였다: 조짐이 은미한 때에 성인이 삼가는 것이다.

按, 易中凡贊以大矣哉十二, 豫隨頤大過遯睽蹇解姤革旅坎, 是也. 皆由不好而幹旋爲好, 夫變不好而爲好, 非至大之道不能也. 本義曰, 幾微之際聖人所謹, 深得贊意.

내가 살펴보았다: 『주역』에서 '크다'고 칭찬한 곳이 12군데이니, 예(豫)·수(隨)·이(頤)·대과(大過)·돈(遯)·규(睽)·건(蹇)·해(解)·구(姤)·혁(革)·려(旅)·감(坎)이 이것이다. 모두 좋지 않음을 연유하여 좋게 돌린 것인데, 좋지 않음을 좋게 변화시키는 것은 지극히 큰 도가 아니면 할 수 없다. 『본의』에서 "조짐이 은미한 때에 성인이 삼가는 것이다"라고 한 것은 찬탄한 뜻을 깊이 얻은 것이다.

심대윤(沈大允) 『주역상의점법(周易象義占法)』

姤之道, 可用之於未合之前, 而不可用之於已合之後. 故曰不可與長也. 天地相遇, 剛柔相遇, 而萬物昌也. 剛五也, 中正二也, 以卦才言, 君臣相遇也. 凡天下之理, 未有不求而得者也. 求而不擇, 則苟合而不能久. 女之從人, 不求而擇而合焉, 則夫婦之道, 苦而不可用也. 臣之從君, 不求而擇而合焉, 則君臣之義, 悖而不可行也. 夫剛柔交相求而交相擇也, 而委質從人, 一齊而不改義尤重焉, 故以柔主之也. 姤之義, 大而不可長, 故贊其時也.

구괘의 도(道)는 합하기 전에는 쓸 수 있으나 이미 합한 뒤에는 쓸 수 없다. 그래서 "더불어 오래할 수 없다"고 하였다. 하늘과 땅이 서로 만나고 굳셈과 부드러움이 서로 만나서 만물이 창성한다. 굳셈은 오효이고 중정은 이효이니, 괘의 재질로 말하면 임금과 신하가 서로 만나는 것이다. 천하의 이치는 구하지 않는데도 얻는 것은 없다. 구하기만 하고 고르지 않으면, 구차하게 합하여 오래갈 수 없다. 여자가 남자를 따르는데 구하고 골라 합하지 않으면 부부의 도가 고통스러워 쓸 수 없다. 신하가 임금을 따르는데 구하고 골라 합하지 않으면 임금과 신하의 의리는 어그러져 행할 수 없다. 굳셈과 부드러움이 서로 사귀고 서로 골랐다면 남을 따르는데 맡겨 한결같이 해서 고치지 말아야 하는 뜻이 더욱 중요하기 때문에 부드러운 음으로 주장하였다. 구괘의 뜻이 크지만 오래할 수는 없기 때문에 그 때를 찬미하였다.

오치기(吳致箕) 「주역경전증해(周易經傳增解)」

象曰, 姤, 遇也, 柔遇剛也〈卦體〉. 勿用取女, 不可與長也. 天地相遇〈卦體〉, 品物咸章也, 剛遇中正〈九五〉, 天下大行也, 姤之時義, 大矣哉.

「단전」에서 말하였다: 구(姤)는 만남이니, 부드러운 음이 굳센 양을 만난 것이다〈괘체이다〉. "여자를 취하지 말아야 함"은 더불어 오래할 수 없기 때문이다. 하늘과 땅이 서로 만나〈괘체이다〉 만물이 모두 빛나고, 굳셈이 중정(中正)을 만나〈九五를 말한다〉 천하에 크게 행해지리니, 구(姤)의 때와 뜻이 크도다!

此以卦體釋卦名義及卦辭, 終又極言天地陰陽相遇, 而萬品之物皆化育而章明. 聖人以陽剛之德, 遇中正之位, 而其化大行于天下, 此所以姤之時與義, 甚大者也.

이것은 괘의 몸체로 괘의 이름과 괘사를 해석하고, 마지막에 다시 천지의 음양이 서로 만나 만물이 모두 화육하여 빛나는 것을 지극히 말하였다. 성인이 굳센 양의 덕으로 중정한 자리를 만나서 그 조화가 천하에 크게 행해지니, 이것이 구(姤)의 때와 뜻이 매우 큰 까닭이다.

이진상(李震相) 『역학관규(易學管窺)』

姤之時義.

구(姤)의 때와 뜻.

此特贊相遇之功用, 而推其時義. 實有陰長之戒, 故本義以幾微之際聖人所謹言之. 然若謂可慮者大, 則又推之過矣, 恐非本意.

이것은 특별히 서로 만나는 공용을 찬미하여 그 때와 뜻을 미룬 것이다. 실제로는 음이 자라난다는 경계가 있기 때문에 『본의』에서 "조짐이 은미한 때에 성인이 삼간다"는 것으로 말했다. 그러나 염려할 만한 것이 크다고 한다면, 또한 지나치게 유추한 것이니 본래의 의미는 아닌 듯하다.

박문호(朴文鎬) 「경설(經說)·주역(周易)」

時義大矣哉, 本義不取贊義, 是抑陰之意也. 此與他卦釋贊例不同, 蓋別是一意也.

"때와 뜻이 크다"에 대해 『본의』에서 찬미의 뜻을 취하지 않은 것은 음을 억제하려는 뜻이다. 이는 다른 괘에서 찬탄함으로 번역한 사례와는 다르니, 별도의 한 가지 의미이다.

이병헌(李炳憲) 『역경금문고통론(易經今文考通論)』

鄭曰, 一陰承五陽, 非禮之正, 故不可取.

정현이 말하였다: 한 음이 다섯 양을 받드는 것은 예절의 바름이 아니기 때문에 취하지 않는 것이다.

按, 姤之卦辭, 不過勿用取女, 而孔子演出品物咸章天下大行之時義, 此所謂合而演其文, 讀而出其神者也. 惟以陽之生微, 陰之生壯, 故或扶或戒者, 時用不同也. 右一對往來策數準小畜履.

내가 살펴보았다: 구괘의 괘사에서는 "여자를 취하지 말라"고만 하였는데, 공자는 '만물이 모두 빛나고 천하에 크게 행해지는 때와 의미'로 만들어 냈으니, 이는 이른바 합하여 그 글을 연역하고 읽어서 그 신묘함을 낸다는 것이다.[9] 다만 양(陽)이 생겨남은 미약하고 음이 생겨남은 건장하기 때문에 돕기도 하고 경계하기도 하는 것은 때의 쓰임이 다르다. 이상은 한 짝으로 왕래하는 책수가 소축괘와 리괘와 같다.

---

9) 『春秋 · 隱公』: 孔子曰, 伏犧作八卦, 互合而演其文, 讀而出其神.

象曰, 天下有風, 姤, 后以, 施命誥四方.

「상전」에서 말하였다: 하늘 아래에 바람이 있는 것이 구(姤)이니, 임금이 그것을 본받아 명령을 베풀어 사방에 알린다.

▌中國大全▌

傳

風行天下, 无所不周, 爲君后者, 觀其周徧之象, 以施其命令, 周誥四方也. 風行地上, 與天下有風, 皆爲周徧庶物之象, 而行於地上, 徧觸萬物則爲觀, 經歷觀省之象也. 行於天下, 周徧四方則爲姤, 施發命令之象也. 諸象, 或稱先王, 或稱后, 或稱君子大人. 稱先王者, 先王, 所以立法制, 建國作樂省方敎法閉關育物享帝, 皆是也. 稱后者, 后王之所爲也, 財成天地之道, 施命誥四方, 是也. 君子則上下之通稱, 大人者, 王公之通稱.

바람이 하늘 아래에서 불어 두루 미치지 않음이 없으니, 임금이 두루 미치는 상을 관찰하여 명령을 베풀어 사방에 두루 알리는 것이다. 바람이 땅 위에 부는 것과 "하늘 아래에 바람이 있음"은 모두 여러 물건에 두루 미치는 상이 되는데, 땅 위에 다녀 만물을 두루 접촉하면 관괘가 되니, 두루 지나며 관찰하고 살피는 상이다. 하늘 아래에 다녀 사방에 두루 미치면 구괘가 되니, 명령을 시행하여 발하는 상이다. 여러 상에서 혹은 선왕(先王), 혹은 후(后), 혹은 군자와 대인이라 하였다. 그런데 선왕(先王)이라고 한 것은 선왕(先王)이 법과 제도를 세운 것이니, 나라를 세우고 음악을 만들며 지방을 살피고 법을 삼가며 관문(關門)을 닫고 물건을 기르고 상제(上帝)를 제사지내는 것이 모두 이것이다. 후(后)라고 한 것은 후왕(后王)이 하는 것이니, 천지의 도를 재단하여 이루고 명령을 베풀어 사방에 알리는 것이 이런 것이다. 군자는 위아래를 일반적으로 말한 것이고, 대인(大人)은 왕공(王公)을 일반적으로 말한 것이다.

小註

節齋蔡氏曰, 風行天下, 物无不遇, 姤之象也. 施乾象, 命巽象. 誥四方, 取風行天下之象.

절재채씨가 말하였다: 바람이 하늘 아래 불어 만물이 만나지 않음이 없음은 구의 상이다. 베풂은 건괘의 상이고, 명령은 손괘의 상이다. 사방에 알림은 바람이 하늘 아래 부는 상을 취하였다.

○ 趙氏汝楳曰, 天下有風, 與風行地上, 義頗同. 姤爲太虛之風, 自上而下, 觀爲地上之風, 旁行而遍歷, 大虛之風, 吹號萬籟, 后之誥命象之.

조여매가 말하였다: "하늘 아래에 바람이 있다"와 바람이 땅 위에 부는 것은 뜻이 많이 같다. 구괘는 태허의 바람이 위로부터 아래로 부는 것이고, 관괘는 땅 위의 바람이 옆으로 불어 두루 지나가는 것이다. 태허의 바람은 만물의 온갖 소리이니, 구괘의 명령을 알림이 그것을 상으로 하였다.

○ 中溪張氏曰, 風者天之號令, 所以鼓舞萬物. 命者君之號令, 所以鼓舞萬民. 風自天而下, 无物不遇, 而君之命令, 實似之. 人君尊居九重, 與下民本无相遇之理. 唯王言一布, 則萬民爭先快覩, 莫不鼓舞於其下, 而君民之心始遇矣.

중개장씨가 말하였다: 바람은 하늘의 호령으로 만물을 고무하는 것이다. 명령은 임금의 호령으로 모든 백성을 고무하는 것이다. 바람은 하늘로부터 아래로 불어 만나지 않는 사물이 없는데 임금의 명령이 참으로 이것과 비슷하다. 임금은 구중궁궐에 존귀하게 거처하여 백성들과 본래 서로 만나는 이치가 없다. 왕이 널리 알리는 말을 하면 모든 백성들이 앞을 다투어 즐겁게 보아 아래에서 고무되지 않음이 없으니, 임금과 백성의 마음이 비로소 만나게 되는 것이다.

○ 李氏開曰, 天子曰元后, 諸侯曰群后, 一國天下, 皆可言四方.

이개가 말하였다: 천자는 원후, 제후는 군후, 천하의 국가는 모두 사방이라고 할 수 있다.

‖韓國大全‖

송시열(宋時烈) 『역설(易說)』[10]

乾爲施, 巽爲命令, 誥者, 巽之義, 四方者, 乾錯爲坤之義也. 說見夫. 乾不變, 則爻辭,

[10) 이 문장 전체는 경학자료집성DB에 누락되어 있으나, 경학자료집성 원문을 대조하여 보충하였다.

多泥而不通, 程子嘗曰, 六十二卦, 皆自乾坤而變, 遇乾坤處, 須思變錯義看.

건괘(☰)는 베풂이 되고, 손괘(☴)는 명령이 되며, '알림[誥]'은 손괘의 뜻이고, '사방'은 건괘가 섞여 곤괘가 되는 뜻이니, 설명이 쾌괘(夬卦)에 보인다. 건괘(乾卦)가 변하지 않으면 효사가 대부분 막혀서 통하지 않으니, 정자는 일찍이 "62괘는 모두 건괘와 곤괘로부터 변하였으니, 건괘와 곤괘를 만난 곳에서는 반드시 괘의 변화와 음양의 바뀐 뜻을 생각해 보아야 한다"고 하였다.

홍여하(洪汝河) 「책제(策題):문역(問易)·독서차기(讀書箚記)-주역(周易)」[11]

姤大象 施命告四方

구괘 「대상전」에서 말하였다: 명을 베풀어 사방에 알린다.

乾施巽命, 播告之象.

건괘로 베풀고 손괘로 명령하니 퍼뜨려 알리는 상이다.

김도(金濤) 「주역천설(周易淺說)」

愚按, 程傳下所釋, 蔡氏以下凡四條, 而皆合於大象之義矣. 蓋風者太虛往來之物也, 无形可見, 无臭可尋, 而所觸則萬物靡然. 是以王者法此象, 而發號施令, 周誥於四方, 則民莫不靡然矣, 聖人之爲敎, 可謂至矣. 大槪民者, 蒙蔽无知之物也, 后无號令, 則安有服從之理乎. 聖人有憂之, 發號而施令, 誥之以爲民之道, 使之皷舞於風化之下, 則君民相遇之意, 爲如何哉. 若先不號令, 而瀆之以慮外之事, 則此罔民也. 孟子曰, 焉有仁人在位, 罔民而可爲也. 豈非垂敎之大法乎. 然則爲人后者, 當何以哉. 古語曰, 以身敎者從, 必也身自先行, 而使仁聲仁聞, 浹洽於民髓, 則雖无號令, 而自然畏服民之心志矣, 安有不從者乎.

내가 살펴보았다: 『정전』 아래에 풀이한 채씨 이하의 네 조목이 모두 「대상전」의 뜻에 맞는다. 바람은 허공을 오가는 물건으로 볼 수 있는 모습이 없고 맡을 수 있는 냄새가 없지만, 접촉하면 만물이 쓰러진다. 이 때문에 왕이 이런 상을 본받아서 호령을 펼쳐서 두루 사방에 알린다면 백성이 복종하지 않음이 없을 것이니, 성인의 가르침이 지극하다고 할 만 하다. 대체로 백성은 몽매하고 무지한 존재이니, 임금이 호령함이 없다면 어찌 복종하는 이치가 있겠는가? 성인이 근심하여 호령을 펼쳐서 백성을 위한 도로 알려서 풍속의 교화에 고무되

---

11) 경학자료집성DB에서는 구괘 「단전」에 해당하는 것으로 분류했으나, 내용에 따라 이 자리로 옮겨왔다.

게 하였으니, 임금과 백성이 만난다는 뜻이 어떠하겠는가? 만약 먼저 호령하지 않고 뜻밖의 일로 더럽힌다면 이는 백성을 기만하는 것이다. 맹자가 "어찌 어진 자가 자리에 있으면서 백성을 기만하는 짓을 할 수 있겠는가"[12]라고 하였으니, 어찌 가르침을 드리운 큰 원칙이 아니겠는가! 그렇다면 임금은 어떻게 해야 하는가? 옛말에 이르길, "몸소 가르친 자는 따른다"고 하였으니, 반드시 몸소 먼저 행해서 어진 명성과 어진 소문이 백성의 뇌리에 무젖게 한다면 호령함이 없더라도 저절로 백성의 마음을 두렵게 하여 복종시킬 수 있으니, 어찌 따르지 않는 자가 있겠는가?

이만부(李萬敷) 「역통(易統)·역대상편람(易大象便覽)·잡서변(雜書辨)」

傳曰, 風行天下, 无所不周, 爲君后者, 觀其周徧之象, 以施其命令, 周誥四方也. 風行地上, 與天下有風, 皆爲周徧庶物之象, 而行於地上, 徧觸萬物則爲觀, 經歷觀省之象也, 行於天下, 周徧四方則爲姤, 施發命令之象也.

『정전』에서 말하였다: 바람이 하늘 아래에서 불어 두루 미치지 않음이 없으니, 임금이 두루 미치는 상을 관찰하여 명령을 베풀어 사방에 두루 알리는 것이다. 바람이 땅 위에 부는 것과 "하늘 아래에 바람이 있음"은 모두 여러 물건에 두루 미치는 상이 되는데, 땅 위에 다녀 만물을 두루 접촉하면 관괘(觀卦)가 되니, 두루 지나며 관찰하고 살피는 상이다. 하늘 아래에 다녀 사방에 두루 미치면 구괘(姤卦)가 되니, 명령을 시행하여 발하는 상이다.

臣謹按, 風者尙於物而周徧, 故隨風與天下有風, 皆爲命令之象. 誥卽書之康誥酒誥之類, 王言之, 布四方者也, 王言一出, 四方觀聽, 不可不審. 故鄭之爲命, 裨諶世叔子羽子産共爲而孔子稱之. 以此推之, 今掌製辭命之臣, 不可不極選也.

신이 삼가 살펴보았습니다: 바람은 만물의 위에서 두루 미치기 때문에 '따르는 바람'[13]과 '하늘아래 바람이 있음'은 모두 명령의 상입니다. '알림[誥]'은 『서경』의 「강고(康誥)」나 「주고(酒誥)」의 종류이고, '왕의 말'은 사방에 펼쳐지는 것이어서 왕의 말이 한 번 나가면 사방에서 보고 들으니, 살피지 않을 수 없습니다. 그러므로 정나라에서 명령문을 만들 때 비심과 세숙과 자우와 자산이 함께 한 것을 공자가 칭찬한 것입니다.[14] 이것으로 미루어볼 때 지금 명령문을 만드는 신하를 지극히 선별하지 않으면 안 됩니다.

---

12) 『孟子·滕文公』: 焉有仁人在位, 罔民而可爲也.

13) 『周易·巽卦』: 象曰, 隨風, 巽, 君子以, 申命行事.

14) 『論語·憲問』: 子曰, 爲命裨諶草創之, 世叔討論之, 行人子羽脩飾之, 東里子産潤色之.

이익(李瀷) 『역경질서(易經疾書)』

風者行於天地之間. 試以雪氣驗之, 或高者東而低者西, 是則天下與地上不同, 而亦必有遠近之別也. 其低者地上之風, 故觀之象觀民設教, 則因其土俗之宜也. 其高者天下之風, 故姤之象施命誥四方, 則君后一同之命, 無所不通也.

바람은 하늘과 땅의 사이에서 분다. 시험 삼아 눈 내리는 기운으로 증험해보면 혹 높은 곳은 동쪽이고 낮은 곳은 서쪽이지만, 이것도 하늘 아래와 땅 위가 같지 않으며, 또한 반드시 멀고 가까운 구별도 있다. 낮은 것은 땅위의 바람이기 때문에 관괘(觀卦)의 「상전」에서 "백성을 보고 가르침을 베푼다"고 하였으니, 그 지역 풍속의 적절함을 따른 것이다. 높은 것은 하늘아래의 바람이기 때문에 구괘(姤卦)의 「상전」에 "명령을 베풀어 사방에 알린다"고 하였으니, 군후의 한결같은 명령이어서 통하지 않음이 없다.

심조(沈潮) 「역상차론(易象箚論)」

象, 天下有風, 姤.

「상전」에서 말하였다: 하늘 아래에 바람이 있는 것이 구(姤)이다.

以女配乾, 卽后象也, 故姤字, 從女從后.

여자가 건괘(☰)와 짝이 되면 여후의 상이기 때문에 '구(姤)'자는 '여(女)'와 '후(后)'를 따랐다.

유정원(柳正源) 『역해참고(易解參攷)』[15]

施命誥四方.

명령을 베풀어 사방에 알린다.

梁山來氏曰, 乾爲君后之象, 又爲言誥之象. 又錯坤方之象, 巽乃命之象.

양산래씨가 말하였다: 건괘(☰)는 임금의 상이고, 또 말하여 알리는 상이다. 또 음양이 바뀐 곤괘(☷)가 사방[方]의 상이고 손괘(☴)는 명령의 상이다.

김상악(金相岳) 『산천역설(山天易說)』

施乾象, 命巽象. 誥四方, 風行天下也. 復於時爲冬至, 故曰先王,以 至日閉關, 商旅不行, 后不省方, 姤於時爲夏至, 故曰后以施命誥四方.

---

15) 경학자료집성DB에서는 구괘 '단사'에 해당하는 것으로 분류했으나, 내용에 따라 이 자리로 옮겨왔다.

'베푸는 것'은 건괘(☰)의 상이고, '명령'은 손괘(☴)의 상이다. '사방에 알림'은 바람이 천하에 부는 것이다. 복괘(復卦)는 시절로는 동지(冬至)가 되기 때문에 "선왕이 그것을 본받아 동짓날에는 관문을 닫아 걸어 장사꾼과 여행자들이 다니지 못하게 하고, 임금이 사방을 시찰하지 않게 했다"고 하였고, 구괘(姤卦)는 시절로는 하지(夏至)가 되기 때문에 "임금이 그것을 본받아 명령을 베풀어 사방에 알린다"고 하였다.

서유신(徐有臣) 『역의의언(易義擬言)』

天下有風, 天與風相遇也. 后之命如天之風也, 命巽象, 四方, 天下也.

하늘 아래 바람이 있음은 하늘이 바람과 서로 만남이다. 임금의 명령은 하늘의 바람과 같은데 명령은 손괘(☴)의 상이고 사방은 천하이다.

박제가(朴齊家) 『주역(周易)』

大象諸說, 當以中溪張氏爲宗. 張氏曰, 風者天之號令, 所以皷舞萬物, 命者君之號令, 所以皷舞萬民. 風自天而下, 旡物不遇, 而君之命令, 實似之. 人君尊居九重, 與下民本無相遇之理, 惟王言一布, 則萬民爭先快覩, 莫不皷舞於其下, 而君民之心始遇矣.

대상전의 설명가운데 중계장씨가 근본이 되는데, 장씨는 "바람은 하늘의 호령으로 만물을 고무하는 것이다. 명령은 임금의 호령으로 모든 백성을 고무하는 것이다. 바람은 하늘로부터 아래로 불어 만나지 않는 사물이 없는데, 임금의 명령이 참으로 이것과 비슷하다. 임금은 구중궁궐에 존귀하게 거처하여 백성들과 본래 서로 만나는 이치가 없다. 왕이 널리 알리는 말을 하면 모든 백성들이 앞을 다투어 즐겁게 보아 아래에서 고무되지 않음이 없으니, 임금과 백성의 마음이 비로소 만나게 되는 것이다"라고 하였다.

박문건(朴文健) 『주역연의(周易衍義)』

〈問, 天下有風, 姤, 施命誥四方. 曰. 天下有風, 則必遇物觸, 施命誥四方, 則必遇民聽, 施而誥之者, 象風之行於天下也.

물었다: "하늘 아래에 바람이 있는 것이 구(姤)이니, 명령을 베풀어 사방에 알린다"는 무슨 뜻입니까?

답하였다: 하늘 아래에 바람이 있으면 반드시 사물과 접촉하고, 명령을 베풀어 사방에 알리면 반드시 백성이 듣게 되니, 베풀어 알리는 것은 바람이 하늘아래 부는 것을 상징합니다.〉

이지연(李止淵) 『주역차의(周易箚疑)』

風者, 天之誥命也.

바람은 하늘이 명령을 알리는 것이다.

김기례(金箕澧) 「역요선의강목(易要選義綱目)」

后以, 施命誥四方.

임금이 그것을 본받아 명령을 베풀어 사방에 알린다.

誥命, 非王者不能, 故曰后.

명령을 알림은 왕이 아니면 할 수 없기 때문에 '임금'이라고 하였다.

○ 乾主施仁, 巽主命令, 故曰施命.

건괘(☰)는 인을 베풂을 주장하고 손괘(☴)는 명령을 주장하기 때문에 명령을 베푼다고 하였다.

○ 風行天下, 无物不遇, 令行四方, 无民不聞.

바람이 하늘 아래 불면 만나지 못하는 물건이 없고, 명령이 사방에 행해지면 듣지 못하는 백성이 없다.

심대윤(沈大允) 『주역상의점법(周易象義占法)』

風之流行而傳布, 徧觸於物而物感動, 王言頒行於天下, 遍誥於民而民感悅. 巽爲命爲方, 乾爲四, 反夬兌爲施, 艮爲誥, 坤交乾爲艮, 以言民之交於上也.

바람이 불어서 펼쳐지면 만물을 두루 접촉하여 만물이 감동하고, 왕의 말이 천하에 반포되면 백성에게 두루 알려져 백성이 감격한다. 손괘(☴)는 명령이 되고 방소가 되며, 건괘(☰)는 사(四)가 되며, 거꾸로 된 쾌괘(夬卦䷪)의 태(☱)가 베풂이 되며, 간괘(☶)는 알림이 되는데 곤괘가 건괘와 사귀어 간괘(☶)가 되니 백성이 임금과 사귐을 말한 것이다.

오치기(吳致箕) 「주역경전증해(周易經傳增解)」

風行天下, 无物不遇爲姤. 君后觀其象, 以施其命令, 徧誥四方也. 乾爲君后之象, 巽爲命之象, 四方卽天下, 而方取對坤.

바람이 하늘 아래 불면 만나지 못하는 물건이 없으니 구괘가 된다. 임금이 그 상을 보고 명령을 베풀어 사방에 알린다. 건괘(☰)는 임금의 상이고 손괘(☴)는 명령의 상이고, 사방은 천하인데 '방(方)'은 음양이 반대인 곤괘(☷)에서 취하였다.

이진상(李震相) 『역학관규(易學管窺)』

蔡氏曰, 施乾象, 命巽象.

채씨가 말하였다: 베풂은 건괘의 상이고, 명령은 손괘의 상이다.

來氏曰, 乾爲言誥之象.

래씨가 말하였다: 건괘(☰)는 말하여 알리는 상이 된다.

박문호(朴文鎬) 「경설(經說)·주역(周易)」

后王, 猶言時王也.

후왕(后王)은 당시의 왕이라는 말과 같다.

이병헌(李炳憲) 『역경금문고통론(易經今文考通論)』

觀雷在地中, 天下有風, 則知陰陽動靜時義難易之比率.

'우레가 땅속에 있음'과 '하늘 아래에 바람이 있음'을 살핀다면 음과 양이 움직이고 고요하며 때와 의미가 쉽고 어려움의 비율을 알 수 있다.

初六, 繫于金柅, 貞吉, 有攸往, 見凶, 羸豕孚蹢躅.

정전 초육은 쇠말뚝에 매어 놓으면 곧음이 길하고, 갈 곳이 있으면 흉함을 당하리니, 여윈 돼지가 뛰고 뛰는 데 믿음을 둔다.

본의 초육은 쇠말뚝으로 매니 곧으면 길하고, 갈 곳이 있으면 흉함을 당하리니, 여윈 돼지가 뛰고 뛰는 데 믿음을 둔다.

┃中國大全┃

傳

姤, 陰始生而將長之卦, 一陰生則長而漸盛. 陰長則陽消, 小人道長也. 制之, 當於其微而未盛之時. 柅, 止車之物, 金爲之, 堅强之至也. 止之以金柅而又繫之, 止之固也. 固止, 使不得進, 則陽剛貞正之道吉也, 使之進往, 則漸盛而害於陽, 是見凶也. 羸豕孚蹢躅, 聖人重爲之戒, 言陰雖甚微, 不可忽也. 豕, 陰躁之物, 故以爲況. 羸弱之豕, 雖未能强猛, 然其中心, 在乎蹢躅, 蹢躅, 跳躑也. 陰微而在下, 可謂羸矣, 然其中心, 常在乎消陽也. 君子小人異道, 小人, 雖微弱之時, 未嘗无害君子之心, 防於微則无能爲矣.

구(姤)는 음이 처음 생겨나 자라려는 괘이니, 한 음이 생겨나면 자라서 점점 성대해진다. 음이 자라면 양이 사라지니, 소인의 도가 자라는 것이다. 미약하여 아직 성대하지 않을 때에 막아야 한다. '말뚝[柅]'은 수레를 멈추게 하는 물건이니, 쇠로 만들면 지극히 견고하고 강하다. 쇠말뚝으로 저지하고 또 매어놓음은 견고하게 저지하는 것이다. 견고하게 저지해서 나아가지 못하게 하면 굳센 양의 곧고 바른 도가 길할 것이고, 나아가게 하면 점점 성대하여 양을 해칠 것이니, 이것은 흉함을 당하는 것이다. "여윈 돼지가 뛰고 뛰는 데 믿음을 둔다[羸豕孚蹢躅]"는 성인이 거듭 경계하여 음이 비록 매우 미약하나 소홀히 해서는 안 됨을 말한 것이다. 돼지는 음이고 조급한 물건이므로 비유로 삼은 것이다. 여위고 약한 돼지는 비록 강하고 사납지 못하나 그 중요함은 뛰고 뛰는 데 있으니, '뛰고 뜀[蹢躅]'은 날뛰는 것이다. 음이 미약하고 아래에 있으니, 약하다고 할 수 있으나 그 중요함은 항상 양을 사라지게 함에 있다. 군자와 소인은 도가 달라서 소인은 비록 미약할 때라도 일찍이 군자를 해칠 마음이 없지 않으니, 미약할 때에 막으면 해치지 못할 것이다.

本義

梚, 所以止車, 以金爲之, 其剛可知. 一陰始生, 靜正則吉, 往進則凶. 故以二義戒小人, 使不害於君子則有吉而无凶. 然其勢不可止也. 故以羸豕蹢躅, 曉君子, 使深爲之備云.

'말뚝[梚]'은 수레를 멈추게 하는 것인데 쇠로 만들었으니, 강함을 알 수 있다. 한 음이 처음 생겼으니, 고요하고 바르게 하면 길하나 나아가면 흉하다. 그러므로 두 뜻으로 소인을 경계하여 군자를 해치지 않으면 길함이 있고 흉함이 없다고 한 것이다. 그러나 그 형세를 그치게 할 수 없기 때문에 여윈 돼지가 날뛰는 것으로 군자를 깨우쳐서 깊이 대비하게 한 것이다.

小註

建安丘氏曰, 姤之所以爲姤者, 在此一爻. 一陰始生, 非以金梚繫之, 則柔道何所牽制, 而不敢進. 雖然一陰方生, 其勢漸長, 終有不容遏者繫之, 正所以防之也.

건안구씨가 말하였다: 구가 구가 되는 까닭이 이 한 효에 있다. 한 음이 처음 생겨나니, 쇠말뚝으로 매어 놓지 않으면 부드러운 도를 무엇으로 견제하여 감히 나아가지 못하게 하겠는가? 비록 그렇지만 한 음이 막 생겨나 그 세력이 점점 자라나서 끝내 그것을 막아서 매어놓을 수 없는 경우가 있을 것이니, 참으로 그것을 막아야 하는 까닭이다.

○ 張子曰, 豕初羸時, 力未能動, 然至誠在於蹢躅, 得申則申矣.

장재가 말하였다: 돼지는 처음 여위어 있을 때는 아직 움직일 힘이 없지만 지극한 정성으로 뛰고 뛰어 펴짐을 얻으면 펴질 것이다.

○ 雲峰胡氏曰, 巽爲繩, 有繫之象. 金梚, 剛而止物, 九二象. 繫于金梚, 非有以繫之也. 一陰之柔, 能自繫于五陽之下而不進, 是之謂靜正而吉也. 動而進則見凶矣. 一動一靜分而爲一吉一凶之占, 使小人自擇焉. 又以一陰雖微而至於盛, 特設羸豕蹢躅之象, 使君子深自備焉. 其爲君子謀至矣, 然非特爲君子小人言也. 吾心天理人欲之幾, 固如是也, 人欲之萌, 著有甚於羸豕之可畏者. 能自止之, 而不使滋長, 則善矣. 象總一卦而言, 則以一陰而當五陽, 故於女爲壯, 爻指此一畫而言, 五陽之下一陰甚微, 故於豕爲羸. 壯可畏也, 羸不可忽也.

운봉호씨가 말하였다: 손괘는 노끈이니, 매는 상이 있다. 쇠말뚝은 굳세어 물건을 멈추게 하는 것이니, 구이의 상이다. '쇠말뚝에 매어놓음'은 매어놓을 수 있다는 것이 아니다. 부드러운 한 음이 다섯 양의 아래에 저절로 매어 나아가지 못하니, 고요하고 발라서 길한 것이

다. 움직여 나아가면 흉함을 당할 것이다. 한 번 움직이고 한 번 고요함이 나누어져 한 번 길하고 한 번 흉한 점이 되니, 소인이 스스로 택하게 해야 한다. 또 한 음이 비록 미약하지만 성대함에 이르기 때문에 여윈 돼지가 뛰고 뛰는 상을 베풀었으니, 군자는 깊이 스스로 대비하여야 한다. 군자를 위하여 논의함이 지극하지만 군자와 소인만을 위하여 말한 것은 아니다. 내 마음의 천리와 인욕의 기미가 참으로 이와 같은 것이다. 인욕이 싹틀 때 여윈 돼지보다 더 두려워해야 하니, 스스로 그치게 하여 점점 자라지 않게 하면 선할 것이다. 「단전」에서는 한 괘를 총괄하여 말한 것으로 한 음이 다섯 양을 상대하기 때문에 여자에게서는 건장함이고, 「효사」에서는 이 한 획을 가리켜 말한 것으로 다섯 양 아래 한 음이 매우 미약하기 때문에 돼지에서는 여윈 것이다. 건장함을 두려워해야 하지만 여윔을 소홀히 해서는 안 된다.

○ 中溪張氏曰, 初六取象非一. 於本爻觀之, 則曰豕, 於二四觀之, 則曰魚, 於九五觀之, 則曰瓜, 大抵皆取陰物而在下之象.
중계장씨가 말하였다: 초육이 상을 취한 것이 한결같지 않다. 본효로 보면 돼지이고, 이효와 사효로 보면 물고기이고, 구오로 보면 오이이니, 모두 음한 물건이 아래에 있는 상을 취한 것이다.

┃韓國大全┃

송시열(宋時烈) 『역설(易說)』

豕者, 方羸時不能動, 然至誠在躑躅, 得伸則伸矣. 如李德裕處置閹宦, 徒知其貼息威伏, 而忽於志不忘逞炤, 察少不至, 則失其幾也. 見近思錄. 繫者, 以巽繩而繫也. 金者, 乾爲金也. 柅者, 止庫之物, 上乾變坤, 則坤爲大輿, 故以柅言. 上卦變則下有坎象, 須看下面貞吉者, 女之道貞正則吉, 有攸往見凶者, 初以陰柔往而從陽, 已失其道. 坎象在前, 故繫之柅, 言其自往也. 陰弱故謂羸, 有坎象謂之豕. 孚者陰陽孚合也. 躑躅者, 往則凶, 故以足蹇不進之象戒之. 小象柔道牽者, 以陰柔之女牽連者, 如繫柅故也.
돼지는 여윌 때에는 움직일 수 없지만 뛰고 뛰는데 정성을 지극히 하니, 뜻이 펼치게 되면 펼치게 마련이다. 이덕유가 환관을 처치한 것과 같으니, 조용하게 위엄에 굴복한 줄만 알고 속으로는 왕성함을 잊지 않고 있음을 소홀히 하여, 조그만 것을 살피는데 지극하지 못했으니, 그 기회를 잃은 것이다. 『근사록』에 보인다. '매대[繫]'는 손괘(☴)의 노끈으로 메는 것이고, 쇠[金]는 건괘(☰)가 금이 된다. 말뚝[杘]은 그쳐서 머물게 하는 물건인데, 상괘인 건괘(☰)가 변하면 곤괘(☷)가 되고, 곤괘는 큰 수레가 되기 때문에 말뚝으로 말했다. 상괘가 변하면 아래로 감괘의 상이 있으니, 아래의 "곧으면 길하다"는 여자의 도는 곧고 바르면 길하다로, "갈 곳이 있으면 흉함을 당한다"는 초효가 부드러운 음으로 가서 양을 따르가면 이미 그 도를 잃는다로 보아야만 한다. 감괘의 상이 앞에 있기 때문에 말뚝으로 메는 것이니, 스스로 가려함을 말한다. 음으로 약하기 때문에 '여위었다[羸]'고 하였고, 감괘의 상이 있어 '돼지[豕]'라고 하였다. '믿음[孚]'은 음양이 믿어서 화합하는 것이고, '뛰고 뛰는 것[蹢躅]'은 가면 흉하기 때문에 다리가 절어 가지 못하는 상으로 경계하였다. 「소상전」의 "부드러움의 도가 나아가기 때문이다"는 음유한 여자를 끌어당김이 말뚝에 메어놓는 것과 같기 때문이다.

이익(李瀷) 『역경질서(易經疾書)』

杘王肅本作抳, 如孟子所謂止或尼之之尼. 繫絆而止物之稱, 非獨止車也, 以金爲之, 則其止也益固. 此恐與豶豕之牙相似, 牙者繫豕之杙也. 其所繫者, 卽下文羸豕也. 豕性善奔突, 雖信乎其蹢躅, 而不能肆奔突之性者, 以其羸而固繫于金杘也.

'말뚝[杘]'을 왕숙본에서는 저지[抳]라고 하였는데, 맹자가 말한 "그치는 것도 그치게 함이 있다"의 그침[尼]이다. '매대[繫]'는 얽어매어 물건을 그쳐있게 하는 것을 말하니, 수레를 그쳐있게 하는 것만이 아니며, 쇠로 만들면 그쳐있게 하는 것이 더욱 견고하다. 이는 '불깐 돼지의 말뚝[豶豕之牙]'[16]과 같으니, '아(牙)'는 돼지를 매는 말뚝[杙]이다. 매여진 것은 아래의 여윈 돼지이다. 돼지의 성질이 내달리기를 좋아하는데, 비록 그 뛰고 뛰는데 믿음이 있더라도 내달리고 싶은 성질을 마음대로 할 수 없는 것은 여위고서 쇠말뚝에 매어있기 때문이다.

傳云, 柔道牽也, 雖固繫而奔突之志未息, 輒欲牽引而逃脫, 所以蹢躅也. 繫杘羸豕, 乃倒句法. 中孚云信及豚魚, 信之難及, 莫如此二物. 此卦之豕與魚, 與之相照, 豕猶可以繫住, 魚不可以包育, 九四無魚, 是也. 初與四相應, 九四失位, 包民不善, 而散者如魚, 留者如繫豕也. 此卦以姤爲義, 故卜三爻與上三爻帖看方得.

「소상전」에서 말한 "부드러움의 도가 나아가기 때문이다"는 견고하게 매놓아도 내달리려는 뜻을 그치지 않아 문득 나아가 달아나려 함이니, 그래서 뛰고 뛰는 것이다. "말뚝에 매대[繫杘]"와 '여윈 돼지[羸豕]'는 도치법이다. 중부괘(中孚卦)에서 "믿음이 돼지와 물고기에게 미

---

16) 『주역 · 대축괘』.

친다"고 한 것은 믿음이 미치기 어려운 것에 이 두 미물 같은 것이 없다는 말이다. 구괘의 돼지와 물고기를 서로 대조해보면, 돼지는 그래도 매어서 머무르게 할 수 있지만, 물고기는 싸서 기를 수 없으니, 구사의 "물고기가 없다"는 것이 이것이다. 초효는 사효와 서로 호응하는데, 구사가 자리를 잃고 백성을 잘 포용하지 못해 흩어지는 것이 물고기 같고 머무르는 것이 돼지를 매어놓는 것과 같다. 이 괘는 만남을 뜻으로 삼았기 때문에 하괘 삼효와 상괘 삼효를 합쳐보아야 된다.

심조(沈潮) 「역상차론(易象箚論)」

金柅乾也, 繫巽繩也. 豕陰物也, 羸亦陰也. 蹢躅之從足者, 在下而有足象也.
'쇠말뚝'은 건괘(☰)이고, 매는 것은 손괘(☴)의 노끈이다. '돼지'는 음물(陰物)이고 '여윔'도 음이다. 뛰고 뛰는 것이 발에서 온 것은 아래에 있어 다리의 상이 있기 때문이다.

유정원(柳正源) 『역해참고(易解參攷)』

荀氏爽曰, 絲繫於柅, 猶女繫於男. 故喩以初宜繫二也. 順二則吉, 復往四則凶.
순상이 말하였다: 실로 말뚝에 매는 것이 여자가 남자에게 매임과 같다. 그러므로 초효가 이효에게 매여야 함으로 비유하였다. 이효에게 순종하면 길하고, 다시 사효에게 가면 흉하다.

○ 王氏曰, 金者, 堅剛之物. 柅者, 制動之主, 謂九四也. 羸豕, 謂牝豕也, 群豕之中, 牡强而牝弱, 故謂之羸豕也. 孚猶務躁也. 夫陰質而躁恣者, 羸豕特甚焉, 言以不貞之陰, 失其所牽, 其爲淫醜, 若羸豕之孚務蹢躅也.
왕필이 말하였다: '쇠'는 견고하고 굳센 물건이다. '말뚝'은 움직임을 막는 주인이니, 구사를 말한다. '여윈 돼지'는 암퇘지를 말하는데, 돼지들 가운데 수컷은 강하고 암컷은 약하기 때문에 여윈 돼지라고 하였다. '부(孚)'는 조급함에 힘쓰는 것과 같다. 음의 체질로 조급하게 방자한 것은 암퇘지가 특히 심하니, 정고하지 못한 음으로 나갈 바를 잃어 그 음란하고 추하게 됨이 암퇘지가 조급하여 뛰고 뛰는 것과 같음을 말한 것이다.

○ 漢上朱氏曰, 一陰雖弱, 方來也, 五陽雖盛, 旣往也, 其可忽諸.
한상주씨가 말하였다: 하나의 음은 비록 약하지만 막 오고 있고, 다섯의 양은 비록 장성하지만 이미 지나갔으니, 소홀할 수 있겠는가!

○ 朱子曰, 金柅, 或以爲止車物, 或以爲絲衰, 不可曉.

주자가 말하였다: '쇠말뚝'은 어떤 이는 수레를 그치게 하는 물건이라 하고, 어떤 이는 사곤(絲袞)이라 하는데 알지 못하겠다.

○ 進齋徐氏曰, 金柅, 謂二繫牽也. 柔方進而遇二, 則牽於二而止, 故曰繫于金柅.
진재서씨가 말하였다: '쇠말뚝'은 이효가 매어놓음을 말한다. 부드러운 음이 나아가려함에 이효를 만나면 이효에게 이끌려 그치기 때문에 "쇠말뚝에 매어놓는다"고 하였다.

○ 雙湖胡氏曰, 初六不正, 故戒以正則吉. 金二剛象, 與蒙金夫同. 柅巽木象, 羸豕初陰象.
쌍호호씨가 말하였다: 초육은 바르지 않기 때문에 "바르면 길하다"고 경계하였다. 쇠는 이효의 굳센 상이니, 몽괘(蒙卦)의 '금부(金夫)'와 같다. '말뚝'은 손괘(≡)의 나무의 상이고, '여윈 돼지'는 초효로 음의 상이다.

김상악(金相岳)『산천역설(山天易說)』

柅所以止車者, 以巽遇乾, 應四而比二, 故有繫于金柅之象. 一陰始生, 與陽相遇, 能靜正則吉, 有往則凶. 然其究爲躁, 方始之陰, 雖如羸豕, 其中心在於蹢躅, 而不可止也.
'말뚝'은 수레를 그치게 하는 것으로 손괘(≡)가 건괘(≡)를 만나 사효와 호응하고 이효와 가깝기 때문에 쇠말뚝에 매어 놓는 상이 있다. 한 음이 처음으로 생겨 양과 서로 만남에 고요하고 바르게 할 수 있으면 길하고, 가는 곳이 있으면 흉하다. 그러나 궁극에는 조급함이 되니[17] 막 시작하는 음이 비록 여윈 돼지와 같지만, 속마음은 뛰고 뛰는데 있어 그칠 수 없다.

○ 繫者, 巽之繩也. 巽木乾金, 金柅之象, 往則木遇金克, 故曰有攸往見凶. 貞吉卽遯之小利貞也. 若不戒而往, 則爲遯爲否, 故繫苞桑之戒在否九五. 豕與魚皆陰物, 豕之蹄坼魚尾兩角, 皆巽下之陰坼, 乾之變象也. 蓋乾之爲龍爲良馬者, 得乾純陽之數, 而老陽之九變而爲少陰之八, 失其陽數, 故初取豕, 二取魚. 巽之究爲震, 震之足, 巽以進退, 蹢躅之象. 豕之蹢躅在初, 故大畜之五曰豶豕之牙, 指二也. 睽之上曰見豕負塗, 指二也. 自足而口, 自口而背, 豕之全體可見.
'매다'는 손괘(≡)의 노끈이다. 손괘의 나무와 건괘의 쇠가 쇠말뚝의 상인데, 가면 나무가 상극인 쇠를 만나기 때문에 "갈 곳이 있으면 흉함을 당한다"고 하였다. "곧으면 길하다"는 돈괘(遯卦)의 "소인[小]은 바르게 함이 이롭다"[18]는 것이다. 만약 경계하지 않고 가면 돈괘

가 되고 비괘가 되기 때문에 "우북한 뽕나무에 매라"는 경계가 비괘(否卦)의 구오에 있는
것이다.[19] 돼지와 물고기는 모두 음성(陰性)의 동물이니, 돼지의 발굽이 갈라진 것과 물고
기의 꼬리가 둘로 갈라진 것은 모두 손괘(≡)의 아래인 음이 갈라진 것으로 건괘(≡)가 변한
상이다. 건괘(≡)는 용이 되고 좋은 말이 됨은 건괘가 순양의 수(數)를 얻었기 때문인데,
노양의 구(九)가 변해 소음의 팔(八)이 되면 양수를 잃어버리기 때문에 초효에서 돼지를
취하고 이효에서 물고기를 취하였다. 손괘(≡)는 끝내는 진괘(≡)가 되는데, 진괘의 발이
손괘로 나아가고 물러남이 뛰고 뛰는 상이다. 돼지가 뛰고 뛰는 것이 초효에 있기 때문에
대축괘(大畜卦)의 오효에서 '불깐 돼지의 어금니'[20]라 한 것은 이효를 가리킨다. 규괘의 상
효에서 "돼지가 진흙을 짊어진 것을 본다"[21]고 한 것은 삼효를 가리킨다. 발에서 입에 이르
고 입에서 등에 이르니 돼지의 온 몸체를 볼 수 있다.

서유신(徐有臣) 『역의의언(易義擬言)』

繫, 巽爲繩也. 金乾象, 杫巽象, 爲金杫也. 所繫者, 坤輿也, 六陰之始, 故取坤象也. 初
六繫於五陽之下, 爲姤而止, 有金杫止車之象也. 天地相遇, 爲貞吉也, 然畢竟進應於
九四, 故見其必凶也. 羸以見之, 見羸豕之蹢躅也. 豕巽象, 在初六, 爲小弱之豕也. 孚
懷孕也, 蹢躅不能疾行之貌. 豕之性弱者能字, 一孕多子. 蹢躅而行, 以喩一陰雖微, 便
有生出衆陰之意, 而但不能遽進耳.

'매다'는 손괘(≡)가 노끈이 되기 때문이다. '쇠'는 건괘의 상이고 '말뚝'은 손괘(≡)의 상이니
쇠말뚝이 된다. 매여진 것은 곤괘(≡≡)인 수레인데, 육(六)인 음효가 시작하기 때문에 곤괘의
상을 취하였다. 초육이 다섯 양의 아래에서 매어있어 만나서 그침이 되니, 쇠말뚝으로 수레
를 멈추게 한 상이 있다. '하늘과 땅이 만남'은 곧고 길함이 되지만, 결국엔 구사에게 나아가
호응하기 때문에 반드시 흉함을 당한다. 어째서 그렇게 되는가? 야윈 돼지가 뛰고 뛰는 것을
보기 때문이다. 돼지는 손괘의 상인데, 초육에 있으니 작고 약한 돼지이다. 부(孚)는 새끼를
밴 것이니, 뛰고 뛰는 것은 빨리 다닐 수 없는 모양이다. 돼지는 성질이 약한 것도 새끼를
밸 수 있고 한 번 새끼를 배면 많이 낳는다. 뛰고 뛰며 다니는 것은 하나의 음이 비록 미약하
지만 많은 음을 낳으려는 뜻이 있는데, 다만 갑작스럽게 나갈 수 없음을 비유했을 뿐이다.

---

18) 『周易 · 遯卦』: 遯, 亨, 小利貞.

19) 『周易 · 否卦』: 九五, 休否. 大人, 吉, 其亡其亡, 繫于苞桑.

20) 『周易 · 大畜卦』: 六五, 豶豕之牙, 吉.

21) 『周易 · 睽卦』: 上九, 睽孤, 見豕負塗, 載鬼一車. 先張之弧, 後說之弧, 匪寇, 婚媾. 往遇雨則吉.

박제가(朴齊家) 『주역(周易)』

初六, 繫于金柅.

초육은 쇠말뚝에 매어.

傳曰, 柅止車之物, 止之以金柅而又繫之.

『정전』에서 말하였다: '말뚝[柅]은 수레를 멈추게 하는 물건이니, 쇠말뚝으로 저지하고 또 매어놓은 것이다.

雲峯胡氏曰, 巽爲繩, 有繫之象, 繫于金柅, 非有以繫之也. 一陰之柔, 能自繫于五陽而不進.

운봉호씨가 말하였다: 손괘는 노끈이니, 매는 상이 있다. '쇠말뚝에 매어놓음'은 매어 놓을 수 있다는 것이 아니다. 부드러운 한 음이 다섯 양에게 저절로 매어있어 나가지 못함이다.

案, 胡氏爲得文義. 若曰繫之, 則經不當曰繫于. 與繫于苞桑同一文法. 但免不得止車訓. 蓋柅爲絡絲之柎, 以金爲之, 則不輕轉矣, 言柔道見牽而當止也. 巽爲繩, 而柅爲絡絲柎者, 爲襯甚.

내가 살펴보았다: 호씨가 문장의 뜻을 얻었다. 만약 '잡아맨다'고 한다면, 경전에서 '~에 매어 놓는다[繫于]'고 하는 것은 마땅하지 않으니, "우북한 뽕나무에 매다"는 것과 같은 문법이다. 다만 수레를 멈춘다는 풀이는 면할 수 없다. 대체로 '말뚝[柅]'은 끈으로 동물을 묶는 막대기가 되고, 쇠로 만들었다면 가볍게 옮기지 못할 것이니, 부드러운 도(道)가 이끌려 그치게 되었음을 말한다. 손괘가 노끈이 되고 '말뚝[柅]'은 실을 묶은 꿰목이 되는 것이 아주 가깝다.

隆山李氏曰, 陰方長, 陽與之通者, 須有以制之, 如絲如包, 可也. 此絲字 必從柅而言者, 然截去不可見.

융산이씨가 말하였다: 음이 막 자라나면 그것과 통하는 양은 반드시 그것을 제재함이 있어야 하니, 묶는 듯하고 싸는 듯해야 좋다. 이 '시(絲)'자는 반드시 '말뚝[柅]'으로부터 말한 것인데 끊어져서 알 수가 없다.

박문건(朴文健) 『주역연의(周易衍義)』

爲剛所止, 故有繫金柅之象, 柅止車之物也. 繫于金柅, 爲群剛之所繫, 如車之繫柅也.

微陰爲盛陽之所制, 故又取羸豕之義也.

굳센 양에게 저지당하기 때문에 쇠말뚝에 매어 놓은 상이 있으니, 말뚝은 수레를 저지하는 물건이다. '쇠말뚝에 매어 놓음'은 많은 굳센 양들에게 매어 있는 것이 수레가 말뚝에 매이는 것과 같다. 미약한 음이 장성한 양에게 제지되기 때문에 또한 '여윈 돼지'의 뜻을 취하였다. 〈問, 繫于金柅以下. 曰, 初六爲剛所止, 故有繫柅之象. 用柔貞則吉, 有所往, 則見害於群剛也. 然羸豕能用孚於五剛, 而蹢躅, 蓋不計其吉凶, 而志在於進也. 曰, 豕, 非用孚之物而言孚, 何. 曰, 此假說之辭也, 柔物之入於剛物, 乃用信之道也.

물었다: "쇠말뚝에 매어 놓는다" 이하는 무슨 뜻입니까?

답하였다: 초육이 굳센 양에게 저지당하기 때문에 말뚝에 매인 상이 있습니다. 부드러운 음의 정고함을 쓰면 길하고, 갈 곳을 두면 많은 굳센 양들에게 해를 당할 것입니다. 그러나 여윈 돼지가 굳센 다섯 양들을 신뢰하여 뛰어 나가려니, 대체로 그 길흉을 헤아리지 않고 나가는데 뜻을 둔 것입니다.

물었다: 돼지는 믿음을 쓰는 사물이 아닌데 믿음을 말한 것은 어째서입니까?

답하였다: 이는 가설하는 말이니, 부드러운 사물이 굳센 사물에 들어가는 것이 믿음을 쓰는 도입니다.〉

이지연(李止淵) 『주역차의(周易箚疑)』

位剛, 故曰金, 卦爲重體之巽, 故曰木.

자리가 굳세기 때문에 '금(金)'이라 하였고, 괘가 중체(重體)인 손괘가 되기 때문에[22] '나무'라고 하였다.

김기례(金箕澧) 「역요선의강목(易要選義綱目)」

巽爲繩, 故曰繫.

손괘(☴)가 노끈이기 때문에 '맨다'고 하였다.

○ 二剛才, 故曰金, 巽爲木, 故曰柅.

이효가 굳센 재질이기 때문에 '금'이라 하였고, 손괘(☴)가 나무이기 때문에 '말뚝'이라 하였다.

---

22) 구괘를 전체적으로 보면 손괘(☴)의 상임을 말한다.

○ 言二與初, 雖非正應, 切比而以剛繫之, 則初陰止而不進, 故得貞而吉.
이효가 초효와 정응은 아니지만 매우 가깝고 굳셈으로 매어 놓으면, 초효의 음이 그쳐서 나아가지 못하기 때문에 곧음을 얻어 길하다고 말한 것이다.

○ 陰盛則陽消, 言初往則陽必見凶.
음이 장성하면 양이 사라지니, 초효가 가면 양이 반드시 흉함을 당한다고 말한 것이다.

○ 一陰在下始, 微如羸豕.
한 음이 맨 아래에서 시작되니, 미약함이 여윈 돼지와 같다.

○ 陰性常欲消陽, 如豕雖羸, 性躁而尙欲蹢躅, 戒君子備豫, 使不得牽進.
음의 성질이 늘 양을 없애려 함이 돼지가 말랐지만 성질은 조급해서 뛰고자 함과 같으니, 군자가 미리 예방하여 나아가지 못하게 해야 함을 경계한 것이다.

○ 初豕二魚五瓜, 皆譬在下之陰物.
초효의 '돼지'와 이효의 '물고기'와 오효의 '오이'는 모두 아래에 있는 음의 물건을 비유한 것이다.

윤종섭(尹鍾燮) 『경(經) · 역(易)』

初之羸豕, 巽反爲兌, 兌自先天坎變, 取象於豕. 內剛而外柔, 故爲羸豕. 二之魚取巽三, 反爲夫之四同其辭, 如損益十朋之龜.
초효의 '여윈 돼지'는 손괘(☴)가 거꾸로 되면 태괘(☱)가 되는데, 태괘(☱)는 선천의 감괘(☵)에서 변한 것이어서 돼지에서 상을 취하였다. 안은 굳세고 밖은 부드럽기 때문에 '여윈 돼지'가 된다. 이효의 '물고기'는 손괘(☴)의 삼효에서 취하였는데, 거꾸로 하면 쾌괘(夬卦䷪)의 구사효가 되는데 그 효사가 동일하니, 손괘와 익괘에 나오는 십붕(十朋)의 거북과 같다.

이항로(李恒老) 「주역전의동이석의(周易傳義同異釋義)」

傳, 固止使不得進, 則陽剛貞正之道吉也.
『정전』에서 말하였다: 견고하게 저지해서 나아가지 못하게 하면 굳센 양의 곧고 바른 도가 길할 것이다.

本義, 一陰始生, 靜正則吉.
『본의』에서 말하였다: 한 음이 처음 생겼으니, 고요하고 바르게 하면 길하다.

按, 傳以貞吉屬陽, 本義以貞吉屬陰. 屬陽則語艱, 屬陰則文順.
내가 살펴보았다: 『정전』은 '곧은 도가 길함'을 양에 소속시키고, 『본의』는 '곧음이 길함'을 음에 소속시켰다. 양에 소속시키면 말이 어렵고, 음에 소속시키면 글이 순탄하다.

박종영(朴宗永) 「경지몽해(經旨蒙解)·주역(周易)」

程傳曰, 陰始生而將長之卦, 一陰生則長而漸盛. 陰長則陽消, 小人道長也. 制之, 當於其微而未盛之時. 柅, 止車之物, 金爲之, 堅强之至也. 止之以金柅而又繫之, 止之固也. 固止, 使不得進, 則陽剛貞正之道吉也, 使之進往, 則漸盛而害於陽, 是見凶也. 羸豕孚蹢躅, 聖人重爲之戒, 言陰雖甚微, 不可忽也. 豕, 陰躁之物, 故以爲況. 羸弱之豕, 雖未能强猛, 然其中心, 在乎蹢躅, 蹢躅, 跳躍也. 陰微而在下, 可謂羸矣, 然其中心, 常在乎消陽也. 君子小人異道, 小人, 雖微弱之時, 未嘗无害君子之心, 防於微則无能爲矣.
『정전』에서 말하였다: 구(姤)는 음이 처음 생겨나 자라려는 괘이니, 한 음이 생겨나면 자라서 점점 성대해진다. 음이 자라면 양이 사라지니, 소인의 도가 자라는 것이다. 미약하여 아직 성대하지 않을 때에 막아야 한다. '말뚝[柅]'은 수레를 멈추게 하는 물건이니, 쇠로 만들면 지극히 견고하고 강하다. 쇠말뚝으로 저지하고 또 매어놓음은 견고하게 저지하는 것이다. 견고하게 저지해서 나아가지 못하게 하면 굳센 양의 곧고 바른 도가 길할 것이고, 나아가게 하면 점점 성대하여 양을 해칠 것이니, 이것은 흉함을 당하는 것이다. "여윈 돼지가 뛰고 뛰는 데 믿음을 둔다[羸豕孚蹢躅]"는 성인이 거듭 경계하여 음이 비록 매우 미약하나 소홀히 해서는 안 됨을 말한 것이다. 돼지는 음이고 조급한 물건이므로 비유로 삼은 것이다. 여위고 약한 돼지는 비록 강하고 사납지 못하나 그 중요함은 뛰고 뛰는 데 있으니, '뛰고 뜀[蹢躅]'은 날뛰는 것이다. 음이 미약하고 아래에 있으니, 약하다고 할 수 있으나 그 중요함은 항상 양을 사라지게 함에 있다. 군자와 소인은 도가 달라서 소인은 비록 미약할 때라도 일찍이 군자를 해칠 마음이 없지 않으니, 미약할 때에 막으면 해치지 못할 것이다.

蓋此卦之象, 非特以君子小人爲言也, 吾心天理人欲之分, 固如是也. 人欲之萌, 有甚於羸豕之可畏者, 能止之而不使滋長, 則善矣. 學者其玩索焉.
이 괘의 상은 단지 군자와 소인으로만 말한 것이 아니어서 내 마음의 천리와 인욕의 구분이 진실로 이와 같다. 인욕의 싹은 여윈 돼지를 두려워하는 것보다 심함이 있으니, 저지하여 자라나지 않게 할 수 있으면 좋다. 배우는 자가 연구해보아야 할 것이다.

심대윤(沈大允) 『주역상의점법(周易象義占法)』

姤之義進而求擇, 有遇則止而不進, 不合則又進而求擇, 而終未得正合也. 姤之爻位居剛求擇也, 居柔不進也.

구괘의 뜻은 나아가 구해서 고르는 것인데, 만나면 그쳐서 나아가지 못한다. 합하지 않으면 다시 나아가 구해서 고르는데, 끝내 바르게 합함을 얻지 못한다. 구괘 효의 자리가 굳셈에 있으면 구해서 고르는 것이고, 부드러움에 있으면 나아가지 않는다.

姤之乾䷀. 初六居剛, 求擇勤而且愼. 然居初處卑, 阻剛不得進, 又其才柔, 不可以遠求而極選也. 近於九二, 而志相意得, 不可舍之而他求, 雖他求, 終不[23]得勝於二者矣. 梄止車, 木金言其剛也. 巽爲木乾爲輿, 繫于金梄, 言爲二所阻而繫之也. 羸豕孚蹢躅, 言羸豕之信, 其必蹢躅也. 蹢躅, 踶促不能行之貌. 初進于二, 則爲巽离曰往. 乾之對坤, 乾陷坤則爲坎, 坤麗乾則爲离, 离坎爲羸豕, 爲誠信, 爲蹢躅. 以言初之往而徧求於遠近, 故取乾坤相交爲而坎离爲翻覆變幻之象. 姤之世取近而不取應也.

구괘가 건괘(䷀)로 바뀌었다. 초육은 굳센 자리에 있어서 구해서 고르는데 부지런하고 신중하다. 그렇지만 초효의 자리에 있고 낮은데 처하여 굳셈에 막혀 나아가지 못하고, 재질이 유약해서 멀리서 구해 지극히 고를 수 없다. 구이에 가까워 뜻이 서로를 얻고자 하니, 버리고서 다른 것을 구할 수 없고, 다른 것을 구해도 끝내 구이보다 뛰어난 것을 얻을 수 없다. '말뚝'은 수레를 그치게 하고, 나무와 쇠는 그 굳셈을 말한다. 손괘(☴)가 나무가 되고 건괘(☰)가 수레가 되는데, "쇠말뚝에 매어 놓음"은 이효에게 막혀서 매인 것을 말한다. "여윈 돼지가 뛰고 뛰는데 믿음을 둔다"는 여윈 돼지의 믿음은 그것이 반드시 뛰고 뜀을 말한다. 뛰고 뜀[蹢躅]은 뛰면서 재촉하지만 다닐 수 없는 모양이다. 초효가 이효에게 나아가면 손괘(☴)와 리괘(☲)가 되니 '감[往]'이라 한다. 건괘(☰)의 반대괘가 곤괘(☷)인데, 건괘가 곤괘에 빠지면 감괘(☵)가 되고, 곤괘(☷)가 건괘(☰)에 걸리면 리괘(☲)가 되니, 리괘(☲)와 감괘(☵)가 '여윈 돼지'가 되며, '진실로 믿음'이 되며, '뛰고 뜀'이 된다. 초효가 가서 멀고 가까운 것에서 두루 구함을 말했기 때문에 건곤(乾坤)이 서로 사귀어 행하고 감리(坎離)가 번복하며 변환하는 상이 되는 것을 취하였다. 구괘(姤卦)의 때에는 가까운 것을 취하고 호응하는 것을 취하지 않는다.

오치기(吳致箕) 「주역경전증해(周易經傳增解)」

初六, 陰柔不正, 在下雖微, 而當姤之初, 有漸長之勢. 故戒言能制之於初, 使不得進,

---

23) 不: 경학자료집성DB에는 '大'로 되어 있으나, 경학자료집성 영인본을 참조하여 '不'로 바로잡았다.

如繫于金柅之象, 而固守則吉, 若有攸往, 則必見其凶, 不可以其微弱忽之. 故喩以羸豕雖弱, 心誠存於跳踉, 當防微於早也.

초육은 부드러운 음이 바르지 못하며 아래에 있어 미약하지만 구괘의 처음에 해당하여 점점 자라나는 기세가 있다. 그러므로 처음에 제어하여 나아가지 못하게 함을 쇠말뚝에 매는 상처럼 해서 견고하게 지키면 길하지만, 갈 곳을 두면 반드시 흉함을 당한다고 경계하여 말했으니, 미약하다고 해서 소홀히 대해서는 안 된다. 그러므로 여윈 돼지가 약하지만 마음은 진실로 뛰쳐나감에 있다는 것으로 비유했으니, 조기에 미약한 것을 막아 내야 한다.

○ 巽爲繩繫之象, 金取於應乾. 柅者止車之物, 以金木爲之, 取其堅固也. 羸屬陽, 凡言羸者, 陽之故也. 豕本坎象, 而下卦終畫之陽不成坎, 故言羸豕也. 蹢躅猶言跳踉, 而字從足, 取於對震爲足也. 此爻以坤之初六變乾之初九, 故其戒防微之意, 與坤初同也.

손괘(☴)는 노끈으로 매는 상이 되고, 쇠는 호응하는 건괘(☰)에서 취하였다. 말뚝은 수레를 그치게 하는 물건인데, 쇠와 나무로 만들어 그 견고함을 취하였다. '여윈[羸]'은 양에 속하니, 여윔을 말한 것은 모두 양이기 때문이다. 돼지는 본래 감괘(☵)의 상인데, 하괘의 끝 획인 양으로 감괘를 이루지 못하였기 때문에 '여윈 돼지'라고 하였다. 뛰고 뛰는 것은 도약한다는 말과 같은데 글자가 족(足)을 따르고 음양이 반대괘인 진괘(☳)가 발인 것에서 취하였다. 이 효는 곤괘의 초육이 건괘의 초구를 변화시켰기 때문에 미약할 때 막는다는 경계의 뜻이 곤괘의 초효와 같다.

이진상(李震相) 『역학관규(易學管窺)』

繫于金柅.

쇠말뚝에 매어 놓는다.

巽爲繩爲木, 乾爲金, 以金餙木作柅, 以止物者也. 以初六之柔, 自繫于五剛之下, 如羸豕之繫于柅, 戒其守貞靜而勿躁進也. 金柅指九二.

손괘(☴)가 노끈이 되고 나무가 되며, 건괘(☰)는 쇠가 되니 쇠를 나무처럼 꾸며 말뚝을 만들어 물건을 그치게 한다. 초육의 부드러운 음이 스스로 다섯 굳센 양의 아래에 매임이 여윈 돼지가 말뚝에 매인 것과 같으니, 곧고 고요함을 지키고 조급하게 나아가지 말라고 경계함이다. 쇠말뚝은 구이를 가리킨다.

○ 柔道牽.

부드러움의 도가 나아간다.

在陰柔之道, 當牽繫於初遇之陽, 不可更進而失貞也.

부드러운 음의 도(道)에 있으니, 처음 만난 양에게 매여 다시 나아가 곧음을 잃어서는 안
된다.

○ 初六, 繫于 [至] 蹢躅.
초육은 쇠말뚝에 매어 놓으면 … 뛰고 뛰는 데 믿음을 둔다.
乾爲金, 巽爲木爲繩, 金柅之象, 九二當之. 五陽方强, 陰不能敵. 故往見凶. 巽伏震,
不許往也. 羸豕初陰象, 巽本從坎, 故言豕. 於初蹢躅, 初爲足也, 巽, 服之象. 象言牽,
言初六柔道當爲九二之所牽制也.
건괘(☰)는 쇠가 되고 손괘(☴)는 나무가 되고 노끈이 되니, 쇠말뚝의 상으로 구이가 그에
해당한다. 다섯 양이 강성할 때에는 음이 대적할 수 없다. 그러므로 가면 흉함을 당한다.
손괘(☴)에는 진괘(☳)가 은복되어 있어 가는 것을 허락하지 않는다. '여윈 돼지'는 초효인
음의 상으로, 손괘가 본래 감괘를 따르기 때문에 '돼지'로 말했다. 초효에서 '뛰고 뛰는 것'은
초효가 발이 되기 때문이고, 손괘는 복종하는 상이다. 「상전」에서 '견(牽)'을 말한 것은 초육
의 부드러운 도가 구이에게 견제되어야 함을 말한다.

채종식(蔡鍾植) 「주역전의동귀해(周易傳義同歸解)」

初六, 繫于金柅, 貞吉.
초육은 쇠말뚝에 매어 놓으면 곧음이 길하다.

傳曰, 固止使不得進, 則陽剛貞正之道吉也.
『정전』에서 말하였다: 견고하게 저지해서 나아가지 못하게 하면 굳센 양의 곧고 바른 도가
길할 것이다.

本義云, 一陰始生, 靜正則吉.
『본의』에서 말하였다: 한 음이 처음 생겼으니, 고요하고 바르게 하면 길하다.

蓋程子推義理, 而言君子固繫小人, 使不得進, 則君子之正道吉也, 此爲君子謀也. 朱
子原本旨, 而言小人自繫于金柅, 而不之進, 則能靜正而吉, 此爲小人謀也. 爲小人謀,
卽爲君子謀也.
정자는 의리를 미루어 군자가 소인을 견고하게 매어서 나아가지 못하게 하면 군자의 바른
도가 길하다고 하였으니, 이는 군자를 위해 도모한 것이다. 주자는 본뜻에 근거해서 소인이
본래 쇠말뚝에 매어 나아가지 못하면 고요하고 바르게 할 수 있어 길하다고 하였으니, 이는

소인을 위해 도모한 것이다. 소인을 위해 도모한 것이 군자를 위해 도모한 것이 된다.

박문호(朴文鎬) 「경설(經說)·주역(周易)」

金梔, 本義諺釋, 蓋用小註丘氏說也. 然本義中未見有此意.

'쇠말뚝'에 대한 『본의』의 언해는 대체로 소주에 있는 구씨의 설을 사용하였다. 그러나 『본의』에는 이런 뜻이 보이지 않는다.

貞吉, 程傳之釋, 是創例也, 當從本義爲正. 且或釋作貞而吉, 恐亦通.

"곧음이 길하다"는 『정전』의 해석은 독창적인 예이니, 『본의』를 정론으로 삼아야 한다. 또 어떤 이는 "바르면서 길하다"로 해석하는데, 또한 통하는 듯하다.

이정규(李正奎) 「독역기(讀易記)」

姤之初六, 繫金梔, 羸豕孚蹢躅者, 使君子深戒也. 九二, 包有魚, 不利賓, 已自制之, 而不使害及廣也. 九三, 臀无膚, 其行次且者, 雖不遇而无傷, 未免危厲也. 九四, 包无魚, 起凶者, 失其正應於九二也. 九五, 以杞包瓜, 含章, 有隕自天者, 无奈於必潰之陰, 而含章美, 俟天命也. 蓋姤者, 宛是乾之面目, 而不過一陰之生. 然語其爻象, 則群龍之好箇局面, 頓變爲愁慘失況之象. 如一安石生, 而程馬范富好箇宋朝, 終啓五國之禍, 一忽必烈生, 而堯舜文武好箇古疆, 終爲腥羶天地, 其象安得不然乎.

구괘 초육의 "쇠말뚝에 매어 놓으면 여윈 돼지가 뛰고 뛰는데 믿음을 둔다"는 것은 군자에게 깊이 경계시킨 것이다. 구이의 "꾸러미에 물고기가 있으니 손님에게는 이롭지 않다"는 것은 이미 스스로 절제하여 해로움이 널리 미치지 않게 함이다. 구삼의 "볼기에 살이 없으며 그 가는 것을 머뭇거린다"는 것은 만나지 못해도 피해는 없지만 위태함을 모면하지 못함이다. 구사의 "꾸러미에 물고기가 없으니, 흉함이 일어나리라"는 것은 그 정응을 구이에게 잃은 것이다. 구오의 "박달나무 잎으로 오이를 싸니, 아름다움을 머금으면 하늘로부터 떨어짐이 있으리라"는 것은 어찌할 수 없이 터지는 음인데도 아름다움을 머금고 천명을 기다림이다. 대체로 구괘(☴)는 분명 건괘(☰)의 면목에서 하나의 음이 나온 것에 불과하다. 그러나 그 효상을 말하면 뭇 용들의 좋은 국면이 문득 변하여 몹시 비참한 상황의 상이 된다. 마치 왕안석 한 사람이 나오자 정자(程子)·사마광(司馬光)·범중엄(范仲淹)·부필(富弼)의 좋았던 송조(宋朝)가 마침내 오국(五國)의 화를 열게 되고, 쿠빌라이 한 사람이 나오자 요·순과 문·무의 좋았던 옛 강토가 마침내 노린내 나는 천지가 되었던 것과 같으니, 그 상이 어찌 그렇지 않을 수 있겠는가?

象曰, 繫于金柅, 柔道牽也.

「상전」에서 말하였다: "쇠말뚝에 매어 놓음"은 부드러움의 도가 나아가기 때문이다.

中國大全

傳

牽者, 引而進也. 陰始生而漸進, 柔道方牽也, 繫之于金柅, 所以止其進也. 不使進則不能消正道, 乃貞吉也.

'견(牽)'은 이끌고 나아감이다. 음이 처음 생겨 점점 나아감은 부드러움의 도가 이끌고 나아가는 것이니, 쇠말뚝에 매어 놓음은 그 나아감을 저지하는 것이다. 나아가지 못하게 하면 바른 도를 사라지게 하지 못할 것이니, 곧음이 길할 것이다.

本義

牽, 進也, 以其進故止之.

'견(牽)'은 나아감이니, 나아가기 때문에 멈추게 하는 것이다.

小註

雲峰胡氏曰, 初曰柔道牽, 三曰行未牽. 初柔有必進之勢, 而三之剛其行反不能進也.

운봉호씨가 말하였다: 초효에서는 "부드러움의 도가 나아간다"라고 하고, 삼효에서는 "가는 것을 빨리 하지 않는다"라고 하였다. 초효의 부드러움은 반드시 나아가는 형세가 있지만 삼효의 굳셈은 나아감에 도리어 나아갈 수 없는 것이다.

║韓國大全║

김상악(金相岳) 『산천역설(山天易說)』

牽者, 引而進之也. 金梶, 所以止其進也.

견(牽)은 이끌어 나아감이다. '쇠말뚝'은 그 나아감을 저지하는 것이다.

서유신(徐有臣) 『역의의언(易義擬言)』

陰道牽制, 而不浸進也.

음의 도를 견제하여 나아가지 못하게 함이다.

박문건(朴文健) 『주역연의(周易衍義)』

牽, 前進也.

'견(牽)'은 앞으로 나아감이다.

심대윤(沈大允) 『주역상의점법(周易象義占法)』

言牽于二也.

이효에게 나아감을 말한다.

오치기(吳致箕) 「주역경전증해(周易經傳增解)」

止柔道之牽連而進, 當如固繫于金梶也.

부드러운 도가 이끌려 나아감을 저지하는 것은 쇠말뚝에 견고하게 매는 것처럼 해야 한다.

이병헌(李炳憲) 『역경금문고통론(易經今文考通論)』

孟曰, 禰絡絲趺也. 〈趺或禰具.〉

맹희가 말하였다: 니(禰)는 끈으로 묶는 나무이다. 〈부는 혹 사당에서 쓰는 도구이다.〉

陸曰, 羸讀爲累.
육적이 말하였다: 이(羸)는 루(累)로 읽어야 한다.

宋曰, 羸大索, 所以繫豕者也.
송충이 말하였다: 이(羸)는 큰 새끼줄이니 이 때문에 돼지를 매는 것이다.

按, 蹢躅, 進退之貌.
내가 살펴보았다: '뛰고 뛰는 것[蹢躅]'은 나아가고 물러나는 모양이다.

九二, 包有魚, 无咎, 不利賓.

정전 구이는 꾸러미에 물고기가 있듯이 하면 허물이 없으리니, 손님에게는 이롭지 않다.
본의 구이는 꾸러미에 물고기가 있으니, 허물이 없으나 손님에게는 이롭지 않다.

‖中國大全‖

傳

姤, 遇也, 二與初密比, 相遇者也. 在他卦則初正應於四, 在姤則以遇爲重. 相遇之道, 主於專一. 二之剛中, 遇固以誠, 然初之陰柔, 群陽在上而又有所應者, 其志所求也. 陰柔之質, 鮮克貞固, 二之於初, 難得其誠心矣. 所遇不得其誠心, 遇道之乖也. 包者, 苴裹也, 魚, 陰物之美者. 陽之於陰, 其所悅美, 故取魚象. 二於初, 若能固畜之, 如包苴之有魚, 則於遇, 爲无咎矣. 賓, 外來者也. 不利賓, 包苴之魚, 豈能及賓, 謂不可更及外人也. 遇道當專一, 二則雜矣.

구(姤)는 만남이니, 이효는 초효와 매우 가까이 있으니, 서로 만나는 자이다. 다른 괘에는 초효는 사효와 정응이 되지만 구괘에는 만남을 중하게 여긴다. 서로 만나는 도는 한결같음을 주장한다. 굳세고 알맞은 이효가 참으로 정성으로 만나나 부드러운 음의 초육은 여러 양이 위에 있고 또 호응하는 자가 있으니, 그 뜻이 구하는 것이다. 부드러운 음의 자질은 곧고 굳게 함이 드무니, 이효가 초효에게 그 정성스러운 마음을 얻기 어렵다. 만남에 그 정성스러운 마음을 얻지 못한다면 만나는 도가 어그러진 것이다. ‘꾸러미[包]’는 묶음이고, ‘물고기’는 좋은 음의 물건이다. 양은 음에 대하여 기뻐하고 아름답게 여기기 때문에 물고기의 상을 취하였다. 이효가 초효에 있어 만일 견고하게 싸기를 꾸러미에 물고기가 있듯이 하면 만남에 허물이 없을 것이다. ‘손님[賓]’은 밖에서 오는 자이다. 손님에게는 이롭지 않으니, 꾸러미에 있는 물고기를 어찌 손님에게까지 미치게 하겠는가? 다시 바깥사람에게까지 미치게 할 수 없다는 말이다. 만나는 도는 한결같아야 하니, 둘이면 잡된 것이다.

小註

中溪張氏曰, 魚, 陰物之美者, 指初六也. 初與四爲正應, 魚本四之有也. 今九二先與初遇, 以陽納陰包而有之, 則二爲主而四爲賓矣, 此豈四之利乎. 故曰不利賓.

중계장씨가 말하였다: 물고기는 좋은 음의 물건으로 초육을 가리킨다. 초효와 사효가 정응이므로 물고기는 본래 사효의 소유이다. 지금 구이가 먼저 초효와 만나 양이 음을 받아들여 감싸 소유하고 있으니, 이효가 주인이고 사효가 손님이 된다. 이것이 어찌 사효의 이익이겠는가? 그러므로 "손님에게는 이롭지 않다"고 하였다.

○ 息齋余氏曰, 姤九二包有魚无咎不利賓, 當如程傳, 卽三人行損一人之意.
식재여씨가 말하였다: 구괘에서 "구이는 꾸러미에 물고기가 있듯이 하면 허물이 없으리니, 손님에게는 이롭지 않다"는 마땅히 『정전』과 같아야 하니, "세 사람이 가면 한 사람을 덜어낸다"[24]의 뜻이다.

本義

魚, 陰物. 二與初遇, 爲包有魚之象. 然制之在己, 故猶可以无咎, 若不制而使遇於衆, 則其爲害廣矣. 故其象占如此.
'물고기'는 음한 물건이다. 이효가 초효와 만남은 꾸러미에 물고기가 있는 상이 된다. 그러나 제지함이 자신에게 있기 때문에 오히려 허물이 없을 수 있으나 만약 제지하지 않아 여러 사람을 만나게 하면 해됨이 크다. 그러므로 그 상과 점이 이와 같다.

小註

雲峰胡氏曰, 剝五陰曰貫魚, 姤一陰故但曰魚. 包, 如包苴之包, 容之于內而制之, 使不得逸於外也. 二與初遇制之, 猶可以无咎. 若不制而使遇於衆, 姤之有魚, 將爲剝之貫魚矣, 吁可畏哉. 或曰初應在四, 二豈能包之. 曰卦以遇合之女, 未嘗擇配也, 二近而先斯得之矣.
운봉호씨가 말하였다: 박괘는 다섯 음이기 때문에 "물고기를 꿴다"라고 하였고, 구괘는 한 음이기 때문에 "물고기"라고 하였다. '꾸러미[包]'는 묶음[包苴]이라고 할 때의 꾸러미이니, 안으로 받아들여 억제하여 바깥으로 달아나지 않게 하는 것이다. 이효와 초효가 만남에 억제하여 여전히 허물이 없게 해야 한다. 억제하지 못하여 무리와 만나게 되면 구괘의 '물고기'가 박괘의 "물고기를 꿰는 것"이 될 것이니, 두려워해야 한다.

[24] 『주역·손괘』.

어떤 이가 물었다: 초효의 호응은 사효에 있는데 이효가 어찌 감싸겠습니까?

대답하였다: 괘에서는 만나서 맞는 여자로 말한 것으로 배필을 택한다는 것이 아니니, 이효가 가까이에서 먼저 얻은 것입니다.

○ 李氏開曰, 剝之貫魚, 姤之包有魚, 皆陽能制陰者也. 故剝六五无不利, 而此亦无咎.

이개가 말하였다: 박괘에서 "물고기를 꿴다"라고 하고, 구괘에서 "꾸러미에 물고기가 있다"라고 했으니, 모두 양이 음을 제어하는 것이다. 그러므로 박괘의 육오에서 "이롭지 않음이 없다"고 하였고, 여기에서는 "허물이 없다"라고 하였다.

┃韓國大全┃

송시열(宋時烈) 『역설(易說)』

巽爲包爲魚, 魚謂陰爻也, 初之陰, 二爻有包之象. 不利賓者, 無應於外也. 巽亦爲臭, 而卦値五月, 故包魚易臭. 易臭則不可享賓之象也, 言以初爻之陰, 不可以及之於正應也. 二爲主四爲賓之說, 亦通. 魚臭之說, 見於來易, 然不可盡信.

손괘(☴)는 꾸러미가 되고 물고기가 되는데, '물고기'는 음효를 말하니 초효의 음이고, 이효에는 '꾸러미'의 상이 있다. "손님에게는 이롭지 않다"는 밖으로 호응함이 없다는 것이다. 손괘는 냄새도 되고,25) 5월에 해당하는 괘이기 때문에 꾸러미의 물고기는 냄새나기 쉽다. 냄새나기 쉽다면 손님에게 드릴 수 없는 상이니, 초효의 음이 정응에게 미쳐서는 안 됨을 말한 것이다. 이효는 주인이 되고 사효는 손님이 된다는 설도 통한다. 물고기가 냄새난다는 설은 래씨의 역에서 보이는데, 다 믿을 건 못된다.

홍여하(洪汝河) 「책제(策題):문역(問易)・독서차기(讀書箚記)-주역(周易)」26)

九二, 包有魚.

구이는 꾸러미에 물고기가 있다.

---

25) 『周易・說卦傳』: 巽爲臭.

26) 경학자료집성DB에서는 구괘「단전」에 해당하는 것으로 분류했으나, 내용에 따라 이 자리로 옮겨왔다.

包魚不利賓, 指九四. 當遇之辰, 故四爲賓.

꾸러미의 물고기가 손님에게 이롭지 않음은 구사를 가리킨다. 만나는 때를 맞았기 때문에 사효가 손님이 된다.

이익(李瀷)『역경질서(易經疾書)』

包, 如包荒之包, 覆也. 九五卦主而以杞包瓜, 瓜如匏瓜之瓜, 繫而不動者也. 二與四, 不言其物, 恐亦用杞包之也. 杞乃孟子所謂杞柳, 生水邊, 可以爲器, 則非高大之木可知. 包則同, 而魚或有無, 故只言包, 文勢然也. 魚非死物, 故包以可育. 據九四傳以民爲解, 則有魚之爲有民可知. 育魚者必有槮, 爾雅, 槮謂之槮, 積柴水中以聚魚也. 槮者, 所以包魚, 而以杞爲槮. 包者, 覆也, 魚之有無, 由包之善惡. 九五含章中正, 故包民如包不動之瓜, 無不存者, 雖魚之難孚, 亦免逃散之患. 然二剛失位, 故只得无咎也. 不利賓, 與觀六四利用賓于王相照, 謂不利爲賓也. 彼得位近君, 此失位而遠君, 則彼利而此不利也. 蓋二乃居下之士, 雖與五爲應, 而其義不及於賓王也.

'꾸러미[包]'는 거친 것을 감싼다의 감쌈과 같으니, 덮음[覆]이다. 구오는 괘의 주인으로 버드나무로 '오이[瓜]'를 감싸는데, '오이[瓜]'는 호리병박[匏瓜]의 오이와 같으니, 매달려 움직이지 않는 것이다. 이효와 사효에서 그 물건을 말하지 않은 것은 아마도 버드나무로 그것을 감싸기 때문일 것이다. 버드나무는 맹자가 말한 '버드나무[杞柳]'로 냇가에서 살면서 그릇으로 만들 수 있으니, 높고 큰 나무가 아님을 알 수 있다. '꾸러미'는 같지만 물고기는 있기도 하고 없기도 하기 때문에 '꾸러미[包]'만을 말했으니, 문장의 기세가 그렇다. 물고기는 죽은 물건이 아니기 때문에 꾸러미로 기를 수 있다. 구사의 「상전」에서 백성으로 풀이한 것을 의거하면, 물고기가 있음은 백성이 있음이 됨을 알 수 있다. 물고기를 기르는 자는 반드시 물푸레가 있어야 하는데,『이아』에서는 '어구[槮]'를 '물푸레[槮]'라 하였으니, 물 가운데 섶을 쌓아 물고기를 모으는 것이다. 어구[槮]는 물고기를 감싸는 것이고, 버드나무로 어구를 만든다. '꾸러미'는 싸서 덮는 것인데, 물고기가 잘 보존되거나 없어지는 것은 꾸러미의 좋고 나쁨에 달려 있다. 구오는 아름다움을 머금고 중정(中正)하기 때문에 백성을 감싸기를 움직이지 않는 오이를 감싸는 것과 같아 보존하지 못하는 것이 없고, 비록 물고기처럼 믿기 어려운 것도 달아나 흩어지는 근심을 면한다. 그렇지만 이효는 굳세면서 자리를 잃었기 때문에 다만 허물이 없을 뿐이다. "손님에게는 이롭지 않다"를 관괘(觀卦☴) 육사의 "왕에게 손님이 됨이 이롭다"[27]와 서로 대조해보면, 손님이 되는 것이 이롭지 않음을 말한 것이다. 저것은 자리를 얻어 임금과 가깝고, 이것은 자리를 잃어 임금과 멀어지니, 저것은 이롭고 이것은

27)『周易·觀卦』: 六四, 觀國之光, 利用賓于王.

이롭지 않다. 대체로 이효는 아래에 있는 선비여서 오효와 호응하긴 하지만, 그 뜻이 왕에게 손님이 되는 데는 미치지 못한다.

심조(沈潮) 「역상차론(易象箚論)」

九二, 包有魚.

구이는 꾸러미에 물고기가 있다.

魚指初也. 魚外柔而骨骾, 陰在陽位者似之, 如剝五之貫魚一般. 不利賓者, 不利於九四也. 故九四曰包無魚.

'물고기'는 초효를 가리킨다. 물고기는 밖은 부드럽고 뼈는 단단한데, 음이 양의 자리에 있는 것이 이와 유사하니, 박괘(剝卦)의 오효에 "물고기를 꿴다"는 것과 마찬가지이다. '손님에게 이롭지 않음'은 구사에게 이롭지 않음이다. 그렇기 때문에 구사에서 "꾸러미에 물고기가 없다"고 하였다.

유정원(柳正源) 『역해참고(易解參攷)』

九二, [至] 利賓.

구이는 … 손님에게는 이롭지 않다.

隆山李氏曰, 初本應四, 遇二得之, 則爲主而四爲賓, 不可更及四也.

융산이씨가 말하였다: 초효는 본래 사효에 호응하지만 이효를 만나 얻으니 주인이 되고 사효는 손님이 되어 다시 사효에 미칠 수 없다.

○ 雙湖胡氏曰, 周公爻辭, 何常之有初象豕二象魚五象瓜. 剝五稱貫魚, 則一陰爲一魚可見. 或謂巽爲魚.

쌍호호씨가 말하였다: 주공의 효사에 어찌 항상 초효는 돼지를 상징하고, 이효는 물고기를 상징하며, 오효는 오이를 상징함이 있겠는가? 그렇지만 박괘의 오효에서 "물고기를 꿴다"고 하였으니 하나의 음이 하나의 물고기가 됨을 알 수 있다. 어떤 이는 "손괘(☴)가 물고기가 된다"고 하였다.

○ 案, 二能包初而制之, 如刁間之能使桀黠奴也. 以其切近親比, 故深得制御之術, 若其在外之賓, 則必不利也.

내가 살펴보았다: 이효가 초효를 감싸서 제어할 수 있는 것이 조간(刁間)이 거칠고 교활한 노예를 부릴 수 있는 것과 같다. 아주 가깝고 친하기 때문에 제어하는 방법을 깊이 얻은 것이니, 만약 밖에 있는 손님이라면 반드시 이롭지 못하다.

김상악(金相岳) 『산천역설(山天易說)』

九二, 居巽之中, 比初而遇, 故有包有魚之象. 制之在己, 猶可无咎, 使遇於衆, 則其害廣矣, 故不利賓, 賓指陽也.

구이는 손괘(☴)의 가운데 있으면서 초효와 가까워 만나기 때문에 꾸러미에 물고기가 있는 상이 있다. 제어함이 자기에게 달려 있어 허물이 없을 수 있지만 무리들과 만나게 한다면 그 해가 넓기 때문에 손님에게 이롭지 않으니 손님은 양을 가리킨다.

○ 包者, 陽包乎陰也, 魚巽象. 初言豕二言魚, 如中孚之豚魚也. 五月爲蕤賓, 一陰爲主於內, 五陽爲賓於外, 故曰不利賓. 初之與四爲正應, 而謂之賓者, 二旣先包乎初, 則二爲主而四爲賓也. 姤觀剝, 皆陰長之卦, 故姤之包魚, 至剝而後貫. 不利賓者, 至觀而後利也.

'꾸러미'는 양이 음을 감쌈이고, '물고기'는 손괘의 상이다. 초효에서 돼지를 말하고, 이효에서 물고기를 말한 것은 중부괘의 돼지·물고기와 같다. 5월은 유빈(蕤賓)이 되는데, 하나의 음이 안에서 주인이 되고, 다섯 양이 밖에서 손님이 되기 때문에 "손님에게 이롭지 않다"고 하였다. 초효는 사효와 정응이 되는데 손님이라고 한 것은 이효가 이미 사효에 앞서 초효를 감싸면 이효는 주인이 되고 사효는 손님이 되기 때문이다. 구괘(姤卦)와 관괘(觀卦)와 박괘(剝卦)가 모두 음(陰)이 길어지는 괘이기 때문에 구괘에서 '물고기를 감쌈'은 박괘에 이르러서는 꿰게 된다. '손님에게 이롭지 않음'은 관괘에 이르러서는 이롭게 된다.

서유신(徐有臣) 『역의의언(易義擬言)』

九二包初六, 包中有魚之象. 卦形下有口, 如罩魚之筍也. 魚入包中, 莫能走逸, 而其生意, 猶自潑潑, 少或寬縱, 則將應於四而進往. 故曰不利賓也, 猶云不利於接客也. 四爲外內之際, 有賓客象, 觀之四曰, 用賓于王也.

구이가 초육을 감싸니 꾸러미에 물고기가 있는 상이다. 괘의 형체가 아래에 입[口]이 있으니, 물고기를 잡는 도구의 밑동과 같다. 물고기가 꾸러미 속에 들어가면 달아날 수 없지만, 살고자 하는 뜻은 오히려 절로 활발하니, 혹시라도 너그럽게 풀어놓으면 사효에 호응하여 나아가려 할 것이다. 그러므로 "손님에게 이롭지 않다"고 하였으니, 손님을 접대하는데 이롭지 않다고 말함과 같다. 사효는 내괘와 외괘의 사이에 있어서 손님의 상이 있으니, 관괘(觀卦)의 사효에서 "왕에게 손님이 된다"고 하였다.

하우현(河友賢) 『역의의(易疑義)』

九二, 不利賓, 傳本義及註疏諸家之說, 各不同. 然本義之說恐精. 蓋姤之爲卦, 一陰生於下, 爲小人始起側微, 爲敵衆君子之象. 故聖人於九二, 特言曰, 二之於初, 制之在已, 故猶可以无咎, 若不制而使遇於衆君子之賓, 則不利也. 故曰不利賓, 賓, 卽五陽衆君子之謂也. 蓋不利賓三字, 亦戒之之意也. 或曰, 象義不及賓, 初雖九四之正應, 然而先已遇合於九二, 故義不及於賓, 先儒此說, 何如. 此亦一說. 然以爻辭本義推之, 則此義字爲君子, 所以制陰之義也. 此夫子於經文, 又推廣一步, 說出一箇義字爾. 釋義當云, 義ㅣ 賓에 及디못ᄒ게홀지니라, 亦扶陽抑陰之義.

구이의 '손님에게 이롭지 않음'은 『정전』과 『본의』 및 『주역주소』의 여러 설명들이 각각 다르다. 그러나 『본의』의 설명이 정밀한 것 같다. 구괘는 한 음이 아래에서 생겼으니, 소인이 처음 일어나 미미하지만 모든 군자들을 대적하는 상이 된다. 그러므로 성인이 구이(九二)에서 특별히 "이효가 초효에 대하여 제지함이 자기에게 있기 때문에 오히려 허물이 없을 수 있지만, 만약 제지하지 않아서 여러 군자의 손님을 만나게 한다면 이롭지 못하다"고 하였다. 그러므로 "손님에게 이롭지 않다"고 하였으니, 손님은 다섯 양의 여러 군자를 말한다. "손님에게 이롭지 못하다[不利賓]"는 이를 경계시키려는 뜻이다. 어떤 이가 "「상전」의 "의리상 손님에게 미칠 수 없다"는 것은 초효가 비록 구사의 정응이지만, 이미 먼저 구이를 만나 화합했기 때문에 의리상 손님에게 미칠 수 없다는 것이다"라고 하였는데, 선유의 이 설명은 어떻습니까? 이것도 한 가지 설명입니다. 그렇지만 효사의 본 뜻으로 미룬다면, 여기의 의리[義]라는 글자는 군자를 위한 것이니, 음(陰)을 제어하는 의리입니다. 이것은 공자가 경문에 대해 한 발짝 더 나아가 '의리[義]'라는 글자를 말한 것입니다. '의리[義]'를 해석한다면 "의리가 손님에게 미치지 못하게 해야 한다"고 해야하니, 또한 양을 돕고 음을 누르는 뜻입니다.

박문건(朴文健) 『주역연의(周易衍義)』

剛柔相接, 故有包有魚之象. 賓謂九四也.

굳셈과 부드러움이 서로 만나기 때문에 꾸러미에 물고기가 있는 상이 있다. 손님은 구사를 말한다.

〈問, 包有魚以下. 曰, 九二深懼九五之害己, 不進而比初, 故有包中有魚之象. 捨上之剛, 從下之順, 雖无咎之道, 然義不利於賓也. 蓋二爲主而四爲賓, 得魚而四失民, 所處之時然也.

물었다: "꾸러미에 물고기가 있다" 이하는 무슨 뜻입니까?

답하였다: 구이는 구오가 자기를 해칠 것을 두려워해서 나아가지 않고 초효를 가까이 하기 때문에 꾸러미에 물고기가 있는 상이 있습니다. 위의 굳셈을 버리고 아래의 순함을 따르니 비록 허물이 없는 도(道)이지만 의리상 손님에게는 이롭지 못합니다. 이효가 주인이고 사효는 손님인데, 이효는 물고기를 얻고 사효는 백성을 잃었으니, 거처하는 때가 그렇기 때문입니다.〉

이지연(李止淵) 『주역차의(周易箚疑)』

五魚則可以貫也, 一魚之入包者, 安得及賓乎.

다섯 물고기라면 꿸 수 있겠지만, 한 물고기가 꾸러미로 들어온 것이니, 어떻게 손님에게까지 미칠 수 있겠는가?

김기례(金箕澧) 「역요선의강목(易要選義綱目)」

二四, 皆陰位則中虛, 故曰包, 魚指初陰.

이효와 사효는 모두 음의 자리여서 가운데가 비었기 때문에 "꾸러미"라고 하였다. '물고기'는 초효의 음을 가리킨다.

○ 賓, 指四.

손님은 사효를 가리킨다.

○ 卦以遇爲主, 而初旣不正之陰, 則先遇者爲主, 故四雖初之正應, 二反謂之賓, 而使初包裏而不出, 則无咎.

괘는 만남을 주로 하는데, 초효는 이미 바르지 못한 음이니 먼저 만난 자가 주인이 된다. 그러므로 사효는 초효의 정응이지만, 이효가 도리어 손님이라고 부르면서 초효를 꾸러미에 넣고 나가지 못하게 하니, 허물이 없는 것이다.

윤종섭(尹鍾燮) 『경(經)·역(易)』

包者, 以陽包陰之謂, 如泰之包荒, 否之包承, 是也. 姤之包魚包苴, 以乾剛含包初之陰也.

'꾸러미[包]'는 양이 음을 감싸는 것을 말하니, 태괘(泰卦)에서 "거친 것을 감싼다"[28]와 비괘에서 "감싸서 받든다"[29]는 것이 이것이다. 구괘에서 '물고기를 감싸고' '오이를 감싸는 것'은 건괘(乾卦)의 굳셈이 초효의 음을 감싸는 것이다.

이항로(李恒老) 「주역전의동이석의(周易傳義同異釋義)」

傳, 姤遇也, 二與初密比, 相遇者也. 云云.

『정전』에서 말하였다: 구(姤)는 만남이니, 이효는 초효와 매우 가까이 있으니, 서로 만나는 자이다. 운운.

本義, 二與初遇, 爲包有魚之象. 云云.

『본의』에서 말하였다: 이효가 초효와 만남은 꾸러미에 물고기가 있는 상이 된다. 운운.

或問, 初本應四而遇二, 二反制四而奪初, 初旣蔑貞, 二亦失義, 而稱初爲魚, 喚四爲賓, 辭若無罪何也. 曰, 四月純乾之卦, 本不期陰, 而一陰忽生於下, 而與陽邂逅, 則初與二正是相遇之主也. 越二遇四, 非其勢也, 且初與二, 本是陰陽相配之數, 觀於河洛位, 改可知也. 損卦程傳, 亦以初與二四與五爲友, 則初二固有相得之義矣. 故初當遇二之始, 二有包初之象. 陰陽相得, 自旡可咎, 而初若浚恒於四, 四若號咷於初, 則初自失貞, 四必起凶, 而二亦失正家之義矣. 學者, 觀其時與義, 則可知矣.

어떤 이가 물었다: 초효는 본래 사효와 호응하는데 이효와 만났고, 이효는 도리어 사효를 제어하며 초효를 빼앗으니, 초효는 이미 곧음을 없애고 이효도 의리를 잃었지만, 초효를 물고기라 부르고, 사효를 손님이라 불러도 효사에 허물이 없는 것 같음은 어째서입니까?

답하였다: 사월은 순전한 건괘(乾卦)여서 본래 음(陰)을 기약하지 않았는데, 한 음이 갑자기 아래에서 생겨나 양과 만났으니, 초효와 이효는 바로 서로 만나는 주인입니다. 이효를 넘어서 사효를 만남은 그 형세가 아닙니다. 또한 초효와 이효는 본래 음양이 서로 짝하는 수(數)이니 하도와 낙서의 자리에서 보더라도 다시 알 수 있습니다. 손괘(損卦)의 『정전』에서도 초효와 이효, 사효와 오효는 벗이라고 하였으니, 초효와 이효는 진실로 서로 얻는 뜻이 있습니다. 그렇기 때문에 초효는 이효를 만나는 처음에 해당되고, 이효는 초효를 포용하는 상이 있습니다. 음양이 서로 얻으면 자연 탓할 것이 없지만, 초효가 만약 사효에게 항구함을 깊이 하고, 사효가 초효를 울부짖으며 부른다면 초효는 스스로 바름을 잃고 사효에는 반드시 흉함이 일어나서 이효도 집안을 바르게 하는 뜻을 잃을 것입니다. 배우는 자가 그 때와 의미를 보면 알 수 있을 것입니다.

---

28) 『周易·泰卦』: 九二, 包荒, 用馮河, 不遐遺, 朋亡, 得尙于中行.

29) 『周易·否卦』: 六二, 包承, 小人, 吉, 大人, 否, 亨.

심대윤(沈大允) 『주역상의점법(周易象義占法)』

姤之遯䷠, 舍舊從新也. 九二居柔不進, 而舍三取初. 程子曰, 相遇之道, 主於專一, 九二之舍三取初可矣. 包剛在外象, 乾爲包. 初, 變其徧求之心, 而退從于二. 故取坤之變, 自巽退坎, 而爲魚也. 乾爲賓, 不利賓, 言不從三也. 包亦有包容含忍之意. 九二之所遇, 雖不足意, 而以此勝於彼, 故包忍而取之也.

구괘(姤卦)가 돈괘(遯卦䷠)로 바뀌었으니, 옛 것을 버리고 새 것을 취하는 것이다. 구이는 부드러운 곳에 있어 나아가지 않고, 삼효를 버리고 초효를 취한다. 정자가 "서로 만나는 도는 한결같음을 주장한다"고 하였으니, 구이가 삼효를 버리고 초효를 취함이 옳다. '꾸러미[包]'는 굳셈이 밖에 있는 상이니, 건괘(乾卦)는 꾸러미가 된다. 초효는 두루 구하는 마음을 변화시켜 물러나 구이를 따른다. 그렇기 때문에 곤괘(坤卦)의 변화에서 취했으니, 손괘(☴)에서 감괘(☵)로 물러나 물고기가 된다. 건괘(乾卦)는 손님인데, '손님에게 이롭지 않음'은 삼효를 따르지 않음을 말한다. '포(包)'에도 포용함[包容]과 참아냄[含忍]의 뜻이 있으니, 구이가 만난 것에 뜻이 만족하진 못하지만 이것이 저것보다 낫기 때문에 참고 취한 것이다.

오치기(吳致箕) 「주역경전증해(周易經傳增解)」

九二, 陽剛得中, 而當姤之時, 與不正之陰相遇, 宜若有咎, 然以剛止柔, 能制之於內, 使不得逸於外, 有包中有魚之象. 故言无咎, 而二旣制陰不得上進, 則九四正應不能相遇, 故又言不利于賓也.

구이는 양의 굳셈으로 알맞음을 얻고서 만남[姤]의 때를 맞아 바르지 않은 음과 서로 만나니 마땅히 허물이 있을 듯하지만, 굳셈으로 부드러움을 저지하고 안으로 제어하여 밖으로 달아나지 못하게 하니, 꾸러미 속에 물고기가 있는 상이 있다. 그러므로 "허물이 없다"고 하였고, 이효가 이미 음(陰)을 제어하여 위로 나아가지 못하게 하면 구사인 정응이 서로 만날 수 없기 때문에 또 손님에게 이롭지 않다고 하였다.

○ 包, 言以剛而畜柔也. 魚取於巽, 已見剝五. 初陰爲二陽所制, 卽魚在包中之象. 賓指四, 而四近於君, 爲大臣之位, 故言賓, 已見觀四. 而此言初爲卦主, 四爲賓也.

'꾸러미[包]'는 굳셈으로 부드러움을 쌓음을 말한다. '물고기'는 손괘(☴)에서 취하였는데, 이미 박괘(剝卦)의 오효에 보인다. 초효의 음이 두 양에게 제어되니, 물고기가 꾸러미 속에 있는 상이다. 손님은 사효를 가리키고, 사효가 임금에게 가까이 있어 대신의 자리가 되기 때문에 '손님'이라고 하였으니, 이미 관괘(觀卦)의 사효에 보인다. 여기서는 초효가 괘의 주인이 되고 사효가 손님이 됨을 말하였다.

이진상(李震相) 『역학관규(易學管窺)』

九二, 包有 [至] 利賓.

구이는 꾸러미에 … 손님에게는 이롭지 않다.

包, 巽草象, 胡氏曰, 巽爲魚, 李氏曰, 初本應四, 遇二得之, 則爲主[30]而四爲賓, 不可
更及四也.

'꾸러미[包]'는 손괘(☴)의 풀의 상인데, 호씨는 "손괘가 물고기가 된다"고 하였고, 이씨는 "초
효는 본래 사효와 호응하지만, 이효를 만나 얻었으니 주인이 되고 사효는 손님이 되어 다시
는 사효에게 미칠 수 없다"고 하였다.

박문호(朴文鎬) 「경설(經說)·주역(周易)」

賓, 程傳單指九四, 本義則竝指衆陽, 其義較長. 雖然程傳, 亦已先以五陽冠之, 此可
知也.

'손님[賓]'은 『정전』에서는 구사만을 가리켰지만 『본의』에서는 모든 양들을 함께 가리켰으
니, 그 의미가 비교적 낫다. 그렇긴 하지만 『정전』에서도 이미 먼저 다섯 양으로 덮었으니,
이것을 알 수 있다.

---

30) 主: 경학자료집성DB에는 '二'로 되어 있으나, 경학자료집성 영인본을 참조하여 '主'로 바로잡았다.

象曰, 包有魚, 義不及賓也.

「상전」에서 말하였다: "꾸러미에 물고기가 있음"은 의리상 손님에게 미칠 수 없는 것이다.

中國大全

傳

二之遇初, 不可使有二於外, 當如包苴之有魚. 包苴之魚, 義不及於賓客也.

이효가 초효를 만남에 밖에 딴 마음이 있게 해서는 안 되니, 마땅히 꾸러미에 물고기가 있는 것과 같이 하여야 한다. 꾸러미의 물고기는 의리상 손님에게 미칠 수 없는 것이다.

小註

潘氏曰, 二旣有魚, 則不利於四, 反指爲賓, 而不及之, 故四无魚也.

반씨가 말하였다: 이효가 이미 물고기가 있어 사효보다 불리하니, 도리어 '손님'이 되어 미치지 못함을 가리키기 때문에 사효에게는 물고기가 없다.

○ 中溪張氏曰, 當遇之時, 二近四遠, 一陰不能兼二陽. 揆之於義, 則不及賓也. 譬衆漁之取魚, 先至者一擧網而得之, 後至者雖善漁, 而利不彼及矣.

중계장씨가 말하였다: 만나는 때에 이효는 가깝고 사효는 멀리 있으니, 한 음이 두 양을 겸할 수 없다. 의리를 헤아려보면 손님에게 미칠 수 없다. 비유하면 많은 사람이 물고기를 잡을 때, 먼저 온 사람은 한 번 그물질하여 얻을 수 있지만 뒤에 온 사람은 비록 물고기를 잘 잡더라도 이익이 저 사람에 미칠 수 없는 것과 같다.

▌韓國大全▌

김상악(金相岳) 『산천역설(山天易說)』

義, 時義也.

'의리'란 때와 뜻이다.

서유신(徐有臣) 『역의의언(易義擬言)』

所謂不利賓, 非四之來爭也. 賓在於四, 而包魚之義, 不及於四也. 爻辭省簡, 故足以明之也.

"손님에게 이롭지 않다"는 사효가 와서 다툰다는 것이 아니다. 손님이 사효의 자리에 있어서 물고기를 감싼다는 뜻이 사효에게 미칠 수 없는 것이다. 효사를 간단히 생략하였기 때문에 밝힐 수 있는 것이다.

오치기(吳致箕) 「주역경전증해(周易經傳增解)」

初爲二之所遇而有, 故義不及於四之賓也.

초효는 이효가 만나서 지니는 것이 되기 때문에 의리상 사효인 손님에게 미칠 수 없다.

이병헌(李炳憲) 『역경금문고통론(易經今文考通論)』

虞曰, 巽爲白茅, 在中稱包, 詩曰白茅包之. 魚謂初陰, 巽爲魚. 乾稱賓, 二據四應, 故不利賓.

우번이 말하였다: 손괘(☴)는 흰 띠풀이 되고, 가운데 있으면 꾸러미라고 하니, 『시경』에서 "흰 띠풀로 싸도다"[31]라고 하였다. 물고기는 초효인 음을 말하니, 손괘가 물고기가 된다. 건괘(乾卦)를 손님이라고 칭하는데, 이효는 사효의 호응인 초효에 의거하기 때문에 손님에게 이롭지 않은 것이다.

程傳曰, 二之遇初, 不可使有二於外, 當如苞苴之有魚. 義不及於賓客也.

『정전』에서 말하였다: 이효가 초효를 만남에 밖에 딴 마음이 있게 해서는 안 되니, 마땅히

---

31) 『詩經·召南』: 野有死麕, 白茅包之, 有女懷春, 吉士誘之.

꾸러미에 물고기가 있는 것과 같이 하여야 한다. 의리상 손님에게 미칠 수 없는 것이다.

按, 賓指四.
내가 살펴보았다: 손님은 사효를 가리킨다.

九三, 臀无膚, 其行次且, 厲, 无大咎.

정전 구삼은 볼기에 살이 없으나 그 가는 것을 머뭇거리니, 위태롭게 여기면 큰 허물이 없으리라.

본의 구삼은 볼기에 살이 없으며 그 가는 것을 머뭇거리니, 위태하나 큰 허물이 없으리라.

|中國大全|

傳

二與初旣相遇, 三說初而密比於二, 非所安也. 又爲二所忌惡, 其居不安, 若臀之无膚也. 處旣不安, 則當去之, 而居姤之時, 志求乎遇一陰在下, 是所欲也. 故處雖不安, 而其行則又次且也. 次且, 進難之狀, 謂不能遽舍也. 然三剛正而處巽, 有不終迷之義, 若知其不正而懷危懼, 不敢妄動, 則可以无大咎也. 非義求遇, 固已有咎矣, 知危而止, 則不至於大也.

이효와 초효가 이미 서로 만났으니, 삼효는 초효를 좋아하나 이효와 매우 가까워 편안하지 않다. 또 이효에게 시기와 미움을 당하여 그 거처가 불안하니, 볼기에 살이 없는 것과 같다. 거처하기가 이미 불안하면 마땅히 떠나야 하는데 구(姤)의 때에 있어 뜻이 만나기를 구하며, 한 음이 아래에 있으니, 원하는 것이다. 그러므로 거처함이 불안하지만 그 가는 것을 또 머뭇거리는 것이다. '머뭇거림[次且]'은 나아감을 어렵게 여기는 모양이니, 빨리 버리지 못한다는 말이다. 그러나 삼효는 굳세고 바르면서 겸손함(☴)에 처하여 끝내 혼미하지 않는 뜻이 있으니, 만일 그 바르지 못함을 알고 위태로움과 두려움을 품어서 망령되게 행동하지 않는다면 큰 허물이 없을 수 있다. 의롭지 않은데 만나기를 구하면 진실로 이미 허물이 있는 것이고, 위태로움을 알고 중지하면 큰 허물에 이르지 않을 것이다.

本義

九三, 過剛不中, 下不遇於初, 上无應於上, 居則不安, 行則不進, 故其象占如此. 然旣无所遇, 則无陰邪之傷, 故雖危厲, 而无大咎也.

구삼은 지나치게 굳세고 알맞지 못하며 아래로 초효와 만나지 못하고 위로 상효과 호응하지 못하여 거처하려 하면 불안하고 가려고 하면 나아갈 수 없다. 그러므로 그 상과 점이 이와 같은 것이다. 그러나 이미 만나는 것이 없으면 음란하고 사악한 것에게 다치는 일이 없기 때문에 비록 위태로우나 큰 허물이 없을 것이다.

進齋徐氏曰, 姤者夬之反. 姤之三, 卽夬之四也, 故皆有臀无膚其行次且之象. 但夬一陰在上, 故下之五陽, 皆趨而上, 姤一陰在下, 故上之五陽, 皆反而下, 其陰陽相求之情則然也. 夫九三之志, 亦在乎初, 初比二應四, 與三无繫, 三乃介乎其間, 求與之遇, 而承乘皆剛, 進退不能. 故曰臀无膚其行次且.

진재서씨가 말하였다: 구괘(䷫)는 쾌괘(䷪)와 거꾸로 된 괘이다. 구괘의 삼효가 쾌괘의 사효이기 때문에 모두 "볼기에 살이 없으나 그 가는 것을 머뭇거리는" 상이 있다. 다만 쾌괘의 한 음은 위에 있기 때문에 아래의 다섯 양이 모두 위로 가고, 구괘의 한 음은 아래에 있기 때문에 위의 다섯 양이 모두 되돌아 내려오니, 음과 양이 서로 구하는 정이 그러하다. 구삼의 뜻도 초효에 있고, 초효는 이효와 가깝고 사효와 호응하고 삼효와는 이어지는 것이 없으니, 삼효는 그 사이에 끼어서 그와 만나기를 구하지만 잇거나 타는 것이 모두 굳세어서 나아가거나 물러갈 수 없다. 그러므로 "볼기에 살이 없으나 그 가는 것을 머뭇거린다"고 하였다.

○ 雲峰胡氏曰, 三下不遇於初, 故有居不安之象. 前无應於上, 故有行不進之象.

운봉호씨가 말하였다: 삼효는 아래로 초효와 만나지 못하는 까닭에 거처함에 불안한 상이 있다. 앞으로 위에서 호응이 없는 까닭에 나아가려 하나 가아가지 못하는 상이 있다.

○ 隆山李氏曰, 易之六爻, 唯九三自乾以下多厲无咎之辭. 豈非重剛不中, 須知戒懼, 然後危而復安者乎.

융산이씨가 말하였다: 역의 여섯 효에서 구삼효에 건괘 이하로 위태롭게 여기면 허물이 없다는 말이 많으니, 어찌 거듭된 굳셈이면서 가운데가 아니어서 반드시 경계하고 두려워해야함을 안 이후에 위태롭게 여겨야 다시 편안하지 않겠는가?

韓國大全

홍여하(洪汝河) 「책제(策題):문역(問易)·독서차기(讀書箚記)-주역(周易)」[32]

九三, 厲, 无大咎.

구삼은 위태롭지만 큰 허물은 없다.

厲无大咎, 乾三之象, 於姤言之, 巽遇乾也.
위태롭지만 큰 허물이 없음은 건괘(☰) 구삼의 상인데 구괘(☴)에서 말한 것은 손괘(☴)가 건괘(☰)를 만났기 때문이다.

이현익(李顯益) 「주역설(周易說)」

建安丘氏謂, 三介二四二剛之間, 亦欲遇初, 以居則碍四, 進則碍二, 故有臀無膚行次且之象. 雲峯胡氏謂, 三下不遇於初, 故有居不安之象, 前無應於上, 故有行不進之象. 二說不同, 而胡氏似得本義之旨.
건안구씨는 "삼효가 굳센 이효와 사효 사이에 끼어서 또한 초효를 만나려 하는데, 머무르면 사효에 막히고, 나아가면 이효에 막히기 때문에 볼기에 살이 없으며 가는 것을 머뭇거리는 상이 있다"고 하였고, 운봉호씨는 "삼효가 아래로는 초효를 만나지 못하기 때문에 거처함에 불안한 상이 있고, 앞으로는 위와 호응함이 없기 때문에 나아가 가지 못하는 상이 있다"고 하였다. 두 설이 같지 않지만, 호씨의 설이 『본의』의 취지에 가까운 것 같다.

이익(李瀷) 『역경질서(易經疾書)』

臀無膚義見上. 或曰夬姤反對之卦, 夬之四卽姤之三, 故其辭同, 理或肰也, 更詳之.
"볼기에 살이 없다"는 뜻은 앞에 보인다. 어떤 이가 "쾌괘(夬卦☱)와 구괘(姤卦☴)는 반대되는 괘여서 쾌괘의 사효는 구괘의 삼효이기 때문에 그 말이 같다"고 하였는데, 이치가 그럴 듯하니 다시 살펴보아야 한다.

심조(沈潮) 「역상차론(易象箚論)」

九三, 臀.
구삼은 볼기에.

此在巽股之上, 故稱臀.
이 효는 손괘의 넓적다리 위에 있기 때문에 볼기라고 하였다.

---

32) 경학자료집성DB에서는 구괘 「단전」에 해당하는 것으로 분류했으나, 내용에 따라 이 자리로 옮겨왔다.

유정원(柳正源) 『역해참고(易解參攷)』

九三, [至] 大咎.

구삼은 … 큰 허물이 없으리라.

李氏元量曰, 雖剛而巽體, 其體入而伏, 有下爭初之心, 初已入二之包, 非己所可得. 是以見侵且傷, 而行次且. 夫以其見侵且傷, 故厲, 以其行而欲避, 故无大咎.

이원량이 말하였다: 비록 굳세지만 손괘의 몸체이니 그 몸체가 들어가고 숨으니 아래로 초효를 다투려는 마음이 있지만, 초효는 이미 이효의 꾸러미에 들어갔으니, 자기가 얻을 수있는 것이 아니다. 이 때문에 침해되고 또 손상되어 가는 것을 머뭇거린다. 침해되고 또손상되었기 때문에 위태롭고, 그 가는 것을 피하고자 하기 때문에 큰 허물은 없다.

○ 雙湖胡氏曰, 夬四姤三取臀象, 於巽兌陰卦取之也. 夬姤相爲反對, 夬之四卽姤之三, 姤之三卽夬之四, 故其取象之辭同, 爻位皆陽, 故无膚.

쌍호호씨가 말하였다: 쾌괘의 사효와 구괘의 삼효에서 볼기의 상을 취한 것은 손괘(☴)와태괘(☱)의 음괘(陰卦)에서 취하였다. 쾌괘와 구괘는 서로 반대가 되어 쾌괘의 사효가 구괘의 삼효이고, 구괘의 삼효가 쾌괘의 사효이기 때문에 그 상에서 취한 말이 같고, 효의 자리에 모두 양이 있기 때문에 살이 없다.

○ 案, 過剛不中, 危懼之地也. 居不安而无有陰邪, 行次且而不敢妄動, 可以无大咎而已, 亦不免小有咎也.

내가 살펴보았다: 지나치게 굳세면서 알맞음을 얻지 못하니, 위태롭고 두려운 처지이다. 거처가 편안하지는 않지만 음의 삿됨은 없고, 나감에 머뭇거리며 망령되게 움직이지 않으니, 큰 허물이나 없을 뿐이지 작은 허물은 피하지 못할 것이다.

김상악(金相岳) 『산천역설(山天易說)』

三以不中之剛, 處巽之上, 臀无膚者, 見傷於下也, 行次且者, 未牽於上也. 進退兩難, 雖危厲, 不與陰遇, 故无大咎也.

삼효는 알맞지 못한 굳셈으로 손괘(☴)의 맨 위에 있는데, '볼기에 살이 없음'은 아래에게손상된 것이고 '가는 것을 머뭇거림'은 위로 나아가지 못하는 것이다. 나아가고 물러남이모두 어려워 비록 위태롭지만, 음(陰)과는 만나지 않기 때문에 큰 허물은 없다.

○ 臀无膚者, 陰生於下也, 行次且者, 无應於上也. 復則陽生於下, 故利有攸往, 剝則

陽盡於上, 故不利有攸往, 夬與姤則陽居上下之交, 故其行次且. 厲者危厲也, 乾之三
曰厲无咎, 而姤則陰已生, 故曰厲无大咎. 又小畜上九曰貞厲征凶, 分婦人君子言, 而
征凶屬君子, 故此曰其行次且.

'볼기에 살이 없음'은 음이 아래에서 나옴이고, '가는 것을 머뭇거림'은 위에 호응이 없음이
다. 복괘(復卦䷗)는 양이 아래에서 나오기 때문에 가는 것이 이롭고, 박괘(剝卦䷖)는 양이
위에서 다하기 때문에 가는 것이 이롭지 않으며, 쾌괘(夬卦䷪)와 구괘(姤卦䷫)는 양이 위와
아래로 사귀는데 있기 때문에 가는 것을 머뭇거린다. 위태로움은 두렵고 위태로운 것인데,
건괘(乾卦)의 삼효에서는 "위태롭지만 허물이 없다"고 하였고, 구괘(姤卦)에서는 음이 이미
생겼기 때문에 "위태롭지만 큰 허물은 없다"고 하였다. 또 소축괘(小畜卦)의 상구에서는
"고집하면 위태롭고 가면 흉하다"고 하여 부인과 군자를 구분하여 말했는데, '가면 흉하다'는
군자에게 속하기 때문에 여기서는 "그 가는 것을 머뭇거린다"고 하였다.

서유신(徐有臣) 『역의의언(易義擬言)』

居二體之間, 進退不果, 其象如此, 而以其剛正, 故雖厲而无大咎也.

두 몸체의 사이에 있어 진퇴가 과감하지 못해 그 상이 이와 같은데, 굳세며 바름으로 하기
때문에 비록 위태롭지만 큰 허물이 없다.

박제가(朴齊家) 『주역(周易)』

九三, 夬之四爻辭同. 進齋徐氏說得之, 見大全.

구삼은 쾌괘의 사효와 효사가 같다. 진재서씨의 설이 좋으니, 『주역대전』에 보인다.

박문건(朴文健) 『주역연의(周易衍義)』

欲遇見害, 故有臀无膚之象, 小有危厲, 終无大咎.

만나고자 하여 해로움을 당하기 때문에 볼기에 살이 없는 상이 있고, 조금 위태로움이 있지
만 끝내 큰 허물은 없다.

〈問, 臀无膚以下. 曰, 九三之進, 實欲遇其上, 而上九妄生疑慮, 故所以致无膚而其行
次且也. 然志在從上, 故雖厲无咎也.

물었다: "볼기에 살이 없다" 이하는 무슨 뜻입니까?

답하였다: 구삼이 나아감은 실제로 위와 만나려고 하지만 상구가 망령되게 의심을 하기 때
문에 살이 없고 그 가는 것을 머뭇거리는 것입니다. 그러나 뜻이 위를 따름에 있기 때문에
비록 위태롭지만 허물은 없습니다.〉

이지연(李止淵) 『주역차의(周易箚疑)』

巽者, 伏而入者也. 九三以同體之巽志, 欲下行, 而爲九二之所忌. 故爲臀无膚行次且之象.

손괘(☴)는 엎드리고 들어가는 것이다. 구삼은 같은 몸체의 공손한 뜻으로 아래로 내려가려 하지만 구이가 꺼리게 된다. 그러므로 볼기에 살이 없으나 그 가는 것을 머뭇거리는 상이 된다.

김기례(金箕澧) 「역요선의강목(易要選義綱目)」

過剛居多凶之地, 下不遇初, 爲二所忌, 則居不安矣. 又上无應援, 則行未進, 故必危懼而后无大咎.

지나치게 굳세며 흉함이 많은 처지에 있어서, 아래로 초효를 만나지도 못하고 이효가 꺼리는 바가 되니 거처가 편안하지 않다. 또 위에 호응하는 도움이 없어도 나아가지 못하기 때문에 반드시 위태로운 뒤에 큰 허물이 없게 된다.

○ 姤夫之反對, 姤三卽夬四, 故有臀无膚次且同.

구괘(姤卦)는 쾌괘(夬卦)의 반대여서 구괘의 삼효는 쾌괘의 사효이기 때문에 '볼기에 살이 없음'과 '머뭇거림'이 똑같이 있다.

심대윤(沈大允) 『주역상의점법(周易象義占法)』

姤之訟䷅, 兩心交爭也. 九三居剛求擇, 而二與四, 皆非其所安, 故取舍之心交爭, 而莫適所從. 雖厲而愼於從人, 亦无大咎也.

구괘가 송괘(訟卦䷅)로 바뀌었으니, 두 마음이 서로 다투는 것이다. 구삼은 굳센 자리에 있어서 구하여 가리는데, 이효와 사효가 모두 편안한 곳이 아니기 때문에 취하고 버리는 마음이 서로 다투고 따라갈 것이 없다. 비록 위태롭지만 남을 따르는데 신중함이니, 또한 큰 허물도 없다.

오치기(吳致箕) 「주역경전증해(周易經傳增解)」

九三當姤之時, 欲與初柔相遇, 而處兩剛之間, 故其居不安, 有臀无膚之象, 而其行次且, 不能進, 宜若危厲而有咎. 然剛得其正, 而不與不正之陰相遇, 故言能无大咎也. 臀无膚, 取象與夬四同, 而卦反, 故彼言于四, 而此言于三也.

구삼이 만남[姤]의 때를 맞아 부드러운 초효와 서로 만나려고 하지만, 굳센 두 양의 사이에 있기 때문에 거처가 편안하지 않아서 볼기에 살이 없는 상이 있고, 가는 것을 머뭇거려 나아가지 못하니, 마땅히 위태로워 허물이 있을 것 같다. 그러나 굳셈이 바름을 얻고 부정한 음과는 서로 만나지 않기 때문에 "큰 허물이 없을 수 있다"고 하였다. '볼기에 살이 없음'은 상을 취한 것은 쾌괘(夬卦䷪)의 사효와 같지만, 괘가 반대이기 때문에 저기서는 사효에서 말하였고 여기서는 삼효에서 말하였다.

이진상(李震相) 『역학관규(易學管窺)』

九三, 臀无 [至] 大咎.

구삼은 볼기에 살이 없으나 … 큰 허물이 없으리라.

爻變互坎故取臀象, 而陽不成艮, 故无膚, 亦猶夬之九四也. 行次且, 以乾健之體, 上無應, 而下無比也.

효가 변하면 호괘가 감괘이기 때문에 볼기의 상을 취했고, 양으로 간괘를 이루지 못하기 때문에 살이 없는 것이 또한 쾌괘(夬卦)의 구사와 같다. '감을 머뭇거림'은 건괘(乾卦)의 강건한 몸체로 위로 호응하는 것이 없고 아래로 가까이 하는 것이 없기 때문이다.

박문호(朴文鎬) 「경설(經說)・주역(周易)」

三之於初, 非所當遇而求遇, 故爲不正, 亦爲非義.

삼효가 초효에 대하여 마땅히 만날 것이 아닌데 만남을 구하기 때문에 바르지도 않고 옳지도 않게 된다.

象曰, 其行次且, 行未牽也.

「상전」에서 말하였다: "그 가는 것을 머뭇거림"은 가는 것을 빨리하지 않는 것이다.

‖ 中國大全 ‖

傳

其始志在求遇於初, 故其行遲遲. 未牽, 不促其行也, 旣知危而改之, 故未至於大咎也.

처음의 뜻이 초효를 만남을 구함에 있기 때문에 그 가는 것이 더딘 것이다. '빨리 하지 않는 것[未牽]'은 그 가는 것을 재촉하지 않는 것이니, 이미 위태로움을 알고 고쳤기 때문에 큰 허물에 이르지 않는 것이다.

‖ 韓國大全 ‖

송시열(宋時烈) 『역설(易說)』

臀无膚, 見夬之四爻. 三爲重剛, 故危厲, 然亦无咎. 小象行未牽者, 巽道將盡, 故其行不爲牽繫如初爻之意也.

'볼기에 살이 없음'은 쾌괘의 사효에 보인다. 삼효는 거듭 굳세므로 위태롭지만 또한 허물은 없다. 「소상전」의 '가는 것을 빨리하지 않음'은 손괘(☴)의 도가 끝나려 하기 때문에 그 가는 것을 초효처럼 끌어다 매놓지 않는다는 뜻이다.

김상악(金相岳) 『산천역설(山天易說)』

下有柔道之牽, 故陽之在上者, 次且其行而未牽也.

아래에 부드러운 음이 이끌고 있기 때문에 위에 있는 양이 가는 것을 머뭇거려 빨리하지 않는다.

서유신(徐有臣) 『역의의언(易義擬言)』

雖其次且, 終必行而无所牽制也, 所以无大咎也.

비록 머뭇거리지만 끝내는 가서 견제를 받지 않기 때문에 큰 허물이 없다.

심대윤(沈大允) 『주역상의점법(周易象義占法)』

无所牽係也.

이끌어 매는 것이 없다.

오치기(吳致箕) 「주역경전증해(周易經傳增解)」

欲遇初陰, 而以其居二四兩剛之間, 故行未能牽前而進也.

초효인 음(陰)을 만나려 하지만 굳센 이효와 사효의 사이에 끼어있기 때문에 가는 것을 앞으로 이끌어 나아갈 수 없다.

이진상(李震相) 『역학관규(易學管窺)』

行未牽.

가는 것을 빨리하지 않는 것이다.

所求在初, 而二已牽之, 故九三有未牽之象. 惟其未牽, 所以趑且.

구하는 것이 초효에 있는데 이효가 이미 나아갔기 때문에 구삼에게는 빨리하지 않는 상이 있다. 빨리하지 않으니, 이 때문에 머뭇거리는 것이다.

이병헌(李炳憲) 『역경금문고통론(易經今文考通論)』

程傳曰, 二與初旣相遇, 三處不安而進難. 然剛正而處巽, 有不終迷之義, 知危而止, 則不至於大咎.

『정전』에서 말하였다: 이효와 초효가 이미 서로 만났으니 삼효는 편안하지 않은 곳에 있으면서 나아가기 어렵다. 그러나 굳세고 바르면서 겸손함[☴]에 처하면 끝내 혼미하지 않는 뜻이 있으니, 위태로움을 알고 중지하면 큰 허물에 이르지 않을 것이다.

按, 牽是挩引之義.

내가 살펴보았다: '견(牽)'은 끌어당기는 의미이다.

九四, 包无魚, 起凶.

구사는 꾸러미에 물고기가 없으니, 흉함이 일어나리라.

中國大全

傳

包者, 所裹畜也, 魚, 所美也. 四與初爲正應, 當相遇者也, 而初已遇於二矣. 失其所遇, 猶包之无魚, 亡其所有也. 四當姤遇之時, 居上位而失其下, 下之離, 由己之失德也. 四之失者, 不中正也, 以不中正而失其民, 所以凶也. 曰, 初之從二, 以比近也, 豈四之罪乎. 曰, 在四而言, 義當有咎, 不能保其下, 由失道也. 豈有上不失道而下離者乎. 遇之道, 君臣民主夫婦朋友, 皆在焉, 四以下睽, 故主民而言. 爲上而下離, 必有凶變. 起者, 將生之謂, 民心旣離, 難將作矣.

'포(包)'는 싸는 것이고, '어(魚)'는 좋은 것이다. 사효는 초효와 정응(正應)이 되니, 서로 만나야 할 것이나 초효가 이미 이효를 만났다. 만나야 할 것을 잃어버림이 꾸러미에 물고기가 없는 것처럼 그 소유를 잃은 것이다. 사효는 만나는 때를 당하여 윗자리에 있으면서 아랫사람을 잃었으니, 아랫사람이 떠난 것은 자신이 덕을 잃었기 때문이다. 사효(四)가 잃은 것은 중정(中正)하지 못해서이니, 중정(中正)하지 못하여 백성을 잃음은 흉한 것이다. 묻기를, "초효가 이효를 따름은 가깝기 때문이니, 어찌 사효의 죄이겠습니까?" 답하기를, "사효의 입장에서 말하면 의리상 마땅히 허물이 있어 그 아래를 보호하지 못함은 도를 잃었기 때문입니다. 어찌 윗사람이 도를 잃지 않았는데 아랫사람이 떠나겠습니까?" 만나는 도는 임금·신하와 백성·주인과 남편·부인과 친구에게 다 있는데, 사효는 아래에서 떠나기 때문에 백성을 위주로 말하였다. 윗사람이 되어 아랫사람이 떠나면 반드시 흉함과 변함이 있을 것이다. '일어난다[起]'는 장차 생겨난다는 말이니, 민심이 이미 떠나면 어려움이 일어날 것이다.

本義

初六正應, 已遇於二而不及於已, 故其象占如此.

정응인 초육이 이미 이효를 만나 자기에게 미치지 못하기 때문에 그 상과 점이 이와 같다.

小註

臨川吳氏曰, 初者四之正應, 而爲二所得, 故二之包中有魚, 而四之包中无魚也. 已之正應與他人遇, 猶男之失其配, 君之失其民也. 今雖未凶, 凶由是起矣.

임천오씨가 말하였다: 초효는 사효의 정응이지만 이효와 만났기 때문에 이효는 "꾸러미에 물고기가 있고", 사효는 "꾸러미에 물고기가 없다." 이미 정응인데 다른 사람과 만나니, 남자가 배필을 잃고, 임금이 백성을 잃은 것과 같다. 지금 비록 흉하지는 않지만 흉함이 이것으로부터 일어날 것이다.

○ 雲峰胡氏曰, 遇非正道, 故四於初爲正應, 无遇之象. 遇旣非正, 則唯近者得之, 二與初爲近, 二包魚, 四則无魚矣, 故其占如此.

운봉호씨가 말하였다: 만남이 바른 도가 아니기 때문에 사효가 초효와 정응이지만 만나지 못하는 상이다. 만남이 이미 바르지 못하면 가까이 있는 자가 얻게 되니, 이효는 초효와 가까이 있어서 이효는 꾸러미에 물고기가 있고, 사효는 물고기가 없기 때문에 그 점이 이와 같다.

∥韓國大全∥

송시열(宋時烈) 『역설(易說)』

雖與初爻爲應, 然已爲二爻所包, 近則可包, 遠則无可包之道. 初亦離心, 四亦近於君而遠於民, 已爲離, 在上位爲應, 而无爲應之道, 所以起凶也. 民在下之象也.

비록 초효와 호응하지만 이미 이효에게 싸이게 되니, 가까운 것은 감싸고 먼 것은 감쌀 수 없는 도이다. 초효도 마음이 떠났고, 사효도 임금에게 가깝고 백성과는 멀어서 이미 떠나 윗자리에 있으니, 호응이 되지만 호응하는 도가 없으니, 그래서 흉함이 일어난다. 백성은 아래에 있는 상이다.

이익(李瀷) 『역경질서(易經疾書)』

九四失位包民, 而民散如包无魚,33) 其凶自我起之也. 遠民, 謂不能近民也. 與初爲應,
彼云羸豕繫柅, 則不獨无魚,34) 其有者, 亦不過如此, 而其蹢躅放逸之心, 未嘗息也, 其
凶可知.

구사는 자리를 잃고 백성을 포용하여 백성의 흩어짐이 꾸러미에 물고기가 없음과 같으니,
그 흉함이 나로부터 일어난 것이다. '백성을 멀리 함'은 백성을 가까이 할 수 없음을 말한다.
초효와 호응이 되지만 저기에서 "여윈 돼지를 말뚝에 맨다"고 했으니, 물고기가 없을 뿐만이
아니라 있는 것도 이와 같을 뿐이어서 그 뛰고 뛰며 달아나려는 마음이 일찍이 멈춘 적이
없으니 그 흉함을 알 수 있다.

유정원(柳正源) 『역해참고(易解參攷)』

九四 [至] 起凶.
구사는 … 흉함이 일어나리라.

進齋徐氏曰, 初柔近二, 二包有魚矣. 四遠而不遇, 雖應而无得, 故曰包无魚. 起妄動
也. 彼得則此失, 四旣失所遇, 安處順守可也. 苟妄動而求必得之, 則凶矣.

진재서씨가 말하였다: 부드러운 초효가 이효를 가까이 하니, 이효는 꾸러미에 물고기가 들
어있다. 사효는 멀어 만나지 못하니 비록 호응이지만 얻을 수 없기 때문에 "꾸러미에 물고기
가 없다"고 하였다. '일어남[起]'은 망령되게 움직이는 것이다. 저기에서 얻었다면 여기서는
잃어버리니, 사효가 이미 만나는 대상을 잃어버렸으니 편안히 머물며 순하게 지킴이 좋다.
만약 망령되게 움직여서 반드시 얻기를 구한다면 흉할 것이다.

○ 雙湖胡氏曰, 初本四之魚, 先於遇二, 爲所包占, 則四之包中无魚矣. 四雖正應, 然
遇合无常, 故起爭則凶. 離下卦居上卦, 有起象.

쌍호호씨가 말하였다: 초효는 본래 사효의 물고기인데 먼저 이효를 만나 싸여 점유되니 사
효의 꾸러미에는 물고기가 없다. 사효가 정응이긴 해도 만나서 합하는데 일정함이 없기 때
문에 싸움을 일으키면 흉하다. 하괘를 떠나 상괘에 있기에 일어나는 상이 있다.

○ 梁山來氏曰, 九四, 才雖剛而位則柔, 援正應之理起, 而與二相爭, 亦猶三國之爭,

---

33) 魚: 경학자료집성DB에는 '兼'으로 되어 있으나, 경학자료집성 영인본을 참조하여 '魚'로 바로잡았다.
34) 魚: 경학자료집성DB에는 '兼'으로 되어 있으나, 경학자료집성 영인본을 참조하여 '魚'로 바로잡았다.

荊州干戈无寧日也, 豈不凶. 故不曰凶, 而曰起凶, 如言趨釁也.

양산래씨가 말하였다: 구사는 재질이 비록 굳세지만 자리는 부드러워 정응을 도우려는 이치가 일어나 이효와 서로 다투는 것이 또한 삼국이 다툴 때에 형주가 방패와 창으로 편할 날이 없음과 같으니 어찌 흉하지 않겠는가? 그러므로 "흉하다"고 하지 않고, "흉함이 일어난다"고 했으니, '허물로 달려간다'고 말하는 것과 같다.

○ 案, 四旣不中, 初亦不正, 上下之乖離也. 苟使得中得正, 則初何曾舍正應而他遇乎, 四何曾失正應而不遇乎. 无魚起凶, 不獨四之失也, 亦初之罪也.

내가 살펴보았다: 사효가 이미 알맞지 못하고, 초효도 바르지 않아서 위와 아래가 괴리되었다. 만약 알맞음을 얻고 바름을 얻었다면, 초효가 어찌 정응을 버리고 다른 것을 만나겠으며, 사효가 어찌 정응을 잃고서도 만나려고 하지 않겠는가? 물고기가 없어 흉함이 일어남은 사효만의 잘못이 아니고 또한 초효의 죄이기도 하다.

김상악(金相岳) 『산천역설(山天易說)』

九四處巽之外, 初之應己, 遇於二, 而失其所遇, 猶包之无魚也. 起凶, 謂自下而起也.

구사가 손괘(☴)의 밖에 있고, 초효는 자기의 호응인데 이효를 만났으니, 그 만날 것을 잃어버림이 꾸러미에 물고기가 없는 것과 같다. '흉함이 일어남'은 아래로부터 일어남을 말한다.

○ 姤之義, 遠者不遇, 近者遇, 故二之比有魚而无咎, 四之應无魚而凶也. 起凶, 謂雖未凶, 凶由是起也. 巽之究爲震, 震起也. 邵子所謂陽起於復, 陰起於姤, 蓋以是也.

구괘의 뜻은 멀리 있는 자는 만나지 못하고, 가까운 자는 만나기 때문에 이효의 가까움에는 물고기가 있고 허물이 없으며, 사효의 호응에는 물고기가 없고 흉하다. '흉함이 일어남'은 아직 흉하진 않지만 흉함이 이것을 말미암아 일어남을 말한다. 손괘(☴)는 끝내는 진괘(☳)가 되는데, 진괘는 일어남이다. 소자(邵子)가 말한 "양은 복괘(復卦䷗)에서 일어나고, 음은 구괘(姤卦䷫)에서 일어난다"는 것도 다 이 때문이다.

서유신(徐有臣) 『역의의언(易義擬言)』

魚深入而包在外, 故曰包无魚也. 魚不入包, 縱于巨川, 誰能禁之也. 四與初正應, 是當包者, 而略其微小, 縱之防範之外, 而不復包制, 是將爲否爲觀, 而凶害由此起也.

물고기는 깊이 들어갔고 꾸러미는 밖에 있기 때문에 "꾸러미에 물고기가 없다"고 하였다. 물고기가 꾸러미에 들어가지 않으면, 큰 내에 헤엄쳐 다니니 누가 막을 수 있겠는가? 사효는 초효와 정응이니 마땅히 포용해야 하는 것인데, 그 미세하고 작은 것을 빠뜨려 방비하는 계책의 밖에 놓아 다시 포용하여 제어하지 못하면 이는 비괘(否卦)가 되고 관괘(觀卦)가 되어 흉함이 이를 말미암아 일어나게 된다.

강엄(康儼) 『주역(周易)』

按, 九三之厲无咎, 上九之吝无咎, 皆不以不遇爲過咎者, 蓋以不正之遇, 不如不遇故也. 至於九四, 則初六卽其正應, 而乃爲九二所遇, 是男之失其耦, 君之失其民也. 故此爻則以不遇爲凶, 而象亦以遠民釋之.

내가 살펴보았다: 구삼의 '위태로우나 허물이 없음'과 상구의 '인색하지만 허물이 없음'이 모두 만나지 않음을 허물로 삼지 않은 것은 대체로 바르지 않은 만남이 만나지 않음만 못하기 때문이다. 구사에 이르면 초육이 자기의 정응인데도 구이를 만났으니, 이는 남자가 그 짝을 잃은 것이고, 임금이 그 백성을 잃은 것이다. 그렇기 때문에 이 효에서는 만나지 않음을 흉하다고 여겼고, 「상전」에서도 백성을 멀리한 것으로 풀었다.

박문건(朴文健) 『주역연의(周易衍義)』

特剛暴下, 故有包无魚之象. 若不伏而妄興, 則有凶.

특별히 굳세면서 아래에 난폭하기 때문에 꾸러미에 물고기가 없는 상이 있다. 만약 엎드려 있지 않고 망령되게 일어난다면 흉함이 있다.

이지연(李止淵) 『주역차의(周易箚疑)』

魚是初也, 九二包有, 則九四之无, 可知也, 九二无咎, 則九四之凶, 可知也. 譬如見奪其婦於在下之人, 見奪其所食於在下之人, 見奪其民於在下之人也.

물고기는 초효니, 구이가 꾸러미에 가지고 있다면 구사에는 없다는 것을 알 수 있고, 구이가 허물이 없다면 구사는 흉하다는 것을 알 수 있다. 비유하면 아랫사람에게 아내를 빼앗기고, 먹을 것을 아랫사람에게 빼앗기고, 백성을 아랫사람에게 빼앗기게 된 것과 같다.

김기례(金箕澧) 「역요선의강목(易要選義綱目)」

四旣失初應, 故曰包无魚, 則將凶. 由已失德而失下, 故象曰遠民.

사효가 이미 초효의 호응을 잃었기 때문에 "꾸러미에 물고기가 없다"고 하였으니, 장차 흉할 것이다. 자기가 덕을 잃어서 아랫사람을 잃었기 때문에 「상전」에서 "백성을 멀리한다"고 하였다.

이항로(李恒老) 「주역전의동이석의(周易傳義同異釋義)」

傳, 四當姤遇之時, 居上位而失其下, 下之離, 由上之失德也. 四之失者, 不中正也.

『정전』에서 말하였다: 사효는 만나는 때를 당하여 윗자리에 있으면서 아랫사람을 잃었으니, 아랫사람이 떠난 것은 자신이 덕을 잃었기 때문이고, 사효(四)가 잃은 것은 중정(中正)하지 못해서이다.

本義, 初六正應, 己遇於二而不及於己, 故其象占如此.

『본의』에서 말하였다: 정응인 초육이 이미 이효를 만나 자기에게 미치지 못하기 때문에 그 상과 점이 이와 같다.

按, 陽之於陰, 以類言則淑慝也. 以理言則生成也. 淑慝互勝, 故不可有也, 生成相資, 故不可无也. 是以一姤之中, 吉凶喜愕, 竝行不悖. 女壯勿取, 羸豕孚蹢, 戒之之辭也, 品物咸章, 包魚包瓜, 美之之辭也. 四陽初陰, 相須成功, 理固當然, 而四失中德, 初牽柔道, 豕已繫柅, 魚不及賓, 則其爲與³⁵⁾凶居³⁶⁾可知也. 譬如夏月陽盛之時, 萬物不得金凝之氣, 則不能固結穎栗. 然則靜爲動主, 婦爲家始, 民爲邦本, 同一理也. 書曰民可近不可下, 其可遠乎哉. 孔子釋之曰遠民也, 戒之也深矣.

내가 살펴보았다: 양(陽)의 음(陰)에 대한 것을 부류로 말하면 맑음과 사특함이고, 이치로 말하면 낳음과 이룸이다. 맑음과 사특함은 서로 이기니 소유할 수 없고, 낳음과 이룸은 서로 바탕이 되니 없을 수 없다. 이 때문에 같은 구괘(姤卦)의 가운데 길과 흉, 기쁨과 놀람이 함께 진행되면서도 어그러지지 않는다. "여자가 건장하니 취하지 말아야 한다"와 "여윈 돼지가 뛰는데 믿음이 있다"는 경계하는 말이고, '만물이 모두 빛남'과 '물고기를 감싸고 오이를 감쌈'은 찬미하는 말이다. 사효의 양과 초효의 음이 서로 따르고 공을 이루는 것은 이치에 당연한 것이지만, 사효가 알맞은 덕을 잃고 초효는 부드러운 도를 견제하여 돼지가 이미 말뚝에 매이고 물고기가 손님에게 미치지 않으니, 그것이 흉함과 더불어 있음을 알 수 있다. 비유하면 여름철에 양(陽)이 성대한 때에 만물이 금(金)의 엉기는 기운을 얻지 못하면 이삭을 단단하게 맺지 못함과 같다. 그렇다면 고요함은 움직임의 주인이 되고, 아내는 집안의 시작이며, 백성은 나라의 근본이 되는 것은 동일한 이치이다. 『서경』에서 "백성은 가까이 할지언정 하대해서는 안 된다"³⁷⁾고 하였으니, 그것을 멀리할 수 있겠는가? 공자가 이를 해석하여 '백성을 멀리한다'고 하였으니, 심하게 경계함이다.

---

35) 與: 경학자료집성DB에는 '興'으로 되어 있으나, 경학자료집성 영인본을 참조하여 '與'로 바로잡았다.

36) 居: 경학자료집성DB에는 '□'으로 되어 있으나, 경학자료집성 영인본을 참조하여 '居'로 바로잡았다.

37) 『서경·오자지가』

심대윤(沈大允) 『주역상의점법(周易象義占法)』

姤之巽☴. 九四居柔不進, 雖不合於意, 而姑巽志溫存以徐觀之. 然終不可正合也, 故曰包无魚, 應於初而非其有. 有其象, 起凶, 言將來有凶也, 對震爲起.

구괘가 손괘(巽卦☴)로 바뀌었다. 구사가 부드러운 자리에 있으면서 나아가지 못하니, 비록 뜻에 합하지는 않지만 우선 뜻을 공손하게 하고 소중하게 보존해서 천천히 살펴야 한다. 그렇지만 끝내 바르게 합하지 못하기 때문에 "꾸러미에 물고기가 없다"고 하였으니, 초효에 호응하지만 그것이 가지고 있는 것은 아니다. 그 상에 흉함이 일어남이 있는 것은 앞으로 흉함이 있다고 말하는 것이니, 음양이 반대되는 진괘가 일어남이 된다.

오치기(吳致箕) 「주역경전증해(周易經傳增解)」

九四, 剛健在外, 獨與初柔爲正應, 而在姤之時, 以其居遠已, 不能相遇, 乃爲九二之所有. 卽包无魚之象, 而其勢必爭, 故言因此猜怒而起凶也.

구사는 강건함으로 밖에 있으면서 홀로 부드러운 초효와 정응이 되지만, 구괘의 때에 있으며 거처함이 멀어서 서로 만나지 못하기에 구이의 소유가 되었다. 바로 꾸러미에 물고기가 없는 상인데, 그 기세가 반드시 다투기 때문에 이런 질투와 분노 때문에 흉함이 일어난다고 말하였다.

○ 四以剛應初之柔, 故亦言包, 而魚之取象與二同.

사효는 굳셈으로 부드러운 초효와 호응하기 때문에 또한 '꾸러미[包]'라고 하였는데, 물고기로 상을 취함은 이효와 동일하다.

이진상(李震相) 『역학관규(易學管窺)』

爻入乾體, 乾能有包, 而已離巽體, 爲无魚也. 自起爭端, 故曰起匈.

효가 건괘(☰)의 몸체에 들어와서 건괘가 감쌀 수 있지만, 이미 손괘(☴)의 몸체를 떠났기에 물고기가 없음이 된다. 스스로 다툼의 실마리를 일으켰기 때문에 "흉함이 일어난다"고 말했다.

박문호(朴文鎬) 「경설(經說)·주역(周易)」

民主, 猶今言化民城主也.

백성의 주인이라는 것은 요즘 백성을 교화하여 주인이 된다는 말과 같다.

象曰, 无魚之凶, 遠民也.

「상전」에서 말하였다: "물고기가 없는 흉함"은 백성을 멀리하기 때문이다.

‖中國大全‖

傳

下之離, 由己致之. 遠民者, 己遠之也, 爲上者, 有以使之離也.

아래가 떠남은 자신으로 말미암아 이루어진 것이다. '백성을 멀리함'은 자신이 멀리한 것이니, 윗사람이 된 자가 떠나게 한 것이다.

本義

民之去己, 猶己遠之.

백성이 자기를 떠나감은 자기가 멀리한 것과 같다.

小註

朱子曰, 包无魚, 又去這裏見得個君民底道理. 陽在上爲君, 陰在下爲民.

주자가 말하였다: "꾸러미에 물고기가 없으니", 여기에서 임금과 백성의 도리를 알 수 있다. 양이 위에 있는 것이 임금이고, 음이 아래에 있는 것이 백성이다.

○ 雲峰胡氏曰, 易象, 或以陰爲小人, 或以爲民. 以爲小人, 遠之可也, 以爲民, 民不可遠也, 小象, 是別取一義.

운봉호씨가 말하였다: 역의 상에서 어떤 때는 음을 소인으로, 어떤 때는 백성으로 여겼다. 소인으로 여길 경우에는 멀리해도 되지만 백성으로 여길 경우에는 멀리해서는 안 되니, 「소상전」에서 따로 한 뜻을 취하였다.

┃韓國大全┃

조호익(曺好益) 『역상설(易象說)』

魚初象, 初已遇二, 无魚之象. 民初陰象, 陽爲君, 陰爲民. 又四陽在上君象, 初陰在下民象.

물고기는 초효의 상인데, 초효가 이효를 만났으니 물고기가 없는 상이다. 백성은 초효인 음의 상이니, 양은 임금이 되고 음은 백성이 된다. 또 사효인 양은 위에 있는 임금의 상이고, 초효인 음은 아래에 있는 백성의 상이다.

유정원(柳正源) 『역해참고(易解參攷)』

无魚 [至] 民也.

물고기가 없는 … 백성.

進齋徐氏曰, 民謂初柔, 遠民謂去初遠也.

진재서씨가 말하였다: 백성은 부드러운 초효를 말하고, '백성을 멀리함'은 초효에서 멀리 떨어짐을 말한다.

김상악(金相岳) 『산천역설(山天易說)』

陽爲君, 陰爲民, 卦惟一陰在下, 而爲二所遇, 故此曰遠民也.

양은 임금이 되고 음은 백성이 되는데, 괘의 유일한 음이 아래에 있으면서 이효와 만나게 되므로 여기서는 "백성을 멀리한다"고 하였다.

○ 繫辭傳, 一君二民, 君子之道也, 二君一民, 小人之道也, 況五君一民乎. 觀二陽四陰之卦, 剝一陽五陰之卦. 故剝上九曰民所載也, 觀九五曰觀民, 與遠民相反. 故皆以君子言也. 又易中或以陰爲小人, 或以爲民. 小人則遠之可也, 民不可遠也, 故遯大象曰遠小人, 此曰遠民, 皆陰之在下者也.

「계사전」에서 "임금이 하나에 백성이 둘이면 군자의 도이고, 임금이 둘에 백성이 하나이면 소인의 도이다"[38]라고 했거늘, 하물며 임금이 다섯에 백성이 하나임이랴! 관괘(觀卦䷓)는 양이 둘이고 음이 넷인 괘이고, 박괘(剝卦䷖)는 양이 하나이고 음이 다섯인 괘이다. 그러므로 박괘의 상구에서 "백성들이 추대한다"고 하고, 관괘의 구오에서 "백성을 본다"고 하였으니, '백성을 멀리함'과는 상반된다. 그러므로 모두 군자로 말하였다. 『주역』에서는 음(陰)이 소인이 되기도 하고, 백성이 되기도 한다. 소인은 멀리해도 되지만 백성은 멀리하면 안 되기 때문에 돈괘(遯卦)의 「대상전」에서 "소인을 멀리한다"고 하였고, 여기서는 "백성을 멀리한다"고 하였으니, 모두 음이 아래에 있는 경우이다.

서유신(徐有臣) 『역의의언(易義擬言)』

民可近不可遠, 遠則起亂也. 正應而遠, 較二爲遠也. 旣云魚, 又云民, 玩易之法, 可究也.

백성은 가까이 할 수는 있지만 멀리해서는 안 되니, 멀리하면 난을 일으킨다. 정응인데 먼 것은 이효와 비교할 때 먼 것이다. 이미 '물고기'라고 해놓고, 또 '백성'이라고 하였으니, 『주역』을 완미하는 법을 궁구할 수 있다.

박제가(朴齊家) 『주역(周易)』

雲峯胡氏曰, 易象或以陰爲小人. 或以爲民. 小人遠之可也, 民不可遠, 小象是別取一義.

운봉호씨가 말하였다: 역의 상에서 어떤 때는 음을 소인으로, 어떤 때는 백성으로 여겼다. 소인은 멀리하는 것이 옳지만 백성은 멀리할 수 없으니, 「소상전」에서 따로 한 뜻을 취하였다.

案, 小象傳以遠民爲凶, 則是不可遠之義, 而謂之別取一義者, 不能照管之誤也.

내가 살펴보았다: 「소상전」에서 '백성을 멀리함'을 흉하다고 여긴 것은 멀리할 수 없다는 뜻이니, "따로 한 뜻을 취했다"고 한 것은 잘 보지 못한 잘못이다.

박문건(朴文健) 『주역연의(周易衍義)』

〈問, 遠民. 曰, 九四, 失爲上之道, 故初六所以從二而不從四也, 其咎不在初而在四. 故云遠民也.

물었다: '백성을 멀리함'은 무슨 뜻입니까?

답하였다: 구사는 윗사람이 되는 도리를 잃었기 때문에 초육이 이효를 따르고 사효를 따르지 않는 것이니, 그 허물이 초효에게 있지 않고 사효에게 있습니다. 그러므로 "백성을 멀리한다"고 하였습니다.〉

---

38) 『周易·繫辭傳』: 其德行, 何也. 陽一君而二民, 君子之道也, 陰二君而一民, 小人之道也.

심대윤(沈大允)『주역상의점법(周易象義占法)』

言遠於民而不可得也. 民謂初在下也, 不能得民, 不合于上矣.

백성에게서 멀어 얻을 수 없음을 말했다. '백성'은 아래에 있는 초효를 말하니, 백성을 얻을 수 없다면 위로 화합하지 못한다.

오치기(吳致箕) 「주역경전증해(周易經傳增解)」

魚不及賓, 故爲无魚, 而爲二所隔, 故遠于民也. 初陰爲民象.

물고기가 손님에게까지 미치지 않기 때문에 물고기가 없게 되고, 이효에게 막혔기 때문에 백성에게서 멀다. 초효의 음이 백성의 상이 된다.

이병헌(李炳憲)『역경금문고통론(易經今文考通論)』

王曰, 二有其魚, 故失之也.

왕필이 말하였다: 이효가 그 물고기를 가지고 있기 때문에 잃어버리는 것이다.

正義曰, 陰爲民, 爲二所據, 故遠也.

『주역정의』에서 말하였다: 음(陰)은 백성이 되는데 이효에게 의지하는 바가 되기 때문에 먼 것이다.

九五, 以杞包瓜, 含章, 有隕自天.

구오는 박달나무 잎으로 오이를 싸니, 아름다움을 머금으면 하늘로부터 떨어짐이 있으리라.

┃中國大全┃

傳

九五下亦无應, 非有遇也. 然得遇之道, 故終必有遇. 夫上下之遇, 由相求也. 杞, 高木而葉大. 處高體大而可以包物者, 杞也. 美實之在下者, 瓜也, 美而居下者, 側微之賢之象也. 九五尊居君位而下求賢才, 以至高而求至下, 猶以杞葉而包瓜. 能自降屈如此, 又其內蘊中正之德, 充實章美, 人君如是, 則无有不遇所求者也. 雖屈已求賢, 若其德不正, 賢者不屑也. 故必含蓄章美, 內積至誠, 則有隕自天矣, 猶云自天而降, 言必得之也. 自古人君至誠降屈, 以中正之道, 求天下之賢, 未有不遇者也. 高宗感於夢寐, 文王遇於漁釣, 皆由是道也.

구오 또한 아래에 호응이 없으니, 만나는 것이 없다. 그러나 만나는 도를 얻었기 때문에 끝내 반드시 만남이 있는 것이다. 위와 아래가 만남은 서로 구하기 때문이다. '박달나무[杞]'는 높은 나무로 잎이 크다. 있는 곳이 높고 몸체가 커서 물건을 감쌀 수 있는 것은 박달나무이다. 아름다운 열매가 아래에 있는 것은 오이이니, 아름다우면서 아래에 있는 자는 미천한 어진 사람의 상이다. 구오가 높이 임금의 자리에 있으면서 아래로 어질고 재주 있는 신하를 구함은, 지극히 높은 이로서 지극히 낮은 사람을 구하는 것이니, 박달나무 잎으로 오이를 싸는 것과 같다. 스스로 낮추고 굽히기를 이와 같이 하고, 또 안에 중정(中正)한 덕을 쌓아서 충실하고 아름다우니, 임금이 이와 같으면 구하는 자를 만나지 못함이 없을 것이다. 비록 몸을 굽혀 어진 자를 구하더라도 만약 그 덕이 바르지 못하면 어진 자가 좋게 여기지 않는다. 그러므로 반드시 아름다움을 함축하여 안에 지극한 정성을 쌓으면 하늘로부터 떨어짐이 있을 것이니, 하늘로부터 내려온다는 말과 같으니, 반드시 얻는다는 말이다. 예로부터 임금이 지극한 정성으로 몸을 낮추고 굽혀서 중정(中正)한 도로 천하의 어진 자를 구하면 만나지 못한 자가 있지 않았다. 고종(高宗)이 꿈속에서도 감동하여 부열(傳說)을 만나고, 문왕(文王)이 낚시질하는 곳에서 여상(呂尙: 강태공)을 만났으니, 모두 이 도를 따른 것이다.

小註

程子曰, 高宗好賢之意, 與易姤卦同. 九五以杞包瓜含章有隕自天. 杞生於最高處, 瓜美物生低處, 以杞包瓜, 則至尊逮下之意也. 旣能如此, 自然有賢者出, 故有隕自天也. 後人遂有天祐生賢佐之說.

정자가 말하였다: 고종이 어진 이를 좋아하는 뜻이 역의 구괘와 같다. "구오는 박달나무 잎으로 오이를 싸니, 아름다움을 머금으면 하늘로부터 떨어짐이 있으리라"고 하였다. '박달나무'는 가장 높은 곳에서 자라고, 오이는 아름다운 물건으로 낮은 곳에서 자란다. "박달나무 잎으로 오이를 싸는 것"은 지극히 존귀한 자가 아래에 미친다는 뜻이다. 이미 이와 같이 하였다면 자연히 어진 이가 나오기 때문에 하늘로부터 떨어짐이 있게 되니, 후세 사람들이 마침내 하늘이 도와 어진 이를 낳아 보필한다는 말을 하였다.

本義

瓜, 陰物之在下者, 甘美而善潰. 杞, 高大堅實之木也. 五以陽剛中正, 主卦於上, 而下防始生必潰之陰, 其象如此. 然陰陽迭勝, 時運之常, 若能含晦章美, 靜以制之, 則可以回造化矣. 有隕自天, 本无而倏有之象也.

'오이'는 아래에 있는 음한 물건으로 달지만 잘 물러터진다. '박달나무'는 높고 크며 튼튼한 나무이다. 오효가 굳센 양이면서 중정(中正)하여 위에서 괘의 주인이 되어 아래로 처음 생겨 반드시 물러터질 음을 방지하니, 그 상이 이와 같다. 그러나 음과 양이 번갈아 이김은 시운(時運)의 떳떳함이니, 아름다움을 머금고 감추고서 조용히 제지한다면 조화를 회복할 수 있을 것이다. "하늘로부터 떨어짐이 있음"은 본래는 없었는데 갑자기 있는 상이다.

小註

朱子曰, 有隕自天, 言能回造化, 則陽氣復自天而隕, 復生上來, 都換了這時節.

주자가 말하였다: "하늘로부터 떨어짐이 있음'은, 놀아서 변화할 수 있는 것은 양의 기운이 다시 하늘로부터 떨어져 다시 생기는 것이니, 모두 이 계절을 바꾸는 것이다.

○ 隆山李氏曰, 姤所制在一陰, 爻中豕魚瓜, 皆象陰也. 杞叢生, 性堅而壽. 瓜蔓柔而不正, 附麗而生. 易以滋蔓, 小人之性, 初六之才也. 九五包制之, 有杞包瓜象. 陽明之謂章, 易遇陰中陽皆曰含章. 九五當陰長之世, 居陽明之位, 故曰含章. 一陰之生, 此造

化消息盈虛之運, 非人力所致. 九五當此時, 含其陽明之章, 以中正之道, 臨制之, 造次
顚沛, 不離於天命之正, 則所遇之時, 又何擇哉.

융산이씨가 말하였다: 구괘에서 억제해야 할 것은 하나의 음으로 효 가운데 돼지·물고기·
오이는 모두 음을 상징한다. '박달나무'는 무리지어 자라고 성질이 견고하고 오래 산다. 오이
는 부드러우면서 바르지 못하여 다른 것에 붙어서 산다. 역에서 덩굴로 자라는 것은 소인의
본성으로 초육의 자질이다. 구오는 감싸서 억제하니, 박달나무가 오이를 감싸는 상이 있다.
양이 밝은 것을 '아름다움[章]'이라 하니, 역에서 음을 만난 가운데의 양에 모두 "아름다움을
머금었다"고 하였다. 구오가 음이 자라는 시대를 만나 양이 빛나는 자리에 있기 때문에 "아
름다움을 머금었다"고 하였다. 한 음이 생기는 것은 변화하고 없어지고 자라며 차고 비는
운행으로 사람의 힘으로 어떻게 할 수 있는 것이 아니다. 구오가 이러한 때를 당하여 밝은
양의 아름다움을 머금고 알맞고 바른 도로써 억제하면서 급하거나 넘어지는 순간에도 천명
의 바름에서 떠나지 않아야 하니, 만나는 때를 또한 어떻게 선택하겠는가?

○ 中溪張氏曰, 有隕自天, 猶碩果不食, 而剝落復生, 此言陰陽升降循環之理也. 剝
之上九, 天位也, 復之初九, 地位也. 碩果自天而剝落於地, 復有生意存焉, 豈非有隕
自天乎.

중계장씨가 말하였다: "하늘로부터 떨어짐이 있음"은 큰 과일이 먹히지 않고 떨어져서 다시
생하는 것과 같으니, 이것은 음과 양이 오르내리며 순환하는 이치이다. 박괘의 상구는 하늘
자리이고, 복괘의 초구는 땅의 자리이다. 큰 과일이 하늘로부터 땅으로 떨어져 다시 살려는
뜻이 있는 것이니, 어찌 "하늘로부터 떨어짐이 있음"이 아니겠는가?

○ 雲峰胡氏曰, 二視初爲魚, 五視初爲瓜, 魚與瓜皆陰物之美者. 魚之餒, 瓜之潰, 必
自內始. 二與初遇, 故包有魚. 五與初无相遇之道, 猶以高大之杞, 而欲包在地之瓜也.
然瓜雖始生而必潰, 九五陽剛中正, 能包含章美, 靜以待之, 是雖陰陽消長時運之常,
而造化未有不可回者. 姤其將可轉而爲復乎. 剝之一陽, 窮上而復生於下, 其有隕自天
之象乎.

운봉호씨가 말하였다: 이효가 초효를 물고기로 보았고, 오효가 초효를 오이로 보았다. 물고
기와 오이는 모두 좋은 음의 물건이다. 물고기가 상하고 오이가 썩는 것은 반드시 안으로부
터 시작한다. 이효와 초효가 만나기 때문에 "꾸러미에 물고기가 있다"고 하였다. 오효와 초
효는 서로 만나는 도가 없으니, 높고 큰 박달나무가 땅에 있는 오이를 감싸고자 하는 것과
같다. 그러나 오이가 비록 처음 생겨나 반드시 썩겠지만 구오가 알맞고 바른 굳센 양이 아름
다움을 머금어 조용히 기다리니, 이것은 음과 양이 사라지고 자라는 계절의 운행일지라도
조화하여 돌지 않을 수 없는 것으로 구괘가 돌아서 복괘가 되려는 것이다. 박괘의 한 양이

가장 위에 있으면서 다시 아래에서 생길 것이니, "하늘로부터 떨어짐이 있는" 상일 것이다.

○ 雙湖胡氏曰, 九五本飛龍在天之主. 一步之初動纔不正, 昔之潛龍化爲羸豕. 一小人之進, 局面頓更, 事體大異, 重煩諸君子包制, 而九五至於包瓜含章, 聽自天之有隕, 其視聖人作而萬物睹氣象爲何如哉. 爲人君者, 宜知所以謹其初矣.

쌍호호씨가 말하였다: 구오는 본래 "나는 용이 하늘에 있는" 주체이다. 한걸음이라도 처음의 움직임이 바르지 못하면 이전의 "잠겨있는 용"이 "여윈 돼지"로 변할 것이다. 한 소인이 나아가면 상황이 갑자기 바뀌고 사정이 크게 달라져서 여러 군자의 감싸고 억제함을 거듭 번거롭게 할 것이니, 구오가 "오이를 싸고 아름다움을 머금음"에 이르러 하늘로부터 떨어짐이 있음을 듣는다면 그가 "성인이 일어남에 만물이 바라보는" 기상을 보는 것이 어떻겠는가? 임금이 마땅히 알아서 그 처음을 삼가야 하는 까닭이다.

▌韓國大全▐

권근(權近) 『주역천견록(周易淺見錄)』

姤九五, 以杞包瓜, 含章, 有隕自天, 言初六一陰微弱而在下, 九五剛陽之大而中正在上, 其力足以包畜在下之陰, 猶以杞葉之大包瓜之小, 言其易於包畜也.

구괘 구오의 "박달나무 잎으로 오이를 싸니, 아름다움을 머금으면 하늘로부터 떨어짐이 있으리라"는 초육의 한 음이 미약하게 아래에 있지만, 구오인 굳센 양이 크고 중정하여 위에 있어서 그 능력이 아래에 있는 음을 감쌀 수 있는 것이 박달나무의 큰 잎으로 작은 오이를 싸는 것과 같다고 말한 것이니, 감싸는 것이 쉬움을 말한다.

然五與初非其應位, 其力雖剛, 似難得遇而包畜也. 若能內含中正剛明章美之德, 靜以待之, 則始生之陰, 必長而進, 以至于二, 與五相應, 陽德必通, 無所不包. 故自可以得遇而包之, 猶杞之葉自高而忽隆於下, 可得而包瓜也.

그러나 오효는 초효와 호응하는 자리가 아니어서 그 힘이 비록 굳세도 만나서 감싸기 어려운 듯하다. 만약 안으로 중정하고 굳세고 밝으며 아름다운 덕을 머금을 수 있어 조용히 기다리면, 처음 나오는 음이 반드시 자라나서 나아가 이효자리에 이르러서 오효와 서로 호응하니, 양의 덕이 반드시 통하여 감싸지 않음이 없다. 그러므로 스스로 만나서 감쌀 수 있음이 박달나무의 잎이 높이 있다가 갑자기 아래로 떨어져 오이를 감쌀 수 있는 것과 같다.

有隕自天, 言杞葉之隕, 不由人力, 若天使之也. 程傳爲得賢才, 本義爲回造化, 推其理則皆通釋, 其辭則恐大深也.
"하늘로부터 떨어짐이 있으리라"는 박달나무 잎이 떨어짐이 사람의 힘 때문이 아니라 하늘이 그렇게 하는 것과 같다고 말한 것이다. 『정전』에서는 현명한 인재를 얻는 것이라고 하였고, 『본의』에서는 조화를 회복하는 것이라 하였는데, 그 이치를 미루어보면 모두 풀이가 통하지만 그 말이 너무 심각한 것 같다.

象曰, 志不舍命也, 命天理也. 陽之制陰, 理之自然. 所存之志, 能含章美而不違於理, 則自能得陰, 而制畜之矣. 陰雖方長, 於陽何患乎. 或以包爲包容, 非也. 陰雖微, 其漸可懼, 姤之初六, 卽坤之初六, 履霜之始也, 當自其微而制畜之.
「상전」에서 "뜻이 천명을 버리지 않기 때문이다"라고 한 천명은 천리이다. 양이 음을 제어하는 것은 이치가 저절로 그러한 것이다. 지니고 있는 뜻이 빛나는 아름다움을 머금어 이치를 어기지 않는다면 저절로 음을 얻어 제지하여 그치게 할 수 있다. 음이 비록 자라나더라도 양에게 무슨 근심이 되겠는가? 어떤 이는 감싸는 것[包]을 포용이라 하는데, 그렇지 않다. 음이 미약하지만 점진함은 두려워할 만하니, 구괘의 초육이 곧 곤괘(坤卦) 초육의 서리를 밟는 시작이기에, 그 미약할 때부터 제지하여야 한다.

조호익(曺好益) 『역상설(易象說)』

九五, 以杞包瓜.
구오는 박달나무 잎으로 오이를 싼다.

杞陽象, 指五. 木少陽, 故以象陽爻. 瓜陰物, 初象. 杞包瓜, 以陽包陰之象. 或曰, 杞全體巽木象.
박달나무는 양의 상이니 오효를 가리킨다. 나무는 소양(少陽)이기 때문에 양효로 상징하였다. 오이는 음에 속한 물건이니 초효의 상이다. '박달나무로 오이를 감쌈'은 양으로 음을 감싸는 상이다. 어떤 이는 "박달나무는 전체가 손괘인 나무의 상이다"라고 하였다.

송시열(宋時烈) 『역설(易說)』

巽爲杞爲包, 此之取巽, 大巽象也. 瓜說見上夫. 五含章者, 坤卦三爻之辭, 此亦變坤,故曰含章也. 五處中正之位, 若含蓄其光彩, 則吉. 乾爲木果, 故於包瓜之下言之, 言自乾天而下墜, 如自天祐之象. 巽爲命令, 而五爻處君位, 雖無應與, 其心則猶不舍, 巽有自上下合之志故也.

손괘는 버드나무가 되고 꾸러미가 되는데 이것은 손괘(☴)에서 취한 것으로 큰 손괘의 상이다. 오이는 설명이 앞의 쾌괘에서 보인다. 오효의 '아름다움을 머금음'은 곤괘 삼효의 말인데 이것도 변하면 곤괘가 되기 때문에 "아름다움을 머금는다"고 하였다. 오효가 중정한 자리에 있으니, 만약 그 광채를 머금고 쌓는다면 길하다. 건괘(☰)는 나무열매가 되기 때문에 오이를 감싼다는 아래에 말했는데, 건괘인 하늘로부터 아래로 떨어짐이 하늘로부터 돕는 상과 같음을 말한다. 손괘(☴)는 명령이 되는데, 오효가 임금의 자리에 있어서 비록 호응하여 함께하는 것은 없지만, 마음으로 여전히 버리지 못하니 손괘에는 본래 위아래가 합하는 뜻이 있기 때문이다.

석지형(石之珩) 『오위귀감(五位龜鑑)』

臣謹按, 姤之九五曰, 以杞包瓜, 程以求在下之賢爲主意, 朱以防始生之陰爲主意, 二賢所論雖若差異, 然求賢卽扶陽之義, 防陰卽禁邪之義. 猶一圈太極, 動而生陽, 靜而生陰, 一箇道理, 圓則河圖, 方則洛書, 初无二致也. 伏願殿下, 合而觀之, 互發其義焉.

신이 삼가 살펴보았습니다: 구괘의 구오에서 "박달나무 잎으로 오이를 싼다"고 하였는데, 정자는 아래에 있는 현인을 구하는 것을 주된 뜻으로 삼았고, 주자는 처음 생하는 음(陰)을 막는 것을 주된 뜻으로 삼았으니, 두 선생의 논리가 차이가 있는 것 같지만 현인을 구하는 것이 곧 양을 돕는 뜻이고, 음을 막는 것이 곧 삿됨을 막는 뜻입니다. 한 우리인 태극이 움직이면 양을 생하고, 고요하면 음을 생함이 같은 도리이고, 둥글면 하도이고 모나면 낙서인 것이 애초부터 다르게 귀결되는 것이 아닌 것과 같습니다. 엎드려 바라건대 임금께서는 합해서 보고 그 뜻을 함께 발명하십시오.

이현석(李玄錫) 「역의규반(易義窺斑)」

本義曰, 五以陽剛中正, 主卦於上, 而下防始生, 必潰之陰, 其象如此云.

『본의』에서 말하였다: 오효가 굳센 양이면서 중정(中正)하여 위에서 괘의 주인이 되어 아래로 처음 생겨 반드시 물러터질 음(陰)을 방지하니, 그 상이 이와 같다. 운운.

蓋以杞包瓜, 則瓜在包中, 不能長大, 而存其甘美之嫩體, 卽所謂含章. 坤之六三, 亦言含章者, 凡陰以滋蔓, 肆大爲憂, 若只用其柔順貞靜之道, 則何惡之有, 所以含章爲貴

也. 旣含章而受制於陽, 則作孼造惡之萌, 自然隕絶, 比如包中之瓜, 不能長大而久, 則
自隕也. 草木之凋落, 謂之隕蘀, 天時旣過, 則瓜蔓必隕, 有若自天之隕之也, 故曰有隕
自天也.

박달나무 잎으로 오이를 싸면 오이가 잎 속에 있어서 크게 자라나지 못하지만 감미로운 몸
체를 보존하니, 이른바 아름다움을 머금는다는 것이다. 곤괘(坤卦)의 육삼에서도 "아름다움
을 머금는다"고 한 것은 음이 불어나고 뻗어나가 제멋대로 클까봐 걱정한 것이니, 만약 유순
하고 바르고 고요한 도리를 쓴다면 무슨 악함이 있겠는가? 그래서 아름다움을 머금음을 귀
하게 여기는 것이다. 이미 아름다움을 머금고 양에게 제어를 받으면 재앙을 짓고 악을 만드
는 싹이 저절로 떨어져 끊어질 것이니, 이것은 잎 속의 오이가 오래도록 크게 자랄 수 없으
면 저절로 떨어지는 것과 같다고 비유하였다. 초목이 시들어 떨어지는 것을 '떨어진다[隕蘀]'
고 하는데, 하늘의 때가 이미 지나면 오이의 넝쿨이 반드시 떨어지는 것이 하늘로부터 떨어
지는 것과 같기 때문에 "하늘로부터 떨어짐이 있다"고 하였다.

夫以九五陽剛之君, 又挾卦中諸陽之爻, 其除剪在下始生之微陰, 宜若易然, 而今乃包
而制之, 使之保全厥美, 而潛抑其氣, 以待自隕, 此乃修人事俟天命之道也. 故曰志不
舍命, 聖人未嘗輕絶小人, 必欲矯揉而變化之, 用其才而銷其惡, 於此爻見之矣.

구오는 양으로 굳센 임금이고, 또 괘 속의 모든 양효를 끼었으니, 아래에서 처음 생기기
시작한 미약한 음을 제거하는 것이 마땅히 쉬울 것 같지만, 지금 감싸서 제어하여 그 아름다
움을 보전하고 그 기운을 억제하여 저절로 떨어지기를 기다리니, 이것이 사람의 일을 해놓
고 하늘의 명을 기다리는 도이다. 그렇기 때문에 "뜻이 명을 버리지 않았다"고 하였으니,
성인이 늘 소인을 가볍게 끊지 않고 반드시 바로잡아 변화시키고자 한 것이니, 그 재주를
쓰고 그 악함을 막음을 이 효에서 알 수 있다.

이익(李瀷) 『역경질서(易經疾書)』

九五中正, 故有以杞包瓜之象. 杞杞柳也. 故水可以包魚, 陸可以包瓜也. 瓜繫而不動,
故包無不存, 與二爲應, 二雖勢遠, 亦有魚在包中之象也. 有隕自天, 亦指瓜而言也. 人
民魚獸草木, 莫非天物, 此瓜前無而忽有, 非天之隕降而何. 人但知民之爲天民, 而不
知瓜之爲天物. 故有賤而暴殄者, 今包之以杞, 則貴而護焉, 豈非知天之命也耶. 物亦
如此, 況乎民耶, 故曰不舍命也.

구오는 중정하기 때문에 버드나무로 오이를 감싸는 상이 있다. '기(杞)'는 버드나무이다. 그
렇기 때문에 물에서는 물고기를 감싸고, 땅에서는 오이를 감쌀 수 있다. 오이는 매달면 움직
이지 않기 때문에 감싸면 보존되지 않음이 없고, 이효와 호응이 되니 이효가 비록 형세가

멀리 있더라도 또한 물고기가 꾸러미에 있는 상이 있다. '하늘로부터 떨어짐이 있음'은 오이를 가리켜 말한 것이다. 백성과 물고기와 짐승과 초목은 하늘의 물건이 아닌 것이 없지만, 이 오이는 앞에서는 없다가 갑자기 있게 되었으니, 하늘에서 떨어진 것이 아니면 무엇이겠는가? 사람은 다만 백성이 하늘의 백성인줄만 알고, 오이가 하늘의 물건임은 알지 못한다. 그러므로 잔혹하게 구는 자가 있더라도 지금처럼 버드나무로 감싼다면 귀하게 여겨 보호하는 것이니, 어찌 천명을 아는 것이 아니겠는가? 식물도 또한 이와 같거늘 하물며 백성에 있어서이겠는가? 그러므로 "천명을 버리지 않는다"고 하였다.

심조(沈潮) 「역상차론(易象箚論)」

九五, 包瓜.
구오는 오이를 싼다.

中溪曰, 豕魚瓜, 皆取陰物在下之象.
중계가 말하였다: 돼지와 물고기와 오이는 모두 음의 물건이 아래에 있는 상을 취하였다.

愚謂, 豕外柔內剛. 瓜亦五月出者也, 故於姤言之. 微妙無窮, 大概如此.
내가 살펴보았다: 돼지는 겉으로는 유순해도 속은 굳세고, 오이도 5월에 나오는 물건이기 때문에 구괘에서 말했다. 미묘함이 끝없음이 대체로 이와 같다.

윤동규(尹東奎) 「경설-역(經說-易)」

姤卦九五有隕自天, 王弼之意, 以謂无能傾隕之者, 蓋言惟天能隕之耳. 程傳曰, 猶云自天而降, 言必得之也, 蓋謂至誠求賢, 則得賢若自天降也. 本義云, 本無條有之象.
구괘 구오의 '하늘로부터 떨어짐'에 대해, 왕필의 뜻은 '기울여서 떨어뜨릴 수 있는 자가 없다'는 것이니, 오직 하늘만이 떨어뜨릴 수 있을 뿐이라고 말한 것이다. 『정전』에서는 "하늘로부터 내려온다는 말과 같으니, 반드시 얻는다는 말이다"라고 하였으니, 대체로 지극한 정성으로 어진 자를 구하면 어진 자를 얻는 것이 하늘로부터 내려온 것과 같음을 말한다. 『본의』에서는 "본래는 없었는데 갑자기 있게 된 상이다"라고 하였다.

按, 此三說, 於夫子所謂志不舍命, 恐皆未愜. 詩曰有虞殷[39]自天, 自天二字, 恐與此義

相同. 蓋陰之必潰, 理勢固有, 不與之角勝, 含晦章美. 雖有傾敗隕穫, 必求之天, 不以私害之, 此所謂志不舍命也, 命卽天也.

내가 살펴보았다: 이 세 가지 설은 공자가 말한 "뜻이 천명을 버리지 않기 때문이다"에 모두 합치하지 않는 것 같다. 『시경』에서 "또 은나라를 헤아리되 하늘로부터 하라"[40]고 하였는데, '하늘로부터 하라[自天]'는 말이 아마도 여기의 의미와 서로 같을 듯하다. 대체로 음(陰)이 반드시 물러터짐은 이치의 형세에 반드시 그러하니, 이와 더불어 승부를 다투지 않고 빛나는 아름다움을 머금어 감춰야 한다. 비록 무너지고 상실함이 있더라도 반드시 하늘에서 구하고 사사로이 해치지 않는다면, 이것이 이른바 "뜻이 명[命]을 버리지 않는다"는 것이니, '명(命)'은 곧 하늘이다.

유정원(柳正源) 『역해참고(易解參攷)』

張子曰, 以杞包瓜, 文王事紂之道也. 厚下以防中潰, 盡人謀而聽天命者歟.

장자가 말하였다: "박달나무 잎으로 오이를 싼다"는 것은 문왕이 주를 섬긴 도이다. 아래를 두텁게 하여 속이 물러터지는 것을 방비하고, 사람의 꾀를 다하고 천명을 기다리는 것이다.

○ 雙湖胡氏曰, 杞瓜皆因巽取象, 陰在下瓜象. 巽又爲木, 九五在高位, 又有杞木象.

쌍호호씨가 말하였다: 버드나무나 오이는 손괘에 근거해서 상을 취하였는데, 음이 아래에 있음이 오이의 상이다. 손괘가 또 나무가 되는데, 구오는 높은 자리에 있으니, 또한 박달나무의 상이 있다.

○ 梁山來氏曰, 杞與瓜, 皆五月所有之物, 乾爲果瓜之象也. 含章者, 含藏其章美也, 此爻變離, 有文明章美之意, 又居中有包含之意, 故曰含章.

양산래씨가 말하였다: 박달나무와 오이는 모두 5월에 있는 물건이고, 건괘(☰)는 과일과 오이의 상이 된다. "아름다움을 머금었다"는 것은 그 빛나는 아름다움을 머금었다는 것인데, 이 효가 변한 이괘(☲)에 문명함과 아름다움의 뜻이 있고, 또 가운데 있어서 포함하는 뜻이 있기 때문에 "아름다움을 머금었다"고 하였다.

○ 案, 五陽之所畏者, 一陰也. 以高大堅實之木, 下防始生易潰之陰, 而猶且含晦章美, 聽天所命, 其謹愼之意, 深矣.

내가 살펴보았다: 다섯 양이 두려워하는 것은 한 음이다. 높고 크며 견실한 나무가 아래로

---

40) 『詩經·大雅』: 宣昭義問, 有虞殷自天. 上天之載, 無聲無臭, 儀刑文王, 萬邦作孚.

처음 생기는 물러터지기 쉬운 음을 막으면서도 오히려 또 빛나는 아름다움을 머금고 하늘의 명을 기다리니 삼가는 뜻이 깊다.

木義, 瓜, 陰 [至] 之木.

『본의』에서 말하였다: 오이는 음한 … 나무이다.

案, 瓜杞訓似倒, 承上爻包魚而言, 故先言瓜歟.

내가 살펴보았다: 오이와 박달나무의 해석이 전도된 듯한데, 앞선 효의 물고기를 감쌈을 이어서 말했기 때문에 먼저 오이를 말했을 것이다.

김상악(金相岳) 『산천역설(山天易說)』

以陽剛居乾之中, 下防始生之陰, 故有以杞包瓜之象. 天地相遇, 品物咸章. 然陰陽迭勝, 時運之常, 能包含章美, 靜以待之, 則有自天之隕也.

굳센 양이 건괘의 가운데 있으면서 아래로 처음 생기는 음을 방비하기 때문에 박달나무 잎으로 오이를 싸는 상이 있다. 하늘과 땅이 서로 만나 만물이 모두 빛난다. 그렇지만 음양이 번갈아 이기는 것은 시운의 떳떳함이니, 빛나는 아름다움을 포용하고 고요히 기다린다면 하늘로부터 떨어짐이 있을 것이다.

○ 杞高大堅實之木, 謂乾也, 瓜陰物之在地者, 指初也. 姤有以杞包瓜之象, 故否之苞桑, 與杞爲對, 夬之莧陸, 與瓜爲對. 章者, 文之成也. 五變爲離, 離之文明章之象, 豊六五應離之二, 曰來章, 是也. 有隕自天者, 巽之命居乾天之下也. 故曰志不舍命也. 又自姤而剝, 一陽窮上, 反下而爲復, 乃自天而隕也. 隕字與四起凶之起字爲對.

박달나무는 높고 견실한 나무이니 건괘(☰)를 가리키고, 오이는 음적인 물건으로 아래에 있는 것이니 초효를 가리킨다. 구괘(姤卦)에는 박달나무 잎으로 오이를 싸는 상이 있기 때문에 비괘(否卦)의 '우북한 뽕나무'가 박달나무와 짝이 되고, 쾌괘(夬卦)의 '쇠비름'이 '오이'와 짝이 된다. '빛남[章]'은 무늬가 이루어진 것이다. 오효가 변하면 리괘(☲)가 되고, 리괘는 문명하게 빛나는 상이니, 풍괘(豊卦䷶)의 육오가 리괘(☲)의 이효와 호응함에 "빛나는 것이 온다"고 한 것이 이것이다. "하늘로부터 떨어짐이 있다"는 손괘(☴)의 명령이 건괘(☰)인 하늘의 아래에 있는 것이다. 그러므로 "뜻이 천명을 버리지 않는다"고 하였다. 또 구괘(姤卦䷫)로부터 박괘(剝卦䷖)가 되면, 한 양이 위에서 다하고 아래로 돌아와 복괘(復卦䷗)가 되니, 바로 하늘로부터 떨어짐이다. '떨어진대隕]'는 말은 사효의 "흉함이 일어난다"의 '일어난 대起]'는 말과 짝이 된다.

서유신(徐有臣) 『역의의언(易義擬言)』

杞巽象, 瓜艮象. 九二巽體, 而一陰又生, 則爲艮, 是巽包艮也, 杞包瓜也. 杞樹葉大稠
蔭, 所包瓜不滋蔓之象也, 故曰以杞包瓜, 以之者九五也.

박달나무는 손괘의 상이고, 오이는 간괘의 상이다. 구이는 손괘(☴)의 몸체인데, 한 음이
다시 생기면 간괘(☶)가 되니, 이는 손괘로 간괘를 감쌈이며, 박달나무로 오이를 감쌈이다.
박달나무의 잎은 크고 빽빽하게 덮어서 감싼 오이가 뻗지 못하는 상이기 때문에 "박달나무
잎으로 오이를 싼다"고 했으니, 그렇게 하는 것은 구오이다.

一陰方生之始, 惟當扶此抑彼, 防微杜漸, 使自消融於無形無跡之間, 不宜遽彰其運用
之機, 以激小人之怨怒也, 故曰含章也. 自天而隕者, 雨露霜雪, 不一其類, 可以養杞,
可以制瓜, 惟在九五之布施如何, 故曰有隕自天, 天九五象也. 此下疑有吉字.

한 음이 처음 생겨나면 이것을 붙들고 저것을 눌러 미미할 때 방비하여 점점 자람을 막아
형체도 없고 흔적도 없는 사이에 저절로 사라지게 하여야 하니, 갑자기 운용하는 기틀을
드러내서 소인의 원한과 분노를 격발시켜선 안 되기 때문에 "아름다움을 머금었다"고 하였
다. 하늘로부터 떨어지는 것은 비나 이슬, 서리나 눈처럼 종류가 한결같지 않아 박달나무를
기를 수도 있고, 오이를 제어할 수도 있는데, 오로지 구오의 베풂이 어떠하냐에 달려있기
때문에 "하늘로부터 떨어진다"고 하였으니, 하늘은 구오의 상이다. 이 아래에 '길(吉)'자가
있어야 할 듯하다.

윤행임(尹行恁) 『신호수필(薪湖隨筆)·역(易)』

孔子答子路, 吾豈匏瓜云者, 卽引姤之九五包瓜以喩之也. 以其至誠中正屈己求賢之
心, 藹然存諸中, 發於外, 佛肸雖是叛者, 其招來之意, 可以見其一端良心, 故夫子以包
瓜自譬, 而曉子路之惑也.

공자가 자로에게 "내가 어찌 뒤웅박과 같겠는가"[41]라고 답한 것은 구괘(姤卦) 구오의 '오이
를 감쌈[包瓜]'을 끌어다 비유한 것이다. 지극한 정성과 중정함으로 아래로 자기를 굽혀 어
진 이를 구하는 마음은 왕성하게 속에 있다가 밖으로 드러나니, 필힐[42]이 모반을 하려했지
만 불러들이는 뜻에서 일말의 양심을 볼 수 있기 때문에 공자가 '오이를 감쌈'으로 스스로를
비유하여 자로의 미혹함을 깨우친 것이다.

---

41) 『논어·양화』.
42) 필힐(佛肸): 춘추 시대 노(魯)나라 사람으로 중모를 거점으로 반란을 일으켰다. 사람을 보내 공자(孔子)를
초청했지만 공자가 가지 않았다.

박문건(朴文健)『주역연의(周易衍義)』

防患不密, 故有杞包瓜之象, 瓜謂九二也.

환난을 막음이 엄밀하지 못하기 때문에 박달나무 잎으로 오이를 싸는 상이 있으니, 오이는 구이를 말한다.

〈問, 杞瓜之取義. 曰, 杞處高之木, 瓜在下之物也. 故於五取杞, 於二取瓜. 然杞性堅實, 瓜性感陽, 故俱取於陽爻也. 問, 以杞包瓜以下, 曰, 九五知九二之必害己, 而防患不密, 故有用杞葉包瓜實之象. 瓜必脫出, 安能處內乎. 知其禍患之將至, 故雖含晦其德而不出, 然有隕墜覆喪之禍自天而降也. 蓋九五雖所處中正, 然不循天理, 故至此禍也. 處危, 雖而捨剛用柔, 取亡之道也. 曰, 二微而五盛, 其禍如此者, 何. 曰, 五无與而二得民也.

물었다: 박달나무와 오이는 무슨 뜻을 취한 것입니까?

답하였다: 박달나무는 높은 곳에 있는 나무이고, 오이는 아래에 있는 물건입니다. 그렇기 때문에 오효에는 박달나무를 취하였고, 이효에는 오이를 취했습니다. 그러나 박달나무의 성질은 견실하고, 오이의 성질은 양기에 감응하기 때문에 모두 양효에서 취했습니다.

물었다: "박달나무 잎으로 오이를 싼다" 이하는 무슨 뜻입니까?

답하였다: 구오는 구이가 반드시 자기를 해칠 것을 알았지만, 환난을 방비함이 엄밀하지 못했기 때문에 박달나무 잎으로 오이 열매를 싸는 상이 있습니다. 오이는 반드시 탈출하니, 어찌 안에 둘 수 있겠습니까? 그 환난이 이를 것을 알기 때문에 비록 덕을 머금어 감추고서 드러내지 않았지만, 떨어지고 뒤집히는 환난이 하늘로부터 내려옴이 있습니다. 대체로 구오가 비록 머무는 곳이 중정하지만, 천리를 따르지 않으므로 이러한 환난에 이르렀으니, 위험에 처하여 단지 굳셈을 버리고 부드러움을 쓰는 것은 망하는 도리입니다.

물었다: 이효는 미약하고 오효는 성대한데, 그 환난이 이와 같음은 어째서입니까?

답하였다: 오효는 더부는 이가 없고, 이효는 백성을 얻었기 때문입니다.〉

이지연(李止淵)『주역차의(周易箚疑)』

易之取象不一也. 初六之於四爲民, 則獨不於五爲民乎. 況九四九二, 皆九五之臣也. 臣之所乘應者, 非吾民而何. 瓜是至下至低之物也, 杞是在上在高之木也, 以九五包初六, 便如以杞包瓜也. 章文命也, 含其敷文命之心也. 有隕自天, 言九五之文命, 下於初六之民, 如自天而降也. 故曰不舍命也, 此是以君遇民者也.

『주역』에서 상을 취함은 획일적이지 않다. 초육이 사효에 대해 백성이 된다면 오효에 대해서만 백성이 되지 않겠는가? 하물며 구사와 구이가 모두 구오의 신하임에랴! 신하가 타고 호응하는 것이 나의 백성이 아니고 무엇이겠는가? '오이[瓜]'는 지극히 아래에 있고 지극히 낮게 있는 식물이고, '박달나무'는 위에 있고 높이 있는 나무인데, 구오가 초육을 감쌈이 곧 박달나무로 오이를 감싸는 것과 같다. '장(章)'은 아름다운 분부이니, 아름다운 분부를 펼치 려는 마음을 머금는 것이다. '하늘로부터 떨어짐이 있음'은 구오의 아름다운 분부가 초육의 백성에게 내려감이 하늘로부터 떨어지는 것과 같음을 말한 것이다. 그러므로 "천명을 버리 지 않기 때문이다"고 하였으니, 이것이 임금이 백성과 만나는 까닭이다.

김기례(金箕澧)「역요선의강목(易要選義綱目)」

巽爲木爲高, 故取杞. 杞高而葉大, 可包物, 言五陽可包畜初陰.
손괘(☴)는 나무가 되고 높은 것이 되기 때문에 박달나무를 취하였다. 박달나무는 키가 크 고 잎이 커서 물건을 감쌀 수 있으니, 오효의 양이 초효의 음을 감싸서 멈추게 할 수 있음을 말한다.

○ 乾爲圜, 故曰包.
건괘는 둥근 것이 되기 때문에 '감싼다'고 하였다.

○ 瓜與艮蓏同義. 蓋在下之美實, 指初陰.
오이는 간괘(☶)의 풀 열매와 같은 뜻이다. 아래에 있는 아름다운 열매는 초효의 음을 가리 킨다.

○ 言九五雖无應初之理, 自以君位包含以俟, 則陰陽循環之理, 豈无回造化. 隕初天 之遇, 故象曰志不舍命.
말하자면 구오가 비록 초효에 호응하는 이치가 없지만, 스스로 임금의 자리에서 감싸고서 기다린다면 음양이 순환하는 이치가 어찌 조화를 따름이 없겠는가?라는 말이다. '떨어짐'은 초효와 하늘의 만남이기 때문에「상전」에서 "뜻이 천명을 버리지 않기 때문이다"고 하였다.

○ 一陰始生, 則知一陽復生之機, 而含晦待時, 則姤其將轉爲復. 一陽復生下, 則非自 天之隕耶.
하나의 음이 처음 생기면 하나의 양이 다시 생기는 기틀도 알 수 있으니, 머금어 감추고서 때를 기다리면 구괘(姤卦)가 장차 돌아 복괘(復卦)가 된다. 한 양이 아래에서 다시 나오는 것이 하늘에서 떨어짐이 아니겠는가?

윤종섭(尹鍾燮) 『경(經)·역(易)』

以杞包苽, 杞者枝葉盛大之木也, 有可以包庇之德. 苽是五月之物, 而姤爲五月卦, 取象於苽. 苽是蔓延而援於大木, 然後必遠揚. 五以陽剛中正之德, 包容初之一陰, 如杞之包苽也. 蓋夏至以前, 木葉皆向上, 陽盛而然也. 至後果子漸長, 木葉皆向下, 所以包果之理也.

"박달나무로 오이를 싸다"에서 '박달나무'는 가지와 잎새가 성대한 나무로 감싸고 비호하는 덕이 있다. 오이는 5월의 식물이고, 구괘는 5월의 괘여서 오이에서 상을 취하였다. 오이는 덩굴이 뻗어 큰 나무를 휘감은 뒤에 반드시 멀리까지 올라간다. 오효가 양의 굳세고 중정한 덕으로 초효의 한 음을 포용함이 박달나무가 오이를 감싸는 것과 같다. 대체로 하지 이전에는 나뭇잎이 모두 위를 향하는 것은 양이 성대해서 그렇다. 하지 이후에는 열매가 점점 자라고 나뭇잎이 모두 아래를 향하니, 그래서 열매를 감싸는 이치인 것이다.

이항로(李恒老) 「주역전의동이석의(周易傳義同異釋義)」

傳, 杞, 高木而葉大. 處高體大而可以包物者, 杞也. 美實之在下者, 瓜也, 美而居下者, 側微之賢之象也. 云云. 有隕自天, 猶云自天而降, 言必得之也.

『정전』에서 말하였다: 박달나무[杞]는 높은 나무로 잎이 크다. 있는 곳이 높고 몸체가 커서 물건을 감쌀 수 있는 것은 박달나무이다. 아름다운 열매가 아래에 있는 것은 오이이니, 아름다우면서 아래에 있는 자는 미천한 어진 사람의 상이다. 운운. 하늘로부터 떨어짐이 있을 것이니, 하늘로부터 내려온다고 말함과 같으니, 반드시 얻는다는 말이다.

本義, 瓜, 陰物之在下者, 甘美而善潰. 杞, 高大堅實之木也. 五以陽剛中正, 主卦於上, 而下防始生必潰之陰, 其象如此. 然陰陽迭勝, 時運之常, 若能含晦章美, 靜以制之, 則可以回造化矣. 有隕自天, 本无而倏有之象也.

『본의』에서 말하였다: '오이'는 아래에 있는 음한 물건으로 달지만 잘 물러터진다. '박달나무'는 높고 크며 튼튼한 나무이다. 오효가 굳센 양이면서 중정(中正)하여 위에서 괘의 주인이 되어 아래로 처음 생겨 반드시 물러터질 음을 방지하니, 그 상이 이와 같다. 그러나 음과 양이 번갈아 이김은 시운(時運)의 떳떳함이니, 아름다움을 머금고 감추고서 조용히 제지한다면 조화를 회복할 수 있을 것이다. '하늘로부터 떨어짐이 있음'은 본래는 없었는데, 갑자기 있는 상이다.

按, 象傳孔子釋之曰, 天地相遇, 品物咸章也, 剛遇中正, 天下大行也, 正指九五而言. 蓋杞包瓜, 在上之陽遇在下之陰之象, 卽天地相遇之謂也. 含章, 陰陽相遇蘊畜章美之象, 卽品物咸章之謂也. 有隕自天, 陽剛位于中正, 天下影從, 而自天佑之吉无不利之象, 卽剛遇中正天下大行之謂也. 傳又釋之曰, 九五含章, 中正也, 有隕自天, 志不舍命也, 言人君之志, 上天之命, 同一中正而已矣.

내가 살펴보았다: 「단전」에서 공자가 "하늘과 땅이 서로 만나 만물이 모두 빛나고, 굳셈이 중정(中正)을 만나 천하에 크게 행해진다"고 풀이한 것은 바로 구오를 가리켜 말한 것이다. "박달나무 잎으로 오이를 싼다"는 위에 있는 양이 아래에 있는 음을 만나는 상이니, 하늘과 땅이 서로 만나 만난다는 말이다. "아름다움을 머금는다"는 음양이 서로 만나 아름다움을 속에 쌓는 상이니, 만물이 모두 빛난다는 말이다. "하늘로부터 떨어짐이 있다"는 굳센 양이 중정한 자리에 있어 천하가 그림자처럼 따라 "하늘로부터 도와서 길하여 이롭지 않음이 없다"[43]는 상이니, 굳셈이 중정(中正)을 만나 천하에 크게 행해진다는 말이다. 「소상전」에서 다시 "구오가 아름다움을 머금음은 중정(中正)함이고, 하늘로부터 떨어짐이 있음은 뜻이 천명을 버리지 않기 때문이다"라고 풀이한 것은 임금의 뜻과 하늘의 명이 동일하게 중정할 뿐임을 말한다.

심대윤(沈大允) 『주역상의점법(周易象義占法)』

姤之鼎䷱, 變惡爲善也. 九五居剛求擇, 而五之時, 已偏求天下矣, 而終不得堯舜之仁以爲之君, 姑擇其次之, 可以變化氣質而入於道者, 從之焉, 伊尹之於太甲, 周公之於成王, 是也. 杞材美而高大, 葉大而鬱暗, 不露其文章, 全卦巽互坎有其象. 瓜易熟之物也, 艮爲瓜, 對屯有艮. 杞, 以喩我之含章也, 瓜, 以喩其所從之可變爲善也. 包包裹也, 亦有含忍之意. 以杞包瓜, 言含章以從於中材之主也. 夫變化僅可有爲之君, 以入堯舜之道, 不可逕庭直行而驟與之言上事也. 知未及而言之則惑, 信未立而行之則疑, 疑惑一生不可復爲也, 必擇其可能而告之, 因其所明而導之, 涵養而漸致, 然後乃有成也. 子曰, 齊一變至於魯, 魯一變至於道, 聖人之化俗, 尙有漸次, 況匡君乎哉. 非特君臣也, 凡有告於人者, 皆然矣. 故曰含章, 以五之剛中, 故能之也. 有隕自天, 朱子曰, 本无而有, 能囘造化也. 五能令其君漸復于善, 以至於至誠盡其性命. 故曰自天. 大有之至誠, 亦曰自天. 震巽爲動, 而下曰隕.

구괘가 정괘(鼎卦䷱)로 바뀌었으니, 악이 변하여 선이 되는 것이다. 구오는 굳센 자리에 있으면서 구하고 고르는데, 오효의 때는 이미 천하에서 두루 구했지만 끝내 요순과 같은 어진 이를 임금으로 삼지 못하여 일단 그 차선을 골랐는데, 기질을 변화시켜 도에 들어갈 수 있는 자가 이를 따르니, 이윤이 태갑에 있어서와 주공이 성왕에게 있어서가 이것이다.

---

43) 『周易・大有卦』: 上九, 自天祐之, 吉无不利.

박달나무는 재질이 아름답고 높고 크며, 잎이 커서 그늘이 울창하여 그 문장을 드러내지 않는데, 전체의 괘인 손괘와 호괘인 감괘에 그런 상이 있다. '오이'는 익기 쉬운 물건으로 간괘(☶)가 오이인데, 음양이 반대되는 준괘(屯卦䷂)에 간괘(☶)가 있다. '박달나무'는 내가 아름다움을 머금은 것을 비유한 것이고, '오이'는 따르는 바가 변하여 선하게 될 수 있음을 비유한 것이다. '싸다'는 감싸는 것인데, 참아낸다는 의미도 있다. 박달나무 잎으로 오이를 싸는 것은 아름다움을 머금고 알맞은 재질의 주인을 따르는 것을 말한다. 겨우 해낼 수 있는 임금을 변화시켜 요순의 도에 들어가게 하고, 지름길로 직행하여 갑자기 더불어 위의 일을 말해서는 안 된다. 지혜가 미치지 못하는데 말하면 의혹되고, 믿음이 서지 않았는데 행하면 의심하니, 의심과 의혹이 한 번 생기면 다시 할 수 없으니, 반드시 가능한 것을 골라서 말하고, 분명한 것을 근거로 인도하여 함양해서 점차 이르게 한 뒤에야 이룰 수 있다. 공자는 "제나라가 한 번 변하면 노나라가 되고, 노나라가 한 번 변하면 도에 이른다"고 하였다. 성인이 세속을 교화하는데도 오히려 점진적인 차례가 있거늘, 하물며 임금을 바로 잡음에랴! 임금과 신하뿐만이 아니라, 다른 이에게 말해주는 것도 모두 그렇다. 그러므로 "아름다움을 머금었다"고 하였는데, 오효는 굳세며 알맞기 때문에 이것이 가능하다. "하늘로부터 떨어짐이 있다"에 대해 주자는 "본래 없다가 있음이니 조화를 회복할 수 있다"고 하였다. 오효는 그 임금이 점차 선을 회복하여 지극한 정성으로 성명을 다하는 데까지 이르게 할 수 있다. 그러므로 "하늘로부터"라고 하였으니, 대유괘의 지극한 정성에도 "하늘로부터"라고 하였다. 진괘(☳)와 손괘(☴)가 움직임이 되고 내려옴을 '떨어짐[隕]'이라 하였다.

오치기(吳致箕) 「주역경전증해(周易經傳增解)」

九五剛健中正而居尊, 下有巽順之臣民, 當姤之時, 居崇高之位, 容側微之賢, 有以杞包瓜之象. 是乃包含在下之章美, 而及其相遇, 寵命之錫, 自天而降, 卽君上好賢之誠, 而姤之極善者也. 故其辭如此.

구오는 강건하고 중정하여 높이 있으면서 아래에 공손한 신하와 백성이 있는데, 구괘(姤卦)의 때를 맞아 높은 자리에 있으면서 미천한 어진 이를 포용하니, 박달나무 잎으로 오이를 싸는 상이 있다. 이는 바로 아래에 있는 아름다움을 감싸 머금어 서로 만나게 되어 총애하는 명령을 내림이 하늘로부터 내려오니, 곧 임금이 어진 이를 좋아하는 성의이며 만남의 지극히 선한 것이다. 그러므로 그 말이 이와 같다.

○ 杞者, 高大之木, 而取於巽及乾也. 瓜者, 蔓生甘美之實, 在田之物, 而取於似體之艮爲蓏也. 乾剛在上, 巽柔在下, 有以剛包柔之象, 故曰包, 曰含也. 章者, 美也, 剛柔之兼全曰章, 而指在下之賢也. 巽爲風, 故言隕, 而謂自上墜下也. 天指天位也. 象傳所言剛遇中正, 天下大行者, 正指此爻之義也.

'박달나무'는 높고 큰 나무로 손괘(☴)와 건괘(☰)에서 취하였다. '오이'는 덩굴에서 나오는 감미로운 열매로 밭에 있는 물건인데, 비슷한 몸체인 간괘(☶)가 풀 열매인 것에서 취하였다. 건괘(☰)의 굳셈이 위에 있고 손괘(☴)의 부드러움이 아래에 있어서 굳셈으로 부드러움을 감싸는 상이 있기 때문에 "감싼다"고 하고 "머금는다"고 하였다. '장(章)'은 아름다움이니, 굳셈과 부드러움이 함께 온전한 것을 '장(章)'이라 하는데, 아래에 있는 어진 이를 가리킨다. 손괘(☴)는 바람이 되기 때문에 '떨어진다'고 하였는데, 위에서 아래로 떨어짐을 말한다. '천(天)'은 하늘의 자리를 가리킨다. 「단전」에서 말한 "굳셈이 중정(中正)을 만나 천하에 크게 행해진다"는 것은 바로 이 효의 뜻을 가리킨다.

이진상(李震相) 『역학관규(易學管窺)』

以杞包瓜.

박달나무 잎으로 오이를 싼다.

九五君位, 陽剛中正, 所求於下者, 賢士而已, 非若四三以下之猶有繫累也. 但陽剛之所悅, 易偏於不正之陰, 人君之所愛, 易流於偏佞之類. 夫時物之甘美者, 莫如瓜, 而性實善潰, 不可歆藏者也. 彼小人之巧言令色, 善於逢迎, 而上蠱君心, 下亂國事, 終至於敗壞者, 有似乎瓜. 今以人主之尊, 處九重之邃, 俯求草野之美材, 而反有取乎此人者, 如以高大之杞, 欲包在地之瓜, 其爲不可, 明甚. 但當含畜其章美, 修德積誠, 則賢輔之應時有, 如從天而降也. 姤體本乾, 乾爲果蓏, 安知無甘美不潰之果, 進御於九重. 如漢殿之幡桃也哉. 此實賢賢易色之意, 明良相遇之象, 而程傳專以瓜爲在下側微之賢者, 不合於姤之本象, 而本義謂下防始生必潰之陰說, 甚難通. 杞以包瓜者, 將使之易潰耶, 欲使之勿潰耶. 知其易潰, 則不當更加包裹, 欲其勿潰, 則殊非抑陰之意. 防之於包, 義實不襯, 靜以制之者, 將謂包容小人, 使不得作弄而已耶. 恐其滋蔓而難圖也. 本無而倏有者, 將謂姤陰漸長爲否爲剝, 以待碩果之自落下來耶. 恐其懦緩而無及也.

구오는 임금의 자리로 굳센 양이 중정하여 아래로 구하는 것은 어진 선비일 뿐이니, 삼효나 사효 아래가 여전히 얽매임이 있는 것과는 다르다. 다만 굳센 양이 기뻐하는 것이 부정한 음에 치우치기 쉽고, 임금이 사랑하는 것이 아첨하는 무리에 흐르기 쉽다. 그 때의 사물에서 달고 아름다운 것은 오이보다 더한 것이 없지만, 실제 성질은 잘 물러 터져 깊이 보관할 수 없는 것이다. 저 소인의 좋은 말과 안색은 영접에는 좋지만, 위로는 임금의 마음을 해치고 아래로는 나라의 일을 어지럽혀 끝내 무너지게 하는 것이니 오이와 유사함이 있다. 지금 높은 임금이 구중의 궁궐 속에 있으면서 시골의 아름다운 인재를 아래로 구하는데도 도리어 이와 같은 자를 취함이 있는 것은 높고 큰 박달나무가 땅에 있는 오이를 포용하고자 하는 것과 같으니, 그 옳지 않음이 매우 분명하다. 다만 그 아름다움을 머금고 있으면서 덕을 닦고 정성을 쌓는다면 보필하는 어진이의 호응이 때로 있는 것은 하늘에서 내려오는 것과 같다. 구괘의 몸체는 본래 건괘이고 건괘는 열매가 되는데, 한나라 조정의 번도(蟠桃)의 일처럼 달면서 물러터지지 않는 열매가 구중궁궐의 임금에게 바쳐질 수 없음을 어찌 알 수 있겠는가? 이는 실제로 어진 사람을 좋아함을 호색과 바꾸라는 뜻이며, 현명한 임금과 어진 신하가 서로 만나는 상이니, 『정전』에서 오로지 오이를 아래에 있는 미천한 어진이로만 여겼으니 구괘 본래의 상과 맞지 않고, 『본의』에서 "아래로 처음 생겨 반드시 물러터질 음을 방지한다"고 한 것은 통하기 매우 어렵다. 박달나무 잎으로 오이를 싸는 것은 쉽게 물러터지게 함인가, 물러터지지 않게 함인가? 그것이 쉽게 물러터짐을 안다면 다시 속에다 싸서는 안 되고, 물러터지지 않게 하려는 것이라면 절대 음(陰)을 억제한다는 뜻이 아니다. 포용하여 막음은 뜻이 실제로 나타나지 않고, 고요하게 제어한다는 것은 소인을 포용하여 희롱하지 못하게 한다는 말인가? 무성하게 자라나서 도모하기 어려울까 염려된다. 본래 없다가 갑자기 있다는 것은 구괘의 음이 점점 자라서 비괘가 되고 박괘가 되어 큰 과실이 저절로 떨어짐을 기다리는 것인가? 나약하고 느슨해서 미치지 못할까 염려된다.

○ 九五, 以杞 [至] 自天.
구오는 박달나무 잎으로 … 하늘로부터 떨어짐이 있으리라.
包乾象, 杞巽木也, 瓜巽草也. 九五與二同德, 而二先遇初, 故九五乃用二包初, 使之進御. 然易潰之瓜, 何所用乎. 變兌爲口, 故言含, 變離爲明, 故言章. 有隕自天, 猶言從而降, 不必求在下易潰之瓜, 而賢輔應期自至, 如剝上之碩果自落下來也. 乾爲木果.
싸는 것은 건괘(☰)의 상이고 박달나무는 손괘(☴)의 나무이고 오이는 손괘의 풀이다. 구오가 이효와 같은 덕인데 이효가 먼저 초효를 만났기 때문에 구오가 이효로 초효를 싸서 나아감을 제어하지만, 물러터지기 쉬운 오이에게 무슨 소용이겠는가? 변한 태괘(☱)가 입이 되기 때문에 '머금음'을 말하였고, 변한 리괘(☲)가 밝음이 되기 때문에 '아름다움'을 말하였다. '하늘로부터 떨어짐이 있음'은 따라서 내려온다고 말함과 같으니, 반드시 아래로 물러터지기 쉬운 오이를 구하지 않더라도 도와줄 어진 이가 기일에 맞춰 오는 것이 박괘(剝卦) 상구의 큰 과실이 저절로 떨어져 내려옴과 같다는 것이다 건괘(☰)가 나무와 과실이 된다.

박문호(朴文鎬) 「경설(經說)·주역(周易)」

瓜指九二, 而程傳不言者, 蓋以象傳剛遇中正已言之故也.
오이는 구이를 가리키는데, 『정전』에서 말하지 않은 것은 「단전」에서 "굳셈이 중정을 만난다"는 것으로 이미 말했기 때문이다.

本義, 以初方長之陰爲必潰, 有若於夬之將盡之陰者. 然蓋主初陰觀之, 方進而不已, 主九五觀之, 則見其單弱有必潰之象, 亦抑陰之意也.

『본의』에서 초효의 막 자라나는 음을 반드시 물러터지는 것으로 여긴 것은 쾌괘(夬卦)에서 막 끝나가려는 음과 같은 것이 있다. 그러나 초효인 음을 위주로 보면 막 나아가 그치지 않고, 구오를 위주로 보면 홀로 약해서 반드시 물러터지는 상이 있음을 볼 수 있으니, 역시 음을 억제하려는 뜻이다.

象曰, 九五含章, 中正也,

「상전」에서 말하였다: "구오가 아름다움을 머금음"은 중정(中正)함이고,

‖中國大全‖

傳

所謂含章, 謂其含蘊中正之德也, 德充實則成章而有輝光.

‘아름다움을 머금음[含章]’은 중정(中正)한 덕을 머금고 쌓는다는 말이니, 덕이 충실해지면 아름다움을 이루어 빛남이 있는 것이다.

有隕自天, 志不舍命也.

"하늘로부터 떨어짐이 있음"은 뜻이 천명을 버리지 않기 때문이다.

║中國大全║

傳

命, 天理也, 舍, 違也. 至誠中正, 屈己求賢, 存志合於天理, 所以有隕自天, 必得之矣.

'명(命)'은 하늘의 이치이고, '버림[舍]'은 어김이다. 지극한 정성과 중정(中正)으로 몸을 굽혀 어진 자를 구하고, 뜻을 하늘의 이치와 합하는 데 두었으므로 하늘로부터 떨어짐이 있는 것이니, 반드시 얻을 것이다.

小註

雙湖胡氏曰, 命謂天命, 命卽理也. 志不違於天理, 所以有自天之福.

쌍호호씨가 말하였다: '명(命)'은 천명이니, 명은 이치이다. 뜻이 하늘의 이치를 어기지 않기 때문에 하늘로부터 복이 있는 것이다.

○ 中溪張氏曰, 五有剛健中正之德, 於一陰始生之際, 而知一陽復生之幾, 含晦章美, 以待乎時, 其志亦欲盡人謀, 以聽天命而已.

중계장씨가 말하였다: 오효는 강건하고 중정한 덕이 있어 한 음이 처음 생기는 때에 한 양이 다시 생기는 기미를 알아 아름다움을 머금고 감추어서 때를 기다리니, 그 뜻이 사람의 지혜를 다하여 하늘의 명령을 듣고자 할 뿐이다.

○ 臨川吳氏曰, 志不舍命, 辭意與遠民相似. 民之遠君, 由君使其民之遠也, 故不曰民遠, 而曰遠民. 天命之不違人, 由人能使天命之不違也, 故不曰命不舍, 而曰不舍命也.

임천오씨가 말하였다: 뜻이 천명을 버리지 않음은, 말의 뜻이 백성을 멀리함과 비슷하다. 백성이 임금을 멀리하는 것은 임금이 백성을 멀리 있게 하는 것이기 때문에 "백성이 멀리

한다"고 하지 않고 "백성을 멀리 한다"고 하였다. 천명이 사람을 어기지 않는 것은 사람이 천명으로 하여금 어기지 않게 하는 것이기 때문에 "천명이 버리지 않는다"고 하지 않고 "천명을 버린다"고 하였다.

┃韓國大全┃

유정원(柳正源) 『역해참고(易解參攷)』

有隕 [至] 命也.

'떨어짐이 있음'은 … 천명이다.

節齋蔡氏曰, 志于道德仁義, 不以命不遇而舍之也.

절재채씨가 말하였다: 도덕과 인의에 뜻을 두고, 천명을 만나지 않았다고 버리지 않는다.

○ 息齋余氏曰, 志不舍命, 言彼自儻來耳, 吾唯守吾分也.

식재여씨가 말하였다: '뜻이 천명을 버리지 않음'은 저것이 저절로 몰려오더라도 나는 나의 분수를 지킬 뿐이라고 말한 것이다.

김상악(金相岳) 『산천역설(山天易說)』

有中正之德, 則自然成章, 而有光輝也. 命天命也, 卽自天之隕也.

중정한 덕이 있으면 자연스럽게 아름다움을 이루어 빛남이 있다. 명은 천명이니 하늘로부터 떨어진다.

○ 與鼎之大象曰正位凝命, 互見其象, 不舍亦凝之意也. 不舍則能凝其所受之命矣, 所以施命誥四方. 五變則又爲鼎也.

정괘(鼎卦䷱)「대상전」의 "자리를 바로해서 명령을 모은다"는 것과 그 상을 비교해 보면, '버리지 않음'은 또한 모은다는 뜻이다. 버리지 않으면 받는 명령을 모을 수 있으니, 그래서 명령을 베풀어 사방에 알리는 것이다. 오효가 변하면 또한 정괘가 된다.

서유신(徐有臣) 『역의의언(易義擬言)』

包瓜者九二, 而含章者九五, 故特稱九五含章也. 志恐當作吉. 上乾下巽, 天命象, 九二天命所在, 故不舍之也. 舍九二則爲遯, 不舍則巽不改, 巽艮之機, 在九二也.

오이를 싸는 것은 구이이고, 아름다움을 머금는 것은 구오이기 때문에 특히 구오가 '아름다움을 머금는다'고 하였다. '뜻[志]'은 길(吉)자가 되어야 할 듯하다. 상괘는 건괘(☰)이고 하괘는 손괘(☴)이니 천명의 상이고, 구이는 천명이 있는 곳이기 때문에 버리지 않는 것이다. 구이를 버리면 돈괘(遯卦䷠)가 되고, 버리지 않으면 손괘(☴)가 바뀌지 않으니, 손괘(☴)와 간괘(☶)의 기미가 구이에 달려있다.

박제가(朴齊家) 『주역(周易)』

九五, 象傳, 有隕自天, 志不舍命也.

구오의 상전에서 말하였다: "하늘로부터 떨어짐이 있음"은 뜻이 천명을 버리지 않기 때문이다.

以禍福悉歸之无妄之科者, 信命而無志者也. 必有事焉而求正者, 有志而舍命者也. 惟夭壽不貳脩身以俟之者, 所謂志不舍命者也, 不舍者, 盡力相隨之謂. 今人以生死向前爲舍命從死爲言者也, 如以力自致之謂也, 此則不離而已, 又如致命相似. 知此則知性也, 命也心也, 一□之故矣. 若曰命不舍志, 爲義亦同, 而但不見由人力回造化之理. 故必曰志不舍命, 言有此不舍命之志, 然後所謂有隕者, 在其中矣. 所謂自天祐之吉无不利者, 本義蓋得此義, 故有回造化三字, 及本無而後有等語. 程傳旣以命爲天理, 則曰不舍天理, 足矣, 又何必釋舍爲違也.

재앙과 복을 모두 무망(无妄)의 과정으로 돌리는 자는 운명만 믿고 뜻이 없는 자이다. 반드시 할 일이 있어서 바름을 구하는 자는 뜻은 있지만 운명을 버린 자이다. 요절과 장수(長壽)를 둘로 나누지 않고 몸을 닦으며 기다리는 자가 이른바 뜻이 운명을 버리지 않는 자이니, 버리지 않음은 힘을 다하여 서로 따름을 말한다. 지금 사람들이 생사를 앞두고 천명을 버리고 죽음을 따르는 것으로 말하는 것은 힘써서 스스로를 이룬다고 말함과 같은데, 이러면 떨어지지도 않으며, 또한 '천명을 이룬다'는 것과 서로 비슷하다. 이것을 알면 본성을 알 것이니, 운명과 마음은 하나의 것이기 때문이다. 만약 '천명이 뜻을 버리지 않는다'고 하더라도 의미는 또한 같지만, 다만 사람의 힘으로 조화를 돌리는 이치를 볼 수 없다. 그러므로 반드시 "뜻이 천명을 버리지 않는다"고 하였으니, 이렇게 천명을 버리지 않는 뜻이 있은 뒤에야 이른바 "떨어짐이 있다"는 것이 그 가운데 있을 것이다. 이른바 "하늘로부터 도와서 길하여 이롭지 않음이 없다"는 『본의』에서는 이런 의미를 얻었기 때문에 "조화를 돌린다[回造化]"

는 말과 "본래는 없었는데 갑자기 있다"는 등의 말을 하였다. 『정전』에서는 이미 명(命)을 천리로 여겼으니, "천리를 버리지 않는다"고 하면 충분한데, 어찌 반드시 '버림[舍]'을 '어김'으로 해석하려 하였는가?

하우현(河友賢) 『역의의(易疑義)』

九五象不舍命也, 命卽天命之循環不已無往不復者也. 五以剛健中正, 爲一卦之主, 而防始生必潰之陰. 陰陽迭勝, 時運之常, 含蘊中正之德, 靜而俟之, 則所謂循環之命, 有隕自天, 忽得之矣. 此所以志不舍命也, 故爻本義曰, 可以回造化矣. 胡雲峯曰, 姤其將轉爲復乎. 剝之一陽窮於上, 而復生於下, 其有隕自天之象, 此兩說盡之矣.

구오 상전의 '천명을 버리지 않음'에서 '천명(命)'은 천명이 순환하여 끊임이 없어 가서 오지 않음이 없는 것이다. 오효는 강건하고 중정함으로 한 괘의 주인이 되는데, 막 생겨나서 반드시 물러터질 음을 방비한다. 음양이 번갈아 이기는 것은 시절과 운수의 떳떳함이니, 중정한 덕을 머금고 쌓아서 고요히 기다리면 순환하는 명이 하늘로부터 떨어짐이 있어 갑자기 얻을 것이다. 이것이 뜻이 명을 버리지 않는 것이기 때문에 효의 『본의』에서 "조화를 돌릴 수 있다"고 하였다. 운봉호씨는 "구괘가 돌아서 복괘가 되려는 것이다. 박괘(剝卦䷖)의 한 양이 맨 위에 다하여 다시 아래에서 생길 것이니, 그 하늘로부터 떨어짐이 있는 상이다"라고 하였는데, 이 두 설명이면 다 된다.

박문건(朴文健) 『주역연의(周易衍義)』

〈問, 志不舍命. 曰, 九五失制下之道者, 其志不止於命也. 舍命與舍命不渝之舍命同也.
물었다: "뜻이 천명을 버리지 않는다"는 무슨 뜻입니까?
답하였다: 구오는 아래를 제어하는 도를 잃은 것이니, 그 뜻이 천명에 머물지 못합니다. '명에 그친다[舍命]'는 "명에 그쳐 넘치지 않는다"고 할 때의 '명에 그친다[舍命]'와 같습니다.〉

심대윤(沈大允) 『주역상의점법(周易象義占法)』

五之志, 在於致君堯舜, 以正天下之性命, 故曰志不舍命也.
오효의 뜻은 임금을 요순처럼 만들어 천하의 성명(性命)을 바르게 하는데 있기 때문에 "뜻이 천명을 버리지 않는다"고 하였다.

오치기(吳致箕) 「주역경전증해(周易經傳增解)」

包含在下之章美者, 以其有中正之德, 而其志不舍寵命之錫, 故遇賢之禮, 自天而降也.

아래에 있는 아름다움을 감싸 머금은 사람은 중정한 덕을 가지고 있어서 그 뜻이 총애하는 명령을 내리는 것을 버리지 않기 때문에 어진 이를 만나는 예가 하늘로부터 내려오는 것이다.

이진상(李震相) 『역학관규(易學管窺)』

象曰, 志不舍命.

「상전」에서 말하였다: 뜻이 천명을 버리지 않기 때문이다.

定軒李丈曰, 姤是陰長陽消之卦. 苟非才與志俱剛, 則必當以陰陽迭勝, 付之於天命氣數之不可如何. 惟姤五君子, 德旣中正, 志又秉剛, 雖不幸而處陰長之時, 能含章求賢, 幹轉造化, 不以時勢之固然, 而一功委之於命也.

정헌이장이 말하였다: 구괘는 음이 자라나고 양이 사라지는 괘이다. 참으로 재질과 의지가 모두 굳세지 않으면, 반드시 음양이 번갈아 이김을 어쩔 수 없는 천명의 기수(氣數)에 맡겨야 한다. 구괘의 다섯 군자는 덕이 이미 중정하고 의지도 아울러 굳세기에, 불행히 음이 자라나는 때에 있지만, 아름다움을 머금고 어진 이를 구하여 조화를 돌림에 시절의 기세가 그러함을 쓰지 않고 전부를 천명에 맡긴다.

이병헌(李炳憲) 『역경금문고통론(易經今文考通論)』

杞, 杞柳, 可以包者也, 瓜, 美實, 有蔓生者也. 杞者謂二, 瓜者謂初. 五以中正之德, 而含其章美, 則志不逾命, 天必祐之矣.

'기(杞)'는 박달나무로 포용할 수 있는 것이고, '오이[瓜]'는 아름다운 열매로 덩굴에서 나오는 것이다. 박달나무는 이효를 말하고, 오이는 초효를 말한다. 오효가 중정한 덕으로 그 빛나는 아름다움을 머금는다면 뜻이 천명(天命)을 벗어나지 않아 하늘이 반드시 도울 것이다.

上九, 姤其角, 吝, 无咎.

정전 상구는 만남에 그 뿔이라서 부끄러우니, 허물할 데가 없다.
본의 상구는 만남에 그 뿔이니, 부끄러우나 허물이 없으리라.

║中國大全║

傳

至剛而在最上者, 角也. 九以剛居上, 故以角爲象. 人之相遇, 由降屈以相從, 和
順以相接, 故能合也. 上九高亢而剛極, 人誰與之. 以此求遇, 固可吝也. 己則如
是, 人之遠之, 非他人之罪也, 由己致之, 故无所歸咎.

지극히 굳세면서 가장 위에 있는 것은 뿔이다. 양인 구가 굳셈으로 위에 있으므로 뿔로 상을 삼았다.
사람이 서로 만남은 낮추고 굽혀서 서로 따르고 화합하고 순종하여 서로 사귀기 때문에 합하는 것이
다. 상구는 너무 높고 지극히 굳세니, 어떤 사람이 그와 함께 하겠는가? 이로써 만나기를 구하면 진
실로 부끄러울 만하다. 자기가 이와 같이 하여 남이 멀리함은 다른 사람들의 죄가 아니고 자기로
말미암아 이루어졌기 때문에 허물을 돌릴 데가 없다.

小註

臨川吳氏曰, 剛而在上者, 角也, 至姤之終, 下之所遇者, 如角之剛也. 前不可進, 剛而
能觸, 竟何爲哉, 故吝.

임천오씨가 말하였다: 굳세면서 위에 있는 것은 뿔이니, 구괘의 끝에 이르러 아래에서 만날
수 있는 것은 이를테면 뿔의 굳셈이다. 앞으로 나아가서는 안 되는데 굳세면서 부딪히면
결국 어떻게 되겠는가? 그러므로 "부끄럽다."

○ 潘氏曰, 高而傷物者, 角也, 以此遇合, 誰其與之.
반씨가 말하였다: 높이 있으면서 물건을 다치게 하는 것은 뿔이니, 이것으로 만나면 누가
함께 하겠는가?

角, 剛乎上者也. 上九以剛居上而无位, 不得其遇. 故其象占, 與九三類.

'뿔[角]'은 위에서 굳센 것이다. 상구가 굳셈으로써 위에 있지만 지위가 없어서 그 만남을 얻지 못하기 때문에 그 상과 점이 구삼과 비슷하다.

隆山李氏曰, 當遇之時, 已獨剛亢不與物合, 是爲吝道. 然陰方長, 陽與之遇者, 要須有以制之, 如繫如包可也. 制之或失, 必反被陰邪之害. 獨上九巍然在上, 剛亢絶物, 雖无所合, 而亦不近陰邪, 可无意外之患.

융산이씨가 말하였다: 만나는 때에 이미 홀로 강하고 높이 올라 사물과 합할 수 없으니, 이것이 부끄러운 도가 된다. 그러나 음이 막 자람에 양이 그것과 만날 때는 반드시 그것을 제지하기를 마치 매어 놓듯이 싸듯이 해야 한다. 제지에 혹 실패하면 반드시 도리어 사악한 음의 피해를 입게 될 것이다. 홀로 상구가 높이 위에 있으면서 강하고 높아 사물과 단절되어 합하는 것이 없더라도 또한 사악한 음에 가까이 하지 않아 뜻밖의 근심을 없을 것이다.

○ 雲峰胡氏曰, 九三以剛居下卦之上, 於初陰无所遇, 故雖厲而无大咎. 上九以剛居上卦之上, 於初陰亦不得遇, 故雖吝而亦无咎. 遇本非正, 不遇不足爲過咎也.

운봉호씨가 말하였다: 구삼은 굳셈으로 아래 괘의 위에 있으면서 초효의 음과 만날 것이 없기 때문에 비록 위태로우나 큰 허물이 없을 것이다. 상구는 굳셈으로 위 괘의 위에 있으면서 초효의 음과 만남을 얻지 못하기 때문에 비록 부끄러우나 또한 허물은 없을 것이다. 만남이 본래 바르지 않으면 만나지 않음은 지나친 허물이 되지 않을 것이다.

韓國大全

송시열(宋時烈) 『역설(易說)』

上九與晉角同. 上爻爲角, 陽氣之上生也. 當姤之時, 過高故不遇, 但遇其角也.

상구는 진괘(晉卦☲☷)의 뿔과 같다. 상효가 뿔이 되니, 양기가 위로 나옴이다. 구괘의 때를 맞아 지나치게 높기 때문에 만나지 못하고 다만 그 뿔을 만날 뿐이다.

이익(李瀷) 『역경질서(易經疾書)』

上九姤其角, 角是上九, 則姤之者九三也. 九三臀无膚行次且, 因上九之未有牽引也. 然行而不已, 亦必有姤, 故彼云无大咎, 此云无咎. 卦中下三爻, 皆帖上三爻爲義, 易辭大抵皆然, 此卦尤明.

상구의 '만남에 그 뿔'에서 뿔은 상구이고 만나는 자는 구삼이다. 구삼의 '볼기에 살이 없으며 가는 것을 머뭇거림'은 상구가 이끌어줌이 없기 때문이다. 그러나 가서 그치지 않으면 반드시 만나기 때문에 저기서도 "큰 허물은 없다"고 하였고, 여기서도 "허물이 없다"고 하였다. 괘에서 아래의 세 효는 모두 위의 세 효에 붙어 뜻이 되니, 『주역』의 글이 대체로 모두 그러하지만 이 괘는 더욱 분명하다.

유정원(柳正源) 『역해참고(易解參攷)』

案, 處位高亢, 吝也, 而絶遠陰邪, 所以无咎.

내가 살펴보았다: 거처한 자리가 지나치게 높아 부끄럽지만, 음의 삿됨과 매우 멀어 이 때문에 허물이 없다.

김상악(金相岳) 『산천역설(山天易說)』

角剛于上者也. 陽剛居上, 无所用剛, 未免乎吝. 然不與陰遇, 故得无咎也.

'뿔'은 위에서 굳센 것이다. 굳센 양이 위에 있어 굳셈을 쓸 곳이 없으니 부끄러움을 피할 수 없다. 그러나 음과는 만나지 않기 때문에 허물이 없게 된다.

○ 上九卽亢龍之爻. 乾元用九, 猶以无首爲吉, 豈可以角爲首乎. 故象辭皆言窮. 大壯則用壯於下, 故三曰羸其角, 姤則陽窮於上, 故上曰姤其角, 皆戒辭也. 吝无咎者, 事雖羞吝, 理无可咎也. 晉則已晉其角, 用剛自治, 故先无咎而後吝. 姤則雖姤其角, 不得其遇, 故先吝而後无咎.

상구는 곧 항룡의 효이다, 건원의 용구(用九)에는 "머리가 없다"는 것으로 '길함'을 삼았는데, 어찌 뿔로 머리를 삼을 수 있겠는가? 그러므로 「상전」의 말에 다 '궁함[窮]'을 말했다. 대장괘(大壯卦)에서는 아래에서 건장함을 쓰기 때문에 삼효에서 "그 뿔이 고달프다"[44]라고 하였고, 구괘에서는 양이 위에서 궁하기 때문에 상효에서 '만남에 그 뿔이니'라고 하였는데, 모두 경계하는 말이다. "부끄러우나 허물이 없다"는 일로는 비록 부끄럽지만 이치로는 허물

---

44) 『周易 · 大壯卦』: 九三, 小人用壯, 君子用罔, 貞厲, 羝羊觸藩, 羸其角.

할 수 없다는 것이다. 진괘(晉卦)는 이미 그 뿔에 나아가서 굳셈을 써서 스스로 다스리기 때문에 먼저 허물이 없고 뒤에 부끄럽다. 구괘는 비록 만남에 그 뿔이지만 그 만남을 얻지 못했기 때문에 먼저는 부끄럽고 뒤에는 허물이 없다.

서유신(徐有臣) 『역의의언(易義擬言)』

向以夬之前趾, 今爲姤之角也. 亢極於上, 无所施用, 故吝也, 姤而止矣, 角亦无咎也.

먼저는 쾌괘(夬卦)의 앞발이던 것이 지금은 구괘의 뿔이 되었다. 위로 끝까지 올라가 베풀 곳이 없기 때문에 부끄럽고, 만나서 그치니 뿔이 또한 허물이 없다.

강엄(康儼) 『주역(周易)』

上九 [止] 无咎.

상구는 … 허물이 없으리라.

按, 復卦六爻皆言復, 姤之上九獨言姤, 而諸爻不言者, 何也.

或曰, 復是陽生之卦, 聖人喜其來復, 故逐爻而言之. 姤是陰生之卦, 聖人恐其滋長, 故不言於諸爻, 而拘言於上九, 亦扶陽抑陰之意也. 然必言於上九者, 亦何義也. 豈以上九乃一卦之終, 故特言於此, 以例其餘耶.

내가 살펴보았다: 복괘(復卦)의 여섯 효에서는 모두 '복(復)'을 말했는데, 구괘(姤卦)는 상구에서만 구(姤)를 말하고 다른 효들에서는 말하지 않은 것은 어째서인가?

어떤 이가 말하였다: 복괘는 양(陽)이 나오는 괘여서 성인이 돌아오는 것을 기뻐했기 때문에 효마다 이를 말했다. 구괘는 음이 생겨나는 괘여서 성인이 점차 자라남을 두려워하기 때문에 다른 효에서는 말하지 않았고 상구에만 매어서 말했으니, 또한 양을 돕고 음을 억제하는 뜻이다. 그렇지만 반드시 상구에서 말한 것은 무슨 뜻인가? 상구가 한 괘의 마침이기 때문에 특별히 여기에서 말하여 나머지의 본보기를 삼은 것이 아니겠는가?

박문건(朴文健) 『주역연의(周易衍義)』

處剛用觸, 故有姤其角之象, 雖吝有无咎之道.

굳센 자리에 있으면서 찌르기 때문에 만남에 그 뿔인 상이 있는데, 비록 부끄럽지만 허물은 없는 도이다.

〈問, 姤其角吝无咎. 曰, 上九進遇角剛之位, 故取此象也. 處上用觸, 以制其下, 雖自致窮吝之道, 然以免其下之逼上, 故所以无咎.

물었다: "만남에 그 뿔이니 부끄러우나 허물이 없으리라"는 무슨 뜻입니까?

답하였다: 상구가 나아가 굳센 뿔의 자리를 만났기 때문에 이런 상을 취했습니다. 위에 있으면서 찔러서 그 아래를 제어하니, 비록 스스로는 궁하고 부끄러운 도를 이루지만, 아랫사람이 윗사람을 핍박하는 것은 면하기 때문에 허물이 없는 것입니다.〉

이지연(李止淵) 『주역차의(周易箚疑)』

初是趾也尾也拇也, 上是角也. 以九五中正之君, 猶有隕自天之分, 而況上九乎. 自處於所難遇之位, 所謂高而无民者也.

초효는 발이며 꼬리이며 손가락이고, 상효는 뿔이다. 오히려 하늘로부터 떨어지는 분수가 있거늘 하물며 상구이겠는가! 스스로 만나기 어려운 곳에 있으니, 이른바 높지만 백성이 없는 자이다.

김기례(金箕澧) 「역요선의강목(易要選義綱目)」

剛而在上, 故曰角

굳세면서 위에 있기 때문에 '뿔'이라고 하였다

○ 遇之道, 當繫之包之, 制而待也. 上以亢陽无位, 而求遇以力, 則自取絶物之歎. 故曰吝, 无亦所歸咎.

만나는 도는 잡아매고 감싸서 제어하여 기다려야 한다. 상효는 지나친 양으로 지위가 없는데 힘으로 만나기를 구한다면 스스로 사물을 끊는 탄식을 취할 것이다. 그러므로 "부끄러우니, 또한 그 허물을 돌릴 데도 없다"고 했다.

贊曰, 一豕蹢躅, 五龍莫陰. 勢難兩立, 宜制其初. 群陽苦待, 始美維魚. 桃蟲之鳥, 禍將何如.

찬미하여 말한다: 한 마리 돼지가 뛰고 뛰지만, 다섯 용에는 음이 없네. 형세는 양립하기 어려우니, 마땅히 그 처음을 제지해야 하네. 뭇 양이 몹시 기다린 것이 처음엔 아름다운 물고기였네. 뱁새의 환난을 장차 어찌 하겠는가?

이항로(李恒老) 「주역전의동이석의(周易傳義同異釋義)」

傳, 由己致之, 故无所歸咎.

『정전』에서 말하였다: 자기로 말미암아 이루어졌기 때문에 허물을 돌릴 데가 없다.

本義, 居上而无位, 不得其遇, 故其象占與九三[45]類.
『본의』에서 말하였다: 위에 있지만 지위가 없어서 그 만남을 얻지 못하기 때문에 그 상과 점이 구삼과 비슷하다.

按, 隆山李氏雲峯胡氏說, 則知本義无咎之釋, 與程傳不同, 已見上.
내가 살펴보았다: 융산이씨와 운봉호씨의 설명은 『본의』의 '무구(无咎)'에 대한 해석이 『정전』과 같지 않음을 알고 있었으니, 이미 위에 보인다.

심대윤(沈大允) 『주역상의점법(周易象義占法)』

姤之大過☰☱, 過而有形也. 上九居柔不進, 處姤之極, 求擇之道旣盡, 而更无可求之所. 故曰姤其角, 言姤之道極也. 上六退于五, 則爲离曰角, 更無可求之所, 則不得不合於其所遇也. 雖吝而无咎也, 九五遇上而上遇五也. 姤衰世之事也, 若堯舜在上, 而野冈遺賢, 則何姤之有哉. 以臣擇君, 不遇之時也. 故姤之六爻, 皆无當意而正合者也. 求擇之道, 以不久而輒得, 不遠而得於近爲福, 故初六獨吉也. 以明辨而審發決於取舍爲賢, 而不以偏求而屢擇爲善, 故初六之得二爲最, 而九二之得初次之. 過此以往, 鮮有獲也.
구괘가 대과괘(大過卦☰☱)로 바뀌었으니, 지나쳐서 드러남이 있는 것이다. 상구는 부드러운 자리에 있으면서 나아가지 못하고, 구괘의 끝에 있어서 구하고 고르는 도가 이미 다하여 다시 구할만한 것이 없다. 그러므로 "만남에 그 뿔이다"라고 하였으니, 구괘의 도가 다했음을 말한다. 상육이 오효로 물러나면 리괘(☲)가 되기에 '뿔'이라고 하였고, 다시 구할만한 것이 없으니 어쩔 수 없이 그 만난 것과 화합해야 한다. 비록 부끄럽지만 허물은 없으니, 구오가 상효를 만나고 상효가 구오를 만난다. 구괘는 쇠퇴한 세상의 일이니 만약에 요·순이 위에 있었다면 초야에는 남겨진 어진 이가 없을 텐데 무슨 만남이란 게 있겠는가? 신하가 임금을 택하는 것은 만나지 못한 때이다. 그렇기 때문에 구괘의 여섯 효는 모두 뜻에 마땅하고 바르게 합하는 것이 없다. 구하고 고르는 도는 오래지 않아 빨리 얻음과 멀지 않고 가까이서 얻음이 복이 되기 때문에 초육만 길하다. 밝게 분별하여 살피고 취사(取捨)를 결단함이 현명하다고 하고, 치우치게 구하여 자주 고르는 것을 좋게 여기지 않기 때문에 초육이 구이를 얻음이 가장 좋고, 구이가 초육을 얻음이 그 다음이다. 이것 이외에는 얻음이 있기 힘들다.

---

45) 三: 경학자료집성DB에는 '二'로 되어 있으나, 경학자료집성 영인본을 참조하여 '三'으로 바로잡았다.

오치기(吳致箕) 「주역경전증해(周易經傳增解)」

上九以剛居姤之極, 下无正應, 而不得其遇, 故爲姤其角之象, 而難免其吝. 然最遠於柔邪, 不與相遇, 故言能无咎也.

상구는 굳센 양이 구괘의 끝에 있고 아래로 정응이 없어 그 만남을 얻지 못했기 때문에 만남에 그 뿔인 상이 있어서 부끄러움을 피하기 어렵다. 그렇지만 부드러운 음의 삿됨과 가장 멀어 서로 만날 수 없기 때문에 허물이 없을 수 있다고 말하였다.

○ 角與晉之上九晉其角同象.

'뿔'은 진괘(晉卦) 상구의 "그 뿔에 나아간다"와 동일한 상이다.

이진상(李震相) 『역학관규(易學管窺)』

上九, 姤其角, 吝无咎.

상구는 만남에 그 뿔이니 부끄러우나 허물이 없으리라.

角變兌象, 體陰而性剛者, 角也. 上與三皆陽, 故以姤角言.

'뿔'은 변한 태괘(☱)의 상이니, 몸체는 음이면서 성격은 굳센 것이 뿔이다. 상효와 삼효는 모두 양이기 때문에 '만남에 뿔이라서'로 말하였다.

박문호(朴文鎬) 「경설(經說)·주역(周易)」

此无咎, 與大過上六萃上六之无咎同. 然本義亦自好, 蓋言居上而无位, 故旣无所遇, 復何有咎. 漢之郭林宗, 可以當之.

여기서의 '무구(无咎)'는 대과괘(大過卦) 상육과 취괘(萃卦) 상육의 '무구(无咎)'와 같다. 그러나 『본의』도 자체로 좋으니, 대체로 "위에 있지만 지위가 없기 때문에 이미 만날 것이 없는데 다시 무슨 허물이 있겠는가?"라고 말하였다. 한나라의 곽림종이 여기에 해당될 수 있다.

象曰, 姤其角, 上窮, 吝也.

「상전」에서 말하였다: "만남에 그 뿔"은 위에서 궁하여 부끄러운 것이다.

║中國大全║

傳

旣處窮上, 剛亦極矣, 是上窮而致吝也. 以剛極, 居高而求遇, 不亦難乎.

이미 제일 위에 처하고 굳셈 또한 지극하니, 이것은 위에서 궁하여 부끄러움을 이루는 것이다. 지극히 굳셈으로써 높은 자리에 있으면서 만나기를 구한다면 어렵지 않겠는가?

小註

中溪張氏曰, 姤其角, 與晉其角, 皆取上窮之義.

중계장씨가 말하였다: "만남에 그 뿔이다"와 "뿔에 나아감"은 모두 가장 높다는 뜻을 취하였다.

○ 節齋蔡氏曰, 姤者, 以一柔遇五剛而成卦. 遇非正道, 唯近者得之, 而正應者反凶也. 二最近, 故先有之. 三之厲, 以隔乎二而不遇也. 五之含章, 雖无相遇之道, 而處位中正也. 上之吝, 最遠而窮也. 四之起凶, 遇不利正應也.

절재채씨가 말하였다: 구괘는 한 부드러운 음이 다섯 굳센 양을 만나 괘를 이루었다. 만남이 바른 도가 아니어서 가까이 있는 자만이 얻게 되어 정응이 도리어 흉하게 된다. 이효가 가장 가까이 있기 때문에 먼저 차지하는 것이다. 삼효가 위태롭게 여기지만 이효에 막혀 있어 만나지 못한다. 오효의 아름다움을 머금음이 비록 서로 만나지 못하는 도이지만 자리는 중정하다. 상효의 부끄러움은 가장 멀리 있어 궁한 것이다. 사효가 흉함을 일으킴은 만남이 정응에 이롭지 않기 때문이다.

○ 馮氏去非曰, 外三爻者, 內三爻之應. 初往見凶, 故四則起凶. 二包有魚, 故五則以杞包瓜. 三之臀厲无大咎. 上之角吝而无咎. 遠近淺深之間耳.

풍거비가 말하였다: 바깥 세 효는 안의 세 효와 호응한다. 초효는 가면 흉함을 당하기 때문에 사효는 흉함을 만든다. 이효는 꾸러미에 물고기가 있기 때문에 오효가 박달나무 잎으로 오이를 싼다. 삼효는 볼기에 살이 없으나 위태롭게 여기면 큰 허물이 없다. 상효는 뿔이라서 부끄러우니, 허물할 데가 없다. 이것은 멀고 가까우며 얕고 깊은 차이일 뿐이다.

○ 建安丘氏曰, 姤, 遇也, 以一陰而遇五陽也, 故六爻以初陰爲主, 而上五陽, 則皆以初取義. 凡陽之於陰, 遠則不遇, 唯近者得之. 二與初最近, 遇之最先者, 故曰包有魚. 四雖應初, 而初爲二得, 非復已有, 故包无魚. 三介二四兩剛之間, 亦欲遇初, 以居則礙四, 進則礙二, 故有臀无膚行次且之象. 至五去初遠, 則无相得之理矣, 故但含章以聽天命之自至而已. 上又最遠者也, 故有姤角上窮吝之象.

건안구씨가 말하였다: 구는 만남이니, 한 음이 다섯 양을 만나기 때문에 여섯 효에서 초효의 음이 주인이 되고 위의 다섯 양은 모두 초효로써 뜻을 취하였다. 양이 음에 대하여 멀면 만나지 못하여 가까운 자만 얻게 된다. 이효와 초효가 가장 가까워 가장 먼저 만나기 때문에 "꾸러미에 물고기가 있다"고 하였다. 사효가 비록 초효와 호응하지만 초효는 이효와 만나서 다시 차지할 수 없기 때문에 "꾸러미에 물고기가 없다." 삼효는 이효와 사효의 두 굳센 양 사이에 끼어서 초효와 만나려고 함에 그 자리에 있으면 사효를 막고, 나아가면 이효에게 막히기 때문에 "볼기에 살이 없으나 그 가는 것을 머뭇거리는" 상이 있다. 오효가 초효와의 거리가 멀리 있으니, 서로 얻는 이치가 없게 되기 때문에 다만 "아름다움을 머금어서" 천명이 스스로 이름을 들을 뿐이다. 상효는 또한 가장 멀리 있는 자이기 때문에 "만남에 그 뿔이라서 위에서 궁하여 부끄러운" 상이 있다.

○ 趙氏曰, 當姤之時, 小人固不可使之進. 爲君子計, 亦不可无以蓄小人, 故聖人旣戒初六之不可往. 又於二四五言所以包制之道, 三重則不中, 上以剛居一卦之極, 故厲而吝. 然皆无咎者, 以陰不相遇, 不與其進也.

조씨가 말하였다: 만남의 때에 소인은 진실로 나아가게 해서는 안 된다. 군자의 계획을 위하여 소인을 막지 않을 수 없기 때문에 성인이 초육은 가지 않아야 한다고 경계하였다. 이·사·오효에서 말한 감싸고 억제하는 도가 세 번 중첩되면 알맞지 않고, 상효는 굳센 양으로 한 괘의 끝에 있기 때문에 위태로우면서 부끄럽다. 그러나 모두 "허물이 없는" 것은 음이 서로 만나지 않고 더불어 나아가지 않기 때문이다.

‖韓國大全‖

김상악(金相岳) 『산천역설(山天易說)』

以剛居極, 上之窮也.

굳셈으로 끝에 있으니, 위의 궁함이다.

○ 角者, 星宿之名, 天之運行與日月之行, 皆從角起, 故姤晉之上, 皆言角, 而居卦之極, 故此曰上窮, 晉曰未光也.

'뿔[角]'은 별의 이름으로 하늘의 운행과 일월의 운행이 모두 각성(角星)을 따라 일어나기 때문에 구괘(姤卦)와 진괘(晉卦)의 상효에서 모두 '뿔'을 말했는데, 괘의 끝에 있기 때문에 여기에서는 "위에서 궁하다"고 하였고, 진괘에서는 "빛나지 않는다"고 하였다.

서유신(徐有臣) 『역의의언(易義擬言)』

自夬而上窮也.

쾌괘에서부터 위에서 궁함이다.

박문건(朴文健) 『주역연의(周易衍義)』

〈問, 上窮吝. 曰, 處上而致窮, 吝也. 窮吝與屯之六三象吝窮同也.

물었다: "위에서 궁하여 부끄럽다"는 무슨 뜻입니까?

답하였다: 위에 있어서 궁극에 도달했기 때문에 부끄럽다. '궁하여 부끄러움'은 준괘(屯卦) 육삼「상전」의 '부끄럽고 곤궁하다'[46)와 같습니다.〉

오치기(吳致箕) 「주역경전증해(周易經傳增解)」

處極, 故上窮而致吝, 不得其遇也.

끝에 있기 때문에 위에서 궁하여 부끄러움에 이르니, 그 만남을 얻지 못한다.

---

46) 『周易·屯卦』: 象曰, 卽鹿无虞, 以從禽也, 君子舍之, 往吝窮也.

이진상(李震相) 『역학관규(易學管窺)』

姤其角.

만남에 그 뿔이다.

不得其遇, 雖爲可吝, 而不近陰邪, 自可无咎.

그 만남을 얻지 못해 비록 부끄러워할 만하지만, 음의 삿됨에 가깝지 않으니 자신는 허물이 없을 수 있다.

이병헌(李炳憲) 『역경금문고통론(易經今文考通論)』

虞曰, 乾爲首, 位在首上, 故稱角.

우번이 말하였다: 건괘는 머리가 되고, 자리가 머리의 위에 있기 때문에 '뿔'이라고 하였다.

程傳曰, 處上剛極, 窮而致吝.

『정전』에서 말하였다: 위에 처하여 굳셈이 지극하니, 궁하여 부끄러움을 이룬다.

45

취괘
萃卦

‖中國大全‖

傳

萃, 序卦, 姤者, 遇也. 物相遇而后聚, 故受之以萃, 萃者, 聚也. 物相會遇, 則成群, 萃所以次姤也. 爲卦兌上坤下. 澤上於地, 水之聚也, 故爲萃. 不言澤在地上, 而云澤上於地, 言上於地, 則爲方聚之義也.

취괘(萃卦䷬)는 「서괘전」에서 "구(姤)는 만나는 것이다. 사물이 서로 만난 이후에 모이기 때문에 취괘로 받았으니, 취괘는 모이는 것이다"라고 하였다. 사물이 서로 만나면 무리를 이루기 때문에 취괘가 구괘 다음에 온다. 괘의 모양은 태괘(兌卦☱)가 상괘 곤괘(坤卦☷)가 하괘이다. 못이 땅보다 올라가 있는 것은 물이 모인 것이기 때문에 취괘이다. 못이 땅위에 있다고 하지 않고 못이 땅보다 올라가 있다고 하였으니, 땅보다 올라가 있다고 하면 막 모이는 뜻이기 때문이다.

萃, 亨王假有廟,

정전 취(萃)는 왕이 사당을 두게 되었으니,
본의 취(萃)는 왕이 사당에 가니,

中國大全

傳

王者, 萃聚天下之道, 至於有廟, 極也. 群生至衆也, 而可一其歸仰, 人心莫知其鄉也, 而能致其誠敬, 鬼神之不可度也, 而能致其來格. 天下萃合人心, 總攝衆志之道, 非一, 其至大莫過於宗廟. 故王者, 萃天下之道, 至於有廟, 則萃道之至也. 祭祀之報, 本於人心, 聖人制禮, 以成其德耳. 故豺獺能祭, 其性然也. 萃下有亨字, 羨文也. 亨字自在下, 與渙不同. 渙則先言卦才, 萃乃先言卦義, 象辭甚明.

왕이 천하의 도를 모아서 사당을 두게 되었으니 지극하다. 여러 민생은 지극히 많지만 귀의하고 우러르는 마음을 통일할 수 있고, 사람들의 마음은 그 방향을 알 수 없지만 그 정성과 공경을 이룰 수 있으며, 귀신은 헤아릴 수 없지만 와서 강림하게 할 수 있다. 천하에서 사람들의 마음을 모으고, 여러 사람들의 뜻을 총괄하는 방법은 한 가지가 아니지만 종묘보다 지극히 큰 것은 없다. 그러므로 왕이 천하의 도를 모아 사당을 두게 되면 모으는 도가 지극하다. 제사의 보답은 사람의 마음에 근본을 두었으니, 성인이 예를 제정하여 그 덕을 이루었다. 그러므로 승냥이와 수달도 제사를 지내니 그 천성이 그런 것이다. 취(萃)자의 아래 형(亨)자가 있는 것은 잘못 들어간 것이다. 형자가 본래 아래에 있어 환괘(渙卦䷺)와 같지 않다.[1] 환괘에서는 먼저 괘의 재질을 말했고, 취괘에서는 먼저 괘의 의미를 말하였으니, 「단사」에 아주 분명하다.

小註

程子曰, 萃渙, 皆立廟, 因其精神之萃而形於此, 爲其渙散, 故立此以收之.

---

1) 『周易·渙卦』: 渙 亨, 王假有廟.

정자가 말하였다: 취괘와 환괘에서 모두 사당을 세웠으니, 정신을 모은 것을 가지고 이것을 드러내면 흩어지기 때문에 사당을 세워서 거둬들인다.

○ 古人, 祭祀用尸, 極有深意, 不可不深思. 蓋人之意氣旣散, 孝子求神而祭, 无尸則不享, 无主則不依. 故易於渙萃, 皆言王假有廟, 卽渙散之時事也. 魂氣必求其類而依之, 人與人旣爲類, 骨肉又爲一家之類, 已與尸. 各旣已潔齊, 至誠相通, 以此求神, 宜其亨之. 後世不知此, 直以尊卑之勢, 遂不肯行爾.

옛사람들이 제사에 시동을 쓴 것에는 지극히 깊은 뜻이 있으니 깊이 생각하지 않아서는 안 된다. 사람의 의기가 벌써 흩어졌으면 효자는 신(神)을 찾아서 제사지내는데, 시동이 없으면 제사지내지 못하고 신주가 없으면 의지할 곳이 없다. 그러므로 『주역』의 환괘(渙卦䷺)와 취괘(萃卦䷬)에서 모두 "왕이 사당을 두게 된다"고 한 것은 바로 흩어진 때의 일이다. 혼의 기운은 반드시 그 무리를 찾아서 의지하는데, 사람은 사람과 이미 무리이고 골육은 또 일가의 무리여서 이미 시동과 함께 하고 있다. 제각기 이미 깨끗이 재계하여 지극한 정성이 서로 통하니, 이것으로 신을 찾으면 당연히 형통한다. 후세에 이것을 몰라 곧바로 높고 낮은 사정으로 마침내 행하려고 하지 않는다.

○ 朱子曰, 王假有廟, 是祖考精神聚於廟, 又爲人必能聚已之精神, 然後可以至於廟而承祖考. 今人擇日祀神, 多取神在日, 亦取聚意也. 大率人之精神, 萃於已, 祖考之精神, 萃於廟.

주자가 말하였다: 왕이 사당에 가는 것은 조상의 정신이 사당에 모여 있기 때문이니, 또 사람들이 반드시 자신들의 정신을 모을 수 있는 다음에 사당에 와서 조상을 받들 수 있다. 요즘 사람들이 날을 택해 제사를 지냄에 대부분 신이 있는 날을 택하는 것도 모은다는 의미를 취한 것이다. 사람들의 정신은 자신에게 모이고, 조상들의 정신은 사당에서 모인다.

○ 鄭氏剛中曰, 自四以下宗廟之象. 康成謂艮爲門闕, 巽木宮闕象.

정강중이 말하였다: 사효 이하는 종묘의 상이다. 정현[康成]이 간(艮☶)은 궁궐이고 손(巽☴)은 나무 궁궐의 상이라고 하였다.

○ 平庵項氏曰, 卦名下元无亨字. 獨王肅本有, 王弼遂用其說. 孔子彖辭初不及此字.

평암항씨가 말하였다: 괘의 이름 아래에 원래 형(亨)자가 없었다. 왕숙본에만 있었는데 왕필이 마침내 그것을 받아들였다. 공자의 「단사」에서는 처음부터 이 글자를 언급하지 않았다.

‖韓國大全‖

송시열(宋時烈) 『역설(易說)』

王者, 九五也. 艮爲宗廟. 卦有觀象, 故以假廟祭祀言之. 大人者, 九五也. 利見, 故亨. 大牲者, 坤牛也. 利往者, 雖有坎象, 而二五相應也. 卦有衆陰, 聚附於陽, 故彖四言聚字.

왕이라는 것은 구오이다. 간괘(艮卦☶)는 종묘가 된다. 괘에 관괘(觀卦䷓)의 상이 있기 때문에 ‘왕이 사당에 감’으로 말하였다. 대인이라는 것은 구오이다. 만나 봄이 이롭기 때문에 형통하다. ‘큰 제물’은 곤괘의 소[牛]이다. ‘가는 것이 이로움’은 비록 감괘(坎卦)의 상이 있으나 이효와 오효가 서로 호응하기 때문이다. 괘에 여러 음이 있는데 양에 모여 따르기 때문에 「단전」에서 네 번 취(聚)자를 말하였다.

이현익(李顯益) 「주역설(周易說)」

朱子論易中吉无咎, 以吉爲以事言, 无咎謂以理言, 如此則謂无咎然後吉, 且吉而无咎, 語意爲順. 而此卦九四傳義, 皆曰大吉然後无咎, 此等處, 則吉與无咎. 不必分事與理也耶.

주자가 『주역』에서의 길·무구(吉无咎)에 대하여, ‘길함[吉]’은 일로써 말한 것이라고 하였고, ‘허물이 없음[无咎]’은 이치로써 말한 것이라고 하였으니, 이와 같다면 허물이 없는 뒤에야 길한 것을 이른다. 또 ‘길하여 허물이 없음[吉而无咎]’이 어의(語意)가 순조로움이 된다. 그러나 본괘의 구사에 대한 『정전』·『본의』에 모두 "크게 길한 뒤에 허물이 없다"고 하였으니, 이 부분에서는 ‘길함’과 ‘허물이 없음’이 굳이 일과 이치로 구분될 필요가 없을 것이다.

유정원(柳正源) 『역해참고(易解參攷)』

正義, 亨者, 通也. 雍隔不通, 无由得聚, 聚之爲事, 其道必通, 故曰萃亨.

『주역정의』에서 말하였다: 형(亨)은 통함이다. 막혀서 통하지 않으면 모일 수도 없으니, 모이는 일이란 반드시 통하기 마련이므로 "취는 형통하다"고 하였다.

○ 雙湖胡氏曰, 萃有艮體, 自五以下, 皆艮象, 止畜而有萃義. 又坤土之上, 有艮土, 陰土得陽土, 土萃而益多, 亦有萃義. 要之, 萃所以得名, 由兌在坤上.

쌍호호씨가 말하였다: 취괘의 호괘에 간괘(☶)의 몸체가 있으니 오효 이하는 모두 간괘(☶)의 상이어서 머물러 쌓이고 모이는 뜻이 있다. 또한 곤괘(☷)의 흙 위에 간괘(☶)의 흙이 있으니 음의 흙이 양의 흙을 얻어 흙이 쌓여 더욱 많아 진 것이므로 또한 모이는 뜻이 있다. 요컨대 취로 이름 붙인 이유는 태괘(☱)가 곤괘(☷)위에 있기 때문이다.

○ 案, 萃道之成, 莫大於宗廟, 宗廟之禮, 莫重於誠敬. 二五之中正, 誠敬之所由生也. 先王之祭祀, 嘗占得此卦歟. 傳豺獺能祭, 〈月令, 季秋豺祭獸, 孟春獺祭魚.〉
내가 살펴보았다: 취도의 완성은 종묘에서 가장 중요하고 종묘의 예는 정성과 공경이 가장 중요하다. 이효와 오효가 가운데자리이면서 제자리이니 정성과 공경이 이로 말미암아 생겨난 것이다. 선왕이 제사지낼 때에 일찍이 점을 쳐서 이 괘를 얻었나보다. 전하는 말에 승냥이와 수달도 제사지낸다고 하였고 〈『예기·월령』에 "늦가을에 승냥이가 짐승으로 제사지내고, 초봄에 수달이 물고기로 제사 지낸다"고 하였다.〉

小註, 程子說尊卑之勢.
「소주」에서 정자가 "높고 낮은 사정"이라고 말했다.
案, 曾子問尸, 必以孫, 无孫, 則取於同姓, 曲禮, 祭祀不爲尸. 呂氏曰, 尸取主人之子行, 而己若主人之子, 是使父北面而事之人子, 所不安. 夫祖孫一體, 事以神道, 本无尊卑之嫌. 況以同姓之子行乎. 後世卻以尊卑之勢而廢之, 殊失先王制禮之本意也.
내가 살펴보았다: 증자가 시동에 대해 물으니 반드시 손자를 시켜야 하나 손자가 없다면 동성에게 시킨다. 「곡례」에는 "일반제사에는 시동을 쓰지 않는다" 하였다. 여씨가 말하기를 "시동은 주인의 아들에게 시키는데 자기가 만약 주인의 아들이라면 아비에게 북면하게 하여 자식을 섬기게 하는 것이니 편치 않다"라고 하였다. 무릇 조·손은 일체이고, 신의 도리로 섬김에는 본래 높고 낮은 혐의가 없다. 하물며 동성의 아들이 시동을 맡는 일이야 어떻겠는가? 후세에 도리어 "높고 낮은 사정"으로 시동을 쓰는 일을 폐기하였으니 자못 선왕이 예를 제정한 본래의 취지를 잃은 것이다.

김기례(金箕澧) 「역요선의강목(易要選義綱目)」

物相遇 則成群而萃[2]. 澤上於地, 水之聚也.
사물이 서로 만나면 무리를 이루어 모인다. 못이 땅보다 위에 있는 것은 물이 모인 것이다.

---

2) 萃: 경학자료집성DB에는 '莘'으로 되어 있으나, 경학자료집성 영인본을 참조하여 '萃'로 바로잡았다.

王假有廟.

왕이 사당에 가니.

王, 指五也.

왕은 오효를 가리킨다.

○ 王天下者, 體衆心之咸歸, 孝祖考精神而萃於廟. 又聚己之精神而至於廟, 故曰格廟.

천하에 왕노릇 하는 자는 대중의 인심이 모두 귀의함을 본받아 조상의 정신에 효도하여 사당에 모인다. 또 자기의 정신을 모아서 사당에 이르기 때문에 "사당에 간다" 라고 하였다.

○ 艮爲門闕. 卦有互艮, 有廟門象.

간괘(☶)는 문이 된다. 취괘(萃卦䷬)에 호괘인 간괘(☶)가 있으니 사당 문의 상이 있는 것이다.

이항로(李恒老) 「주역전의동이석의(周易傳義同異釋義)」

傳, 王者, 萃天下之道, 至於有廟, 則萃道之至也.

『정전』에서 말하였다: 왕이 천하의 도를 모아 사당을 두게 되면 모으는 도가 지극하다.

本義, 王假有廟, 言王者可以至乎宗廟之中, 王者卜祭之吉占[3]也.

『본의』에서 말하였다: "왕이 사당에 가다"는 왕이 종묘 안에 이를 수 있다는 말이니 왕자(王者)가 제사를 점칠 때에 길한 점이다.

按, 渙卦象亦曰, 王假有廟, 象傳曰, 王假有廟, 王乃在中, 世釋以王在廟中, 則文順理得. 此象所云, 宜旡不同, 用大牲吉, 利有攸往.

내가 살펴보았다: 환괘(渙卦)의 「단사」에 "왕격유묘(王假有廟)"라 하고 「단전」에 "왕격유묘 왕내재중(王假有廟, 王乃在中)"이라고 하였는데 세상에서는 왕이 사당 안에 있는 것으로 해석하였으니 문리가 순하고 타당하다. 취괘 「단사」에서 말한 것도 다름이 없으니 "큰 제물을 씀이 길하고 가는 것이 이롭다."

---

3) 占: 경학자료집성DB에는 '古'로 되어 있으나, 경학자료집성 영인본을 참조하여 '占'으로 바로잡았다.

허전(許傳) 「역고(易考)」

萃, 王假有廟.

萃는 王이 有廟에 假홈이니.

취(萃)는 왕이 사당에서 신을 이르게 함이니.

假與格同, 王假有廟, 謂王能致廟神之來格也.

격(假)과 격(格)은 같으니 '왕격유묘(王假有廟)'는 왕이 사당의 신을 이르게 할 수 있음을 이른다.

○ 東國諺解誤.

우리나라의 언해는 잘못되었다.

심대윤(沈大允) 『주역상의점법(周易象義占法)』

萃亨之亨, 衍文. 假, 精神之屬也. 有廟, 廟也. 萃之道, 我之精神, 周徹凝注, 然後物有聚焉. 精神之所不及者, 非徒不聚而已, 雖已聚者, 亦必散. 君子精神, 周乎德, 則德乃聚, 王者精神, 周乎民, 則民乃聚, 冨者精神, 周乎財, 則財乃聚. 隨其精神之所措注而有焉. 聚如祭祀之聚, 我之精神 以聚祖考之精神也, 故曰王假有廟. 王言九五之當位也. 坎之誠一, 互巽感通曰假, 全卦艮爲神廟, 兌爲亨, 巽爲感通, 故以廟亨言之也. 凡物聚而无所統屬則亂, 人聚則叛, 物聚則爭, 事聚則紊. 故曰利見大人亨. 對大畜乾, 互本卦坎爲大人, 聚而不得正則亂, 故曰利貞. 聚于大人, 乃得正也. 九五剛中而有應. 有其象, 物萃于我, 所以自奉與饋人必厚. 貴賤殊其豐薄, 貧富異其奢儉, 其所處不當厚而厚謂之奢, 不當薄而薄謂之吝, 奢與吝, 君子不由也. 故曰用大牲吉. 卦之坤衆兌亨, 有聚會燕饗之象. 豊於自奉而厚於饋人, 惟燕享爲然, 故以言之也. 對大畜, 艮震爲用, 坎离爲大牛, 以言與人同享, 故取對也. 萃而富有, 則易以作爲, 作爲, 而物益聚, 故曰利有攸往, 貨殖傳曰, 微有闘知, 旣饒爭時, 是也.

취형(萃亨)의 형(亨)은 연문이다. 격(假)은 정신을 붙임이다. 유묘(有廟)는 사당이다. 모이는[萃] 도는 나의 정신이 두루 통하여 응결된 뒤에 사물이 모인다. 정신이 미치지 못하는 것은 모이지 않을 뿐만 아니라, 이미 모였더라도 반드시 흩어진다. 군자의 정신이 덕을 두루 하면 덕이 모이고, 왕자(王者)의 정신이 백성을 두루 하면 백성이 모이며, 부자의 정신이 재물을 두루 하면 재물이 모인다. 정신이 조처하는 대로 있게 되는 것이다. 모임은 제사의 모임과 같으니 나의 정신으로 조상의 정신을 모으기 때문에 "왕이 사당에 간다"고 하였다. 왕은 구오가 해당하는 자리를 말한다. 감괘(坎卦☵)의 정성이 한결같음과 호괘인 손괘(巽卦☴)

가 감통하므로 "이른다"고 하였다. 전체괘는 간괘(艮卦☶)가 신의 사당이 되고 태괘(兌卦☱)는 형통함이 되며 손괘(巽卦☴)는 감통함이 되기 때문에 사당에 제사드림으로 말하였다. 사물이 모였으나 통솔되는 일이 없으면 어지러우니, 사람이 모이면 배반하고 동물이 모이면 다투며 일이 모이면 문란하기 때문에 "대인을 보는 것이 이로움은 형통하기 때문이다"고 말하였다. 음양이 바뀐 괘인 대축괘(大畜卦䷙)의 건괘(乾卦☰)와 본괘의 호괘인 감괘(坎卦☵)는 대인이니, 모였으나 바름을 얻지 못하면 어지럽기 때문에 "바름이 이롭다"고 하였다. 대인에게 모인 것이 곧 바름을 얻음이다. 구오는 굳센 양으로 가운데 자리에 있으면서 호응이 있다. 그런 상이 있으면 만물이 나에게 모이기 때문에 자신을 기르는 것과 남을 먹이는 것을 두텁게 해야 하는 것이다. 귀천에 따라 풍요로움과 야박함이 틀려지고 빈부에 따라 사치함과 검소함이 달라지는데, 처하는 데에 있어 두터이 해서는 안 되는데 두터이 하는 것을 사치하다고 하고 야박하게 해서는 안 되는데 야박하게 하는 것을 인색하다고 하니, 사치함과 인색함은 군자가 행하지 않는다. 그러므로 "큰 제물을 쓰니 길하다"고 하였다. 취괘는 많은 사람인 곤괘(☷)와 형통한 태괘(☱)로 이루어져 있으니 모여서 연향하는 상이 있다. 자신을 기르는 데에 풍요롭고 남을 먹이는 데에 두터운 것은 연향만이 그러하기 때문에 그렇게 말했다. 음양이 바뀐 괘인 대축괘(大畜卦䷙)는 간괘·진괘가 쓰임이고 감괘·리괘가 큰 소가 되어 남과 함께 제사 드림을 말하였기 때문에 음양이 바뀜을 취하였다. 모여서 많게 되면 작위하기 쉽고 작위하면 사물이 더욱 모이기 때문에 "가는 것이 이롭다"고 말하였으니, 『사기(史記)·화식전(貨殖傳)』에 "자본이 조금 있으면 지혜를 다투고 자본이 많으면 때를 다투라"라고 한 것이 여기에 해당한다.

채종식(蔡鍾植)「주역전의동귀해(周易傳義同歸解)」

萃王假有廟, 傳云, 王者萃聚天下之道, 至於有廟極也, 言萃道之極於有廟也, 本義云, 王者可以至乎宗廟之中, 言卜祭之吉占也. 蓋萃聚也, 祖考之精神, 必聚於廟. 而又人必聚己之精神, 然後可以格宗廟之神, 故王者萃聚之道, 必於有廟極矣. 而王者祭之占, 又於萃卦言之矣. 然則其取萃聚之義, 傳義旡二致也.

취괘의 '왕격유묘(王假有廟)'에 대하여 『정전』에서는 "왕이 천하의 도를 모아 사당을 두게 되면 지극하다"라고 하였으니 쉬의 도가 사당을 두는 데에 지극함을 말한 것이고, 『본의』에서는 "왕이 종묘 안에 이를 수 있다"라고 하였으니 제사를 점칠 때에 길한 점이라는 말이다. 취는 모이다의 뜻이니 조상의 정신은 반드시 사당에 모인다. 또한 사람은 자기의 정신을 모은 뒤에야 종묘의 신을 이르게 할 수 있기 때문에 왕이 모이게 하는 도는 반드시 사당을 두는 데에서 지극한 것이다. 왕이 제사를 점칠 때에도 또한 취괘에서 말하였다. 그렇다면 취(取)·취(萃)·취(聚)의 의미에 대하여 『정전』과 『본의』의 설명이 다른 것이 아니다.

박문호(朴文鎬) 「경설(經說)·주역(周易)」

卦辭之言王者, 是汎稱也. 然則爻辭之凡云王, 蓋亦有汎稱, 而非必指文王者. 井[4]九三之王明是也.

괘사에서 왕을 말한 경우는 일반적인 칭호이다. 그렇다면 효사에서 왕이라고 말한 것도 대체로 일반적인 칭호이니, 반드시 문왕을 가리키는 것이 아니다. 정괘(井卦)의 구삼효에서 "왕이 현명하면[王明]"[5]이라고 말 한 것이 여기에 해당한다.

亨字自在下, 言別自在下, 不容復在於上也.

『정전』에서 말한 "형자가 본래 아래에 있다"는 별도로 아래에 있음을 말한 것이니, 다시 위에 있을 필요가 없다.

---

4) 井: 경학자료집성DB에는 '竝'으로 되어 있으나, 경학자료집성 영인본을 참조하여 '井'으로 바로잡았다.
5) 『周易·井卦』: 九三, 井渫不食, 爲我心惻, 可用汲, 王明, 竝受其福.

利見大人, 亨, 利貞.

정전 대인을 봄이 이로운 것은 형통하기 때문이니 바름이 이롭다.
본의 대인을 봄이 이로운 것은 형통하기 때문이지만 바름이 이롭다.

┃中國大全┃

傳

天下之聚, 必得大人以治之. 人聚則亂, 物聚則爭, 事聚則紊, 非大人治之, 則萃所以致爭亂也. 萃以不正, 則人聚爲苟合, 財聚爲悖入, 安得亨乎. 故利貞.

천하가 모임에는 반드시 대인을 얻어 다스려야 한다. 사람이 모이면 어지럽고, 사물이 모이면 싸우며, 일이 모이면 문란하니, 대인이 다스리지 않으면 모임은 다투어 어지럽게 된다. 모임을 바르게 하지 않으면, 사람의 모임은 구차하게 합하고, 재물의 모임은 어그러져 들어오니, 어떻게 형통할 수 있겠는가? 그러므로 바름이 이롭다.

小註

進齋徐氏曰, 大人, 五也. 貞, 二五位正也. 當萃之時, 利見大人, 則萃道亨也. 然必利於貞, 聚不以正, 其能亨乎.

진재서씨가 말하였다: 대인은 오효이다. 바름은 이효와 오효의 자리가 바름이다. 모이는 때에 대인을 보는 것이 이로운 것은 모이는 도가 형통하기 때문이다. 그러나 반드시 바름에서 이로우니, 모임을 바르게 하지 않는데 어떻게 형통하겠는가?

○ 西溪李氏曰, 宗廟者, 人心所係. 武王伐商載主而行, 高帝初興, 立漢社稷者, 以係人心也, 必得九五之位, 然後爲萃之主. 故曰, 利見大人. 萃不以正, 其終必離. 故曰, 利貞.

서계이씨가 말하였다: 종묘는 사람들의 마음이 연결된 곳이다. 무왕(武王)이 상(商)을 정벌할 때에 신주를 싣고 갔고, 고제(高帝)가 처음 일어남에 한나라 사직을 세운 것은 사람들의

마음이 연결되어 있기 때문이니, 반드시 구오의 지위를 얻은 다음에 모임의 주인이 되었다. 그러므로 "대인을 봄이 이롭다"고 하였다. 모임을 바르게 하지 않으며 끝내 반드시 떠난다. 그러므로 "바름이 이롭다"고 하였다.

○ 趙氏曰, 陽居五而五陰從之爲比, 陽居五與四, 而四陰從之爲萃. 二卦若相似也, 然比者, 衆陰始附之初, 聖人作而萬物覩之時也. 故曰原筮元永貞无咎, 又曰, 不寧, 方來, 後夫, 凶, 皆附之意也. 萃者, 二陽相比, 群陰萃而歸之, 君臣同德, 萬物盛多之時也. 非下順上說, 不足以爲萃. 豈特二五相應而已哉.

조씨가 말하였다: 양이 오효의 자리에 있어 다섯 음이 따르는 것이 비괘(比卦䷇)이고, 양이 사효와 오효의 자리에 있어 네 음이 따르는 것이 취괘(萃卦䷬)이다. 두 괘가 서로 비슷한 것 같지만 비괘는 여러 음이 비로소 의지하는 처음에 성인이 일어나니 만물이 우러러보는 때이다. 그러므로 "두 번 점쳐 크고 영원하고 곧아야 허물이 없다"[6]라고 하였고, 또 "편안하지 못한 이가 바야흐로 올 것이니, 뒤에 오는 장부는 흉하다"[7]라고 하였으니, 모두 의지한다는 의미이다. 취괘는 두 양이 서로 가까이 있고 여러 음이 모여서 귀의하며 임금과 신하가 덕이 같으니 만물이 성대하고 많은 때이다. 아래에서 따르고 위에서 기뻐하지 않으면 모임[萃卦䷬]이 되기에 부족하니, 어찌 단지 이효와 오효가 서로 호응할 뿐이겠는가?

▎韓國大全▎

유정원(柳正源) 『역해참고(易解參攷)』

利見大人.

대인을 보는 것이 이롭다.

潼川毛氏曰, 萃比何以異乎. 曰, 水在地上, 固相親也, 而散漫, 未有所歸, 故曰不寧方來. 名分未定, 不必其皆比也, 澤上於地, 固鍾於澤者也, 故曰王假有廟, 利見大人. 天下一家, 極盛之時也.

---

6) 『周易·比卦』: 比, 吉, 原筮, 元永貞, 无咎.
7) 『周易·比卦』: 不寧, 方來, 後夫, 凶.

동천모씨가 물었다: 취괘와 비괘가 어떻게 다릅니까?

답하였다: 물이 땅위에 있으니 본래 서로 친한 것인데 흩어져서 돌아오는 이가 없기 때문에 "편안하지 못하여야 비로소 올 것이다"고 말하였습니다. 명분이 정해지지 않았으니 모두 친할 필요는 없습니다. 못이 땅보다 위에 있음은 본래 못에 모인 것이기 때문에 "왕이 사당을 두게 되었으니, 대인을 보는 것이 이로움"이라고 말하였습니다. 이는 천하가 한 집안처럼 되어 매우 번성한 때입니다.

○ 案, 主宗廟聚精神, 唯大德之人也, 制禮作樂, 多儀及物, 亦唯大德之人也.

내가 살펴보았다: 종묘의 주인이 되어 정신을 모으는 것은 오직 큰 덕을 지닌 사람이 할 수 있고, 예악을 제정하여 훌륭한 의식이 만물에까지 미침도 오직 큰 덕을 지닌 사람이 할 수 있다.

김기례(金箕澧) 「역요선의강목(易要選義綱目)」

利見大人, 亨, 利貞.

대인을 보는 것이 이로움은 형통하기 때문이니, 바름이 이롭다.

大人指五.

대인은 오효를 가리킨다.

○ 當萃之時, 非大人治, 何以亨, 聚以不貞, 何以利.

취괘의 때에 대인의 다스림이 아니라면 어떻게 형통할 수 있겠으며, 바르지 않음으로 모인다면 어떻게 이로울 수 있겠는가?

○ 陽居五四二位, 四陰從之, 君臣同德, 萬物萃也.

양이 오효·사효 두 자리에 있고 네 음이 따르니 임금과 신하가 같은 덕이므로 만물이 모인다.

用大牲, 吉, 利有攸往.

큰 제물을 써서 길하니, 가는 것이 이롭다.

▌中國大全▌

傳

萃者, 豊厚之時也, 其用宜稱, 故用大牲吉. 事莫重於祭, 故以祭享而言, 上交鬼神, 下接民物, 百用莫不皆然. 當萃之時, 而交物以厚, 則是享豊富之吉也, 天下莫不同其富樂矣. 若時之厚, 而交物以薄, 乃不享其豊美, 天下莫之與, 而晦吝生矣. 蓋隨時之宜, 順理而行, 故象云, 順天命也. 夫不能有爲者, 力之不足也, 當萃之時, 故利有攸往. 大凡興功立事, 貴得可爲之時, 萃而後用, 是動而有裕, 天理然也.

취는 풍족한 때라 그 쓰임이 걸맞아야 하기 때문에 큰 제물을 써서 길하다. 일에 제사보다 귀중한 것이 없기 때문에 제사지내는 것으로 말했으니, 위로 귀신과 사귀고 아래로 백성들과 만남에 온갖 쓰임이 모두 그렇지 않은 것이 없다. 모이는 때에 사물들과 사귀기를 두텁게 하면, 바로 풍성한 길함을 누리게 되니, 천하가 그 부유함과 즐거움을 함께 하지 않음이 없다. 만일 두텁게 할 때인데 사물을 박하게 대하면 그야말로 풍부한 아름다움을 누리지 못하니, 천하에서 아무도 함께 하지 않아 후회하고 부끄럽게 된다. 때의 마땅함에 따라 이치에 순응하여 행하기 때문에 「단전」에서 "천명에 순응한다"고 하였다. 일을 할 수 없는 것은 힘이 부족하기 때문인데, 모이는 때이므로 가는 것이 이롭다. 대체로 공을 일으켜 일을 함에는 할 수 있는 때를 얻어서 모인 뒤에 쓰는 것을 귀하게 여기니, 움직여서 여유가 있는 것은 하늘의 이치가 그런 것이다.

本義

萃, 聚也. 坤, 順, 兌, 說. 九五剛中, 而二應之, 又爲澤上於地, 萬物萃聚之象, 故爲萃. 亨字衍文. 王假有廟, 言王者可以至乎宗廟之中, 王者, 卜祭之, 吉占也. 祭義曰, 公假于太廟, 是也. 廟所以聚祖考之精神, 又人必能聚己之精神, 則可以至于廟而承祖考也. 物旣聚, 則必見大人而後, 可以得亨. 然又必利於正, 所聚不正, 則亦不能亨也. 大牲必聚而後有, 聚則可以有所往, 皆占吉而有戒之辭.

취는 모이는 것이다. 곤괘(坤卦☷)는 순종하는 것이고, 태괘(兌卦☱)는 기뻐하는 것이다. 구오가 굳세고 가운데 있는데 이효가 호응하고, 또 못이 땅보다 위에 있어 만물이 모이는 상이기 때문에 취이다. 형(亨)자는 연문이다. "왕이 사당에 감"은 왕이 종묘의 가운데로 갈 수 있다는 말로 왕이 점쳐서 제사를 지낸 것이니 길한 점이다. 「제의」에서 "공이 태묘에 갔다"[8]는 것이 여기에 해당한다. 사당은 조상들의 정신을 모은 곳이니, 또 사람들이 자신들의 정신을 반드시 모을 수 있으면 그곳에 가서 조상들을 계승할 수 있다. 사물이 이미 모였으면 반드시 대인을 본 이후에 형통할 수 있다. 그러나 반드시 바름에서 이로우니 모인 것이 바르지 않으면 또한 형통할 수 없다. 큰 제물은 반드시 모인 뒤에 있고, 모이면 가는 것이 있으니, 모두 점이 길할지라도 경계의 말을 하였다.

小註

朱子曰, 彖辭散漫說, 說了王假有廟, 又說利見大人, 又說用大牲吉. 大率是聖人觀象, 節節地看見許多道理, 看到這裏見有這個象, 便說出這一句來. 又看見那個象, 又說出那一個理來. 然而觀象, 則今不可得見是如何地觀矣. 問, 卦取聚之意. 曰, 數句是占辭, 非發明萃聚之意也. 此是諸儒說易之大病, 非聖人繫辭焉, 而明吉凶之意.

주자가 말하였다: 「단사」에서 산만하게 설명했으니, "왕이 사당에 갔다"고 하고는, 또 "대인을 봄이 이롭다"고, 또 "큰 제물을 써서 길하다"고 설명하였다. 대개 이것은 성인이 상을 봄에 하나하나 허다한 도리가 눈에 보이고 여기에 이런 상이 있음을 보면 이런 구절로 설명하였고, 또 저런 상이 눈에 띠면 저런 이치로 설명하였다. 그러나 지금 상을 보면 어떻게 봐야 할지 알 수 없다.

물었다: 괘에서 모인다는 의미를 취했습니까?

답하였다: 여러 구절이 점에 대한 설명이지 모인다는 의미를 드러내 밝힌 것은 아닙니다. 이것은 여러 학자들이 『역』을 설명하는 큰 병폐이니, 성인이 설명을 붙여 길흉을 밝힌 의도가 아닙니다.

○ 中溪張氏曰, 萃爲豊盛之時, 則祭享之禮, 其用宜稱, 故用大牲則吉也. 處萃之時, 人心翕合, 以順而行, 故利有攸往也.

중계장씨가 말하였다: 모임은 풍성한 때이니, 제사지내는 예는 그 쓰임에 걸맞아야 하기 때문에 큰 제물을 쓰면 길하다. 모이는 때에는 사람들의 마음이 모여서 순리대로 행하기 때문에 가는 것이 이롭다.

---

8) 『禮記 · 祭統』: 故衛孔悝之鼎銘曰, 六月丁亥, 公假于大廟.

○ 雲峰胡氏曰, 王假有廟, 於萃渙言之者. 渙, 散也. 謂祖宗精神易散, 故爲廟以聚之. 萃, 聚也. 謂聚己之精神, 然後能至于廟, 而聚祖考之精神也. 象五句, 各自是一事. 聖人見萃有假廟象, 又見五爲大人之象, 故曰利見大人亨, 言群聚於下, 必見大人以爲之主而後亨也. 又見五與二, 皆得正, 故曰利貞, 萃不以正, 其能亨乎. 利亨利貞兩利字, 不相蒙. 孔子釋而合之, 謂聚之利於亨者, 以見大人, 則爲所聚之正, 是乃利貞也. 後之說者, 但釋孔子之傳, 而文王之經隱矣. 又聖人見損之時, 二簋可用享, 則萃之時, 必用大牲乃吉, 渙之時且利涉大川, 則萃之時, 必利有攸往也, 本義以爲皆占吉而有戒之辭. 蓋言萃之時, 如是則亨且利, 否則不亨不利 如是則吉 否則不吉也.

운봉호씨가 말하였다: "왕이 사당에 갔다"는 것은 취괘(萃卦䷬)와 환괘(渙卦䷺)[9]에서 말한 것이다. 환(渙)은 분산된다는 것이다. 선조들의 정신은 쉽게 분산되기 때문에 사당을 만들어 모은다는 말이다. 취는 모은다는 것이다. 자신의 정신을 모은 다음에 사당에 가서 선조들의 정신을 모을 수 있다는 말이다. 「단전」의 다섯 구절은 제각기 본래 하나의 일이다. 성인이 취괘에 사당에 간다는 상이 있는 것을 보았고, 또 오효가 대인의 상인 것을 보았기 때문에 "대인을 보는 것이 이로운 것은 형통하기 때문이다"고 하였으니, 무리가 아래에서 모여 반드시 대인을 보고 그를 주인으로 삼은 다음에 형통하다는 말이다. 또 이효와 오효가 모두 제 자리를 얻었음을 보았기 때문에 "바름이 이롭다"라고 하였으니, 모임을 바르게 하지 않으면 어떻게 형통할 수 있겠는가? "이로운 것은 형통하기 때문이지만 바름이 이롭다"에서 두 번의 이롭다는 말은 서로 관계가 없다. 그런데 공자가 해석하면서 합했던 것은 모아서 형통함에서 이로운 것은 대인을 보았기 때문이니, 모임의 바름을 행하면 이것이 바로 바름이 이롭다는 말이다. 뒤에 설명하는 자들은 공자의 전만 해석하여 문왕의 경이 은폐되었다. 또 성인은 덜어내는 때에는 두 그릇만 가지고 제사지낼 수 있는 것을 보았다면,[10] 모이는 때에는 반드시 큰 제물을 사용해야 길하고, 분산되는 때에는 또 큰 내를 건넘이 이롭다면 모이는 때에는 가는 것이 이로우니, 『본의』에서 모두 점이 길할지라도 경계의 말을 하였다고 여긴 것이다. 모이는 때에는 이와 같이 하면 형통하고 또 이로우며, 그렇지 않으면 형통하지 않고 이롭지 않으며, 이와 같이 하면 길하고 그렇지 않으면 불길하다는 말이다.

---

9) 『周易·渙卦』: 渙 亨, 王假有廟.
10) 『周易·損卦』: 二簋可用享.

▌韓國大全▌

홍여하(洪汝河) 「책제(策題):문역(問易)·독서차기(讀書箚記)-주역(周易)」[11]

萃, 彖辭, 王假有廟, 用大牲吉.

취괘의 단사에서 말하였다: 왕이 사당에 가니, 큰 제물을 써서 길하다.

兌巽有享祀之象, 艮有廟門之象. 互爲巽艮, 故爲王假有廟. 九五爲大人之象, 故爲利見大人亨而利貞. 聚必以正, 假于有廟, 故用大牲吉, 利見大人, 故利有攸往. 大牲爲坤牛之象也.

태와 손은 제향하는 상이 있고, 간은 사당 문의 상이 있다. 호괘가 손과 간이기 때문에 "왕이 사당에 감"이 된다. 구오는 대인의 상이기 때문에 대인을 봄이 형통하고 바름이 이로움이된다. 반드시 바름으로 모여서 사당에 가기 때문에 큰 제물을 씀이 길하고, 대인을 봄이 이롭기 때문에 가는 것이 이롭다. 큰 제물은 소인 곤의 상이다.

이익(李瀷) 『역경질서(易經疾書)』

萃聚之道, 莫若感格. 不然, 四海之廣, 兆民之象, 豈有同心歸仰之理. 是以王者御極萃之大也. 假如昭假, 列祖之假, 亦感格之義. 雖天子, 必有所尊, 立廟享祀以己之精神, 感格祖考之精神者, 又萃之至也. 利見大人, 是聖人作而萬物覩此, 帖萃亨, 用大牲吉, 帖王假有廟. 萬物本乎天地, 如人本乎祖考, 其本一者, 其情宜萃然, 而不然者, 莫非嗜欲相賊, 猜嫌相攻, 有以間之, 去其所間, 萃而已矣. 子曰明乎郊社之禮, 禘嘗之義, 治國其如視諸掌乎. 觀萃之象, 知位育之有其道矣.

모이는 도는 감동하여 이르는 것 만한 것이 없다. 그렇지 않다면 광활한 세상과 억조 백성의 군상(群像)이 어떻게 한 마음으로 귀의하여 우러러 보는 이치가 있겠는가? 이러므로 왕자(王者)는 모임을 지극히 하는 대업을 통솔한다. '이름[假]'은 밝게 이름[昭假]과 같으니 열성조가 강림하신이 또한 감동히여 이른다는 뜻이나. 천자라도 반드시 높이는 상대가 있으니 사당을 세워 자기의 정신으로 받들어 제사하고 조상의 정신을 이르게 하는 것이 또한 모임의 지극함이다. "대인을 보는 것이 이로움"은 성인이 일어남에 만물이 이것을 보는 것이니 "취형(萃亨)"에 연결되고, "큰 재물을 써서 길함[用大牲吉]"은 왕격유묘(王假有廟)에 연결

---

11) 경학자료집성DB에 취괘 「단전」에 해당하는 것으로 분류했으나, 내용에 따라 이 자리로 옮겨왔다.

된다. 만물이 천지에 근본함은 사람이 조상에 근본함과 같다. 근본이 하나인 것은 그들의 마음이 모이기 마련이다. 그렇지 않으면 욕심으로 서로 해치고 시기심으로 서로 공격하여 틈이 있게 되니 그 틈을 없애는 것은 모임일 뿐이다. 공자가 "교제사의 예와 체제사·상제사의 의리에 밝다면 나라를 다스리는 것이 손바닥에서 보는 것처럼 쉬울 것이다"라고 하였으니, 취괘의 상을 관찰하면 위육(位育)의 도를 알 것이다.

易之興, 當殷周之際. 文王之象, 懸空約說則微矣, 周孔之象, 屬辭比事則著矣. 萃升反對也. 御衆莫如萃, 正位莫如升, 非周之盛德, 不足以當之. 升四岐山之享, 指目殺露歧山名, 伏羲爻中, 安有此象. 始知萃二之禴, 亦比勘於升二, 均爲周廟之享矣. 澤上於地, 是水泉從地中涌出, 渟聚不散, 水無衝決之勢, 地無滲洩之患. 所以成萃, 除戎器, 備不虞, 如惕號暮夜有戎勿恤. 除者, 舍置也, 謂常用不可, 謂常闕亦不可. 天下旣定, 人心萃聚, 方可以舍置兵戎, 而但備不虞而已. 武王克商, 偃武修文, 貫革之射息焉, 此其實際也夫.

『주역』이 흥성한 것은 은나라와 주나라의 교체기에 해당한다. 문왕의 단사는 허공에 매달아 말을 붙였으니 은미하고, 주공과 공자의 「상전」은 말을 붙여 일에 견주었으니 드러난다. 취괘(萃卦䷬)와 승괘(升卦䷭)는 반대괘이다. 대중을 통솔하는 것에 취괘 만한 것이 없고, 자리를 바르게 하는 것에 승괘 만한 것이 없으니, 주나라의 번성한 덕이 아니면 이를 감당하기에 부족할 것이다. 승괘 사효의 "기산에서 제향함"은 기산의 이름을 지목하여 강하게 드러내었으니, 복희씨의 효 가운데 이런 상이 어디에 있는가? 취괘 이효의 약제사도 승괘 이효에 비견됨을 비로소 알겠으니, 이들은 모두 주나라 사당에서 제향하는 것이다. "못이 땅보다 위에 있음"은 물이 땅속에서 용솟음쳐서 흩어지지 않고 고여 있는 것이니, 물에는 부딪쳐서 물길을 트는 기세가 없고, 땅에는 스며들거나 새나가는 근심이 없다. 이 때문에 무리를 모으고 무기를 보관하여 예기치 못한 일에 대비하기를 "두려워하고 호령함이니, 늦은 밤에 적병이 있더라도 걱정할 것이 없음"[12]처럼 한다. 보관하다[除]는 놓아두는 것이니, 항상 쓰는 것이라고 해도 틀리고 항상 버려두는 것이라고 해도 틀린다. 천하가 안정되어 인심이 하나로 모이니 바야흐로 무기를 놓아둘 수 있게 되어 다만 예기치 않은 사태에 대비할 뿐이다. 무왕이 상나라를 이기자 "무용을 그만두고 문화를 길렀으며"[13] "가죽을 뚫는 활쏘기가 그쳤다"[14]고 하니 이것은 실제로 있었던 일이다.

---

12) 『周易·夬卦』: 九二, 惕號, 莫夜, 有戎, 勿恤.

13) 『書經·武成』: 王來自商, 至於豊, 乃偃武修文.

14) 『禮記·樂記』: 散軍而郊射, 左射貍首, 右射騶虞, 而貫革之射息也.

유정원(柳正源) 『역해참고(易解參攷)』

用大 [至] 攸往.

큰 제물을 써서 … 가는 것이 이롭다.

正義, 人聚神佑, 何往不利.

『주역정의』에서 말하였다: 사람이 모이고 귀신이 도우시니 무슨 일인들 이롭지 않겠는가?

○ 漢上朱氏曰, 艮爲門闕, 上爲宗廟. 坤爲牛, 兌爲刑殺, 殺牛以奉宗廟也.

한상주씨가 말하였다: 간괘는 문인데 위는 종묘이다. 곤괘는 소이고 태괘는 형벌로 죽임이니 소를 죽여 종묘에 바치는 것이다.

○ 梁山來氏曰, 大象坎爲豕, 外卦兌爲羊, 內卦坤爲牛, 大牲之象也.

양산래씨가 말하였다: 큰 상이 감괘䷝니 돼지이고, 외괘인 태괘는 양이며, 내괘인 곤괘는 소이니 큰 제물을 갖춘 상이다.

김상악(金相岳) 『산천역설(山天易說)』

萃亨之亨, 傳義皆曰衍文. 假至也. 卦互坎艮. 九五居上, 王假有廟之象, 二之應五, 利見大人之象. 故五爲致亨之主, 二有利貞之義. 王之假廟, 所以備物之薦, 故用大牲吉. 陰之利見, 所以求萃於陽, 故利有攸往. 故初與三, 皆言往无咎.

'취형(萃亨)'의 형(亨)은 『정전』과 『본의』에서 모두 연문이라고 하였다. '격(假)'은 이름이다. 괘의 호체는 감괘와 간괘이다. 구오가 위에 있으니 왕이 사당에 가는 상인데, 이효가 오효에 호응하니 대인을 봄이 이로운 상이다. 그러므로 오효는 제사드림을 지극히 하는 주체가 되고 이효는 바름이 이로운 뜻이 있다. 왕이 사당에 감은 준비한 제물을 올리려는 것이므로 큰 제물을 씀이 길하다. 음으로서 만나는 것이 이로움은 양에 모이기를 구하고자 하는 것이기 때문에 가는 것이 이롭다. 그러므로 초효와 삼효에 모두 "가면 허물이 없다"라고 하였다.

○ 艮門闕, 坎鬼神, 廟之象. 萃與渙, 其義正相反, 而皆曰王假有廟者, 所以聚而不渙, 渙而能聚也. 豊則盈虛消息, 兼萃渙之義, 故曰王假之勿憂. 言亨利貞而不得元者, 臨之交也. 坤牛, 兌羊, 坎豕, 大牲之象. 用大牲, 乃致孝享, 而順天命也. 利有攸往, 順說之相承也.

간괘(☶)는 문이고, 감은 귀신이니 사당의 상이다. 취괘와 환괘는 그 의미가 서로 반대인데도 모두 "왕이 사당을 두게 되니"라고 한 것은 모여야 흩어지지 않고 흩어져야 모일 수 있기 때문이다. 풍괘는 차고 비고 사라지고 자라는 것이 취괘·환괘의 의미를 겸하였기 때문에 "왕이 이르니 근심할 것이 없다"고 말하였다. 형·리·정(亨利貞)을 말하였으나 원(元)이라고 할 수 없는 것은 위아래가 바뀐 괘가 림괘이기 때문이다.

곤은 소이고 태는 양이며 감은 돼지이니 큰 제물의 상이다. "큰 제물을 씀"은 곧 효도로 제사드림을 극진히 하고 천명에 순응함이다. "가는 것이 이로움"은 순응하고 기뻐하여 서로 따름이다.

서유신(徐有臣) 『역의의언(易義擬言)』

亨, 衍文. 卦中, 有王假廟之象, 有見大人之象, 有亨利貞之象, 有用大牲之象, 有利有攸往之象. 有此許多善象, 故聖人隨所見, 就寫之. 然其間自有條序, 不可錯雜顚倒而說也. 蓋王假有廟, 故利見大人而亨矣. 二五利見, 得正相應, 故又利貞矣. 萃聚之時, 牲幣豊足, 故用大牲以祭而獲吉也. 亨利貞吉, 故利有攸往, 無疆用休也. 王假廟之象, 渙象詳矣. 坤爲大武, 兌爲柔毛, 互巽爲剛鬣, 互艮爲羹獻, 大牲之象也.

형(亨)은 연문이다. 괘 안에 "왕이 사당을 두게 되는" 상이 있고 "대인을 보는" 상이 있으며 "형통하니 바름이 이로운" 상이 있고 "큰 제물을 쓰는" 상이 있으며 "가는 것이 이로운" 상이 있다. 이렇듯 허다한 좋은 상이 있기 때문에 성인이 보는 대로 기술하였다. 그러나 그 안에 나름대로 조리와 순서가 있으니, 뒤섞어 거꾸로 말해서는 안 된다. 왕이 사당을 두게 되었기 때문에 대인을 보는 것이 이롭고 형통하다. 이효와 오효가 만나보는 것이 이로우니 바름을 얻어 서로 호응하기 때문에 또 바름이 이롭다. 모이는 때는 희생과 폐백이 풍족하기 때문에 큰 제물을 써서 제사하여 길함을 얻은 것이다. 형통하니 바름이 이로워 길하기 때문에 가는 것이 이로워 무한히 아름다운 것이다. 왕이 사당을 두게 되는 상은 환괘의 단전에 상세하다. 곤괘(☷)는 소이고[15] 태괘(☱)는 부드러운 털이며 호괘인 손괘(☴)는 굳센 갈기이고 호괘인 간괘(☶)는 국을 바침이니 큰 희생의 상이다.

박제가(朴齊家) 『주역(周易)』

傳, 亨字羡文, 與渙不同. 彖辭甚明, 本義從之.

『정전』에 "형(亨)은 연문이니 환괘와는 다르다. 「단사」에 아주 분명하다"고 하였는데,『본의』에서 이 말을 따랐다.

---

15) 『禮記·曲禮下』凡祭宗廟之禮, 牛曰一元大武.

案, 萃下亨, 當爲享, 非羨. 象傳曰, 致孝享也, 享義明甚. 其不曰萃享者, 以其先說聚義, 而下說王假, 故不可得而連也. 不以享字連之王假有廟之上者, 以一字爲句不妥, 而下曰致孝享, 則刪此一字, 爲无害. 此夫子之文章, 簡整如此. 如渙則乃亨通之亨爲義, 迥異朱子固說亨享烹之爲一字. 而於此則必以爲元亨之亨, 衍之, 何也. 平菴項氏曰, 王肅本獨有此字, 王弼逡用其說. 孔子象辭, 初不及者, 看經不詳.

내가 살펴보았다: 취(萃) 아래의 형(亨)은 제향함의 뜻인 향(享)이라고 해야 하니 연문이 아니다. 「단전」에 "효도로 제사드림을 지극히 한다"라고 하였으니 제향함[享]의 뜻이 매우 분명하다. 그곳에 취향(萃享)이라고 하지 않은 이유는 모이는 뜻을 먼저 말하고 나서 "왕이 이름"을 말하고자 하였기 때문에 연결하여 쓸 수가 없었던 것이다. 그 향(享)을 왕격유묘(王假有廟)의 위에 연결할 수 없는 이유는 한 글자로 절구(絶句)하는 것이 타당하지 않아서 아래에 치효향(致孝享)이라고 말한 것이다. 그렇다면 이 한 글자[享]를 산삭해도 지장이 없다. 이것이 공자의 문장이니 공자의 문장은 이처럼 간결하고 정돈되었다. 환괘의 경우는 곧 형통하다의 형(亨)으로 의미를 삼았으니, 본래 주자가 형(亨)·향(享)·팽(烹)을 한 글자로 취급한 주장과는 현저히 다르다. 그런데 주자가 여기에서 굳이 원형(元亨)의 형(亨)으로 여겨 이 글자를 연문이라고 한 까닭은 무엇인가? 평암항씨는 "왕숙본에만 형(亨)이라는 글자가 있었는데 왕필이 마침내 왕숙의 주장을 취한 것이다. 공자의 단사에는 애초에 언급되지 않았다"라고 하였는데 역경을 살펴보았으나 분명히 알 수 없다.

윤행임(尹行恁)의 「신호수필(薪湖隨筆)」

太廟之制, 始於萃渙. 有棟宇而後有太廟, 大壯先而萃渙其後乎.

태묘의 제도는 취괘·환괘에서 비롯되었다. 동우(棟宇)가 있은 뒤에 태묘가 있게 되었으니, 대장괘가 먼저이고 취괘·환괘가 뒤일 것이다.

강엄(康儼) 『주역(周易)』

或[16]疑大人之聚天下, 自當以正, 又何言利貞耶. 妄謂天下之聚, 鮮克以正, 雖大人, 亦在所戒. 故必言利貞. 然利見大人, 則止在其中, 故象傳只曰利見大人亨, 聚以正也, 不復別釋利貞之義. 本義又爲澤上於地, 萬物萃聚之象.

어떤 이가 의심하기를 "대인이 천하의 사람을 모이게 하는 것은 본래 바름으로 하는 것인데 또한 어찌하여 바름이 이롭다고 하는가?"라고 하였다. 천하 사람들의 모임에 바름으로써

---

16) 或: 경학자료집성DB에는 '成'으로 되어 있으나, 경학자료집성 영인본을 참조하여 '或'으로 바로잡았다.

하는 것이 드물다고 함부로 말하는 것은 비록 대인이라도 경계하는 데에 달려 있기 때문이다. 그러므로 반드시 바름이 이롭다고 말하였다. 그러나 대인을 보는 것이 이롭다면 바름이 그 안에 있는 것이기 때문에 「단전」에서 "대인은 보는 것이 이로우니 형통하다"라고만 하였으니 바름으로 모인 것이므로 별도로 "바름이 이롭다"는 뜻을 풀지 않은 것이다. 『본의』에서 "또한 못이 땅보다 위에 있어 만물이 모이는 상이 된다"라고 하였다.

按, 本義所釋卦名義, 只據象[17]傳釋之, 此通例也. 主於師卦及此卦義, 卻兼取大象釋之, 蓋取象傳, 而義有不足, 則兼取大象釋之耶.

내가 살펴보았다: 『본의』에서 해석한 괘의 이름과 의미는 다만 「단전」에 의거하여 해석하였으니 이것이 일반적인 규례이다. 그러나 사괘(師卦)와 취괘(萃卦)에서는 주로 한 의미를 「대상전」에서 아울러 취하여 해석하였다. 아마도 「단전」에서 취하였으나 의미가 부족하다면 아울러 「대상전」에서 취하여 해석하는 것인가 보다.

○ 又人必能聚己之精神.

『본의』에 "또 사람들이 자신들의 정신을 반드시 모을 수 있으면"이라고 하였다.

按, 卦辭所謂王假有廟, 雖主王者言之, 而天下之人, 皆當如是. 故本義又以人字例之.

내가 살펴보았다: 「괘사」에서 말한 왕이 사당을 둠에 이름은 비록 왕을 위주로 말하였으나 천하의 사람이 모두 이와 같아야 한다. 그러므로 『본의』에서 또 사람들[人]로써 사례를 든 것이다.

박문건(朴文健) 『주역연의(周易衍義)』

萃下亨字, 傳義俱作衍文.

취(萃) 아래의 형(亨)자는 『정전』과 『본의』에서 모두 연문이라고 하였다.

○ 假言極其和說之道也, 順於下, 故能保宗廟, 屈於賢, 故用見大人也. 大牲者, 二剛之象也.

격(假)은 조화롭고 기쁜 도를 지극히 함을 말한다. 아래에서 따르기 때문에 종묘를 보존할 수 있고 현인에게 굽히기 때문에 대인을 만나보는 것이다. '큰 제물'이란 두 굳셈의 상이다. 〈問, 王假有廟以下. 曰, 王假和說之道於其下, 故能保有宗廟. 又尙賢而得助, 故有利見大人之象也. 陰進處上, 雖有亨道, 然柔貞爲利. 又二剛用大牲, 以養其上, 故致吉也. 進於上, 而爲陽所載,故又有利有往之象也. 曰, 萃則取有往之義, 大畜則取涉川之

---

17) 象: 경학자료집성DB에는 '承'으로 되어 있으나, 경학자료집성 영인본을 참조하여 '象'으로 바로잡았다.

義, 何. 曰, 萃與大畜之上, 俱進高極之地, 然但其勢有險易之不同, 故取義亦異也.

물었다: '왕격유묘(王假有廟)' 이하는 무슨 뜻입니까?

답하였다: 왕이 아래에서 조화롭고 기쁜 도를 지극히 하였기 때문에 종묘를 보존할 수 있습니다. 또한 현인을 높여 도움을 받기 때문에 대인을 보는 것이 이로운 상이 있습니다. 음이 나아가 위에 거처함은 비록 형통한 도가 있더라도 부드러운 도는 발라야 이로운 것입니다. 또한 두 개의 군셈이 큰 제물을 써서 윗사람을 봉양하기 때문에 길하게 됩니다. 위에 나아가 양에게 실려 있기 때문에 또한 가는 것이 이로운 상이 있습니다.

물었다: 취괘(萃卦)에서는 가는 의미를 취하였고 대축괘(大畜卦)에서는 시내를 건너는 의미를 취한 것은 어째서입니까?

답하였다: 취괘와 대축괘의 상효는 모두 가장 높은 곳에 나아갔지만 형편상 험난함과 쉬움의 차이가 있기 때문에 의미를 취한 것도 다른 것입니다.〉

김기례(金箕澧) 「역요선의강목(易要選義綱目)」

用大牲, 吉, 利有攸往.

큰 제물을 써서 길하니, 가는 것이 이롭다.

損曰二簋可用享. 此曰用大牲, 卽豊儉隨時也.

손괘의 괘사에서는 "두 그릇으로도 제사를 지낼 수 있다"라고 하였는데, 여기서는 "큰 제물을 쓰니, 풍성함과 검소함을 때에 맞춘 것이다."고 하였다.

○ 地道往, 故曰往. 人心萃而順, 則何往而不利哉.

땅의 도리는 가는 것이기 때문에 간다고 말하였다. 인심이 모이고 따르면 어디를 간들 이롭지 않겠는가?

이항로(李恒老) 「주역전의동이석의(周易傳義同異釋義)」

傳, 云云

『정전』에서 말하였다: 운운.

本義, 云云.

『본의』에서 말하였다: 운운.

按, 朱子曰, 聖人觀象, 節節地看見道理. 今妄爲之說曰, 先天後天, 坤坎居北, 乾離居南, 坤坎, 主幽主鬼, 乾離, 主明主人. 巽順兌悅, 爲承事致養之主, 故坤坎爲宗廟鬼神之象, 巽兌爲祭祀養奉之象. 是以貞坤悔巽, 則爲盥爲薦. 貞巽悔坤, 則爲禴爲亨. 貞坎悔兌, 則爲祀爲祭. 貞坎悔巽, 則爲廟爲郊. 以此例之, 則萃之爲卦, 內坤外兌, 坤主鬼神, 兌主祭祀, 則有王假有廟之象. 九五六二, 剛柔中正, 上下相應, 有利見大人之象. 坤爲牛, 兌爲羊, 有用大牲之象. 蓋此卦內順外說, 剛中柔應, 有聚萃之象. 而聚會精神, 入廟享先, 爲萃之大義. 官備然後物備, 故以見大人用大牲言之, 如此看亦无害.

내가 살펴보았다: 주자가 "성인이 상을 봄에 하나하나 도리를 살펴보았다"라 하였다. 이제 나는 아래와 같이 생각한다. 「선천도」와 「후천도」에서 곤괘(☷)·감괘(☵)는 북에 있고 건괘(☰)·리괘(☲)는 남에 있으니 곤괘(☷)·감괘(☵)는 어두움과 귀신을 주로 하고 건괘(☰)·리괘(☲)는 밝음과 사람을 주로 한다. 손괘(☴)는 순하고 태괘(☱)는 기뻐하니 받들어 섬기고 봉양하는 주체가 되기 때문에 곤괘(☷)·감괘(☵)는 종묘에 있는 귀신의 상이고 손괘·태괘는 제사를 받드는 상이다. 이러므로 정괘(貞卦: 하괘)가 곤괘(☷)이고 회괘(悔卦: 상괘)가 손괘(☴)면 세수대야가 되고 제수를 올림이 된다. 정괘(貞卦)가 손괘(☴)이고 회괘(悔卦)가 곤괘(☷)이면 약제사가 되고 제향함이 된다. 정괘가 감괘(☵)이고 회괘가 태괘(☱)면 기제사가 되고 시제사가 된다. 정괘가 감괘(☵)이고 회괘가 손괘(☴)면 사당이 되고 교외[18]가 된다. 이런 것을 예로 들면 취괘(萃卦䷬)는 내괘가 곤괘(☷)이고 외괘가 태괘(☱)이니 곤괘(☷)는 귀신을 주로 하고 태괘(☱)는 제사를 주로 하므로 왕이 사당에 가는 상이 있는 것이다. 구오와 육이는 굳셈과 부드러움이 중정하여 위·아래가 서로 호응하니 대인을 보는 것이 이로운 상이 있다. 곤괘(☷)는 소가 되고 태괘(☱)는 양이 되니 큰 제물을 쓰는 상이 있다. 대개 취괘(萃卦䷬)는 안이 순하고 밖이 기뻐하며 굳셈이 가운데 자리에 있고 부드러움이 호응하니 모이는 상이 있다. 정신을 모아 사당에 들어가 조상에게 제향하는 것이 취괘의 대의이다. 관이 갖추어진 뒤에 물건이 구비되기 때문에 "대인을 보다"·"큰 제물을 쓰다"로써 말했으니 이와 같이 보아도 문제없을 것이다.

오치기(吳致箕) 「주역경전증해(周易經傳增解)」

萃者聚也. 澤潤於地, 萬物群聚而生, 爲萃之象. 下順而上說, 爲衆聚之義也. 九五得中正, 故言王格有廟. 而宗廟, 卽尊祖考以聚已散之精神者也. 故象傳言致孝享也. 六二, 得中正而應, 故言利見大人. 而大人卽治邦國, 以聚在下之衆庶者也. 故象傳言聚

---

18) 교(郊): 천자가 천지(天地)에 제사지냈던 장소를 말한다. 천(天)에 대한 제사는 '남쪽 교외[南郊]'에서 시행하였고, 지(地)에 대한 제사는 '북쪽 교외[北郊]'에서 시행하였다.

以正也. 卦體, 則剛柔俱得中正而應, 卦義, 則萬物咸聚, 故言亨. 上下二體, 皆居正位, 故言利貞. 在萃之時, 物聚而豊, 故言亨廟而用大牲則吉. 順而說, 二五剛柔相應, 故言利有攸往.

취(萃)란 모인다는 뜻이다. 못이 땅에서 윤택하니 만물이 모여 자라는 것이 취괘의 상이다. 아래는 순하고 위는 기뻐하니 무리가 모이는 뜻이 된다. 구오가 중정을 얻었기 때문에 "왕이 사당에 간다"라고 말하였다. 종묘는 곧 조상을 높여서 자기의 흩어진 정신을 모으는 것이다. 그러므로 「단전」에서 "효도로 제사드림을 지극히 한다"라고 말하였다. 육이가 중정하여 호응하기 때문에 "대인을 봄이 이롭다"라고 말하였다. 대인은 곧 나라를 다스려 아래에 있는 대중을 모으는 자이다. 그러므로 「단전」에서 "바름으로 모인 것이다"라고 하였다. 괘체는 굳셈과 부드러움이 모두 중정을 얻어 호응하고 괘의는 만물이 모두 모이는 것이기 때문에 "형통하다"라고 말하였다. 상체와 하체가 모두 바른 자리에 있기 때문에 "바름이 이롭다"라고 말하였다. 취괘의 때에는 사물이 모여 풍성하기 때문에 "사당에 제사지내고 큰 제물을 쓰면 길하다"라고 하였다. 순하면서도 기뻐하여 이효와 오효의 굳셈과 부드러움이 서로 호응하기 때문에 "가는 것이 이롭다"고 하였다.

○ 程傳, 上亨字羡文也. 王指五, 而假如昭假烈祖之義, 與格通也. 互艮爲門闕, 亦爲宮, 互巽爲高, 似坎爲幽隱之象, 故言廟, 似坎爲豕, 坤爲牛, 兌爲羊, 故言大牲. 二體皆柔, 萃之以柔道, 故不言大亨.

『정전』에서 위에 있는 형(亨)을 연문이라 하였다. 왕은 오효를 가리키며 '격(假)'은 훌륭한 조상이 밝게 강림하다의 뜻과 같으니 격(格)과 통한다. 호괘인 간괘(☶)는 문이고 또 집이며, 호괘인 손괘(☴)는 높음이 되니 감괘(☵)가 그윽하고 숨는 상이 됨과 흡사하기 때문에 '사당'이라고 말하였고, 감괘(☵)가 돼지가 되고 곤괘(☷)가 소가 되고 태괘(☱)가 양이 되는 것과 같기 때문에 '큰 제물'이라고 말하였다. 두 몸체가 모두 부드러우니, 부드러운 도로 모이기 때문에 크게 형통하다고 말하지 않았다.

이진상(李震相) 『역학관규(易學管窺)』

卦體.
괘체.

剝復一陽也, 故次以无妄大畜四陽之卦, 夬姤一陰也, 故次以萃升四陰之卦. 无妄二陰聚於下, 而大畜二陰聚於上, 萃二陽實於上, 而升二陽實於下. 陰自下升, 而陽自上降, 其體互相變也. 萃以少女在坤母之外, 猶夬之少女在乾父之外也.

박괘(剝卦䷖)와 복괘(復卦䷗)는 양이 하나이기 때문에 양이 네 개인 무망괘(无妄卦䷘)와 대축괘(大畜卦䷙)가 그 다음이고, 쾌괘(夬卦䷪)와 구괘(姤卦䷫)는 음이 하나이기 때문에 음이 네 개인 취괘(萃卦䷬)와 승괘(升卦䷭)가 그 다음이다. 무망괘(无妄卦䷘)는 두 음이 하괘에 모여있고, 대축괘(大畜卦䷙)는 두 음이 상괘에 모여 있으며, 취괘(萃卦䷬)는 두 양이 상괘에서 채워있고, 승괘(升卦䷭)는 두 양이 하괘에 채워있다. 음은 아래에서 올라가고 양은 위에서 내려오니 몸체가 서로 변한다. 취괘는 막내딸이 어머니인 곤의 밖에 있으니 쾌괘인 막내딸이 아버지인 건의 밖에 있는 것과 같다.

박문호(朴文鎬) 「경설(經說)‧주역(周易)」

是動而有裕是字下, 或脫以字耶.

『정전』의 ‘시동이유유(是動而有裕)’의 ‘시(是)’자 아래에 ‘이(以)’자가 빠진 듯하다.

이정규(李正奎) 「독역기(讀易記)」

萃之卦辭, 王假有廟, 廟者, 祖考精神之所萃也. 萃己之精神, 以承祖考, 則天下之精神, 亦皆萃也, 何者. 報本者, 物之性也. 豺獺亦知能祭, 況於人乎. 誠於此, 則感而應之, 不期然而然矣. 故夫子曰, 知禘嘗之義, 則治天下, 其如視諸掌乎, 曾子曰, 愼終追遠, 民德歸厚, 萃之道, 无以過此, 萃之以正, 亦莫有過者矣.

취괘의 괘사인 ‘왕격유묘(王假有廟)’에서 묘(廟)는 조상의 정신이 모이는 곳이다. 자기의 정신을 모아 조상을 받들면 천하의 정신도 모두 모인다는 것은 어째서인가? 근본에 보답하는 것은 만물의 본성이다. 승냥이와 수달도 제사지낼 줄 알거늘 하물며 사람이겠는가? 여기에서 정성스러우면 저기에서 감동하여 호응함은 그렇게 되기를 기약하지 않아도 그렇게 되는 것이다. 그러므로 공자가 “체제사‧상제사의 도의에 밝다면 천하를 다스리는 것이 손바닥에서 보는 것처럼 쉬울 것이다”라고 하였고, 증자가 “초상을 삼가 받들고 조상을 추모한다면 민심이 두텁게 될 것이다”라고 하였으니 취괘의 도리는 여기에서 벗어나지 않으며 바름으로 모이는 것도 이것보다 나은 것이 없다.

象曰, 萃, 聚也. 順以說, 剛中而應, 故聚也.

「단전」에서 말하였다: 취는 모이는 것이다. 순응해서 기뻐하고 굳셈이 가운데 있으면서 호응하기 때문에 모인다.

‖中國大全‖

傳

萃之義, 聚也. 順以說, 以卦才言也. 上說而下順, 爲上以說道使民, 而順於人心, 下說上之政令, 而順從於上. 旣上下順說, 又陽剛處中正之位, 而下有應助如此, 故能聚也. 欲天下之萃, 才非如是不能也.

취괘의 의미는 모인다는 것이다. '순응해서 기뻐한다'는 것은 괘의 재질로 말하였다. 위에서 기뻐하고 아래에서 순응하는 것은 위에서 기뻐하는 도로 백성들을 부려 사람들의 마음에 순응하고, 아래에서 위의 정령을 기뻐해서 위에 순응하기 때문이다. 이미 상하가 순응하여 기뻐하는데다가 또 굳센 양이 중정한 자리에 있어 아래에서 이처럼 호응하여 돕기 때문에 모일 수 있다. 천하를 모으려고 하면 재질이 이와 같지 않으면 불가능하다.

本義

以卦德卦體, 釋卦名義

괘의 덕과 괘의 몸체로 괘의 이름을 풀이하였다.

小註

中溪張氏曰, 萃之所以爲聚者, 以其坤順而兌說也. 上有剛中之主, 而下得柔中之應, 此君臣聚會之際也.

중계장씨가 말하였다: 취괘가 모임인 것은 곤(坤☷)이 순응하고 태(兌☱)가 기뻐하기 때문이다. 위로 굳세고 가운데인 임금이 있고 아래로 유순하고 가운데인 호응을 얻으니, 이것은 임금과 신하가 모이는 때이다.

韓國大全

권만(權萬) 『역설(易說)』

萃聚也. 順以說, 剛中而應, 故聚也.

취는 모이는 것이다. 순응해서 기뻐하고 굳셈이 가운데 있으면서 호응하기 때문에 모인다.

下體坤, 坤順也, 上體澤, 澤說也. 物情柔順說喜, 然後萃聚也. 剛中指九五, 應指六二也. 柔順說喜, 雖是萃聚之道, 而必有剛健中正之人在上, 然後方可以服衆心, 而爲衆人之主. 若徒剛而不中, 則反是.

하체는 곤괘(☷)이니 곤은 순함이고, 상체는 택괘(☱)이니 택은 기쁨이다. 사물의 심정은 유순하고 기뻐한 뒤에 모인다. 굳센 양으로 가운데 자리에 있다는 것은 구오를 가리키며, 호응은 육이를 가리킨다. 유순하고 기뻐하는 것이 모이는 도이나 반드시 강건하고 중정한 사람이 윗자리에 있은 뒤에야 대중의 마음을 복종시킬 수 있어 대중의 주인이 된다. 만일 굳세기만 하고 중정하지 않다면 이와 반대이다.

유정원(柳正源) 『역해참고(易解參攷)』[19]

萃聚 [至] 聚也.

취는 모이는 것이다. … 모인다.

王氏曰, 但順而說, 則邪佞之道也, 剛而違於中應, 則强亢之德也, 何由得聚順說而以剛爲主. 主剛而履中以應, 故得聚也.

왕필이 말하였다: 순종만하여 기뻐한다면 간사하고 아첨하는 도이고, 굳세기만 하여 중도에

---

19) 경학자료집성DB에서는 취괘 '단사'에 해당하는 것으로 분류했으나, 내용에 따라 이 자리로 옮겨왔다.

호응하는 일에 위배된다면 뻣뻣하게 대항하는 덕이다. 어떻게 하면 무리를 얻어 순응하며 기뻐하면서도 굳셈을 위주로 할 수 있을까? 굳셈을 위주로 하고 중도를 이행하여 호응하기 때문에 무리를 얻을 수 있다.

김상악(金相岳) 『산천역설(山天易說)』

象曰, 萃, 聚也. 順以說, 剛中而應, 故聚也.
「단전」에서 말하였다: 취는 모이는 것이다. 순응해서 기뻐하고 굳셈이 가운데 있으면서 호응하기 때문에 모인다.

以卦德卦體, 釋卦名義. 順以說, 以二體言, 剛中而應, 以五二言.
괘의 덕과 괘의 몸체로 괘의 이름을 풀이하였다. '순응해서 기뻐함'은 두 몸체로 말하였고 '굳셈이 가운데 자리에 있으면서 호응함'은 오효와 이효로 말하였다.

서유신(徐有臣) 『역의의언(易義擬言)』

象曰, 萃, 聚也. 順以說, 剛中而應, 故聚也.
「단전」에서 말하였다: 취는 모이는 것이다. 순응해서 기뻐하고 굳셈이 가운데 있으면서 호응하기 때문에 모인다.

地積土, 澤積水. 天下之物積聚之大, 莫如斯二者, 故爲萃也. 下順上說, 五剛中而二應之, 所以爲相聚也.
땅은 흙이 쌓인 것이고 못은 물이 쌓인 것이다. 천하에 쌓여서 크게 된 물건 중에 이 두 가지 만한 것이 없기 때문에 취괘가 되었다. 하괘는 순응하고 상괘는 기뻐하니 굳센 양으로서 가운데 자리에 있는 오효에 이효가 호응하기 때문에 서로 모임이 된다.

박문건(朴文健) 『주역연의(周易衍義)』

象曰, 萃, 聚也. 順以說, 剛中而應, 故聚也.
「단전」에서 말하였다: 취는 모이는 것이다. 순응해서 기뻐하고 굳셈이 가운데 있으면서 호응하기 때문에 모인다.

聚也者, 言能聚其德, 卽順說剛中之謂也. 此以卦德卦體釋卦名.
모인다는 것은 덕을 모을 수 있음을 말하니 곧 순응해서 기뻐하고 굳셈이 가운데 있으면서 호응함을 이른다. 이것은 괘덕과 괘체로 괘명을 해석하였다.

〈問, 此亦人事上說, 而非主爻上說. 曰, 然.

물었다: 이것도 인사(人事)로 말한 것이지 효를 위주로 말한 것이 아닙니까?

답하였다: 그렇습니다.〉

김기례(金箕澧) 「역요선의강목(易要選義綱目)」

順而說.

순응해서 기뻐하고.

指卦德上悅下順.

위는 기뻐하고 아래는 순응하는 괘덕을 가리킨다.

剛中而應, 故聚也.

굳셈이 가운데 있으면서 호응하기 때문에 모인다.

五剛二柔, 皆得中正, 有君臣相應之際會.

오효는 굳세고 이효는 부드러워 모두 중정을 얻었으니 군신간에 서로 호응하는 모임이다.

王假有廟, 致孝享也.

정전 "왕이 사당을 두게 됨"은 효도로 제사 드림을 지극히 한 것이다.

본의 "왕이 사당에 감"은 효도로 제사 드림을 지극히 한 것이다.

‖中國大全‖

傳

王者, 萃人心之道, 至於建立宗廟, 所以致其孝享之誠也. 祭祀, 人心之所自盡也, 故萃天下之心者, 无如孝享. 王者, 萃天下之道, 至於有廟, 則其極也.

왕이 사람들의 마음을 모으는 도가 종묘를 건립하게 되었으니, 효도로 제사 드리는 정성이 지극한 것이다. 제사는 사람들의 마음이 스스로 다하는 것이기 때문에 천하의 마음을 모으는 것은 효도로 제사 드리는 것 만한 것이 없다. 왕이 천하를 모으는 도가 종묘를 두게 되었다면 극진한 것이다.

小註

中溪張氏曰, 王者至於有廟, 得以致其孝享之誠, 此敬之所聚也.

중계장씨가 말하였다: 왕이 종묘를 두게 된 것은 효도로 제사 드리는 정성을 지극하게 할 수 있으니, 이것은 공경이 모인 것이다.

○ 臨川吳氏曰, 致者至其極也. 極盡孝享之道, 乃能萃己散之精神也.

임천오씨가 말하였다: 지극하다는 것은 궁극에 이르는 것이다. 효도로 제사 드리는 도를 다하여야 이미 분산된 정신을 모을 수 있다.

○ 胡氏曰, 人生則精神聚於身, 旣没雖欲見其容貌而不得. 聖人觀萃卦, 設爲廟祧以聚祖宗精神於其間, 以盡孝子之心也.

호씨가 말하였다: 사람이 태어나면 그 정신에 몸에 모여 있는데, 죽은 다음에는 그 용모를

보려고 해도 할 수 없다. 성인이 취괘를 보고 종묘를 만들어 그 사이에 선조들의 정신을 모아서 효자의 마음을 다하게 하였다.

‖韓國大全‖

권만(權萬)『역설(易說)』

王假有廟, 致孝享也.

'왕이 사당을 두게 됨'은 효도로 제사 드림을 지극히 한 것이다.

上六爲宗廟, 位處地尊, 而爻才爲陰, 是宗廟也.

상육이 종묘가 되니 지위가 높으나 효의 재질이 음인 것이 종묘이다.

김기례(金箕澧) 「역요선의강목(易要選義綱目)」

致孝享.

효도로 제사드림을 지극히 하다.

致孝, 莫過於萃祖考已散之精神於廟.

효도를 지극히 함은 종묘에서 이미 흩어진 조상의 정신을 모으는 것보다 나은 것은 없다.

○ 王者, 萃天下心, 致孝於廟, 中庸曰, 舜其大孝也, 與宗廟享之.

왕은 천하의 인심을 모아 사당에서 효도를 지극히 하니『중용』에 "순임금은 대효일 것이다. 종묘의 흠향에 참여하셨네"[20] 라고 하였다.

---

20)『中庸』: 子曰, 舜其大孝也與. 德爲聖人, 尊爲天子, 富有四海之內, 宗廟饗之, 子孫保之.

利見大人亨, 聚以正也.

"대인을 봄이 이로운 것은 형통하기 때문임"은 바름으로 모인 것이다.

中國大全

傳

萃之時, 見大人, 則能亨, 蓋聚以正道也. 見大人, 則其聚以正道, 得其正, 則亨矣. 萃, 不以正, 其能亨乎.

모이는 때에 대인을 보면 형통할 수 있는 것은 바른 도로 모이기 때문이다. 대인을 보면 바른 도로 모여 바름을 얻으니 형통하다. 모임을 바르게 하지 않으면 어찌 형통하겠는가?

韓國大全

권만(權萬) 『역설(易說)』

利見大人亨, 聚以正也.

"대인을 보는 것이 이로움은 형통하기 때문이다"는 것은 바름으로 모인 것이다.

利見六二爲坤之主, 而利見九五之大人. 故亨, 所以亨者, 以正道相聚也. 六二九五爲正應, 故見大人而亨. 若非義相聚, 則亂矣, 何亨之有.

'보는 것이 이로움'은 육이가 곤괘의 주인이 되어 구오의 대인을 보는 것이 이로움이다. 그러므로 형통하니, 형통한 이유는 서로 바른 도로 모이기 때문이다. 육이와 구오는 정응이 되기 때문에 대인을 만나 형통한 것이다. 만일 의로움으로 서로 모이는 것이 아니라면 어지러울 것이니 무슨 형통함이 있겠는가?

유정원(柳正源) 『역해참고(易解參攷)』[21]

利見 [至] 正也.
보는 것이 이로움 … 바르다.

王氏曰, 大人體中正者也. 通聚以正, 聚乃得全也.
왕필이 말하였다: 대인은 중정한 도를 본받은 자이다. 모임을 통하여 바르게 되니 모여야 온전할 수 있다.

김기례(金箕澧) 「역요선의강목(易要選義綱目)」

聚以正也.
바름으로 모인 것이다.

萃道不正, 何能亨.
모이는 도가 바르지 않으면 어떻게 형통할 수 있겠는가?

---

21) 경학자료집성DB에서는 취괘단사에 해당하는 것으로 분류했으나, 내용에 따라 취괘단전으로 옮겨 해석하였다.

用大牲吉, 利有攸往, 順天命也.

"큰 제물을 써서 길하니, 가는 것이 이로움"은 천명에 순응하는 것이다.

┃中國大全┃

傳

用大牲, 承上有廟之文, 以享祀而言, 凡事莫不如是. 豊聚之時, 交於物者當厚, 稱其宜也. 物聚而力贍, 乃可以有爲, 故利有攸往. 皆天理然也, 故云順天命也.

큰 제물을 쓰는 것은 위의 "사당을 둔다"는 말을 이어서 제사 드리는 것으로 말하였으니, 모든 일이 이와 같지 않은 것이 없다. 많이 모일 때에는 사물과 사귀는 것을 두텁게 해야 하는 것은 마땅함에 걸맞게 해야 하기 때문이다. 사물이 모여 힘이 넉넉하면 일을 할 수 있기 때문에 가는 것이 이롭다. 모두 천리가 그런 것이기 때문에 "천명에 순응한다"고 하였다.

本義

釋卦辭.

괘사를 풀이하였다.

小註

朱子曰, 順天命, 說道理, 彷彿如伊川說, 也去得, 只是文勢不如此. 他是說豊萃之時, 若不用大牲, 則便是與以天下儉其親相似. 也有此理, 這時節比不得那利用禴之事.

주자가 말하였다: "천명에 순응한다"는 것은 도리를 말하였으니, 마치 이천의 설명과 비슷하여 그럴 듯하지만 문장의 기세는 이와 같지 않다. 그것은 많이 모인 때를 설명한 것이니, 큰 제물을 쓰지 않으면 천하 때문에 어버이께 검소하게 한다는 것과 서로 비슷하다. 또한 이런 이치가 있으니, 이런 때에 절약하는 것은 이효의 "검소한 약제사로 함이 이롭다"는 일

에 견줄 수 없다.

○ 進齋徐氏曰, 大牲, 血祭之盛也. 物萃則用大牲以祭, 所以稱其萃之義也, 故吉. 時萃, 則動无不順, 故利有攸往.
진재서씨가 말하였다: '큰 제물'은 성대하게 피로 제사지내는 것이다. 사물이 모이면 큰 제물로 제사지내는 것은 모임(萃卦䷬)에 걸맞게 한다는 의미이기 때문에 길하다. 때에 맞춰 모이면 움직임이 순응하지 않음이 없기 때문에 가는 것이 이롭다.

○ 臨川吳氏曰, 物聚人聚, 而衆多之時, 祭者宜盛, 居者宜往, 此皆順天道之自然也.
임천오씨가 말하였다: 사물이 모이고 사람이 모여 무리가 많은 때에는 제사지내는 것이 성대해야 하고 머물러 있던 자들도 가야 하니, 이것이 모두 천도의 저절로 그런 것에 순응하는 것이다.

║韓國大全║

홍여하(洪汝河) 「책제(策題):문역(問易)·독서차기(讀書箚記)-주역(周易)」

象傳, 致孝享也. 順天命也.
「단전」에서 말하였다: …는 제사 드림을 지극히 한 것이다. …는 천명에 순응하는 것이다.

兌有交鬼神之義. 倒兌爲巽, 故巽義亦然. 萃之互卦, 則爲巽也, 所以專說享祀之理. 坤以順天爲德, 內卦爲坤, 故曰順天命也.
태괘(☱)는 귀신과 사귀는 뜻이 있다. 태를 거꾸로 하면 손괘(☴)이기 때문에 손의 뜻도 마찬가지이다. 취괘의 호괘는 손괘(☴)이기 때문에 오로지 제향의 이치를 말하였다. 곤괘(☷)는 하늘에 순응하는 것을 덕으로 삼는데 내괘가 곤괘(☷)이기 때문에 "천명에 순응한다"라고 말하였다.

권만(權萬) 『역설(易說)』

用大牲吉, 利有攸往, 順天命也.
"큰 제물을 써서 길하니, 가는 것이 이로움"은 천명에 순응하는 것이다.

坤爲牛, 大牢謂之大牲也. 用, 九五大人, 用之於宗廟也. 此卦土氣上升, 而兌又是乾體, 有氣升上天之象, 故曰利有攸往, 亦曰順天命也. 且澤下滋於土, 爲祖先德澤下及衆孫之象. 此所謂子孫保宗廟享之者也. 用牲利往之義, 自著於卦體之中, 明言, 則近於穿鑿. 善讀者可意會也. 兌爲口而以乾體居上, 有命令之象, 順坤順之也. 假至也, 有往字義.

곤은 소가 되니 태뢰는 큰 제물을 이른다. 씀[用]은 구오의 대인이 종묘에서 쓰는 것이다. 취괘는 흙의 기운이 위로 올라가고 태괘가 또한 건의 몸체이니 기운이 상천으로 올라가는 상이 있기 때문에 "가는 것이 이롭다"고 말하였고 또 "천명에 순응한다"고 말하였다. 또 못이 아래로 흙을 적시니 조상의 은택이 아래로 많은 자손에게 미치는 상이 된다. 이것이 이른바 자손이 종묘를 보존하여 형통하다는 것이다. "제물을 쓰고 가는 것이 이로운" 뜻이 저절로 괘체 안에 드러나 있으니, 분명히 말하면 천착에 가깝다. 잘 읽는 자는 뜻을 알 수 있을 것이다. 태는 입이 되니 건의 몸체로 위에 있어 명령하는 상이 있고, 순한 곤이 그를 따른다. 격(假)은 이름이니, 간다는 의미가 있다.

유정원(柳正源) 『역해참고(易解參攷)』[22]

順天命.

천명에 순응하다.

案, 在損之時, 則二簋用享, 而萃之時, 用大牲吉. 在剝之時, 則不利有攸往, 而萃之時, 利有攸往, 隨時變通, 天理之當然也.

내가 살펴보았다: 손괘(損卦䷨)의 때에는 두 그릇만 가지고도 제향할 수 있고,[23] 취괘의 때에는 큰 희생을 써야 길하다. 박괘(剝卦䷖)의 때에는 가는 바가 있으면 이롭지 않으며, 취괘의 때에는 가는 것이 이로우니 때에 맞게 변통함이 이치의 마땅함이다.

서유신(徐有臣) 『역의의언(易義擬言)』

工假有廟, 致孝享也. 利見大人亨, 聚以正也. 用大牲吉, 利有攸往, 順天命也.

"왕이 사당을 두게 됨"은 효도로 제사 드림을 지극히 한 것이다. "대인을 보는 것이 이로움은 형통하기 때문임"은 바름으로 모인 것이다. "큰 제물을 써서 길하니, 가는 것이 이로움"은

---

22) 경학자료집성DB에서는 취괘 '단사'에 해당하는 것으로 분류했으나, 내용에 따라 이 자리로 옮겨왔다.
23) 『周易·損卦』: 損, 有孚, 元吉, 无咎, 可貞. 利有攸往, 曷之用. 二簋可用享.

천명에 순응하는 것이다.

順以說, 故致孝享也, 剛中而應, 故聚以正也. 大人正見者亦正, 以正相聚也. 六二非特一人, 坤爲衆也. 天旣錫之以豊厚, 又祭而獲吉, 有所行而皆利, 此由於順天命之致也. 下坤爲順天象, 上兌爲上天說豫之象. 五天位而互巽爲天命也.

순응해서 기뻐하기 때문에 효도로 제사드림을 지극히 하는 것이고, 강중으로 호응하기 때문에 바름으로 모이는 것이다. 대인으로서 바르게 드러난 자는 또한 바르니 바름으로 서로 모인다. 육이는 한 사람일 뿐만이 아니라 대중인 곤이다. 하늘이 이미 풍성함과 두터움으로 주었으니 또 제사하여 길함을 얻고 가는 데에 모두 이로우니 이것은 천명에 순응한 소치에서 연유한 것이다. 하괘의 곤괘(☷)는 하늘에 순응하는 상이 되고 상괘의 태괘(☱)는 상천이 기뻐하는 상이 된다. 오효는 하늘 자리이고 호괘인 손괘(☴)는 천명이다.

이지연(李止淵) 『주역차의(周易箚疑)』

曾子曰, 愼終追遠, 民德歸厚, 厚則萃也. 象傳之順天命三字, 言損之時用二簋, 萃之時用大牲, 時則天時也, 命在其中.

증자가 말하기를 "초상을 삼가 받들고 조상을 추모한다면 민심이 두텁게 될 것이다"라고 하였으니 '두텁게 되다(厚)'가 모인다는 뜻이다. 「단전」의 "천명에 순응한다"는 손괘의 때에 두 그릇을 씀과 취괘의 때에 큰 희생을 쓰는 것을 말하니, '때'가 곧 천시이며 명이 그 안에 있다.

김기례(金箕澧) 「역요선의강목(易要選義綱目)」

順天命.
천명에 순응하는 것이다.

人歸而物聚, 祭宜豊事可行, 皆順天也.
백성이 귀의하고 사물이 모이는 것은 제사를 풍성히 섬겨야 행해질 수 있으니 모두 천명에 순응하는 것이다.

觀其所聚, 而天地萬物之情, 可見矣.

모인 것을 보면 천지만물의 실정을 알 수 있다.

中國大全

傳

觀萃之理, 可以見天地萬物之情也. 天地之化育, 萬物之生成, 凡有者皆聚也, 有无動靜終始之理, 聚散而已. 故觀其所以聚, 則天地萬物之情, 可見矣.

모이는 이치를 보고 천지만물의 실정을 알 수 있다. 천지의 화육과 만물의 생성에는 모든 있는 것이 모두 모였으니, 유무(有无)·동정(動靜)·종시(終始)의 이치가 모이고 분산되는 것일 뿐이다. 그러므로 모인 것을 보면 천지만물의 실정을 알 수 있다.

本義

極言其理而贊之.

그 이치를 극도로 말하여 찬미했다.

小註

白雲郭氏曰, 天地萬物之情所以聚者, 不過順說而已.

백운곽씨가 말하였다: 천지만물의 실정이 모이는 까닭은 순응하고 기뻐하는 것에 지나지 않을 뿐이다.

○ 進齋徐氏曰, 天地萬物高下散殊, 咸則見其情之通, 恆則見其情之久, 萃則見其情之同. 不于其聚而觀之, 情之一者, 不可得而見矣.

진재서씨가 말하였다: 천지만물은 높고 낮음이 흩어져서 다르니, 감동[咸卦䷞]에서는 그 실정이 통하는 것을, 영구함[恒卦䷟]에서는 그 실정이 영구한 것을, 모임(萃卦䷬)에서는 그 실정이 같은 것을 본다. 모인 것에서 보지 않으면 실정이 같은 것을 볼 수 없다.

○ 雲峰胡氏曰, 咸之情通, 恒之情久, 聚之情一, 然其所以感所以恒所以聚, 則皆有理存焉. 如天地聖人之感, 感之理也, 如日月之得天, 聖人之久於道, 恒之理也, 萃之所謂聚以正, 所謂順天命, 聚之理也. 凡天地萬物之情可見者, 皆此理之可見矣. 故本義於所感則曰, 極言感通之理, 於所恒則曰, 極言恒久之道, 於所聚亦曰, 極言其理而贊之.
운봉호씨가 말하였다: 감동의 실정이 통하고, 영원함의 실정이 영구하며, 모임의 실정이 같지만, 감동하고 영구하며 모이는 까닭에는 모두 이치가 있다. 천지와 성인의 감동과 같이하는 것이 감동의 이치이고, 해와 달이 하늘을 얻고 성인이 도에서 항구한 것과 같이하는 것이 영구한 이치이며, 취괘에서 이른바 "바름으로 모였다"는 것과 이른바 "천명에 순응한다"는 것은 모이는 이치이다. "천지만물의 실정을 알 수 있다"는 것은 모두 이 이치를 볼 수 있는 것이다. 그러므로 『본의』에서 감동하는 것에 대해서는 "감동의 이치를 극도로 말하였다"라고 하고, 항구한 것에 대해서는 "영구한 이치를 극도로 말하였다"라고 하고, 모이는 것에 대해서는 "그 이치를 극도로 말하여 찬미하였다"라고 하였다.

∥韓國大全∥

권만(權萬) 『역설(易說)』

觀此卦之象, 則以正聚, 以不正聚, 吉凶禍福, 類應之情可知矣, 亂臣賊子, 宜有以知懼.
이 괘의 상을 보면 바름으로 모인 것과 바르지 않음으로 모인 것에 대하여 길흉과 화복이 종류대로 호응하는 실정을 알 수 있으니 난신적자가 두려워할 줄 알 것이다.

유정원(柳正源) 『역해참고(易解參攷)』[24]

觀其 [至] 見矣.
보면 … 알 수 있다.

---

24) 경학자료집성DB에서는 취괘 '단사'에 해당하는 것으로 분류했으나, 내용에 따라 이 자리로 옮겨왔다.

王氏曰, 方以類聚, 物以群分. 情同而後乃聚, 氣合而後乃群.

왕필이 말하였다: 방향은 종류대로 모이고 물건은 무리대로 나뉜다. 뜻이 같아야 모이고 기운이 합하여야 무리를 이룬다.

김상악(金相岳) 『산천역설(山天易說)』

王假有廟, 致孝亨也. 利見大人亨, 聚以正也. 用大牲吉, 利有攸往, 順天命也. 觀其所聚, 而天地萬物之情, 可見矣.

"왕이 사당을 두게 됨"은 효도로 제사 드림을 지극히 한 것이다. "대인을 보는 것이 이로움은 형통하기 때문임"은 바름으로 모인 것이다. "큰 제물을 써서 길하니, 가는 것이 이로움"은 천명에 순응하는 것이다. 모인 것을 보면 천지만물의 실정을 알 수 있다.

釋卦辭而贊之. 致者至其極也, 正者, 二五之正位也. 天命卽天理也. 天地萬物之情, 見咸恒.

괘사를 해석하여 설명하였다. 치(致)는 극진함을 지극히 하는 것이고, 정(正)이란 이효·오효의 바른 자리이다. 천명은 곧 하늘의 이치이다. "천지 만물의 실정"은 함괘[25]와 항괘[26]에 나타난다.

서유신(徐有臣) 『역의의언(易義擬言)』

觀其所聚, 而天地萬物之情, 可見矣.

모인 것을 보면 천지만물의 실정을 알 수 있다.

群分類聚之際, 其情可見也.

무리가 나뉘고 종류대로 모이는 때에 그 실정을 알 수 있다.

하우현(河友賢) 『역의의(易疑義)』

彖經五句散漫說了. 或問朱子曰卦取聚之義. 曰, 數句是占辭, 非發明萃聚之義也. 此是諸儒說易之大病, 非聖人繫辭焉, 而明吉凶之義. 蓋嘗思之, 朱子論經之微可見. 自傳以下, 皆以萃聚之義, 釋彖經之辭, 然殊不知自有象占之理焉. 故曰見有這箇象, 便

---

25) 『周易·咸卦』: 天地感而萬物化生, 聖人, 感人心而天下和平, 觀其所感而天地萬物之情, 可見矣.
26) 『周易·恒卦』: 日月得天而能久照, 四時變化而能久成, 聖人久於其道而天下化成, 觀其所恒而天地萬物之情可見矣.

說出這一句來, 又看見那箇象, 又說出那一箇理來. 或曰, 若如此說則象无取聚之義乎. 曰, 此則不然. 這象辭數句, 雖非[27]發明萃聚之意, 然卦旣以萃得名, 則豈曰無取聚之義乎. 但聖人繫辭焉而明吉凶, 則非獨此卦爲然, 凡佗卦皆然. 大率有此卦此爻, 便有此象此占. 聖人從之以繫辭, 以示人這象占所以然之吉凶, 初非有拘於卦之名義也. 故本義釋此, 象曰皆吉凶而有戒之辭.

「단사」 다섯 구절의 설명이 산만하다. 어떤 이가 주자에게 "괘에서 모인다는 뜻을 취했습니까?"라고 묻자, 주자가 "여러 구절은 점에 대한 설명이지 모인다는 의미를 밝힌 것이 아닙니다. 이것은 여러 학자들의 『주역』을 설명하는 큰 병통이니, 성인이 설명을 붙여 길흉을 밝힌 뜻이 아닙니다"라고 하였다. 내가 일찍이 생각해보니 주자가 역경을 논한 은미한 뜻을 알 수 있다. 『정전』 이하에서 모두 모이는 뜻으로 단사를 해석하였지만, 여기에 본래 상(象)과 점(占)의 이치가 있는 줄을 결코 모르는 것이다. 그러므로 주자는 "여기에 이런 상이 있음을 보면 이런 구절로 설명하였고, 또 저런 상이 눈에 띠면 저런 이치로 설명하였다" 라고 하였다.

어떤 이가 물었다: 이 말대로 라면 단사에는 모인다는 뜻을 취함이 없습니까?

답하였다: 이것은 그렇지 않습니다. 취괘 단사의 몇 구절이 모이는 뜻을 발명한 것은 아나나 괘 이름을 취(萃)라고 하였으니 어찌 모이는 뜻을 취함이 없다고 말하겠습니까? 다만 성인이 설명을 붙여 길흉을 밝힌 것은 취괘에서만 그러한 것이 아니라 다른 괘도 모두 그러합니다. 대체로 이런 괘가 있고 이런 효가 있으면 곧 이런 상이 있고 이런 점이 있습니다. 성인이 이에 따라 말을 붙여 이런 상과 점이 길과 흉이 되는 원인을 보여주신 것이지 애초에 괘의 이름과 의미에 구애됨이 있는 것이 아닙니다. 그러므로 본의에서 이것을 해석하여 "단사에서는 모두 길·흉을 말하여 경계의 말을 하였다"고 하였습니다.

박문건(朴文健) 『주역연의(周易衍義)』

觀上六與九五所聚之道, 而可見天地萬物之情也. 此釋卦辭, 而極言天地萬物皆有萃道也.

상육과 구오에서 모이는 도를 살펴보면 천지 만물의 실정을 알 수 있다. 이는 괘사를 해석하여 천지 만물이 모두 모이는 도가 있음을 지극히 말한 것이다.

〈問, 王假有廟致孝享也. 曰, 王假其道, 得於其下者, 能盡孝之道, 故謂之致孝享也. 問, 利見大人亨, 聚以正也. 曰, 九五剛陽, 故所聚貞正也. 見此大人, 爲己之道亨者, 得其所輔也. 問, 用大牲吉, 利有攸往, 順天命也. 曰, 以下養上, 以上得下, 故用牲而

致吉, 有往而有利也. 是盡其道而順天理者也

물었다: "왕이 사당에 감은 효도로 제사 드림을 지극히 한 것이다"는 무슨 뜻입니까?

답하였다: 왕이 사당에 감은 아래에서 인심을 얻는 자가 효도를 다할 수 있기 때문에 "효도로 제사드림을 지극히 한다"라고 하였습니다.

물었다: "'대인을 보는 것이 이로움은 형통하기 때문임'은 바름으로 모인 것이다"는 무슨 뜻입니까?

답하였다: 구오는 굳센 양이기 때문에 바름으로 모인 것입니다. 이 대인을 보고 자기의 도가 형통하게 된 것은 보필할 대상을 얻었기 때문입니다.

물었다: "큰 제물을 써서 길하니, 가는 것이 이로움은 천명에 순응하는 것이다"는 무슨 뜻입니까?

답하였다: 아랫사람이 윗사람을 봉양하고 윗사람이 아랫사람을 얻었기 때문에 제물을 써서 길하게 되니 감이 있으면 이로움이 있습니다. 이것이 도를 극진히 하여 천리에 순응하는 것입니다.〉

김기례(金箕澧) 「역요선의강목(易要選義綱目)」

天地萬物之情, 可見矣.

천지만물의 실정을 알 수 있다.

上悅下順, 可見化育生成之所聚.

윗사람이 기뻐하고 아랫사람이 순응하니 화육하고 생성함이 모였음을 알 수 있다.

윤종섭(尹鍾燮) 『경(經)·역(易)』

萃渙之象, 王假有廟, 皆互艮有立廟之象. 而兩卦五爻, 剛健中正, 王天下之君也. 聚合之時, 致敬盡誠, 鎭撫人心, 莫大乎立廟享先, 離散之時, 一其誠敬, 收合民心, 莫大乎假于神明. 蓋不可度者, 鬼神之德, 而天道之流行, 從此可見, 以神道設敎, 然後可以一其人心之散合, 而天命之洋洋可測也. 是以易多言享祀之道,

취괘·환괘 단사의 "왕이 사당을 두게 됨[王假有廟]"은 모두 호괘인 간괘(☶)에 사당을 세우는 상이 있어서이다. 두 괘는 오효가 강건하고 중정하여 천하에 왕도정치하는 임금이다. 모이는 때에는 공경을 극진히 하고 정성을 다하여 민심을 어루만지는 것이 사당을 세워 선조께 제향하는 것 보다 더 중대한 것은 없으며, 흩어지는 때에는 정성과 공경을 한결같이 하여 민심을 거두는 것이 신명을 이르게 하는 것보다 더 중대한 것은 없다. 귀신의 덕을 헤아릴 수는 없으나 천도의 유행을 여기에서 볼 수 있으니, 귀신의 도로 가르침을 베푼 뒤에야 흩어진 인심을 하나로 할 수 있어 천명의 드넓음을 알 수 있다. 이러므로 『주역』에는 제향하는 도를 말한 부분이 많다.

심대윤(沈大允) 『주역상의점법(周易象義占法)』

王假有廟, 致孝享也. 利見大人亨, 聚以正也. 用大牲吉, 利有攸往, 順天命也.
"왕이 사당을 두게 됨"은 효도로 제사 드림을 지극히 한 것이다. "대인을 보는 것이 이로움은 형통하기 때문임"은 바름으로 모인 것이다. "큰 제물을 써서 길하니, 가는 것이 이로움"은 천명에 순응하는 것이다.

凡物萃於卑虛而不聚於高溢, 聚於親厚而不聚於疏薄, 聚於敬愼而不聚於暴謾, 聚於撙節而不聚於濫費. 祭祀之禮, 卑虛也親厚也敬愼也限節也, 故曰致孝享也. 言致孝享于祖考, 而祖考之神聚, 致孝享之道于萬物, 而萬物聚也. 利者, 人之性天之命也, 厚自利者, 順天命也. 厚自利在厚利人, 然後能厚自利也. 萃偏厚之事也, 故象傳不釋利也.
무릇 사물은 낮고 비어있는 데로 모이지 높고 넘치는 데로는 모이지 않으며, 친하고 두터운 데로 모이지 소원하고 야박한 데로는 모이지 않으며, 공경하고 삼가는 데로 모이지 사납고 거만한 데로는 모이지 않으며, 씀씀이를 아끼는 데로 모이지 낭비하고 소비하는 데로는 모이지 않는다. 제사의 예는 낮고 비어있으며, 친하고 두터우며, 공경하고 삼가며, 한계가 있고 절약하기 때문에 "효도로 제사드림을 지극히 한다"고 말하였다. 이는 조상에게 효도로 제사드림을 지극히 하면 조상의 정신이 모이고, 만물에 대해 '효도로 제사드림을 지극히 하는 도'를 다하면 만물이 모인다는 말이다. '이롭다[利]'란 사람의 본성이며 하늘의 명이니 자신을 이롭게 하는 데에 두터이 하는 자는 천명에 순응해서이다. 그러나 자기를 이롭게 하는 데에 두터움은 남을 이롭게 함을 두터이 하는 것에 달려 있으니 그런 뒤에야 자신을 두터이 할 수 있다. 취(萃)는 지나치게 두터이 하는 일이기 때문에 「단전」에서 이로움을 해석하지 않았다.

觀其所聚, 而天地萬物之情, 可見矣.
모인 것을 보면 천지만물의 실정을 알 수 있다.
天地萬物之情, 聚於精一而已[28]也. 孝享之道, 卽精一也.
천지 만물의 실정은 정일(精一)한 데로 모일 뿐이다. 효도로 제사드림이 곧 정일이다.

---

28) 而已: 경학자료집성DB에는 '已而'로 되어 있으나, 경학자료집성 영인본을 참조하여 '而已'로 바로잡았다.

오치기(吳致箕)「주역경전증해(周易經傳增解)」

象曰, 萃, 聚也. 順〈坤〉以說〈兌〉, 剛中而應〈卦體〉, 故聚也. 王假有廟, 致孝享也. 利見大人亨, 聚以正也. 用大牲吉, 利有攸往, 順天命也. 觀其所聚, 而天地萬物之情, 可見矣.

「단전」에서 말하였다: 취는 모이는 것이다. 순응해서〈곤괘이다.〉기뻐하고〈태괘이다.〉굳셈이 가운데 있으면서 호응하기〈괘의 몸체이다.〉때문에 모인다. "왕이 사당을 두게 됨"은 효도로 제사 드림을 지극히 한 것이다. "대인을 보는 것이 이로움은 형통하기 때문임"은 바름으로 모인 것이다. "큰 제물을 써서 길하니, 가는 것이 이로움"은 천명에 순응하는 것이다. 모인 것을 보면 천지만물의 실정을 알 수 있다.

此以卦德卦體, 釋卦名義及卦辭也. 致孝享, 言盡誠心, 以聚祖考之神也, 聚以正, 言其所聚, 皆得正道也. 順天命, 言豊聚之時, 享用大牲, 及利有所往者, 皆順乎天理也. 終又極言天地萬物之情, 无不以聚而成化育生成之功也. 餘見象解.

이것은 괘덕과 괘체로 괘의 이름과 의미 및 괘사를 해석하였다. "효도로 제사드림을 지극히 함"은 정성스런 마음을 극진히 하여 조상의 신이 모이는 것을 말한다. "바름으로 모임"은 모임이 모두 정도를 얻었다는 말이다. "천명에 순응함"은 풍성히 모이는 때에 큰 제물을 써서 제사드리고 가는 것이 이로움은 모두 천리에 순응하는 것이라는 말이다. 끝으로 천지만물의 실정이 모여 화육과 생성의 공효를 이루지 않음이 없음을 지극히 말하였다. 나머지는 단사에 에 보인다.

이진상(李震相)『역학관규(易學管窺)』

凡廟制, 太祖廟居北而三昭三穆, 列於左右, 萃之自初至四, 乃廟象也. 中互巽艮, 巽木艮闕, 又成厚坎宮象. 九五王位在上, 故曰假. 利見大人, 九五在上, 爲衆陰之所歸也. 兌巽虛拱乾位, 故有利見大人之象. 用大牲吉者, 坎爲豕, 坤爲牛, 兌爲羊, 卽大牲也, 衆物所萃, 故用大牲而吉也. 利有攸往, 以卦體言, 則欲其聚於上也. 此卦本自升卦變來, 二三之陽, 往居五四, 利有往也. 九二進爲九五, 則利見大人也. 以卦變言之, 九五往居上, 則爲晉, 亦利也.

종묘의 제도에 있어서 태조묘는 북쪽에 있고 삼소(三昭)와 삼목(三穆)이 좌우에 벌려있으니 취괘의 초효부터 사효까지는 종묘의 상이다. 가운데의 호괘는 손괘와 간괘이니 손괘는 나무이고 간괘는 문이며, 또 두터운 감괘䷜가 집의 상을 이룬다. 구오는 왕의 자리로 위에 있기 때문에 "이른다"고 하였다. "대인을 보는 것이 이로움"은 구오가 위에 있으면서 여러 음의 귀의를 받는 것이다. 태괘와 손괘가 빔으로 건괘의 자리를 받들고 있기 때문에 대인을 보는 것이 이로운 상이 있다. 큰 제물을 써서 길함이란 감괘가 돼지이고 곤괘가 소이며 태괘가 양이니 곧 큰 제물이고 여러 가지 물건이 모였기 때문에 큰 제물을 써서 길하다고 하였다. 가는 것이 이로움을 괘체로 말하면 위에 모이고자 함이다. 취괘는 본래 승괘(升卦䷭)로부터 변해 왔으니 승괘의 이효·삼효의 양효가 가서 취괘의 오효·사효에 있으므로 가는 것이 이롭고, 승괘의 구이가 나아가 취괘의 구오가 되었으니 대인을 보는 것이 이롭다. 괘변으로 말하면 구오가 가서 상효에 있으면 진괘(晉卦䷢)가 되니 또한 이롭다.

최세학(崔世鶴) 「주역단전괘변설(周易彖傳卦變說)」

萃彖曰, 萃聚也.
취괘「단전」에서 말하였다: 취는 모이는 것이다.

萃否之一體變也. 上一爻爲主, 故象以萃聚言之. 泰上往居於上體之上, 而爲說之主, 以說道在上, 故能聚也.
취괘는 비괘(否卦䷋)에서 한번 몸체가 변하였다. 상효 한 효가 주인이 되기 때문에 「단전」에서 "취는 모이는 것이다"로 말하였다. 태괘(泰卦䷊)의 상효가 가서 상체의 위에 있어서 기쁨의 주인이 되었으니, 기쁨의 도로 위에 있기 때문에 모일 수 있다.

이병헌(李炳憲) 『역경금문고통론(易經今文考通論)』

陸曰, 王五, 假大也.
육적이 말하였다: 왕은 오효이고 격은 큼이다.

虞曰, 大人謂五.
우번이 말하였다: 대인은 오효를 이른다.

按, 王與大人, 本無一定之位. 苟致孝享, 聚以正, 順天命, 則何往而不利. 故五之匪孚, 不如二之孚矣. 下升與困之大人倣此. 夫助陽抑陰之過, 尊君崇五之甚, 乃後儒之失也. 觀升之六四, 露出王享歧山之事, 則此一對指意明白.
내가 살펴보았다: 왕과 대인은 일정한 지위가 없다. 진실로 효도로 제사드림을 지극히하여 바름으로 모이고 천명에 순응하면 어디서나 이롭지 않음이 없다. 그러므로 오효의 "믿지 않을 경우에는"은 이효의 "정성이 있으면"만 못하다. 아래의 승괘(升卦)와 곤괘(困卦)의 대

인도 이와 마찬가지이다. 양을 돕고 음을 억제함이 지나쳐 심하게 임금을 높이고 오효를 숭상하는 것이 곧 후대 학자들의 병통이다. 승괘의 육사를 보면 왕이 기산에서 제사드리는 일을 드러내었으니 곧 이는 한 짝으로 가리키는 뜻이 명백하다.

象曰, 澤上於地, 萃, 君子以, 除戎器, 戒不虞.

「상전」에서 말하였다: 못이 땅보다 올라가 있는 것이 취이니, 군자가 그것을 본받아 무기를 정비하여 예기치 못함에 대비한다.

‖中國大全‖

傳

澤上於地, 爲萃聚之象, 君子觀萃象, 以除治戎器, 用戒備於不虞. 凡物之萃, 則有不虞度之事. 故衆聚則有爭, 物聚則有奪, 大率旣聚, 則多故矣. 故觀萃象而戒也. 除, 謂簡治也, 去弊惡也. 除而聚之, 所以戒不虞也.

못이 땅보다 올라가 있는 것이 모이는 상이니, 군자는 취괘의 상을 보고 무기를 정비하고 수리해서 예기치 못함을 경계하고 대비한다. 사물의 모임에는 예기치 못한 사태가 있다. 그러므로 무리가 와 사물이 모이면 쟁탈이 있으니, 대개 모이고 나면 일이 많기 때문이다. 그러므로 취괘의 상을 보고 경계하였다. '정비한다'는 것은 조사하고 수리하는 것을 말하니 낡고 잘못된 것을 없애는 것이다. 정비해서 모아둠은 예기치 못함에 대비하는 것이다.

本義

除者, 修而聚之之謂.

"정비한다"는 것은 수리해서 모아두는 것을 말한다.

小註

或問, 澤上於地, 萃, 君子以, 除戎器, 戒不虞. 朱子曰, 大凡物聚衆盛處, 必有爭, 故當預爲之備. 如人少處, 必无爭, 纔人多少間, 便自有爭, 所以當預爲之防也. 又澤本當在地中, 今卻上於地上, 是水盛有潰決奔突之憂. 故取象如此.

어떤 이가 물었다: "못이 땅보다 올라가 있는 것이 췌이니, 군자가 그것을 본받아 무기를 정비하여 예기치 못함에 대비한다"는 말은 무슨 뜻입니까?

주자가 답하였다: 대체로 사물이 모여 무리가 많아진 곳에는 반드시 다툼이 있기 때문에 미리 대비해야 합니다. 이를테면 사람이 적은 곳에서는 굳이 다툴 것이 없지만 조금이라도 많아지면 바로 저절로 다투게 되기 때문에 미리 방비를 해야 하는 것입니다. 또 못은 본래 땅 속에 있어야 하는데, 이제 땅보다 위로 올라와 있으니, 가득 찬 물이 터져 세차게 흘러갈 우려가 있습니다. 그러므로 이처럼 상을 취했습니다.

○ 中溪張氏曰, 兌澤之水, 上於坤地之上, 有散而方聚之象. 水聚而不防, 則潰, 衆聚而不防, 則亂. 除者, 去舊取新之謂. 戎器久則必弊, 當簡治而除其弊壞也.

중계장씨가 말하였다: 태괘(兌卦䷹)인 못의 물이 곤괘(坤卦䷁)인 땅의 위에 올라가 있으니, 분산되었다가 한창 모여 있는 상이다. 물이 모였는데, 방비하지 않으면 터져 흘러가고, 무리가 모였는데 방비하지 않으면 어지럽다. '정비한다'는 것은 오래된 것을 버리고 새것을 가져 옴을 말한다. 무기가 오래되면 반드시 낡게 되니 조사하고 수리하여 낡고 잘못된 것을 정비 해야 한다.

○ 雲峰胡氏曰, 除戎器修兵器而聚之, 戒不虞者, 防民之聚者, 有時而散也.

운봉호씨가 말하였다: 병장기를 정비하고 수리하여 모아둠으로 예기치 못함에 대비하는 것은 모인 백성들이 때에 따라 분산됨을 막는 것이다.

○ 建安丘氏曰, 天生五材, 誰能去兵. 用兵亂也, 去兵, 亦亂也. 君子當萃聚之世, 而除戎器, 非右武也, 特戒不虞而已. 如秦皇之銷鋒鏑鑄金人, 李唐之議銷兵, 則非謂之除戎器. 漢武席文景富庶之極, 至窮兵黷武, 以事四夷, 又豈戒不虞之義乎.

건안구씨가 말하였다: 하늘이 다섯 재목을 내놓았으니 누가 군대를 없앨 수 있겠는가? 군대를 동원하는 것은 혼란하기 때문이니, 군대를 없애도 혼란해진다. 군자가 모이는 시대에 무기를 정비하는 것은 무력을 숭상하기 때문이 아니라 다지 예기치 못함을 경계하는 것일 뿐이다. 진시황이 칼과 화살촉을 녹여 사람의 상을 만들고 당나라 황실에서 병기를 없애자고 한 논의는 병기를 정비하는 것을 말함이 아니다. 한나라 무제(武帝)가 문제(文帝)와 경제(景帝)의 극도로 풍부한 물자와 많은 인구에 의지하여 심지어 군대를 없애고 무인을 업신 여기다가 사방의 오랑캐를 섬겼으니, 또 어찌 예기치 못함에 대비하는 의미이겠는가?

‖韓國大全‖

권근(權近) 『주역천견록(周易淺見錄)』

澤水之所聚也. 不云澤在地上, 而曰澤上於地, 水宜鍾聚澤中, 而汎溢而流, 以上於地, 聚之至多而不虞之象也. 蓋澤之在地上其常也, 上於地非其常也. 天下之至柔而至險者, 莫如水, 亦莫如民, 水不在於澤中, 乃潰決而上於地, 猶民不安於壠畝, 乃群起而爲盜. 是不虞之變也. 故君子觀澤上於地之象, 除理戎器, 以戒備其不虞也.

못은 물이 모이는 곳이다. 못이 땅위에 있다고 하지 않고 못이 땅보다 올라가 있다고 한 것은 물은 못 속에 모이기 마련이지만 넘쳐흘러 땅보다 올라감은 모인 것이 지극히 많아 예기치 못할 일이 벌어질 상이기 때문이다. 못이 땅위에 있는 것이 일반적인 것이고 땅보다 높은 것은 일반적인 것이 아니다. 천하에 지극히 부드러우면서도 지극히 험악한 것으로는 물만한 것이 없으며 또한 백성만한 것이 없다. 물이 못 속에 있지 않으면 곧 무너지고 터져서 땅보다 위에 있게 되니 백성이 농사일에 불안하면 곧 떼 지어 일어나 도둑이 되는 것과 마찬가지이다. 이것이 예기치 못한 변고이다. 그러므로 군자는 못이 땅보다 올라가 있는 상을 보고서 무기를 정비하여 예기치 못한 일에 대비한다.

송시열(宋時烈) 『역설(易說)』

大象, 坎爲師衆爲器, 而又爲順爲理, 故修治其戎器, 除者, 修治也. 兌爲肅殺之方, 而又爲說爲言, 故戒言其不虞而已.

「대상전」에서, 감괘는 군대가 되고 그릇이 되며 또 순함이 되고 다스림이 되기 때문에 ‘무기를 정비’하니, 제(除)라는 것은 ‘정비함’이다. 태괘는 숙살의 방법이 되고 또 설명이 되고 말이 되기 때문에 경계하여 예기치 못함에 대비함을 말하였다.

김도(金濤) 「주역천설(周易淺說)」

愚按, 本義下所釋, 朱子惟一條, 張氏以下凡三條, 而皆合於大象之旨矣. 蓋天下之事, 盛衰有時, 衆寡不同. 物盛則必衰, 人衆則必爭, 此理之常也. 萃之爲卦, 兌澤之水, 上於坤地之上, 水勢極盛 而有潰決之象, 不可无預防之戒也. 是以君子法此象, 而除治戎器, 以備不虞之患, 其意甚盛也. 大槪萃之時, 物盛而人聚, 則必有衰亂之漸, 而爭奪者, 將至矣. 可无預防之事乎. 水有潰決之象, 則豫慮而防塞之, 人有爭奪之漸, 則豫憂而治戎器, 此非右武之計也, 特慮其有不測之患也. 方盛而慮衰, 古聖之深戒, 而後世則不然, 耽於富盛, 樂於淫侈, 心志蠱惑, 而不知其亂亡之將至, 可勝痛哉.

내가 살펴보았다: 『본의』 아래의 설명 중에 주자가 해석한 것이 한 조목이고, 장씨 이하가 해석한 것이 세 조목인데 모두 「대상전」의 뜻에 맞는다. 천하의 일은 번성과 쇠퇴가 각각 때가 있어 사람의 많고 적음이 같지 않다. 사물은 번성하면 반드시 쇠퇴하고 사람은 많으면 반드시 싸우는 것이 이치의 일상이다. 췌괘는 태괘(兌卦☱)인 못의 물이 곤괘(坤卦☷)인 땅의 위로 올라가 물의 기세가 극성하여 무너지고 터질 상이 있으니 미리 대비할 경계가 없어서는 안 된다. 이러므로 군자가 이 상을 본받아 무기를 정비하여 예기치 못한 환란에 대비하는 것이니, 그 뜻이 매우 훌륭하다. 대체로 취의 때는 사물이 번성하고 사람이 모이니 반드시 쇠란의 조짐이 있어 뺏고 다투는 자가 이를 것이다. 미리 방비하는 일이 없어서야 되겠는가? 물에 무너지고 터지는 상이 있으면 미리 염려하여 막아야 하고 사람에게 뺏고 다투는 조짐이 있으면 미리 염려하여 무기를 정비해야하니, 이것은 무력을 숭상하는 계책이 아니라 다만 예기치 못한 환란이 있을까 염려하는 것이다. 한창 번성할 때에 쇠퇴를 염려하는 것이 옛 성인의 깊은 경계인데 후세에서는 그렇게 하지 않고 부유함과 번성함에 탐닉하고 음란하고 사치함에 빠져서 심지가 미혹되어 변란과 패망이 이르게 될 줄을 모르니, 애통하도다.

이만부(李萬敷) 「역통(易統)·역대상편람(易大象便覽)·잡서변(雜書辨)」

傳曰, 澤上於地, 爲萃聚之象, 君子觀萃象, 以除治戎器, 用戒備於不虞. 凡物之萃, 則有不虞度之事. 故衆聚則有爭, 物聚則有奪, 大率旣聚, 則多故矣. 故觀萃象而戒也. 除謂簡治也, 去弊惡也. 除而聚之, 所以戒不虞也.

『정전』에서 말하였다: 못이 땅보다 올라가 있는 것이 모이는 상이니, 군자는 취괘의 상을 보고 무기를 정비하고 수리해서 예기치 못함을 경계하고 대비한다. 사물의 모임에는 예기치 못한 사태가 있다. 그러므로 무리가 와 사물이 모이면 쟁탈이 있으니, 대개 모이고 나면 일이 많기 때문이다. 그러므로 취괘의 상을 보고 경계하였다. '정비한다'는 것은 조사하고 수리하는 것을 말하니 낡고 잘못된 것을 없애는 것이다. 정비해서 모아둠은 예기치 못함에 대비하는 것이다.

本義曰, 除者, 脩而聚之之謂.

『본의』에서 말하였다: "정비한다"는 것은 수리해서 모아두는 것을 말한다.

臣謹按, 古之人, 安不忘危, 故除戎器, 戒不虞, 有國之所不可忽也. 戊申逆賊, 乃狗鼠小醜, 如有一鎭之將, 一邑之守, 整兵而出. 趁日臨之, 則烏合之徒, 必無竟日之計, 而當時久不見兵卒, 當變亂, 上下內外, 未免驚心爽膽, 至勞動, 王師重臣, 制閫而乃能殄

滅, 豈非無戒不虞之咎乎. 方今二隣輯睦, 雖若無朝夕之憂, 然天下事變, 有不可料. 苟
無陰雨之備, 自强之策, 素定於中, 而莫大之變, 忽發於呼吸之頃, 則土崩瓦解之勢, 無
以維持. 此賤臣深憂, 過計於柒室之中者也. 正宜及此無事之時, 選將才, 鍊戎兵, 習戰
陣, 修城池, 以毋忘易象之戒. 不可因循頹靡, 牽補架漏而已也.

신이 삼가 살펴보았습니다: 옛 사람은 편안할 때에 위태로울 것을 잊지 않기 때문에 무기를
정비하고 예기치 못한 일에 대비하니, 나라를 다스리는 사람이 가벼이 해서는 안 되는 일입
니다. 무신년(1728년, 영조4)의 역적[29]은 곧 개나 쥐 같은 작은 앞잡이니 마치 일개 진(鎭)
의 장수나 일개 읍(邑)의 수령이 병사를 정돈하여 출병한 것 같았습니다. 하루도 버티지
못할 계책의 오합지졸이었으나 날을 잡아 거사에 임하니, 당시 나라에서는 오래 동안 군대
일을 겪지 않았으므로 변란을 당하자 윗사람 아랫사람 할 것 없이 서울과 지방이 놀라운
마음과 서늘한 간담을 면치 못하였다가 고변하는 일이 있고서야 국가의 군대와 대신들이
반란군을 제압하여 진멸하였으니, 어찌 예기치 못한 일에 대비함이 없는 허물이 아니겠습니
까? 이제 두 이웃이 화목하게 지내어 비록 급박한 근심은 없을 듯하지만, 천하의 사변은
헤아릴 수 없는 것이 있습니다. 만일 장마에 대한 대비와 스스로 강건할 수 있는 계책으로
평소 조정에 안정된 정책이 없다면, 막대한 변고가 숨 한번 쉴 사이에 갑자기 일어날 것입니
다. 그렇게 된다면 큰 산이 무너져 내리는 기세를 감당할 수 없을 것입니다. 이것이 제가
깊이 우려하기를 칠실(漆室)에 사는 이보다 더 심하게 꾀하는[30] 이유입니다. 바로 지금처럼
무사한 때에 장수와 인재를 선발하고, 군사를 훈련시키며, 전쟁의 군진을 실습하고, 성곽과
해자를 정비하여 『역』의 상에 대한 경계를 잊지 말아야 합니다. 전날을 답습하여 기강을
무너뜨려서 단지 띠풀을 끌어다 떨어진 곳을 깁고 새는 것을 막는 것으로 시일을 보내서는
안 됩니다.

심조(沈潮) 「역상차론(易象箚論)」

內順外說, 人心之萃也. 戎器, 兌金象, 金得土而鍛鍊, 故下有坤. 坤土在內, 有國之象
也, 兌金在外, 戎器戒嚴之象也. 兌爲口, 故器字虞字, 皆從口. 坤在未方, 故除字從未.
내괘는 순하고 외괘는 기뻐하니 인심이 모인다. 무기는 태괘(兌卦☱)인 금의 상이니 금은
토를 얻어 단련하기 때문에 하괘에 곤괘(坤卦☷)가 있다. 곤괘인 토가 내괘에 있으니 나라
를 소유한 상이고, 태괘인 금이 외괘에 있으니 무기로 엄하게 경계하는 상이다. 태괘가 입이

---

29) 무신년(1728년, 영조4), 소론 강경파와 남인 일부가 경종(景宗)의 죽음에 영조와 노론이 관계되었다고 주장하
면서 일으킨 반란의 무리를 말한다. 이인좌가 중심이 되었기 때문에 '이인좌(李麟佐)의 난'이라고 하며,
이 해가 간지로는 무신년이었기에 '무신난(戊申亂)'이라고도 한다.

30) 『열녀전·노칠실녀전』.

기 때문에 기(器)자와 우(虞)자 모두 구(口)를 썼다. 곤괘는 미방(未方)에 해당하기 때문에 제(除)자는 미(未)자를 썼다.

유정원(柳正源)『역해참고(易解參攷)』[31]

除戎 [至] 不虞.

무기를 정비하여 … 예기치 못함을

馮氏曰, 除舊置新謂之除, 猶治亂謂之亂, 馴擾謂之擾也.

풍씨가 말하였다: 옛것을 없애고 새것을 두는 것을 없애다[除:정비하다]라 하니, 다스림·어지러움을 어지러움이라 하고 길들여짐·어지러움을 어지러움이라고 하는 것과 같다.

○ 雙湖胡氏曰, 除戎器, 澤容水象, 戒不虞, 地順象. 兌正秋, 屬金, 主刑殺, 亦有戎器象.

쌍호호씨가 말하였다: "무기를 정비함"은 못에 물이 담긴 상이고, "예기치 못한 일에 대비함"은 땅의 순한 상이다. 태괘(☱)는 가을이니 금(金)에 속하며 형벌을 위주로 하니 또한 무기의 상이 있다.

○ 案, 川澤疾汚, 禍亂易生, 故脩治其戎器, 物衆地大, 蘖芽其間, 故警戒其不虞. 小註丘氏說五材.〈左襄二十七年, 宋子罕語. 註五材金木水火土, 兵是五材之金.[32]〉

내가 살펴보았다: 늪에는 독충과 오물이 많아 화란이 일어나기 쉽기 때문에 무기를 수선하고 정돈해야 하며 일이 많고 땅이 커서 그 사이에 재앙이 싹트기 때문에 예기치 못한 일을 경계해야 한다.「소주」에서 구씨가 오재(五材)를 설명하였다.〈『춘추좌씨전』양공 27년의 송나라 자한의 말이다. 그 주에 "오재는 금·목·수·화·토이다"라고 하였고, "무기는 오재 가운데 금에 속한다"라고 하였다.〉

김상악(金相岳)『산천역설(山天易說)』

陂澤水之所聚, 水聚而不防則潰, 衆聚而无備則亂. 除戎器, 以脩兌之決, 戒不虞, 以安坤之衆.

보(陂)와 못은 물이 모인 곳이다. 물이 모였는데 막지 않으면 무너지고 많은 사람이 모였는데 대비하지 않으면 어지럽다. 무기를 정비하여 태괘인 터짐을 수선하고 예기치 않은 일에

---

31) 경학자료집성DB에 취괘 '단사'에 해당하는 것으로 분류했으나, 내용에 따라 이 자리로 옮겨왔다.

32) 金: 경학자료집성DB에는 '全'으로 되어 있으나, 경학자료집성 영인본을 참조하여 '金'으로 바로잡았다.

대비하여 곤괘인 무리를 안정시킨다.

서유신(徐有臣) 『역의의언(易義擬言)』

築堤儲澤, 澤高於地, 是爲萃也. 除與儲通, 天保詩曰, 何福不除, 亦當與儲通也. 除戎器, 戒不虞, 堤防象也. 除戒坤象, 戎器兌象. 兌說有不虞之義.

제방을 쌓아 못의 물을 저장하니 못이 땅보다 올라가 있는 것이 취이다. 정비하다[除]는 쌓아두다[儲]와 통한다. 『시경(詩經)·천보(天保)』에 "어찌 복을 내리지 않겠는가?"[33]라고 하였으니 마땅히 쌓아두다[儲]와 통한다. 무기를 정비하고 예기치 못한 일에 대비하는 것은 제방의 상이다. 정비하고 대비하는 것은 곤괘의 상이고 무기는 태괘의 상이다. 태괘는 기쁨이니 근심하지 않는 뜻이 있다.

윤행임(尹行恁) 『신호수필(薪湖隨筆)·역(易)』

澤地之象, 如水地, 故有萃聚之義, 如地水, 故有戎器之備. 與地澤反體, 故有臨下意.

못·땅의 상은 물·땅과 같기 때문에 모이는 뜻이 있고, 땅·물과 같기 때문에 무기로 대비함이 있다. 지택림괘(地澤臨卦)와는 상괘와 하괘가 반대인 괘이기 때문에 아래로 임하는 뜻이 있다.

박문건(朴文健) 『주역연의(周易衍義)』

除簡治也.

"정비하다"는 조사하고 수리하는 것이다.

〈問, 澤上於地萃. 曰, 澤上於地, 則水必萃聚, 而坎瀆盈滿也, 物不可以犯也. 故君子以之, 而除戎器也.

물었다: "못이 땅보다 올라가 있는 것이 취이다"는 무슨 뜻입니까?

답하였다: 못이 땅보다 올라가면 물이 반드시 모여서 구덩이[해자]가 가득 차기 때문에 외물이 침범할 수 없습니다. 그러므로 군자가 그것을 본받아 무기를 정비합니다.〉

이지연(李止淵) 『주역차의(周易箚疑)』

如飮食必有訟, 訟必衆起, 故受之以師之意也.

---

33) 『詩經·天保』: 天保定爾, 亦孔之固. 俾爾單厚, 何福不除. 俾爾多益, 以莫不庶.

예컨대 음식이 있으면 반드시 송사가 있게 되고 송사는 반드시 무리지어 일어나기 때문에
사괘(師卦)로 이은 뜻과 같다.

김기례(金箕澧) 「역요선의강목(易要選義綱目)」

君子以, 除戎器, 戒不虞.
군자가 그것을 본받아 무기를 정비하여 예기치 못함을 경계한다.

澤上於地, 則有潰決之慮, 故戒在隄防. 物聚而久, 則有爭奪之慮, 故豫備戎器.
못이 땅보다 올라가면 무너지고 터질 염려가 있기 때문에 제방을 두는 데에 경계가 있다.
사물이 모여 오래되면 쟁탈의 염려가 있기 때문에 미리 무기를 정비하는 것이다.

이항로(李恒老) 「주역전의동이석의(周易傳義同異釋義)」

傳, 君子, 觀萃象, 以除治戎器, 用戎備於不虞. 云云.
『정전』에서 말하였다: 군자는 취괘의 상을 보고 무기를 정비하고 수리해서 예기치 못함을
경계하고 대비한다. 운운

本義, 除者, 修而聚之之謂.
『본의』에서 말하였다: '정비한다'는 것은 수리해서 모아두는 것을 말한다.

按, 萃除之義, 兩釋備矣. 蓋坤兌居致養之方, 而兌當正秋肅殺之氣, 故治戎器. 觀月令
秋政, 及周禮秋官, 則可見.
내가 살펴보았다: "모이다"·"정비하다"의 뜻은 두 가지 해석이 갖추어 있다. 곤괘와 태괘는
극진히 기르는 방법이 있으나 태괘는 정추(正秋)에 만물을 숙살하는 기운에 해당하기 때문
에 무기를 정비하는 것이다. 이는 『예기·월령·추정』과 『주례·추관』에서 볼 수 있다.

심대윤(沈大允) 『주역상의점법(周易象義占法)』

澤聚則防其決, 物聚則防其潰, 財聚則防盜劫. 除戎器戒不虞, 以防其變也. 除修理也,
坎坤象, 兌爲戒. 對大畜離兌爲戎器. 坎離次,[34] 且互震兌, 遷變爲虞度, 防之在外, 故
取對也.

---

34) 次: 경학자료집성DB에는 '坎'으로 되어 있으나, 경학자료집성 영인본을 참조하여 '次'로 바로잡았다.

못이 모이면 터짐을 방비해야 하고 사물이 모이면 무너짐을 방비해야 하며 재물이 모이면 도적에게 빼앗김을 방비해야 하니, 무기를 정비하고 예기치 못한 일에 대비하여 변고를 막는다. "방비하다"는 수리함이니 감괘(坎卦☵)와 곤괘(坤卦☷)의 상이고, 태괘(兌卦☱)는 대비함이 된다. 음양이 바뀐 괘인 대축괘(大畜卦䷙)의 호괘인 리괘(離卦☲)와 태괘(兌卦☱)는 무기가 된다. 감괘(坎卦☵)와 리괘(離卦☲) 다음이 또 호괘인 진괘(震卦☳)와 태괘이니 옮겨가 변하는 것이 헤아림이 되고 밖에 있는 것을 방비하기 때문에 음양이 바뀐 괘를 취하였다.

오치기(吳致箕) 「주역경전증해(周易經傳增解)」

澤上於地, 爲萃聚之象. 而水聚則有潰奔之勢, 故君子觀萃之象, 以除治戎器, 用戒備於不虞. 凡衆聚則有爭, 物聚則有奪, 不防則亂, 故戒其不虞也. 除謂修治, 而去其弊惡也. 戎器卽甲冑戈兵之屬, 而取於對體似離也.

못이 땅보다 올라가 있는 것이 모이는 상이다. 물이 모이면 쏟아질 기세가 있기 때문에 군자가 모이는 상을 보고서 무기를 정비하여 예기치 못한 일을 경계하고 대비한다. 대체로 많은 사람이 모이면 다툼이 있고 사물이 모이면 빼앗음이 있으니 방비하지 않으면 문란해지기 때문에 예기치 못한 일에 대비한다. "정비하다"는 수리하고 정돈하여 나쁜 요소를 없애는 것이다. "무기"는 갑옷·투구·무기들이니 음양이 바뀐 괘의 몸체가 유사 리괘[☲]인 데에서 취하였다.

이진상(李震相) 『역학관규(易學管窺)』

澤水汎濫, 地被其害, 本象也. 厚故[35]爲盜不虞之患也. 坎爲弓矢, 戎器也. 坤爲衆, 衆聚則生亂. 兌爲口, 口失則興戎, 故[36]有是象.

못의 물이 범람하여 땅이 그 해를 입는 것이 본래의 상이다. 두텁기 때문에 예기치 못한 도둑의 환란이 있게 된다. 감괘는 활과 화살이니 무기이다. 곤괘는 대중이 되니 대중이 모이면 어지러움이 생긴다. 태괘는 입이니 입을 잘못 놀리면 전쟁이 일어나기 때문에 이런 상이 있다.

박문호(朴文鎬) 「경설(經說)·주역(周易)」

澤之岸, 高出地上, 其中之深可知. 故爲萃聚之象.

---

35) 故: 경학자료집성DB에는 '坎'으로 되어 있으나, 경학자료집성 영인본을 참조하여 '故'로 바로잡았다.
36) 故: 경학자료집성DB에는 '坎'으로 되어 있으나, 경학자료집성 영인본을 참조하여 '故'로 바로잡았다.

못의 기슭은 땅위로 높이 튀어나와 있으니 그 속이 깊음을 알 수 있다. 그러므로 모이는 상이 된다.

이정규(李正奎) 「독역기(讀易記)」

當萃之時, 上說而下順, 天下萃之, 萬物豊阜, 宜安於豫, 而反除戎器者, 物聚象, 盛處必有爭端故也. 非惟聖人慮事精密, 以水聚地中爲師, 觀之水聚, 而有兵戎之象, 可知矣.

모이는 때에 위는 기뻐하고 아래는 순하니 천하의 사람들이 모이고 만물이 풍부하여 기쁨에 편안할 것인데도 도리어 무기를 정비하는 것은 만물이 모이는 상은 번성한 곳에 반드시 다투는 단서가 있기 때문이다. 성인이 일을 염려한 것이 정밀하여 물이 땅 속으로 모이는 것이 사괘(師卦)가 됨을 알았을 뿐만 아니라, 물이 모이는 것을 보고 군대의 상이 있음을 알 수 있었다.

이병헌(李炳憲) 『역경금문고통론(易經今文考通論)』

陸曰, 除脩治.

육적(陸績)이 말하였다: 제(除)는 수리하고 정돈함이다.

按, 聚則必有妨.

내가 살펴보았다: 모이면 반드시 방해 될 것이 있다.

初六, 有孚, 不終, 乃亂乃萃, 若號, 一握爲笑, 勿恤, 往, 无咎.

정전 초육은 믿지만 끝까지 하지 못하면 이에 혼란하고 이에 모이니, 부르짖으면 비웃겠지만 근심하지 말고 가면 허물이 없을 것이다.

본의 초육은 믿지만 끝까지 하지 못하여 이에 혼란하여 모이니, 부르짖으면 비웃겠지만 근심하지 말고 가면 허물이 없을 것이다.

│中國大全│

傳

初與四, 爲正應, 本有孚以相從者也. 然當萃時, 三陰聚處, 柔无守正之節, 若捨正應而從其類, 乃有孚而不終也. 乃亂, 惑亂其心也, 乃萃, 與其同類聚也. 初若守正不從, 號呼以求正應, 則一握笑之矣. 一握, 俗語, 一團也, 謂衆以爲笑也. 若能勿恤而往, 從剛陽之正應, 則无過咎, 不然, 則入小人之群矣.

초효와 사효는 바른 호응이니, 본래부터 믿으며 서로 따르는 것들이다. 그러나 모일 때에 세 음이 모인 것에는 유순함이 바름을 지키는 절개가 없으니, 바른 호응을 버리고 그 무리를 따른다면, 믿지만 끝까지 하지 못하게 된다. '이에 혼란된다[乃亂]'는 것은 그 마음이 헷갈려 혼란하다는 것이고, '이에 모인다[乃萃]'는 것은 같은 무리와 모인다는 것이다. 초효가 바름을 지켜 따라가지 않고 부르짖으면서 바른 호응을 구한다면 패거리들이 비웃을 것이다. 패거리[一握]는 속어로 한 무리라는 의미이니, 무리지어 비웃는다는 것이다. 근심하지 말고 갈 수 있어 굳센 양의 바른 호응을 따른다면 허물이 없을 것이고, 그렇지 못하면 소인의 무리에 끼어들 것이다.

本義

初六, 上應九四, 而隔於二陰, 當萃之時, 不能自守, 是有孚而不終, 志亂而妄聚也. 若呼號正應, 則衆以爲笑, 但勿恤而往, 從正應則无咎矣. 戒占者當如是也.

초육은 위로 구사와 호응하지만 두 음에게 가로 막혀 모이는 때에 스스로 지킬 수 없으니, 믿지만 끝까지 가지 못하고 뜻이 혼란하여 함부로 모이는 것이다. 바른 호응을 부르짖으면 무리들이 비웃겠지만 그냥 근심하지 말고 가서 바른 호응을 따르면 허물이 없을 것이다. 점치는 자에게 이와 같아야 한다고 경계하였다.

小註

朱子曰, 不知如何說個一握底句出來.
주자가 말하였다: 일악(一握)이라는 구절을 어떻게 설명해야 할지 모르겠다.

○ 節齋蔡氏曰, 有孚, 應四也. 不終, 柔也. 三柔相比, 亂萃者也.
절재채씨가 말하였다: '믿는다'는 것은 사효와 호응하는 것이다. '끝까지 하지 못한다'는 것은 유순하기 때문이다. 세 유순함이 서로 가까이 있어 모임을 어지럽게 한다.

○ 雙湖胡氏曰, 初當萃之始, 何遽至失信亂萃, 號呼而貽笑乎. 皆陰柔不正, 應又不正故也, 捨衆陰而往, 僅以陰陽相得, 可无咎耳. 取象有蒙全體義者, 此爻號, 笑一握, 蒙上兌艮故也.
쌍호호씨가 말하였다: 초효가 모임의 처음에 어떻게 황급히 믿음을 잃어 모임을 어지럽히고 부르짖다가 비웃음을 당하는가? 모두 유순한 음도 바르지 않고, 호응하는 것도 바르지 않기 때문이다. 여러 음을 버리고 간다면 가까스로 음과 양이 서로 얻어 허물이 없을 뿐이다. 상을 취함에 전체의 뜻을 이은 것이 있으니 초효가 부르짖으면 한 패거리들에게 비웃음을 당하는 것은 위로 태괘(兌卦☱)와 간괘(艮卦☶)를 이었기 때문이다.

○ 雲峰胡氏曰, 不終, 陰柔不能固守之象, 亂, 陰雜之象. 一握, 陰聚之象. 萃與比相似. 比初六有孚盈缶, 萃之初, 則有孚不終. 比初无應而孚信充實, 其終也自有他吉, 萃初與四應, 而惑於二陰, 是有孚而不能自守, 志亂而不无妄聚者也. 聖人戒之, 曰若號呼九四正應, 則二陰必以爲笑, 唯勿恤二陰之笑而必往從, 庶乎可以无咎矣.
운봉호씨가 말하였다: '끝까지 하지 못한다'는 것은 유순한 음이 굳게 지킬 수 없는 상이고, '온란하다'는 것은 음이 뒤섞인 상이다. '패거리'는 음이 모인 상이다. 취괘(萃卦䷬)는 비괘(比卦䷇)와 서로 비슷하다. 비괘(比卦䷇)의 초육은 "믿음을 둠이 질그릇에 가득하면 끝에 다른 길함이 있다"[37]는 것이고, 취괘(萃卦䷬)의 초효는 "믿지만 끝까지 하지 못한다"는 것이다. 비괘의 초효는 호응이 없지만 믿음이 충실하여 그 끝에 저절로 다른 길함이 있다는 것이

---

37) 『周易·比卦』: 有孚盈缶, 終, 來有他吉.

고, 취괘의 초효는 사효와 호응하는데 두 음에게 헷갈리니, 이것은 믿지만 스스로 지킬 수 없고 뜻이 혼란되어 함부로 모이지 않음이 없다는 것이다. 성인이 '구사의 바른 호응에게 부르짖는다면 두 음이 반드시 비웃을 것이니, 오직 두 음의 비웃음을 걱정하지 말고 반드시 따라가면 거의 허물이 없을 수 있다'고 경계하였다.

‖韓國大全‖

송시열(宋時烈)『역설(易說)』

有孚者, 與九四有孚之義. 不終者, 初爲陰柔, 故其事无終. 又兌爲妾, 陰陽雖和, 無相與終身之義也. 乃亂乃萃者, 其心胡亂, 乃萃其類. 兌爲口, 互巽爲號. 四之陽, 若有號令, 故曰若號. 一者坎數, 握者艮手也. 兌悅爲笑, 綜震爲笑, 故曰一握爲笑. 不以坎之憂恤, 而往爲相與, 故无咎.

'믿는다'는 것은 구사와 믿음이 있다는 뜻이다. "끝까지 하지 못한다"는 것은 초효는 음효이기 때문에 일을 끝마치지 못함이다. 또 태괘(兌卦☱)는 첩이니 음과 양이 비록 화합하나 서로 함께 몸을 마칠 의리는 없다. "이에 혼란하고 이에 모인다"는 것은 그 마음이 어지러워 동류와 모이는 것이다. 태괘는 입이고 호괘인 손괘(巽卦☴)는 부르짖음이 된다. 사효인 양은 호령함이 있는 것 같기 때문에 "부르짖으면"이라고 하였다. '일(一)'은 감괘(坎卦☵)의 수이고 '악(握)'은 간괘(艮卦☶)인 손이다. 태괘(兌卦☱)는 기뻐함이니 웃음이 되고 거꾸로 된 괘인 진괘(震卦☳)도 웃음이 되기 때문에 "한 패거리가 비웃음"이라고 하였다. 감괘(坎卦☵)의 근심과 걱정을 쓰지 않고 가서 서로 함께 함이 되기 때문에 허물이 없을 것이라고 하였다.

홍여하(洪汝河)「책제(策題):문역(問易)・독서차기(讀書箚記)-주역(周易)」[38]

初六, 若號.
초육은 부르짖으면.

---

[38] 경학자료집성DB에서는 취괘 '단전'에 해당하는 것으로 분류했으나, 내용에 따라 이 자리로 옮겨왔다.

萃初若號, 猶夬之孚號. 兌口之象也. 於內卦言之, 易多此例.

취괘 초효의 "부르짖으면"은 쾌괘의 "미덥게 호령하여"[39]와 같다. 태는 입의 상이다. 내괘(內卦)에서부터 말한 것이다. 『주역』에 이런 용례가 많다.

이익(李瀷) 『역경질서(易經疾書)』

王者, 順天利往, 用牲假廟, 宜莫此爲吉, 而九五有匪孚, 志未光何也. 天下初定, 人心甫聚, 孚誠猶未普覃. 故君志猶有未顯, 必須久而後乃平. 以文武之德勘定獨夫[40], 猶誕告多方, 惟恐脅動, 可以見矣. 初六之有孚不終, 卽指九五之匪孚也. 故初居庶民之位, 上之孚信, 未遽遠及也. 乃亂乃萃, 先亂而後萃也, 有孚不終, 故乃亂, 卦以萃爲義, 故乃萃. 傳所謂其志亂者, 據未萃方亂而言也. 若號帖亂, 爲笑帖亂, 猶言先號咷而後笑也. 未萃則求之若號咷, 旣萃則變號爲笑. 一握者, 萃字之註脚, 團結之貌. 萃而爲握, 萃之切也. 勿恤往, 又據未握時說, 苟不如此, 終不至握笑之.

왕자(王者)는 천명에 순응하여 가는 것이 이로우니 제물을 써서 사당에 간다면 이보다 길한 것이 없는데 구오가 믿지 않아 뜻이 빛나지 않음은 어째서인가? 천하가 갓 평정되어 민심이 겨우 모였으니 믿음과 정성이 아직 널리 미치지 않았다. 그러므로 임금의 뜻도 아직 드러나지 않은 것이니, 반드시 시간이 흐른 뒤에야 안정될 것이다. 이는 문왕·무왕의 덕으로 독부(獨夫)인 주(紂)를 처단하였으나, 오히려 널리 만방에 고하여 서로 선동함이 있을까 두려워한 것에서 알 수 있다. 초육이 믿는 것을 끝까지 하지 못함은 곧 구오가 믿지 않음을 가리킨 것이다. 그러므로 초효가 서민의 지위에 있으니 윗사람의 믿음이 갑자기 멀리 미치지 못한 것이다. "이에 혼란하고 이에 모임"은 먼저 어지러운 뒤에 모이는 것이니 믿지만 끝까지 하지 못하기 때문에 이에 어지럽고, 취괘가 "모임"으로 뜻을 삼았기 때문에 이에 모인다. 『정전』에서 이른 바 "뜻이 어지럽다"는 것은 아직 모이기 전이라 한창 어지러울 때에 의거하여 말하였다. '부르짖음'은 '어지러움'에 이어졌고 '웃음'은 '모임'에 이어졌으니 먼저 울부짖은 뒤에 웃는다는 말과 같다. 모이기 전에는 구하는 것이 울부짖음 같고 모인 뒤에는 울부짖음이 변하여 웃음이 된다. '한 패거리'란 모인다는 '취(萃)'자의 주석이니, 단결하는 모양이다. 모였으나 한 패거리가 된 것은 모임이 간절한 것이다. "근심하지 말고 감"은 또 단결하기 전을 근거로 발한 것이니, 만일 이와 같이 하지 않는다면 끝내 단결하여 웃을 수 있는데 이르지 못할 것이다.

---

39) 『周易·夬卦』: 夬, 揚于王庭, 孚號有厲. 告自邑, 不利卽戎, 利有攸往.

40) 夫: 경학자료집성DB에는 '天'으로 되어 있으나, 경학자료집성 영인본을 참조하여 '夫'로 바로잡았다.

심조(沈潮) 「역상차론(易象箚論)」

初六, 一握爲笑.

초육은 한 패거리들이 비웃겠지만.

握艮也, 笑兌也, 一初爻也.

패거리들[握]란 간괘의 뜻이고, 비웃음[笑]은 태괘의 뜻이며 하나[一]는 초효를 가리킨다.

유정원(柳正源) 『역해참고(易解參攷)』

初六 [至] 爲笑.

초육 … 비웃겠지만.

瓜山潘氏曰, 陰柔旡信, 守不能終, 乃亂. 其萃聚之志, 至於號泣, 而爲群盜所笑. 一握, 下三陰也.

과산반씨가 말하였다: 유순한 음이라서 믿음이 없어 지킴을 끝까지 하지 못하니 이에 혼란하다. 모이는 뜻이 울부짖게 되면 여러 도둑에게 비웃음거리가 된다. "한 패거리"란 하괘의 세 음이다.

○ 漢上朱氏曰, 號笑, 謂四兌口象. 一握, 互艮握手象.

한상주씨가 말하였다: "부르짖음"과 "비웃음"은 사효안 태괘가 입의 상임을 이른다. "한 패거리"는 호괘인 간괘가 손을 쥐는 상이다.

○ 亦有一義, 若號呼正應, 則可一往相握, 憂去而笑來, 勿憂而必往, 則旡咎也.

또한 하나의 뜻이 있으니 정응을 부르짖으면 한번 가서 서로 무리가 되어 근심이 없어지고 웃음이 올 수 있으니 근심하지 말고 반드시 간다면 허물이 없을 것이다.

小註, 雙湖說蒙上兌艮.

「소주」에서 쌍호호씨가 말하였다: 위로 태괘(兌卦☱)와 간괘(艮卦☶)를 이었다.

案, 上體兌號笑象. 自二至四爲艮, 手握象. 謂之蒙上者, 初非兌艮之體, 故蒙上全體而取象也.

내가 살펴보았다: 상체인 태괘는 부르짖음과 비웃음의 상이고, 이효부터 사효까지는 간괘인 손을 쥐는 상이다. 그것을 "위로 이음"이라고 한 것은, 초효는 태괘(兌卦☱)와 간괘(艮卦☶)의 몸체가 아니기 때문에 위로 전체를 이어 상을 취한 것이다.

김상악(金相岳) 『산천역설(山天易說)』

初六, 處坤之下, 應兌之初, 本有孚以相從者. 然皆不正, 而四互巽體, 故雖有孚而不終, 亂志而妄萃也. 若號正應, 則衆以爲笑, 勿恤而往, 則終得其萃而无咎也.

초육은 곤괘(坤卦☷)의 아래에 처하고 태괘(兌卦☱)의 초효와 호응하니 본래 믿고서 서로 따르는 자이다. 그러나 모두 바르지 않고 사효는 호괘인 손괘(巽卦☴)의 몸체이기 때문에 비록 믿지만 끝까지 하지 못하여 혼란한 뜻으로 함부로 모인다. 정응을 부르짖으면 대중에게 비웃음을 살 것이나, 근심하지 말고 가면 마침내 모일 수 있어 허물이 없을 것이다.

○ 孚信也, 坤之象. 不終, 巽之進退, 不果也. 亂, 坤之迷也. 握爾雅具也, 三陰同聚, 一握之象, 兌爲口, 號與笑之象. 恤者, 坎之加憂也. 初居互體之外, 故曰勿恤. 上互比體, 比初六, 雖无正應, 有孚比之, 故終有他吉. 萃則雖有正應, 有孚不終, 故同類爲笑.

'부(孚)'는 믿음이니 곤괘의 상이다. '끝까지 하지 못함'은 손괘가 진퇴(進退)를 결행하지 못함이다. '어지러움[亂]'은 곤괘가 혼미한 것이다. '패거리[握]'는 『이아(爾雅)』에 갖춤이라고 하였으니 세 음이 함께 모인 것이 한 패거리의 상이다. 태괘는 입이니 부르짖음과 비웃음의 상이다. '근심[恤]'은 감괘(坎卦☵)가 근심을 더함이다. 초효는 호체의 밖에 있기 때문에 "근심하지 말고"라고 말하였다. 상체는 호체가 비괘(比卦䷇)인데 비괘의 초육은 비록 정응이 없더라도 믿음을 두어 돕기 때문에 끝내 다른 길함이 있다. 그러나 취괘는 비록 정응이 있더라도 믿지만 끝까지 하지 못하기 때문에 동류에게 비웃음을 받는다.

서유신(徐有臣) 『역의의언(易義擬言)』

乃亂乃萃, 其志亂也.
이에 혼란되고 이에 모이니, 뜻이 혼란하기 때문이다.

志見於應與也.
마음이 호응하여 함께하는 데에 드러난 것이다.

서유신(徐有臣) 『역의의언(易義擬言)』

有孚之義, 與比相近, 比初之有孚盈缶, 達於五也, 萃初之有孚不終, 止於四也, 比萃之別, 九四之故也. 初萃於四是爲亂, 萃因於四而萃於五, 乃无咎也. 初於五, 雖相遠, 實其間, 只容一艮手, 故曰一握, 殆若相號於一握之間, 易於相聞也. 蜀諺曰, 孤雲兩角, 去天一握也, 始疑其遠, 終覺其近, 爲之發笑, 而不復憂也.

믿는다는 뜻은 비괘(比卦䷇)와 서로 비슷하나, 비괘 초효의 "믿음을 가짐이 질그릇에 가득함"은 오효에 도달하고, 취괘(萃卦䷬) 초효의 "믿지만 끝까지 하지 못하여"는 사효에서 그치니, 비괘와 취괘의 구별은 구사 때문이다. 초효가 사효와 모이는 것이 혼란인데 취괘는 사효 때문에 오효에서 모이니, 곧 허물이 없는 것이다. 초효가 오효와 비록 서로 멀지만 실제로 그 사이는 단지 간괘(艮卦☶)인 손만을 용납할 뿐이다. 그러므로 "일악(一握)"이라고 말했으니, 한번 손잡을 만한 사이에서 서로 부른다면 서로 간에 들리기 쉬울 것이다. 촉나라 속담에 "고운산과 양각산은 하늘과의 거리가 손잡을 만한 정도이네"라 하였으니, 처음에는 멀다고 의심하다가 마침내 가까움을 깨닫고 웃음을 드러내어 더 이상 근심하지 않는 것이다.

박제가(朴齊家) 『주역(周易)』

初六, 若號, 一握爲笑, 勿恤.
초육은 부르짖으면 패거리들이 비웃겠지만.

笑喜也, 握握手也. 號與笑作對, 如同人先號後笑, 非譏笑之笑. 初之有孚不終, 而有亂萃之事, 若驚號, 則自有一握而歡笑者, 卽其正應也. 勿恤以下, 五字皆屬占辭.
'소(笑)'는 기쁨이고 '악(握)'은 손을 잡음이다. 동인괘(同人卦䷌)의 "먼저는 울부짖고 뒤에는 웃음"[41]과 같으니 기롱하여 비웃는 웃음이 아니다. 초효는 믿지만 끝까지 하지 못하여 어지럽게 모이는 일이 있으니, 만일 놀라서 부르면 스스로 한번 손을 잡고서 기뻐 웃는 자가 있을 것이니 바로 정응이다. '물휼(勿恤)' 이하 다섯 자는 모두 점사에 속한다.

윤행임(尹行恁) 『신호수필(薪湖隨筆)·역(易)』

一握爲笑, 程傳訓以一團, 而上古文法, 無如此語者, 或者一握, 謂其號正應, 而握之不捨歟. 朱子以爲不知如何, 則不可强爲之說.
한 패거리가 비웃음[一握爲笑]을 『정전』에서는 "한 무리"라고 풀었는데 상고시대 문법에 이런 말이 없으니 아마도 일악(一握)은 정응을 불러서 쥐고 놓지 않는 것인가 보다. 주자는 어떤 것인지 모른다고 했으니 억지로 해석해서는 안 된다.

박문건(朴文健) 『주역연의(周易衍義)』

信而未發, 故有有孚不終之象. 乃亂乃萃, 言疑亂而萃止也.

---

41) 『周易·同人卦』: 九五, 同人, 先號咷而後笑, 大師克, 相遇.

믿지만 드러나지 않기 때문에 "믿지만 끝까지 하지 못하는" 상이 있다. "이에 혼란하고 이에 모임"은 의심하고 어지러워 그치는 것이다.

〈問, 有孚不終以下. 曰, 初六, 雖有孚於其上, 然反見疑阻, 故不終其信, 乃疑亂而萃止不進也. 若或號咷, 有一攬涕, 而便爲笑, 當勿憂, 其上往遇則无咎.

물었다: "믿지만 끝까지 하지 못하는" 이하는 무슨 뜻입니까?

답하였다: 초육이 비록 위에 신임이 있으나 도리어 의심과 방해를 받기 때문에 그 신임을 끝까지 할 수 없어 곧 의심하고 어지러워 그치고 나아가지 못하는 것입니다. 만일 부르짖으며 눈물을 뿌리면 곧 비웃음을 받을 것이지만 마땅히 근심하지 말고 가서 위를 만나면 허물이 없을 것입니다.〉

이지연(李止淵) 『주역차의(周易箚疑)』

趙高之初說李斯也, 斯不從, 及其以禍福再三, 恐動之. 斯乃與高萃其心, 竟立胡亥. 向使號呼以求正應之扶蘇, 則必有一握爲笑之喜, 而竟亂其志, 惜乎.

처음에 조고(趙高)가 이사(李斯)를 유혹할 때에 이사는 따르지 않았으나 화복이 반복되자 변고가 있을까 두려웠다. 이에 이사는 조고와 마음을 모아 마침내 호해(胡亥)를 옹립하였다. 지난번에 가령 이사가 울부짖으며 정응(正應)인 부소(扶蘇)를 찾았다면 반드시 한 무리들이 웃는 기쁨이 있었을 것인데 끝내 그 뜻을 혼란하게 하였으니 애석하다.

김기례(金箕澧) 「역요선의강목(易要選義綱目)」

初六, 有孚.

초육은 믿지만.

虛受四應, 則當有信.

비어있는 음이 사효의 호응을 받았으니 마땅히 믿음이 있다.

不終, 乃亂乃萃.

끝까지 하지 못하면 이에 혼란되고 이에 모이니.

陰當從陽, 萃時弱陰在群陰之下, 終不能從四, 則惑亂. 故戒无失應而萃其朋.

음은 마땅히 양을 따라야 하는데 모이는 때에 유순한 음이 여러 음의 아래에 있어 끝내 사효를 따를 수 없다면 미혹되고 혼란한 것이다. 그러므로 정응을 잃고 동류와 모여서는 안 됨을 경계하였다.

若號, 一握爲笑.
부르짖으면 패거리들이 비웃겠지만.

號號四, 四兌體, 故曰號.
“부르짖음”은 사효를 부르는 것이고 사효는 태괘(兌卦☱)의 몸체이기 때문에 “부르짖음”이라고 하였다.

○ 若能號四而求應, 則團會諸朋皆笑, 其捨朋趨遠也.
만약 사효를 불러 호응을 구할 수 있다면 무리의 여러 벗들이 모두 비웃을 것이니, 이는 벗을 버리고 멀리 갔기 때문이다.

勿恤往无咎.
근심하지 말고 가면 허물이 없을 것이다.

勿恤衆陰之笑, 而往從四則无咎.
여러 음들이 비웃을 것을 근심하지 말고 가서 사효를 따른다면 허물이 없을 것이다.

심대윤(沈大允) 『주역상의점법(周易象義占法)』

萃之道, 必先以我萃人, 然後能有萃於我. 如澤之萃於地, 然後得有萃也. 无財者,[42]必就有財而求財, 无民者, 必事王者而得民, 就焉事焉者, 我萃于人也, 得財與民者, 物聚于我也. 故萃之下四爻 皆萃于人, 而有萃者也.
모이는[萃] 도는 반드시 내가 먼저 남을 모이게 한 뒤에 나에게 모임이 있을 수 있다. 마치 못이 땅에 모인 뒤에 모임이 있을 수 있는 것과 같다. 재물이 없는 자는 반드시 재물이 있는 데에 나아가야 재물을 구하고, 백성이 없는 자는 반드시 임금을 섬겨야 백성을 얻을 수 있으니, 나아가고 섬기는 것은 내가 남을 모이게 하는 것이고 재물과 백성을 얻는 것은 남이 나에게 모여지는 것이다. 그러므로 취괘의 아래 네 효는 모두 남을 모이게 하여 모임이 있는 것이다.

萃之隨☳, 居剛而應于四, 是隨四而求萃者也. 四下有三陰, 應初而不專, 故曰有孚不終. 離爲孚, 兌坤爲不終. 初六才柔, 而處初居卑. 夫貧賤者, 始從富貴者而求得, 安有專信之意乎. 亂如亂心之亂. 必惱心煩慮, 費其精神, 而後有聚, 故曰乃亂乃萃.
취괘가 수괘(隨卦☳)로 바뀌었으니, 굳센 자리에 있으면서 사효와 호응하니, 이는 사효를 따라서 모이기를 구하는 자이다. 사효는 아래로 세 음이 있어 초효와 호응하더라도 초효만

---

42) 財者: 경학자료집성DB에는 ‘者財’로 되어 있으나, 경학자료집성 영인본을 참조하여 ‘財者’로 바로잡았다.

상대하지는 않기 때문에 믿지만 끝까지 하지 못하는 것이다. 리괘(離卦☲)는 믿음이 되고 태괘(兌卦☱)와 곤괘(坤卦☷)는 끝까지 하지 못함이 된다. 초육은 재질이 부드럽지만 초기에 처하고 낮은 데에 있다. 무릇 빈천한 자는 처음에는 부귀한 자를 쫓아 얻기를 구하나, 어찌 전적으로 그를 믿는 뜻이 있겠는가? 혼란(亂)은 '마음을 혼란하게 한다'는 혼란과 같다. 반드시 마음과 생각을 번뇌하고 정신을 허비한 뒤에 모이게 되기 때문에 "이에 혼란하고 이에 모인다"라고 말하였다.

巽坤爲交互迷雜曰亂. 若號, 戒責也. 一握, 以手揶揄也. 今人之嗤笑, 亦以一手搖轉而指點也. 坎艮爲一握, 離互兌爲笑, 皆謂四也. 初六隨從於四而求得, 爲四之所號責嗤笑也. 貧⁴³⁾賤者之屈志忍垢, 而事人以有得者, 固其分也. 若不忍其纏惱屈辱而高尙絶世, 則乃茹芝服松而終身貧寒者也, 何自而有萃哉. 旣不能萃人, 又不欲萃於人, 是絶物也, 非生人之道也. 夫賤而不肯事貴, 貧而不肯事富, 幼而不肯事長, 愚而不肯事賢, 不祥之甚也, 天下无以爲天下也, 故夫子爲委吏司樴矣, 爲家臣矣, 故曰勿恤往无咎. 初三五求萃者也, 故言萃也. 萃, 富有之義也. 萃之爻位, 居剛求萃者也, 居柔守萃者也.

손괘(巽卦☴)와 곤괘(坤卦☷)는 서로 혼미하고 복잡함이 되니 "혼란함"이라고 하였다. "부르짖으면"은 경계하고 꾸짖음이다. "한 패거리"는 손으로 끌고 당김이다. 요즘 사람도 비웃을 때에 손을 흔들고 손가락질한다. 감괘(坎卦☵)와 간괘(艮卦☶)는 "한 패거리"가 되고, 리괘(離卦☲)와 호괘인 태괘는 웃음이 되니, 모두 사효를 이른다. 초육은 사효를 따라서 얻기를 구하니, 사효에게 불리어져서 비웃는 이를 꾸짖는다. 빈천한 자는 뜻을 굽혀 치욕을 참고 남을 섬겨 얻게 되는 것이 본디 그의 본분이다. 만약 속박과 굴욕을 참지 못하고 고상하게 세속을 끊는다면 곧 지초를 먹고 송진을 복용하여 종신토록 빈한한 자일 것이니 어디로부터 모일 수 있겠는가? 남을 모이게 할 수 없을 뿐만 아니라 또한 남에게서 모여지기를 바라지도 않는다면 이는 사물과 절교하는 것이니 살아있는 사람의 도가 아니다. 비천하면서 존귀한 사람을 섬기려 하지도 않고, 빈천하면서 부귀한 사람을 섬기려 하지도 않으며, 어리면서 어른을 섬기려 하지도 않고, 어리석으면서 어진 이를 섬기려 하지 않음은 매우 불쌍한 일이니, 천하가 천하가 될 수 없을 것이기 때문에 공자가 위리(委吏)와 사직리(司樴吏)가 되었고 가신(家臣)이 되었다. 그러므로 "근심하지 말고 가면 허물이 없을 것이다" 라고 말하였다. 초효・삼효・오효는 모이기를 구하는 자이기 때문에 모임[萃]을 말했다. 모임[萃]은 풍부하게 소유하는 뜻이다. 췌괘의 효의 자리 중에 굳센 양의 자리에 있는 것은 모이기를 구하는 자이고, 부드러운 음의 자리에 있는 것은 모임을 지키는 자이다.

---

43) 貧: 경학자료집성DB에는 '貪'으로 되어 있으나, 경학자료집성 영인본을 참조하여 '貧'으로 바로잡았다.

오치기(吳致箕) 「주역경전증해(周易經傳增解)」

初六, 陰柔, 不正而在下, 上應九四之剛, 當萃之時, 始以正應, 故有相孚之志. 終以失其正, 故不能竟其誠信, 而乃亂其志, 與同類之陰柔相聚爲群矣. 若與四或有時而號應, 則同類必一般相握,而笑其不誠. 然旣爲正應不可不從, 故戒言勿恤. 人譏而往從, 則无乃亂之咎也.

초육은 유순한 음으로서 바른 자리가 아니고 아래에 있으나 위로 구사의 굳셈과 호응하니, 모이는 때에 처음 정응이기 때문에 서로 믿는 뜻이 있다. 그러나 끝내 바름을 잃기 때문에 정성과 신의를 끝까지 할 수 없어 이에 마음이 혼란하니, 동류인 부드러운 음과 서로 모여 무리가 된다. 만일 사효와 혹시 호응한다면 반드시 동류들이 똑같이 서로 패거리가 되어 참되지 못함을 비웃을 것이다. 그러나 이미 정응을 따르지 않을 수 없기 때문에 근심하지 말라고 경계하여 말하였다. 남들이 기롱하는데도 쫓아간다면 이것이 바로 혼란한 잘못이 아니겠는가?

○ 有孚, 取於坤, 終, 取應體. 互艮, 而居不得正, 故曰不終, 曰乃亂. 三陰同體, 故曰乃萃也. 號, 呼也, 取於應兌, 而陰陽相應, 曰呼也. 握, 取於應體, 互艮爲手握之象. 笑取於應兌也, 勿取互艮, 恤取似坎, 爲加憂也.

'믿음'은 곤괘에서 취했고, '끝까지'는 호응하는 몸체를 취하였다. 호괘가 간괘이고 자리가 바르지 않기 때문에 "끝까지 하지 못한다"라고 말하고 "이에 혼란하다"고 말하였다. 세 음이 동체이기 때문에 "이에 모인다"라고 말하였다. "부르짖음[號]"은 부르는 것이니 태괘와 호응하는 것을 취하여 음과 양이 서로 호응하므로 부른다고 하였다. 악(握)은 호응하는 몸체에서 취하였으니, 호괘인 간괘가 손으로 쥐는 상이다. 소(笑)는 태괘와 호응함을 취하였고, 물(勿)은 호괘인 간괘를 취하였으며, 흘(恤)은 '유사감괘☵'를 취했으니 근심을 더함이 된다.

이진상(李震相) 『역학관규(易學管窺)』

四在厚坎而初應之, 當有孚, 而衆陰間之, 孚信不終. 先有惑[44]亂之志, 而始克相萃, 若見號呼, 則便可握手而歡笑也. 一握, 艮手象. 坤一變, 則至艮也. 號笑上有兌口. 且本爻變震爲笑, 言往亦震象.

사효는 '두터운 감괘☵'에 있으면서 초효와 호응하니 당연히 믿음이 있을 것이나 여러 음이 사이에 끼어 있어 믿음을 끝까지 하지 못한다. 먼저 의혹되고 혼란한 마음이 있으나 처음이라 서로 모일 수 있으니 만약 부르짖음을 본다면 곧 손을 잡고 기뻐 웃을 수 있다. 일악

---

44) 惑: 경학자료집성DB에는 '感'으로 되어 있으나, 경학자료집성 영인본을 참조하여 '惑'으로 바로잡았다.

(一握)은 간괘(艮卦☶)인 손의 상이다. 곤괘(坤卦☷)의 한 효가 변하면 간괘(艮卦☶)가 된다. "부르짖음"·"웃음"은 위에 태괘(兌卦☱)인 입이 있어서이다. 또한 초효가 변하면 진괘(震卦☳)이니 웃음이 되고, 간다고 말한 것도 진괘의 상이다.

박문호(朴文鎬) 「경설(經說)·주역(周易)」

爲笑, 諺釋傳義各異.

위소(爲笑)는 언해에 『정전』과 『본의』의 설명이 각각 다르다.

今按, 傳義之意, 未見其有異.

내가 살펴보았다: 『정전』과 『본의』의 뜻이 다른 점이 있는지 알 수 없다.

이병헌(李炳憲) 『역경금문고통론(易經今文考通論)』

王曰, 應在四, 而三懷嫌疑, 故有孚不終.

왕필(王弼)이 말하였다: 호응하는 것이 사효에 있으나, 세 음이 혐의를 품고 있기 때문에 믿지만 끝까지 하지 못한다.

陸曰, 坤爲聚, 故乃亂乃萃.

육적(陸績)이 말하였다: 곤괘는 모임이 되기 때문에 이에 혼란하고 이에 모인다.

本義曰, 若呼號正應, 則衆以爲笑.

『본의』에서 말하였다: 정응을 부르면 무리들이 비웃는다.

按, 一握, 一相握而笑.

내가 살펴보았다: 일악(一握)은 한번 서로 잡고서 웃는 것이다.

象曰, 乃亂乃萃, 其志亂也.

정전 「상전」에서 말하였다:“이에 혼란되고 이에 모임”은 그 마음이 혼란하기 때문이다.
본의 「상전」에서 말하였다:“이에 혼란되어 모임”은 그 마음이 혼란하기 때문이다.

中國大全

傳

其心志爲同類所惑亂, 故乃萃於群陰也. 不能固其守, 則爲小人所惑亂而失其
正矣.

같은 무리들이 그 마음과 뜻을 헷갈리게 하고 어지럽혔기 때문에 여러 음과 모였다. 지키는 것을
견고하게 할 수 없으면 소인들이 헷갈리게 하고 어지럽혀서 그 바름을 잃게 한다.

韓國大全

유정원(柳正源) 『역해참고(易解參攷)』
其志亂
마음이 혼란하기 때문이다.

正義, 只爲疑四與三, 故志意迷亂也.
『주역정의(周易正義)』에서 말하였다: 다만 사효를 의심하고 삼효와 함께 하기 때문에 마음
이 혼란한 것이다.

○ 梁山來氏曰, 質本陰柔, 急于欲萃, 方寸亂矣. 所以不暇擇其正應而萃也.

양산 래씨가 말하였다: 본래 바탕이 유순한 음인데 급히 모이고자 하니 마음이 어지럽다. 그래서 바른 호응을 가릴 겨를도 없이 모이는 것이다.

김상악(金相岳) 『산천역설(山天易說)』

惟其志亂, 故不暇從應, 而妄萃也.
마음이 혼란하기 때문에 따라서 호응할 겨를이 없어 함부로 모인다.

김기례(金箕澧) 「역요선의강목(易要選義綱目)」

其志亂.
마음이 혼란하기 때문이다.
爲衆所惑, 不從應, 則失正而亂.
무리에게 미혹되어 호응을 따르지 않는다면 바름을 잃어 혼란할 것이다.

오치기(吳致箕) 「주역경전증해(周易經傳增解)」

其志不正, 故爲同類之群陰所惑亂, 不能固其守也.
마음이 바르지 못하기 때문에 동류인 여러 음들에게 미혹당해 혼란하여 지킴을 굳건히 할 수 없다.

六二, 引吉, 无咎, 孚乃利用禴.

육이는 끌어당기면 길하여 허물이 없으니, 정성이 있어야 검소한 약 제사로 함이 이롭다.

中國大全

傳

初陰柔, 又非中正, 恐不能終其孚, 故因其才而爲之戒. 二雖陰柔而得中正, 故雖戒而微辭. 凡爻之辭, 關得失二端者, 爲法爲戒, 亦各隨其才而設也. 引吉无咎, 引者, 相牽也. 人之交相求則合, 相待則離. 二與五爲正應, 當萃者也而相遠, 又在群陰之間, 必相牽引, 則得其萃矣. 五居尊位, 有中正之德, 二亦以中正之道, 往與之萃, 乃君臣和合也, 其所共致, 豈可量也. 是以吉而无咎也. 无咎者, 善補過也, 二與五不相引則過矣. 孚乃利用禴, 孚, 信之在中, 誠之謂也. 禴, 祭之簡薄者也, 菲薄而祭, 不尙備物, 直以誠意交於神明也. 孚乃者, 謂有其孚, 則可不用文飾, 專以至誠交於上也. 以禴言者, 謂薦其誠而已, 上下相聚而尙飾焉, 是未誠也. 蓋其中實者, 不假飾於外, 用禴之義也. 孚信者, 萃之本也, 不獨君臣之聚. 凡天下之聚, 在誠而已.

초효는 유순한 음이고 또 중정하지 않으니, 그 정성을 끝까지 할 수 없을 것을 염려하였기 때문에 그 재질에 따라 경계했다. 이효가 비록 유순한 음이지만 중정하기 때문에 경계했을지라도 말을 은미하게 했다. 효사에서 득(得)과 실(實) 두 가지에 관계된 것은 법이 되고 경계가 되니, 또한 제각기 그 재질에 따라 늘어놨다. "끌어당기면 길하여 허물이 없다"에서 '끌어당긴다'는 것은 서로 끌어당기는 것이다. 사람들의 사귐에 서로 찾으면 합하고 서로 버티면 헤어진다. 이효와 오효는 바르게 호응하여 모여야 하는 것들이나 서로 멀리 있고 또 여러 음의 사이에 있으니, 반드시 서로 끌어당기면 모일 수 있다. 오효는 존귀한 자리에 있고 중정한 덕이 있는데, 이효도 중정한 도로 오효에게 가서 모이면, 바로 임금과 신하가 화합하는 것이니, 그들이 함께 이루는 것을 어찌 헤아릴 수 있겠는가? 이 때문에 길하고 허물이 없다. '허물이 없다'는 것은 잘못을 잘 고치는 것이니, 이효와 오효가 서로 끌어당기지 않으면 잘못하는 것이다. "정성이 있어야 검소한 약제사로 함이 이롭다"는 것에서 '정성' 은 믿음이 마음에 있는 것이니 진실을 말하고, '검소한 약제사'는 제사를 간략하게 한다는 것이니, 담박하게 제사하여 제물을 갖추는 것을 숭상하지 않고 단지 성의로 신명(神明)과 사귀는 것이다. "정성이 있다"는 것은 정성이 있으면 문식을 사용하지 않고 오로지 지극한 정성으로 위와 사귀는 것을 말한다. 검소한 약제사로 말한 것은 정성을 드리는 것일 뿐임을 말했으니, 상하가 서로 모여서 꾸밈을 숭상하면 이것은 정성스럽지 않은 것이다. 속이 진실한 자는 밖으로 꾸밀 필요가 없으니, 검소한 약제사로 한다는 의미이다. 정성과 믿음은 모임의 근본이니, 임금과 신하의 모임에서뿐만 아니라 모든 천하의 모임은 정성에 달려 있을 뿐이다.

小註

朱子曰, 孚乃利用禴說, 如伊川固好, 但若如此, 卻是聖人說個影子, 卻恐不恁地. 想只是說祭. 升卦同.
주자가 말하였다: "정성이 있어야 검소한 약제사로 함에 이롭다"는 설명은 이천이 아주 잘한 것 같지만 이와 같을 뿐이라면 결국 성인이 그림자를 설명한 것이니, 도리어 그렇지 않을까 걱정된다. 생각건대 제사에 대한 설명일 뿐이다. 승괘(升卦䷭)도 같다.[45]

○ 進齋徐氏曰, 二五正應, 宜萃也. 二以柔居柔中, 類聚而安於下. 五以衆歸於四, 有位而匪孚, 雖應猶未萃也. 人之情相求則合, 相持則睽. 二五本應, 相引而萃, 則吉无咎.
진재서씨가 말하였다: 이효와 오효는 정응이어서 모여야 한다. 그런데 이효는 유순함으로 유순한 가운데 있으면서 무리지어 모여 아래에서 편안하고, 오효는 사효에게로 무리지어 돌아가서 지위가 있는데도 믿지 않으니, 호응할지라도 모이지 못한다. 사람의 정은 서로 구하면 합하고 서로 버티면 등진다. 이효와 오효가 본래 호응하니, 서로 끌어당겨 모이면 길하고 허물이 없다.

○ 厚齋馮氏曰, 下卦中爻, 多引其類, 如泰與小畜之二, 是也. 本爻與五爲正應, 引初六六三, 以萃於五, 爲得君臣之大義, 故吉而无咎.
후재풍씨가 말하였다: 하괘의 가운데 효는 대부분 그 무리를 끌어당기니, 이를테면 태괘(泰卦䷊)와 소축괘(小畜卦䷈)의 이효가 여기에 해당한다.[46] 여기의 효는 오효와 정응이어서 초육과 육삼을 끌어당겨 오효에 모이는 것은 임금과 신하를 얻는 대의이기 때문에 길하고 허물이 없다.

○ 建安丘氏曰, 君臣相孚之後, 上下皆以誠實相與, 不尚虛文, 猶用薄祭, 亦可薦之於神明矣. 苟未孚而用禴, 則非所利也.

---

45) 『周易 · 升卦』: 九二, 孚乃利用禴, 无咎.
46) 『周易 · 泰卦』: 九二, 包荒, 用馮河, 不遐遺, 朋亡, 得尚于中行. ; 『周易 · 小畜卦』: 九二, 牽復, 吉.

건안구씨가 말하였다: 임금과 신하가 서로 정성이 있은 뒤에는 상하가 모두 정성과 진실로 서로 함께 하여 공연한 꾸밈을 숭상하지 않으니, 검소하게 제사지내도 신명에게 받아들여지는 것과 같다. 정성스럽지 않은데 검소한 약제사로 한다면 이로운 것이 아니다.

○ 中溪張氏曰, 卦以用大牲爲吉, 而二乃以用禴爲利, 何歟. 曰, 備物, 乃王者所以隨其時有孚, 乃臣下所以通乎上也.

중계장씨가 말하였다: 괘에서 큰 제물을 쓰는 것을 길하다고 했는데, 이효에서는 검소한 약제사로 함을 이로운 것으로 여긴 것은 무엇 때문인가? 말하자면, 사물을 구비하는 것은 왕이 그 때에 따라 정성을 드리려는 것이고, 신하가 윗사람과 통하려는 것이다.

二應五而雜於二陰之間, 必牽引以革, 乃吉而无咎. 又二中正柔順, 虛中以上應, 九五剛健中正, 誠實而下交. 故卜祭者有其孚誠, 則雖薄物, 亦可以祭矣.

이효가 오효와 호응하지만 두 음의 사이에 섞여 있으니, 반드시 끌어당겨서 모여야 길하고 허물이 없다. 또 이효는 중정하고 유순하여 속을 비우고 위로 호응하며, 구오는 강건하고 중정하여 정성스럽고 진실하게 해서 아래로 사귄다. 그러므로 제사를 점친 사람이 믿음과 정성이 있으면 비록 제물을 담박하게 할지라도 제사지낼 수 있다.

小註

漢上朱氏曰, 禴, 夏祭. 以聲爲主, 祭之薄也.

한상주씨가 말하였다: 검소한 약제사로 하는 것은 여름의 제사이다. 소리를 위주로 하는 것이 담박한 제사이다.

○ 雙湖胡氏曰, 周禮大宗伯, 以禴夏享先王. 王氏註曰, 夏則陽盛矣, 其享以樂爲主. 秋嘗則薦新, 冬烝則衆物備.

쌍호호씨가 말하였다: 『주례·대종백』에 "여름에 약제사로 선왕에게 제사 지낸다"[47]라 하였는데 왕씨의 주에 "여름에는 양이 왕성하여 제사에 음악을 위주로 하였다. 가을의 상제사에는 새로운 것을 올리고, 겨울의 증제사에는 여러 가지 제물을 구비하였다"[48]라고 하였다.

---

47) 『周禮·大宗伯』: 以祠春享先王, 以禴夏享先王, 以嘗秋享先王, 以烝冬享先王.

○ 雲峰胡氏曰, 二在三陰之中, 而與五應, 唯牽引上下而萃於五, 則吉无咎矣. 爻之象占已備, 而於占之下, 又發孚乃利用禴之義以爲卜. 祭之占者, 蓋謂萃之時, 用大牲吉, 然能如六二之孚, 則雖用禴, 亦利也. 本義謂虛中誠實, 發明孚字. 中虛, 信之本, 中實, 信之質也.

운봉호씨가 말하였다: 이효는 세 음의 가운데 있지만 오효와 호응하니, 오직 위아래를 끌어당겨서 오효와 모이면 길하고 허물이 없다. 효의 상사와 점사가 이미 갖추어졌는데 점사의 아래에 또 정성이 있어야 검소한 약제사로 함이 이롭다는 의리를 말하여 점으로 하였다. 제사의 점일 경우에는 모이는 때에 큰 제물을 써서 길하지만 육이처럼 정성스럽게 하면 검소한 약제사로 하더라도 이롭다는 말이다. 『본의』에서 '속을 비우고' '정성스럽고 진실하게 한다'고 말한 것은 '정성[孚]'이라는 말을 드러내 밝힌 것이다. 속이 빈 것은 믿음의 근본이고, 속이 찬 것은 믿음의 실질이다.

║韓國大全║

송시열(宋時烈) 『역설(易說)』

引, 越四爻而引接也, 謂與五爲應也. 然則吉而无咎, 有相孚之道. 五爻方假于有廟, 故二乃利用於禴祀也. 小象中未變者, 位居中也, 亦言其中心也. 爻有引五之義, 則越四而引五者, 是其不變也.

"끌어당김"은 사효를 건너뛰어 끌어당겨 만나는 것이니, 오효와 호응함을 이른다. 그렇게 하면 길하여 허물이 없을 것이니, 서로 믿는 도가 있다. 오효가 사당에 이르렀기 때문에 이효가 곧 약제사를 지냄이 이롭다. 「소상전」에서 "가운데 있어 변하지 않기 때문이다"는 자리가 가운데에 있어서이니, 또한 중심을 말한다. 오효를 끌어당기는 뜻이 있는 효라면 사효를 넘어 오효를 끌어당기는 것이 '변하지 않음'이다.

이익(李瀷) 『역경질서(易經疾書)』

六二與九五, 中正相應, 如王者之延聘賢臣. 是謂引吉也. 其待聘也, 只以直道進, 故曰

---

48) 『周禮正義·大宗伯』: 王介甫曰, … 夏則陽盛矣, 其享也, 以樂爲主, 故夏曰禴. 秋物成可嘗矣, 其享也, 嘗而已. 故秋曰嘗. 冬則物衆, 其享也, 烝衆物焉, 故冬曰烝.

中未變也. 禴者, 恐非薄祭之稱. 先賢以既濟九五爲證, 然文王西伯其祭合用大牲, 豈可以與殺牛對擧之故, 而歸諸薄祭乎. 彼云者, 蓋謂東之殺牛, 不如西之時也, 所不如, 在時, 不在禴也. 禴者, 四時祭名, 若不以時, 雖殺牛, 瀆而已矣. 禴祀蒸嘗, 四時異名, 言禴則擧其餘矣. 其利用禴, 與益二之王用享帝相似, 二安有此象. 象云大牲假廟, 九五當之.

육이와 구오는 중정으로 서로 호응하니, 임금이 현명한 신하를 맞이하는 것과 같다. 이것이 "끌어당기면 길함"이다. 빙문을 기다림은 다만 곧은 도로 나아가기 때문에 "가운데 있어 변화가 없기 때문이다"라고 하였다. "약제사"는 검소한 제사의 칭호가 아닌 듯하다. 선현들이 기제괘(既濟卦)의 구오49)를 증거로 삼았으나, 문왕인 서백이 제사에 마땅히 큰 제물을 썼는데 어찌 "소를 잡다"와 반대로 예를 들었다는 이유로 검소한 제사에 귀결할 수 있겠는가? 기제괘에서 그렇게 말한 이유는 동쪽의 소 잡는 일이 서쪽의 때만 못해서이니, '못한 이유'가 때에 있는 것이지 약제사에 있는 것이 아니다. 약제사는 사계절의 제사 이름이니, 때에 맞지 않는다면 소를 잡더라도 번독할 뿐이다. 약(禴)·사(祀)·증(蒸)·상(嘗)은 사계절에 따라 명칭을 달리한 것이니 약제사를 말했다면 그 나머지도 말한 것이다. "검소한 약제사로 함이 이롭다"는 익괘(益卦)의 이효에 "임금이 상제께 제사지냄"과50) 흡사하니, 취괘의 이효에 어찌 이런 상이 있겠는가? 「단전」에서 말한 "큰 제물"과 "사당에 이름"은 구오가 이에 해당한다.

六二之用禴, 亦王用之也. 王得賢佐, 孚以用之享廟. 古者, 得賢臣佐助, 享祀, 盛德之至也. 如殷太戊贊伊陟于廟, 又如蘇秦說燕王曰, 臣東周之鄙人, 王親拜之廟, 而禮51)之於庭, 其必古道有如此也, 乃其證. 此恐是太公歸焉, 而文王贊廟之事也. 故易中多於六二言之. 不然象之大牲, 不搭於卦中, 而六二禴祭, 只爲群下之私事, 而可乎.

육이의 약제사를 씀도 임금이 쓰는 것이다. 왕이 현명한 보필을 얻으면 믿음으로 등용하여 종묘에 제향한다. 옛날에 보필하는 현명한 신하를 얻으면 제사지냈으니 훌륭한 덕의 지극함이다. 예컨대 은나라 태무(太戊)가 이척(伊陟)을 사당에서 칭찬했고52) 또한 소진(蘇秦)이 연왕(燕王)에게 유세하기를 "신은 동주(東周)의 촌사람인데 임금께서 친히 사당에서 절하시고 조정에서 예우해 주시니 옛날의 법도가 분명 이와 같았을 것입니다"53)라고 한 것이

---

49) 『周易·既濟』: 九五, 東隣殺牛, 不如西隣之禴祭, 實受其福.

50) 『周易·益卦』: 六二, 或益之, 十朋之. 龜弗克違, 永貞, 吉, 王用享于帝, 吉.

51) 禮: 경학자료집성DB와 영인본에는 모두 '祀'으로 되어 있으나, 『사고전서』 원문에 따라 '禮'로 바로잡았다.

52) 『史記·殷本紀』: 帝雍己崩, 弟太戊立, 是爲帝太戊. 帝太戊立伊陟爲相. 亳有祥桑穀共生於朝, 一暮大拱. 帝太戊懼, 問伊陟. 伊陟曰, 臣聞妖不勝德, 帝之政其有闕與. 帝其修德. 太戊從之, 而祥桑枯死而去. 伊陟贊言于巫咸. 巫咸治王家有成, 作咸艾, 作太戊. 帝太戊贊伊陟于廟, 言弗臣, 伊陟讓, 作原命. 殷復興, 諸侯歸之, 故稱中宗.

그 증거이다. 이 글은 아마도 태공(太公)이 돌아오자 문왕이 사당에서 도운 일인 듯하다. 그러므로 『주역』에서는 대부분 육이에서 제사지내는 일을 말했다. 그렇지 않고 단사의 "큰 제물[大牲]"이 괘에 실려 있지 않아 육이의 약제사가 여러 신하의 개인적인 일이 될 뿐이라면 말이 되겠는가?

유정원(柳正源) 『역해참고(易解參攷)』

正義, 六二以陰居陰, 復生坤體, 志於靜退, 則是守中未變, 不欲相就者也. 違衆乖時, 則致危害, 故須牽引, 乃得吉而无咎也.

『주역정의』에서 말하였다: 육이는 음으로서 음의 자리에 있고 다시 곤괘의 몸체에서 나와 고요하고 물러남에 뜻을 두고 있으니 이는 중도를 지켜 변함이 없으며 서로 나아가고자 하지 않는 자이다. 대중을 어기고 때에 어긋나게 하면 위험과 방해가 이를 것이기 때문에 끌어 당기기를 기다려야 길하고 허물이 없을 것이다.

○ 開封耿氏曰, 六二, 柔正自守, 不求于五, 而五引之, 故吉而无咎也.

개봉경씨가 말하였다: 육이는 부드럽고 바름으로 자신을 지키고 오효에게 구하지 않으나 오효가 끌어당기기 때문에 길하고 허물이 없다.

本義, 小註, 雙湖說周禮. 〈周禮註, 春物生也, 未有以享也, 其享也, 以熟爲主, 故曰祠. 夏則陽盛矣, 其享也, 以樂爲主, 故曰禴. 秋則物盛而可嘗矣, 故曰嘗. 冬物畢[54)]成, 可進者衆, 故曰烝.〉

『본의』의 소주에 쌍호호씨가 『주례』에 대하여 말하였다. 〈『주례』의 주에서 말하였다: 봄은 만물이 생기나 아직 제향할 수는 없으며, 제향은 익음을 위주로 하기 때문에 '사(祠)'라고 하였다. 여름에는 양이 성하여 제향에 음악을 위주로 하기 때문에 '약(禴)'이라고 하였다. 가을에는 만물이 번성하여 맛볼 수 있기 때문에 '상(嘗)'이라고 하였다. 겨울에는 만물이 다 이루어져 올릴 수 있는 것이 많기 때문에 증(烝)이라고 하였다.〉

김상악(金相岳) 『산천역설(山天易說)』

六二, 居坤之中, 應兌之五, 而雜於二陰之間, 必待五之引, 則吉且无咎. 又有中德以

---

53) 『史記·蘇秦列傳』: 蘇秦見燕王曰, 臣, 東周之鄙人也, 無有分寸之功, 而王親拜之於廟而禮之於廷. 今臣爲王却齊之兵而攻得十城, 宜以益親.

54) 畢: 경학자료집성DB와 영인본에는 모두 '卑'로 되어 있으나, 『사고전서』 원문에 따라 '畢'로 바로잡았다.

孚, 故利於用禴.

육이는 곤괘(坤卦☷)의 가운데에 있으면서 태괘(兌卦☱)의 오효에 호응하지만, 두 음의 사이에 끼여 있으니 반드시 오효의 끌어당김을 기다린다면 길하고 허물이 없을 것이다. 또한 중도의 덕으로 정성이 있기 때문에 약제사를 씀이 이롭다.

○ 凡言引者, 皆在兌體. 重兌則五爲上所引, 故陽厲, 萃則二爲五所引, 故陰吉. 禴, 夏祭名. 陰生於下. 故取陰交於陽之義. 升之禴巽, 爲陰之始生也. 又禴, 祭之簡質者, 卦辭曰, 用大牲吉, 乃王者備物之義, 爻辭曰, 利用禴, 卽臣下盡誠之事也. 故升九二同象. 又二變爲困, 困九二曰利用享祀, 五曰利用祭祀. 故本卦象爻之象如此. 凡言祭祀者, 皆在二五, 見旣濟九五.

"끌어당김"을 말한 경우는 모두 태괘(兌卦☱)의 몸체에 해당한다. 태괘가 중첩된 괘[兌卦☱]는 상효가 오효를 끌어당기기[55] 때문에 양이 위태롭고, 취괘는 오효가 이효를 끌어당기기 때문에 음이 길하다. 약제사[禴]는 여름제사의 명칭으로 음이 아래에서 생겨나는 것이다. 그러므로 음이 양과 사귀는 뜻을 취하였다. 승괘(升卦☷)의 약제사[56]는 손괘(巽卦☴)이니 음이 처음 생겨나는 것이다. 또한 약제사는 간략하고 질박한 제사이니, 괘사에서 "큰 제물을 써서 길하다"라고 한 것은 임금이 제물을 갖춘 뜻이고 효사에서 "검소한 약제사로 함이 이롭다"라고 한 것은 바로 신하가 정성을 다하는 일이다. 그러므로 승괘 구이와 같은 상이다. 또한 이효가 변한 것이 곤괘(困卦☱)이니, 곤괘의 구이에서 "제사에 쓰는 것이 이롭다"[57]고 하였고, 오효에서는 "제사하는 것이 이롭다"[58]라고 했다. 그러므로 취괘의 단사와 효사의 상이 이와 같다. 제사를 말한 경우는 모두 이효와 오효에 해당하니, 기제괘의 구오[59]에 보인다.

서유신(徐有臣) 『역의의언(易義擬言)』

引者, 九四相引也, 孚者, 九五相孚也. 九四挽引三陰以爲萃, 故吉, 非萃於四, 乃萃於五, 故无咎也. 有是應五之志, 故五亦相孚也. 禴祭簡薄, 而能得格感者, 以其誠信在先也. 必曰利用禴者, 言其不待大牲之豊也.

끌어당김[引]은 구사가 서로 당김이고, 정성[孚]은 구오가 서로 믿음이다. 구사가 세 음을 끌어당기는 것이 '취'이기 때문에 길하고, 사효에서 모이는 것이 아니라 오효에서 모이기

---

55) 『周易·兌卦』: 九五, 孚于剝, 有厲.
56) 『周易·升卦』: 九二, 孚乃利用禴, 无咎.
57) 『周易·困卦』: 九二, 困于酒食, 朱紱方來, 利用亨祀, 征凶无咎.
58) 『周易·困卦』: 九五, 劓刖, 困于赤紱, 乃徐有說, 利用祭祀.
59) 『周易·旣濟卦』: 九五, 東隣殺牛, 不如西隣之禴祭, 實受其福.

때문에 허물이 없다. 오효의 마음에 호응함이 있기 때문에 오효도 서로 믿는다. 약제사는 간단하고 박한 제사이나 느껴 강림하게 할 수 있음은 정성과 믿음이 제수(祭需)보다 먼저이기 때문이다. 반드시 "약제사를 씀이 이로울 것"이라고 말한 것은 풍성한 큰 제물일 필요가 없다는 말이다.

박제가(朴齊家) 『주역(周易)』

以象傳中, 未變之義推之, 當爲被引, 非二之自引. 二才柔, 雖或被人誘引, 以其中正, 故未變也. 君臣朋友, 以義而合, 何用牽引援引耶. 朱子曰孚乃利用禴說, 如伊川固好. 若如此, 卻是聖人說箇影子, 卻恐不恁地. 想只是說祭者爲確, 六爻中, 此禴之一字, 爲 合象之假廟用牲.

「상전」의 "변하지 않기 때문이다"는 뜻으로 미루어 보면 끌어당겨지는 것이지 이효가 스스로 끌어당기는 것이 아니다. 이효는 재질이 부드러우니, 때로 남의 유혹으로 끌어당겨지더라도 중정하기 때문에 변하지 않는다. 군신과 붕우는 의리로써 만났으니 어찌 끌어당기거나 끌어당겨질 수 있겠는가? 주자가 "'정성이 있어야 검소한 약제사로 함에 이롭다'는 설명은 이천이 아주 잘 한 것 같지만 이와 같을 뿐이라면 결국 성인이 그림자를 설명한 것이니, 도리어 그렇지 않을까 걱정된다. 생각건대 제사에 대한 설명일 뿐이다"라고 한 말이 분명하니 여섯 효에서 '약제사'라는 말이 단사의 "사당에 가서 제물을 씀"에 합치된다.

박문건(朴文健) 『주역연의(周易衍義)』

志在欲遇, 故有引吉无咎之象. 引言引長其柔中之道也.

마음이 만나고자 함에 있기 때문에 "끌어당기면 길하여 허물이 없는" 상이 있다. 끌어당김[引]은 부드러움으로 중도를 지키는 도를 끌어당겨 길러나감이다.

〈問, 引吉无咎以下. 曰, 六二, 引其道而不已, 則吉而无咎. 然必用孚於其上, 乃可受福也, 蓋所處得中, 而從上之志未變者也.

물었다: "끌어당기면 길하여 허물이 없음" 이하는 무슨 뜻입니까?

답하였다: 육이가 바른 도를 끌어당겨 그만두지 않는다면 길하여 허물이 없을 것입니다. 그러나 반드시 윗사람에게 믿음이 있어야 복을 받을 수 있으니 처신이 중도를 얻고 위의 뜻을 따라 변하지 않는 자이기 때문입니다.〉

이지연(李止淵) 『주역차의(周易箚疑)』

六二之引吉, 乃引同類三陰之謂也. 上下二陰, 與己同是坤體, 而以順爲德者也. 若引而同歸於九五之正應, 爲无咎之道, 如泰初之拔茅茹者也. 其誠信如此, 則所持之物, 不待豊享, 而可以感神明也. 雖與二陰相引, 而吾所以爲中之道則未變也.

육이의 "끌어당기면 길함"은 곧 동류인 세 음을 끌어당김을 이른다. 위아래의 두 음은 자신과 똑같이 곤괘의 몸체로서 순함으로 덕을 삼는 자이다. 끌어당겨 똑같이 구오의 바른 호응으로 돌아가는 것이 허물이 없는 도이니 태괘 초효의 "띠풀의 뿌리를 뽑는다"는[60] 것과 같다. 정성과 믿음이 이와 같다면 가지고 있는 제물이 풍성하지 않더라도 신명을 감동시킬 수 있다. 비록 두 음과 함께 서로 끌어당기나 내가 그 때문에 중도를 지키니 변하지 않는 것이다.

김기례(金箕澧) 「역요선의강목(易要選義綱目)」

凡人情相持則睽, 相求則萃. 二以中正, 居三陰之中, 則當牽初三, 共萃於五, 得君臣之契會則吉无咎.

사람의 마음은 서로 자신만 지키려고 하면 반목하게 되고 서로 상대에 구하게 되면 모이게 된다. 이효는 중정으로 세 음의 가운데에 있으니, 마땅히 초효와 삼효를 끌어당겨서 함께 오효에게로 모인다면 군신이 만나니 길하여 허물이 없을 것이다.

○ 禴, 祭之簡薄, 禮以爲夏祭名. 蓋用大牲, 謂王者隨時之盛, 禴則臣下以孚誠用簡, 不以外飾, 柔中居下而格上, 故象曰中未變.

약제사는 간소한 제사로서 『주례』에 여름 제사의 명칭이라고 했다. 큰 제물을 씀은 임금이 때의 풍성함을 따른 것이고, 약제사는 신하가 믿음과 정성으로 간략하게 하여 꾸미지 않은 것이니, 부드러운 음이 가운데 자리에 있고 아래에 있으면서 위를 이르게 하였기 때문에 「상전」에서 "가운데 있어 변하지 않기 때문이다"라고 하였다.

심대윤(沈大允) 『주역상의점법(周易象義占法)』

萃之困䷮, 不通也. 六二得中而居柔, 守其所得而不求者也. 下有初陰, 爲有得之象. 才柔而位卑, 自其所已得之外, 皆阻隔而不通, 故不妄求也. 應五而爲四之隔, 有其象. 二不妄求於五, 而援引於九四, 以有得. 卑官之屬於上卿, 而得祿於君, 如貧者, 援引於富人之所親信, 而得財也. 故曰引而吉无咎也. 艮援巽離牽, 曰引, 言引四而求五也. 禴, 程子曰祭之簡薄者也, 不尙備物而以誠意 交于神明也. 孚乃利用禴, 言二之獲信

---

60) 『周易 · 泰卦』: 初九, 拔茅茹, 以其彙征, 吉.

于五者, 乃利以精誠交於四也. 離爲孚, 對賁有艮震曰用. 巽爲感通, 艮爲神廟, 四爲艮主, 故以禴言也.

취괘가 곤괘(困卦䷮)로 바뀌었으니, 통하지 않는 것이다. 육이는 가운데 자리를 얻고 부드러운 자리에 있으니, 얻은 것을 지키고 다른 것을 구하지 않는 자이다. 아래에 초음이 있는 것이 얻음이 있는 상이다. 재질이 부드럽고 자리가 낮으니, 이미 얻어진 것 이외에는 모두 막혀 통하지 않기 때문에 함부로 구하지 않는다. 오효에 호응하나 사효가 막고 있어 그런 상이 있다. 이효가 함부로 오효에게 구하는 것이 아니라 구사에 끌어당겨져서 얻음이 있다. 낮은 관원이 상경에게 예속되어 있지만, 임금에게 녹봉을 받는 것은 가난한 자가 부자의 친밀하게 믿어주는 것에 이끌려서 재물을 얻는 것과 같다. 그러므로 "끌어당기면 길하여 허물이 없다"고 하였다. 간괘는 '당김'이고 손괘(巽卦☴)와 리괘(離卦☲)는 '끈'이므로 '끌어당김[引]'이라고 하였으니, 사효에 끌어당겨져서 오효를 구한다는 말이다. 약제사는 정자가 "제사를 간략하게 한다는 것이니, 제물을 갖추는 것을 숭상하지 않고 정성으로 신명(神明)과 사귀는 것이다"라고 하였다. "정성이 있어야 약제사를 씀이 이로움"은 이효가 오효에게 믿음을 얻었음을 말하니, 곧 정성으로 사효와 사귀는 것이 이롭다. 리괘(離卦☲)는 믿음이니 음양이 바뀐 괘인 비괘(賁卦䷶)에 간괘(艮卦☶)와 진괘(震卦☳)가 있어 '씀[用]'이라고 말했다. 손괘(巽卦☴)는 감동하여 통함이고, 간괘는 신을 모시는 사당이며, 사효가 간괘의 주인이기 때문에 약제사로 말했다.

오치기(吳致箕) 「주역경전증해(周易經傳增解)」

六二, 柔順中正, 居二陰之間, 上應九五剛中之君, 當萃之時, 牽引同類, 以進于上, 乃吉之道也. 以其中正, 故无朋比私黨之咎. 而其誠信之德, 可格神明, 故九五之君, 乃使主禴祭, 以聚祖考之靈, 所以言利用禴也.

육이는 유순하고 중정함으로 두 음의 사이에 있고 위로 굳센 양이면서 가운데 자리에 있는 구오의 임금과 호응하면서 취의 때에 동류에 끌려 위로 나아가기 때문에 길한 도이다. 중정이기 때문에 벗끼리 가까이 하며 사사로이 편당하는 허물이 없다. 정성과 믿음의 덕이 신명을 이르게 할 수 있기 때문에 구오의 임금이 곧 그에게 약제사를 주관하여 조상의 신령이 모이게 하므로 약제사를 씀이 이롭다고 말하였다.

○ 引謂牽引, 而互艮爲手引之象. 禴夏祭之名, 而取於爻變互離也. 禴乃薄祭, 而享神在誠不在物, 故此以誠信言也. 他卦之言禴祭者, 倣此.

끌대[引]는 끌어당김이니, 호괘인 간괘가 손으로 끄는 상이 된다. 약제사는 여름제사의 명칭인데, 효가 변하여 호괘인 리괘에서 취하였다. 약제사는 간소한 제사로서 신에게 제향하는 것은 정성에 있지 물건에 있는 것이 아니기 때문에 정성과 믿음으로 말한 것이다. 다른 괘에서 약제사를 말한 경우도 이와 비슷하다.

이진상(李震相) 『역학관규(易學管窺)』

引艮手象, 又兌有引象. 孚乃用禴, 厚坎象也, 上應九五故言.

끌어당김은 간괘인 손의 상인데다가 태괘에도 끌어당기는 상이 있다. "정성이 있어야 검소한 약제사를 씀이 이로움"은 두터운 감괘☵의 상이니, 위로 구오와 호응하기 때문에 그렇게 말했다.

박문호(朴文鎬) 「경설(經說)·주역(周易)」

六二, 非卦主, 而乃取卦辭之事, 以作爻辭, 此蓋罕例也.

육이는 괘의 주인이 아닌데 곧 괘사의 일을 취하여 효사를 지었으니, 이는 드문 예인 듯하다.

小註, 其辭微, 恐不若微其辭之爲尤當, 或字乙歟. 薦其誠而已, 謂不尙其物也.

소주의 '기사미(其辭微)'는 '미기사(微其辭)'로 하는 것이 더욱 합당할듯하니, 아마도 글자가 뒤바뀐 듯하다. 제수(祭需)를 올리는 것은 정성일 뿐이니, 물건을 숭상하지 않음을 이른다.

이병헌(李炳憲) 『역경금문고통론(易經今文考通論)』

程傳曰, 二與五不相引則過矣. 禴, 祭之簡薄者, 吉而無咎. 二與五應, 以其有中正之德, 未遽至於改變也.

『정전』에서 "이효와 오효가 서로 끌어당기지 않으면 잘못하는 것이다"라고 하고, "약제사는 제사를 검소하게 하는 것이다"고 한 것이 길하고 허물이 없음은 이효가 오효와 호응하여 중정한 덕이 있기 때문에 갑자기 고치게 된 것은 아니기 때문이다.

按, 二爲一卦之主.

내가 살펴보았다: 이효는 취괘의 주인이다.

象曰, 引吉无咎, 中未變也.

「상전」에서 말하였다: "끌어당기면 길하여 허물이 없음"은 가운데 있어 변하지 않기 때문이다.

║中國大全║

傳

萃之時, 以得聚爲吉, 故九四爲得上下之萃. 二與五雖正應, 然異處有間, 乃當萃而未合者也, 故能相引而萃, 則吉而无咎. 以其有中正之德, 未遽至改變也, 變則不相引矣. 或曰, 二旣有中正之德, 而象云未變, 辭若不足, 何也. 曰, 群陰比處, 乃其類聚, 方萃之時, 居其間, 能自守不變, 遠須正應, 剛立者能之. 二陰柔之才, 以其有中正之德, 可覬其未至於變耳. 故象含其意以存戒也.

모이는 때에는 모일 수 있는 것을 길함으로 여기기 때문에 구사가 상하의 모임을 얻는다. 이효와 오효는 바른 호응이지만 있는 곳이 달라 사이가 있으니, 모여야 하지만 합하지 못하는 것이기 때문에 서로 끌어당겨서 모일 수 있으면 길하고 허물이 없다. 중정한 덕이 있어 갑자기 변하지 못하니, 변하면 서로 끌어당기지 않는다. 어떤 이가 "이효에게는 이미 중정한 덕이 있는데, 「상전」에서 '변하지 않기 때문이다'라고 하여 말이 부족한 것 같으니 무엇 때문입니까?"라고 물었다. "여러 음이 가까이 있는 것은 바로 그 무리가 모인 것이니, 모이는 때에 그들 사이에 있으면서 스스로 지켜 변하지 않고 멀리 바르게 호응함을 기다리는 것은 굳세게 확립한 자가 가능합니다. 유순한 음인 이효의 재질은 중정한 덕이 있기 때문에 변치 않음을 기대할 수 있습니다. 그러므로 「상전」에서 그 뜻을 함축해서 경계했습니다"라고 답했다.

┃韓國大全┃

김장생(金長生) 『주역(周易)』

萃六二象, 傳, 遠須正應.

취괘 육이의 「상전」에 대한 『정전』에서 말하였다: 멀리 바르게 호응함을 기다리는 것이다.

須, 待也.

수(須)는 기다림이다.

김상악(金相岳) 『산천역설(山天易說)』

二五, 皆居中而應, 故未變其相引之志也.

이효와 오효는 모두 가운데 자리에 있고 호응하기 때문에 서로 끌어당기는 마음을 변치 않는다.

서유신(徐有臣) 『역의의언(易義擬言)』

中所以應五也. 雖爲四之所引, 而其中不變也.

가운데에 있기 때문에 오효와 호응한다. 비록 사효가 끌어당기더라도 그 마음을 변치 않는다.

심대윤(沈大允) 『주역상의점법(周易象義占法)』

言援引而有得, 非失中而妄求也.

끌어당기어 얻음이 있음은 중도를 잃고 함부로 구하지 않기 때문이라는 말이다.

오치기(吳致箕) 「주역경전증해(周易經傳增解)」

固守中德而不變, 故引同類而上進以聚, 乃吉无咎之道也.

중도의 덕을 굳게 지켜 변하지 않기 때문에 동류를 끌어당겨 위로 나아가 모이니 곧 길하여 허물이 없는 도이다.

六三, 萃如嗟如, 无攸利, 往无咎, 小吝.

육삼은 모이려다가 한탄하지만 이로운 것이 없으니, 가면 허물이 없지만 조금 부끄럽다.

‖中國大全‖

傳

三, 陰柔不中正之人也, 求萃於人, 而人莫與. 求四則非其正應, 又非其類, 是以不正, 爲四所棄也. 與二, 則二自以中正應五, 是以不正, 爲二所不與也. 故欲萃如, 則爲人棄絶而嗟如, 不獲萃而嗟恨也. 上下皆不與, 无所利也. 唯往而從上六, 則得其萃, 爲无咎也. 三與上, 雖非陰陽正應, 然萃之時, 以類相從, 皆以柔居一體之上, 又皆无與, 居相應之地, 上復處說順之極. 故得其萃而无咎也. 易道變動无常, 在人識之. 然而小吝, 何也. 三始求萃於四與二, 不獲而後, 往從上六, 人之動爲如此, 雖得所求, 亦可小羞吝也.

삼효는 유순한 음이어서 중정하지 않은 사람이니, 사람들에게 모이기를 구해도 그들이 함께 하지 않는다. 사효에게 구하면 바르게 호응하는 것이 아니고 또 그 무리가 아니니, 이것은 바르지 않기 때문에 사효가 버린 것이다. 이효와 함께 하면 이효는 본래 중정해서 오효와 호응하니, 이것은 바르지 않기 때문에 이효가 함께 하지 않는 것이다. 그러므로 모이려고 하면 사람들이 버리고 끊어버려 한탄하니, 모임을 얻지 못해 한탄하는 것이다. 상하가 모두 함께 하지 않으니 이로운 것이 없다. 오직 가서 상육을 따른다면 그 모임을 얻으니, 허물이 없다. 육삼과 상육은 음과 양의 바른 호응은 아니지만 모이는 때에 같은 무리로 서로 따르니, 모두 유순함으로 한 몸체의 위에 있고, 또 함께 해 주는 것이 없는데 서로 호응하는 자리에 있으며, 상효는 다시 기뻐하고 유순한 것의 끝에 있기 때문이다. 그러므로 모임을 얻어 허물이 없다. 『주역』의 도리는 변동이 일정하지 않으니, 사람이 그것을 아는 데 달려 있다. 그런데 조금 부끄러운 것은 무엇 때문인가? 삼효가 처음에 사효와 이효에게 모임을 구하다가 얻지 못한 뒤에 상육에게 가서 따랐으니, 사람의 행동이 이와 같으면 구하는 것을 얻을지라도 조금 부끄러울 것이다.

六三, 陰柔不中不正, 上无應與, 欲求萃於近而不得, 故嗟如而无所利. 唯往從於上, 可以无咎. 然不得其萃, 困然後往, 復得陰極无位之爻, 亦可小羞矣. 戒占者當近捨不正之强援, 而遠結正應之窮交, 則无咎也.

육삼은 유순한 음이 중정하지 않고 위로 호응하여 함께하는 것이 없어 가까운 데서 모이기를 구했지만 얻지 못했기 때문에 한탄하지만 이로운 것이 없다. 오직 상효에게 가서 따르면 허물이 없을 수 있다. 그렇지만 그 모임을 얻지 못해 곤궁한 뒤에 가서 다시 음이 끝에 있고 자리가 없는 효를 얻었으니 조금 부끄러울 수 있다. 점치는 자가 가까이서 바르지 않은 강한 원조를 버리고 멀리서 바른 호응의 궁색한 교제를 얻는다면 허물이 없다고 경계했다.

東谷鄭氏曰, 下二陰皆萃於陽, 三獨无附, 故咨嗟怨嘆, 而无攸利. 然三不以无應之, 故能往歸於上, 上雖不相得, 不免小吝, 而亦无咎也.

동곡정씨가 말하였다: 아래의 두 음은 모두 양과 모이는데, 삼효만 의지할 데가 없기 때문에 탄식하고 원망하지만 이로운 것이 없다. 그러나 삼효는 호응함이 없지는 않기 때문에 상효에게 돌아갈 수 있으니 상효와는 서로 얻을 수 없고 조금 부끄러운 것을 면하지 못하겠지만 허물은 없다.

○ 建安丘氏曰, 萃初三兩陰皆萃四者, 聖人不欲其以不正相萃. 故於初曰, 乃亂乃萃, 於三曰, 萃如嗟如, 深戒夫四之不可萃也, 而又皆斷以往无咎之辭. 往, 前進也. 欲其舍四, 而萃上也. 以正相聚, 何咎之有.

건안구씨가 말하였다: 취괘(萃卦䷬)에서 초효와 삼효라는 두 음은 모두 사효와 모이려는 것들인데, 성인은 그것들이 바르지 않은 것으로는 서로 모이지 못하게 했다. 그러므로 초효에서는 "이에 혼란하여 모이니"라고 했고, 삼효에서는 "모이려다가 한탄한다"라고 하여 사효와 모여서는 안 됨을 깊이 경계했으며, 또 초효와 삼효 모두 "가면 허물이 없다"는 말로 결단했다. '간다'는 것은 전진하는 것이다. 사효를 버리고 상효와 모이게 한 것이니, 바름으로 서로 모이면 무슨 허물이 있겠는가?

○ 雲峰胡氏曰, 號與嗟, 皆上兌口之象. 號可无咎, 嗟何所利. 必不得已, 唯往從上六, 則亦可以无咎耳. 上六陰極无位, 又非正應, 故曰往无咎. 又曰小吝者, 以別初之往无咎也. 初往從四, 四其應也, 故无咎. 三往從上, 上非應也, 故雖无咎, 又以小吝少之.

本義, 以上爲正應之窮交, 正應二字恐誤.

운봉호씨가 말하였다: 부르짖는 것과 한탄하는 것은 모두 상괘 태(兌☱)라는 입의 상이다. 부르짖는 것은 허물이 없을 수 있지만 한탄하는 것이 어떻게 이롭겠는가? 반드시 어쩔 수 없어 오직 상육에게 가서 따른다면 허물이 없을 수 있다. 상육은 음이 끝에 있고 자리가 없으며, 또 정응이 아니기 때문에 "가면 허물이 없다"고 했다. 또 "조금 부끄럽다"고 한 것은 초효가 가서 허물이 없는 것과 구별한 것이다. 초효가 사효에게 가서 따르면 사효는 그와 호응하는 것이기 때문에 허물이 없다. 삼효가 상효에게 가서 따르면 상효는 호응하는 것이 아니기 때문에 허물은 없을지라도 조금 부끄러운 것으로 낮추었다. 『본의』에서 상효를 바른 호응의 궁색한 교제로 보았는데, 바른 호응이라는 말은 잘못된 것 같다.

‖韓國大全‖

송시열(宋時烈)『역설(易說)』

與上六, 若以陰相萃, 故曰萃如. 然往應過高, 以兌之口以坎之憂, 若咨嗟然, 故曰嗟如. 雖無所利, 往則旡咎, 其道小吝. 小象上巽者, 言三以互巽而往則上亦綜巽. 以巽遇巽, 故往而旡咎之謂也.

상육과는 음들끼리 서로 모일 듯하기 때문에 "모이려다가"라고 하였다. 그러나 가서 호응하는 것이 지나치게 높아 태괘(兌卦☱)인 입과 감괘(坎卦☵)인 근심에 해당하니 마치 한탄하는 듯하기 때문에 "한탄한다"라고 하였다. 비록 이로운 것이 없으나 가면 허물이 없고 그 도가 조금 부끄럽다. 「소상전」에서 "위가 공손하기 때문이다"는 호괘로 손괘(巽卦☴)인 삼효가 가면 상효도 거꾸로 된 괘인 손괘(巽卦☴)임을 말하였다. 손괘로 손괘를 만나기 때문에 가는 것이 허물이 없음을 이른다.

이익(李瀷)『역경질서(易經疾書)』

萃如嗟如, 先萃後嗟也. 三與上應, 而非正, 故雖萃而亦嗟, 其無攸利, 宜矣. 若勉以上合, 猶可以旡咎, 其旋嗟旋往, 豈無小吝. 六三爲互巽之始, 故曰上巽也. 上帖往字, 巽順也. 萃如嗟如, 亦古人語習. 若欲以其物實之, 萃者如握, 嗟者如號. 詳在上.

"모이려다가 한탄함"은 먼저 모이고 뒤에 한탄함이다. 삼효는 상효와 호응하는 자리이지만 정응이 아니기 때문에 비록 모이더라도 한탄하니 이로울 것이 없음이 마땅하다. 만일 상효와 부합할 것을 힘쓴다면 그래도 허물이 없을 수 있겠으나, 한탄하자마자 간다면 어찌 조금이나마 부끄러움이 없겠는가? 육삼은 호괘인 손괘(巽卦☴)의 초기이기 때문에 "위가 공손하기 때문이다"라고 하였다. '위[上]'를 '가다[往]'는 말에 연결한 것은 손괘가 순함이기 때문이다. "모이려다가 한탄함"도 옛사람 말투이다. 사물로써 실례를 들어본다면 취(萃)는 움켜쥠이고, 차(嗟)는 부르짖음이다. 상효에 자세하다.

심조(沈潮) 「역상차론(易象箚論)」

六三嗟如, 小吝.
육삼은 한탄하지만 조금 부끄럽다.

嗟前有兌也, 吝坤也.
'한탄함'은 앞에 태괘(兌卦☱)가 있기 때문이고, '부끄러움'은 곤괘(坤卦☷)이기 때문이다.

유정원(柳正源) 『역해참고(易解參攷)』

王氏曰, 履非其位, 以比於四, 四亦失位, 不正相聚. 相聚不正, 患所生也, 故萃如嗟如, 无攸利也. 上六亦无應而獨立, 與其萃於不正, 不若之於同志, 故可以往而无咎也. 二陰相合, 故有小吝也.
왕씨가 말하였다: 제자리가 아닌 것을 밟고서 사효와 이웃하고 있는데 사효도 제자리를 잃었으니 바르지 못함으로 서로 모였다. 서로 모인 것이 바르지 못하면 환란이 생겨나기 때문에 모이려다가 한탄하지만 이로운 것이 없다. 상육도 호응이 없어 홀로 서 있으니 바르지 못한 데로 모이기보다는 마음이 맞는 이에게로 가는 것이 낫기 때문에 가면 허물이 없을 수 있다. 두 음이 서로 합하기 때문에 조금 부끄러움이 있다.

○ 西溪李氏曰, 往而萃五, 則无咎. 始嗟終萃, 故小吝.
서계이씨가 말하였다: 가서 오효와 모이면 허물이 없다. 처음에 한탄하고 끝에 모이기 때문에 조금 부끄럽다.

○ 案, 求萃於二四, 而近不相得, 求應於上六, 而陰柔不正, 此嗟如而无所利也. 唯往從於五, 五萃之主也, 可以无咎. 然非其正應, 亦可小吝矣.
내가 살펴보았다: 이효·사효와 모이기를 구하나 가까이 있어 서로 얻을 수 없고, 상육과 호응하기를 구하나 유순한 음이어서 바르지 못하니, 이것이 한탄하지만 이로운 것이 없는

것이다. 가서 오효를 따르기만 하면 오효는 취괘의 주인이기 때문에 허물이 없을 수 있다. 그러나 바른 호응이 아니기 때문에 조금 부끄러움이 있게 된다.

小註, 丘氏說, 初三至相萃.
소주에서 구씨가 말하였다: 초효와 삼효라는 … 모이려는 것들이다.
案, 以初應四, 爲不正, 與程朱說不同. 上六象小註丘氏說, 皆別是一說.
내가 살펴보았다: 초효가 사효에 호응하는 것을 바르지 못한 것으로 여김은 『정전』·『본의』의 설명과 다르다. 상육 「소상전」의 소주에 있는 구씨의 설명도 모두 별도로 하나의 주장이다.

김상악(金相岳) 『산천역설(山天易說)』

在下三陰, 皆求萃於陽者, 而六三, 居互坎之下, 與兌无應, 故萃如嗟如, 无所利也. 惟比四而巽, 則往得无咎. 然非正應, 故亦可小吝矣.
하괘에 있는 세 음이 모두 양에게 모이기를 구하는 자이나 육삼이 호괘인 감괘의 아래에 있고 태괘와 호응이 없기 때문에 모이려다가 한탄하지만 이로운 것이 없다. 오직 사효와는 가까이 있으니 공손하면 가서 허물이 없을 수 있다. 그러나 바른 호응이 아니기 때문에 조금 부끄러울 수 있는 것이다.

○ 兌口坎憂, 嗟之象. 節六三, 亦居兌而應坎, 故曰則嗟若. 小吝者, 從比而不交也. 然陰巽于陽, 故象傳只言其无咎. 三與初, 皆求萃於四, 故往无咎同, 而初則從應以萃, 故先言勿恤. 又萃與咸, 爭三九六, 而咸則隨下而動, 故直曰往吝, 萃則從上而巽, 故曰往无咎小吝.
태괘(兌卦☱)는 입이고 감괘(☵)는 근심이니 한탄하는 상이다. 절괘(節卦▤)의 육삼도 태괘(兌卦☱)에 있으면서 감괘에 호응하기 때문에 "한탄한다[則嗟若]"[61]고 하였다. "조금 부끄럽다"는 것은 가까이 있는 것을 따르나 사귀지 않아서이다. 그러나 음은 양에 공손하기 때문에 「상전」에서 "허물이 없다"라고만 말했다. 삼효와 초효가 모두 사효에 모이기를 구하기 때문에 가면 허물이 없음은 같으나 초효는 호응을 따라 모이기 때문에 앞에서 "근심하지 말라"고 하였다. 또 취괘(萃卦▤)와 함괘(咸卦▤)는 삼효가 음·양으로 다투는데 함괘는 아래를 따라 움직이기 때문에 다만 "가면 부끄럽다"고 하였고, 취괘는 위를 따라 공손하기 때문에 "가면 허물이 없지만 조금 부끄럽다"고 하였다.

---

61) 『周易·節卦』: 六三, 不節若, 則嗟若, 无咎.

서유신(徐有臣) 『역의의언(易義擬言)』

所當萃者, 齎咨之上六, 故三亦嗟如, 而兩無所利也. 是所當萃, 故无咎也, 无所施用, 故不免小吝也.

모여야 하는 것이 한탄하는 상육이기 때문에 삼효도 한탄하여 양쪽 다 이로운 것이 없다. 모여야 할 것이므로 허물이 없고, 베풀 곳이 없으므로 조금 부끄러운 데서 벗어나지 못한다.

박문건(朴文健) 『주역연의(周易衍義)』

有疑不進, 故有萃如嗟如之象. 萃嗟, 言萃止而嗟歎也.

의심하여 나아가지 않기 때문에 모이려다가 한탄하는 상이 있다. '모이려다가 한탄함[萃嗟]'은 모이려다가 멈추어서 한탄함을 말한다.

〈問, 萃如嗟如以下. 曰, 六三疑其上之害己, 故所以萃嗟也. 如此者, 无所利, 呑進往, 則上必巽己而得无咎. 然始疑故有小吝之道也.

물었다: '모이려다가 한탄함; 이하는 무슨 뜻입니까?

답하였다: 육삼이 상육이 자기를 해칠까 의심했기 때문에 모이려다가 한탄한 것입니다. 이와 같은 것은 이로운 것이 없습니다. 참고 나아가면 상효가 반드시 자기에게 공손하여 허물이 없을 것입니다. 그러나 처음에 의심하였기 때문에 조금 부끄러운 도가 있습니다.〉

이지연(李止淵) 『주역차의(周易箚疑)』

言忠信行篤敬, 雖蠻貊之邦, 可行, 況己之同類之應乎. 觀六三之所行, 則亦當爲上六之所棄絶, 而上則巽也. 自上觀下則兌也, 自下觀上則巽也.

말을 진실하고 미덥게 하고 행동을 돈독하고 공경히 하면 비록 오랑캐나라에서라도 행할수 있으니, 하물며 자기의 동류가 호응하는 데에 있어서이겠는가? 육삼이 가는 것을 보면마땅히 상육에게 버림받을 것이나 상효가 공손하다. 위에서 아래를 보면 태괘이고 아래에서위를 보면 손괘이다.

김기례(金箕澧) 「역요선의강목(易要選義綱目)」

嗟亦取上兌口

'한탄함'도 상괘인 태괘의 입을 취하였다.

○ 三與四非正應, 則爲四所棄, 又欲萃二, 則二從五而不萃. 欲應不許, 欲萃不得, 故嗟而无利.
삼효는 사효와 바른 호응이 아니니 사효에게 버림받고, 또 이효와 모이고자 하면 이효가 오효를 따라가 모이지 않는다. 호응하고자 하나 허락하지 않고 모이고자하나 할 수 없기 때문에 한탄하지만 이로움이 없다.

○ 既不得二四, 則但往與上六萃而无咎. 然上非陽應, 又无位, 故雖交而吝. 往謂上往.
이미 이효와 사효를 얻지 못했으니 다만 가서 상육과 모여야 허물이 없을 것이다. 그러나 상효가 양의 호응이 아니고 또 지위도 없기 때문에 비록 사귀나 부끄럽다. 감은 위로 감을 이른다.

심대윤(沈大允) 『주역상의점법(周易象義占法)』

萃之咸䷞, 感通也. 六三近四, 而非其應, 但以精神感通, 而得下之二陰, 故曰萃如. 居剛求萃, 而才柔, 己與下之二陰, 俱爲四之所萃. 諸侯之土地人民, 皆非己私也, 故曰嗟如. 坎憂兌音, 爲嗟非己私, 故曰无攸利. 上巽于四, 故曰往无咎. 土地人民, 雖係乎上, 而用之在己, 故曰小吝.
취괘가 함괘(咸卦䷞)로 바뀌었으니, 감통하는 것이다. 육삼이 사효와 가까우나 정응이 아니고 다만 정신으로 감통하여 아래의 두 음을 얻었기 때문에 "모이려다가"라고 하였다. 굳센 자리에 있으면서 모이기를 구하나 재질이 유순하여 자기와 아래의 두 음과 함께 모두 사효에 모여지게 되었다. 제후의 토지와 백성이 모두 자신의 사유물이 아니기 때문에 "한탄한다"고 하였다. 감괘는 근심이고 태괘는 소리이니 자신의 사유물이 아님을 한탄하기 때문에 "이로운 것이 없다"라고 하였다. 상효가 사효에게 공손하기 때문에 "가면 허물이 없다"라고 말하였다. 토지와 백성이 비록 위에 매어있으나 그것을 쓰는 것은 자기에게 있으므로 "조금 부끄럽다"라고 하였다.

오치기(吳致箕) 「주역경전증해(周易經傳增解)」

六三, 陰柔不得中正, 而上旡正應, 當萃之時, 旡與相聚, 故有其嗟嘆, 而旡所利益, 宜若有咎. 然既與九四之剛, 切近而比, 故言往而相聚, 則可以旡咎, 而四亦失正, 故戒之以小吝也.
육삼은 유순한 음으로 중정을 얻지 못하고 위로 바른 호응이 없으니 모이는 때에 더불어 서로 모임이 없다. 그러므로 한탄함이 있지만 이로운 것이 없으니, 의당 허물이 있을 듯하다. 그러나 이미 구사의 강함과 매우 가까워 친하기 때문에 가서 서로 모임을 말하였으니, 허물이 없을 수 있으나 사효도 바름을 잃었기 때문에 조금 부끄러움으로써 경계하였다.

○ 嗟者, 憂歎也, 取於似坎爲加憂, 而應兌爲口, 嗟之象也.
차(嗟)는 근심하고 탄식함이니, 유사한 감괘(☵)가 '근심을 더함이 됨'에서 취하였고, 호응하는 태괘는 입이 되니 한탄하는 상이다.

이진상(李震相) 『역학관규(易學管窺)』

兌口上出, 而非其應, 故嗟如. 變乾, 故言往.〈三山柳公曰, 求應於上六, 而陰柔不正, 嗟如而无所 利. 惟往經於五, 五萃之主也, 可以无咎. 然非其正應, 亦可小吝.〉
태괘(兌卦☱)의 입이 상괘에서 나오나 호응이 아니기 때문에 한탄한다. 건괘(乾卦☰)에서 변했기 때문에 "감"을 말했다. 〈삼산 유정원이 말하였다: 상육과 호응하기를 구하나 유순한 음이어서 바르지 못하니 이것이 한탄하지만 이로운 것이 없는 것이다. 가서 오효를 따르기만 하면 오효는 취괘의 주인이기 때문에 허물이 없을 수 있다. 그러나 바른 호응이 아니기 때문에 조금 부끄러움이 있게 된다.〉

박문호(朴文鎬) 「경설(經說)・주역(周易)」

方言无利, 而忽復言无咎, 故傳以變動无常言之. 旣云无咎, 而復云小吝, 故又著然而字以反其辭.
방금 "이로움이 없다"라고 말하고 갑자기 다시 "허물이 없다"라고 말하였기 때문에 『정전』에서는 변동함에 일정함이 없는 것으로 말하였다. 이미 "허물이 없다"라고 말하고 다시 "조금 부끄럽다"라고 말하였기 때문에 또 '그런데[然而]'를 드러내어 말을 뒤집은 것이다.

上復處說順之極, 此上字兼指二體之上也, 與象傳註, 上居柔說之單指上六者, 不同.
『정전』의 "상효는 다시 기뻐하고 유순한 것의 끝에 있다"에서 "상효"는 상체・하체 두 몸체의 상효를 겸하여 가리키니, 「상전」의 주에 "상효가 유순하고 기뻐하는 자리에 있다"라고 한 것이 단지 상육만을 가리키는 것과는 같지 않다.

이병헌(李炳憲) 『역경금문고통론(易經今文考通論)』

〈嗟, 孟易作磋, 未詳.
차(嗟)는 맹희의 역(易)에서는 차(磋)로 되어 있으나 자세하지 않다.〉

王曰, 履非其位, 以比於四, 四亦失位不正, 故萃如嗟如. 上六亦无應而求朋, 巽以待物.
왕필이 말하였다: 밟고 있는 자리가 제자리가 아니고 사효와 가까이 있으나 사효도 자리를

잃고 바르지 않기 때문에 모이려다가 한탄한다. 상육도 호응이 없는데도 벗을 찾고 공손함으로 상대를 대한다.

按, 三之嗟如, 上之齎咨, 當合看. 觀上巽也三字, 微有互體之意.
내가 살펴보았다: 삼효의 "한탄함"과 상효의 "한탄함"은 합하여 보아야 한다. "위가 공손하기 때문이다"을 살펴보니 약간 호체의 의미가 담긴 듯하다.

象曰, 往无咎, 上巽也.

「상전」에서 말하였다: "가면 허물이 없음"은 위가 공손하기 때문이다.

║中國大全║

傳

上居柔說之極, 三往而无咎者, 上六巽順而受之也.

상효가 유순하고 기뻐하는 끝에 있으니, 삼효가 가서 허물이 없는 것은 상육이 공손해서 받아주기 때문이다.

小註

東谷鄭氏曰, 上體說, 能巽而受之, 无咎也.

동곡정씨가 말하였다: 상체의 '기쁨'을 공손해서 받아줄 수 있으니, 허물이 없다.

║韓國大全║

홍여하(洪汝河) 「책제(策題):문역(問易)·독서차기(讀書箚記)-주역(周易)」[62]

六三象, 上巽也.

육삼의 「상전」에서 말하였다: 위가 공손하기 때문이다.

---

62) 경학자료집성DB에 취괘 「단전」에 해당하는 것으로 분류했으나, 내용에 따라 이 자리로 옮겨왔다.

三互爲巽, 上亦倒兌.

삼효는 호괘가 손괘이고, 상효도 거꾸로 하면 태괘가 된다.

유정원(柳正源) 『역해참고(易解參攷)』

節齋蔡氏曰, 從上二陽, 有巽體.

절재채씨가 말하였다: 위의 두 양을 따름은, 손괘(巽卦☴)의 몸체가 있어서이다.

김상악(金相岳) 『산천역설(山天易說)』

謂上巽于九四也.

위로 구사에게 공손함을 이른다.

박제가(朴齊家) 『주역(周易)』

三至四五爲巽體. 以下而交於上, 必順而入焉. 傳云[63]上六順受, 東谷鄭氏曰上體說能巽受者, 恐未必然.

삼효부터 사효·오효까지가 손괘의 몸체이다. 아래로서 위와 사귈 때에는 반드시 순하여야 들어갈 수 있다. 『정전』에서 "상육이 공손해서 받아주기 때문이다"라고 한 것과 동곡정씨가 "상체의 '기쁨'은 공손해서 받아줄 수 있다"라고 한 것은 꼭 그렇지만은 않은 듯하다.

서유신(徐有臣) 『역의의언(易義擬言)』

自三至上, 互大過, 上下爲巽也.

삼효에서 상효까지는 호괘로 대과괘(大過卦䷛)이니 위에서 보나 아래에서 보나 손괘이다.

오치기(吳致箕) 「주역경전증해(周易經傳增解)」

旣旡正應, 則以柔比剛, 而上從之, 卽巽順之道也. 巽取互巽.

이미 정응이 없으니 유순함으로 굳셈과 친하여 위를 따르니 곧 공손한 도이다. '공손'은 호괘인 손괘를 취한 것이다.

---

63) 云: 경학자료집성DB에 '六'으로 되어 있으나 경학자료집성 영인본을 참조하여 '云'으로 바로 잡았다.

이진상(李震相)『역학관규(易學管窺)』

象, 上巽.

상전에서 말하였다: 위가 공손하다.

蔡氏曰 從上二陽, 有巽體.

채씨가 말하였다: 위의 두 양을 따름은 손괘(巽卦☴)의 몸체가 있어서이다.

九四, 大吉, 无咎.

구사는 크게 길하여야 허물이 없다.

║ 中國大全 ║

傳

四當萃之時, 上比九五之君, 得君臣之聚也, 下比下體群陰, 得下民之聚也, 得上下之聚, 可謂善矣. 然四以陽居陰, 非正也, 雖得上下之聚, 必得大吉, 然後爲无咎也. 大爲周遍之義, 无所不周, 然後爲大. 无所不正則爲大吉, 大吉則无咎也. 夫上下之聚, 固有不由正道而得者, 非理枉道而得君者自古多矣, 非理枉道而得民者蓋亦有焉, 如齊之陳恒, 魯之季氏是也, 然得爲大吉乎, 得爲无咎乎. 故九四必能大吉, 然後爲无咎也.

사효가 모이는 때에 위로 구오라는 임금을 가까이 하여 임금과 신하의 모임을 얻고 아래로 하괘 몸체의 여러 음을 가까이 하여 아래 백성들의 모임을 얻음으로 위아래로 모임을 얻었으니 훌륭하다고 할 수 있다. 그러나 사효가 양으로서 음의 자리에 있어 바르지 않으니, 위아래로 모임을 얻었을지라도 반드시 크게 길한 뒤에 허물이 없다. '크게'는 두루 한다는 의미이니, 두루 하지 않는 것이 없게 된 다음에 크게 된다. 바르지 않은 것이 없으면 크게 길하니, 크게 길하다면 반드시 허물이 없다. 위아래의 모임을 진실로 바른 도를 따르지 않고 얻는 경우가 있으니, 도리가 아닌데 임금의 신임을 얻은 경우가 옛날부터 많았고, 도리가 민심을 얻은 경우도 있었다. 이를테면 제(齊)나라의 진항(陳恒)[64]과 노(魯)나라의 계씨(季氏)[65]가 여기에 해당되지만 크게 길할 수 있겠으며 허물이 없을 수 있겠는가? 그러므로 구사가 반드시 크게 길할 수 있은 뒤에야 허물이 없게 된다.

---

64) 진항(陳恒): 춘추시대 제나라의 권신 진걸(陳乞)의 아들이다. 진걸은 백성들에게 곡식을 소두로 받고 대두로 줌으로써 권력을 장악하였다. 그 뒤를 이은 진항은 군주 간공(簡公)을 시해하고 평공(平公)을 세웠고 봉읍(封邑)이 군주의 식읍(食邑)보다 컸고 그 후손이 제나라를 완전히 장악하여 군주가 되었다.

65) 계씨(季氏): 『논어』에 나오는 춘추시대 노나라의 권신 계손씨로 세습하여 집권하고 국토의 거의 절반을 차지하여 분수에 넘치는 짓을 하였다.

本義

上比九五, 下比衆陰, 得其萃矣, 然以陽居陰, 不正, 故戒占者必大吉然後得无咎也.

위로 구오와 가깝고 아래로 여러 음을 가까이 하여 그 모임을 얻었지만, 양이 음의 자리에 있어 바르지 않기 때문에 점치는 자가 반드시 크게 길한 다음에 허물이 없다고 경계하였다.

小註

中溪張氏曰, 四處近君之位, 應初比三, 皆有求萃於四之意. 然四以陽居陰位, 則不當以臣得民, 聚不以正, 必得大吉盡善, 乃无僭竊之咎. 否則强君在上, 威權太逼, 未有不召釁産禍者, 九四可以戒矣.

중계장씨가 말하였다: 사효는 임금에게 가까운 자리에 있으면서 초효와 호응하고 삼효를 가까이하니 모두 사효에게 모임을 구하려는 뜻이 있다. 그러나 사효가 양으로서 음의 자리에 있으니, 신하의 신분으로 백성을 얻어 모임을 바르게 하지 않아서는 안 되고, 반드시 크게 길하여 선을 다하여야 참람하게 훔치는 허물이 없을 것이다. 그렇지 않으면 강한 임금이 위에 있어 위엄과 권위로 크게 압박하여 피를 불러 재앙을 낳지 않는 경우가 없을 것이니, 구사는 경계해야 한다.

○ 建安丘氏曰, 此爻與隨九四同義. 隨四以上承九五, 而致天下之隨, 亦有强臣逼君之象. 在隨以有孚而後无咎, 在萃以大吉而後无咎, 聖人之戒深矣.

건안구씨가 말하였다: 취괘(萃卦䷬)의 사효는 수괘(隨卦䷐)의 구사와 같은 의미이다. 수괘의 사효는 위로 구오를 계승하여 천하의 따름을 이루어도 굳센 신하가 임금을 압박하는 상이 있다.[66] 수괘에서는 믿음이 있는 뒤에 허물이 없고, 취괘에서는 크게 길한 다음에 허물이 없으니, 성인의 경계가 깊다.

○ 雲峰胡氏曰, 比卦五陰, 皆比五之一陽. 萃四陰, 皆聚歸五與四之二陽, 四必大吉而後, 可以无咎. 五曰萃有位, 以見四之萃, 非有位者也. 无尊位而得衆心, 非大吉, 安能无咎. 如益之初九在下而受上之益, 且戒之曰, 必元吉无咎. 然則萃之九四在上而受下之萃, 戒之固宜也.

운봉호씨가 말하였다: 비괘(比卦䷇)의 다섯 음은 모두 하나의 양인 오효를 가까이한다. 취괘(萃卦䷬)의 네 음은 모두 두 양인 오효와 사효로 모여 귀의하니, 사효는 크게 길한 다음에 허물이 없을 수 있다. 오효에서 "모임에 지위가 있다"라고 말하였으니, 사효의 모임이 지위

---

66) 『周易 · 隨卦』: 九四, 隨有獲, 貞凶. 有孚在道以明, 何咎.

가 있는 것이 아님을 나타낸 것이다. 존귀한 지위가 없는데 무리의 마음을 얻었으니 크게 길하지 않고서 어떻게 허물이 없을 수 있겠는가? 이를테면 익괘(益卦☷☷)의 초구가 아래에서 위의 더해줌을 얻었는데도 또 "반드시 크게 길해야 허물이 없다"[67]고 경계했다. 그렇다면 취괘의 구사가 위에서 아래의 모임을 얻었으니, 경계하는 것은 진실로 당연하다.

∥韓國大全∥

송시열(宋時烈) 『역설(易說)』

四以剛陽近君. 上比於五, 下聚三陰, 然位本陰柔, 苟非大吉之人, 則咎患必至. 故大吉然後爲无咎. 小象位不當者, 戒其不得中正也.

굳센 양으로서 임금과 가깝다. 위로 오효와 가깝고 아래로 세 음을 모으나, 자리가 본래 유순한 음이니 크게 길한 사람이 아니면 환란이 반드시 이를 것이다. 그러므로 크게 길한 뒤에야 허물이 없게 된다. 「소상전」에서 자리가 마땅하지 않기 때문이라는 것은 중정하지 못함을 경계한 것이다.

이익(李瀷) 『역경질서(易經疾書)』

九四, 不中不正, 恐無大吉之象. 竊恐吉乃告字之誤. 九四是近君大臣, 而陽剛失位, 群陰在下, 如周家之周公, 猶不免於危疑者也, 必須大告四方, 昭揚憤實 然後方可以无咎也. 兌爲口, 故履之咥, 咸之舌, 夬之告, 困之口, 革之命, 孚之歌, 皆可證也.

구사는 가운데 자리도 아니고 바르지도 않으니 크게 길한 상이 없을 듯하다. 내 생각에는 '길할 길(吉)'은 '고할 고(告)'자의 잘못인 듯하다. 구사는 임금과 가까운 대신이나 굳센 양으로 제자리를 잃고 여러 음이 아래에 있으니, 예컨대 주나라의 주공이 오히려 위험과 의심을 벗어나지 못한 경우와 같아서 반드시 사방에 크게 고하고 밝게 드러내어 바르고 착실한 뒤에야 허물이 없을 수 있다. 태괘(兌卦☱)는 입이기 때문에 리괘(履卦☰☱)의 '물다'[68]·함괘(咸卦☱☶)의 '혀'[69]·쾌괘(夬卦☱☰)의 '고함'[70]·곤괘(困卦☱☵)의 '입'[71]·혁괘(革卦☱☲)의

---

67) 『周易·益卦』: 初九, … 元吉, 无咎.
68) 『周易·履卦』: 六三, 眇能視, 跛能履. 履虎尾, 咥人, 凶, 武人爲于大君.

'명(命)'[72]·중부괘(中孚卦☲)의 '노래'[73]가 모두 증거가 될 만하다.

유정원(柳正源) 『역해참고(易解參攷)』

王氏曰, 履非其位, 而下據三陰. 得其所據, 失其所處, 處聚之時, 不正而據, 故必大吉,
立夫大功, 然後无咎也.

왕필이 말하였다: 밟고 있는 자리가 제자리가 아니면서 아래로 세 음을 점거하고 있다. 점거
하는 것을 얻었으나 처하는 자리를 잃었으니 모이는 때에 처하여 바르지 못하게 점거하고
있기 때문에 반드시 크게 길하여 큰 공을 세운 뒤라야 허물이 없을 것이다.

김상악(金相岳) 『산천역설(山天易說)』

九四以陽剛, 處近君之位, 得衆陰所萃, 必大吉而後, 可以得无咎也.

구사는 굳센 양으로 임금과 가까운 자리에 처하여 여러 음이 모인 것을 얻으니, 반드시 크게
길한 뒤에야 허물이 없을 수 있다.

○ 兌體居陰, 得上下之聚. 與隨同. 大吉, 卽有孚在道也, 无咎乃明功也. 又益之初
九, 居下而受益者, 故曰元吉无咎, 萃則居上而得萃者, 故曰大吉无咎. 說體不正, 不
如震體得正, 故勉戒不同. 蓋大吉與元吉不同, 元吉謂大吉而盡善也, 大吉吉大而不
盡善也.

태괘의 몸체로 음의 자리에 있으면서 위·아래의 모임을 얻음은 수괘(隨卦☲)와 같다. 크게
길함[74]은 곧 믿음으로 도를 지키는데 있고, 허물이 없어야 공을 밝힐 수 있다. 또, 익괘(益
卦☲)의 초구는 아랫자리에 있으면서 이익을 받는 자이기 때문에 "크게 길하여야 허물이
없다[元吉无咎]"[75]라고 하였고, 취괘에서는 윗자리에 있으면서 모임을 얻은 자이기 때문에
"크게 길하여야 허물이 없다[大吉无咎]"라고 하였다. 기쁨의 몸체[☱]가 바르지 못함은 진괘
(震卦☳)의 몸체가 바름을 얻음만 못하기 때문에 같지 않은 점을 힘써 경계하였다. 대길(大

---

69) 『周易·咸卦』: 上六, 咸其輔頰舌.

70) 『周易·夬卦』: 夬, 揚于王庭, 孚號有厲. 告自邑, 不利卽戎, 利有攸往.

71) 『周易·困卦』: 彖曰, 困, 剛揜也, 險以說, 困而不失其所亨, 其唯君子乎. 貞大人吉, 以剛中也, 有言不
信, 尙口乃窮也.

72) 『周易·革卦』: 九四, 悔亡, 有孚, 改命吉.

73) 『周易·中孚卦』: 六三, 得敵, 或鼓或罷, 或泣或歌.

74) 『周易·隨卦』: 九五, 孚于嘉, 吉.

75) 『周易·益卦』: 初九, 利用爲大作, 元吉, 无咎.

吉)과 원길(元吉)은 같지 않으니, '원길'은 크게 길하면서 지극히 선한 것이고 '대길'은 길함이 크나 선이 지극하지 못한 것이다.

서유신(徐有臣) 『역의의언(易義擬言)』

旣萃於五, 又止萃三陰, 成萃之功, 是爲大吉而无咎也. 萃視比, 多九四, 是宜有咎, 而以其歸功於九五, 故大吉, 以其大吉, 故无咎也.

이미 오효에 모이고 또 세 음을 모았으니, 모임을 이룬 공이 크게 길하고 허물이 없음이 된다. 취괘는 비괘(比卦䷇)에 비해 구사효의 양(陽)이 더 많으니 의당 허물이 있을 것이나 구오에게 공을 돌렸기 때문에 크게 길하고, 크게 길하기 때문에 허물이 없다.

박제가(朴齊家) 『주역(周易)』

得君得下, 故如此. 此爻通四字, 皆爲占辭. 象傳曰位不當者, 又占外之戒, 而爲世之無功德而享福祿者, 設也. 因此三字, 而曰大吉然後无咎, 則惟周公然後可當此爻. 而凡言大吉之爻, 自聖人以下, 皆不能通, 將何以定天下之疑, 而通天下之志乎. 蓋吉凶悔吝等字, 皆因占而設. 若以无所不周無所不正爲大吉, 則經當曰大善大德, 何必曰吉耶.

임금을 얻고 아랫사람을 얻었기 때문에 이와 같다. 본효는 통틀어 넉자이니 모두 점사이다. 「소상전」에 "자리가 마땅하지 않기 때문이다"라고 한 것은 또 점 밖의 경계이니 세상에 공덕이 없으면서 복록을 누리는 자를 위하여 가설한 것이다. "자리가 마땅하지 않기 때문이다"라는 말 때문에 "크게 길한 뒤에야 허물이 없다"고 말한 것이라면 오직 주공처럼 된 뒤에야 본효를 감당할 수 있을 것이다. 그렇다면 "크게 길함"을 말한 모든 효는 성인이 아니면 모두 통할 수 없으니 어떻게 천하의 의심을 안정시켜 천하의 뜻에 통할 수 있겠는가? 길·흉·회·린 등의 말은 모두 점에 따라 가설된 것이다. 만일 두루 하지 않는 것이 없고 바르지 않는 것이 없는 것을 '크게 길함'으로 여겼다면 경문에서 "대선대덕(大善大德)"이라고 하였을 것이니 무엇 때문에 굳이 길하다고 하였겠는가?

박문건(朴文健) 『주역연의(周易衍義)』

用剛制下, 故有大吉无咎之象. 若未大吉則有咎之道.

굳셈으로 아래를 제어하기 때문에 크게 길하고 허물이 없는 상이 있다. 만일 크게 길함이 없다면 허물이 있는 도이다.

이지연(李止淵) 『주역차의(周易箚疑)』

不正者, 得人心之道, 亦必以不正故也, 戒以之大吉. 吉者正道也, 凶者不正也.

바르지 않은 자는 인심을 얻는 도도 바르지 않음으로써 하기 때문에 "크게 길함"으로 경계하였다. 길함은 바른 도이고, 흉함은 바르지 못함이다.

김기례(金箕澧) 「역요선의강목(易要選義綱目)」

陽居陰位, 上近五君, 下比衆陰, 所謂无尊位, 而得衆者也. 苟非大善之人, 不能无竊弄之咎. 戒辭.

양이 음의 자리에 있으면서 위로 오효의 임금과 가까이 있고 아래로 여러 음들과 친하니 이른바 높은 자리는 없으면서 무리를 얻은 자이다. 만일 크게 선한 사람이 아니면 훔치고 희롱하는 허물이 없을 수 없다. 경계하는 말이다.

심대윤(沈大允) 『주역상의점법(周易象義占法)』

萃之比䷇, 附從也. 九四, 以剛實居柔, 所萃旣富, 而守之不求者也. 下專三陰之從應, 而上逼於五, 宜其有咎, 而以其居柔而履坤順, 故大吉无咎也.

취괘가 비괘(比卦䷇)로 바뀌었으니, 따르는 것이다. 구사는 강하고 채워짐으로 부드러운 자리에 있어서 모인 것이 풍부하고 지키며 구하지 않는 자이다. 아래로 오로지 세 음이 따르고 호응하지만 위로 오효에 핍박받으니, 의당 허물이 있겠으나 부드러운 자리에 있으면서 곤괘인 순함을 밟고 있기 때문에 크게 길하고 허물이 없다.

오치기(吳致箕) 「주역경전증해(周易經傳增解)」

九四陽剛, 居大臣之位, 上承九五, 下比三柔, 得上下之聚, 而主萃權者也. 然不中不正, 而逼近君位, 處疑危之地, 有分權之嫌, 不能无咎. 故戒言雖得聚上下之權, 必須无一不善, 然後可以大吉, 而惟其大吉, 然後始爲无咎, 此切戒之辭也. 程傳備矣.

구사는 굳센 양으로 대신의 자리에 있으면서 위로 구오를 받들고 아래로 세 음과 친하니 위·아래의 모임을 얻어 모임의 권세를 주도하는 자이다. 그러나 가운데 자리도 아니고 바르지도 않으면서 임금 자리에 매우 가까워 의심받고 위태로운 자리에 처하여 권세를 나누는 혐의가 있으므로 허물이 없을 수 없다. 그러므로 비록 위·아래를 모을 수 있는 권세가 있더라도 반드시 선하지 않음이 전혀 없는 뒤에라야 크게 길할 수 있고, 크게 길한 뒤에라야 비로소 허물이 없다고 경계하여 말하였으니, 이것은 절실하게 경계하는 말이다. 『정전』에 갖추어 있다.

○ 此爻取爻位之象而繫辭焉. 如恒之九二, 大壯之九二, 解之初六, 雖不言他象, 自可知也.

본효는 효 자리의 상을 취하여 말을 붙였다. 예컨대 항괘의 구이[76] · 대장괘의 구이[77] · 해괘의 초육[78]과 같으니, 비록 다른 상을 말하지 않아도 저절로 알 수 있다.

이진상(李震相) 『역학관규(易學管窺)』

上比九五, 君臣相悅, 而下臨衆陰, 有得民心之象, 臣道之所懼也. 又位不中正, 故必元吉而後无咎也.

위로 구오와 가까워 군신간에 서로 기뻐하나 아래로 여러 음에 임하여 민심을 얻은 상이 있으니, 신하의 도리상 두려워한다. 또 자리가 중정하지 못하기 때문에 반드시 크게 길한 뒤에야 허물이 없다.

박문호(朴文鎬) 「경설(經說) · 주역(周易)」

在此三者, 指元永貞三德也. 有其德德, 卽中正之德也. 下文中正二字, 或讀屬上句者, 其義亦通, 然其勢則終有未便耳. 尊大指首出, 主統指君長, 二者皆君德也.

『정전』의 "이 세 가지"라는 것은 "원 · 영 · 정(元 · 永 · 貞)" 세 가지 덕을 가리킨다. 유기덕(有其德)에서 덕(德)은 바로 중정의 덕이다. 아래 글의 중정(中正) 두 자는 윗 구절에 연결하여 읽어도 의미가 통하나 문장의 기세가 끝내 자연스럽지 못하다. '높고 큼'은 앞장서 나옴을 가리키고, '주관하여 통솔함'은 임금과 어른을 가리키니 둘 다 모두 군덕(君德)이다.

이병헌(李炳憲) 『역경금문고통론(易經今文考通論)』

王曰, 履非其位, 下據三陰[79]. 處聚不正, 故必立大功, 无咎也.

왕필이 말하였다. 밟고 있는 자리가 제자리가 아니면서 아래로 세 음을 점거하고 있다. 바르지 않은 모임에 처하기 때문에 반드시 큰 공을 세워야 허물이 없을 것이다.

---

76) 『周易 · 恒卦』: 九二, 悔亡.
77) 『周易 · 大壯卦』: 九二, 貞吉.
78) 『周易 · 解卦』: 初六, 无咎.
79) 陰: 경학자료집성DB와 영인본에는 모두 '陽'으로 되어 있으나, 문맥을 살펴 '陰'으로 바로잡았다.

象曰, 大吉, 无咎, 位不當也.

「상전」에서 말하였다: "크게 길하여야 허물이 없음"은 자리가 마땅하지 않기 때문이다.

中國大全

傳

以其位之不當, 疑其所爲未能盡善, 故云必得大吉, 然後爲无咎也. 非盡善, 安得爲大吉乎.

자리가 마땅하지 않아 하는 것이 선을 다할 수 없다고 의심되기 때문에 반드시 크게 길한 다음에야 허물이 없다고 하였다. 선을 다하지 않는데 어떻게 크게 길할 수 있겠는가?

小註

白雲郭氏曰, 四得上下之聚, 而非君位, 故言不當也.

백운곽씨가 말하였다: 사효가 상하의 모임을 얻었지만 임금의 자리가 아니기 때문에 마땅하지 않다고 하였다.

韓國大全

김상악(金相岳) 『산천역설(山天易說)』

得上下之萃, 而非君位, 故曰不當. 五曰萃有位, 以見四之非其位也.

위·아래의 모임을 얻었으나 임금의 자리가 아니기 때문에 "마땅하지 않다"라고 하였다. 오효에서 "모임에 지위가 있다"라고 하였으니 사효가 제 자리가 아님을 드러낸 것이다.

서유신(徐有臣) 『역의의언(易義擬言)』

多懼之位 以剛居之爲不當也.

두려움이 많은 자리이니 굳센 강으로 그런 자리에 있는 것이 마땅하지 않음이 되기 때문이다.

박문건(朴文健) 『주역연의(周易衍義)』

〈問, 大吉无咎位不當也. 曰, 九四處位不當, 故不能相與, 而反用相制之道, 以致吉而无咎, 蓋爲上而未能盡善其道者也.

물었다: "크게 길하여야 허물이 없음'은 자리가 마땅하지 않기 때문이다"는 무슨 뜻입니까? 답하였다: 구사는 처한 자리가 마땅하지 않기 때문에 서로 함께할 수가 없고 반대로 서로 제어하는 도리를 써서 길하고 허물이 없게 되었으니, 윗사람이 되어 그 도를 지극히 선하게 할 수 없는 자입니다.〉

김기례(金箕澧) 「역요선의강목(易要選義綱目)」

位不當.

자리가 마땅하지 않기 때문이다.

戒勿犯竊弄之咎.

훔치고 희롱하는 허물을 범하지 말라고 경계하는 것이다.

심대윤(沈大允) 『주역상의점법(周易象義占法)』

言其逼於五也

오효에게 핍박받음을 말한다.

오치기(吳致箕) 「주역경전증해(周易經傳增解)」

位不當, 故知其所爲未能盡善, 而戒以大吉然後能无咎也.

자리가 마땅하지 않기 때문에 그가 하는 것이 선을 지극히 할 수 없음을 알아 크게 길한 뒤에야 허물이 없을 수 있음을 경계하였다.

九五, 萃有位, 无咎, 匪孚, 元永貞, 悔亡.

구오는 모임에 지위가 있고 허물이 없는데, 믿지 않을 경우에는 크고 영원하며 바르게 하니 후회가
없게 된다.

┃中國大全┃

傳

九五居天下之尊, 萃天下之衆而君臨之, 當正其位修其德. 以陽剛居尊位, 稱其
位矣, 爲有其位矣, 得中正之道, 无過咎也. 如是而有不信而未歸者, 則當自反以
修其元永貞之德, 則无思不服而悔亡矣. 元永貞者, 君之德, 民所歸也. 故比天下
之道, 與萃天下之道, 皆在此三者. 王者旣有其位, 又有其德, 中正无過咎, 而天
下尚有未信服歸附者, 蓋其道未光大也, 元永貞之道未至也, 在修德以來之. 如
苗民逆命, 帝乃誕敷文德, 舜德非不至也, 蓋有遠近昏明之異, 故其歸有先後. 旣
有未歸, 則當修德也, 所謂德, 元永貞之道也. 元, 首也, 長也, 爲君德. 首出庶物,
君長群生, 有尊大之義焉, 有主統之義焉, 而又恒永貞固, 則通於神明, 光於四海,
无思不服矣, 乃无匪孚而其悔亡也. 所謂悔, 志之未光, 心之未慊也.

천하의 존귀한 자리에 있는 구오가 천하의 무리를 모아서 군림하니, 지위를 바르게 하고 덕을 닦아야
한다. 굳센 양으로 존귀한 자리에 있어 그 지위에 걸맞으니 지위가 있게 되고, 중정한 도를 얻었으니
허물이 없다. 이와 같은데도 믿지 않아 귀의하지 않는 자가 있을 경우에는 스스로 반성하고 크고
영원하며 바른 덕을 닦아야 하니, 복종하지 않는 자가 없어 후회가 없게 된다. '크고 영원하며 바르게
한다'는 것은 임금의 덕으로 백성들이 귀의할 곳이다. 그러므로 천하를 가까이 하는 도와 천하를 모
으는 도가 모두 이 세 가지에 있다. 왕은 이미 지위가 있고 또 덕이 있으며 중정하고 허물이 없는데
도 천하에 여전히 믿고 복종하며 귀의하지 않는 자가 있으면, 그것은 도가 아직 빛나고 크지 않아
크고 영원하며 바른 도가 지극하지 않기 때문이니, 덕을 닦아 오게 하는 데 달려 있다. 묘(苗) 땅의
백성들이 명을 거역하자 순임금이 문덕(文德)을 크게 폈으니, 그의 덕이 지극하지 않아서가 아니라
멀리 있거나 가까이 있고 어리석거나 밝은 차이가 있기 때문에 귀의함에 선후가 있었던 것이다. 아직
귀의하지 않았으면 덕을 닦아야 하니, 이른바 덕은 크고 영원하며 바른 도이다. '큼'은 머리이고 으뜸
으로 임금의 덕이다. 만물 중에 으뜸으로 나와 생명 있는 여러 것들의 우두머리가 되었으니, 존귀하

고 큰 뜻이 있고 주관하고 통솔하는 뜻이 있다. 또 항구하고 영원하며 바르고 견고한 것은 신명과 통하고 사해에 빛나 복종하지 않음이 없으니, 믿지 않음이 없어 후회가 없게 되는 것이다. 이른바 뉘우침은 뜻이 아직 빛나지 않아 마음이 흡족하지 않은 것이다.

本義

九五剛陽中正, 當萃之時而居尊, 固无咎矣. 若有未信, 則亦修其元永貞之德, 而悔亡矣. 戒占者當如是也.

구오는 중정한 굳센 양이 모이는 때에 존귀한 자리에 있어 진실로 허물이 없다. 그런데 믿지 않을 경우에는 또 크고 영원하며 바른 덕을 닦으니, 후회가 없게 된다. 점치는 자에게 이처럼 해야 한다고 경계하였다.

小註

或問, 九五, 萃有位, 以陽剛居中正, 當萃之時, 而居尊位, 安得又有匪孚. 朱子曰, 此言有位而无德, 則雖萃而不能使人信. 故人有不信, 當修其元永貞之德, 而後悔亡也.
어떤 이가 물었다: 구오는 모임에 지위가 있다는 것은 굳센 양이 중정한 자리에 있으면서 모이는 때에 존귀한 자리에 있는데, 어떻게 또 믿지 않음이 있을 수 있겠습니까?
주자가 답하였다: 여기에서는 지위가 있지만 덕이 없음을 말했으니, 모일지라도 사람들이 믿게 할 수 없습니다. 그러므로 사람들이 믿지 않으니, 크고 영원하며 바른 덕을 닦아야 하고 이후에 후회가 없을 것입니다.

○ 縉雲馮氏曰, 卦二陽爻所以聚衆陰也. 九四臣位, 九五之位, 則君也. 故九五之萃, 爲有位, 以四之位, 不當之也. 匪孚, 有悔也, 必盡君道, 元永貞, 然後匪孚之悔可亡.
진운풍씨가 말하였다: 괘의 두 양효가 여러 음을 모으는 것이다. 구사는 신하의 지위이면, 구오의 지위는 임금이다. 그러므로 구오의 모임은 지위가 있는 것이어서 사효의 자리로는 감당하지 못한다. 믿지 않으면 뉘우치니, 반드시 임금의 도를 다하여 크고 영원하며 바르게 한 다음에 믿지 않는 후회가 없을 것이다.

○ 雲峰胡氏曰, 四必大吉而无咎矣, 五萃有位而无咎, 君臣之分也. 然旣有位以別於四, 或有其位无其德, 所以爲五者, 悔當何如哉. 故又戒之曰, 雖有位可致天下之萃, 或有未信, 當修其元永貞之德, 則悔亡耳. 比獨以九五爲主, 故卦有元永貞之辭, 萃有兩陽爻, 故元永貞, 獨歸之九五. 元以善其始, 永貞以善其終. 比與萃, 非此三德, 未必始終盡善也.

운봉호씨가 말하였다: 사효는 크게 길하여 허물이 없고, 오효는 모임에 지위가 있고 허물이 없으니, 임금과 신하의 구분이다. 그러나 이미 지위가 있어 사효와 구별되는데 혹 지위가 있고 덕이 없는데도 오효일 경우에는 후회가 어떻겠는가? 그러므로 또 경계하여 "지위가 있어 천하의 모임을 이룰 수 있을지라도 혹 믿지 않을 경우에는 당연히 크고 영원하며 바른 덕을 닦으면 후회가 없게 된다"라고 했다. 비괘(比卦☵☷)는 단지 구오가 임금이기 때문에 괘에 "크고 영원하며 바르게 한다"[80]는 말이 있다. 취괘(萃卦☱☷)는 두 양효가 있기 때문에 크고 영원하며 바르게 한다는 것을 오직 구오에게 돌렸다. 커서 그 시작을 잘 할 수 있고, 영원하고 바르게 하여 그 끝마침을 잘 할 수 있다. 비괘와 취괘는 이 세 가지 덕이 아니면 시작과 끝마침을 기어코 극진하게 잘 할 수 없다.

○ 建安丘氏曰, 比以一陽統五陰, 一陽爲之主也. 一則專, 專則衆陰順從, 唯五之歸, 故五有顯比之吉. 萃以二陽統四陰, 二陽爲之主也. 二則分, 分則衆陰有萃四者, 有萃五者, 而五不得以專其萃, 故在五有匪孚永貞之戒. 此萃天下之道, 不如比天下之廣也.

건안구씨가 말하였다: 비괘(比卦☵☷)는 하나의 양이 다섯 음을 거느리니, 하나의 양이 임금이다. 하나는 오로지 하고, 오로지 하면 여러 음이 순종하며, 오효로만 귀의하기 때문에 오효에 드러나게 돕는 길함이 있다.[81] 취괘는 두 음이 네 음을 거느리니 두 양효가 그것들의 임금이다. 둘이면 나눠지고, 나눠지면 여러 음이 사효에게로 모이는 경우와 오효에게로 모이는 경우가 있어서 오효가 그 모임을 오로지 할 수 없기 때문에 오효에서 믿지 않을 경우에는 영원하며 바르게 하라는 경계를 하였다. 이것은 천하를 모으는 도가 천하를 돕는 광대함만 못하다는 것이다.

---

80) 『周易·比卦』: 比, 吉, 原筮, 元永貞, 无咎.

81) 『周易·比卦』: 象曰, 顯比之吉, 位正中也.

▌韓國大全▌

송시열(宋時烈) 『역설(易說)』

群陰, 以五之有君位而聚萃, 雖曰无咎, 然下無誠信相孚之臣, 所謂匪孚也. 以其元永貞之德, 得中正之位, 故无悔也. 元永貞者, 坎之純一其義也. 小象, 志未光者, 其中心, 未能光明也. 大坎錯則爲離明, 而此則言坎之未光故也.

여러 음이 임금의 지위가 있는 오효에 모였으니 허물이 없다고 말하였으나 아래에 정성과 믿음으로 서로 믿는 신하가 없다면 이것이 이른바 "믿지 않음"이다. 크고 영원하며 바른 덕으로 중정한 자리를 얻었으므로 후회가 없게 된다. "크고 영원하며 바름"은 감괘의 순일함이 그 의미이다. 「소상전」에 "뜻이 아직 빛나지 않음"은 속마음이 광명하지 않기 때문이다. 큰 감괘䷜는 음양을 반대로 하면 밝은 리괘☲가 되니 이것이 곧 감괘가 아직 빛나지 않기 때문이라는 말이다.

석지형(石之珩) 『오위귀감(五位龜鑑)』

臣謹按, 萃之九五, 旣得衆矣, 又有位矣, 无過咎矣. 如是, 而猶有不信我者, 非我之過也, 不信者之過也. 然亦不敢自謂无過, 必曰吾道未光大也, 益自修其元永貞之德, 則无思不服而悔亡矣. 如誕敷文德, 而格苗之頑, 卽其徵也. 伏願殿下, 凡遇橫逆之來, 取此爻以省德焉.

신이 삼가 살펴보았습니다: 취괘의 구오는 이미 무리를 얻었고 또 지위가 있으니, 허물이 없습니다. 이와 같은데도 오히려 나를 믿지 못하는 자가 있는 것은 나의 허물이 아니라 믿지 못하는 자의 허물입니다. 그러나 감히 스스로 허물이 없다고 여기지 않고, 반드시 "나의 도가 아직 빛나지 않아서이다"라고 생각하여 더욱 스스로 크고 영원하며 바른 덕을 닦는다면 복종하지 않는 이가 없어 후회가 없을 것입니다. 문덕을 널리 펴서 완악한 삼묘(三苗)를 오게 한 듯이 한다면[82] 바로 징계될 것입니다. 삼가 전하께서 횡역(橫逆)의 일을 당하게 되면 취괘를 취하여 덕을 살피시기 바랍니다.

이현석(李玄錫) 「역의규반(易義窺斑)」

九五, 有陽剛中正之德. 凡易中陽爻, 皆稱有孚, 此獨言匪孚, 而又勉以元永貞者, 何

---

82) 『書經·大禹謨』: 帝乃誕敷文德, 舞干羽於兩階, 七旬有苗格.

也. 蓋以上兌下坤, 兌說坤順故也. 苟上說而下順, 則承望者得計, 諂諛者易進, 故多匪
孚之患, 少永貞之吉, 其戒慎之意至矣.

구오는 굳센 양으로서 중정의 덕을 지니고 있다. 『주역』 중의 양효는 모두 믿음이 있다고
일컫는데, 취괘에서만 믿지 않는다고 말하고, 또 크고 영원하며 바른 것을 힘쓰게 하는 것은
어째서인가? 이는 상괘가 태괘(兌卦☱)이고 하괘가 곤괘(坤卦☷)이니, 태괘로 기뻐하고 곤
괘로 따르기 때문이다. 위에서 기뻐하고 아래에서 따른다면 받들어 바라는 자가 계책을 얻
고 아첨하는 자가 나아오기 쉽기 때문에 믿지 않을 근심이 많고, 길이 곧게 되는 길함이
적을 것이니, 경계하고 삼가는 뜻이 지극하다.

이익(李瀷) 『역경질서(易經疾書)』

天下初定, 君位大正, 人風之萃聚, 萃於有位也. 是則身萃而其心, 或有未可知者. 雖无
咎, 非孚誠[83]之所及也. 此由於情志之未及光顯, 初六之有孚不終, 是也. 五猶如此, 況
其上乎. 齎咨涕洟, 有戒懼之意, 猶得无咎. 卦中惟六二之外, 無純吉. 然以萃爲義, 故
六爻皆无咎, 始知天地萬物之情, 以聚爲順也.

천하가 갓 평정되고 임금의 자리가 크게 바르게 되면 민심이 모이니 지위가 있는 자에게로
모이는 것이다. 이렇다면 몸은 모이나 때로는 그 마음을 알 수 없는 자가 있을 것이다. 비록
허물이 없으나 믿음과 정성이 미치는 바가 아니다. 이는 마음이 아직 빛나지 않아서이니
초육이 "믿지만 끝까지 하지 못함"이 이것이다. 오효도 오히려 이와 같은데 하물며 상효는
어떻겠는가? "한탄하며 눈물과 콧물을 흘림"[84]은 경계하고 두려워하는 뜻이 있음이니 오히
려 허물이 없을 수 있다. 취괘 가운데에 육이 이외에는 순수하게 길함이 없다. 그러나 모임
으로 의미를 삼았기 때문에 여섯 효가 모두 허물이 없으니, 비로소 천지 만물의 실정을 알아
모임을 순하게 여기는 것이다.

李光地曰, 此如周公之居東國, 必號位求萃於君而後乃已也.

이광지(李光地)[85]가 말하였다: 이것은 주공이 동쪽지방에 있었을 때와 마찬가지이니, 믿지
않는 무리가 반드시 명호(名號)와 작위(爵位)로 임금에게 모이기를 구한 뒤에야 그칠 것이다.

---

83) 誠: 경학자료집성DB와 영인본에는 모두 '城'으로 되어 있으나, 문맥을 살펴 '誠'으로 바로잡았다.

84) 『周易, 萃卦』: 上六, 齎咨涕洟, 无咎.

85) 이광지(李光地: 1642~1718): 청나라 복건(福建) 사람. 자는 진경(晉卿)이고, 호는 용촌(榕村), 시호는 문정
(文貞)이다. 경학(經學)과 악률(樂律), 역산(曆算), 음운(音韻) 등에 정통했으며, 황제의 칙명으로 『성리정
의(性理精義)』와 『주자대전(朱子大全)』 등을 편수했다. 정주학(程朱學)을 추숭하여 강희제의 신임으로
청나라 초기 주자학의 대표적 인물이 되었지만, 절충적인 태도를 취하여 육왕학(陸王學)도 배척하지 않았다.

유정원(柳正源) 『역해참고(易解參攷)』

趙氏曰, 比以九五一陽爲主, 故卦有元永貞之辭, 萃有兩陽爻, 故元永貞, 獨歸之九五.

조씨가 말하였다: 비괘(比卦䷇)는 구오인 한 양을 주인으로 삼기 때문에 괘에 "크고 영원하며 바름"[86]의 말이 있고, 췌괘(萃卦䷬)는 두 양효가 있기 때문에 "크고 영원하며 바름"이 구오에만 귀결된다.

○ 案, 九五, 陽剛中正, 有德有位, 而猶有匪孚者, 何也. 蓋聖人在上, 德无不施, 化无不行, 而四海之廣, 兆民之衆, 安保其一一信從乎. 堯舜之世, 有苗民之逆命, 塗山之會, 有防風之後至, 當自反以修元永貞之德, 而懷來之耳. 其曰匪孚悔亡, 卽敷文德苗來格之意.

내가 살펴보았다: 구오는 굳센 양으로서 중정하며 덕이 있고 지위가 있는데도 오히려 믿지 않음이 있는 것은 어째서인가? 성인이 위에 있어 덕을 베풀지 않음이 없고 교화를 행하지 않음이 없으나 넓은 사해와 많은 백성이 어떻게 일일이 다 믿고 따르기를 보장할 수 있겠는가? 요순시절에 삼묘가 명을 어기자 도산에서 제후들과 회합을 가졌고,[87] 방풍(防風)이 늦게 도착하자 스스로 반성하여 크고 영원하며 바른 덕을 길러 품어 오게 하였을 뿐이다.[88] "믿지 않음", "후회가 없음"이라고 말한 것이 바로 문덕을 펴서 삼묘를 오게 한 뜻이다.

김상악(金相岳) 『산천역설(山天易說)』

當萃之時, 陽剛有位, 爲无咎. 然乘四而不專其萃, 比上而累於私係, 故有匪孚之戒. 惟其中正應坤之二, 能修其元善之德, 常永貞固, 則斯悔亡, 而衆无不孚矣.

췌괘의 때에 굳센 양으로 지위에 있으니 허물이 없음이 된다. 그러나 사효를 타고 있어 모임을 오로지 주장할 수 없고, 상효와 가까워 사적인 관계에 얽매이기 때문에 믿지 않는 경계가 있다. 오직 중정함으로 곤괘의 이효와 호응하니 크게 선한 덕을 닦아 영원하고 바르게 하면 이런 후회가 없어 무리 중에 믿지 않는 이가 없다.

○ 位者, 天位也. 下有陵逼之勢, 故五以有位言者, 嚴其分也. 五變震爲豫. 帝出乎震, 而豫有建侯之象, 故此曰有位. 匪孚謂衆志未孚, 亦己德之未孚也. 晉初六曰罔孚, 以其未受命也, 豈可有位, 而上下不孚乎. 元永貞, 君之德民所歸也. 元者, 乾之德. 彖辭

---

86) 『周易 · 比卦』: 比, 吉, 原筮, 元永貞, 无咎.

87) 『春秋左傳 · 哀公』: 禹合諸侯於塗山, 執玉帛者萬國.

88) 방풍(防風): 고대에 있었던 부락의 추장이름이다.

曰亨利貞, 而不言元. 然假廟致享, 有元之道, 故見於九五爻辭. 永貞, 坤之事也. 比卦
亦有元永貞之辭, 而比則一陽主卦, 五陰比之, 故五能顯比, 邑人不戒而吉. 萃則二陽
在上, 以分其萃, 故雖元永貞, 僅得悔亡. 而象傳曰未光也, 未光, 顯之反, 匪孚, 不戒
之反也. 蓋乾坤至萃升而終. 升上曰利不息之貞, 亦利永貞之意也.

자리란 하늘 자리이다. 아래에 능멸하고 핍박하는 세력이 있기 때문에 오효를 지위가 있는
것으로 말한 것이니, 분수를 엄격히 한 것이다. 오효가 변하면 진괘(震卦☳)이니 예괘(豫卦
☷)가 된다. 상제는 진방에서 나오고 예괘는 제후를 세우는 상이 있기 때문에 여기에서 "지
위가 있음"이라고 하였다. "믿지 않음"은 백성의 뜻이 믿지 않음이니 자기의 덕이 미덥지
못해서이다. 진괘(晉卦☲)의 초육에서 "믿어주지 않음"이라 한 것은 천명을 받기 전이기 때
문이니, 어찌 지위가 있는데 위아래에서 믿지 않을 수 있겠는가? "크고 영원하며 바름"은
임금의 덕이자 백성이 귀의하는 곳이다. 원(元)은 건의 덕이다. 단사에서 "형통하고 바름이
이롭다"라고 하고 원(元)을 말하지 않았다. 그러나 "사당을 두고 제사드림을 지극히 함"에는
원(元)의 도가 있기 때문에 구오의 효사에 드러낸 것이다. "영원히 곧음"은 곤의 일이다.
비괘(比卦☵)에도 "크고 영원하며 바름"의 말이 있으나 비괘는 하나의 양이 괘를 주관하고
다섯 음이 있어 친비(親比)하기 때문에 오효가 나타나게 도울 수 있고 읍인에게 기약하지
않으니 길하다.[89] 취괘는 두 양이 위에 있어 모임을 나누기 때문에 "크고 영원하며 바름"이
라 하더라도 겨우 후회가 없게 될 뿐이다. 「상전」에서 "빛나지 않음"이라고 하였으니, "빛나
지 않음"은 "드러남"의 반대이고, "믿지 않음"은 "기약하지 않음"의 반대이다. 건괘·곤괘가
취괘·승괘에 이르러 마친다. 승괘의 상효에 "쉬지 않는 바름이 이롭다"라고 하였으니, 또한
"길이 바름이 이롭다"의 뜻이다.

서유신(徐有臣) 『역의의언(易義擬言)』

有位者, 九四, 有大臣之位也. 五與四, 二陽相萃, 故无咎也. 三陰之萃, 乃四之功, 非
五之孚, 是宜有悔, 而陽剛中正元永貞, 於比四, 故萃卒成而悔亡也. 此爻遜於比之顯
比者, 以有九四也, 勝於豫之貞疾者, 以其陽剛也.

지위가 있는 것은 구사이니 대신의 지위가 있다. 오효와 사효는 두 양이 서로 모였기 때문에
허물이 없다. 세 음이 모인 것은 곧 사효의 공이지 오효의 믿음이 아니니 후회가 있어야
마땅하지만 굳센 양으로 중정하여 크고 영원하며 바름으로 사효와 가까이 있기 때문에 모여
서 마침내 이루어 후회가 없다. 본효가 비괘의 "나타나게 돕는 것"[90]보다 겸손한 것은 구사

---

89) 『周易·比卦』: 九五, 顯比, 王用三驅, 失前禽, 邑人不誡, 吉.
90) 『周易·比卦』: 九五, 顯比, 王用三驅, 失前禽, 邑人不誡, 吉.

가 있기 때문이고, 예괘의 "바르나 병이 있는 것"[91]보다 나은 것은 굳센 양이기 때문이다.

박제가(朴齊家) 『주역(周易)』

有位, 公卿侯伯百執事之位. 乃朝會之位著, 言有位者皆萃也, 非王者之位. 五旣君位, 不當復言有位.

"지위가 있음"은 공·경·후·백·백집사의 자리이다. 곧 조회를 보는 조정이니 지위에 있는 자가 모두 모였다는 말이지 임금의 지위가 아니다. 오효가 이미 임금의 자리이니 다시 지위가 있다고 말해서는 안 된다.

박문건(朴文健) 『주역연의(周易衍義)』

恐其逼己, 故有匪孚永貞之象. 必永其貞而後, 可禦侮而悔亡.

자기를 핍박할까 두려워하기 때문에 믿지 않을 경우에는 영원하며 바르게 하는 상이 있다. 반드시 바름을 영원히 한 뒤에야 모욕의 일을 방비하여 후회가 없게 된다.

〈問, 萃有位以下. 曰, 九五有疑於其下, 故所以萃止而保有其尊位也. 雖无咎, 罔用孚信, 但大爲永貞, 其悔乃亡. 若不然則有咎而悔存焉. 蓋九五以陽剛中正, 處於尊位, 深畏其下, 而不能相與, 但退避固守. 謹於防患, 其志□謂未□□. 然如此者, 亦九五所處之時也.

물었다: '모임에 지위가 있음' 이하는 무슨 뜻입니까?

답하였다: 구오는 아래에 대하여 의심이 있기 때문에 모아서 자기의 높은 자리를 보전하고자 하는 것입니다. 허물이 없더라도 믿는 이가 없는 경우에는 다만 크게 길이 바르게 하여야 후회가 없게 될 것입니다. 그렇지 않으면 허물이 있어 후회가 있게 됩니다. 구오는 중정인 굳센 양으로 높은 자리에 처하였으나 아래 사람을 매우 두려워하여 서로 함께 할 수 없으니, 다만 물러나 피하여 굳게 지킵니다. 근심을 방비하는데 삼가, 그 뜻이 □□□. 그러나 이와 같은 것이 또한 구오가 처한 때입니다.

이지연(李止淵) 『주역차의(周易箚疑)』

質雖剛而得中正, 體則兌. 兌者說也, 故戒之以元永貞, 而象傳曰志未光也.

바탕이 굳세더라도 중정하고 몸체는 기쁘다. 태(兌)는 기쁨이기 때문에 크고 영원하며 바름으로 경계하여 「상전」에서 "뜻이 아직 빛나지 않기 때문이다" 라고 하였다.

---

91) 『周易·豫卦』: 六五, 貞, 疾, 恒不死.

김기례(金箕澧) 「역요선의강목(易要選義綱目)」

陽君得萃位則无咎. 然非信誠大人, 則所謂有位无德者. 若民萃而不信, 卽當以大永貞之德修而悔亡.

양의 임금이 모이는 자리를 얻었으니 허물이 없다. 그러나 진실로 성실한 대인이 아니면 이른바 지위에 있으나 덕이 없는 자이다. 백성이 모였으나 믿지 않는다면 곧 크고 영원하며 바른 덕으로 닦아서 후회가 없게 해야 한다.

이항로(李恒老) 「주역전의동이석의(周易傳義同異釋義)」

傳, 云云.

『정전』에서 말하였다: 운운.

本義, 云云.

『본의』에서 말하였다: 운운.

或問, 九五當萃之時, 德純應吉, 所謂咎與匪孚, 所謂悔與未光, 指何事而言也. 曰, 九五人君之位也, 人君之德, 以仁爲主. 仁者卽天地生物之心, 而萬物所資以生者也. 故人君體天地之心, 普臨天下, 則親疏遠近, 均被其澤而无不服也. 若有些偏依係累, 則日月陰翳, 照有不周, 雲雷屯膏, 施有未光, 此則必然之理也. 今夫九五居萃履說, 萃是人之所欲也, 說是人之所溺也. 只此萃說二字, 便爲病根, 何也. 以堯舜之聖焉, 猶有罔淫毋傲之規, 以湯武之德焉, 尙有隕淵虩簀之戒. 紂餙一箸, 以基高宮之侈, 周借一纓, 以兆下堂之恥. 然則人君一心之中, 纔有所向, 則便失止水明鏡之體, 而不成影從響應之化矣. 非咎與匪孚而何哉, 非悔與未光而何哉. 當以舜之有天下而不與焉爲法, 則无居萃之咎矣, 以太甲之有言遜于汝志必求諸非道爲師, 則亡溺說之悔矣. 元永貞三德, 爲九五之準則, 而元一字, 又爲永貞之綱領. 元者, 仁也.

어떤 이가 물었다: 구오가 모이는 때를 만나 덕이 순수하여 호응하고 길한데 "허물"·"믿지 않음"이라고 말하는 것과 "뉘우침"·"빛나지 않음"이라고 말하는 것은 어떤 일을 가리켜 말하는 것입니까?

답하였다: 구오는 임금의 자리이니, 임금의 덕은 인(仁)을 주로 합니다. 인이란 천지가 만물을 내는 마음이며, 만물이 거기에 의뢰하여 생겨나는 것입니다. 그러므로 임금이 천지의 마음을 본받아 널리 천하를 다스리니, 친근하고 소원한 이가 다 같이 은택을 입어 복종하지 않는 이가 없습니다. 만일 조금이라도 치우치거나 얽매임이 있다면 해와 달이 가려서 두루 비추지 않고 구름과 우레가 막혀서 빛나지 않는 것과 같으니, 이렇게 되는 것이 필연의 이치

입니다. 지금 구오가 '모임'에 있으면서 '기쁨'을 행하고 있으니, '모임'은 사람이 바라는 것이고 '기쁨'은 사람이 빠지는 것입니다. 그런데 이 '모임'·'기쁨'을 병의 근원으로 여기는 것은 어째서일까요? 요순같은 성인에게도 오히려 지나치지 말고 태만하지 말라는 경계가 있고 탕무(湯武)처럼 덕 있는 이에게도 오히려 깊은 못에 빠질까 염려하며[92] 한 삼태기가 모자라는 잘못을 저지를까 우려하는[93] 경계가 있습니다. 주(紂)가 젓가락 하나를 상아로 꾸민 것이 사치하게 큰 집을 꾸미는 기초가 되었으며[94], 주(周)나라가 가슴걸이 끈 하나를 분수에 넘게 장식한 것이 당에서 내려오는 수치를 받게 되는 조짐이 되었습니다.[95] 그렇다면 이것은 바로 임금의 마음속에 잠깐 향하는 것이 있어서이니, 고요한 평정을 잃으면 그림자처럼 따르고 메아리처럼 호응하는 교화를 이루지 못합니다. 이것이 "허물"·"믿지 않음"이 아니고 무엇이겠으며 "뉘우침"·"빛나지 않음"이 아니고 무엇이겠습니까? "순임금이 천하를 소유하고도 그 일에 관여하지 않았다"[96]는 것을 법도로 삼는다면 모임에 있는 허물이 없게 될 것이고, 『서경·태갑』의 "너의 뜻에 공손하면 반드시 도가 아닌 데서 찾으라"[97]는 것을 스승으로 삼는다면 기쁨에 빠지는 후회가 없을 것입니다. 원·영·정(元·永·貞) 세 덕이 구오의 준칙이며, 원(元)이 또 영·정(永·貞)의 강령이 됩니다. 원(元)이 인(仁)입니다.

심대윤(沈大允) 『주역상의점법(周易象義占法)』

萃之豫䷏, 逸也. 九五以剛居剛, 求萃之者也. 富貴既極, 屬於九四之賢臣, 自處逸豫, 无持籌量筭之勞, 故曰萃有位. 言萃而居其位而已. 艮爲位, 五爲坤衆之正應, 而九四隔之, 五不能親自茍之, 其志未光, 而以其任之得賢, 故无咎. 下卦三陰從於四, 應五而不專, 故曰匪孚. 言非專信於五矣. 對小畜爲離, 難諶在他時, 故取對也. 與初爻有孚不終同意, 而上之萃下, 與下之萃於上不同, 故異其辭. 天命難諶, 富貴无常, 理之必至也. 元陽德, 永貞坎坤之德也. 五剛中而應乎坤, 有其德, 故悔亡也.

취괘가 예괘(豫卦䷏)로 바뀌었으니, 안일한 것이다. 구오는 굳셈으로 굳센 자리에 있으니, 모으기를 구하는 자이다. 부귀함이 이미 지극하고 구사의 현신이 따르니 스스로 안일하고 즐거움에 처하여 일을 헤아려 계획을 세우는 수고가 없기 때문에 "모임에 지위가 있다"라고

---

92) 『書經·湯誓』: 俾予一人, 輯寧爾邦家, 玆朕, 未知獲戾于上下, 慄慄危懼, 若將隕于深淵.
93) 『書經·旅獒』: 嗚呼, 夙夜罔或不勤. 不矜細行, 終累大德, 爲山九仞, 功虧一簣.
94) 『抱樸子·廣譬』: 箕子識殷人鹿臺之禍於象箸之初.
95) 영(纓): 말을 장식하는 가슴걸이(말 가슴에 걸어 안장에 매는 가죽 끈)이다.
96) 『孟子·滕文公上』: 孔子曰, 大哉堯之爲君, 惟天爲大, 惟堯則之, 蕩蕩乎民無能名焉. 君哉舜也, 巍巍乎有天下而不與焉, 堯舜之治天下, 豈無所用其心哉, 亦不用於耕耳.
97) 『書經·太甲下』: 有言, 逆于汝心, 必求諸道, 有言, 遜于汝志, 必求諸非道.

하였다. 이는 모여서 그 지위에 있을 뿐임을 말한다. 간괘는 자리가 되고, 오효는 곤의 무리와 정응이 되나 구사가 막고 있어 오효가 친히 임할 수 없으니, 뜻이 빛나지 않으나 현인에게 맡기기 때문에 허물이 없다. 하괘의 세 음이 구사를 따르니, 오효에 호응하나 오로지 하지 않기 때문에 "믿지 않음"이라고 하였다. 이는 전적으로 오효를 믿는 것은 아니라는 말이다. 반대괘인 소축괘(小畜卦䷈)는 호괘가 리괘이니 믿기 어려움은 다른 때에 해당하기 때문에 반대괘를 취하였다. 이는 초육의 "믿지만 끝까지 하지 못함"과 같은 뜻이나, 윗사람이 아랫사람을 모으는 것과 아랫사람이 윗사람에게 모이는 것이 같지 않기 때문에 말이 다르다. 천명은 믿기 어렵고 부귀는 일정하지 않으니, 이치상 반드시 이른다. 원(元)은 양의 덕이고 영원하고 바른 것은 감과 곤의 덕이다. 오효는 굳세며 가운데 있어 곤괘에 호응하니, 덕이 있기 때문에 후회가 없어질 것이다.

오치기(吳致箕) 「주역경전증해(周易經傳增解)」

九五陽剛, 中正而居尊, 爲萃之君. 然下爲九四剛臣所逼, 不得專萃之權, 上爲同體之陰柔所暱, 不能固守其道. 宜若有咎, 而以其中正有位, 故雖得无咎. 顧其志終未能光大, 不孚於下, 故戒言衆若不能信孚, 則當大行其善, 永守正道, 然後可以无衆散之悔也.

굳센 양인 구오는 중정하면서 높은 자리에 있으니, 모임[萃]의 임금이 된다. 그러나 아래로 구사인 굳센 신하에게 핍박받아 모임의 권한을 오로지 할 수 없고, 위로 같은 몸체인 유약한 음유에게 친압을 받아 정도를 굳게 지킬 수 없다. 그러므로 의당 허물이 있을듯하나 중정하고 지위가 있기 때문에 허물이 없을 수 있다. 다만 그 뜻이 끝내 광대할 수는 없어 아랫사람에게 믿음을 받지 못하기 때문에 무리가 만일 믿어주지 않는다면 마땅히 크게 선을 행하고 바른 도를 영원히 지킨 뒤에야 무리가 흩어지는 후회가 없을 수 있다고 경계하여 말하였다.

이진상(李震相) 『역학관규(易學管窺)』

厚坎, 疑於非坎, 故有非孚之象. 不孚於群陰, 而獨孚於上六, 所與孚者, 非其所當孚也. 〈趙氏曰, 比以一陽爲主, 故卦有元永貞之辭, 萃有兩陽爻, 故獨歸之九五.〉

두터운 감괘(䷜)는 감괘가 아닌 것으로 의심받기 때문에 믿지 않는 상이 있다. 여러 음이 믿어주지 않고 상육만 믿어 주니, 믿어주는 자가 정당하게 믿어주는 대상은 아니다. 〈조씨가 말하였다: 비괘(比卦䷇)는 한 양이 주인이기 때문에 괘사에 "크고 영원하며 바름"의 말이 있고, 취괘(萃卦䷬)는 두 양효가 있기 때문에 "크고 영원하며 바름"의 말을 구오에만 귀결하였다.〉

이용구(李容九) 「역주해선(易註解選)」

九五在修德以來之, 如苗氏逆[98]命, 帝乃誕敷文德.

구오는 덕을 닦아 오게 하는 데에 달려 있으니, 예컨대 삼묘(三苗)가 명을 어기자 순임금이 널리 문덕을 펴신 일과 같다.

이병헌(李炳憲) 『역경금문고통론(易經今文考通論)』

虞曰, 得位居中, 故有位无咎.

우번이 말하였다: 지위를 얻고 가운데자리에 있기 때문에 "지위가 있고 허물이 없다."

本義曰, 未光謂匪孚.

『본의』에서 말하였다: '빛나지 않음'은 '믿지 않음'을 말한다.

---

98) 逆: 경학자료집성DB와 영인본에는 모두 '迸'으로 되어 있으나, 『서경』 원문에 따라 '逆'으로 바로잡았다.

象曰, 萃有位, 志未光也.

「상전」에서 말하였다: "모임에 지위가 있음"은 뜻이 아직 빛나지 않기 때문이다.

┃中國大全┃

傳

象, 擧爻上句. 王者之志, 必欲誠信著於天下, 有感必通, 含生之類, 莫不懷歸. 若尙有匪孚, 是其志之未光大也.

「상전」에서는 효사의 앞부분을 들었다. 왕의 뜻은 반드시 천하에 정성을 다하고 믿게 해서 드러나게 해야 하니, 감동하면 반드시 통하여 생명 있는 종류는 은혜를 느껴 귀의한다. 여전히 믿지 않는다면 그 뜻이 아직 빛나고 크지 않기 때문이다.

本義

未光, 謂匪孚.

'빛나지 않음'은 '믿지 않음'을 말한다.

小註

或問, 萃九五一爻, 似亦甚好, 而反云有位未光也, 是如何. 朱子曰, 見不得. 讀易, 到這樣, 且恁地解去, 若强說, 便至鑿了.

어떤 이가 물었다: 취괘의 구오라는 하나의 효는 또한 아주 좋은 것 같은데, 도리어 지위가 있는 것이 아직 빛나지 않기 때문이라고 했으니, 이것은 어떻게 된 것입니까?

주자가 답하였다: 모르겠습니다. 『주역』을 읽으면서 이리저리 해석하여 억지로 설명하면 천착하게 됩니다.

○ 雲峰胡氏曰, 四必大吉, 而後无咎, 位不當也. 五有位矣, 而匪孚, 志猶未光也. 然則欲當天下之萃者, 不可无其位, 有其位者, 又不可无其德.

운봉호씨가 말하였다: 사효는 반드시 크게 길한 다음에 허물이 없으니, 지위가 마땅하지 않기 때문이다. 오효는 지위가 있는데도 믿지 않으니, 뜻이 아직 빛나지 않기 때문이다. 그렇다면 천하가 모이는 것에 합당하려면 지위가 없어서는 안 되고, 지위가 있는 자는 또 덕이 없어서는 안 된다.

韓國大全

김상악(金相岳) 『산천역설(山天易說)』

比上而說陰, 故其志未光, 與夬九五相似.

상효와 가깝고 음을 기뻐하기 때문에 뜻이 빛나지 않으니, 쾌괘의 구오[99]와 서로 비슷하다.

서유신(徐有臣) 『역의의언(易義擬言)』

所萃, 只是比應, 其志不光大也.

모인 것은 다만 가깝고 호응하는 것이니, 뜻이 광대하지 못함이 크다.

김기례(金箕澧) 「역요선의강목(易要選義綱目)」

志未光

뜻이 아직 빛나지 않기 때문이다.

四必大善而後无咎者, 得衆而无位, 故戒以位不當,

사효가 반드시 크게 선한 뒤에 허물이 없다고 한 것은 무리를 얻었으나 지위가 없기 때문에 지위가 마땅하지 않음으로 경계하였다.

○ 五得位而未光者, 以民不信而爲慮, 故戒以元永貞悔亡.

---

99) 『周易·夬卦』: 九五, 莧陸夬夬, 中行, 无咎.

오효가 지위를 얻었으나 빛나지 않는 것은 백성이 믿지 않을까 염려하기 때문에 크고 영원하며 바르게 하니 후회가 없게 됨을 가지고 경계하였다.

오치기(吳致箕) 「주역경전증해(周易經傳增解)」

萃之時, 雖有位, 而其志未能光大, 故衆不信也.

모이는 때는 지위가 있으나 그 뜻이 광대하지 못하기 때문에 무리가 믿지 않는 것이다.

이진상(李震相) 『역학관규(易學管窺)』

象志未光.

「상전」에서 말하였다: 뜻이 아직 빛나지 않기 때문이다.

陽志趨上, 當衆陰之萃, 而獨比上六, 故曰志未光.

양의 뜻은 위를 향하니 여러 음이 모인 때이나 상육만을 가까이 하기 때문에 "뜻이 빛나지 않는다"고 하였다.

박문호(朴文鎬) 「경설(經說)·주역(周易)」

象擧爻上句言. 雖擧上句, 而實則釋下句之匪孚.

「상전」은 효사의 앞 구절을 들어 말하였다. 비록 앞 구절을 들었으나 실제로는 뒷 구절의 "믿지 않음"을 해석하였다.

上六, 齎咨涕洟, 无咎.

정전 상육은 한탄하며 눈물과 콧물을 흘리니 허물할 데가 없다.
본의 상육은 한탄하며 눈물과 콧물을 흘리니 허물이 없다.

┃中國大全┃

傳

六, 說之主, 陰柔小人說高位而處之, 天下孰肯與也. 求萃而人莫之與, 其窮至 於齎咨而涕洟也. 齎咨, 咨嗟也. 人之絶之, 由已自取, 又將誰咎. 爲人惡絶, 不 知所爲, 則隕穫而至嗟涕, 眞小人之情狀也.

상육은 기쁨의 주인이니, 유순하고 음험한 소인이 높은 자리를 좋아하여 그곳에 있으니 천하에서 어느 누가 함께 하려고 하겠는가? 모으려고 해도 사람들이 함께 하지 않아 한탄하며 눈물과 콧물을 흘릴 정도로 곤궁하게 되었다. '한탄한다'는 것은 탄식하는 것이다. 사람들의 절교를 자신이 스스로 취했으니 또 누구를 탓하겠는가? 사람들이 싫어서 절교하여 어찌할 바를 모른다면, 상실감에 빠져 눈물과 콧물을 흘리는 것이니, 진실로 소인의 정황이다.

小註

紹雲馮氏曰, 萃極而散, 窮无所歸之象. 齎咨, 嗟也, 涕洟, 悲泣也.
진운풍씨가 말하였다: 모임이 끝나 분산되니, 곤궁하여 돌아갈 곳이 없는 상이다. '한탄한다'는 것은 탄식하는 것이다. '눈물과 콧물을 흘린다'는 것은 슬퍼서 우는 것이다.

○ 錢氏曰, 初之號, 三之嗟, 上之齎咨涕洟, 皆陰柔之常態也.
전씨가 말하였다: 초효의 부르짖음 · 삼효의 한탄 · 상효의 한탄과 눈물과 콧물을 흘리는 것은 모두 유순한 음의 일반적인 상태이다.

本義

處萃之終, 陰柔无位, 求萃不得, 故戒占者必如此而後可以无咎也.

모임(萃卦䷬)의 끝에 있고 유순한 음은 지위가 없어 모이려고 해도 할 수 없기 때문에 점치는 자가 이와 같이 한 다음에 후회가 없을 수 있다고 경계했다.

小註

平庵項氏曰, 齎咨, 兌口之嘆, 涕洟, 兌澤之流.

평암항씨가 말하였다: 한탄하는 것은 태(兌☱)라는 입의 한탄이고, 눈물과 콧물을 흘리는 것은 태(兌☱)라는 못의 흐름이다.

○ 鄭氏曰, 自目曰涕, 自鼻曰洟.

정씨가 말하였다: 눈에서 흘러내리는 것을 눈물이라고 하고, 코에서 흘러내리는 것을 콧물이라고 한다.

○ 建安丘氏曰, 上六居萃之終兌之極, 聚終而散, 說極而悲, 理之常也. 上六苟能於聚終說極之時而以憂戚處之, 則无咎也.

건안구씨가 말하였다: 상육은 취괘(萃卦䷬)의 끝과 태괘(兌卦☱)의 끝에 있으니, 모임이 끝나 분산되고 기쁨이 다해 슬픈 것은 영원한 이치이다. 상육이 진실로 모임이 끝나고 기쁨이 다한 때에 근심하고 슬퍼하며 처신할 수 있으면 허물이 없을 것이다.

○ 雲峰胡氏曰, 三求萃不得, 故嗟, 上陰柔无位, 亦求萃不得, 故齎咨涕洟. 然居兌終, 能反兌之說而憂者, 故无咎. 臨六三, 旣憂之无咎, 亦下兌之終也. 夫萃極感之時也, 宜物情和說順適, 以應坤兌之象. 今也初則號, 三則嗟, 上則齎咨涕洟, 何也. 禍福倚伏而盛滿難居, 故大象有不虞之戒, 而六爻皆言无咎者, 必能補過而後无咎也.

운봉호씨가 말하였다: 삼효가 모이려고 해도 할 수 없기 때문에 한탄하고, 상효가 유순하고 지위가 없어 또 모이려고 하다가 할 수 없기 때문에 한탄하며 눈물과 콧물을 흘린다. 그러나 태(兌☱)의 끝에 있어 태(兌☱)의 기쁨을 돌이켜 근심할 수 있는 것이기 때문에 허물이 없다. 림괘(臨卦䷒)의 육삼은 이미 근심하여 허물이 없으니,[100] 또한 하괘인 태(兌☱)의 끝이기 때문이다. 모임[萃卦䷬]은 감동을 지극하게 하는 때이니, 당연히 사물의 정이 화락하고

---

100) 『周易・臨卦』: 六三, 甘臨, 无攸利, 旣憂之, 无咎.

순응해서 곤(坤☷)과 태(兌☱)에 호응하는 상이다. 그런데 이제 초효는 부르짖고, 삼효는 한탄하며 상효는 한탄하며 눈물과 콧물을 흘리니 무엇 때문인가? 화와 복은 서로 맞물려 돌고 돌아 풍족한 것은 머물기 어렵기 때문에 「대상전」에 예기치 못한 것에 대한 경계가 있고, 여섯 효에서 모두 "허물이 없다"고 한 것은 반드시 잘못을 고친 이후에 허물이 없을 수 있기 때문이다.

‖韓國大全‖

조호익(曹好益) 『역상설(易象說)』

上六, 齎咨涕洟.

상육은 한탄하며 눈물과 콧물을 흘리니.

平庵項氏曰, 齎咨兌口之歎, 涕洟兌澤之流.

평암항씨가 말하였다: '재자(齎咨)'는 태괘(兌卦☱)인 입이 한탄하는 것이며, '체이(涕洟)'는 태괘인 못이 흐르는 것이다.

愚謂, 自目曰涕, 自鼻曰洟. 自三至五巽, 巽爲眼, 兌在巽外, 有出涕之象, 自二至四艮, 艮爲鼻, 兌在艮外, 有出洟之象. 嗟如, 自三至上, 反覆成兌, 故三曰嗟如, 上曰齎咨.

내가 살펴보았다: 눈에서 흐르는 것을 '눈물[涕]'이라 하고, 코에서 흐르는 것을 '콧물[洟]'이라 한다. 삼효부터 오효까지가 손괘(巽卦☴)이니 손괘는 눈이 되는데, 태괘는 손괘의 밖에 있으므로 눈물이 흘러나오는 상이 있는 것이고, 이효부터 사효까지가 간괘(艮卦☶)이니 간괘는 코가 되는데, 태괘는 간괘의 밖에 있으므로 콧물이 흘러나오는 상이 있는 것이다. '한탄함'은 삼효부터 상효까지가 반복하여 태괘를 이루므로 삼효에서 '한탄함[嗟如]'이라고 하였고, 상효에서는 '한탄함[齎咨]'이라고 하였다.

홍여하(洪汝河) 「책제(策題):문역(問易)・독서차기(讀書箚記)-주역(周易)」

上六, 齎咨涕洟.

상육은 한탄하며 눈물과 콧물을 흘리니.

取兌口之象.

태괘(兌卦☱)가 입인 상을 취하였다.

송시열(宋時烈) 『역설(易說)』

求萃不得, 有齎咨涕洟之. 互與綜皆巽, 巽爲包, 是齎象. 坎爲水, 爲涕洟象. 此不安於極高之位也, 僅免災咎而已.

모이기를 구하나 얻지 못했으므로 "한탄하고 눈물과 콧물을 흘림"이 있다. 호괘와 거꾸로 된 괘가 모두 손괘(巽卦☴)인데 손괘는 포괄함이 되니 한탄하는 상이다. 감괘(坎卦☵)는 물이 되니 눈물과 콧물의 상이다. 이것은 매우 높은 자리에서 편안하지 못한 것이니, 겨우 재앙과 허물을 면하였을 뿐이다.

심조(沈潮) 「역상차론(易象箚論)」

上六, 齎咨涕洟.

상육은 한탄하며 눈물과 콧물을 흘리니,

自三至六似坎, 坎爲加憂, 故有齎咨象. 涕洟亦坎象.

삼효에서부터 상효까지는 감괘와 비슷한데 감괘는 근심을 더함이 되므로 한탄하는 상이 있다. 눈물과 콧물도 감괘의 상이다.

유정원(柳正源) 『역해참고(易解參攷)』

正義, 最處上極, 五非所乘, 內又无應. 處上獨立, 危亡之甚, 故齎咨而嗟歎也.

『주역정의』에서 말하였다: 가장 꼭대기에 있고 오효를 탈 것도 아니며 안으로 호응도 없다. 꼭대기에 처하여 홀로 서 있으니 위망함이 심하기 때문에 한탄하여 탄식하는 것이다.

○ 案, 齎咨涕洟, 善形容小人之情狀. 然憂己之窮迫, 患人之莫與, 而齎咨涕洟, 常自不安於上. 又居无位之地, 能知由己自取, 而終无歸咎之心, 則亦足爲无咎善補過之路也.

내가 살펴보았다: "한탄하며 눈물과 콧물을 흘림"은 소인의 상황을 잘 형용하였다. 그러나 자신의 궁박함을 걱정하고 다른 사람이 함께 해 주지 않음을 근심하여 "한탄하여 눈물과 콧물을 흘려" 위에서 항상 스스로 불안하다. 또 지위가 없는 자리에 있어서 자신이 스스로 취해야 하고 끝내 허물을 돌릴 마음이 없음을 아니, 허물이 없고 잘못을 잘 보충하는 길이 된다.

김상악(金相岳)『산천역설(山天易說)』

齎咨涕洟也. 以陰柔居兌之極, 无應於下, 求萃不得, 而互爲坎體, 故齎咨涕洟. 然終能
與五相合, 可以得无咎也, 與離六五相似.

"재자(齎咨)"는 한탄함이다. 부드러운 음으로 태괘의 끝에 있고 아래에 호응이 없어 모이기를
구하나 모일 수 없는데 호괘가 감괘의 몸체이기 때문에 한탄하며 눈물과 콧물을 흘린다. 그러
나 끝내 오효와 서로 합할 수 있어 허물이 없을 수 있으니, 리괘의 육오[101]와 서로 비슷하다.

○ 齎咨者, 內懷憂嗟也, 涕洟者, 憂之見於外也. 兌爲口, 咨嗟之象, 坎爲流水, 涕洟之
象. 屯上六, 居坎之終, 无應而從比, 故曰泣血漣如同象. 又變爻爲否, 先否所以齎咨涕
洟, 後喜所以无咎也. 兌體之卦, 陰爻之取象, 多如此者. 臨旣憂之无咎, 節嗟若之无
咎, 皆反兌之說而憂者也. 六爻无咎, 惟萃是爾. 水潤澤其地, 萬物群聚而生, 乃天地生
物之仁也. 故曰觀其所聚而天地萬物之情可見矣.

"한탄함"은 안으로 근심과 한탄을 품고 있는 것이고, "눈물과 콧물"은 근심이 밖으로 드러난
것이다. 태괘는 입이니 한탄하는 상이고, 감괘는 흐르는 물이니 눈물과 콧물의 상이다. 이는
준괘(屯卦䷂)의 상육이 감괘의 끝에 있으며 호응이 없고 가까움을 따르기 때문에 "피눈물을
줄줄 흘리고 있음"[102]과 같은 상이다. 또 효가 변하면 비괘(否卦䷋)가 되니 먼저는 막혀서
한탄하며 눈물과 콧물을 흘리는 것이고 뒤에는 기뻐하여 허물이 없는 것이다. 태괘의 몸체가
있는 괘는 음효로 상을 취하여 대부분 이와 같다. 림괘(臨卦䷒)의 "이미 근심하므로 허물이
없으리라"[103]와 절괘(節卦䷻)의 "한탄할 것이나 허물할 데가 없다"[104]는 모두 태괘의 기쁨과
반대여서 근심하는 자이다. 여섯 효가 허물이 없는 것은 취괘만이 이럴 뿐이다. 물이 땅을
윤택하게 적셔주어 만물이 무리지어 모여서 자라니, 이것이 곧 천지가 만물을 내는 인(仁)이
다. 그러므로「단전」에서 "모인 것을 보면 천지만물의 실정을 알 수 있다"라고 하였다.

박제가(朴齊家)『주역(周易)』

本義, 戒占者必如此而後, 可以无咎矣.

『본의』에서 말하였다: 점치는 자가 이와 같이 한 다음에 후회가 없을 수 있다고 경계하였다.

齎咨涕洟, 乃小人女子之態, 爻但說其事耳. 占者遇之, 但當泰然自安, 然後必能无咎

101)『周易·離卦』: 六五, 出涕沱若, 戚嗟若, 吉.
102)『周易·屯卦』: 上六, 乘馬班如, 泣血漣如.
103)『周易·臨卦』: 六三, 甘臨. 无攸利, 旣憂之, 无咎.
104)『周易·節卦』: 六三, 不節若, 則嗟若, 无咎.

矣, 亦安能得此一副急淚耶. 此當是辭之未備, 必有憂懼等字矣. 案, 洟字與涕字, 相近
而混. 如唾洟不見, 則涕爲鼻液, 目液則當爲淚. 如記曰垂涕洟, 則洟恐是橫流之貌.
從夷不從弟, 當更考.

"한탄하며 눈물과 콧물을 흘림"은 곧 소인과 여자의 행동이니 효에서는 그 일만을 말한 것이
다. 점치는 자가 이 점을 만나면 태연히 스스로 편안하게 여긴 뒤라야 반드시 허물이 없을
수 있으니, 또한 어찌 이렇듯 급히 한 바탕 눈물을 흘릴 수 있겠는가? 이 말은 미진한 것이
있으니, 반드시 '근심'이나 '두려움' 따위의 말이 있어야 한다.

내가 살펴 보았다: 이(洟)자와 체(涕)자는 서로 비슷하여 혼동된다. 예컨대 『예기(禮記) ·
내칙(內則)』에 "부모님의 침과 코는 다른 사람이 보지 않게 한다[唾洟不見]"[105]라고 하였으
니 체(涕)가 콧물이라면 눈물은 루(淚)가 되어야 한다. 예컨대 『예기(禮記) · 단궁(檀弓)』
에 "눈물을 주룩주룩 흘렸다[垂涕洟]"[106]고 하였으니, 이(洟)는 마구 흘러내리는 모습일 것
이다. 이(夷)를 합해 쓰고 제(弟)를 합해 쓰지 않았으니 다시 살펴보아야 한다.

박문건(朴文健) 『주역연의(周易衍義)』

處上疑懼, 故有齎咨涕洟之象. 齎咨懷嗟也.

위에 있어서 의심하고 두렵기 때문에 한탄하고 눈물과 콧물을 흘리는 상이 있다. '한탄함'은
탄식을 품고 있는 것이다.

〈問, 齎咨涕洟无咎. 曰, 上六有疑懼之志, 故雖齎咨而至於涕且洟. 然但用和說之道於
其下, 故所以无咎. 自鼻者涕, 自目者爲洟.

물었다: "한탄하며 눈물과 콧물을 흘리니 허물할 데가 없다"는 무슨 뜻입니까?

답하였다: 상육은 의심하고 두려워하는 뜻이 있기 때문에 한탄하며 눈물과 콧물을 흘리게
되었습니다. 그러나 아래에서 잘 어울리고 기뻐하는 도를 쓰기 때문에 허물이 없습니다.
코에서 나오는 것은 '콧물[涕]'이라 하고 눈에서 나오는 것은 '눈물[洟]'이라 합니다.〉

이지연(李止淵) 『주역차의(周易箚疑)』

憂窪官而垂泣者, 齎咨而已者也, 咏山頭之凍雀者, 涕洟而已者也, 夜必焚香祝天, 願
早生聖人者, 齎咨涕洟者也.

벼슬하기를 근심하여 눈물을 떨구는 자는 한탄할 뿐인 자이고, 산꼭대기에서 얼어 죽은 참

---

105) 『禮記 · 內則』: 父母唾洟不見, 冠帶垢, 和灰請漱, 衣裳垢, 和灰請浣, 衣裳綻裂, 紉箴請補綴.
106) 『禮記 · 檀弓上』: 將軍文子之喪, 旣除喪而后, 越人來弔, 主人深衣練冠, 待于廟, 垂涕洟.

새를 노래하는 자는 눈물과 콧물을 흘릴 뿐인 자이고, 밤에 반드시 향을 사르고 하늘에 빌어 빨리 성인이 나시기를 원하는 자는 한탄하며 눈물과 콧물을 흘리는 자이다.

김기례(金箕澧) 「역요선의강목(易要選義綱目)」

萃極則散, 悅極則悲, 上无位无應, 求萃不得, 嘆泣而已. 无所歸咎, 言自取也.
모임이 극에 달하면 흩어지고, 기쁨이 극에 달하면 슬프며, 상효는 지위가 없고, 호응이 없으며, 모임을 구하나 할 수 없으니, 탄식하고 울 뿐이다. 허물을 돌릴 곳이 없으니 스스로 취하였다는 말이다.

○ 卦中號笑嗟咨, 皆陰柔之常態.
괘 안에 있는 부름·웃음·한탄·탄식은 모두 부드러운 음의 평상시 행태이다.

○ 齎咨兌口象, 涕洟兌澤象.
한탄함은 태괘인 입의 상이고, 눈물과 콧물을 흘림은 태괘인 못의 상이다.

贊曰, 王假有廟, 夙夜唯寅. 萃精而享, 以和神人. 大人之道, 亦萃臣民. 匪孚焉用, 體天克遵.
찬미하여 말한다: 왕이 사당에 가시어 온종일 공경하네. 정기를 모아 제향을 올리자 신과 사람이 화목하네. 대인의 도(道)로 신민(臣民)을 모으니, 믿음이 아니면 어디다 쓰겠는가? 하늘을 본받아 천리(天理)를 따르네.

이항로(李恒老) 「주역전의동이석의(周易傳義同異釋義)」

傳, 人之絶之, 由己自取, 又將誰咎.
『정전』에서 말하였다: 사람들의 절교를 자신이 스스로 취했으니 또 누구를 탓하겠는가?

本義, 戒占者必如此而後可以无咎也.
『본의』에서 말하였다: 점치는 자가 이와 같이 한 다음에 후회가 없을 수 있다고 경계했다.

按, 雲峯胡氏曰居兌終, 能反兌之說而憂者, 故无咎. 臨六三, 旣憂之無咎, 亦下兌之終也, 恐可備一說.
내가 살펴보았다: 운봉호씨가 "태괘(兌卦☱)의 끝에 있어 태괘(兌卦☱)의 기쁨을 돌이켜 근심할 수 있는 것이기 때문에 허물이 없다. 림괘(臨卦䷒)의 육삼은 이미 근심하여 허물이

없으니,[107] 또한 하괘인 태괘(兌卦☱)의 끝이기 때문이다"라 하였는데, 하나의 설을 갖춘 듯하다.

심대윤(沈大允) 『주역상의점법(周易象義占法)』

萃之否☷, 不交也. 上六才柔而處乎萃之極, 居柔而无應, 不求其義之所不當, 取有不交之義也. 在二陽之上, 而下從於五, 有不安於上, 而辭讓之義. 故憂之而至於齎咨涕洟也, 又何咎矣. 坎兌爲齎咨, 兌艮爲涕鼻, 澤也. 上六師傅之萃也.

취괘가 비괘(否卦☷)로 바뀌었으니, 사귀지 않는 것이다. 상육은 재질이 유약하고 취괘의 극단에 처하여 부드러운 자리에 있으나 호응이 없으니, 의리상 부적절한 상대는 찾지 않아 사귀지 않는 의리를 취하였다. 두 양의 위에 있으면서 아래로 오효를 따르니 윗자리에 있음이 편안하지 못하여 사양하는 의리가 있다. 그러므로 근심하여 한탄하며 눈물과 콧물을 흘리게 되니 또 무슨 허물이 있겠는가? 감괘와 태괘는 한탄함이 되고 태괘와 간괘는 눈물과 코가 되니 못이다. 상육은 사부(師傅)의 모임이다.

오치기(吳致箕) 「주역경전증해(周易經傳增解)」

上六, 陰柔居萃之極, 而下无正應, 求萃不得者也. 乘于剛而不安其居, 窮于上而无與相聚, 故有齎咨涕洟之象. 而宜若有咎. 然以其得正, 故言能无柔邪之咎也.

상육은 부드러운 음으로 취괘의 끝에 있고 아래로 정응이 없으니 모이기를 구하나 모일 수 없는 자이다. 굳셈을 타고 있어 거처를 편히 여기지 못하고 맨 꼭대기에 있어 함께 모임이 없기 때문에 한탄하며 눈물과 콧물을 흘리는 상이 있으니, 으레 허물이 있을듯하다. 그러나 바른 자리를 얻었기 때문에 유약하고 간사한 허물이 없을 수 있다고 말하였다.

○ 齎咨, 謂嗟歎也, 涕洟者, 咨嗟之甚也, 取象於兌及似坎也.

'재차(齎咨)'는 탄식함을 이르고 '체이(涕洟)'는 심하게 탄식함이니, 태괘와 '유사감괘☵'에서 상을 취하였다.

이진상(李震相) 『역학관규(易學管窺)』

厚坎, 心憂之極, 而咨嗟發於兌口, 涕洟流以兌水. 蓋陰柔不正, 又犯乘剛之戒, 故如

---

107) 『周易·臨卦』: 六三, 甘臨, 无攸利, 旣憂之, 无咎.

此, 而能知憂自戢, 故旡咎.

두터운 감괘䷜는 마음이 매우 근심스러움이니 "한탄함"은 태괘인 입에서 나오고 눈물과 콧물은 태괘인 물에서 흐른다. 유약한 음이 바르지 않고 또 굳셈을 범하여 타고 있는 것에 대한 경계이기 때문에 이와 같고, 근심할 줄 알아 스스로 그치기 때문에 허물이 없다.

박문호(朴文鎬) 「경설(經說) · 주역(周易)」

洟考諸字書, 此之洟涕, 禮記之唾洟, 皆音剃, 而初無夷音. 惟見行奎章全韻, 書有之, 蓋因此音訓而致誤耳.

이(洟)를 자서(字書)에서 고찰해 보니 여기의 이체(洟涕)와 『예기(禮記)』의 타이(唾洟)가 모두 음이 체(剃)이고 애초에 이(夷)음이 없다. 현행 『규장전운(奎章全韻)』에만 그렇게 쓰여 있으니 아마도 이 음훈으로 인하여 잘못 읽혀진 듯하다.

旡咎之爲旡所歸咎者, 復見於此下, 此則困之九二. 亦云未便, 便卽也.

"허물이 없다"란 허물을 돌릴 곳이 없음이니, 이 괘 아래인 곤괘의 구이[108]에 다시 보인다. 또한 『정전』에서 미변(未便)이라고 하였으니[109] 변(便)은 곧[卽]이다.

이병헌(李炳憲) 『역경금문고통론(易經今文考通論)』

鄭曰, 齎咨, 嗟歎之辭. 自目曰涕, 自鼻曰洟. 亦衆所不害, 故得旡咎.

정현이 말하였다: "재차(齎咨)"는 탄식하는 말이다. 눈에서 나오는 것을 눈물[涕]이라 하고 코에서 나오는 것을 콧물[洟]이라 한다. 또한 무리에게 해로움을 끼치지 않기 때문에 허물이 없을 수 있다.

王曰, 知危懼禍, 不敢自安.

왕필이 말하였다: 위태로울 것을 알고 재앙을 두려워하여 감히 스스로 편하게 하지 않는다.

虞曰, 乘剛遠應, 故未安上也.

우번이 말하였다: 굳셈을 타고 있으면서 호응이 멀기 때문에 위에서 편안하지 못하다.

---

108) 『周易 · 困卦』: 九二, 困于酒食, 朱紱方來, 利用亨祀, 征凶旡咎.
109) 『周易傳義大全 · 萃卦』: 未者, 非遽之辭, 猶俗云未便也, 未便能安於上也.

象曰, 齎咨涕洟, 未安上也.

「상전」에서 말하였다: "한탄하며 눈물과 콧물을 흘림"은 아직 위에서 편안하지 않기 때문이다.

中國大全

傳

小人所處, 常失其宜. 旣貪而從欲, 不能自擇安地, 至於困窮, 則顚沛不知所爲. 六之涕洟, 蓋不安於處上也. 君子愼其所處, 非義不居, 不幸而有危困, 則泰然自安, 不以累其心. 小人居不擇安, 常履非據, 及其窮迫, 則隕穫躁撓, 甚至涕洟, 爲可羞也. 未者, 非遽之辭. 猶俗云未便也, 未便能安於上也. 陰而居上, 孤處无與, 旣非其據, 豈能安乎.

소인의 처신은 항상 그 마땅함을 잃는다. 이미 탐욕스러운데 욕심을 따라 스스로 편안한 곳을 가리지 못해 곤궁하게 되면, 넘어져서 어쩔 줄 모른다. 육효가 눈물과 콧물을 흘리는 것은 위에 있는 것에 편안하지 못하기 때문이다. 군자는 처신을 조심하여 의롭지 않으면 자처하지 않고 불행히 곤궁하게 되면 태연히 스스로 편안히 여겨 그 마음에 장애가 되지 않게 한다. 소인은 있는 곳에 편안한 것을 가리지 못해 항상 차지하지 않아야 될 것을 기웃거리고 궁지에 몰리면 상실감에 빠져 바로 꺾어버리고 심지어 눈물과 콧물을 흘리니 수치스럽다. '~하지 않다[未]'는 것은 바로 그렇게 되지 않는다는 말이다. 속된 말로 '곧바로 ~하지 못한다'와 같으니, 위에서 곧바로 편안할 수 없음이다. 음이면서 위에 있어 외롭게 함께 하는 이가 없고 이미 자신이 차지할 곳이 아니니, 어찌 편안할 수 있겠는가?

小註

中溪張氏曰, 五爲萃主, 而上乘之, 故其心憂懼, 未敢自安於上也.

중계장씨가 말하였다: 오효가 취괘(萃卦䷬)의 주인인데, 상효가 그것을 올라타고 있기 때문에 그 마음이 근심스럽고 두려워 감히 위에서 스스로 편안하지 못한 것이다.

○ 建安丘氏曰, 萃, 聚也. 卦唯二陽而四陰, 皆求萃于陽者. 然九五得位失權, 九四有權无位. 故五萃有位匪孚, 四大吉无咎. 二與五應, 萃五者也, 以其得正, 則二引吉无咎. 初應三比, 萃四者也, 以其不正, 則初乃亂乃萃, 三萃如嗟如. 聖人欲其舍四而往萃於五, 故初與三皆言往无咎. 而上以柔乘剛, 則齎咨涕洟而已.

건안구씨가 말하였다: 취(萃)는 모인다는 의미이다. 괘는 오직 양이 둘이고 음이 넷이어서 모두 양에게 모이기를 구한다. 그러나 구오는 지위가 있지만 권력이 없고, 구사는 권력이 있지만 지위가 없다. 그러므로 오효는 모임에 지위가 있는데 믿지 않고, 사효는 크게 길하여야 허물이 없다. 이효와 오효가 호응하여 오효에게 모이는 경우는 바름을 얻었으니, 이효가 끌어당기면 길하여 허물이 없다. 사효는 초효가 호응하고 삼효가 가까우나 사효에게 모일 경우는 바르지 않으니, 초효가 이에 혼란하여 이에 모이며, 삼효는 모이려다가 한탄한다. 성인이 사효를 버리고 오효에게 가서 모이도록 하기 때문에 초효와 삼효는 모두 "가면 허물이 없다"고 하였다. 그런데 상효는 유순함이 굳셈을 올라탔으니, 한탄하며 눈물과 콧물을 흘릴 뿐이다.

○ 隆山李氏曰, 萃六爻或有應无應, 或當位不當位. 而辭皆曰, 无咎, 乃天地萬物之眞情. 眞情相合, 吉多凶少故也. 玆萃之所以亨歟.

융산이씨가 말하였다: 취괘(萃卦䷬)의 여섯 효는 호응이 있기도 하고 없기도 하며, 자리에 합당하기도 하고 합당하지 않기도 하다. 그런데 효사에서 모두 "허물이 없다"고 했으니 바로 천지만물의 진정이다. 진정이 서로 합해 길함이 많고 흉함이 작기 때문이다. 이것이 취괘가 형통한 이유일 것이다.

韓國大全

김상악(金相岳) 『산천역설(山天易說)』

乘二陽, 所以未安上也.

두 양을 타고 있기 때문에 위를 편안히 여기지 않는다.

서유신(徐有臣) 『역의의언(易義擬言)』

上者, 卦外之位也, 不以處散而自安也.

상이란 괘에서 바깥 쪽의 자리이니 흩어져 있어 스스로 편안할 수 없다.

심대윤(沈大允) 『주역상의점법(周易象義占法)』

上六萃而不萃, 富而能貪者也.

상육은 모으나 모이지 않고 부자이면서 탐욕을 부리는 자이다.

오치기(吳致箕) 「주역경전증해(周易經傳增解)」

處極而乘剛, 无應而不得聚, 故未能安於上, 而咨嗟涕洟也.

극단에 처하여 굳셈을 타고 있고 호응이 없어 모을 수 없기 때문에 위에서 편안할 수 없어 한탄하고 눈물 콧물을 흘리는 것이다.

46

승괘

升卦

║中國大全║

傳

升, 序卦, 萃者, 聚也, 聚而上者, 謂之升, 故受之以升. 物之積聚而益高大, 聚而上也, 故爲升, 所以次於萃也. 爲卦, 坤上巽下. 木在地下, 爲地中生木. 木生地中, 長而益高, 爲升之象也.

승괘(升卦䷭)는 「서괘전」에서 "취(萃)는 모이는 것이다. 모여서 올라가는 것을 승이라고 하기 때문에 승괘로 받았다"라고 하였다. 사물이 쌓이고 모여서 더욱 높고 커진 것은 모여서 올라가므로 승(升)이니, 이 때문에 취괘(萃卦䷬) 다음에 온다. 괘의 모양은 곤괘(坤卦☷)가 상괘이고 손괘(巽卦☴)가 하괘이다. 나무가 땅 아래 있으니 땅 속에서 나오는 나무이다. 나무가 땅 속에서 나와 자라면서 더욱 높아지는 것이 승괘(升卦䷭)의 상이다.

升, 元亨, 用見大人, 勿恤, 南征, 吉.

승은 크게 형통하여 이것으로 대인을 만나니 근심하지 말고 남쪽으로 가면 길하다.

‖中國大全‖

傳

升者, 進而上也. 升進則有亨義, 而以卦才之善, 故元亨也. 用此道, 以見大人, 不假憂恤, 前進則吉也. 南征, 前進也.

승은 나아가 올라가는 것이다. 올라가면 형통한 뜻이 있고 괘의 재질이 선하기 때문에 크게 형통하다. 이 도를 써서 대인을 볼 것이니 근심할 필요 없이 앞으로 가면 길하다. 남쪽으로 가는 것은 앞으로 가는 것이다.

本義

升, 進而上也. 卦自解來, 柔上居四, 內巽外順, 九二剛中, 而五應之, 是以其占如此. 南征, 前進也.

승은 나아가 올라가는 것이다. 괘(升卦䷭)가 해괘(解卦䷧)에서 와서 부드러움이 위로 올라가 사효의 자리에 있어 내괘는 공손하고 외괘는 유순하며, 굳센 구이가 가운데 있어 오효가 호응하니, 이 때문에 그 점이 이와 같다. 남쪽으로 가는 것은 앞으로 가는 것이다.

小註

朱子曰, 升, 南征吉, 巽坤二卦拱得個南, 如看命人虛拱底說話.

주자가 말하였다: "승은 남쪽으로 가면 길하다"는 것은 「문왕팔괘방위도」에서 손괘(巽卦☴)와 곤괘(坤卦☷) 두 괘가 남쪽(離卦☲)을 껴안은 것이니,[1] 이를테면 운명을 보는 사람들의 비어 있는 것을 껴안았다는 말이다.

○ 董氏曰, 升者, 柔進而上也. 柔進而上, 所以元亨, 由卦才之善也.

동씨가 말하였다: 올라가는 것은 부드러움이 나아가 올라가는 것이다. 부드러움이 나아가 올라가기 때문에 크게 형통한 것은 괘의 재질이 선한 것에 연유한다.

○ 潘氏夢旂曰, 升, 自下而上者也. 乃升之初, 宜擇所從, 惟見大德之人, 則无憂. 向陽明之方, 則得吉也.

반몽기가 말하였다: 승은 아래에서 올라가는 것이다. 바로 올라가는 처음에 따를 것을 선택해야 하는 것이니, 오직 크게 덕이 있는 사람을 만나면 근심이 없다. 빛이 환한 방향으로 향하면 길할 수 있다.

○ 中溪張氏曰, 升, 進也. 升而上之, 則有大通之理, 是以元亨. 大人, 三也. 用見, 五應之也. 勿恤, 勿勞憂恤也. 南征, 前進也. 二能前進以應乎五, 則吉矣. 明夷合坤離成卦, 故九三, 亦謂之南狩.

중계장씨가 말하였다: 승은 나아가는 것이다. 나아가 올라가면 크게 통하는 이치가 있고, 이 때문에 크게 형통하다. 대인은 삼효이다. '이것으로 ~을 만난대用見]'는 것은 오효가 호응하는 것이다. '근심하지 말라'는 것은 애써 근심하지 말라는 것이다. '남쪽으로 간다'는 것은 앞으로 나아가는 것이다. 이효가 앞으로 나아가 오효와 호응할 수 있으면 길하다. 명이괘(明夷卦▤▤)는 곤괘(坤卦)와 리괘(離卦▦▦)를 합해서 만들었기 때문에 구삼효에서도 "남쪽으로 사냥간다"[2]고 하였다.

○ 雲峰胡氏曰, 木生於地, 有進而上之象. 巽下坤上, 巽坤之中有離, 故有南象. 自巽而坤, 其行自南. 故有南征之象. 晉與升, 皆取進之義. 晉則明已出于地上, 方進而未已, 故不假言亨. 升則木方生於地中, 他日可必其進而未已, 故言元亨. 欲進于位者, 用見有位之大人, 則不憂其位之不進, 欲進于德者, 用見有德之大人, 則不憂其德之不進. 然易以陽爲大, 凡言大人者, 皆陽爻也. 萃見大人, 六二見九五之大人也. 升見大人, 六五見九二之大人也. 六五能下應九二之剛中, 則不必憂而有南征之吉, 專以德之

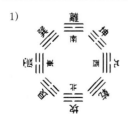

2) 『周易 · 明夷卦』: 九三, 明夷于南狩, 得其大首, 不可疾貞.

進而言也.

운봉호씨가 말하였다: 나무는 땅에서 생겨 나아가며 올라가는 상이 있다. 손괘(巽卦☴)가 하괘이고 곤괘(坤卦☷)가 상괘인데, 「문왕팔괘도」에 손괘(巽卦☴)와 곤괘(坤卦☷)의 가운데에 리괘(離卦☲)가 있기 때문에 남쪽의 상이 있다. 손괘(巽卦☴)로부터 곤괘(坤卦☷)까지이니 가는 것이 자연히 남쪽이다. 그러므로 남쪽으로 가는 상이 있다. 진괘(晉卦䷢)와 승괘(升卦䷭)는 모두 나아간다는 의미를 취했다.[3] 진괘(晉卦䷢)는 이미 지상으로 나온 밝음이 한창 나아가 멈출 수 없기 때문에 형통하다고 말할 필요가 없다. 승괘(升卦䷭)는 나무가 땅속에서 막 나와 다른 날에 반드시 나아가고 멈출 수 없기 때문에 "크게 형통하다"고 하였다. 지위에 나아가고자 하는 자는 이것으로 지위가 있는 대인을 만나면 자신의 지위가 나아가지 못하는 것을 근심하지 않고, 덕에 나아가고자 하는 자는 이것으로 덕이 있는 대인을 만나면 자신의 덕이 나아가지 않는 것을 근심하지 않는다. 그러나 『역』은 양을 큰 것으로 여기니, 대인이라고 하는 경우는 모두 양효이다. 취괘(萃卦䷬)에서 대인을 보는 것은 육이가 구오라는 대인을 보는 것이다. 승괘(升卦䷭)에서 대인을 보는 것은 육오가 구이라는 대인을 보는 것이다. 육오가 굳세고 가운데 있는 구이에게 낮추어 호응할 수 있으면 굳이 근심하지 않아도 남쪽으로 가는 길함이 있으니, 오로지 덕이 나아가는 것으로 말했다.

○ 隆山李氏曰, 升首曰, 元亨, 何也. 以畫言也, 與蠱鼎大有, 皆九居二, 六居五, 故皆曰, 元亨. 此蓋主陽剛之畫有應于上而言之也.

융산이씨가 말하였다: 승괘(升卦䷭)의 첫머리에서 "크게 형통하다"고 한 것은 무엇 때문인가? 획으로 말한 것이다. 고괘(蠱卦䷑) · 정괘(鼎卦䷱) · 대유괘(大有卦䷍)와 함께 모두 구가 이효의 자리에 있고, 육이 오효의 자리에 있기 때문에 모두 "크게 형통하다"[4]고 했으니, 이것은 위에서 호응함이 있는 굳센 양획을 위주로 말하였다.

‖韓國大全‖

조호익(曺好益) 『역상설(易象說)』

元, 大也, 陽爲大. 大人指二, 見巽眼象, 南離象. 雲峯曰木生於地, 有進而上之象. 巽

---

3) 『周易 · 晉卦』: 象曰, 晉, 進也.
4) 『周易 · 蠱卦』: 蠱, 元亨, 而天下治也.; 『周易 · 鼎卦』: 鼎 元亨.; 『周易 · 大有卦』: 大有, 元亨.

坤之中有離, 故有南象. 自巽而坤, 其行自南, 故有南征之象.

'원(元)'은 크다[大]이니, 양이 큼이 된다. '대인(大人)'은 이효를 가리키고, '만남[見]'은 손괘(☴)의 눈[眼]의 상이고, '남쪽[南]'은 이괘(☲)의 상이다. 운봉호씨가 "나무는 땅에서 나와 나아가며 올라가는 상이 있다. 「문왕팔괘도」에 손괘(巽卦☴)와 곤괘(坤卦☷)의 가운데에 이괘(離卦☲)가 있기 때문에 남쪽의 상이 있다. 손괘에서 곤괘까지니 가는 것이 본래 남쪽이다. 그러므로 남쪽으로 가는 상이 있다"고 하였다.

송시열(宋時烈) 『역설(易說)』

與萃相綜. 萃曰利見, 此曰用見至于南征然後吉, 故初則不言利. 大人指二爻也. 勿以坎象, 而憂恤向上而去. 自巽而至坤, 是爲南征也. 以卦爻言之, 下爲北上爲南也.

취괘(萃卦☱☷)와 거꾸로 된 괘이다. 취괘에서는 "봄이 이롭다"고 하였고, 여기에서는 만나서 남쪽으로 간 연후에 길하다고 하였으므로 초효에서는 이로움을 말하지 않았다. '대인'은 이효를 가리킨다. '말라'는 감괘의 상이고, '걱정과 근심'은 위로 향해 떠나는 것이다. 손괘에서 곤괘까지가 '남쪽으로 감'이다. 괘와 효로 말하면 아래가 북쪽이고 위가 남쪽이다.

이현익(李顯益) 「주역설(周易說)」

南征吉, 中溪張氏謂二能前進, 以應于五則吉. 平菴項氏謂南征吉, 勉陽也, 此是也, 而雲峯胡氏謂六五下應九二之陽剛, 則不必憂, 而有南征之吉, 此以南征, 爲指六五, 非是. 胡氏又謂巽坤之中有離, 故有南象. 自巽而坤, 其行自南, 故有南征之象. 此則似以三之上爲四者言. 其說自相矛盾, 更詳胡氏說. 六五下應有南征之吉, 似謂六五下應, 則九二應而南征也. 自巽而坤, 其行自南, 亦謂九二之行, 經南离而往應六五也, 如是則不爲非矣.

"남쪽으로 가면 길하다"에 대하여 중계장씨는 "이효가 앞으로 나아가 오효와 호응할 수 있으면 길하다"고 하였고, 평암항씨는 "'남쪽으로 가면 길하다'는 양을 권면한 것이다"고 하였으니, 이것이 옳다. 운봉호씨는 "육오가 굳센 양의 구이에게 낮추어 호응할 수 있으면 굳이 근심하지 않아도 남쪽으로 가는 길함이 있다"고 하였으니, 이는 육오를 남쪽으로 가는 것으로 가리킨 것이니 옳지 않다. 운봉호씨가 또 "「문왕팔괘도」에 손괘(巽卦☴)와 곤괘(坤卦☷)의 가운데에 리괘(離卦☲)가 있기 때문에 남쪽의 상이 있다. 손괘(巽卦☴)로부터 곤괘(坤卦☷)까지이니 가는 것이 자연히 남쪽이다. 그러므로 남쪽으로 가는 상이 있다"고 하였으니, 이는 아마 삼효가 올라가 사효가 된 것으로 말한 것 같다. 그 설명이 스스로 서로 모순되는 것 같으니 호씨의 설명을 자세히 살펴보아야 한다. 육오가 아래로 호응하여 남쪽으로 가는 길함이 있다는 것은 육오가 아래로 호응함에 구이가 호응하여 남쪽으로 간다는 말과 같다. 손괘로부터 곤괘까지이니 가는 것이 자연히 남쪽이라는 것도 구이가 가는 것으로 남쪽의 이괘를 거쳐 가서 육오에 호응하는 것이니, 이와 같으면 잘못되지 않을 것이다.

이익(李瀷) 『역경질서(易經疾書)』

升, 進也. 凡卦以位爲重, 則至於君位而極矣. 六四分明是文王事, 雖得正其陰柔, 異於聖王之得位, 故雖見大人而不言利, 如湯之未征葛是也, 而文王事亦可以當之, 故周公繫爻辭, 專以文王事爲言, 文王猶是侯國, 故於四言之也.

'승(升)'은 나아감이다. 괘는 자리를 중요하게 여기니, 임금의 자리에 이르러 지극해진다. 육사는 분명히 문왕의 일인데 비록 부드러운 음의 바름을 얻었을지라도 성왕이 지위를 얻은 것과는 다르다. 그러므로 비록 대인을 만날지라도 이로움을 말하지 않았으니, 탕임금이 갈나라를 아직 정벌하지 않은 것이 이것이다. 문왕의 일도 그것에 해당할 수 있기 때문에 주공이 효사를 붙여서 오직 문왕의 일로써 말하였으니, 문왕은 아직 제후국이기 때문에 사효에서 말한 것이다.

據後天方位, 自巽至坤爲南, 故有南征之象, 所謂二南先被化者, 是也. 此與明夷之南狩相似, 蓋因卦之象, 文王用之也. 勿恤者, 勿憂其升也. 木之長也, 萌芽上積, 非引低而爲高, 津液外積, 非推小而爲大, 人之爲學, 亦須累積爲高明也.

「후천방위도」에 의하면 손괘(☴)로부터 곤괘(☷)까지가 남쪽이기 때문에 남쪽으로 가는 상이 있으니, 두 남쪽이 먼저 교화를 입는다는 것이 이것이다. 이는 명이괘에서 남쪽으로 사냥간다는 것과 비슷하니, 괘의 상으로 인하여 문왕을 사용한 것이다. "근심하지 말라"는 그 나아감을 걱정하지 말라는 것이다. 나무가 자람은 싹이 터서 위로 쌓인 것이지 낮은 것을 끌어당겨 높아지는 것이 아니고, 진액이 밖으로 쌓인 것이지 작은 것을 미루어 크게 된 것이 아니다. 사람이 학문을 할 때도 누적하여 높고 현명하게 되는 것이다.

유정원(柳正源) 『역해참고(易解參攷)』

升元 [至] 征吉.
승은 크게 형통하니 … 남쪽으로 가면 길하다.

正義, 非直須見大德之人, 復宜適陽明之地. 若以陰之陰, 彌足其闇也. 南是陽明之方, 故曰南征吉也.

『주역정의』에서 말하였다: 곧바로 큰 덕이 있는 사람을 만나야 하는 것은 아니고, 다시 마땅히 밝은 양에게 가야 하는 것이다. 만약 음으로 음에 간다면 더욱 어두운 것이다. 남쪽은 밝은 양의 방향이기 때문에 "남쪽으로 가면 길하다"고 하였다.

○ 縉雲馮氏曰, 大人指九二陽爲大, 未有六五而稱大人者.
진운풍씨가 말하였다: 대인은 구이의 양이 크다는 것을 가리키니, 육오가 대인이라고 하는 경우는 있지 않다.

○ 進齋徐氏曰, 用見大人, 五當應二也. 六五柔中之君, 用見九二剛中之臣, 以升于治. 勿憂, 但當前進自獲吉也, 柔退多憂故戒.
진재서씨가 말하였다: "대인을 만난다"는 오효가 마땅히 이효에 호응하는 것이다. 부드럽고 알맞은 육오의 임금이 굳세고 알맞은 신하인 구이를 만나서 다스림을 이루는 것이다. 근심하지 말고 마땅히 전진하여 스스로 길함을 얻어야 하고 부드럽게 하고 물러나면 근심이 많을 것이기 때문에 경계한 것이다.

○ 雙湖胡氏曰, 升互震體, 自二以上, 皆震象, 上行而有升義. 又巽木之上有震木, 陰木得陽木. 木升而益高, 亦有升義.
쌍호호씨가 말하였다: 승괘는 호괘가 진괘의 몸체이고, 이효로부터 상효까지가 모두 진괘의 상이니 위로 행하여 올라가는 뜻이 있다. 손괘의 나무 위에 진괘의 나무가 있으니, 음의 나무가 양의 나무를 얻은 것이다. 나무는 올라가서 더욱 높아지므로 올라가는 뜻이 있다.

○ 梁山來氏曰, 不曰利見, 而曰用見者, 九二雖大人, 乃臣位. 六五之君, 欲用九二, 則見之也. 六四王用亨于岐山, 卽此用字也.
양산래씨가 말하였다: 만나봄이 이롭다고 하지 않고, 만난다고 한 것은 구이가 비록 대인이지만 신하의 지위이기 때문이다. 육오의 임금이 구이를 쓰고자 한다면 만나야 한다. "육사는 왕이 기산에서 형통하듯이 한다"가 바로 여기의 '용(用)'이다.

○ 案, 東南巽西南坤, 是南征也.
내가 살펴보았다: 동남은 손괘이고, 서남은 곤괘이니, "남쪽으로 감이다."

小註, 朱子說, 虛拱.
소주에서 주자가 말한 "비어 있는 것을 껴안았다[虛拱]"에 대하여.

案, 唐沈芝源髓篇, 虛夾一位曰拱. 如甲貴羊, 有午有申, 曰拱貴也. 升卦旡南離, 而有
東南巽西南坤, 是虛拱南離, 有南征吉之象. 如甲命不見未貴, 而有午申二支, 虛拱未
貴, 是乃旡貴而有貴也.

내가 살펴보았다: 당나라 심지(沈芝)의 「원수편」에서 "비어 있는 어떤 자리를 끼고 있는
것을 '껴안은 것[拱]'이라고 한다. 이를테면 갑이 양(羊:未)을 귀하게 여기는데, 오(午)가 있
고 신(申)이 있으면 '껴안은 것이 귀하다'고 한다"라고 하였다. 승괘(升卦☷)에는 남쪽의 리
괘(離卦☲)는 없지만 동남쪽의 손괘(巽卦☴)와 서남쪽의 곤괘(坤卦☷)가 있어 남쪽의 리
괘(離卦☲)를 비어있는 상태로 껴안고 있으니, '남쪽으로 가면 길하다'[5]는 상이 있다. 이를
테면 갑의 운명에 미(未)의 귀함이 없더라도 오(午)와 신(申)의 두 지지가 있어서 비어있는
미(未)의 귀함을 껴안고 있으면 이것이 바로 귀함이 없지만 귀함이 있다는 것이다.

김상악(金相岳) 『산천역설(山天易說)』

自下而上, 升之義也

아래로부터 위로 올라가는 것이 승(升)의 뜻이다.

升之卦變, 柔進居四, 爲成卦之主. 巽而順, 初四之元亨, 剛中而應, 二五之元亨. 故五
得二應, 則見大人而勿恤. 初與四合, 則南征而吉.

승괘의 변화는 부드러운 음이 나아가 사효에 있으면서 괘를 이루는 주인이 되었다. 공손하
고 유순함은 초효와 사효의 크게 형통함이고, 굳세고 가운데 있으면서 호응하는 것은 이효
와 오효의 크게 형통함이다. 그러므로 오효가 이효의 호응을 얻으면 대인을 만날지라도 근
심하지 않게 되고, 초효와 사효가 합하니, 남쪽으로 가면 길할 것이다.

○ 大人, 陽剛之稱, 萃指五, 升謂二也, 故有用見, 利見之別也. 蓋五之應二, 乃降而非
升也. 然陰與陽相交而求, 由九二言, 則得時遇君, 有爵位之升, 由六五言, 則屈己下
賢, 有道德之升, 所升不同, 而同歸於升也. 南, 離位也, 巽坤之間離, 故曰南征吉. 卦
變自解而來, 解曰利西南, 故六[6]四又曰王用亨于岐山, 岐山在西南也. 象惟升言勿恤,
豊言勿憂. 爻則泰九三, 家人九五, 萃初六, 晉六五, 言勿恤, 皆寬之也, 非戒辭也.

대인은 굳센 양을 말하지만 취괘에서는 오효, 승괘에서는 이효를 가리키기 때문에 만나는
것과 보는 것이 이로움의 구별이 있다. 오효가 이효와 호응하는 것은 내려가는 것이지 올라

---

5) 『周易·升卦』: 升, 元亨, 用見大人, 勿恤, 南征, 吉.

6) 六: 경학자료집성DB와 영인본에는 모두 '九'로 되어 있으나, 문맥을 살펴 '六'으로 바로잡았다.

가는 것이 아니다. 그러나 음과 양이 서로 사귀어 구하는 것은, 구이로 말하면 때에 맞게 임금을 만남으로 작위가 있는 올라감이고, 육오로 말하면 자신을 굽혀 어진 이의 아래가 되는 것으로 도덕의 올라감이니, 올라간 것은 같지 않으나 올라감에는 함께 돌아간다. 남쪽은 떠나는 자리이니, 손괘와 곤괘의 사이가 떨어져 있기 때문에 "남쪽으로 가면 길하다"고 하였다. 괘의 변화는 해괘로부터 왔으니, 해괘에서는 "서남쪽이 이롭다"고 하였다. 그러므로 육사에서 또 "왕이 기산에서 형통하다"고 하였으니, 기산은 서남쪽에 있다. 단사로는 승괘에서 "근심하지 말라"고 하고, 풍괘에서 "근심하지 않게 한다"고 하였으며, 효사로는 태괘의 구삼, 가인괘의 구오, 취괘의 초육, 진괘의 육오에서 "근심하지 말라"고 하였는데, 모두 너그럽게 하라는 것이지 경계하라는 말이 아니다.

박제가(朴齊家) 『주역(周易)』

坤利西南, 蹇解皆從本位而言, 故此只云南. 據本位, 在巽而言, 雲峯胡氏曰, 自巽而坤, 其行自南者, 是矣.

곤괘는 서남쪽으로 감이 이롭고, 건괘와 해괘는 모두 본래 자리를 따라 말하였기 때문에 여기서는 남쪽만 말하였다. 본래 자리에 근거하였다는 것은 손괘에서 말한 것으로, 운봉호씨가 말한 "손괘로부터 곤괘까지는 가는 것이 본래 남쪽이다"가 이것이다.

서유신(徐有臣) 『역의의언(易義擬言)』

木氣入於地, 地氣上於木, 而榮華升發, 故曰升曰元亨. 二五相應, 故爲元亨, 又爲用見大人. 二自觀九五來, 故爲大人象也. 觀變爲升, 而無四陰浸長之憂, 故曰勿恤也. 巽坤之間, 其來往由乎南, 故有南征吉之象也.

나무 기운은 땅으로 들어가고 땅 기운은 나무로 올라가서 꽃이 피는 까닭에 승괘에서 "크게 형통하다"고 하였다. 이효와 오효가 서로 호응하기 때문에 "크게 형통"하고, "대인을 만나게" 된다. 이효가 관괘(觀卦䷓)의 구오로부터 왔기 때문에 대인의 상이 된다. 관괘가 변하여 승괘가 되어 네 음이 점차 자라는 걱정이 없기 때문에 "근심하지 말라"고 하였다. 손괘와 곤괘 사이에 왕래함이 남쪽으로 말미암기 때문에 "남쪽으로 가면 길하다"는 상이 있다.

하우현(河友賢) 「역의의(易疑義)」

象經, 用見大人, 勿恤, 南征.

괘사에서 말하였다: 대인을 만날지라도 근심하지 말고, 남쪽으로 가라.

或曰, 南征前進, 謂九二乎. 曰大人非九二乎. 在上之六五, 旣用見九五之大人, 而有南征之吉也.[7]

어떤 이가 물었다: 남쪽으로 가는 것은 앞으로 가는 것이니, 구이를 말합니까?

답하였다: 대인은 구이를 말하는 것이 아닐 것입니다. 위에 있는 육오가 이미 구오의 대인을 만나면 남쪽으로 가서 길함이 있을 것입니다.

南征, 九二六五傳義, 皆不明言, 且註疏諸家之說亦欠分曉. 然細以思之, 象經分明指六五而言. 晦翁嘗曰, 凡讀書先文勢而後義理, 象文勢, 豈不然乎. 或曰南征前進, 自上而下, 豈是前進之義乎. 曰易之取象, 不可拘也. 自坤而之巽, 亦何旡南征前進之象乎. 或曰此則縱然, 然卦之取義, 主於升上, 則豈可乎哉. 曰在上之君, 能屈已就訪在下剛明之賢, 相與倚任輔助, 以圖國事, 則豈旡治道上升之義乎.

"남쪽으로 간다"에 대하여 구이와 육오의 『정전』과 『본의』에 모두 분명하게 말하지 않았고, 주석에서 여러 학자들의 견해도 분명하지 않다. 그러나 자세히 생각해보면, 괘사에서는 분명히 육오를 가리켜 말한 것이다. 주자가 일찍이 "책을 읽을 때 문장의 형세를 먼저 보고 의를 뒤에 보아야 한다"고 하였으니, 괘사의 문장 형세가 어찌 그렇지 아니한가?

어떤 이가 물었다: 남쪽으로 가는 것은 앞으로 가는 것이니, 위로부터 아래로 가는 것이 어찌 앞으로 나아가는 뜻입니까?

답하였다: 역에서 상을 취함은 한정할 수 없습니다. 곤괘로부터 손괘로 갔다고 해서 또한 어찌 남쪽으로 가서 앞으로 간다는 상이 없겠습니까?

어떤 이가 물었다: 이것이 비록 그렇다고 하더라도 괘가 뜻을 취함이 올라가는 것을 위주로 하였는데, 어찌 옳겠습니까?

답하였다: 위에 있는 임금이 자신을 굽혀 아래에 있는 굳세고 밝은 어진 자에게 나아가 서로 맡기고 도와서 나라 일을 도모하면 어찌 다스리는 도가 위로 올라가는 뜻이 없겠습니까?

박문건(朴文健) 『주역연의(周易衍義)』

大人, 謂九二也.

대인은 구이를 말한다.

〈問元亨以下. 曰初六有升進之勢, 故其道大亨也. 若用見大人, 則相愛而勿用憂恤, 又相得於二剛, 故南征則吉.

물었다: "크게 형통하다" 이하는 무슨 뜻입니까?

답하였다: 초육은 올라가는 형세가 있기 때문에 그 도가 크게 형통합니다. 만약 대인을 만나면 서로 사랑하여 걱정이나 근심이 없고, 두 굳셈을 서로 얻기 때문에 남쪽으로 가면 길합니다.〉

이지연(李止淵) 『주역차의(周易箚疑)』

風穴也, 坤之三畫, 其動也闢, 言大路通也.
손괘(☴)인 바람은 동굴이고, 곤괘(☷)의 세 획은 그 움직임에 열리니,[8] 큰 도로로 통함을 말한다.

윤종섭(尹鍾燮) 『경(經)·역(易)』

升之南征, 坤巽先後天, 西南之維. 二利用禴, 爻變艮, 取象於廟, 又有坎體爲享祀之義. 四互兌, 與隨之上同辭, 有王享歧山.
승괘에서 남쪽으로 감은 곤괘와 손괘가 선천과 후천에서 서쪽과 남쪽으로 이어지기 때문이다. 이효의 "검소한 약제사로 함이 이로우니"는 효가 변하면 간괘(☶)이니 묘(廟)에서 상을 취하였다. 또 감괘(☵)의 몸체에서 제사지내는 뜻이 있다. 사효는 호괘가 태괘(☱)인데 수괘(䷐)의 상효와 같이 효사에 "임금이 서쪽 산에서 형통하다"가 있다.

김기례(金箕澧) 「역요선의강목(易要選義綱目)」

物有積聚, 則高大而升.
사물이 쌓여 모이면 높아지고 커져서 올라간다.

○ 地中生木, 益高而升.
땅 속에서 나무가 생겨 더욱 높이 올라간다.

蠱鼎大有升, 皆陰居五陽居二, 以曰元亨者, 蓋剛中之臣, 應順德之君也.
고괘·정괘·대유괘·승괘는 모두 음이 오효의 자리에 있고 양이 이효의 자리에 있어서 "크게 형통하다"고 하였으니, 굳세고 알맞은 신하가 유순한 덕을 가진 임금에 호응하는 것이다.

---

8) 『周易·繫辭上』: 夫乾, 其靜也專, 其動也直, 是以大生焉. 夫坤, 其靜也翕, 其動也闢, 是以廣生焉.

○ 大人指二, 以易坤大方. 升之時, 五見二之升應也.

대인은 이효를 가리키니, 곤괘의 크고 방정함이 바뀐 것이다. 올라가는 때에 오효가 이효가 올라와 호응함을 만나는 것이다.

○ 南征前進, 自巽至坤爲南.

남쪽으로 가는 것은 앞으로 가는 것이니, 손괘에서 곤괘까지가 남쪽이다.

○ 他卦亦多以前爲南.

다른 괘도 대부분 앞을 남쪽으로 여긴다.

○ 言五旣見二之有德大人, 而不憂下陽之升, 則二亦升應五之有位大人, 以向陽方, 如木之升, 故吉.

오효가 덕이 있는 대인인 이효를 벌써 만나 아래의 양이 올라옴을 걱정하지 않으니, 이효도 올라와서 지위가 있는 대인인 오효와 호응하여 양의 방향으로 향하는 것이 마치 나무가 올라가는 것과 같기 때문에 길하다는 말이다.

심대윤(沈大允) 『주역상의점법(周易象義占法)』

升, 方生長而未成終也, 故曰元亨, 而不曰利貞. 降志屈身, 以有德位, 而未及有利也, 故曰用見大人, 猶謙謙君子之言用涉也. 對无妄有震互艮曰用, 有乾互坎曰大人, 始卑順而終得顯榮, 故曰勿恤. 凡物生於春, 而長於夏, 南夏方也, 故曰南征吉. 无妄全爲离, 曰南征, 巽震爲征, 言長進而可至於高大, 故吉也.

승괘는 막 자라나 아직 끝남을 이루지 않았기 때문에 "크게 형통하다"고 하였고, "곧음이 이롭다"고 하지 않았다. 뜻을 낮추고 자신을 굽혀서 덕의 자리에 있고 아직 이익이 있음에 이르지 않았기 때문에 "대인을 만나다"고 하였으니, 겸괘에서 "겸손하고 겸손한 군자"[9]에서 "건너다"라고 한 것과 같다. 음양이 바뀐 무망괘(䷘)의 진괘(☳)와 호괘인 간괘(☶)가 있어서 쓰임[用]이라 하고, 건괘(☰)와 호괘인 감괘(☵)가 있어서 대인이라고 하였으며, 처음에는 낮고 유순하다가 끝내 귀하게 될 것이기 때문에 "근심하지 말라"고 하였다. 사물은 봄에 생겨 여름에 자라니, 남쪽이 여름의 방위이기 때문에 "남쪽으로 가면 길하다"고 하였고, 무망괘는 전체로 볼때 리괘(☲)가 되어서 "남쪽으로 간다"고 하였으며, 승괘의 아래 괘인 손괘(☴)와 무망괘의 아래 괘인 진괘(☳)가 가는 것[征]이 되니, 자라나서 높고 크게 될 수 있기

---

9) 『周易·謙卦』: 初六, 謙謙君子, 用涉大川, 吉.

때문에 길하다고 말한 것이다.

오치기(吳致箕) 「주역경전증해(周易經傳增解)」

升者, 進而上也. 木生地中, 長而益高, 爲升之象. 坤土本卑, 巽木本高, 而坤反居上, 亦爲升之象也. 卦體則二五剛柔得中而應, 卦義則自下而升上, 其進不已, 故曰元亨. 升進者, 必取大人, 而九二剛得中, 故言用見大人. 巽而順, 故言勿恤. 坤在西南, 巽在東南, 故言南征吉.

승은 나아가 올라가는 것이다. 나무가 땅 가운데서 생겨나 자라서 더욱 높아지는 것이 승괘의 상이 된다. 땅인 곤괘는 본래 낮고 나무인 손괘는 본래 높은데 곤괘가 도리어 위에 있으니, 또한 승괘의 상이 된다. 괘의 몸체는 군센 이효와 부드러운 오효가 가운데를 얻어 호응하고, 괘의 뜻은 아래로부터 위로 올라가 그 나아감이 그침이 없기 때문에 "크게 형통하다"고 하였다. 나아가는 자는 반드시 대인을 취하니, 군센 구이가 가운데를 얻었기 때문에 "대인을 만난다"고 하였고, 공손하고 유순하기 때문에 "근심하지 말라"고 하였으며, 곤괘가 서남에 있고, 손괘가 동남에 있기 때문에 "남쪽으로 가면 길하다"고 하였다.

○ 升進之大人在下, 故不曰利見, 而曰用見. 恤者, 憂也 取於似坎. 坤巽, 皆失正位, 故不言貞.

올라가 나아가는 대인이 아래에 있기 때문에 '보는 것이 이롭다'고 하지 않고 '만난다'고 하였다. '근심[恤]'은 걱정이니, 감괘와 유사한 것에서 취한 것이다. 곤괘와 손괘가 모두 바른 자리를 잃었기 때문에 '곧음[貞]'을 말하지 않았다.

이진상(李震相) 『역학관규(易學管窺)』

升卦多陰, 陰志下趨. 南征, 則自巽之乾, 有從陽之吉. 苟其北征, 則日就陰暗, 坎而坤矣. 蓋升之本位, 在西南, 二陽而前進, 則爲三陽而成乾, 可以見大人, 故曰南征吉. 恐非以巽東南坤西南, 而取義也. 陽在重陰之中, 有坎爲加憂之象, 故戒其勿恤, 但用前進而敵陰也.

승괘는 음이 많은데, 음의 뜻은 아래로 향하는 가는 것이다. 남쪽으로 가면 손괘로부터 건괘로 바뀌어 양을 따르는 길함이 있다. 만약 북쪽으로 가면 해가 어두운 음으로 가는 것이니, 감괘이면서 곤괘이다. 승괘의 본래 자리는 서남쪽에 있고, 두 양이 앞으로 나아가면 세 양이 되어 건괘를 이루어 대인을 볼 수 있기 때문에 "남쪽으로 가면 길하다"고 하였으니, 손괘의 동남과 곤괘의 서남으로 뜻을 취한 것은 아닌 듯하다. 양이 거듭된 음 가운데 있어 감괘의 근심을 더하는 상이 있기 때문에 "근심하지 말라"고 경계하였고, 다만 앞으로 나아가 음을 대적해야 한다.

박문호(朴文鎬) 「경설(經說) · 주역(周易)」

南征吉, 亦爲征伐之吉占, 如馬援孔明之征南夷. 若占得此爻, 其吉可知.

"남쪽으로 가면 길하다"도 정벌하면 길할 것이라는 점이니, 마원[10]과 공명이 남쪽 오랑캐를 정벌하는 것과 같다. 만약 점에서 이효를 얻으면 그것이 길함을 알 수 있다.

---

10) 마원(馬援, BC14~AD49): 중국 후한(後漢)의 무장. 무릉(茂陵) 출생이며, 자는 문연(文淵)이다. 광무제 때 남쪽으로 북베트남, 북쪽으로 흉노족을 제압하는데 공을 세웠다.

象曰, 柔以時升,

「단전」에서 말하였다: 부드러움이 때에 따라 올라가서,

‖中國大全‖

本義

以卦變釋卦名.

괘의 변화로 괘의 이름을 풀이하였다.

小註

中溪張氏曰, 柔指六四也. 柔本居三, 進而爲四. 自下升上, 時焉而已, 故曰, 柔以時升.

중계장씨가 말하였다: 부드러움은 육사를 가리킨다. 본래 삼효의 자리에 있던 부드러움이 나아가서 사효가 되었다. 아래에서 위로 올라 간 것은 때에 맞춘 것일 뿐이기 때문에 "부드러움이 때에 따라 올라갔다"고 하였다.

○ 隆山李氏曰, 陰陽二氣, 迭爲升降. 陰升則陽降, 陰降則陽升, 未有陽常升而不降, 陰常降而不升者. 反萃而升, 是二陽降居下, 三陰反居上, 故曰, 柔以時升.

융산이씨가 말하였다: 음과 양 두 기운은 번갈아서 올라가기도 하고 내려오기도 한다. 음이 올라가면 양이 내려오고 음이 내려오면 양이 올라가니, 양이 항상 올라가 내려오지 않고 음이 항상 내려와 올라가지 않는 경우는 없다. 취괘(萃卦䷬)를 뒤집어 승괘(升卦䷭)가 되었으니 두 양이 내려와 하괘에 있고, 세 음이 되돌아가 상괘에 있는 것이기 때문에 "부드러움이 때에 따라 올라갔다"고 하였다.

○ 進齋徐氏曰, 升晉二卦, 皆以柔爲主, 剛則有躁進之意. 晉自觀來, 六四上而爲六五, 故曰, 柔進而上行. 升自解來, 六三上而爲六四. 故曰, 柔以時升. 晉以五爲主, 升以四爲主也.

진재서씨가 말하였다: 승괘(升卦☷☴)와 진괘(晉卦☲☷) 두 괘는 모두 부드러움을 위주로 하였으니, 굳세면 조급하게 나아가는 의미가 있다. 진괘(晉卦☲☷)는 관괘(觀卦☴☷)에서 왔으니 육사가 올라가서 육오가 되었다. 그러므로 "부드러움이 나아가 위로 갔다"[11]고 하였다. 승괘(升卦☷☴)는 해괘(解卦☳☵)에서 왔으니, 육삼이 올라가 육사가 되었다. 그러므로 "부드러움이 때에 따라 올라갔다"고 하였다. 진괘는 오효가 주인이고, 승괘는 사효가 주인이다.

○ 雲峰胡氏曰, 剛而在上者, 常也, 柔升於上, 時也. 識時者, 方可與言易.
운봉호씨가 말하였다: 굳세어서 위에 있는 것이 일반적인 것이고 부드러움이 위로 올라가는 것은 때에 따른 것이다. 때에 따르는 것을 아는 자는 역에 대해 함께 말할 수 있다.

▌韓國大全▌

송시열(宋時烈) 『역설(易說)』

象曰柔以時升者, 卦本萃, 陰爻在下, 當升之時, 上居高位也.
「단전」에서 말한 "부드러운 음이 때에 따라 올라감"은 괘가 취괘(萃卦☱☷)에 근본하였으니, 음의 효가 아래에 있다가 올라가는 때에 위로 올라가 높은 자리에 있는 것이다.

홍여하(洪汝河) 「책제(策題):문역(問易)・독서차기(讀書箚記)-주역(周易)」

互爲兌, 兌爲西, 故六四有亨岐山之象.
호괘가 태괘이고, 태괘는 서쪽이기 때문에 육사에 "기산에서 형통하다"는 상이 있다.

時升, 南征也, 萃聚者, 陰降也. 升之陰, 有翩翩昇進之象, 萃坤在下, 而升坤在上故也.
"때에 따라 올라감"은 남쪽으로 가는 것이고, "취는 모이는 것"은 음이 내려가는 것이다. 승괘의 음에 날아서 올라가는 상이 있는 것은 취괘(萃卦☱☷)에서 곤괘(坤卦☷☷)는 아래에 있고 승괘(升卦☷☴) 곤괘(坤卦☷☷)는 위에 있기 때문이다.

---

11) 『周易・晉卦』: 象曰, … 柔進而上行.

권만(權萬) 『역설(易說)』

升柔以時升, 升卦繼革卦者也. 坤德本宜在下者, 而萃聚之時, 坤氣上應兌五而升, 故曰以時升. 其升也, 以陽倡而升, 爲得時中之義. 巽是乾體, 卦象有泰之象, 有似乎正月卦, 是陰陽升降交泰之時, 故曰時. 大亨恐元亨, 諺釋亦作元亨. 元者生物之本, 故元亨卦之時爲春, 漸長而爲夏, 所以亨也.

승괘(升卦䷭)에서 “부드러움이 때에 따라 올라간다”는 승괘가 혁괘(革卦䷰)를 이은 것이다. 곤괘인 땅의 덕은 본래 아래에 있어야 하는 것이지만 모이는 때에 곤괘인 땅의 기운이 위로 태괘(☱)의 오효와 호응하여 올라가기 때문에 “때에 따라 올라간다”라고 하였다. 그 올라감은 양이 왕성하여 올라가 때에 알맞은 뜻을 얻게 된 것이다. 손괘(☴)는 건괘의 몸체로서 괘의 상에 크대[泰]는 상이 있고, 정월의 괘와 비슷하니, 이것은 음과 양이 올라가고 내려가며 사귀어 편안한 때이므로 ‘때’라고 하였다. “크게 형통하다”는 대형(大亨)은 아마 “크게 형통하다”는 원형(元亨)이니, 언해에서도 원형(元亨)이라고 하였다. 원(元)은 만물이 생기는 근본이기 때문에 원형은 괘의 때로는 봄인 것이 점점 자라 여름이 되기 때문에 형통하다고 하였다.

유정원(柳正源) 『역해참고(易解參攷)』

案, 剛之升, 理之當然也. 柔之升, 時或然也.

내가 살펴보았다: 굳센 것이 올라감은 당연한 이치이다. 부드러운 것이 올라감은 때가 간혹 그런 것이다.

김상악(金相岳) 『산천역설(山天易說)』

以卦變釋卦名.

괘의 변화로 괘의 이름을 풀이하였다.

柔謂六四. 四自三而上, 故曰柔以時升.

‘부드러움’은 육사를 말한다. 사효가 삼효로부터 위로 올라가기 때문에 “부드러움이 때에 따라 올라간다”고 하였다.

서유신(徐有臣) 『역의의언(易義擬言)』

觀變爲升, 而坤升於上體, 故曰柔以時升也. 地氣之升, 自有其時也. 二剛中而五相應,二之道升於五, 故元亨也. 大亨傳作元亨.

관괘(觀卦䷓)가 변하여 승괘(升卦䷭)가 되면서 곤괘(☷)가 위 몸체로 올라갔기 때문에 "부드러움이 때에 올라간다"고 하였다. 땅의 기운이 올라가는 것에는 본래 그 때가 있다. 이효가 굳세고 가운데 있어 오효가 서로 호응함에 이효의 도가 오효에게 올라가기 때문에 크게 형통하다. '대형(大亨)'은 『정전』에 '원형(元亨)'으로 되어 있다.

박문건(朴文健) 『주역연의(周易衍義)』

此以卦志釋卦名.

이것은 괘의 뜻으로 괘의 이름을 풀이하였다.

〈問柔以時升. 曰柔謂初六也. 柔亦有升進之時, 故云以時升, 此以卦志言也.

물었다: "부드러움이 때에 따라 올라간다"는 무슨 뜻입니까?

답하였다: 부드러움은 초육을 말합니다. 부드러움도 올라가는 때가 있기 때문에 "때에 따라 올라간다"고 하였으니, 이것은 괘의 뜻으로 말한 것입니다.〉

김기례(金箕澧) 「역요선의강목(易要選義綱目)」

柔以時升, 卦變自解來, 言六三升爲六四也.

"부드러움이 때에 따라 올라간다"는 괘의 변화가 해괘(解卦䷧)에서 온 것이니, 육삼이 올라가 육사가 되는 것을 말하였다.

○ 升萃之反, 下三陰升居上, 故亦曰柔時升. 用見大人勿恤有慶, 萃則下陰悅上陽, 故曰利見大人.

승괘(升卦䷭)와 취괘(萃卦䷬)는 거꾸로 된 괘로 아래의 세 음이 올라가 위에 있기 때문에 "부드러움이 때에 따라 올라간다"고 하였다. "대인을 만나니 근심하지 말라고 함은 경사가 있기 때문이다"는 취괘에서는 아래의 음이 위의 양을 기쁘게 하기 때문에 "대인을 보는 것이 이롭다"고 하였다.

○ 升則上陰憂下陽之升, 故曰用見. 蓋勸其勿憂而用見下陽, 則下陽亦升應五, 終有陰陽相合之慶. 南征吉志行也, 二前進輔五, 則志行而吉.

승괘에서는 위의 음이 아래의 양이 올라오는 것을 걱정하기 때문에 "이것으로 대인을 만난다"고 하였다. 그 근심하지 말 것을 권면하여 이것으로 아래의 양을 만나면, 아래의 양도 올라와서 오효와 호응하니 끝내 음과 양이 서로 합치는 경사가 있을 것이다. "남쪽으로 가면 길함은 뜻이 행해지기 때문이다"는 이효가 전진하여 오효를 도우면 뜻이 행해져서 길할 것이다.

심대윤(沈大允) 『주역상의점법(周易象義占法)』

以坤之卑順, 升於二陽之上, 剛上柔下常也, 柔上剛下時也. 剛以巽承而柔以順升也. 剛中而應, 故能有長進也.

곤의 낮고 유순함으로 두 양의 위로 올라갔는데, 굳셈이 위에 있고 부드러움이 아래 있는 것은 일상적인 것이고, 부드러움이 위에 있고 굳셈이 아래에 있는 것은 때를 따른 것이다. 굳셈이 공손함으로 계승하고 부드러움이 유순함으로 올라가니, 굳셈이 가운데 있으면서 호응하기 때문에 길게 나아갈 수 있다.

이진상(李震相) 『역학관규(易學管窺)』

陽升陰降, 固其大分, 而陽以時降, 陰以時升, 亦其氣機之妙應也. 柔居三而升而爲四, 則解之所以爲升也, 此則專言卦變.

양이 올라가고 음이 내려가는 것은 참으로 크게 나눈 것이고, 양이 때에 따라 내려가고 음이 때에 따라 올라가는 것은 기운의 기틀이 묘하게 호응한 것이다. 부드러움이 삼효에 있다가 올라가서 사효가 된 것은 해괘(解卦䷧)가 승괘(升卦䷭)로 된 것이니, 이는 괘의 변화로만 말한 것이다.

최세학(崔世鶴) 「주역단전괘변설(周易彖傳卦變說)」

升, 泰之一體變也. 初一爻爲主, 故象以柔時升言之. 否初來居於下體之下, 爲木升於下也, 故象亦地中生木升.

승괘(升卦䷭)는 태괘(泰卦䷊)의 한 몸체가 변한 것이다. 초효 한 효가 주인이기 때문에 「단전」에서 "부드러움이 때에 따라 올라간다"는 것으로 말하였다. 비괘(否卦䷋) 초효가 아래 몸체의 밑으로 내려와 있어 나무가 아래에서 올라가는 것이 되기 때문에 「상전」에서 "땅속에서 나무가 나오는 것이 승이다"고 하였다.

臨川吳氏曰, 萃以觀之四往上爲主, 而同類三陰聚於下, 升以臨之三來初爲主, 而同類三陰升於上[12]. 主爻則同, 而萃升之義, 似不如是也.

---

12) 上: 경학자료집성DB에는 '土'로 되어 있으나, 경학자료집성 영인본을 참조하여 '上'으로 바로잡았다.

임천오씨가 말하였다: 취괘(萃卦䷬)는 관괘(觀卦䷓)의 사효가 상효로 간 것을 주인으로 삼아 같은 부류의 세 음이 아래에 모여있는 것이고, 승괘(升卦䷭)는 림괘(臨卦䷒)의 삼효가 초효로 온 것을 주인으로 삼아 같은 부류의 세 음이 위에 올라가 있는 것이니, 주인의 효는 같지만 취괘와 승괘의 뜻은 이와 같지 않은 것 같다.

巽而順, 剛中而應, 是以大亨.

공손하고 유순한데 굳세고 가운데 있으면서 호응하니, 이 때문에 크게 형통하다.

┃中國大全┃

傳

以二體言. 柔升, 謂坤上行也. 巽旣體卑而就下, 坤乃順時而上, 升以時也, 謂時當升也. 柔旣上而成升, 則下巽而上順, 以巽順之道升, 可謂時矣. 二以剛中之道應於五, 五以中順之德應於二, 能巽而順, 其升以時. 是以元亨也. 彖文誤作大亨, 解在大有卦.

두 몸체로 말하였다. "부드러움이 … 올라간다"는 것은 곤(坤☷)이 위로 올라감을 말한다. 손(巽☴)은 이미 몸체가 낮아 아래로 가버려 곤(坤☷)이 이에 때에 순응해서 올라간 것은 때에 따라 올라간 것이니, 때가 올라가야 함을 말한다. 부드러움이 이미 올라가서 올라감이 되어버렸으면, 아래가 공손하고 위가 유순한 것은 공손하고 유순한 도로 올라간 것이니, 때를 따랐다고 할 수 있다. 이효가 굳세고 가운데 있는 도로 오효에 호응하고, 오효가 가운데 있고 유순한 덕으로 이효에 호응하니, 공손하고 유순할 수 있어 올라감에 때를 따랐다. 이 때문에 "크게 형통하다[元亨]". 「단전」에서 잘못하여 "크게 형통하다[大亨]"고 했으니, 해석은 대유괘(大有卦☲)에 있다.[13]

---

13) 『주역·대유괘』: 彖曰, … 其德, 剛健而文明, 應乎天而時行. 是以元亨. 구절의 『정전』, '원·형·리·정(元·亨·利·貞)'이 있는 모든 괘는 「단전(彖傳)」에서 모두 "크게 형통하다[大亨]"고 풀이하였으니, 건괘·곤괘와 동일하게 여길까 염려했던 것이다. '이·정(利·貞)'을 겸하지 않았으면, '원형[元亨]'이라고 풀이하였으니, '원(元)'의 뜻을 극진하게 한 것이다. '원(元)'에는 아주 선하다는 뜻이 있다. 이 말이 있는 괘는 네 개이니, 대유괘(大有卦)·고괘(蠱卦)·승괘(升卦)·정괘(鼎卦)이다. 그런데 승괘의 「단전」에서만 다른 괘를 잘못 따라서 "크게 형통하다[大亨]"고 하였다.[諸卦其元亨利貞, 則彖皆釋爲大亨, 恐疑與乾坤同也. 不兼利貞, 則釋爲元亨, 盡元義也. 元有大善之義. 有元亨者四卦, 大有, 蠱, 升, 鼎也. 唯升之彖, 誤隨他卦作大亨.]

本義

以卦德卦體, 釋卦辭.

괘의 덕과 괘의 몸체로 괘사를 풀이했다.

小註

童溪王氏曰, 坤順也, 巽亦順也, 其曰巽而順, 則亦无適而不用其順也. 以此爲升, 寧有未亨者乎.

동계왕씨가 말하였다: 곤(坤☷)이 유순하고 손(巽☴)도 유순하여 「단전」에서 "공손하고 유순하다"고 하였으니, 어디에서도 그 유순함을 쓰지 않은 것이 없다. 이렇게 올라가니 어찌 형통하지 않겠는가?

○ 厚齋馮氏曰, 大亨則元, 主九二也. 九二以巽而順上, 以剛中而應上. 是以大亨, 乃上升之象也. 六五升之主也, 知九二之才足以升也, 乃用順應之道以見之.

후재풍씨가 말하였다: 크게 형통한 것이 '큼[元]'이니, 구이를 주로 한 것이다. 구이는 공손으로 위에 유순하고 굳세고 가운데 있음으로 위와 호응한다. 이 때문에 크게 형통하니 바로 위로 올라가는 상이다. 육오는 승괘의 주인이니, 구이의 재질이 올라가기에 충분함을 알고 순응하는 도로 그것을 만난다.

○ 胡氏曰, 易以陽爲大, 巽順不足以大亨. 必剛中而應, 是以大亨.

호씨가 말하였다: 『주역』은 양을 큰 것으로 여기니, 공손하고 유순함은 크게 형통할 수 없다. 반드시 굳세고 가운데 있으면서 호응하니, 이 때문에 크게 형통한다.

‖韓國大全‖

김상악(金相岳)『산천역설(山天易說)』

以卦德卦體卦變, 釋卦辭.

괘의 덕과 괘의 몸체와 괘의 변화로 괘사를 풀이하였다.

박제가(朴齊家) 『주역(周易)』

傳曰, 坤乃順時而上升, 謂時當升也. 本義曰, 卦變謂自解來也. 於是有曰柔指六四者, 從本義也. 有曰反萃而升, 二陽降居下, 三陰反居上, 故曰柔以時升者, 似從程傳者也. 然傳卻不分曉, 但曰坤順時而上, 未知坤何以自升, 故本義斷以卦變.

『정전』에서는 "곤(坤☷)이 이에 때에 순응해서 올라간 것은 …, 때가 올라가야 함을 말한다"고 하였다. 『본의』에서는 "괘의 변화는 해괘에서 왔다"고 하였다. 이에 중계장씨가 말한 "부드러움은 육사를 가리킨다"는 것은 『본의』를 따른 것이다. 융산이씨가 "취괘(萃卦☵)로 되돌아와서 승(升卦☷)가 된 것은 두 양이 내려와 하괘에 있고, 세 음이 되돌아가 상괘에 있는 것이기 때문에 '부드러움이 때에 따라 올라갔다'고 한 것은 『정전』을 따른 것 같다. 그러나 『정전』이 분명하게 하지 못하고 다만 "곤이 때에 순응해서 올라간 것"이라고 하였다. 곤이 어떻게 스스로 올라간 것인지 알지 못하기 때문에 『본의』에서 괘의 변화로 판단한 것이다.

案, 柔以時升者, 當從巽木之漸也而言者. 故曰以時, 而其名爲升, 以時者漸也. 升者自下而上也. 大象之義明白無疑, 不可以它卦之柔進上行等語而例之也. 先說所以爲升之故, 然後乃曰巽而順者, 合二體而言者也. 剛中者二也, 應者坤也. 故曰而應, 言下剛中而上受之. 在萃則下之應也, 非以此剛中而應乎上, 下也. 如此則此應字, 爲無體之應, 文勢自如是矣. 傳又以大亨爲元亨之誤者, 亦未詳, 夫子何必靠定與大有同耶.

내가 살펴보았다: "부드러움이 때에 따라 올라간다"는 당연히 나무인 손괘를 따라 점점 올라가는 것으로 말한 것이다. 그러므로 "때에 따라"라고 하였으니, 승괘라는 이름은 때에 따라 점점 올라가는 것이다. 올라감은 아래에서 위로 올라가는 것이다. 대상전의 뜻은 명백하고 의심할 것이 없으니, 다른 괘에서 부드러움이 나아가 위로 올라간다는 등의 말로 예로 삼을 수 없다. 먼저 올라가게 된 까닭을 말하고 이후에 "공손하고 유순하다"고 한 것은 두 몸체를 합쳐서 말한 것이다. '굳세고 가운데 있는 것'은 이효이고, '호응하는 것'은 곤괘(☷)이다. 그러므로 "호응한다(而應)"고 한 것은 아래가 굳세고 가운데 있어 위가 이것을 받는다는 말이다. 취괘(萃卦☵)에서는 아래가 호응하니, 여기의 굳세고 알맞은 것이 위로 호응하는 것이 아니라 아래로 한 것이다. 이와 같다면 여기에서의 호응이라는 말은 형체 없는 호응이니, 문장의 형세가 본래 이와 같다. 『정전』에서 또한 '대형(大亨)'을 '원형(元亨)'이라고 잘못 쓴 것도 확실하지 않으니, 공자가 어찌 반드시 대유괘와 동일하게 정했겠는가?

강엄(康儼) 『주역(周易)』

按, 萃象傳曰, 順以說, 剛中而應, 升象傳曰, 巽而順, 剛中而應. 蓋於萃而但言順說, 則其萃也或入於媚悅, 於升而但言巽順, 則其升也或失於邪在, 故又皆以剛中而應四字繼之. 蓋以剛中而應, 則其萃其升皆出於止矣. 大抵聖人於卦德之有巽說處, 多言剛中, 如履象傳旣言說而應乎乾, 而其下又言剛中正履帝位, 揆象傳旣言說而麗乎明, 而又言得中而應乎剛, 其示人之意切天.

내가 살펴보았다: 취괘 「단전」에서는 "순응해서 기뻐하고 굳셈이 가운데 있으면서 호응한다"고 하였고, 승괘 「단전」에서는 "공손하고 유순한데 굳세고 가운데 있으면서 호응한다"고 하였다. 취괘에서는 단지 "기뻐하고 호응한다"고 말하였으니, 그 모임이 간혹 아첨하는 데 들어가고, 승괘에서는 단지 "공손하고 유순하다"고 말하였으니, 그 올라감이 간혹 사악함이 있는 데에서 잃는다. 그러므로 또한 모두 "굳세고 가운데 있으면서 호응한다[剛中而應]"는 말로 이었다. 굳세고 가운데 있으면서 호응하면 그 모임과 그 올라감이 모두 그침에서 나오게 된다. 성인은 괘의 덕이 순응하고 기뻐하는 곳에서 대부분 굳세고 가운데 있음을 말하였으니, 이를테면 리괘 「단전」에서 "기뻐하며 건과 호응한다"고 말한 후에 그 아래에 또 "굳센 양이 중정하고 임금의 자리를 밟다"고 하였고, 규괘 「단전」에서 "기뻐하고 밝음에 걸리다"고 말한 후에 또 "가운데를 얻어 굳센 양에 호응한다"고 하였으니, 사람들에게 보여준 뜻이 절실하다.

박문건(朴文健) 『주역연의(周易衍義)』

應言應五也. 此以卦德卦體, 釋卦辭.

'호응'은 오효에 호응한다는 말이다. 이것은 괘의 덕과 몸체로 괘의 말을 해석하였다.

박문호(朴文鎬) 「경설(經說)·주역(周易)」

象傳以元亨作大亨者, 本非誤也. 惟程子必欲訓元爲善, 故云誤也.

「단전」에서 '원형(元亨)'을 '대형(大亨)'이라고 한 것은 본래 잘못이 아니다. 정자가 반드시 '원(元)'을 선하다고 새기고 싶었기 때문에 잘못이라고 한 것이다.

用見大人, 勿恤, 有慶也.

"이것으로 대인을 만나니 근심하지 말라"고 함은 경사가 있기 때문이다.

中國大全

傳

凡升之道, 必由大人, 升於位則由王公, 升於道則由聖賢. 用巽順剛中之道, 以見大人, 必遂其升, 勿恤, 不憂其不遂也. 遂其升, 則已之福慶, 而福慶及物也.

올라가는 도는 반드시 대인을 따라야 하니, 지위에 올라가려면 임금과 귀족을 따라야 하고, 도에 올라가려면 성인과 현인을 따라야 한다. 공손하고 유순하며 굳세고 가운데 도로 대인을 만나면 반드시 올라감을 이루니, '근심하지 말라'는 것은 이루지 못함을 근심하지 말라는 것이다. 올라감을 이루면 자신의 복과 경사이지만 복과 경사가 사물에도 미친다.

小註

臨川吳氏曰, 六五見九二, 九二亦升而應之, 陰陽相得而有慶也.

임천오씨가 말하였다: 육오가 구이를 만나면 구이도 올라가서 호응하니, 음과 양이 서로 만나 경사가 있기 때문이다.

○ 中溪張氏曰, 萃升皆曰, 剛中而應. 萃剛中在上, 其衆必聚, 升剛中在下, 其勢必進. 故萃以五爲大人, 升以二爲大人. 聚者, 下之所樂, 故利見大人, 進者, 上之所忌, 故勸以用見大人. 勿恤者, 言上之三陰, 勿以陽升爲憂, 而陽升則有慶矣.

중계장씨가 말하였다: 취괘(萃卦䷬)와 승괘(升卦䷭)는 모두 "굳세고 가운데 있으면서 호응한다"[14]고 하였다. 취괘(萃卦䷬)는 굳세고 가운데 있는 것이 상괘에 있어 그 무리가 반드시 모이고, 승괘(升卦䷭)는 굳세고 가운데 있는 것이 하괘에 있어 그 기세가 반드시 나아간다.

---

14) 『周易·萃卦』: 象曰, 萃, 聚也. 順以說, 剛中而應, 故聚也.

그러므로 취괘에서는 오효가 대인이고, 승괘에서는 이효가 대인이다. 모이는 것은 아래에서 즐기는 것이기 때문에 대인을 봄이 이롭고, 나아가는 것은 위에서 꺼리는 것이기 때문에 이것으로 대인을 만나기를 권한다. 근심하지 말라는 것은 상괘의 세 음이 올라가는 양을 근심하지 말라는 말이니, 양이 올라가면 경사가 있기 때문이다.

‖韓國大全‖

권만(權萬) 『역설(易說)』

用見大人, 六五與九二大人爲正應, 是柔順之君, 得剛中大人. 用之勿恤, 言勿憂有慶, 言陰陽上遇, 有生生之理, 慶莫大也. 然巽之九二, 居下而氣升, 於是, 坤之六五, 應之而用見, 是陽倡而陰和, 故爲有慶. 巽處東南, 坤處西南, 巽氣向坤, 必取路於离午, 故曰南征. 志行, 言巽木之志, 得行也. 巽木也, 與卯木志同. 木是東方之氣, 東方是生物之本, 巽志卽天地生物之志. 自東徂南時, 當春夏. 其志之行, 行得時也.

"대인을 만난다"는 육오가 구이의 대인과 정응하는 것이니, 유순한 임금이 굳세고 알맞은 대인을 얻은 것이다. "이것으로 … 근심하지 말라"는 "경사가 있음"을 걱정하지 말라는 것이니, 음과 양이 만날 때 낳고 낳는 이치가 있어서 경사가 가장 크다는 말이다. 그러나 손괘(☴)의 구이가 아래에 있지만 기운이 위로 올라가고, 이에 곤괘(☷)의 육오가 호응하여 만나는 것이니, 양이 주창하고 음이 화답하기 때문에 경사가 있게 된다. 손괘는 동남쪽에 있고, 곤괘는 서남쪽에 있어서 손괘의 기운이 곤괘로 향할 때 반드시 리괘인 오(午)에서 길을 취하기 때문에 "남쪽으로 간다"고 하였다. "뜻이 행해짐"은 나무인 손괘의 뜻이 행함을 얻음을 말한다. 나무인 손괘는 묘목(卯木)과 뜻이 같다. 나무는 동방의 기운이고, 동방은 만물을 낳는 근본이니, 손괘의 뜻은 곧 하늘과 땅이 만물을 낳는 뜻이다. 동쪽에서 남쪽으로 가는 때는 봄과 여름에 해당한다. 그 뜻이 행해짐은 행함이 때를 얻은 것이다.

김상악(金相岳) 『산천역설(山天易說)』

有慶, 二五相遇之慶.

'경사가 있음'은 이효와 오효가 서로 만나는 경사이다.

박제가(朴齊家) 『주역(周易)』

凡言勿恤者, 乃無慮之辭, 不必深說, 傳言不憂其不遂者, 固穩. 中溪張氏曰, 進者上之所忌, 故言上之三陰, 勿以陽升爲憂. 平菴項氏曰, 勿恤, 戒陰也. 南征吉, 勉陽也, 皆過矣.

"근심하지 말라"고 말한 것은 걱정하지 말라는 말로 굳이 깊이 설명할 필요가 없으니, 『정전』에서 "이루지 못함을 근심하지 말라"고 말한 것이 진실로 온당하다. 중계장씨는 "나아가는 것은 위에서 꺼리는 것이기 때문에 … 상괘의 세 음이 올라가는 양을 근심하지 말라는 말이다"고 하였고 평암항씨는 "근심하지 말라는 음을 경계한 것이고, 남쪽으로 가면 길하다는 양을 권한 것이다"고 하였는데, 모두 잘못이다.

서유신(徐有臣) 『역의의언(易義擬言)』

相與故有慶, 有慶故勿恤也, 相就故志行也.

서로 함께 하기 때문에 경사가 있고, 경사가 있기 때문에 근심하지 않으며, 서로 나아가기 때문에 뜻이 행해진다.

하우현(河友賢) 「역의의(易疑義)」

或曰, 南征前進, 謂九二乎. 曰大人非九二乎. 在上之六五, 旣用見九五之大人, 而有南征之吉也.

어떤 이가 물었다: 남쪽으로 가는 것은 앞으로 가는 것이니, 구이를 말합니까?
답하였다: 대인은 구이를 말하는 것이 아닐 것입니다. 위에 있는 육오가 이미 구오의 대인을 만났다면 남쪽으로 가는 길함이 있을 것입니다.

或問, 勿恤有慶之意, 何如. 曰人君求見有道之臣, 而能勿恤, 而一於誠心, 則君臣之間, 豈無相遇之慶乎. 齊景公欲用孔子而待之季孟之間,[15] 魯平公欲見孟子, 而爲臧倉之所止,[16] 則豈勿恤之云乎.

어떤 이가 물었다: "'근심하지 말라'고 함은 경사가 있기 때문이다"는 무슨 뜻입니까?
답하였다: 임금이 도가 있는 신하를 만나기를 구하면서 근심하지 않고 한결같이 참된 마음으로 할 수 있으면 임금과 신하 사이가 어찌 서로 만나는 경사가 없겠습니까? 제나라 경공이

---

15) 『論語·微子』: 齊景公待孔子曰, 若季氏則吾不能, 以季孟之間待之. 曰吾老矣, 不能用也, 孔子行.
16) 『맹자·양혜왕』.

공자를 등용하여 계씨와 맹씨의 중간 정도로 대우하려고 하고, 노나라 평공이 맹자를 만나 보려고 하였으나 장창이 저지한 것이 어찌 근심하지 말라는 말이겠습니까?

박문건(朴文健) 『주역연의(周易衍義)』

此亦釋卦辭.

여기에서도 괘의 말을 해석하였다.

김기례(金箕澧) 「역요선의강목(易要選義綱目)」

勿恤, 勸陰也. 南征吉, 勉陽也.

"근심하지 말라"는 음을 권면한 것이고, "남쪽으로 가면 길하다"는 양을 권면한 것이다.

박문호(朴文鎬) 「경설(經說)·주역(周易)」

凡升之道, 此道猶事也法也, 升於道, 此道指道德也. 王公聖賢, 皆指大人也.

『정전』의 올라가는 되凡升之道]에서 '도(道)'는 일과 법이고, 도에 올라간대升於道]에서 '도(道)'는 도덕이다. 왕공과 성현은 모두 대인을 가리킨다.

南征, 吉, 志行也.

"남쪽으로 가면 길함"은 뜻이 행해지기 때문이다.

┃中國大全┃

傳

南, 人之所向, 南征, 謂前進也. 前進則遂其升, 而得行其志, 是以吉也.

남쪽은 사람들이 향하는 곳이니, 남쪽으로 간다는 것은 앞으로 나아감을 말한다. 앞으로 나아가면 올라감을 이루어 그 뜻을 시행할 수 있으니, 이 때문에 길하다.

小註

中溪張氏曰, 九二苟能前進, 以輔乎五, 則已之志得行, 宜其吉也. 二言有喜, 卽象之有慶也. 五言大得志, 卽象之志行也.

중계장씨가 말하였다: 구이가 앞으로 나아가서 오효를 도울 수 있다면 자신의 뜻을 행할 수 있으니 길한 것은 당연하다. 이효에서 "기쁨이 있는 것이다"라고 말한 것은 바로 「상전」의 "경사가 있기 때문이다"는 것이다. 오효에서 "크게 뜻을 얻은 것이다"고 말한 것은 바로 「단전」의 "뜻이 행해지기 때문이다"는 것이다.

○ 平庵項氏曰, 用見大人, 勿恤, 戒行也. 南征, 吉, 勉行也.

평암항씨가 말하였다: "이것으로 대인을 만나니 근심하지 말라"는 것은 가는 것을 경계한 것이다. "남쪽으로 가면 길하다"는 것은 가는 것을 권하는 것이다.

┃韓國大全┃

유정원(柳正源) 『역해참고(易解參攷)』

正義, 之於闇昧, 則非其本志. 今以柔順而升大明, 其志得行也.
『주역정의』에서 말하였다: 어두운 곳에 나아감은 그 본래의 뜻이 아니다. 지금 유순함으로 큰 밝음으로 올라가니, 그 뜻이 행해짐을 얻은 것이다.

○ 李氏元量曰, 升以柔爲才而用晦, 則不及, 唯南征而所趨者, 明則吉矣.
이원량이 말하였다: 올라감에 부드러움으로 재질을 삼아 어리석음을 쓰니 미칠 수 없고, 오직 남쪽으로 가서 달려가는 자는 현명하니 길할 것이다.

김상악(金相岳) 『산천역설(山天易說)』

志行, 初四柔升之志也.
'뜻이 행해짐'은 초효와 사효의 부드러움이 올라가는 뜻이다.

○ 柔升之時, 初四爲主, 故曰巽而順. 剛亦上升, 二五爲主, 故曰剛中而應. 大亨者, 元亨之變文. 程傳, 諸卦具元亨利貞, 則象皆釋爲大亨, 恐疑與乾坤同也. 不兼利貞, 則釋爲元亨, 盡元義也. 元者, 大善之義. 有元亨者四卦, 大有蠱升鼎是也. 惟升之象, 誤隨他卦作大亨.
부드러움이 올라갈 때는 초효와 사효가 주인이 되므로 "공손하고 유순하다"고 하였다. 굳셈도 위로 올라갈 때는 이효와 오효가 주인이 되므로 "굳세고 가운데 있으면서 호응한다"고 하였다. "크게 형통하다[大亨]"는 "크게 형통하다[元亨]"가 바뀐 문장이다. 대유괘의 「단전」 『정전』에서 '원·형·리·정(元·亨·利·貞)'이 있는 모든 괘는 「단전(彖傳)」에서 모두 '크게 형통하다[大亨]'고 풀이하였으니, 건괘·곤괘와 동일하게 여길까 염려했던 것이다. '이·정(利·貞)'을 겸하지 않았으면, "원형(元亨)"이라고 풀이하였으니, '원(元)'의 뜻을 극진하게 한 것이다. '원(元)'은 아주 선하다는 것이다. 원형(元亨)이 있는 것은 네 괘이니, 대유괘(大有卦)·고괘(蠱卦)·승괘(升卦)·정괘(鼎卦)가 여기에 해당한다. 그런데 승괘의 「단전」에서만 다른 괘를 잘못 따라서 "크게 형통하다[大亨]"[17]고 하였다.

---

17) 『周易·大有卦』: "象曰, … 其德, 剛健而文明, 應乎天而時行. 是以元亨." 구절의 『정전』.

박문건(朴文健) 『주역연의(周易衍義)』

此亦釋卦辭.

여기에서도 괘의 말을 해석하였다.

심대윤(沈大允) 『주역상의점법(周易象義占法)』

由巽順以得高大, 故曰志行也.

공손하고 유순함으로 높고 클 수 있기 때문에 "뜻이 행해진다"고 하였다.

오치기(吳致箕) 「주역경전증해(周易經傳增解)」

此[18]以卦反卦德卦體, 釋卦名義及卦辭也. 以卦反言, 則萃之下體坤柔上升, 而爲本卦上體, 故以卦反之體, 明升之義也. 柔以上升, 旣得其時, 而下巽上順, 二以剛中之道, 巽而應于五, 五以柔中之德, 順而應於二, 故爲升進而元亨也. 凡升之道, 必取大人, 故言用見大人, 而以位言則見公卿, 以德言則見聖賢, 而必用以升, 不憂其不進也. 有慶, 言升進而有福慶也. 南征, 謂前進, 而前進則得行其志, 是以吉也.

이것은 거꾸로 된 괘의 괘의 덕과 괘의 몸체로 괘의 이름과 괘의 말을 풀이한 것이다. 거꾸로 된 괘로 말하면 취괘의 아래 몸체인 부드러운 곤괘가 위로 올라가서 본괘의 상체가 되었기 때문에 거꾸로 된 괘의 몸체로 올라간다는 뜻을 밝혔다. 부드러움이 위로 올라가 이미 때를 얻어 아래는 공손하고 위는 유순하니, 이효가 굳센 가운데의 도로 공손하게 해서 오효에 호응하고, 오효는 부드러운 가운데의 덕으로 유순하게 해서 이효에 호응하기 때문에 나아가 크게 형통하게 된다. 올라가는 도는 반드시 대인을 취하기 때문에 "대인을 만난다"고 말했으니, 지위로 말하면 공(公)과 경(卿)을 만나는 것이고, 덕으로 말하면 성현을 만나는 것인데, 반드시 등용하여 올라오게 하니 나오지 못함을 걱정하지 않는 것이다. "경사가 있음"은 나아가 복과 경사가 있다는 말이다. "남쪽으로 감"은 앞으로 나아간다는 말인데, 앞으로 나아가면 그 뜻을 행할 수 있기 때문에 길하다.

이병헌(李炳憲) 『역경금문고통론(易經今文考通論)』

鄭曰, 升, 上也.

정현이 말하였다: 승은 올라감이다.

---

18) 此: 경학자료집성DB에는 '比'로 되어 있으나, 경학자료집성 영인본을 참조하여 '此'로 바로잡았다.

按, 南征與明夷南狩同. 右一對往來策數準晉明夷.

내가 살펴보았다: "남쪽으로 간다"는 명이괘 구삼효의 "남쪽으로 사냥간다"와 같다. 앞의 하나의 짝으로 왕래하는 책수(策數)는 진괘와 명이괘와 같다.

象曰, 地中生木, 升, 君子以, 順德, 積小以高大.

「상전」에서 말하였다: 땅속에서 나무가 나오는 것이 승(升)이니, 군자가 그것을 본받아 덕을 순리대로 하며 작은 것을 쌓아 높고 크게 한다.

中國大全

傳

木生地中, 長而上升, 爲升之象. 君子觀升之象, 以順修其德, 積累微小以至高大也. 順則可進, 逆乃退也, 萬物之進, 皆以順道也. 善不積, 不足以成名, 學業之充實, 道德之崇高, 皆由積累而至. 積小所以成高大, 升之義也.

나무가 땅속에서 나와 자라면서 위로 올라가니 승의 상이다. 군자가 승의 상을 보고 그 덕을 순리대로 닦으며 작은 것을 쌓아 높고 크게 한다. 순리대로 하면 나아갈 수 있고, 거슬리면 후퇴하니, 만물의 나아감은 모두 도를 따르는 것이다. 선이 쌓이지 않으면 이름을 이루기에 부족하니, 학업의 충실함과 도덕의 숭고함은 모두 쌓아서 도달한다. 작은 것을 쌓아 크고 높은 것을 이룬다는 것이 승의 의미이다.

小註

朱子曰, 因其固然之理, 而无容私焉者, 順之謂也. 由是而之, 則其進得也, 孰禦.

주자가 말하였다. 본래 그런 이치를 따라 사사로움을 용납하지 않는 것은 순리대로 하는 것을 말한다. 이렇게 해서 가니, 나아가는 것을 누가 막겠는가?

○ 中溪張氏曰, 地中有木, 順其生理, 則自萌蘗而拱把, 自拱把而棟梁, 長而不已, 升之象也. 蓋物之高大者, 必以積其所積者, 必以順木之始生, 伏於地中, 積之不已, 其高可以干霄, 其大可以蔽日. 未見其忤者以順故也. 君子體巽順之象, 以其順德自微小積之, 可以至高大也. 順德, 坤地象, 積小以高大, 巽木象.

중계장씨가 말하였다: 땅속에 나무가 있으면서 살아나오는 이치를 그대로 하면, 싹에서 두

손으로 잡을 정도로 자라고, 그것에서 동량으로 자라면서 커 나가기를 멈추지 않는 것이 승괘(升卦䷭)의 상이다. 사물이 높고 큰 것은 반드시 그렇게 쌓는 것을 계속해서 쌓은 것이니, 반드시 나무가 처음 나오는 것을 순리대로 하여 땅속에 엎드려서도 쌓는 것을 멈추지 않으니 그 높이가 하늘을 가릴 수 있고 그 크기가 해를 덮을 수 있는 것이다. 나무가 거스르는 것을 보지 못했던 것은 순리대로 하기 때문이다. 군자는 공손하고 순리대로 하는 상을 몸소 실천하니, 덕을 순리대로 해서 작은 것에서 쌓아나가 높고 크게 된다. 덕을 순리대로 하는 것은 곤(坤☷)이라는 땅의 상이고, 조금씩 쌓아 높고 크게 되는 것은 손(巽☴)이라는 나무의 상이다.

○ 白雲郭氏曰, 萬物之升, 其象皆如地中生木, 自毫末至合抱. 人莫見其升之迹者, 以順積而致之耳. 順則不逆於德, 積則爲之有漸, 故能升而不已, 以極高大. 不然逆德暴行, 不升而困及之矣.

백운곽씨가 말하였다: 만물이 자라나는 것은 그 상이 모두 땅속에서 자라는 나무가 털끝에서 아름드리로 되는 것과 같다. 사람들이 아무도 나무가 자라나는 흔적을 볼 수 없는 것은 순리대로 쌓아서 이룰 뿐이기 때문이다. 순리대로 하는 것은 덕을 거스르지 않고, 쌓는 것은 점진적이기 때문에 자라나는데도 멈추지 않아 극도로 높고 크게 된다. 그렇게 하지 않고 덕을 거스르며 함부로 행동하면 자라나지 못해 곤궁하게 된다.

本義

王肅本, 順作愼. 今按他書引此, 亦多作愼, 意尤明白. 蓋古字通用也. 說見上篇蒙卦.

왕숙본에는 "순리대로 한다[順]"가 "삼간다[愼]"로 되어 있다. 이제 다른 책에서 이 구절을 인용한 것을 살펴봐도 대부분 삼간다로 되어 있어 의미가 더욱 명백하다. 옛 글자에서는 통용되었다. 자세한 설명은 상편의 몽괘(蒙卦)에 있다.[19]

小註

朱子曰, 樹木之生, 日日滋長. 若一日不長, 便將枯瘁, 便是生理不接, 學者之於學, 不可一日少懈. 大抵德須日日要進, 若一日不進便退也.

주자가 말하였다: 나무가 자라나는 것은 날마다 그런 것이다. 하루라도 자라지 않으면 바로

---

19) 『周易·蒙卦·本義』: 順, 當作愼, 蓋順愼古字通用. 荀子順墨作愼墨, 且行不愼, 於經意尤親切. 今當從之.

마르고 병들어서 자라는 이치가 이어지지 않으니, 배우는 자들은 배우는 것에 하루에 잠시라도 게을러서는 안 된다. 대체로 덕이 반드시 날마다 나아가야 하니 하루라도 나아가지 않으면 바로 후퇴하기 때문이다.

○ 勉齋黃氏曰, 升言順德, 謂物理之升, 皆以順積而致之. 本義, 順當作慎. 積小高大, 方有升義, 以其小而能高大, 則不可不慎. 故慎義爲長.

면재황씨가 말하였다: 승괘에서 덕을 순리대로 한다고 말하였으니, 사물에 대한 이치가 자라나는 것은 모두 순리대로 쌓아서 이룸을 말한 것이다. 『본의』에서는 '순리대로 한다[順]'를 '삼간다[愼]'로 해야 한다고 하였다. 조금씩 쌓아 높고 크게 되는 것에 승의 뜻이 있으니, 조금씩 하는 것을 가지고 높고 크게 할 수 있으려면 삼가지 않을 수 없다. 그러므로 삼간다는 의미가 뛰어나다.

○ 雲峰胡氏曰, 木之生也, 一日不長則枯. 德之進也, 一息不愼則退, 必念念謹審, 事事謹審, 其德積小高大, 當如木之升矣.

운봉호씨가 말하였다: 나무가 자라나는 것은 하루라도 그렇게 하지 않으면 말라죽는다. 덕이 나아가는 것은 한순간이라도 삼가지 않으면 후퇴하니, 반드시 생각마다 삼가 살피고 일마다 삼가 살펴 그 덕이 조금씩 쌓여 높고 크게 되는 것을 나무가 자라나는 것처럼 해야 한다.

韓國大全

조호익(曹好益) 『역상설(易象說)』

順德坤地象, 積小以高大, 巽木象.

'덕을 순리대로 함'은 땅인 곤괘의 상이고, "작은 것을 쌓아 높고 크게 한다"는 나무인 손괘의 상이다.

송시열(宋時烈) 『역설(易說)』

大象順德者坤也, 高大者, 巽爲高爲長也. 如此處先外卦後內卦也, 言象亦不可與安也. 木生地漸高, 取升象.

대상전에서 "덕을 순리대로 함"은 곤괘(☷)때문이고, "높고 크게 함"은 손괘(☴)가 높음이고 큼이기 때문이다. 이와 같은 곳에서는 외괘(外卦)를 앞세우고 내괘(內卦)를 뒤로 하였으니, 상(象)을 말함에도 더불어 편안할 수 없기 때문이다. 나무가 땅에서 나와 점차 높아지는 것은 승괘에서 취하였다.

김도(金濤) 「주역천설(周易淺說)」

愚按, 程傳下所釋朱子惟一條, 張氏郭氏凡二條. 本義下所釋朱子又惟一條, 黃氏胡氏凡二條, 而皆合於大象之旨矣. 蓋天下之事, 不進則退. 以行途者言之, 欲往之地雖在萬里之外, 苟自一步而漸進, 則必有至到之期矣. 以積穀者言之, 所欲之數, 雖在萬石之多, 苟自一石而聚畜, 則必滿其所欲之多矣. 君子之修德, 何以異此. 升之爲卦, 巽木生於坤地之中, 有漸進高大之象, 故君子法此象, 而以爲修德之功, 可謂得其妙矣. 君子之所欲, 只是學業之充實, 道德之崇高, 而終至於充實崇高者, 皆由於積累而至矣. 其所以致其積累者, 亦由於銖累寸積而然矣. 大槪木之成高大, 實由於順以漸進, 德之成高大, 亦由於順以漸進, 豈有舍順道而能成者哉. 世之學者, 多不識此義, 而少無收拾之功, 甚者則或有逆德而悖理者, 可勝痛哉.

내가 살펴보았다: 『정전』아래의 해석은 주자가 한 조목뿐이고, 장씨와 곽씨가 모두 두 조목이다. 『본의』아래의 해석도 주자가 한 구절뿐이고, 황씨와 호씨가 모두 두 조목인데 모두 「대상전」의 뜻에 맞는다. 천하의 일은 나아가지 않으면 물러난다. 길을 가는 것으로 말하면 가려는 곳이 수만리 밖에 있더라도 한걸음부터 점차 가면 반드시 도달할 수 있는 기일이 있을 것이다. 곡식을 쌓은 것으로 말하면 원하는 수가 만석과 같이 많더라도 한 석으로부터 점차 쌓으면 반드시 원하는 만큼 많이 채울 수 있을 것이다. 군자가 덕을 닦는 것이 어찌 이것과 다르겠는가? 승괘는 나무인 손괘(☴)가 땅인 곤괘(☷) 가운데 생겨 점차 나와 높고 크게 되는 상이 있기 때문에 군자가 이 상을 본받아 덕을 닦는 공으로 삼으니, 그 묘함을 얻었다고 할 수 있다. 군자가 바라는 것은 학업이 충실해지고 도덕이 숭고해져서 마침내 충실하고 숭고함에 이르는 것일 뿐인데 모두 쌓아서 이르는 것이다. 쌓음을 이루는 것은 작은 것을 쌓아서 그렇게 되는 것이다. 나무가 높고 크게 되는 것은 참으로 순리대로 점차 나아가는 것이고, 덕이 높고 크게 되는 것도 순리대로 점차 나아가는 것이니, 어찌 순리대로 도를 따르는 것을 버리고 이룰 수 있겠는가? 세상의 학자들이 이 뜻을 대부분 알지 못하여 수습하는 공이 거의 없고, 심한 자는 간혹 덕을 거스르고 이치를 어기는 자가 있으니, 애통하도다.

이만부(李萬敷) 「역통(易統)·역대상편람(易大象便覽)·잡서변(雜書辨)」

臣謹按, 中庸曰, 君子之道, 辟如行遠必自邇, 辟如登高必自卑, 實祖述此義者也. 孔子又曰, 下學而上達, 下學者, 謂其下學人事而眞積也, 上達者, 謂其所學之合於天理而高明也. 若外人事而欲上達者, 佛氏之所以爲異端而無所用者, 夫豈有無所積累而能成高大者乎. 漢昭烈之臨崩, 戒其子曰, 勿以惡小而爲之, 勿以善小而不爲, 蓋其天資甚美, 故其言自合於此義, 其可忽焉.

신이 삼가 살펴보았습니다: 『중용』에서 "군자의 도는 비유하면 먼 길을 갈 때는 반드시 가까운 곳으로부터 시작하며 높은 곳을 올라갈 때는 반드시 낮은 곳으로부터 시작한다"고 하였으니, 참으로 이 뜻을 본받아 잘 서술한 것입니다. 공자 또한 "아래로부터 공부하여 위에 통달한다"고 하였으니, '아래로부터 공부한다[下學]'는 인간의 일을 아래로부터 배워 참되게 쌓는 것이고, "위에 통달한다[上達]"는 배운 것이 하늘의 이치에 합치되어 높게 밝은 것입니다. 만약 사람의 일 이외에 위에 통달하고자 하는 것은 불교가 이단이 되어 소용이 없는 것이니, 어찌 쌓은 것이 없이 높고 큼을 이룰 수 있겠습니까? 한나라 소열이 임종에서 그 자식들에게 경계하기를 "악이 적다고 해서는 안 되며, 선이 적다고 하지 않아서는 안 된다"고 하였으니, 그의 타고난 자질이 아주 아름다왔기 때문에 그 말이 이 뜻에 저절로 합치되었으니, 소홀히 할 수 있겠습니까!

심조(沈潮) 「역상차론(易象箚論)」

下巽, 方生之木也, 互震, 高大之木也. 下一畫拆者, 根柢之盤據也, 衆陰在上者, 枝葉之蕃蕪也.

아래의 손괘(☴)는 막 자라는 나무이며, 호괘인 진괘(☳)는 높고 큰 나무이다. 아래의 한 획이 터져있는 것이 뿌리가 차지한 것이며, 여러 음이 위에 있는 것이 가지와 잎이 무성한 것이다.

유정원(柳正源) 『역해참고(易解參攷)』

梁山來氏曰, 本卦, 以坤土生木而得名, 故曰君子以順德. 坤順之德, 卽敬以直內, 義以方外也. 積者, 日積月累, 如地中生木, 不覺其高大也.

양산래씨가 말하였다: 본괘는 흙인 곤괘(☷)가 나무인 손괘(☴)를 낳는 것으로 이름을 얻었기 때문에 "군자가 그것을 본받아 덕을 순리대로 한다"고 하였다. 곤괘의 유순한 덕은 경으로 안을 곧게 하고 의로서 밖을 바르게 하는 것이다. 쌓음은 날마다 쌓고 달마다 쌓는 것으로 땅 가운데 나무가 자라 높고 크게 되는 것을 깨닫지 못하는 것과 같다.

案, 順愼通用, 然順卦德也, 當從順.

내가 살펴보았다: '순리대로 한다[順]'는 '삼간다[愼]'와 통용된다. 그러나 '순리대로 한다[順]'가 괘의 덕이니, '순리대로 한다[順]'를 따라야 한다.

김상악(金相岳) 『산천역설(山天易說)』

曰生木者, 取升進之義也, 與蒙曰山下出泉相類. 順德, 巽坤之合也, 積小者, 坤也, 高大者, 巽也.

"나무가 나온다"는 올라가는 뜻을 취한 것이니, 몽괘 「상전」의 "산 아래에 샘이 솟아난다"[20]와 서로 같은 종류이다. "덕을 순리대로 한다"는 손괘와 곤괘가 합한 것이다. "작은 것을 쌓다"는 곤괘(☷)이고, "높고 큰" 것은 손괘(☴)이다.

박제가(朴齊家) 『주역(周易)』

本義, 順愼通用, 作愼, 意尤明白. 案, 通用固矣. 如文之蓋言愼, 未嘗不佳. 但此順字從坤而言者, 義有差間. 謂尤明者, 不可曉. 朱子曰, 因其固然之理, 而无容私焉者, 順之謂也. 由是而之, 則其進德也, 孰禦, 又似不以愼義說者, 豈本義有未定處歟.

『본의』에서는 '순리대로 한다[順]'와 '삼간다[愼]'가 통용됨에 '삼간다'로 하는 것이 의미가 더욱 명백하다는 것이다.

내가 살펴보았다: 통용하는 것이 사실이니, 문장에서 '삼간다[愼]'로 말했으면 아름답지 않음이 없다. 다만 이 '순리대로 한다[順]'는 곤괘로서 말한 것이니, 뜻이 조금 차이가 있다. '더욱 명백하다[尤明]'고 한 것은 알 수 없다. 주자가 "본래 그러한 이치로 말미암아 사사로움을 용납함이 없는 것이 '순리대로 한다[順]'는 말이다. 이로 말미암아 간다면 덕에 나아가는 것을 누가 막겠는가?"[21]라고 하여 또한 '삼간다'의 뜻으로 설명하지 않은 듯하니, 아마 『본의』에 아직 정하지 않음이 있었을 것이다.

윤행임(尹行恁) 『신호수필(薪湖隨筆)·역(易)』

積小以高大, 卽下學上達之工. 陟遐自邇, 升高自卑, 無少間斷, 進進不已, 所以愼德也.

"작은 것을 쌓아 높고 크게 한다"는 아래로부터 공부하여 위에 통달하는 공부이다. 먼 곳을

---

20) 『周易·蒙卦』: 象曰, 山下出泉, 蒙, 君子以, 果行育德.

21) 『朱子大全』卷七十五, 「許升字序」

갈때에 가까이로부터 시작하고 높은 곳에 오를 때는 낮은 곳으로부터 시작하여 조금이라도 사이가 끊어지지 않게 하여 나아가고 나아가기를 그치지 않게 하니, 덕을 삼가하는 것이다.

서유신(徐有臣)『역의의언(易義擬言)』

地中生木者, 地生木也, 不有以生之, 則特埋地之枯木也. 地氣升於木, 所以生木也. 始以巽之一陰, 積至坤之三陰, 是爲順德, 積小以高大也. 昭烈曰, 勿以善小而不爲, 得此義也. 高巽象, 大坤象.

"땅속에서 나무가 나오는 것"은 땅에서 나무가 나오는 것이니, 나오지 않으면 땅에 묻힌 마른 나무일뿐이다. 땅의 기운이 나무에 올라가서 나무가 나오는 것이다. 손괘의 한 음으로부터 시작하여 쌓아 곤괘의 세 음에 이르면 "덕을 순리대로 하여 작은 것을 쌓아 높고 크게" 되는 것이다. 소열이 "선이 작다고 하지 말아서는 안 된다"고 하였으니 이 뜻을 얻은 것이다. 높음은 손의 상이고, 큼은 곤의 상이다.

박문건(朴文健)『주역연의(周易衍義)』

〈問, 順王肅本作愼, 何如. 曰, 作順爲是, 言順其德而至於高大也.

물었다: "순리대로 한다[順]"가 왕숙본에서는 "삼간다[愼]"로 되어 있다고 하는데, 어떻습니까?

답하였다: "순리대로 한다[順]"가 옳으니, 그 덕을 순리대로 하여 높고 큼에 이른다는 말입니다.〉

이지연(李止淵)『주역차의(周易箚疑)』

人之升德, 如地中生木而升, 則何患乎不爲聖也.

사람이 덕에 올라가는 것이 마치 땅속에서 나무가 나와 올라가는 것처럼 하면 어찌 성인이 되지 않는 것을 걱정하겠는가?

이항로(李恒老)「주역전의동이석의(周易傳義同異釋義)」

按, 讀勉齋雲峯說, 可見愼意尤長.

내가 살펴보았다: 면재와 운봉의 학설을 보면 '삼간다'는 뜻이 더 좋음을 알 수 있다.

김기례(金箕澧) 「역요선의강목(易要選義綱目)」

順, 愼也.
"순리대로 한다[順]"는 "삼간다[愼]"이다.

○ 木生而一日不長則枯, 德積而一日不愼則廢.
나무가 나와 하루라도 자라지 않으면 마르고, 덕을 쌓음에 하루라도 삼가지 않으면 피폐해진다.

○ 愼德而由小入大, 如木之始生而連抱.
덕을 삼가하여 작은 것에서 큰 것으로 들어감은 나무가 처음 나와서 아름드리나무가 되는 것과 같다.

박종영(朴宗永) 「경지몽해(經旨蒙解)-주역(周易)」

蓋物之所積者, 必以順木之始生, 伏於地中, 積之不已, 其高可以干霄, 其大可以蔽日.
사물이 쌓는 것은 반드시 나무가 처음 나오는 것을 순리대로 하여 땅속에 엎드려서도 쌓는 것을 멈추지 않으니 그 높이가 하늘을 가릴 수 있고 그 크기가 해를 덮을 수 있는 것이다.

此乃善喩也. 學者觀升木之象而勉業, 顧不宜哉.
이것은 좋은 가르침이다. 배우는 자는 올라가는 나무의 상을 보고 열심히 공부해야 하니, 마땅하지 않는가!

심대윤(沈大允) 『주역상의점법(周易象義占法)』

不曰木生地中, 而曰地中生木, 言木之托于地也. 坤巽爲順德, 對艮离爲積小, 巽坎爲高大. 積小不見, 而高大可見, 故積小取對, 高大取本也. 天下之物, 无本高而大者, 必積累細微而成也. 高大之本, 在乎微細, 故聖人合衆小善, 以成其大善而已, 合四夫匹婦之所能, 而爲聖人焉. 中庸云勺水卷石之爲山海, 造端乎夫婦而察天地, 費而隱者是也. 夫勺水去而無海, 卷石盡而无山. 小善不積, 而大善不成, 故君子重其微細, 而慎其輕忽也, 所以能長進而高大焉. 小人以爲小善不足以爲名, 而小惡不足以爲累, 所以日臻於消亡也. 凡利害禍福之端, 皆生于微細, 而起于隱忽.
나무가 땅속에서 나온다고 하지 않고 "땅속에서 나무가 나온다"고 한 것은 나무가 땅에 의지한다는 말이다. 곤괘와 손괘가 "덕을 순리대로 함"이니, 반대괘인 간괘와 리괘가 "작은 것을 쌓음"이고, 손괘와 감괘가 "높고 큼"이다. 작은 것을 쌓음은 볼 수 없고 높고 큰 것은 볼 수 있기 때문에 작은 것을 쌓음은 반대괘에서 취하였고, 높고 큼은 본괘에서 취하였다. 천하의 만물은 본래 높고 큰 것이 없고, 반드시 미세한 것을 쌓아서 이루어지는 것이다. 높고 큼의 근본은 미세함에 있기 때문에 성인은 많은 작은 선을 합하여 그 큰 선을 이룰 뿐이니, 보통 사람들이 잘하는 것을 합하여 성인이 된 것이다. 『중용』에서 한 잔의 물과 작은 돌이 산과 바다가 된다고 하였고, 도의 단서가 부부에게서 시작하여 하늘과 땅에 드러난다고 하였으니, 군자의 도는 드러나면서도 은미하다는 것이 이것이다. 한 잔의 물을 버리면 바다가 없고, 작은 돌이 없으면 산이 없다. 작은 선이 쌓이지 않으면 큰 선이 이루어지지 않기 때문에 군자는 그 미세한 것을 귀중하게 여기고 그 가볍고 소홀한 것을 삼가 계속 나아가서 높고 크게 된다. 소인은 작은 선으로는 이름이 날 수 없고 작은 악으로는 해가 될 수 없다고 여겨 나날이 없어지는 데로 나아간다. 이익과 해로움, 화와 복의 단서는 모두 작은 것에서 생기고 은미하고 소홀한 것에서 일어난다.

오치기(吳致箕) 「주역경전증해(周易經傳增解)」

木生地中, 長而漸高, 爲升之象. 君子觀升之象, 以順脩其德. 積累微小, 以至高大也. 順取於坤, 德取似坎, 高取於巽也.

나무가 땅속에서 나와서 자라서 점점 커지는 것이 승의 상이다. 군자가 승의 상을 보고 그 덕을 순리대로 닦으며 작은 것을 쌓아 높고 크게 된다. '순리대로 한다'는 곤괘에서 취하였고, '덕'은 감괘에서 취한 것 같고, '높음'은 손괘에서 취하였다.

이진상(李震相) 『역학관규(易學管窺)』

坤德本順, 恐不當變作愼.

곤괘의 덕은 본래 순리대로 하는 것이니, 삼간다[愼]는 글자로 바꾸어서는 안 될 것 같다.

채종식(蔡鍾植) 「주역전의동귀해(周易傳義同歸解)」

升大象順德, 傳作順字, 本義作愼字. 蓋循其理之正, 而无容私焉之謂順, 察其心之微, 而无容忽焉之謂愼. 是知察其心之微, 而无容忽焉, 則自然循其理之正, 而不容私, 此順愼之所以通用也.

승괘 「상전」에서 "덕을 순리대로 한다"고 하였는데, 『정전』에서는 '순리대로 한다[順]'로 하였고, 『본의』에서는 '삼간다[愼]'로 하였다. 이치의 바름을 따라 사사로움을 용납하지 않음을 '순리대로 한다'고 하고, 마음의 미세함을 살펴 소홀함을 용납하지 않음을 '삼간다'고 한다. 마음의 미세함을 살펴 소홀함을 용납하지 않으면 자연히 이치의 바름을 따라 사사로움을 용납하지 않을 것이니, 이것이 '순리대로 한다'와 '삼간다'가 통용되는 이유이다.

박문호(朴文鎬)「경설(經說)·주역(周易)」

不云地下生木, 而乃云地中生木者, 若云地下, 則於其事有不便, 故變下作中. 蓋以中亦下也, 謙之地中, 放此.

땅 아래에서 나무가 나온다고 하지 않고 땅속에서 나무가 나온다고 한 것은, 만약 땅 아래라고 하면 일에 불편한 점이 있게 되기 때문에 아래[下]를 속[中]이라고 하였다. 속도 아래이니, 겸괘의 땅속도 이것과 같다.

傳寫之, 本容有疏誤, 而他書之引用者, 則必其的實, 故云意尤明白.

『정전』에서는 그대로 하였고, 『본의』에서는 혹 잘못 기록하였는데 다른 책에서 이것을 인용한 것이 반드시 정확하다고 보았기 때문에 "뜻이 더욱 명백하다"고 하였다.

이정규(李正奎)「독역기(讀易記)」

蓋天下事物, 非順乃逆, 逆則亡. 非積小, 无以爲大, 不積小而大者, 已非順理也. 且卦體順而巽是順德也. 以升爲義, 是含生理也. 以順德含生理則前進, 豈可量也哉. 故諸爻无一凶咎, 惟上六處極而不知止, 故爲冥升之凶.

천하 사물은 순리대로 하지 않으면 거슬리니, 거슬리면 망한다. 작은 것을 쌓지 않고 크게 될 수 없다. 작은 것을 쌓지 않고 크게 되려는 자는 이미 순리가 아니다. 괘의 몸체가 유순하고 공손함이 덕을 순리대로 하는 것이다. 오름을 뜻으로 삼은 것은 낳는 이치를 머금었기 때문이다. 덕을 순리대로 함으로써 낳는 이치를 머금으면 앞으로 나아감에 어찌 헤아리겠는가? 그러므로 모든 효에 하나라도 흉하거나 허물이 없고, 상육만이 제일 끝에 처하였는데도 그칠 줄을 모르기 때문에 "올라가는 데에 어두운" 흉함이 된다.

이병헌(李炳憲)『역경금문고통론(易經今文考通論)』

荀曰, 地中生木, 以微至著升之象也.

순상이 말하였다: "땅속에서 나무가 나온다"는 미세한 것으로 승괘의 상을 드러낸 것이다.

初六, 允升, 大吉.

초육은 믿어서 자라나니 크게 길하다.

‖中國大全‖

傳

初以柔居巽體之下, 又巽之主, 上承於九二之剛, 巽之至者也. 二以剛中之德, 上應於君, 當升之任者也. 允者, 信從也. 初之柔巽, 唯信從於二. 信二而從之同升, 乃大吉也. 二以德言則剛中, 以力言則當任, 初之陰柔, 又无應援, 不能自升, 從於剛中之賢以進, 是由剛中之道也, 吉孰大焉.

부드러움으로 손(巽☴)이라는 몸체의 아래에 있고 또 손(巽☴)의 주인인 초효가 위로 굳센 구이를 계승하니, 지극히 공손한 것이다. 굳세고 가운데 있는 덕으로 위로 임금과 호응하는 이효는 승[升卦䷭]의 임무를 담당하는 것이다. ‘믿는다[允]’는 것은 믿고 따르는 것이다. 유순하고 공손한 초효가 오직 이효를 믿고 따른다. 이효를 믿고 따라서 함께 올라가니 그야말로 크게 길하다. 이효는 덕으로 말하면 굳세고 가운데 있고, 힘으로 말하면 임무를 담당하였다. 음이어서 유순하고 또 북돋우고 격려함이 없는 초효는 스스로 올라갈 수 없어 굳세고 가운데 있는 현자를 따라서 나아가면, 이것은 굳세고 가운데 있는 도를 따르는 것이니, 길함이 어떻게 이것보다 크겠는가?

小註

潘氏曰, 初六陰柔在下, 无應於上, 本不能升. 密比九二剛中之臣, 陰陽志合而相允, 九二援而升之, 所以大吉. 賢者在下而无與, 非遇特達之知, 何以自奮哉.

반씨가 말하였다: 초육이 부드러운 음으로 아래에 있고 위에서 호응하는 것이 없어 본래 올라갈 수 없다. 그러니 굳세고 가운데 있는 구이라는 대신을 아주 가까이 하여 음과 양이 뜻을 합해 서로 믿으면 구이가 당겨서 올려주기 때문에 크게 길하다. 현명한 자가 아래에 있어 함께 해주는 것이 없으니, 특별하게 알아주는 지기를 만나지 않는다면 어떻게 스스로 분발할 수 있겠는가?

本義

初以柔順居下, 巽之主也, 當升之時, 巽於二陽. 占者如之, 則信能升而大吉矣.

초효가 부드러움으로 아래에 있으니 손(巽☴)의 주인인데, 자라는 때에 두 양에게 낮춘다. 점치는 자가 이와 같이 하면 진실로 올라가서 크게 길할 수 있다.

小註

王氏大寶曰, 柔自下升, 以剛而孚允, 升之象. 柔得剛而大, 大吉之象.

왕대보가 말하였다: 부드러움이 아래에서 자라나서 굳세게 되고 정성을 다하고 믿으니 승괘(升卦䷭)의 상이다. 부드러움이 굳셈을 얻어 크게 되었으니 크게 길한 상이다.

○ 雲峰胡氏曰, 晉三衆允, 下爲二陰所信也. 升初允升, 上爲二陽所信也. 以陰信陰, 不過悔亡. 以陽信陰, 故大吉.

운봉호씨가 말하였다: 진괘(晉卦䷢) 삼효의 무리가 믿어주는 것은 아래에서 두 음이 믿는 것이다. 승괘(升卦䷭) 초효의 믿어서 자라는 것은 위에 있는 두 양에게 미쁘게 되는 것이다. 음으로 음을 믿으니 후회가 없는 것에 불과하다. 양으로 음을 믿기 때문에 크게 길하다.

∥韓國大全∥

조호익(曺好益)『역상설(易象說)』

允, 柔虛之象.

'믿음'은 부드러운 음이 가운데가 비어있는 상이다.

송시열(宋時烈)『역설(易說)』

允者信也. 當升之時, 初能越二陽, 而與四合德, 此以誠信而升, 故大吉. 小象上合志可見.

'믿음[允]'은 믿음[信]이다. 승의 때에 초효가 두 양을 넘어 사효와 덕을 합하니, 이는 참으로 믿어서 올라가기 때문에 "크게 길하다"고 하였다. 「상전」의 "위로 뜻을 합함"에서 알 수 있다.

이현익(李顯益) 「주역설(周易說)」

雲峯胡氏, 謂初爲二陽所信, 以陽信陰, 以允爲信, 是從傳說, 非本義之旨. 然傳謂信二而從之, 則是謂初信二陽, 而爲陰信陽也, 亦與傳不同.

운봉호씨가 말한 초효가 두 양에게 믿는 바가 된다는 것은 양으로 음을 믿는다는 것인데 '믿음[允]'을 믿음[信]이라 한 것은 『정전』의 설명을 따른 것이지 『본의』의 뜻은 아니다. 그러나 『정전』에서 이효를 믿고 따른다는 것은 초효가 두 양을 믿는다는 뜻으로 음이 양을 믿는 것이니, 『정전』과도 같지 않다.

이익(李瀷) 『역경질서(易經疾書)』

在他卦初六, 遠於君位, 未有上合之義. 惟升以升爲義, 卦有用見大人之象, 而六四得正, 有文王用享歧山之象. 初與四爲應, 允升大吉者, 爲上合志也, 上者指四也.

다른 괘의 초육은 임금의 자리와 멀어서 위로 합하는 뜻이 있지 않다. 승괘만이 오름으로 뜻을 삼아 괘에 "대인을 만나는" 상이 있는데 육사가 바름을 얻어 "문왕이 기산에서 형통하듯이 하는" 상이 있다. 초효가 사효와 호응하여 "믿어서 자라나 크게 길한" 것은 "위로 뜻을 합하기" 때문이니, '위'는 사효를 가리킨다.

유정원(柳正源) 『역해참고(易解參攷)』

王氏曰, 允當也. 巽卦三爻, 皆升者也. 雖无其應處, 升之初, 與九二九三, 合志俱升. 當升之時, 升必大得, 是以大吉也.

왕필이 말하였다: '믿음'은 마땅함이다. 손괘의 세 효가 모두 올라가는데 호응하는 것은 없지만 승괘의 초효가 구이와 구삼과 뜻을 합쳐 모두 올라간다. 올라가야 하는 때에는 올라가면 반드시 크게 얻기 때문에 크게 길하다.

○ 合沙鄭氏曰, 初附二陽而升, 三陰又與之一體, 故有允升象.

합사정씨가 말하였다: 초효가 두 양에 의지하여 올라가고 세 음도 그와 더불어 일체가 되기 때문에 "믿어서 자라나는" 상이 있다.

○ 誠齋楊氏曰, 初六, 柔而在一卦之最下, 木之根也. 九二九三, 剛而上進, 在初六之上, 木之幹也. 然初六在下, 而曰允升大吉者, 木與土相得, 則木之升也必銳故也.

성재양씨가 말하였다: 초육은 부드러우면서 한 괘의 가장 아래에 있으니, 나무의 뿌리이다. 구이와 구삼은 굳세면서 위로 나아가 초육의 위에 있으니, 나무의 줄기이다. 그러나 초육이

아래에 있는데 "믿어서 자라나니, 크게 길하다"고 한 것은 나무와 흙이 서로 얻으면 나무가 올라감이 반드시 빠르기 때문이다.

김상악(金相岳) 『산천역설(山天易說)』

初六主巽於下, 應坤之四, 雖非正應, 柔升之時, 合志以升, 而比二之陽, 故其吉更大也.

초육이 손괘의 아래에서 주인이면서 곤괘의 사효와 호응한다. 정응은 아니지만 부드러움이 올라가는 때에 뜻을 합하여 나아가 이효의 양과 가깝기 때문에 길하고 크다.

○ 允者信也, 坤之德也. 陰與陰相信爲允, 晉亦柔進之時, 而在下之陰, 順麗而上行, 故三曰衆允. 初六方升而巽乎二, 故大吉. 四則已升而順乎三, 故吉无咎. 萃九四則二陽相逼, 故大吉而後无咎也. 蓋升之義, 地中生木, 而初居巽體, 四互震體, 陰木與陽木, 同升于地上, 積小而高大, 故兩爻皆吉.

'믿음[允]'은 믿음[信]이니, 곤의 덕이다. 음과 음이 서로 믿는 것이 '믿음'이니, 진괘도 부드러움이 올라가는 때에 아래 있는 음이 순종하여 붙어 위로 올라가기 때문에 삼효에서 "무리가 믿어준다"고 하였다. 초육이 막 올라가서 이효에 공손하기 때문에 "크게 길하다." 사효는 이미 올라갔지만 삼효에 유순하기 때문에 "길하여 허물이 없다." 취괘 구사는 두 양이 서로 핍박하기 때문에 크게 길한 이후에 허물이 없다. 승의 뜻은 땅속에서 나무가 나오는 것이니, 초효가 손괘(☴)의 몸체에 있고, 사효는 호괘인 진괘(☳)의 몸체여서 음의 나무와 양의 나무가 같이 땅 위로 올라가서 작은 것을 쌓아 높고 크게 되기 때문에 두 효가 모두 길하다.

박제가(朴齊家) 『주역(周易)』

傳謂信從也, 允字重. 本義信能升而大吉, 允字輕. 如書曰允升于大猷, 乃本義之旨. 如晉三衆允, 則傳義也.

『정전』에 '믿음'은 "믿고 따르는 것"이라고 하였으니, '믿음[允]'이 중요하다. 『본의』에서 "진실로 올라가서 크게 길할 수 있다"고 하였으니, '믿음[允]'은 가볍다. 『서경』에 "진실로 큰 도에 오를 것"이라고 한 것은 『본의』의 뜻이다. 진괘 삼효에서 "무리가 믿어준다"는 『정전』의 뜻이다.

案, 允升, 升而有信也. 有信者, 以時也. 木之初生, 信已見矣.

내가 살펴보았다: "믿어서 자라난다"는 올라가 믿음이 있음이다. 믿음이 있음은 때에 맞기

때문이다. 나무가 처음 나올때 믿음을 이미 알 수 있다.

서유신(徐有臣) 『역의의언(易義擬言)』

木氣將升, 地氣應之. 地氣之升, 由根而始, 故曰允升也. 初爲升之本, 故爲大吉也. 凡升進之道, 上下相信爲吉, 初與四相信也.

나무의 기운이 장차 올라갈 때 땅의 기운이 거기에 호응한다. 땅의 기운이 올라갈 때는 뿌리로부터 시작하기 때문에 "믿어서 자라난다"고 하였다. 초효가 올라가는 근본이기 때문에 크게 길하게 된다. 올라가는 도는 위와 아래가 서로 믿어야 길하게 되는데 초효와 사효가 서로 믿는 것이다.

박문건(朴文健) 『주역연의(周易衍義)』

處下相得, 故有允升之象, 允升, 言用孚而升進也.

아래에 처하여 서로 얻기 때문에 "믿어서 자라나는" 상이 있다. "믿어서 자라난다"는 믿고 올라간다는 말이다.

〈問, 允升, 冥升之義. 曰, 允升與孚兌相似. 冥升與冥豫相似. 然兩升字其義不同, 與蒙之爻辭, 發蒙困蒙之蒙, 同例也.

물었다: "믿어서 자라난다"와 "올라가는 데에 어둡다"의 뜻은 무엇입니까?

답하였다: "믿어서 자라난다"는 "믿어서 기뻐한다"[22]와 비슷하고, "올라가는 데에 어둡다"는 "즐거움에 빠져 어둡다"[23]와 비슷합니다. 그러나 두 '승(升)' 자는 그 뜻이 같지 않으니, 몽괘 효사의 '발몽(發蒙)'과 '곤몽(困蒙)'의 '몽(蒙)'과 예가 같습니다.〉

이지연(李止淵) 『주역차의(周易箚疑)』

初六如子夏.

초육은 자하와 같다.

김기례(金箕澧) 「역요선의강목(易要選義綱目)」

陰柔在下, 上无應援, 力不能進, 故密比二剛, 信而升也.

---

22) 『周易·兌卦』: 孚兌, 吉, 悔亡.
23) 『周易·豫卦』: 上六, 冥豫, 成, 有渝无咎.

부드러운 음이 아래에 있는데 위로 호응과 원조가 없어 자신의 힘으로 나아갈 수 없기 때문에 은밀히 두 굳센 양과 가까이 하여 믿어 올라간다.

○ 賢人在下遇剛明, 汲引而升, 如陰從陽而大, 故曰大吉.
어진 이가 아래에서 굳세고 밝은 이를 만나 끌어 당기어 올라가니, 음이 양을 쫓아 크게 되기 때문에 "크게 길하다"고 하는 것과 같다.

심대윤(沈大允) 『주역상의점법(周易象義占法)』

升之爻位, 居剛求升者也, 居柔保升者也. 求升者, 務立功德, 而有名位也. 保升者, 卑順巽退, 而保名位也.
승괘의 효의 자리에서 굳센 양의 자리는 올라가기를 구하는 자이고, 부드러운 음의 자리는 올라가기를 보전하는 자이다. 올라가기를 구하는 자는 공덕을 힘써 세워 명예로운 자리가 있다. 올라가기를 보전하는 자는 낮추어 유순하고 공손하게 물러나 명예로운 지위를 보전한다.

升之泰䷊, 交通也. 初六居剛求升, 而才柔居初, 上无應援, 近於九二, 而從之以升, 故曰允升, 允信從也. 對无妄离互兌爲允. 晉之六三, 與下之二陰, 同信從于九四曰衆允. 升之初六, 信從于九二曰允升, 九二有德有位之大人, 而初六信從而得其引進, 故大吉也.
승괘가 태괘(泰卦䷊)로 바뀌었으니, 서로 통하는 것이다. 초육이 굳센 양의 자리에서 올라가기를 구하지만 본래 부드러움으로 초효에 있으면서 위로 호응과 원조가 없어 구이에 가까워 그를 따라 올라가기 때문에 "믿어서 자라난다"고 하였으니, '믿음'은 믿고 따라가는 것이다. 음양이 바뀐 괘인 무망괘(䷘)·리괘(䷝)와 호괘인 태괘가 믿음이 된다. 진괘의 육삼이 아래의 두 음과 구사를 함께 믿고 따르기 때문에 "무리가 믿어준다"고 하였다. 승괘의 초육은 구이를 믿고 따르기 때문에 "믿어서 자라난다"고 하였다. 구이는 덕과 지위가 있는 대인이라서 초육이 믿고 따라서 이끌어 나아가게 되기 때문에 "크게 길하다"고 하였다.

오치기(吳致箕) 「주역경전증해(周易經傳增解)」

初六巽柔居下, 而上无正應, 切近九二剛中之賢, 而同體以居, 心志相合. 當升之時, 二應六五之君, 而主升進之權者也, 乃與初柔誠信相孚, 援引上升, 故占言大吉.
초육은 공손하고 유순한데 위로 정응이 없어 굳세고 알맞은 구이의 어진 이와 아주 가까이

하여 몸을 함께 하여 있고 마음의 뜻을 서로 합친다. 올라가는 때에 이효가 육오의 임금과 호응하여 올라가는 권세를 맡은 자로 부드러운 초효와 참으로 서로 믿고 이끌어 위로 올라가기 때문에 점에서 "크게 길하다"고 하였다.

○ 允信也, 取於應坤. 或云升无妄爲對, 而无妄則震一陽爲主於內, 而上應於乾, 卽動與天合者也, 故无妄一卦, 獨初九言吉. 此卦則巽一陰爲本於下, 而上應於坤, 卽巽而順進者也, 故六爻之中, 獨初六言大吉也.

'믿음[允]'은 믿음[信]이니, 호응하는 곤괘에서 취하였다.

어떤 이가 말하였다: 승괘(䷭)는 무망괘(䷘)와 음양이 바뀐 괘이다. 무망괘는 진괘(☳)의 한 양이 내괘의 주인이면서 위로 건괘(☰)와 호응하니, 움직여 하늘과 합치는 것이기 때문에 무망괘에서는 초육만이 길하다고 하였다. 이 괘는 손괘(☴)의 한 음이 아래에서 근본이 되면서 위로 곤괘(☷)와 호응하니, 공손하고 유순하게 나아가는 것이기 때문에 여섯 효 가운데 초육만이 크게 길하다고 하였다.

이진상(李震相) 『역학관규(易學管窺)』

下有厚坎, 允卽坎之誠也. 比於九二故吉.

아래에 두터운 감괘가 있으니 '믿음'은 감의 참됨이다. 구이에 가까이 있기 때문에 길하다.

박문호(朴文鎬) 「경설(經說)・주역(周易)」

信能升, 言眞能升也. 本義以允升不作其象, 竝作其占, 而諺解分作象占, 依常例釋之者, 倘无悖於本義之意歟. 雖然象傳分明言孚字, 信能二字, 或是字乙耶.

『본의』의 "진실로 올라감"은 진실로 올라간다는 말이다. 『본의』는 "믿어서 자란다"에서 상을 짓지 않고 점을 지었으며, 언해에서는 상과 점을 나누어 지었으니, 일반적인 예에 의거하여 해석한 것이 아마 『본의』의 뜻을 어긴 것은 아닐 것이다. 비록 그렇지만 이 효의 「상전」에서 분명히 '정성[孚]'을 말했으니, '신능(信能)' 두 글자는 아마 글자가 바뀌었을 것이다.

이병헌(李炳憲) 『역경금문고통론(易經今文考通論)』

孟曰, 允, 進也.

맹희가 말하였다: '믿음'은 '나아감'이다.

王曰, 允, 當也.
왕필이 말하였다: '믿음'은 '마땅함'이다.

正義曰, 上, 謂二三.
『주역정의』에서 말하였다: '위'는 이효와 삼효를 말한다.

程傳曰, 謂九二.
『정전』에서 말하였다: '위'는 '구이'를 말한다.

象曰, 允升, 大吉, 上合志也.

「상전」에서 말하였다: "믿어서 자라나니 크게 길함"은 위로 뜻을 합하기 때문이다.

‖中國大全‖

傳

與在上者, 合志同升也. 上, 謂九二. 從二而升, 乃與二同志也. 能信從剛中之賢, 所以大吉.

위에 있는 자와 뜻을 합하여 함께 올라간다. 위는 구이를 말한다. 이효를 따라 올라가는 것은 바로 그것과 뜻을 함께 하는 것이다. 굳세고 가운데 있는 현자를 따를 수 있기 때문에 크게 길하다.

‖韓國大全‖

김상악(金相岳) 『산천역설(山天易說)』

以巽順之道, 相信而升, 乃其合志也. 初四皆陰, 而曰上合志, 與大畜三上相似, 所以陰陽各從其類也.

공손하고 유순한 도로써 서로 믿고 올라가니, 뜻을 합한다. 초효와 사효가 모두 음이지만 "위로 뜻을 합한다"고 하였으니, 대축괘의 삼효와 상효와 비슷한데, 음과 양이 각각 그 부류를 따르는 것이다.

서유신(徐有臣) 『역의의언(易義擬言)』

巽得坤初, 初與四同一氣也, 上合志之象也.

손괘가 곤괘의 초효를 얻은 것이니, 초효와 사효가 동일한 기운이어서 "위로 뜻을 합하는" 상이다.

박문건(朴文健) 『주역연의(周易衍義)』

上, 謂六四也.

위는 육사를 말한다.

심대윤(沈大允) 『주역상의점법(周易象義占法)』

上, 九二也.

위는 구이이다.

오치기(吳致箕) 「주역경전증해(周易經傳增解)」

上謂九二之剛, 而初與之誠信合志, 同爲升進, 故大吉也.

위는 구이의 굳셈이니, 초효가 구이와 참으로 뜻을 합하여 함께 나아가기 때문에 크게 길한 것이다.

九二, 孚, 乃利用禴, 无咎.

구이는 정성이 있어야 검소한 약(禴)제사로 함이 이로우니 허물이 없다.

‖中國大全‖

傳

二陽剛而在下, 五陰柔而居上. 夫以剛而事柔, 以陽而從陰, 雖有時而然, 非順道也. 以暗而臨明, 以剛而事弱, 若黽勉於事勢, 非誠服也. 上下之交不以誠, 其可以久乎, 其可以有爲乎. 五雖陰柔, 然居尊位, 二雖剛陽, 事上者也, 當內存至誠, 不假文飾於外. 誠積於中, 則自不事外飾. 故曰利用禴, 謂尚誠敬也.

이효는 양의 굳셈인데 아래에 있고 오효는 음의 부드러움인데 위에 있다. 굳셈으로 부드러움을 섬기고 양으로 음을 따르니, 때에 따라 그럴 수 있지만 순리대로 하는 도는 아니다. 어두움으로 밝음을 다스리고 굳셈으로 약함을 섬기니, 일의 추세에 힘쓰는 것 같지만 진실로 복종하는 것이 아니다. 상하의 사귐에 정성으로 하지 않는다면, 어떻게 오래 갈 수 있고, 어떻게 일을 할 수 있겠는가? 오효가 부드러운 음이지만 존귀한 자리에 있고, 이효가 굳센 양이지만 위를 섬기는 자이니, 안으로 지극한 정성을 가지고 밖으로 꾸미지 않아야 한다. 정성이 안에 쌓이면 본래 밖으로 꾸미지 않는다. 그러므로 "검소한 약제사로 함이 이롭다"고 했으니, 정성과 공경을 숭상한다는 말이다.

自古剛强之臣, 事柔弱之君, 未有不爲矯飾者也. 禴, 祭之簡質者也. 云孚乃, 謂旣孚, 乃宜不用文飾, 專以其誠感通於上也. 如是則得无咎. 以剛强之臣, 而事柔弱之君, 又當升之時, 非誠意相交, 其能免於咎乎.

옛날부터 굳세고 강한 신하가 유약한 임금을 섬김에 속여 꾸미지 않은 경우는 없었다. '검소한 약제사로 한다'는 것은 제사를 간단하고 소박하게 하는 것이다. '정성이 있어야'라고 한 것은 이미 정성이 있어야 꾸미지 않고 오로지 정성으로 위를 감동시켜 통한다는 것을 말한다. 이처럼 하면 허물이 없다. 굳세고 강한 신하로 유약한 임금을 섬기고 또 승의 때에 성의로 서로 사귀지 않는다면 어떻게 허물을 면할 수 있겠는가?

本義

義見萃卦.

의미는 취괘에 있다.

小註

建安丘氏曰, 二與五爲正應, 九二爲巽木剛直之幹, 六五在坤地之中, 而能生木者也. 二五相應而相孚, 猶用薄祭亦可薦之於神明矣.

건안구씨가 말하였다: 이효와 오효는 바른 호응으로 구이는 손(巽☴)이라는 나무의 곧은 줄기이고, 육오는 곤(坤☷)이라는 땅의 가운데 있어 나무를 낳을 수 있는 것이다. 이효와 오효가 서로 호응하고 서로 정성을 다하니 오히려 간략히 제사지낼지라도 신명에게 올릴 수 있다.

○ 臨川吳氏曰, 二剛中而應五, 然五柔未易速孚, 故必待旣孚於五而後, 乃利用禴也. 禴者, 宗廟之禮, 薄於常時者. 然誠孚於上而後用禴, 則上不疑其簡, 故无咎.

임천오씨가 말하였다: 굳센 이효가 가운데에 있으면서 오효에 호응하지만 부드러운 오효가 빨리 정성을 다하기가 쉽지 않기 때문에 반드시 오효에게 정성이 다하기를 기다린 이후에 검소한 약제사로 함이 이롭다. 검소한 약제사로 하는 것은 종묘의 예로 평상시보다 간략히 하는 것이다. 그러나 위로 정성을 다한 이후에 검소한 약제사로 하면 위에서 그 간략함을 의심하지 않기 때문에 허물이 없다.

○ 中溪張氏曰, 萃六二以中虛爲孚, 而與九五應. 升九二以中實爲孚, 而與六五應, 二爻虛實雖殊, 其孚則一也. 孚則雖用禴而亦利, 故二爻皆曰, 孚乃利用禴. 象言剛中而應指此爻也.

중계장씨가 말하였다: 취괘(萃卦䷬)의 육이는 '가운데가 비어 있는 것[--]'을 정성으로 하여 구오와 호응하고, 승괘(升卦䷭)의 구이는 '가운데가 차 있는 것[—]'을 정성으로 하여 육오와 호응하니, 두 효의 비어 있음과 차 있음이 다를지라도 그 정성은 같다. 정성을 다하면 검소한 약제사로 할지라도 이롭기 때문에 두 효에서 모두 "정성이 있어야 검소한 약제사로 함이 이롭다"라고 하였다. 「단전」에서 "굳세고 가운데 있으면서 호응한다"고 한 것은 이 효를 가리킨 것이다.

○ 雲峰胡氏曰, 萃與升相反, 萃之二曰, 孚乃利用禴, 則宜如損六五[24]十朋之龜. 言之於反卦, 六五可也, 今皆在下卦中爻言之, 何哉. 萃六二求萃於上, 升九二求升乎上, 故其義同. 萃六二以柔而應九五之剛, 升九二以剛而應六五之柔, 其以至誠感應則一也. 故爻辭同, 而象傳剛中而應之辭亦同.

운봉호씨가 말하였다: 취괘(萃卦䷬)와 승괘(升卦䷭)는 서로 뒤집힌 괘이니, 취괘의 이효에서 "정성이 있어야 검소한 약제사로 함이 이롭다"라고 하였다면, 손괘(損卦䷨) 육오에서 열 쌍의 거북25)과 같아야 한다. 뒤집힌 괘로 말하면 육오여야 하는데, 이제 모두 하괘의 가운데 효로 말한 것은 무엇 때문인가? 취괘(萃卦䷬)의 육이는 위에서 모이기를 구하고, 승괘(升卦䷭)의 구이는 위에서 올라가기를 구하기 때문에 그 의미가 같다. 취괘의 육이는 부드러움으로 구오의 굳셈에 호응하고, 승괘의 구이는 굳셈으로 육오의 부드러움에 호응하니, 지극한 정성으로 감응하는 것은 같다. 그러므로 효사가 같고 『단전』의 "굳세고 가운데 있으면서 호응한다"는 말도 같다.

○ 李氏元量曰, 萃之二柔也, 則疑於進之易, 故引吉, 无咎, 而後孚乃利用禴. 升之二剛也. 剛則能審義以進, 故卽其才, 孚, 乃利用禴, 而无咎也.

이원량이 말하였다: 취괘(萃卦䷬)의 이효는 유순하니 나아가기 쉬움을 의심하기 때문에 '끌어당기면 길하여 허물이 없게 된 다음에 정성이 있어야 검소한 약제사로 함에 이롭다'는 것이다. 승괘(升卦䷭)이 이효는 굳세다. 굳세면 의리를 살펴서 나아가기 때문에 그 재질로 '정성이 있어야 검소한 약제사로 함이 이로우니 허물이 없다'는 것이다.

┃韓國大全┃

조호익(曺好益) 『역상설(易象說)』

孚二中實象, 禴夏祭名.

'믿음[孚]'은 이효의 가운데가 찬 상이다. '약(禴)'은 여름철에 지내는 제사의 이름이다.

---

24) 五: 『주역전의대전』에는 '二'로 되어 있으나, 문맥을 살펴 '五'로 바로잡았다.
25) 『周易 · 損卦』: 六五. 或益之十朋之龜, 弗克違, 元吉.

송시열(宋時烈) 『역설(易說)』

與萃六二同辭, 說見上. 以巽潔致坤養, 亦有觀卦之義故也.

취괘 육이와 말이 같으니,[26] 설명이 위에 있다. 공손하고 깨끗함으로써 곤의 기름을 이루니, 관괘의 뜻이 있기 때문이다.

張淸子曰, 萃二之孚中虛也, 此孚中實也. 虛實雖殊, 其孚一也. 小象有喜者, 互震爲喜象也.

장청자가 말하였다: 취괘 이효의 믿음은 가운데가 비어있고, 이 믿음은 가운데가 가득차있다. 비어있음과 차있음이 비록 다르지만 그 믿음은 한결같다. 「상전」에 "기쁨이 있다"는 호괘인 진괘(☳)가 기쁨의 상이 된다.

이익(李瀷) 『역경질서(易經疾書)』

九二孚乃利用禴, 與萃同義, 而其用之者四也, 非二也. 六四云, 王用享于歧山, 歧山, 周邑也. 在歧山享廟而非祭於山. 文王猶服事殷, 故於四言之. 九二用禴, 是四用二以助祭也. 此則明是周公以文王事, 況之伏羲卦爻, 安有此象. 孚者信及於賢佐, 用以有事也. 旣濟云, 不如西隣之時, 禴者, 時祭之謂也. 王者其必從追王後說也.

"구이는 정성이 있어야 검소한 약제사로 함이 이롭다"는 취괘와 뜻이 같지만 그 사용하는 것은 사효이지 이효가 아니다. 육사에서 "왕이 기산에서 형통하다"고 하였는데 기산은 주나라 읍이니, 기산에서 종묘에 제사한 것이지 산에 제사를 드린 것은 아니다. 문왕이 은나라를 복종하여 섬겼기 때문에 사효에서 그렇게 말한 것이다. 구이에서 "약제사를 함"은 사효가 이효로써 제사를 돕게 하는 것이다. 이는 주공이 문왕의 일로써 한 것이 분명하니, 하물며 복희의 괘와 효에 어찌 이러한 상이 있겠는가? '믿음'은 믿음이 어진 이의 보좌에 미쳐서 등용하여 일이 있는 것이다. 기제괘에서 "서쪽 이웃의 때에 맞음만 못하다"[27]고 하니, 검소한 제사는 때에 맞는 제사를 말한다. '왕'은 반드시 왕으로 추존된 후를 말한다.

김상악(金相岳) 『산천역설(山天易說)』

九二以巽遇坤, 剛中而應, 故與萃六二同義.

구이는 손괘가 곤괘를 만나 굳세고 가운데이면서 호응이 있기 때문에 취괘 육이와 뜻이 같다.

---

26) 『周易·萃卦』: 六二, 引吉无咎, 孚乃利用禴.

27) 『周易·旣濟卦』: 九五, 東隣殺牛, 不如西隣之禴祭, 實受其福. 象曰, 東隣殺牛, 不如西隣之時也, 實受其福, 吉大來也.

○ 孚者信也, 巽坤二象. 萃於下升於上, 皆莫如祭祀之誠也. 然升則剛而中, 故先言用禴而後言无咎. 萃則柔之中, 故先言无咎而後言用禴. 又巽坤交則爲觀, 觀象曰, 盥而不薦, 有孚顒若, 指五, 故本爻之象如此, 所以下觀而化也. 旣濟九五曰, 東隣殺牛, 不如西隣之禴, 祭時之, 不同也.

'믿음[孚]'은 믿음[信]이니, 손괘와 곤괘의 두 상이다. 아래로 모이고 위로 올라감이 모두 제사의 정성만한 것이 없다. 그러나 승괘는 굳세면서 가운데이기 때문에 먼저 "검소한 약제사로 한다"고 하고, 뒤에 "허물이 없다"고 하였다. 취괘는 부드러우면서 가운데이기 때문에 먼저 "허물이 없다"고 하고, 뒤에 "검소한 약제사로 한다"고 하였다. 손괘와 곤괘가 위 아래로 바뀌면 관괘(䷓)가 되는데 관괘의 「단전」에서 "손만 씻고 제사를 올리지 않은 듯이 한다"[28]고 하였으니, 오효를 가리킨다. 그러므로 본효의 상이 이와 같으니, 아랫사람이 보고 교화되는 것이다. 기제괘 구오에 "동쪽 이웃의 소를 잡는 제사는 서쪽 이웃의 검소한 제사보다 못하다"고 하였으니, 때에 맞게 제사하는 것이 같지 않다.

박제가(朴齊家) 주역(周易)

萃之二, 聚而受福也. 升之二, 升而受福. 孚則同, 必孚而後, 受福也. 以反卦之義推此, 當爲九五, 而所謂受福者, 必自下致誠然後有得, 故不於五而必於二也. 其不曰祠嘗與蒸, 而必曰禴者, 以祠嘗蒸皆有它義. 祠爲廟名, 嘗有曾義, 烝爲語助之類, 是也. 惟禴則單爲時祭之名, 窃想古人, 言祭之常稱, 必先擧禴, 故春夏之序, 當曰祠禴, 而必曰禴祠亦可見矣. 如旣濟之五曰, 西隣之禴祭, 象傳曰時也, 則乃四時祭名之恒稱, 非以簡質而取義也. 朱子曰, 人積其誠意, 以事鬼神, 有升而上通之義者, 自合經義.

취괘의 이효는 모여서 복을 받고 승괘의 이효는 올라가서 복을 받는다. 믿음은 함께 반드시 믿게 된 이후에 복을 받는다. 반대 괘의 뜻으로 이것을 미루어 보면, 마땅히 구오가 되어야 하나 이른바 복을 받는 것은 반드시 아래로부터 정성을 다한 이후에 얻게 되기 때문에 오효에서가 아니라 이효에서 얻는다. 봄제사 사(祠)·가을제사 상(嘗)·겨울제사 증(蒸)이라고 하지 않고 반드시 '여름제사 약(禴)'이라고 한 것은 봄제사 사(祠)·가을제사 상(嘗)·겨울제사 증(蒸)은 모두 다른 뜻이 있기 때문이니, 봄제사 사(祠)는 종묘의 이름이고, 가을제사 상(嘗)은 일찍의 뜻이 있고, 겨울제사 증(蒸)은 어조사라는 등이 이것이다. 약제사만 단순히 때에 맞는 제사의 이름이다. 생각하면 옛날 사람들이 제사의 명칭을 평소 말할 때 반드시 먼저 여름제사인 약제사를 열거하였기 때문에 봄과 여름의 순서로는 봄제사 사와 여름제사 약이라고 해야 하지만 반드시 여름제사 약과 봄제사 사라고 하였음을 또한 알 수 있다. 기제괘

---

28) 『周易·觀卦』: 觀, 盥而不薦, 有孚顒若, 下觀而化也.

오효에 "서쪽 이웃의 검소한 제사"라 하고, 그 「상전」에서 "때에 맞다"고 하였으니, 이것은 사계절 제사 이름을 통칭한 것이지 간단하고 소박한 것으로 뜻을 취한 것이 아니다. 주자가 "사람은 성의를 쌓아서 귀신을 섬기니, 올라가서 위로 통하는 뜻이다"라고 하였으니, 경문의 뜻과 저절로 합치된다.

윤행임(尹行恁) 『신호수필(薪湖隨筆)·역(易)』

升之九二六四二爻, 獨不言升之義者, 何也. 二用禴, 四用亨, 禴與亨皆祭也. 祭則馨香上升, 雖不用升字, 升之大者, 莫如二四.

승괘의 구이와 육사 두 효에서만 승의 뜻을 말하지 않은 것은 어째서인가? 이효에서 '약제사'라 하고, 사효에서 '제향하다'고 하였으니, '약제사'와 '제향하다'는 모두 제사이다. 제사를 지내면 그윽한 향기가 위로 올라가는데 비록 '올라간다'는 승(升)을 사용하지 않았지만 올라감이 큰 것은 이효와 사효만한 것이 없다.

서유신(徐有臣) 『역의의언(易義擬言)』

二與五正應, 故曰孚也. 用禴, 所以應五之孚也, 乃利用禴之義, 與萃六二同. 升進之道, 誠信爲上, 儀物次之, 雖不繁縟, 亦自无咎也.

이효와 오효가 정응이기 때문에 '정성'이라고 하였다. "검소한 약제사로 한다"는 오효에 호응하는 정성으로 바로 "검소한 약제사를 함이 이롭다"는 뜻이니, 취괘 육이와 같다. 올라가는 도는 정성과 믿음이 최고이며, 거동과 물건은 그 다음이니, 비록 성대하게 차리지 않았더라도 스스로 허물이 없을 것이다.

강엄(康儼) 『주역(周易)』

傳以暗而臨明. 按以上下文義推之, 恐當云以明而臨暗.

『정전』에서 "어두움으로 밝음을 다스린다"고 하였다.
내가 살펴보았다: 위 문맥의 뜻으로 살펴보면, 아마 밝음으로 어두움을 다스린다고 하여야 할 것 같다.

하우현(河友賢) 「역의의(易疑義)」

九二孚乃利用禴, 與萃六二同. 萃六二以中虛爲孚, 升九二以中實爲孚. 然萃之六二, 以陰柔之才, 間於二陰, 未强於上交, 故曰引吉無咎, 卽勉之之辭. 而今升之九二, 以剛中之才, 上以事柔弱之君, 而又當升之時, 則不患其不能升也, 故直謂之孚乃利用禴.
蓋許之之辭, 九二不言升, 雖不言而可知也.

"구이는 정성이 있어야 검소한 약세사로 함이 이롭다"는 취괘 육이와 같다. 취괘 육이는 가운데가 빈 것이 정성이 되고, 승괘 구이는 가운데가 가득 찬 것이 정성이 된다. 그러나 취괘 육이는 부드러운 음의 재질로 두 음의 사이에 있어 위와 사귐에 강하게 하지 않기 때문에 "끌어당기면 길하여 허물이 없다"고 하였으니, 힘써야 한다는 말이다. 지금 승괘의 구이는 굳센 가운데의 자질로 위로 유약한 임금을 섬기고, 또 올라가는 때여서 올라가는 것을 걱정하지 않기 때문에 바로 "정성이 있어야 검소한 약제사로 함이 이롭다"고 하였다. 그것을 허락한 말이니, 구이에 올라감을 말하지 않았지만 말하지 않아도 알 수 있다.

박문건(朴文健) 『주역연의(周易衍義)』

盡誠事上, 故有用禴之象, 先信後享无咎之道[29].

정성을 다하여 위를 섬기는 까닭에 약제사를 하는 상이 있다. 먼저 믿음이 있은 후에 형통하니, 허물이 없는 도이다.

김기례(金箕澧) 「역요선의강목(易要選義綱目)」

中虛爲信之本, 中實爲信之質, 皆因爻象而推移.

가운데가 비어있는 것이 믿음의 근본이고, 가운데가 가득 찬 것이 믿음의 실질이니, 모두 효의 상으로 인하여 미룬 것이다.

○ 象曰剛中而應, 指此爻, 謂簡薄致誠.

「단전」에서 "굳세고 가운데 있으면서 호응한다"는 이 효를 가리킨 것이니, 간단하고 소박함으로 정성을 다함을 말한다.

○ 諸卦取祭儀, 言人之誠敬, 莫嚴於事神.

모든 괘가 제사의 의식을 취하였으니, 사람의 정성과 공경은 귀신을 섬김보다 엄숙한 것이 없음을 말한다.

---

29) 道: 경학자료집성DB에는 '首'로 되어 있으나, 경학자료집성 영인본을 참조하여 '道'로 바로잡았다.

심대윤(沈大允) 『주역상의점법(周易象義占法)』

升之謙䷎, 斂下也. 九二居柔, 保升者也, 有應于五, 而九三阻於前, 乃功德名位之先進者也. 九二居柔而得中, 能自斂下而奉之同升, 故曰孚乃利用禴. 言二之信乎五者, 利以精誠交於三也. 對履全爲离曰孚, 三爲巽爲艮.

승괘가 겸괘(謙卦䷎)로 바뀌었으니, 거두어 낮추는 것이다. 구이는 부드러움에 있어 올라가기를 보전하는 자이다. 오효에 호응하지만 구삼이 앞을 가로막으니, 공덕과 명예로운 지위에 먼저 나아간 자이다. 구이는 부드러움에 있으면서 가운데를 얻어 스스로 거두어 들여 낮추어 받들어 함께 올라가는 까닭에 "정성이 있어야 검소한 약제사로 함이 이롭다"고 하였다. 이효가 오효에게 믿음이 있다면 정성으로 삼효와 사귐이 이롭다고 말한 것이다. 음양이 반대인 이괘(履卦䷉)는 큰 리괘(☲)가 되어 '정성'이고, 삼효는 손괘·간괘가 된다.

오치기(吳致箕) 「주역경전증해(周易經傳增解)」

九二陽剛得中, 而上應六五. 柔中之君, 卽所謂大人者也. 當升之時, 賢德升聞于上, 而知其誠信, 可以孚感神明, 故乃升進而使之主祭, 所以言利用禴. 而以剛居柔, 宜若有咎, 然得中而有誠信, 故言无咎.

구이는 굳센 양으로 가운데를 얻어 위로 육오와 호응한다. 부드러운 가운데의 임금은 곧 대인이다. 올라갈 때에 어진 덕이 올라가 위에서 들리고 그 정성과 믿음을 알아야 신명에 정성으로 감응하기 때문에 올라가서 제사의 주인이 되어 "검소한 약제사로 함이 이롭다"고 하였다. 굳셈으로 부드러움에 있어 허물이 있는 것 같지만 가운데를 얻고 정성과 믿음이 있기 때문에 허물이 없다고 한 것이다.

○ 孚取爻變互坎, 禴取對體似離也.

'정성'은 효가 변한 호괘인 감괘에서 취하였고, '검소한 약제사'는 음양이 바뀐 몸체인 리괘와 유사한 것에서 취하였다.

이진상(李震相) 『역학관규(易學管窺)』

孚用禴, 亦坎象.

"정성이 있어야 검소한 약제사를 한다"는 감괘의 상이다.

박문호(朴文鎬) 「경설(經說)·주역(周易)」

自古至者也, 又言强臣之弊.

『정전』에 "옛날부터[自古]"에서 '자(者)'까지는 권력이 강한 신하의 폐단을 말한 것이다.

이병헌(李炳憲) 『역경금문고통론(易經今文考通論)』

王曰, 與五爲應, 往必見任.

왕필이 말하였다: 오효와 호응하여 가면 반드시 신임을 받는다.

正義曰, 薦約則爲神所亨, 宜爲喜.

『주역정의』에서 말하였다: 검소하게 올리면 귀신에게 흠향받게 되어 마땅히 기쁨이 된다.

象曰, 九二之孚, 有喜也.

「상전」에서 말하였다: "구이의 정성"은 기쁨이 있는 것이다.

▌中國大全▌

傳

二能以孚誠事上, 則不唯爲臣之道无咎而已, 可以行剛中之道, 澤及天下, 是有喜也. 凡象, 言有慶者, 如是則有福慶及於物也. 言有喜者, 事旣善, 而又有可喜也. 如大畜童牛之牿元吉, 象曰有喜, 蓋牿於童則易, 又免强制之難, 是有可喜也.

이효가 정성으로 위를 섬기면 신하된 도리에 허물이 없을 뿐만 아니라 굳세고 가운데 있는 도를 행할 수 있어 은택이 천하에 미치니, 기쁜 것이다. 일반적으로 상에서 경사가 있다고 하는 경우는 이와 같이 하면 복과 경사가 사물에 미친다는 것이다. 기쁜 것이라고 말하는 경우는 일이 이미 선하고 또 기뻐할만 하다는 것이다. 이를테면 대축괘(大畜卦)의 "어린 소에 가로 댄 나무이니, 아주 길하다"[30]는 것에 대해 「상전」에서 "기쁜 것이다"[31]라고 한 것이니, 어린 소에게 가로 댄 나무를 다는 것은 쉽고, 또 억지로 제재하는 어려움을 면하니, 바로 기뻐할 만한 것이다.

小註

建安丘氏曰, 九二雖不言升, 而上下旣已交孚, 豈唯无咎. 且有升進之喜也.

건안구씨가 말하였다: 구이에서는 올라감을 말하지 않았지만 상하가 이미 서로 정성스러우니, 어찌 허물이 없을 뿐이겠는가? 또 승진하는 기쁨이 있을 것이다.

○ 縉雲馮氏曰, 二, 中也, 五, 亦中也. 中誠相感, 雖五升而不來, 以二之孚誠, 五亦不能不守貞待二而爲之升階也. 二能感五, 五能待二, 乃成升道, 故贊二爲有喜, 五爲大

---

30) 『周易·大畜卦』: 六四, 童牛之牿, 元吉.
31) 『周易·大畜卦』: 象曰, 六四元吉, 有喜也.

得志.

진운풍씨가 말하였다: 이효는 가운데이고 오효도 가운데이다. 가운데의 정성으로 서로 감동하면 오효가 올라가 있어 내려오지 않을지라도 이효의 정성 때문에 오효도 바름을 지켜 이효를 기다리며 그것을 위해 올라가는 계단이 되지 않을 수 없다. 이효가 오효를 감동시키고, 오효도 이효를 기다리며 올라가는 도를 이루어주기 때문에 이효는 기쁜 것이고 오효는 뜻을 크게 얻은 것이라고 찬미했다.

‖韓國大全‖

유정원(柳正源)『역해참고(易解參攷)』

正義, 上升則爲君所任, 薦約則爲神所享, 斯之爲喜, 不亦宜乎.

『주역정의』에서 말하였다: 위로 올라가면 임금의 신임을 받고, 간소한 제사를 올리면 귀신의 흠향을 받으니, 이것이 기쁨이 되는 것이 마땅하지 않겠는가?

김상악(金相岳)『산천역설(山天易說)』

有喜者, 南征之吉也. 卦曰有慶, 謂五之應二也. 爻曰有喜, 謂二之應五也. 如困之二曰有慶, 五曰有說, 所以利用於享禴.

"기쁨이 있음"은 "남쪽으로 가면 길함"이다. 괘에 "경사가 있다"고 한 것은 오효가 이효와 호응하는 것이고, 효에 "기쁨이 있다"고 한 것은 이효가 오효와 호응하는 것이다. 곤괘의 이효에 "경사가 있다", 오효에 "기쁨이 있다"고 하였으니, 검소한 약제사를 올리는 것이 이롭다.

서유신(徐有臣)『역의의언(易義擬言)』

稱九二, 言其剛也. 喜者, 應與之喜也.

구이라고 한 것은 그 굳셈을 말한 것이다. '기쁨'은 호응하고 함께 하는 기쁨이다.

김기례(金箕澧) 「역요선의강목(易要選義綱目)」

五待二, 二感五而成升, 象曰有慶之意.

오효가 이효를 기다리고 이효가 오효에 감응하여 올라감을 이루니,「단전」에서 "경사가 있다"고 말한 뜻이다.

심대윤(沈大允) 『주역상의점법(周易象義占法)』

萃之六二, 援引于四而有得, 故言吉. 升之九二, 奉三而同升, 故不言吉也. 屈於先進, 而伸於天下, 故曰有喜也. 兌坎爲喜.

취괘 육이는 사효에게 이끌려 얻음이 있기 때문에 길하다고 하였다. 승괘 구이는 삼효를 받들어 함께 올라가기 때문에 길하다고 하지 않았다. 먼저 나아간 자에게 굽혀 천하에 펴기 때문에 경사가 있다. 태괘와 감괘가 기쁨이 된다.

오치기(吳致箕) 「주역경전증해(周易經傳增解)」

誠信而爲君升用, 故有可喜也.

정성과 믿음으로 임금을 위하여 올라가 쓰이기 때문에 기뻐할만 한 것이 있다.

九三, 升虛邑.

구삼은 빈 고을에 올라간다.

| 中國大全 |

傳

三以陽剛之才, 正而且巽, 上皆順之, 復有援應. 以是而升, 如入无人之邑, 孰禦哉.

삼효가 양의 굳센 재질로 바르고 또 공손하며, 위가 모두 유순하고 다시 응원한다. 이것으로 올라가면 사람이 없는 고을에 들어가는 것과 같으니, 누가 막겠는가?

本義

陽實陰虛, 而坤有國邑之象. 九三以陽剛, 當升時而進臨於坤, 故其象占如此.

양은 '채워져[ㅡ]' 있고 음은 '비어[--]' 있어 곤(坤☷)에는 나라와 고을의 상이 있다. 구삼이 굳센 양으로 올라갈 때를 만나 곤(坤☷)에 나가 어루만지기 때문에 그 상과 점이 이와 같다.

小註

雲峰胡氏曰, 陽一故實, 陰二故虛. 九三進臨坤陰, 如入无人之邑. 其升如此之易者, 剛正故也.

운봉호씨가 말하였다: 양은 하나[ㅡ]이기 때문에 채워져 있고, 음은 둘[--]이기 때문에 비어있다. 구삼은 곤(坤☷)의 음에 나가는 것은 사람이 없는 고을에 들어가는 것과 같다. 올라감이 이처럼 쉬운 것은 굳셈이 바르기 때문이다.

┃韓國大全┃

송시열(宋時烈) 『역설(易說)』

虛者, 陰爻之虛也. 邑, 坤象. 來氏云, 四邑爲丘, 四丘爲虛, 虛亦坤象, 云小象無所疑. 蘇軾曰, 以陽用陽, 其升也果, 故升虛而无疑也. 傳曰, 入无人之邑, 進无疑阻云云, 蓋下有坎象, 而三爲重剛而升, 是无坎也, 卽象之勿恤之意, 見象註.

'비었다'는 음의 효가 비었다는 것이다. '읍'은 곤괘의 상이다. 래씨가 "네 읍이 구(丘)이고, 네 구(丘)가 허(虛)"라고 하였으니, '비었다'도 곤의 상이다. 「상전」에서 "의심할 것이 없다"고 하였다. 소식이 "양으로써 양을 쓰기 때문에 그 올라감이 과감하다. 그러므로 빈 곳에 올라가서 의심이 없는 것이다"라고 말하였다. 『정전』에서 "사람이 없는 고을에 들어가니, 나아감에 의심과 막힘이 없다"고 하였다. 아래에 감괘의 상이 있지만 삼효가 거듭된 굳셈이 있어 올라감에 막힘이 없으니, 곧 「단전」의 "근심하지 말라"는 뜻으로, 「단전」의 주석에 보인다.

이익(李瀷) 『역경질서(易經疾書)』

九三六四, 皆得位相比, 如周之太公是也. 風雲感會, 起於屠釣. 邑旣虛矣, 升豈有疑. 歧山之享, 文王猶在臣位, 未有天下之志也, 故曰順事.

구삼과 육사는 모두 지위를 얻어 서로 가까이 하니, 주나라의 태공과 같은 사람이다. 바람과 구름이 감응하는 때에는 백정과 낚시꾼 가운데서도 어진 이가 일어난다. 읍이 이미 비었으니, 올라감에 어찌 의심이 있겠는가? 기산에서 흠향함은 문왕이 아직 신하의 지위에 있고 천하에 뜻을 두지 않았기 때문에 "순리대로 섬긴다"고 하였다.

유정원(柳正源) 『역해참고(易解參攷)』

王氏曰, 履得其位, 以陽升陰, 以斯而擧, 莫之違距, 故若升虛邑也.

왕씨가 말하였다: 그 자리를 밟아 양으로써 음에 올라가는 것이니, 이렇게 오르면 막을 수가 없기 때문에 빈 고을에 오르는 것과 같다.

김상악(金相岳) 『산천역설(山天易說)』

九三, 居巽遇坤, 陽實陰虛, 比四而進, 故有升虛邑之象. 邑虛則易升也.

구삼은 손괘에 있으면서 곤괘를 만난 것인데 양은 차있고 음은 비어있으며, 사효에 가까우면서 나아가기 때문에 "빈 고을에 올라가는" 상이 있다. 읍이 비어있으면 올라가기 쉽다.

○ 先天巽位, 乃後天坤方, 而三自巽體而升坤, 故取象如此. 或曰, 邑, 公侯之居, 虛邑, 乃始遷之邑. 四曰王用亨于岐山, 故三取遷邑之象. 衛詩之升虛望楚[32], 事亦相類. 蓋四邑爲邱, 四邱爲虛, 非空虛也, 乃邱虛也. 三變則坎伏離而爲明夷, 明夷曰南狩, 故卦曰南征吉, 爻曰升虛邑. 所以六四用亨于岐山, 而曰順事, 與明夷之二曰順, 則相似, 六五升階而曰大得志, 與明夷九三同辭. 上六冥升, 亦不明而晦也, 故利不息之貞, 得明不可息之義.

선천에서 손괘의 자리는 후천에서 곤괘의 자리이다. 삼효가 손괘의 몸체로부터 곤괘로 올라온 것이기 때문에 상을 이와 같이 취하였다.

어떤 이가 말하였다: 읍은 제후가 사는 곳이고, '빈 읍'은 처음 천도한 읍이니, 사효에서 "왕이 기산에서 형통하듯이 한다"고 하였기 때문에 삼효가 천도한 읍의 상을 취하였다. 위나라 시에서 "성터에 올라 초나라를 바라본다"는 일도 같은 종류이다. 네 읍이 구(邱)이고, 네 구(邱)가 허(虛)이니, 빈 것이 아니고 구허(邱虛)이다. 삼효가 변하면 감괘에 리괘가 잠복하여 명이괘가 된다. 명이괘 구삼에서 "남쪽으로 사냥간다"고 하였기 때문에 이 괘에서는 "남쪽으로 가면 길하다"고 하였고, 효에서는 "빈 고을에 올라간다"고 하였다. 육사에서는 "기산에서 제향한다"고 하고, "순리대로 섬기는 것이다"라고 하였으니, 명이괘 육이에서 "순하다"고 한 것과 서로 비슷하다. 육오에서는 "계단을 올라간다"고 하고, "크게 뜻을 얻은 것이다"고 하였으니, 명이괘 구삼[33]과 말이 같다. 상육의 "올라가는 것에 어두움"은 또한 밝지 않고 어둡기 때문에 쉬지 않는 바른 도에 이로우니, 밝음을 얻어 쉴 수 없다는 뜻이다.

박제가(朴齊家) 주역(周易)

虛, 高丘也. 詩云, 升彼虛矣, 注故城也, 蓋高處也. 言地位之高曠, 而所見無阻, 故象傳曰无所疑也. 本義, 進臨于坤者是也, 不可謂无人之邑也.

'빈[虛]'은 높은 언덕이다. 『시경』에서 "저 허에 올라간다"고 하였으니, 주에서 '옛 성[故城]'이라고 하였다. 땅의 자리가 높고 비어있어 보는데 막히는 것이 없기 때문에 「상전」에서 "의심할 것이 없다"고 하였다. 『본의』에서 "곤(坤☷)에 나가 어루만진다"가 이것이니, 사람이 없는 읍이라고 할 수 없다.

서유신(徐有臣) 『역의의언(易義擬言)』

過剛互震升進太快. 三陰決開, 無所阻隔, 故曰升虛邑. 上六爲虛邑象, 邑則虛矣, 升奚

---

32) 『詩經 · 鄘風』: 升彼虛矣, 以望楚矣, 望楚與堂, 景山與京, 降觀于桑, 卜云其吉, 終焉允臧.

33) 『周易 · 明夷卦』: 九三, 明夷于南狩, 得其大首, 不可疾貞.

爲哉. 故不言吉利也.

지나치게 굳세니, 호괘인 진괘가 올라감이 너무 빠르다. 세 음이 터져 열려 막힘이 없기 때문에 "빈 고을에 오른다"고 하였다. 상육은 빈 고을의 상이 되니, 고을이 비었다면 올라감을 어떻게 하겠는가? 그러므로 길하거나 이롭다고 하지 않았다.

강엄(康儼) 『주역(周易)』

按, 九三進臨坤土, 故爲升虛邑之象. 然剛而得正, 不爲陰柔所累, 沛然而升, 如入无人之境. 故象曰升虛邑无所疑也. 无所疑, 是就九三心界上說, 可見升虛邑, 不獨取象於進臨坤土也. 使九三有所疑阻, 則其爲陰柔所累可知矣, 又何升進之可得乎.

내가 살펴보았다: 구삼은 땅인 곤에 나가 어루만지기 때문에 "빈 고을에 올라가는" 상이 된다. 그러나 굳세면서 바름을 얻어 부드러운 음에게 묶이지 않고 왕성하게 올라가기를 마치 사람이 없는 곳에 들어가듯이 한다. 그러므로 「상전」에서 "빈 고을에 올라감은 의심할 것이 없기 때문이다"고 하였다. "의심할 것이 없음"은 구삼의 마음 위에서 말한 것이니, "빈 고을에 올라감"이 땅인 곤에 나가 어루만지는 것에서만 상을 취한 것이 아님을 알 수 있다. 만약 구삼에게 의심하여 막힘이 있다면 부드러운 음에게 묶임을 알 수 있으니, 또 어찌 올라가겠는가?

박문건(朴文健) 『주역연의(周易衍義)』

內得安靜, 故有虛邑之象. 以剛制外, 故邑无所警.

안으로 편안하고 고요하기 때문에 빈 고을의 상이 있다. 굳셈으로 바깥을 제어하기 때문에 고을에 경계함이 없다.

이지연(李止淵) 『주역차의(周易箚疑)』

九三, 如湯之十一征而无敵於天下也. 巽者, 木也. 木爲仁也, 言仁者无敵之謂也.

구삼은 탕임금이 열 한 나라를 정벌하여 천하에 적이 없음과 같다. 손괘는 나무이고, 나무는 인(仁)이 되니, 어진 이는 적이 없다는 말이다.

김기례(金箕澧) 「역요선의강목(易要選義綱目)」

坤爲邑國, 言以陽剛升至外坤, 如入无人之境, 故象曰无疑. 虛, 指坤陰.

곤이 읍국(邑國)이 되니, 굳센 양이 올라가 바깥의 곤에 이르는 것이 마치 사람이 없는 곳에 들어가는 것과 같으므로 「상전」에서 "의심할 것이 없다"고 하였다. '빔[虛]'은 곤괘의 음효를 가리킨다.

심대윤(沈大允) 『주역상의점법(周易象義占法)』

升之師䷆, 衆也. 九三居剛, 求升而才剛, 名位旣盛, 而爲外卦坤衆之所服從, 有應于上, 而又得九二之推轂, 故曰升虛邑, 言時之名德, 无踰於三, 更无阻於前也. 无妄有离艮曰虛邑, 湯武之爲諸侯時也. 諸侯无升, 升則天子矣, 故三爲升之主也.

승괘가 사괘(師卦䷆)로 바뀌었으니, 무리이다. 구삼이 굳센 자리에 있으면서 올라가기를 구하고 자질이 강하며, 명예로운 자리가 이미 성대하고, 외괘인 곤괘의 무리가 복종하는 것이 되며, 위로 호응이 있고 또 구이가 밀기 때문에 "빈 고을에 올라간다"고 하였다. 당시의 이름과 덕이 삼효보다 뛰어난 것이 없고 앞에서 막힘이 없다는 말이다. 무망괘에 이괘와 간괘가 있어 "빈 고을"이라고 하였으니, 탕임금과 무왕이 제후가 된 때이다. 제후는 올라감이 없으니, 올라가면 천자이기 때문에 삼효가 승괘의 주인이 된다.

오치기(吳致箕) 「주역경전증해(周易經傳增解)」

九三, 陽剛得正, 而居下之上, 卽公侯有位者也. 當升之時, 以才德升用, 而前有應援, 順且无阻, 有升虛邑之象. 故其辭如此, 卽象而占可知矣.

구삼은 굳센 양이 바름을 얻어 아래괘의 위에 있으니, 제후로서 지위가 있는 자이다. 올라갈 때에 재주와 덕으로 올라가 쓰이고, 앞으로 호응과 원조가 있어서 순리대로 하여 막힘이 없으니, "빈 고을에 올라가는" 상이 있다. 그러므로 그 말이 이와 같으니, 상에 나아가면 점을 알 수 있을 것이다.

○ 虛取坤陰之象, 而或云, 與墟通. 邑者, 邑國之謂, 而亦坤之象也.

'빔[虛]'은 음인 곤괘의 상을 취하였으니, 어떤 이가 '허(墟)'와 통한다고 하였다. '읍'은 읍국을 말하니, 또 곤괘의 상이다.

이진상(李震相) 『역학관규(易學管窺)』

坤爲邑, 而體虛又在上, 故曰升虛邑, 傳曰其進無疑阻.

곤괘가 고을이 되는데 몸체가 비었고 또 위에 있기 때문에 "빈 고을에 올라간다"고 하였고, 『정전』에서 "나아감에 의심과 막힘이 없다"고 하였다.

이병헌(李炳憲) 『역경금문고통론(易經今文考通論)』

本義曰, 陽實陰虛, 坤有邑象, 九三以陽剛, 當升時而進.

『본의』에서 말하였다: 양은 채워져 있고 음은 비어 있어 곤에는 고을의 상이 있다. 구삼이 굳센 양으로 올라갈 때를 만나 나아간다.

象曰, 升虛邑, 无所疑也.

「상전」에서 말하였다: "빈 고을에 올라감"은 의심할 것이 없기 때문이다.

‖ 中國大全 ‖

傳

入无人之邑, 其進无疑阻也.

사람이 없는 고을에 들어가니, 나아감에 의심과 막힘이 없다.

小註

張子曰, 上皆陰柔, 往无所疑.

장자(張子)가 말하였다: 위가 모두 음이어서 감에 의심할 것이 없다.

‖ 韓國大全 ‖

유정원(柳正源) 『역해참고(易解參攷)』

正義, 往必得邑, 何所疑乎.

『주역정의』에서 말하였다: 가면 반드시 고을을 얻으니, 어찌 의심할 것이 있겠는가?

○ 案, 猶言不疑其所行.

내가 살펴보았다: 행동하는 것을 의심할 수 없다는 것과 같다.

김상악(金相岳) 『산천역설(山天易說)』

疑者, 疑阻也.

'의심'은 의심하고 막히는 것이다.

서유신(徐有臣) 『역의의언(易義擬言)』

有應與而无疑阻也.

호응하여 함께함이 있고 의심하여 막힘이 없다.

심대윤(沈大允) 『주역상의점법(周易象義占法)』

言无敵耦也.

대적할 짝이 없다는 말이다.

오치기(吳致箕) 「주역경전증해(周易經傳增解)」

順進而升虛邑, 前无疑阻也.

순리대로 나아가 빈 고을에 올라가니, 앞에 의심하거나 막힘이 없다.

六四, 王用亨于岐山, 吉, 无咎.

정전 육사는 왕이 기산에서 형통하듯이 하면 길하여 허물이 없다.
본의 육사는 왕이 기산에서 제향하여 길하니 허물이 없다.

中國大全

傳

四柔順之才, 上順君之升, 下順下之進, 已則止其所焉. 以陰居柔, 陰而在下, 止其所也. 昔者, 文王之居岐山之下, 上順天子而欲致之有道, 下順天下之賢, 而使之升進, 已則柔順謙恭, 不出其位. 至德如此, 周之王業, 用是而亨也. 四能如是, 則亨而吉, 且无咎矣. 四之才固自善矣, 復有无咎之辭, 何也. 曰, 四之才雖善, 而其位當戒也. 居近君之位, 在升之時, 不可復升, 升則凶咎可知. 故云, 如文王則吉而无咎也. 然處大臣之位, 不得无事於升, 當上升其君之道, 下升天下之賢, 已則止其分焉. 分雖當止, 而德則當升也, 道則當亨也. 盡斯道者, 其唯文王乎.

부드러운 사효의 자질로 위로는 임금의 올라감을 순리대로 하고, 아래로는 아래의 나아가감을 순리대로 하며 자신은 자신의 자리에 머물러 있다. 음이 부드러운 자리에 있고 음이 아래에 있는 것이 자신의 자리에 머물러 있는 것이다. 옛날에 문왕이 기산의 아래 있을 때에 위로 천자를 순리대로 따라 도가 있도록 했고, 아래로 천하의 현자를 따라 승진하도록 하며 자신은 유순하고 겸손하여 그 지위를 벗어나지 않았다. 지극한 덕이 이와 같아 주나라의 왕업이 이 때문에 형통하였다. 사효가 이와 같이 할 수 있으면 형통하고 길하며 또 허물이 없다. 사효의 재질은 진실로 본래 선한데 다시 허물이 없다고 한 것은 무엇 때문인가? 사효의 재질이 선할지라도 그 자리는 경계하여야 하기 때문이다. 임금과 가까운 자리에 있고 올라가는 때에 있어 다시 올라가서는 안 되니, 올라가면 흉하고 허물이 있음을 알 수 있다. 그러므로 문왕과 같이 하면 길하여 허물이 없다고 하였다. 그러나 대신의 지위에서 올라감을 일삼지 않을 수 없으니, 위로는 임금의 도를 올리고 아래로는 천하의 현자를 올리며, 자신은 자신의 분수에 머물러 있어야 한다. 그러나 분수는 머물러 있어야 할지라도 덕은 올라가야 하고 도는 형통해야 할 것이다. 이 도리를 극진하게 한 사람은 문왕뿐일 것이다.

小註

進齋徐氏曰, 岐山在禹貢雍州境南. 坤西南象. 王蓋指文王而言. 六四, 坤體本順, 又以柔居柔, 順之至也. 以順道而升, 此岐之王業, 所以亨也. 故有吉而无咎. 或曰, 升卦二四, 不言升, 何也. 曰五, 君位也. 二應五, 大臣也, 四承五, 近臣也, 其位不可升也. 升則疑于五, 而有逼上之嫌矣. 故在二言孚, 在四言順, 其義可槪見矣.

진재서씨가 말하였다: 기산은 「우공(禹貢)」의 옹주(雍州) 지경 남쪽에 있다. 곤(坤☷)은 서남쪽의 상이다. 왕은 문왕을 가리켜서 말하였다. 육사는 곤(坤☷)의 몸체여서 본래 순리대로 하고 또 부드러움으로 부드러운 자리에 있으니 지극히 유순하다. 순리대로 하는 도로 올라가니 이것이 기산의 왕업이 형통한 이유이다. 그러므로 길하고 허물이 없다.

어떤 이가 물었다: 승괘(升卦☷)의 이효와 사효에서 올라감을 언급하지 않은 것은 무엇 때문입니까?

답하였다: 오효는 임금의 자리이다. 이효가 오효와 호응하는 것은 대신이기 때문이고, 사효가 오효를 받드는 것은 가까운 신하이기 때문이니, 그 지위가 올라가서는 안 된다. 올라가면 오효가 의심하여 임금을 위협한다고 혐의를 둘 수 있다. 그러므로 이효에서는 정성을, 사효에서는 순리대로 하는 것을 말하였으니, 그 의미를 대체로 알 수 있다.

本義

義見隨卦.

뜻은 수괘(隨卦☷)에 있다.[34]

小註

或問, 亨于岐山. 朱子曰, 只是亨字此是王者有事于山川之卦.

어떤 이가 물었다: 기산에서 형통하다는 것은 무슨 뜻입니까?

주자가 답하였다: 여기서 형통하다는 말은 임금이 산과 강에 제향한다는 괘라는 것일 뿐입니다.

---

34) 『周易·隨卦·本義』: 居隨之極, 隨之固結而不可解者也, 誠意之極, 可通神明, 故其占爲王用亨于西山. 亨, 亦當作祭享之享. 自周而言, 岐山在西, 凡筮祭山川者得之, 其誠意如是, 則吉也.

○ 王亨于岐山, 與亨于西山, 只是說祭山川.

왕이 "기산에서 제향하였다"는 것과 "서산에서 제향하였다"[35]는 것은 단지 산과 강에 제사지 냈다는 설명이다.

○ 問, 升萃二卦, 多是言祭亨. 萃固取聚義, 不知升何取義. 曰, 人積其誠意以事鬼神, 有升而上通之義.

물었다: 승괘(升卦䷭)·취괘(萃卦䷬) 두 괘에서는 대부분 제향한다는 것을 말하였습니다. 취는 진실로 취한다는 의미인데, 승은 어떻게 의미를 취하는지 모르겠습니다.

답하였다: 사람이 성의를 쌓아 귀신을 섬기면 올라가서 위로 통하는 의미가 있습니다.

○ 雲峰胡氏曰, 隨上體兌. 兌正西, 羑里視岐山爲西方, 故曰西山. 此卦上體坤. 坤位 西南, 故只曰岐山. 山皆以在上卦取象. 萃曰亨曰禴, 升亦曰亨曰禴. 萃取精神之聚, 可以事鬼神, 升則言人能聚精神以事鬼神, 有升而上通之義.

운봉호씨가 말하였다: 수괘(隨卦䷐)에서 상괘의 몸체는 태(兌☱)이다. 태(兌☱)는 바로 서쪽이니, 유리(羑里)에서 기산을 보면 서쪽 방향이기 때문에 서산이라고 하였다. 여기의 승괘(升卦䷭)는 상괘의 몸체가 곤(坤☷)이다. 곤은 서남쪽에 자리하기 때문에 기산이라고 하였다. 산은 모두 상괘에서 상을 취한 것이다. 취괘(萃卦䷬)에서 "형통하다"고 하고 "검소한 약제사로 한다"라고 하며, 승괘(升卦䷭)에서도 "형통하다"고 하고 "검소한 약제로 한다"라고 하였다. 취괘는 정신이 모이는 것을 모아서 귀신을 섬길 수 있다는 것이고, 승괘는 사람이 정신을 모아 귀신을 섬기면 올라가서 위로 통할 수 있다는 의미를 말하였다.

▌韓國大全▌

조호익(曺好益) 『역상설(易象說)』

進齋徐氏曰, 岐山在禹貢雍州境南. 坤西南象. 或曰, 升萃之反. 自初至五, 爲兌艮, 正 岐山象. 亨, 以順而升之象.

---

35) 『周易·隨卦』: 上六, … 王用亨于西山.

진재서씨가 말하였다: 기산은 「우공(禹貢)」의 옹주(雍州) 지경 남쪽에 있다. 곤(坤☷)은 서남쪽의 상이다.

어떤 이가 말하였다: 승괘(䷭)는 취괘(萃卦䷬)의 거꾸로 된 괘이다. 초효부터 오효까지가 태괘와 간괘가 되니, 바로 기산(岐山)의 상이다”고 하였다. ‘형통[亨]’은 순리대로 하여 올라가는 상이다.

김장생(金長生) 주역(周易)

程傳亨音兄, 本義音香. 本義雖以亨意看, 以亨讀之似可, 未知如何.

『정전』에서 ‘형(亨)’은 ‘형(兄)’이라고 읽었고, 『본의』에서는 향(香)이라고 읽었다. 『본의』에서 비록 ‘제향하다’는 향(享)의 뜻으로 보았지만 형(亨)으로 읽더라도 좋을 듯하니, 어떤지 알 수 없다.

송시열(宋時烈) 『역설(易說)』

坤錯乾, 乾爲王, 與隨卦上六同. 岐山, 西山也. 互兌爲西, 綜艮爲山也. 來氏, 岐者, 岐路兩開之云云, 未詳. 蓋文王以公侯之位, 周亨于西山. 小象順事者, 以理順之德, 服事暗君也. 周公以爻辭贊之者耶. 折中曰, 避象辭南征之文, 不曰西而曰岐云.

곤괘가 음양이 바뀐 괘는 건괘이니, 건괘는 왕으로 수괘 상육과 같다. ‘기산’은 서산이니, 호괘인 태괘(☱)가 서쪽이고, 음양이 바뀐 괘인 간괘(☶)가 산이 된다. 래씨는 “‘기(岐)’가 험한 길에 양쪽이 열린 것”이라고 하였지만, 상세하지 않다. 문왕은 제후의 지위로써 서산에서 주나라를 제향하였다. 「상전」에서 “순리대로 섬긴다”는 이치에 따르는 덕으로써 어리석은 임금을 섬기는 것이니, 주공이 효의 말로 그것을 찬미한 것이다.

『주역절중』에서 말하였다: 괘사의 “남쪽으로 간다”는 문장을 피하여 ‘서쪽[西]’이라고 하지 않고 ’기(岐)’라고 하였다.

이익(李瀷) 『역경질서(易經疾書)』

文王雖不升大位, 已成可升之階, 故先言貞吉, 後言升階. 大得志者, 要終而言也.

문왕이 비록 큰 지위에 오르지 못했지만, 이미 오를 수 있는 계단을 이루었기 때문에 먼저 “바르게 하여 길하다”고 하고, 뒤에 “계단을 오른다”고 하였다. “크게 뜻을 얻다”는 막 마치려는 것으로 말하였다.

심조(沈潮) 「역상차론(易象箚論)」

岐山卽西山, 兌也. 雖無艮體, 土而在上, 非山乎.

'기산(岐山)'은 서산이니, 태괘이다. 비록 간괘의 몸체는 없지만 흙이면서 위에 있으니, 산이 아니겠는가?

유정원(柳正源) 『역해참고(易解參攷)』

胡氏曰, 亨于岐山, 當指太王. 蓋太王去邪踰梁山, 邑于岐山之下, 正九三升虛邑事也.

호씨가 말하였다: "기산에서 제향함"은 태왕을 가리킨다. 태왕이 빈 땅을 떠나 양산을 넘어 기산의 아래에서 도읍하였으니, 바로 구삼이 "빈 고을을 올라가는" 일이다.

○ 梁山來氏曰, 坤錯乾, 乾爲君王之象也. 王指六五也. 物兩爲歧, 坤土兩坼, 歧之象也. 隨卦兌爲西, 故曰西山, 此兩坼故曰岐山.

양산래씨가 말하였다: 곤괘가 음양이 바뀐 괘는 건괘이니, 건괘는 임금의 상이다. 임금은 육오를 가리킨다. 물건이 두 개인 것이 '갈림[歧]'이니, 땅인 곤괘인 땅이 둘로 갈라짐이 갈림의 상이다. 수괘의 태괘(☱)가 서쪽이므로 "서산"이라고 하였고, 여기에서는 둘로 갈라졌으므로 "기산"이라고 하였다.

김상악(金相岳) 『산천역설(山天易說)』

六四, 自下而上, 以坤遇巽, 比三爲互震, 故有王用亨于岐山之象. 周之王業, 用是而亨也. 故吉而无咎, 吉在方升之始, 无咎在已升之後.

육사는 아래괘로부터 위괘로 와서 곤괘(☷)로써 손괘(☴)를 만난 것이니, 삼효를 가까이 하여 호괘인 진괘(☳)가 되기 때문에 "왕이 기산에서 형통하는" 상이 있다. 주나라의 왕업은 이것을 써서 형통하였다. 그러므로 "길하여 허물이 없다"고 하였으니, '길함'은 올라가는 초기에 있고, "허물이 없음"은 이미 올라간 뒤에 있다.

○ 王, 震象. 王之用亨, 與隨同, 而隨指五者, 以位言, 升在四者, 以時言也. 山者, 土之高, 坤土, 在巽高之上, 爲山也. 又西南之坤, 與東北之艮, 相對以峙者, 故取象于岐山. 隨之西山, 以兌艮而言, 卽天下之西也. 升之岐山, 以坤巽而言, 卽周之西南也. 隨之用亨, 由於比爻, 故只言其象. 升之用亨, 在於本爻, 故備言吉无咎, 以見其功德也..

왕은 진괘(☳)의 상이다. 왕이 "형통하듯이 함"은 수괘와 같은데 수괘에서 오효를 가리킨 것은 지위로써 말한 것이고, 승괘에서는 사효에 있는 것은 때로써 말한 것이다. 산은 땅이 높은 곳으로 땅인 곤이 손괘의 높은 위에 있어 산이 된다. 또 서남의 곤과 동북의 간이 상대하여 우뚝 솟아 있는 것이므로 기산에서 상을 취하였다. 수괘에서 서산은 태괘와 간괘로 말한 것으로 천하의 서쪽이다. 승괘에서 기산은 곤괘와 손괘로 말한 것으로 주나라의 서남쪽이다. 수괘에서 "형통하게 하다"는 가까이 하는 효를 말미암기 때문에 그 상만을 말하였고, 승괘에서 "형통하게 하다"는 본래 효에 있기 때문에 "길하여 허물이 없다"고 갖추어 말하여 그 공덕을 드러내었다.

박제가(朴齊家) 『주역(周易)』

猶言祀事順成也. 亨于西[36]山, 見隨卦. 然此云岐山, 則有升義, 比虛邑爲高矣.

제사의 일을 순리대로 이루었다고 말함과 같다. "서산에서 제향한다"는 수괘에서 보인다. 그러나 여기에서 '기산'이라고 한 것에는 올라간다는 뜻이 있으니, 빈 고을에 비하면 높은 것이 된다.

서유신(徐有臣) 『역의의언(易義擬言)』

岐山, 山有兩歧而名也. 觀卦實有岐山之象. 六四, 自觀之初六而升焉, 有自岐下遷于豊之象, 故曰王用亨于岐山也. 不曰升, 嫌於登山也. 順動以承上, 巽說以與下, 所以爲周道之升也. 升於多懼之位, 而其德如此, 故吉且无咎也.

'기산'은 산에 두 갈래가 있어서 이름한 것이니, 관괘에는 참으로 기산의 상이 있다. 육사는 관괘의 초육으로부터 올라온 것으로 기산의 아래에서 풍 땅으로 옮긴 상이 있기 때문에 "왕이 기산에서 형통하듯이 한다"고 하였다. 올라간다고 하지 않은 것은 산에 올라가는 혐의가 있기 때문이다. 순리대로 움직여서 위를 받들고 공손하게 기뻐하여 아래와 함께 하니, 이것이 주나라의 도가 올라간 까닭이다. 두려움이 많은 지위에 올라갔지만 그 덕이 이와 같기 때문에 길하고 또 허물이 없다.

박문건(朴文健) 『주역연의(周易衍義)』

志在受福, 故有用亨之象. 岐西方山名也.

뜻이 복을 받는 데 있기 때문에 "형통하게 한다"는 상이 있다. '기'는 서쪽 방향의 산 이름이다.

---

36) 西: 경학자료집성DB에는 '四'로 되어 있으나, 경학자료집성 영인본을 참조하여 '西'로 바로잡았다.

김기례(金箕澧) 「역요선의강목(易要選義綱目)」

四臣位而曰王. 當升之時, 柔以自修, 誠孚上下, 肇睽王業, 故程傳指謂文王.
육사는 신하의 자리이므로 왕이라고 하였다. 올라가는 때에 부드러움으로 스스로 닦아 위와 아래에 정성과 믿음으로 하여 왕의 업적을 비로소 살피기 때문에 『정전』에서 문왕을 가리킨다고 하였다.

○ 坤爲西南, 故曰岐山.
곤괘가 서남쪽이 되기 때문에 기산이라고 하였다.

○ 享祭事.
제사에 흠향하는 것이다.

○ 大有九三曰, 公用享于天子, 隨上六曰, 王用享于西山, 益六二曰, 王用享于帝, 其句法皆同.
대유괘 구삼에서 "공이 천자에게 형통하도록 한다"고 하였고, 수괘 상육에서 "임금이 서쪽 산에서 제사 드린다"고 하였고, 익괘 육이에서 "임금이 상제에게 제사지낸다"고 하였으니, 그 문장의 법이 모두 같다.

○ 萃曰享曰禴, 升亦然, 言聚精而事神, 升而上格也.
취괘에서 "형통하다"·"약제사"라고 하였는데 승괘도 그렇다. 정성을 모아 귀신을 섬기는데 올라가서 감격함을 말한다.

심대윤(沈大允) 『주역상의점법(周易象義占法)』

升之恒䷟, 常久也. 六四以柔居柔, 卑順以保名位, 而不求升. 位極人臣, 而守節不變, 无應于下, 匪我求黨援, 而乃得二陽之奉升, 率同類之二陰, 下從于九三. 文王之率天下諸侯, 以服事殷, 終身不變, 是也. 故曰工用亨丁岐山, 吉无咎. 對益艮震爲用, 坎兌爲酒食燕享, 兌坤爲西國曰歧, 艮爲山, 二與四, 變其求升之志, 而從人, 故取變對也.
승괘가 항괘(恒卦䷟)로 바뀌었으니, 늘 오래히는 것이다. 육사가 부드러운 음으로 부드러움에 있으면서 낮추고 유순하여 명성과 자리를 보전하여 올라가기를 구하지 않는다. 지위가 높은 신하이면서 절개를 지켜 변하지 않고, 아래에서 호응이 없지만 내가 나의 무리에게 도움을 구하지 않고, 두 양의 받들어 올림을 얻어 같은 무리인 두 음을 거느려 아래로 구삼을 따르니, 문왕이 천하의 제후를 거느려 은나라를 섬겼는데 종신토록 변하지 않은 것이 그것이다. 그러므로 "왕이 기산에서 제향하여 길하나 허물이 없다"고 하였다. 항괘의 음양이 바뀐 익괘(䷩)에서 간괘(☶)와 진괘(☳)가 작용이 되고, 감괘(☵)와 태괘(☱)가 술과 밥으로 잔치와 제향을 하는 것이고, 태괘(☱)와 곤괘(☷)가 서쪽 나라가 된 것을 기(岐)라 하며, 간괘(☶)가 산이 되니, 이효와 사효가 올라가는 뜻을 변화시켜 다른 사람을 따르기 때문에 변하거나 음양이 변한 반대의 괘에서 취한 것이다.

오치기(吳致箕) 「주역경전증해(周易經傳增解)」

六四, 柔順得正, 而居近君之位, 當升之時, 以賢德升用, 而其德可交百神, 故使主山川之祭, 而用享于岐山, 斯乃升進之吉. 然下无正應, 而柔乘于剛, 宜若有咎, 而以其順居其正, 故言无咎.

육사는 유순하고 바름을 얻어 임금과 가까운 자리에 있어 올라가는 때에는 어진 덕으로 올라가 등용되어 그 덕은 온갖 신과 교제할 수 있기 때문에 산과 강의 제사를 주관하여 기산에서 제향하게 하였으니, 이것이 올라가서 길한 것이다. 그러나 아래에 정응이 없고 부드러움이 굳셈을 타고 있어서 허물이 있을 것 같으나 순리대로 그 바름에 있기 때문에 "허물이 없다"고 하였다.

○ 岐山在西, 而互兌及對體互艮, 爲西山之象也.

기산은 서쪽에 있는데, 호체인 태괘(☱)와 음양이 반대되는 몸체의 호괘인 간괘(☶)가 서산의 상이 된다.

이진상(李震相) 『역학관규(易學管窺)』

隨言西山, 而此言岐山者, 蓋自太王遷岐而言, 則岐在邠西, 故謂之西山也. 自文王治岐而言, 則山在國都之北, 不可謂之西山也. 隨以人心之固結言, 故以太王事言之. 升以君德之順事言, 故以文王事言之, 且以卦象言之. 隨有艮山之象, 而升非有艮, 故不可謂之西山. 但坤爲國邑, 而六四爲諸侯之象, 正文王治岐之義. 特以岐言者, 明其所象之在邑, 而不在山也. 本義俱以亨爲享, 然享淺而亨廣, 升隨卦爻之義, 不壹在於祭享也. 雖以占法言之, 祭山川者, 固用此占, 而治邑國者, 亦當占此, 何可硬做一事耶.

수괘에서 '서산'이라 하고, 여기에서 '기산'이라고 한 것은 태왕이 기산으로 천도한 것으로 말한 것이니, 기산은 빈 땅의 서쪽에 있기 때문에 서산이라고 한 것이다. 문왕이 기산을 다스린 것으로 말하면 산이 국도의 북쪽에 있어서 서산이라고 할 수 없다. 수괘에서는 인심의 굳게 맺어짐을 말한 것이기 때문에 태왕의 일로써 말하였고, 승괘에서는 임금의 덕으로

순리대로 섬김을 말한 것이기 때문에 문왕의 일로써 말하였다. 괘의 상으로 말하면, 수괘에
는 산인 간괘(☶)의 상이 있지만 승괘는 간괘가 없기 때문에 서산이라고 할 수 없다. 곤괘
(☷)가 나라와 읍이 되고 육사는 제후의 상이 되니, 바로 문왕이 기산을 다스린 뜻이다. 기
산만을 말한 것은 상징한 것이 읍에 있지 산에 있지 않음을 밝힌 것이다. 『전의』에서 모두
'형통하다[亨]'는 제향한다[享]로 여겼다. 그러나 제향함은 얇고 형통함은 넓으니, 승괘·수
괘의 괘와 효의 뜻이 제향함에만 있지 않다. 점치는 법으로 말하더라도 산과 강에 제사지내
는 자에게도 참으로 이러한 점을 쓰겠지만 읍과 나라를 다스리는 자도 마땅히 이렇게 점쳐
야 하니, 어찌 하나의 일로만 간주할 수 있겠는가?

徐氏謂, 岐山在雍州境南, 爲坤西南象. 以先天言之, 巽在西南, 而升居其終, 何必曰坤
爲西南耶. 但以坤居上, 有山之象, 非以其西南也. 胡氏謂, 羑里視岐山爲西方, 此尤無
據, 爻乃周公所繫, 何嘗自羑里視岐耶. 隨之上體固兌, 而兌非山也, 況升之互體, 亦有
兌象, 何爲不言西山也. 後天方位, 殊無理致, 而捏合爲言, 終非自在. 先儒有謂亨于
岐, 當指太王. 蓋太王去邠踰梁山, 邑于岐山之下, 正九三升虛邑象, 避狄遷岐, 亦有順
時行事之義, 當更詳之.

서씨가 "기산은 옹주 국경 남쪽에 있으니, 곤괘(☷)인 서남의 상이 된다"고 하였는데, 선천으
로 말하면 손괘(☴)는 서남쪽에 있으며 승괘에서는 끝에 있으니, 어찌 반드시 곤이 서남쪽이
라고 하였는가? 곤괘가 위에 있어서 산의 상이 있는 것이지 서남쪽이 아니다. 호씨가 "유리
에서 기산을 보면 서쪽 방향이 된다"고 하였는데, 이것은 더욱 근거가 없다. 효는 주공이
붙인 것으로 어찌 일찍이 유리에서 기산을 보았겠는가? 수괘의 윗 몸체는 참으로 태괘(☱)
이고, 태괘는 산이 아니다. 하물며 승괘의 호체에는 태괘의 상이 있지만 어찌 서산을 말하지
않았단 말인가? 후천의 방위에도 그런 이치가 없고, 거짓으로 꾸며 말로 삼았으니, 끝내 본
래 있는 것이 아니다. 선유들이 기산에서 제향함은 마땅히 태왕을 가리켜야 한다고 함이
있는 것은 태왕이 빈 땅을 떠나 양산을 넘어 기산의 아래에 도읍하였기 때문이니, 바로 구삼
의 "빈 고을에 올라가는" 상이다. 적나라를 피하여 기산으로 옮긴 것에도 때를 따라 일을
행한다는 뜻이 있으니, 상세히 살펴보아야 한다.

박문호(朴文鎬) 「경설(經說)·주역(周易)」

登祭, 猶言登封, 或以登字讀屬上句, 非是.
「상전」『본의』의 "산에 올라가서 제사한다[登祭]"는 산에 올라 봉선제를 지낸다[登封]는 말
과 같다. 어떤 이가 '등(登)'을 윗 구절에 붙여야 한다고 하였는데, 옳지 않다.

이병헌(李炳憲) 『역경금문고통론(易經今文考通論)』

鄭曰, 亨獻也. 王曰, 下升而進, 可納而不可距, 順事之情. 程傳以文王之事當之.

정현은 "형(亨)'은 바치는 것이다"고 하였다. 왕필은 "아래에서 올라가 나아가서 받아들이고 거부할 수 없는 것이 '순리대로 섬김'의 본질이다"고 하였다. 『정전』에서는 문왕의 일을 거기에 해당시켰다.

象曰, 王用亨于岐山, 順事也.

정전 「상전」에서 말하였다: "왕이 기산에서 형통하듯이 함"은 순리대로 섬기는 것이다.
본의 「상전」에서 말하였다: "왕이 기산에서 제향하여 길함"은 순리대로 섬기는 것이다.

中國大全

傳

四居近君之位, 而當升時, 得吉而无咎者, 以其有順德也. 以柔居坤, 順之至也. 文王之亨于岐山, 亦以順時而已. 上順於上, 下順乎下, 己順處其義, 故云順事也.

임금과 가까운 자리에 있고 올라가는 때에 있는 사효가 길하고 허물이 없는 것은 순리대로 하는 덕이 있기 때문이다. 부드러움으로 곤(坤☷)에 있으니 지극히 순리대로 하는 것이다. 문왕이 기산에서 형통하는 것도 순리대로 때에 맞추었기 때문일 뿐이다. 위로 임금에게 순리대로 하고 아래로 아랫사람들에게 순리대로 하며, 자신은 순리대로 의로 처신하였기 때문에 "순리대로 섬겼다"고 하였다.

小註

中溪張氏曰, 三分天下有其二, 而文王以服事殷, 豈非順事乎. 宜其有亨通之吉, 而无僭逼之咎. 六四不言升者, 可以昭文王順事之心也.

중계장씨가 말하였다: 천하를 셋으로 나눠 그 둘을 가졌는데도 문왕이 은나라에 복종하여 섬겼으니, 어찌 순리대로 섬긴 것이 아니겠는가? 당연히 형통하여 길함은 있고 분수를 넘어 침범하는 허물은 없다. 육사에서 올라감을 언급하지 않은 것은 문왕이 순리대로 섬기려는 마음을 환히 드러내야 하기 때문이다.

本義

以順而升, 登祭于山之象.

순리대로 올라가는 것은 산에 올라가 제사지내는 상이다.

小註

雲峰胡氏曰, 象自初爻至五, 皆贊升之易, 順而升, 亦言其升之易也.

운봉호씨가 말하였다: 「상전」에서는 초효부터 오효까지 모두 올라가기 쉬움을 찬미했다. 순리대로 해서 올라가는 것도 올라가기 쉬움을 말한 것이다.

‖韓國大全‖

김상악(金相岳) 『산천역설(山天易說)』

順, 卽革彖順乎天之順也. 文王之位, 在明夷, 則羑里拘幽之際, 故係六二而曰順以則也. 在升, 則三分有二之時, 故係六四而曰順事也.

'순리대로 한다[順]'는 혁괘 「단전」에서 "천명에 순응한다"의 순응함이다. 문왕의 지위는 명이괘에서는 유리에 갇혀있는 때이기 때문에 육이에 걸어서 "순응하여 법도대로 한다"고 하였고, 승괘에서는 천하의 2/3를 차지한 때이기 때문에 육사에 걸어서 "순리대로 섬긴다"고 하였다.

서유신(徐有臣) 『역의의언(易義擬言)』

行其所無事也.

섬길 것이 없는 것을 행함이다.

박문건(朴文健) 『주역연의(周易衍義)』

問, 順事. 曰, 事者, 卑巽恭愨之道也. 六四能順事, 故受福於初六也.

물었다: "순리대로 섬긴다"는 무슨 뜻입니까?

답하였다: 섬김은 낮추고 공손하며 삼가는 도입니다. 육사가 순리대로 섬기기 때문에 초육에게 복을 받습니다.

김기례(金箕澧) 「역요선의강목(易要選義綱目)」

坤順故曰順. 以服事殷, 順上下致亨通, 无僭逼之咎, 文王是已.

곤괘가 유순하기 때문에 "순리대로 한다"고 하였다. 은나라를 섬기고 위와 아랫사람들에게 순리대로 하여 형통함을 다하며 어긋나고 핍박받는 허물이 없었던 자는 문왕이다.

오치기(吳致箕) 「주역경전증해(周易經傳增解)」

下以順德而升聞, 上知其賢而進用, 皆順之事也.

아래에서 순리대로 하는 덕으로 올라가 널리 알려지고, 위에서 그 어짊을 알아 등용하는 것이 모두 순리대로 섬기는 것이다.

六五, 貞, 吉, 升階.

육오는 바르게 하여야 길하니, 계단을 올라가듯이 한다.

┃中國大全┃

傳

五以下有剛中之應, 故能居尊位而吉. 然質本陰柔, 必守貞固乃, 得其吉也. 若不能貞固, 則信賢不篤, 任賢不終, 安能吉也. 階所由而升也. 任剛中之賢輔之, 而升猶登進自階, 言有由而易也. 指言九二正應, 然在下之賢, 皆用升之階也, 能用賢則彙升矣.

오효는 아래에 굳세고 알맞은 호응이 있기 때문에 존귀한 자리에서 길할 수 있다. 그러나 재질이 본래 음이고 유순하여 반드시 바르고 견고함을 지켜야 길할 수 있다. 바르고 견고하게 할 수 없으면 어진 신하를 믿고 맡기는 것이 돈독하지 못하고 끝까지 가지 못하니 어떻게 길할 수 있겠는가? 계단은 의지해서 올라가는 것이다. 굳세고 알맞은 현인이 보필하는 것에 맡겨두고 올라가는 것은 계단으로 올라가는 것과 같으니, 의지해서 올라가는 것은 쉽다는 말이다. 구이의 바른 호응을 가리켜 말하였지만 아래에 있는 현인이 모두 계단으로 올라올 것이니, 그들을 등용하면 무리지어 올라올 것이라는 것이다.

小註

沙隨程氏曰, 下應剛德之臣, 自二升五, 如階有級, 此人君升進賢臣之象.

사수정씨가 말하였다: 아래에서 호응하는 굳센 덕의 신하가 이효에서 오효로 올라가는 것은 계단에 순서가 있는 것과 같으니, 이것은 임금이 현명한 신하를 승진시키는 상이다.

本義

以陰居陽, 當升而居尊位, 必能正固, 則可以得吉而升階矣. 階, 升之易者.

음이 양의 자리에 있고 올라갈 때에 존귀한 자리에 있으니, 반드시 바르고 견고하게 하면 길해서 계단을 올라갈 수 있다. 계단은 올라가기 쉬운 것이다.

小註

朱子曰, 六五, 貞, 吉, 升階, 與萃九五, 萃有位, 匪孚, 元永貞, 悔亡, 皆謂有其位, 必當有其德, 若无其德, 則萃雖有位, 而人不信, 雖有升階之象, 而不足以升矣.

주자가 말하였다: "육오는 바르게 하여야 길하니, 계단을 올라가듯이 한다"는 것과 취괘 "구오는 모임에 지위가 있고 허물이 없는데, 믿지 않을 경우에는 크고 영원하며 바르게 하니 후회가 없게 된다"는 것은 모두 그 지위가 있으면 그 덕이 있어야 하고, 덕이 없으면 모임에 지위가 있을지라도 사람들이 믿지 않으니, 계단을 올라가듯이 하는 상이 있을지라도 올라가기에 부족하다는 말이다.

○ 雲峰胡氏曰, 九三升虛邑, 六五升階, 皆象升之易也. 九三剛正, 故无戒辭. 六五先貞吉之占, 而後升階之象者, 謂升而不正則不吉, 雖有升階之象, 而不足以升也.

운봉호씨가 말하였다: 구삼이 빈 고을에 올라가고, 육오가 계단을 올라가듯이 하는 것은 모두 올라가기 쉬움을 상징한다. 구삼은 굳세고 바르기 때문에 경계하는 말이 없다. 그런데 육오는 "바르게 하여야 길하다"는 점을 앞세우고 "계단을 올라가듯이 한다"는 상을 뒤로 하였던 것은 올라갈지라도 바르게 하지 않으면 길하지 않으니 계단을 올라가듯이 하는 상이 있을지라도 계단을 올라가기에 부족하다는 말이다.

○ 楊氏曰, 六五以柔得尊位, 其進甚易, 故曰升階.

양씨가 말하였다: 육오는 부드러움이 존귀한 지위를 얻어 그 나아감이 아주 쉽기 때문에 "계단을 올라가듯이 한다"라고 하였다.

○ 雷氏曰, 六五貞吉升階, 先儒以爲踐祚. 蓋貞吉, 然後可以升天子之位也.

뇌씨가 말하였다: "육오는 바르게 하여야 길하니, 계단을 올라가듯이 한다"는 것에 대해 이전의 학자들은 천자의 자리에 오르는 것으로 여겼다. 대개 바르게 하여 길한 다음에 천자의 자리에 오를 수 있는 것이다.

○ 中溪張氏曰, 坤爲上, 故曰階. 六五柔進而上行, 貞正則吉. 階而升之, 則由岐山而豊鎬, 可以尊處九陛之上矣.

중계장씨가 말하였다: 곤(坤 ☷)이 상괘(上卦)이기 때문에 계단이라고 하였다. 육오는 부드러움이 나아가 위로 가니, 바르면 길하다. 계단으로 올라가는 것은 기산으로 말미암아 호경을 풍요롭게 한 것이니 높이 아홉 계단 위에 있을 수 있는 것이다.

▌韓國大全▐

조호익(曺好益) 『역상설(易象說)』

貞五不正, 故戒.

'바름[貞]'은 오효가 바르지 않기 때문에 경계한 것이다.

○ 傳彙升, 用彙而升治道.

『정전』의 "무리지어 올라감[彙升]"은 무리지어서 다스리는 도에 올라가는 것이다.

송시열(宋時烈) 『역설(易說)』

柔弱故戒, 而貞則吉. 階者, 坤土之階也. 五以坤中爻, 當升之時, 不升于堂, 而升于階, 是謙抑巽讓之君也. 卦有謙象, 亦有言外旨, 且下卦爲巽, 巽讓然後, 可以大得民之心志也.

유약하기 때문에 경계하였으니, 바르면 길할 것이다. 계단은 땅인 곤괘의 계단이다. 오효는 곤괘의 가운데 효로 올라가는 때에 마루로 올라가지 않고 계단으로 올라가니, 이것은 겸손하고 억제하며 공손하고 양보하는 임금이다. 괘에 겸손한 상이 있고, 또 말 바깥의 뜻이 있다. 아래 괘는 손괘이니, 공손하고 양보한 이후에 백성의 마음을 크게 얻을 수 있다.

석지형(石之珩) 『오위귀감(五位龜鑑)』

臣謹按, 升之六五, 坤爲土, 土爲階, 木生土下, 必升階上, 故取升階之象. 而語其爻義, 則以陰居尊, 不能自立, 賴有九二爲己之階, 故其進也甚易. 然先言貞吉, 而後言升階者, 其意蓋謂苟不貞吉, 雖有此階, 不得以升也. 先儒以此爻, 爲兼踐阼升賢二義, 而凡進德工夫, 无非升階之事. 其德也未至, 則其升也亦无盡, 伏願殿下, 思其所已升者, 而勉其所未升者焉.

신이 삼가 살펴보았습니다: 승괘의 육오에서 곤괘는 땅이 되고, 땅은 계단이 되며, 나무는 땅 아래에서 생기니, 반드시 계단을 올라가 위로 가기 때문에 계단을 올라가는 상을 취하였습니다. 효의 뜻을 말하면 음으로 존귀한데 있지만 자립할 수 없고 구이가 자신의 계단이 됨에 의지하기 때문에 그 나아감이 매우 쉽습니다. 그러나 "바르게 하여야 길하다"고 먼저 말하고, "계단을 올라간다"고 뒤에 말한 것은 그 뜻은 참으로 바르게 하여 길함이 아니면 비록 이 계단이 있을지라도 올라갈 수 없다는 말입니다. 선유들이 이 효를 임금의 자리에 오름과 어짊으로 올라간다는 두 뜻을 겸한다고 여겼으니, 덕에 나아가는 공부는 계단을 올라가는 일이 없을 수 없습니다. 그 덕이 지극하지 않으면 올라감도 다할 수 없으니, 엎드려 바라건대, 전하께서는 이미 올라온 것을 생각하시고, 아직 올라오지 못한 것은 힘쓰시기 바랍니다.

심조(沈潮) 「역상차론(易象箚論)」

階亦在上之土也.
계단은 위에 있는 땅이다.

유정원(柳正源) 『역해참고(易解參攷)』

虞氏翻曰, 巽爲高, 坤爲土, 震升高, 升階之象.
우번이 말하였다: 손괘는 높음이고, 곤괘는 땅이고, 진괘는 높이 올라감이니, 계단을 올라가는 상이다.

○ 潮州王氏曰, 居坤之中, 由等級而上, 謂之升階.
조주왕씨가 말하였다: 곤괘의 가운데 있으면서 등급으로 말미암아 올라감을 계단을 오른다고 한다.

○ 瓜山潘氏曰, 自二至五, 自下卦升上卦, 有升階象.
과산반씨가 말하였다: 이효에서 오효까지는 하괘에서 상괘로 올라옴이니, 계단을 올라가는 상이 있다.

○ 雙湖胡氏曰, 六五不正, 故戒, 以正則吉.
쌍호호씨가 말하였다: 육오는 바르지 않기 때문에 경계하였으니, 바르면 길하다.

○ 梁山來氏曰, 王用亨于岐山, 上孚于下, 賢君之事也. 九二, 卽覲君而升階, 下孚于上, 良臣之事也. 故先言貞吉之事, 而後言升階之象.

양산래씨가 말하였다: 왕이 기산에서 형통함은 윗사람이 아랫사람을 믿음이니, 어진 임금의 일이다. 구이가 임금을 알현하려고 계단으로 올라감은 아랫사람이 윗사람을 믿음이니, 좋은 신하의 일이다. 그러므로 바르게 하여야 길한 일을 먼저 말하고, 계단을 올라가는 상을 뒤에 말하였다.

○ 案, 積小以高大, 升之義也. 六五, 質柔而位高, 以貞固之道, 成積累之功, 然後乃可以居矣, 如升高之必由階級而後高也.

내가 살펴보았다: 작은 것을 쌓아 높고 크게 되는 것이 승괘의 뜻이다. 육오는 바탕이 부드럽지만 지위는 높아서 바르고 견고한 도로써 쌓는 공을 이룬 연후에 머무를 수 있으니, 높은 곳을 올라갈 때는 반드시 계단을 말미암은 뒤에 높아지는 것과 같다.

김상악(金相岳) 『산천역설(山天易說)』

六五, 坤體居尊, 應二剛中, 必貞固, 可以得吉而升階, 升階, 卽萃之有位也.

육오는 곤괘의 몸체로 존귀한 자리에 있고, 굳세고 알맞은 이효와 호응하여 반드시 바르고 견고하게 하여야 길하여 계단을 오를 수 있으니, 계단을 오름은 취괘의 지위가 있음이다.

○ 階, 所由而升者, 坤土列兩傍而爲階. 五變爲井, 井以四爲甃, 故五居上而爲階. 由虛邑而岐山, 由岐山而升階也.

계단은 말미암아 올라가는 것이니, 곤괘인 땅이 양쪽 곁에 나란히 있는 것이 계단이다. 오효가 바뀌면 정괘(䷯)이니, 정괘는 사효를 벽돌담으로 여기므로 오효가 위에 있으면서 계단이된다. 빈 고을로 말미암아 기산으로 가고, 기산으로 말미암아 계단을 올라간다.

서유신(徐有臣) 『역의의언(易義擬言)』

應二比四, 與之同升, 故貞而吉也. 積土爲墻, 坤象也. 五旣貞吉, 故其升若由階級, 順且易而有序也. 比應之賢, 亦由此階而升進之也.

이효와 호응하고 사효에 가까이 있어 그들과 함께 올라가기 때문에 바르게 하여 길하다. 흙을 쌓은 것이 섬돌이니, 곤괘의 상이다. 오효가 이미 바르게 하여 길하기 때문에 그 오름이 계단을 말미암듯이 순조롭고 쉬워서 순서가 있다. 가깝고 호응하는 어진 이도 이 계단으로 말미암아 올라간다.

박문건(朴文健) 『주역연의(周易衍義)』

居尊遠害, 故有升階之象. 階, 升堂之處也.

존귀한 곳에 있어 해로움에서 멀기 때문에 계단을 올라가는 상이 있다. 계단은 당에 올라가는 곳이다.

〈問, 貞吉升階. 曰, 六五, 用柔貞之道, 以順其下, 則吉已, 升階上矣, 居於三級之下者, 安能侮之乎.

물었다: "바르게 하여야 길하니, 계단을 올라가듯이 한다"는 무슨 뜻입니까?

답하였다: 육오는 부드럽고 바른 도를 써서 아래에 순리대로 하면 길하여 계단의 위로 올라갈 것이니, 세 등급 아래에 있는 자가 어찌 업신여기겠습니까?〉

이지연(李止淵) 『주역차의(周易箚疑)』

六五, 所居者陽位也, 所應者亦陽也, 而不足於貞, 故戒之.

육오는 있는 곳이 양의 자리이고, 호응하는 것도 양이어서 바르게 함에 부족하기 때문에 경계한 것이다.

김기례(金箕澧) 「역요선의강목(易要選義綱目)」

坤土故曰堦.

곤이 땅이기 때문에 섬돌이라고 하였다.

○ 下應剛德之臣, 自岐卽豊, 升如堦級, 文王是已, 言人君有是德, 則有是升矣, 故象曰大得志.

아래로 굳센 덕을 가진 신하와 호응하여 기산에서 풍 땅까지 오르기를 계단처럼 하였으니, 문왕이 이 경우이다. 임금이 이러한 덕이 있으면 이러한 오름이 있다고 말한 것이다. 그러므로 「상전」에서 "크게 뜻을 얻었다"고 하였다.

심대윤(沈大允) 『주역상의점법(周易象義占法)』

升之井䷯, 居其所而進也. 六五, 德高天下而位居至尊, 其身則升之極矣. 惟有引進賢俊以任功, 則德愈盛而位益安, 乃其升也. 六五, 以柔中居剛而求升, 下應九二之賢德, 故曰貞吉. 應於二, 而九三在前而阻之. 人君登庸天下之賢俊, 匪以私意有抑揚也, 惟視其優劣長短, 而先後之而已, 六五有焉, 故曰升階, 言有等級也. 巽爲等級, 震爲階.

승괘가 정괘(井卦䷯)로 바뀌었으니, 제 자리에 있으면서 나아가는 것이다. 육오는 덕이 천하에서 높고 지위가 지극히 존귀하여 자신이 끝까지 올라간 것이다. 덕이 있고 뛰어난 사람을 등용하여 공을 맡긴다면 덕이 더욱 성대해지고 지위가 더욱 안정되는 것이 올라감이다. 육오는 부드럽고 알맞음으로 굳셈에 있으면서 올라가기를 구하여 아래로 구이의 어진 덕을 가진 이와 호응하기 때문에 "바르게 하여야 길하다"고 하였다. 이효와 호응하지만 구삼이 앞에서 저지한다. 임금이 '천하의 덕이 있고 뛰어난 사람'을 등용할 때는 사사로운 생각으로 누르거나 높이지 말아야 하고, 그 우열과 장단을 보고 앞세우거나 뒤로 할 뿐인데, 육오가 이런 경우이기 때문에 "계단을 올라간다"고 하였으니, 등급이 있다는 말이다. 손괘가 등급이고, 진괘가 계단이다.

오치기(吳致箕) 「주역경전증해(周易經傳增解)」

六五, 柔順得中而居尊, 爲升之君主, 升之事者也. 在升之時, 中以行正, 故言正且吉. 而位德自是固有, 則不可言升於君, 故乃言升用在下之賢, 隨其才德, 循序而進, 如升階之有級也. 此所以先言占而後言象也.

육오는 유순하고 가운데를 얻어 존귀한 자리에 있으니, 올라가는 임금과 올라감을 일삼는 자가 된다. 올라가는 때에 가운데이면서 바름을 행하기 때문에 바르고 길하다고 하였다. 지위와 덕이 본래 지닌 것이라면 임금에게 올라간다고 말할 수 없기 때문에 아래에 있는 어진 이를 올려서 쓴다고 하였으니, 그 재주와 덕에 따라 순서 있게 나아옴이 마치 계단을 오름에 등급이 있는 것과 같다. 이것이 점을 먼저 말하고 상을 뒤에 말한 까닭이다.

○ 階取於坤, 有兩階三等之象也.
계단은 곤괘에서 취하였으니, 두 계단에 세 등급이 있는 상이다.

이진상(李震相) 『역학관규(易學管窺)』

互震有升高之象, 而坤體有土階, 三等東西對列之象.
호괘인 진괘(☳)에 높이 올라가는 상이 있고, 곤괘의 몸체에 흙과 계단이 있으니, 세 등급의 것이 상대하여 늘어선 상이다.

박문호(朴文鎬) 「경설(經說)·주역(周易)」

貞吉升階, 亦先占後象之例也. 本義依初六之釋, 竝作其占, 更詳之.

"바르게 하여야 길하니, 계단을 올라가듯이 한다"도 점을 먼저하고 상을 뒤에 한 예이다. 『본의』에서 초육의 해석에 근거하여 그 점을 지었으니, 상세하게 살펴보아야 한다.

이병헌(李炳憲) 『역경금문고통론(易經今文考通論)』

虞曰, 巽爲高, 坤爲土, 故升階也.
우번이 말하였다: 손괘(☴)가 높음이고, 곤괘(☷)가 땅이기 때문에 "계단을 올라간다"고 하였다.

荀曰, 陰正居中, 爲陽作階, 使升居五, 已下降二, 與陽相應, 故吉而得志.
순상이 말하였다: 음이 바르고 가운데 자리에 있으면서 양을 위하여 계단을 만들어 올라와 오효의 자리에 있게 하고, 자기는 아래로 이효의 자리에 내려가 양과 더불어 서로 호응하기 때문에 길하여 뜻을 얻게 된다.

象曰, 貞吉升階, 大得志也.

「상전」에서 말하였다: "바르게 하여야 길하니, 계단을 올라가듯이 함"은 크게 뜻을 얻은 것이다.

┃中國大全┃

傳

倚任賢才而能貞固. 如是而升, 可以致天下之大治, 其志可大得也. 君道之升, 患无賢才之助爾, 有助則猶自階而升也.

현명한 재주가 있는 자에게 의지하고 맡겨서 바르고 견고하다. 이와 같이 하여 올라가면 천하를 크게 다스려지게 할 수 있으니 그 뜻을 크게 얻은 것이다. 임금의 도가 올라감에 현명한 재주 있는 자의 도움이 없음을 근심하니, 도움이 있다면 계단으로 올라가는 것과 같을 것이다.

小註

節齋蔡氏曰, 萃者澤聚於下, 故九五志未光. 升者木升於上, 故六五大得志也.

절재채씨가 말하였다: 취괘(萃卦☵)는 못이 아래로 모이기 때문에 구오는 뜻이 아직 빛나지 않는 것이고, 승괘(升卦☷)는 나무가 위에서 자라기 때문에 육오는 뜻을 크게 얻는 것이다.

┃韓國大全┃

김상악(金相岳) 『산천역설(山天易說)』

志行在二, 得志在五.

뜻을 행함은 이효에 있고, 뜻을 얻음은 오효에 있다.

서유신(徐有臣) 『역의의언(易義擬言)』

五旣自升, 又引升用禴之賢者, 故曰大得志也.

오효는 스스로 오르고, 또 약제사를 쓰는 어진 이를 이끌어 올린다. 그러므로 "크게 뜻을 얻는다"고 하였다.

김기례(金箕澧) 「역요선의강목(易要選義綱目)」

象曰志行, 指此.

「단전」에서 "뜻이 행해진다"가 이것을 가리킨다.

심대윤(沈大允) 『주역상의점법(周易象義占法)』

自升之極, 而以之升入, 故曰大得志也.

승괘의 끝으로부터 올라가 들어가기 때문에 "크게 뜻을 얻었다"고 하였다.

오치기(吳致箕) 「주역경전증해(周易經傳增解)」

升進在下之賢而倚任, 則可致天下之治, 而大得其志也.

아래에 있는 어진 이를 승진시켜 임무를 맡기면 천하의 다스림을 이룰 수 있어 그 뜻을 크게 얻을 것이다.

上六, 冥升, 利于不息之貞.

상육은 올라가는 것에 어두우니, 쉬지 않는 바른 도에 이롭다.

┃中國大全┃

傳

六以陰居升之極, 昏冥於升, 知進而不知止者也, 其爲不明甚矣. 然求升不已之心, 有時而用於貞正而當不息之事, 則爲宜矣. 君子於貞正之德, 終日乾乾, 自强不息, 如上六不已之心, 用之於此則利也. 以小人貪求无已之心, 移於進德, 則何善如之.

육효는 음으로서 승괘(升卦䷭)의 끝에 있고 나아감에 어두워 나아갈 줄만 알고 멈출 줄 모르니 밝지 못함이 아주 심하다. 그러나 올라가기를 구하여 멈추지 않는 마음을 때에 따라 바르고 쉬지 않아야 하는 일에 사용하면 마땅하다. 군자는 바른 덕을 종일토록 힘쓰고 힘써 스스로 굳세게 쉬지 않으니, 상육의 멈추지 않는 마음을 여기에 쓰면 이로울 것이다. 소인이 탐욕스럽게 구하여 그치지 않는 마음을 덕에 나아가게 하는 것으로 옮긴다면 어떤 선이 그것과 같을 수 있겠는가?

本義

以陰居升極, 昏冥不已者也. 占者遇此, 无適而利. 但可反其不已於外之心, 施之於不息之正而已.

음으로 승괘(升卦䷭)의 끝에 있으니, 어두워 멈추지 않는 자이다. 점치는 자가 이것을 만나면 어디를 가도 이롭지 않다. 다만 밖으로 멈추지 않는 마음을 되돌려 쉬지 않는 바름에 시행할 뿐이다.

小註

馮氏去非曰, 冥升猶言冥行也.

풍거비가 말하였다: 올라가는 것에 어둡다는 것은 행하는 것에 어둡다고 말하는 것과 같다.

○ 中溪張氏曰, 上六處坤之上升之極, 猶之晦冥陰暗而猶升焉, 此進而不息者也. 然貞而不息, 則利. 不貞而不息, 則何利之有. 若能以升位之心而移之於升德, 則譬山之積塵, 海之積汚, 愈增高大也. 易曰, 終日乾乾, 自强不息, 詩云, 文王之德之純純亦不已, 此非利於不息之貞也歟.

중계장씨가 말하였다: 상육은 곤괘(坤卦☷)의 끝과 승괘(升卦䷭)의 끝에 있어 어두운데도 여전히 올라가는 것과 같으니, 이것이 나아가면서 멈추지 않는 것이다. 그러나 바르면서도 멈추지 않는다면 이롭다. 바르지 않으면서도 멈추지 않는다면 어떻게 이롭겠는가? 지위에 올라가려는 마음을 덕에 올라가려는 마음으로 옮겨놓는다면, 산에 흙먼지를 쌓고 바다에 오물을 넣어 더욱 높고 크게 한 것으로 비유된다. 『역』에서 "종일토록 힘쓰고 힘써 스스로 굳세게 쉬지 않는다"고 하였고, 『시경』에서 "문왕의 덕이 순수하고 순수함이 또한 쉬지 않는다"고 하였으니, 이것은 쉬지 않는 바름이 이롭다는 것이 아니겠는가!

○ 蘭氏廷瑞曰, 冥者, 晦也. 升豫皆以陰升居上位, 故豫曰冥豫, 升曰冥升.

난정서가 말하였다: '어둡다'는 것은 캄캄하다는 것이다. 승괘(升卦䷭)와 예괘(豫卦䷏)에서 모두 음이 올라가 상효의 자리에 있기 때문에 예괘(豫卦䷏)에서는 "즐거움에 빠져 어둡다"[37]라고 하였고, 승괘(升卦䷭)에서는 "올라가는 것에 어둡다"라고 하였다.

○ 雲峰胡氏曰, 豫上六冥豫, 戒以成有渝, 升上六冥升, 戒以利乎不息之貞者. 豫上震震動也, 欲動其悔過之心, 變其豫不爲豫也. 升上坤, 坤順也. 欲順其不已於進之心, 移於不息之貞也.

운봉호씨가 말하였다: 예괘(豫卦䷏)의 상육에서 "즐거움에 빠졌다"는 것은 "일이 이루어졌을지라도 변함이 있다"는 것으로 경계하였고, 승괘(升卦䷭)의 상육에서는 "올라가는 것에 어둡다"는 것은 "쉬지 않는 바른 도에 이롭다"는 것으로 경계하였다. 예괘(豫卦䷏)의 상괘는 진(震☳)이니, 진은 움직이는 것이다. 잘못을 뉘우치는 마음을 움직여 그 즐거움이 즐거움이 되지 않게 변화시키는 것이다. 승괘(升卦䷭)의 상괘는 곤(坤☷)이니, 곤은 순리대로 하는 것이다. 나아감에 그치지 않는 마음을 순리대로 하여 쉬지 않는 바름으로 옮기게 하는 것이다.

---

37) 『周易 · 豫卦』: 上六, 冥豫, 成, 有渝, 无咎.

║韓國大全║

조호익(曺好益) 『역상설(易象說)』

上在坤上, 陰暗之象. 不息, 取卦名義. 貞反冥義.

상효가 곤(坤)의 맨 위에 있으니 어두운 음의 상이다. '쉬지 않음[不息]'은 괘의 이름에서 뜻을 취하였다. '바름[貞]'은 어둡다는 '명(冥)'의 반대되는 뜻이다.

송시열(宋時烈) 『역설(易說)』

冥升, 與冥豫之冥同, 昏於升而不知止也. 不息者, 乾之道也. 坤將變乾, 故以不息言之, 而是而貞固, 則爲利也. 蓋坤爲冥迷之象, 上窮則將變, 變而爲乾, 則下巽雖曰消乾, 而其消之者, 不可當多也, 須深看小象.

"올라가는 것에 어둡대[冥升]"는 "즐거움에 빠져 어둡다[冥豫]"[38]의 '어둡다'와 같으니, 올라가는 것에 어두워 그칠 줄을 모르는 것이다. '쉬지 않음'은 건(☰)의 도로, 곤(☷)이 장차 건으로 변하기 때문에 쉬지 않음으로 말하였으니, 이것으로 바르고 견고하게 하면 이롭게 될 것이다. 곤은 어둡고 미혹한 상인데, 끝까지 올라가면 장차 변하게 되고, 변하여 건이 되면 아래의 손괘(☴)가 비록 건괘(☰)를 사라지게 한 것이라 해도 그 사라지게 함은 많을 수 없으니, 「소상전」을 깊이 살펴보아야 한다.

이익(李瀷) 『역경질서(易經疾書)』

上六冥升者, 殷紂事當之. 據六四岐山而知之. 文王之時, 昏冥在上者, 非紂而何當. 時天命已絕, 天下背叛, 故獨夫昏冥, 冒據君位而已. 傳云消不富也, 富者, 富有之富, 不富, 謂日漸消亡, 所不失, 只青兗徐三州也. 冥之反則明, 明夷之六五有之曰, 箕子之明夷利貞. 傳云箕子之貞明不息也, 此蓋孔子據此辭爲彼傳也, 不息之貞, 豈非箕子之貞明不息耶. 孟子曰, 箕子膠鬲王子比干微子微仲, 皆賢臣, 相與輔相, 故久而後失之. 紂之昏冥, 雖甚賴其賢臣有不息之貞, 故猶不遽至亡滅, 賢明之於國其利至, 是益驗易文之上下關接往往如此. 如明夷之象言箕子, 則先言文王者, 蓋小象之六五發箕子, 故其九三已對擧文王事, 不然象何以云爾. 以是知爻辭中, 有不擧其名, 而言其事者. 升

---

38) 『周易·豫卦』: 上六, 冥豫, 成, 有渝, 无咎.

之六四已發岐山, 故其上六之對擧殷紂, 其義相類. 孔子於明夷發之, 非此則周公之旨幾乎微矣. 大傳云易之興 當文王與紂之事 聖人豈欺我哉.

상육에서 "올라가는 것에 어둡다"는 은나라 주왕의 일에 해당하니, 육사의 '기산(岐山)'에 근거하여 알 수 있다. 문왕 때에 위에 있는 어리석은 자가 주왕이 아니면 누가 해당하겠는가? 이때 천명은 이미 끊어지고 천하가 배반하였으므로 평범한 사람인 주왕이 어리석게도 임금의 지위를 차지하고 있을 뿐이었다. 「상전」에서 "사라져서 풍부해지지 않는다[消不富也]"고 하였는데, '풍부'는 부유하다는 부(富)이고, '풍부하지 않다'는 점점 사라진다는 것이니, 잃지 않은 것은 청주·곤주·서주, 세 주뿐이었다. 어리석음의 반대는 밝음이니, 명이괘 육오에 "기자의 명이이니, 곧음이 이롭다"하고, 「상전」에서 "기자의 곧음은 밝음이 끝날 수 없는 것이다"[39]고 하였다. 이것은 공자가 이 말에 근거하여 저 전(傳)으로 여긴 것이니, 끝날 수 없는 곧음이 어찌 기자의 곧음은 밝음이 끝날 수 없는 것이 아니겠는가? 맹자가 "기자·교격·왕자 비간·미자·미중이 모두 현명한 신하였다. 그들이 서로 보좌하였기 때문에 오랜 뒤에 나라를 잃었다"고 하였으니, 어리석은 주왕이 어진 신하에게 쉬지 않는 곧음이 있음을 많이 의존하였기 때문에 오히려 빨리 멸망함에 이르지 않은 것이다. 현명한 이가 나라에 이로움이 지극하니, 이것으로『주역』의 문장 위 아래의 연관성이 이따금 이와 같음을 더욱 검증할 수 있다. 명이괘 「단전」에서 기자를 말할 때에 문왕을 먼저 말한 것은 「소상전」 육오에서 기자를 말하였으므로 그 구삼에서 이미 문왕의 일을 비교하여 거론하였다. 그렇지 않다면 「단전」에서 어찌 그렇게 말했겠는가? 이것으로써 효사 중에 그 이름을 거론하지 않고 그 일을 말한 경우가 있음을 알 수 있다. 승괘 육사에서 이미 '기산'을 말하였으므로 그 상육에서 은나라 주왕과 비교하여 거론하였으니, 그 뜻이 비슷하다. 공자가 명이괘에서 밝혔는데, 이것이 아니라면 주공의 뜻이 거의 은미해졌을 것이다. 「계사전」에서 "역(易)의 일어남은 문왕(文王)과 주(紂)의 일에 해당될 것이다"[40]고 하였으니, 성인이 어찌 우리를 속이겠는가?

유정원(柳正源) 『역해참고(易解參攷)』

王氏曰, 處升之極, 進而不息者也, 進而不息, 故雖冥猶升也, 故施於不息之正則可.

왕필이 말하였다: 올라감의 끝에 처하여 나아가 쉬지 않는다. 나아가 쉬지 않기 때문에 어둡더라도 오히려 올라갈 수 있다. 그러므로 쉬지 않는 바름에 베푸는 것이 가능한 것이다.

---

39) 『周易·明夷卦』: 六五, 箕子之明夷, 利貞. 象曰, 箕子之貞, 明不可息也.
40) 『周易·繫辭傳』: 易之興也, 其當殷之末世, 周之盛德耶, 當文王與紂之事邪.

○ 方塘徐氏曰, 豫上樂極故冥豫, 升上進極故冥升.

방당서씨가 말하였다: 예괘는 위로 즐거움이 지극하므로 "즐거움에 빠져 어둡고," 승괘는 위로 올라감이 지극하므로 "올라가는 것에 어둡다."

○ 案, 冥升而不已, 何適而有利. 去其昏冥之道, 唯在不息之功. 於穆不已,天道之不息也, 純亦不已, 文王之不息也. 不息, 乃貞之道也, 其利孰大焉.

내가 살펴보았다: 올라가는 것에 어둡지만 쉬지 않으니, 어디를 가든지 이롭지 않겠는가? 어둠을 제거하는 도는 쉬지 않는 공에 있다. 깊고 멀어 그치지 않음은 천도의 쉬지 않음이고, 순수하면서 그치지 않음은 문왕의 그치지 않음이다. '쉬지 않음'은 바름의 도이니, 그 이로움이 무엇보다 크다.

김상악(金相岳) 『산천역설(山天易說)』

上六居坤之終, 處升之極, 故有冥升之象. 與三爲應, 三互震體, 而皆得正矣. 動則不止, 正則合理, 故利於不息之貞也.

상육은 곤괘의 끝에 있고 올라감의 끝에 처하였기 때문에 "올라가는 것에 어두운" 상이 있다. 삼효와 호응하는데, 삼효는 호괘인 진괘(☳)의 몸체로 모두 바름을 얻었다. 움직이면 그치지 않고, 바르면 도와 합치기 때문에 쉬지 않는 바름에 이롭다.

○ 冥坤象, 升有南征向明之象, 而陰窮於上入於坤, 冥也. 或曰, 三互坎體, 內景不明于外, 故上之取象如此. 冥豫在動體, 故勉之以渝. 冥升在順體, 故誠之以貞. 不息之貞, 卽牝馬之貞也. 冥於升者, 當用坤之永貞, 故勸勉備至. 先儒曰, 文王旣當六四, 則六五爲武王, 上六爲紂, 是也.

'어둠[冥]'은 곤괘의 상이니, 승괘에 남쪽으로 가서 밝음을 향하는 상이 있어서 음이 위에서 다하고 곤괘로 들어감이 '어둠'이다.

어떤 이가 말하였다: 삼효는 호괘인 감괘(☵)의 몸체로 안은 밝지만 밖으로 밝지 않기 때문에 상육이 이와 같이 상을 취하였다. "즐거움에 빠져 어두움"은 움직이는 몸체에 있으므로 '변함'으로 힘쓰게 하였고, "올라가는 것에 어두움"은 유순한 몸체에 있으므로 '바름'으로 경계하였다. 쉬지 않는 바름은 암말의 곧음이다. 올라가는 것에 어두운 자는 곤의 길이 곧음을 써야 하므로 힘써 갖추어야 한다. 선유들이 "문왕이 육사에 해당하면 육오는 무왕이 되고, 상육은 주왕이 된다"고 한 것이 이것이다.

박제가(朴齊家) 『주역(周易)』

以象傳消不富之義推之, 此息, 乃生息之息, 非休息之息. 此之爲言, 蓋曰貞則貞矣, 而
其貞也, 乃不滋息之貞也. 有若譏諷者, 然此貞之不足爲貞, 可知矣. 言德不進而久據
位也. 若自强不息, 聖人乾乾之事, 則何處不當, 何人不可, 而乃於此冥升者而言之耶.
或有引文王純亦不已之辭, 以爲此不息之貞, 則尤涉逕庭.

「상전」의 "사라져서 풍부해지지 않는다"는 뜻으로 미루어보면 여기에서 '쉼[息]'은 살아 숨쉬
는 '식(息)'이지 휴식하는 '식(息)'이 아니다. 이 말은 대체로 바르다고 하였다면 바름이겠지
만 그 바름은 곧 자라지 않는 바름이다. 비꼬는 듯하지만 이 바름이 바름이 되기에 부족하다
는 것을 알 수 있으니, 덕이 나아가지 않고 오래 자리를 차지하고 있다는 말이다. 만약 스스
로 힘써 쉬지 않음이 성인이 힘쓰고 힘쓰는 일이라면 어느 곳에서도 마땅하지 않으며, 어느
사람에게도 가능하지 않거늘 어찌 여기에서 올라가는 것에 어둡다는 것으로 말하였겠는가?
혹시 문왕이 순수하고 또 그치지 않는다는 말을 인용하여 여기의 쉬지 않는 바름으로 여긴
다면 더욱 뜰에 난 좁은 길을 걷는 것이 될 것이다.

서유신(徐有臣) 『역의의언(易義擬言)』

地勢, 東南低而西北高, 東南明而西北幽. 上六坤之極, 猶西北也. 升而不已, 至於西
北, 高則高矣, 幽則幽矣, 故曰冥升也. 日月之行, 旣西復東, 貞明不息, 月爲太陰之象,
故曰利于不息之貞也.

땅의 형세는 동남쪽이 낮고 서북쪽이 높으며, 동남쪽은 밝고 서북쪽은 어둡다. 상육은 곤괘
의 끝으로 서북쪽과 같다. 올라가 그치지 않아서 서북쪽에 이르면 높은 것은 높아지고 어두
운 것은 어두워지기 때문에 "올라가는 것에 어둡다"라고 하였다. 해와 달의 운행은 서쪽에
동쪽으로 갈 때 바른 밝음이 쉬지 않아 달이 태음의 상이 되기 때문에 "쉬지 않는 바른 도에
이롭다"고 하였다.

강엄(康儼) 『주역(周易)』

按, 豫上六曰冥豫, 升上六曰冥升, 皆明其極則必變, 又明人處極, 則當知變, 不可久處
於冥也. 聖人於冥豫曰有渝无咎, 於冥升曰利于不息之貞, 其所以廣遷善之門, 而濟生
民於沈冥之中者, 至矣.

내가 살펴보았다: 예괘 상육에서 "즐거움에 빠져 어둡다"고 하였고, 승괘 상육에서 "올라가
는 것에 어둡다"고 한 것은 모두 끝에 가면 반드시 변함을 밝혔고, 또 사람이 끝에 처하면
마땅히 변함을 알아서 어둠에 오래 처할 수 없음을 밝혔다. 성인이 "즐거움에 빠져 어둡다"

에서는 "변함이 있으면 허물이 없을 것이다"라고 하였고, "올라가는 것에 어둡다"에서는 "쉬지 않는 바른 도에 이롭다"고 하였으니, 착한 데로 옮겨갈 수 있는[遷善] 문을 넓혀 어둠 가운데 빠져 있는 백성을 구제하는 것이 지극하다.

박문건(朴文健) 『주역연의(周易衍義)』

進處高極, 故有冥升之象, 冥升, 言昏冥其升處也.

나아가는 곳이 높고 지극하므로 올라가는 것에 어두운 상이 있으니, "올라가는 것에 어둡다"는 그 올라가는 곳에 어둡다는 말이다.

〈問, 冥升利于不息之貞. 曰, 上六處極, 則是冥其升也. 用不已之貞而後, 可弛九三之患矣.

물었다: "올라가는 것에 어두우니, 쉬지 않는 바른 도에 이롭다"는 무슨 뜻입니까?

답하였다: 상육은 끝에 있으니, 그 올라가는 것에 어둡습니다. 그치지 않는 바름을 쓴 이후에야 구삼의 걱정을 없앨 수 있습니다.〉

이지연(李止淵) 『주역차의(周易箚疑)』

以不息之貞升之, 則日就乎高明也. 消不富者, 言風不能上於天之謂也.

쉬지 않는 바른 도로써 올라가면 나날이 높고 밝음에 나아갈 수 있다. "사라져서 풍부해지지 않음"은 바람이 하늘까지 올라갈 수 없음을 말하는 것이다.

김기례(金箕澧) 「역요선의강목(易要選義綱目)」

坤先迷故曰冥, 陰暗而居升極, 知進不知止, 可謂冥矣. 若反以正道, 自强不息, 則利陰爻故曰利.

곤괘는 우선은 혼미하기 때문에 어둡다고 하였으니, 음이 어두운데 올라감의 끝에 있어 나아감만 알고 그칠 줄을 알지 못하기에 어둡다고 하는 것이다. 만약 돌이켜 바른 도로써 스스로 힘쓰고 쉬지 않으면 음효를 이롭게 하기 때문에 이롭다고 하였다.

심대윤(沈大允) 『주역상의점법(周易象義占法)』

升之蠱䷑, 多事也. 上六居升之極, 其名德位品爲天下之所尊, 尙矜式德行. 雖益修, 而人不加敬焉, 身不加尊焉, 一有言行之所失, 則貶損甚大. 譬如養叔之射, 一發不中, 前功具息. 上六居柔而下應於三, 能卑順謙讓, 而不爲驕溢, 多思而深念, 周愼而勤密, 故

能保其成也. 冥升, 言升之極而杳冥也. 坎离爲冥, 巽行艮止爲息. 利于不息之貞, 言
利在於保, 其旣成之, 升而不息以爲貞, 不可復求進也. 上六, 以不息爲升也. 二四, 人
臣也. 不能自升而係于君, 故不言升也.

승괘가 고괘(蠱卦䷑)로 바뀌었으니, 일이 많은 것이다. 상육이 오름의 끝에 있어 그 이름·
덕·지위·품격이 천하에 존경을 받지만, 오히려 삼가 덕행을 닦는다. 비록 더욱 닦더라도
사람들이 공경을 더할 수 없고 자신은 존귀함을 더할 수 없으며, 말과 행동에 한 번이라도
실수가 있으면 떨어지고 줄어듦이 매우 클 것이다. 비유하면 양숙[41]이 화살을 쏠 때 한 발이
라도 명중하지 않으면 앞의 공로가 모두 없어지는 것과 같다. 상육이 부드러운 자리에 있으
면서 아래로 삼효와 호응하여 낮추고 순리대로 하고 겸양하여 교만하거나 넘치게 하지 않
고, 많은 생각을 하되 깊이 생각하며 두루 삼가되 부지런하고 자세히 하기 때문에 그 이룬
것을 보전한다. "올라가는 것에 어둡다"는 끝까지 올라가서 어두운 것이다. 감괘·이괘는
어두움이고, 손괘의 행함과 간괘의 그침이 쉼이 된다. "쉬지 않는 바른 도에 이롭다"는 이로
움이 보존함에 있고, 그것이 이미 이루어 졌다면 올라가서 쉬지 않음을 바름으로 여겨야지,
다시 나아가기를 구해서는 안 된다고 말한 것이다. 상육은 쉬지 않음을 오름으로 여긴다.
이효와 사효는 신하인데 스스로 올라갈 수 없어서 임금에게 매이기 때문에 올라간다고 말하
지 않았다.

오치기(吳致箕) 「주역경전증해(周易經傳增解)」

上六陰柔, 雖得其正, 居升之極, 昏于升而不已, 有冥升之象 故戒言必永守其正 久而
不息 可以移此貪. 升不已之心, 於進德修業而爲利也.

상육이 부드러운 음으로 그 바름을 얻었지만 오름의 끝에 있어 오름에 어두우면서도 그치지
않음이니, 올라가는 것에 어두운 상이 있다. 그러므로 반드시 길이 그 바름을 지켜 오래되어
도 쉬지 않아야 이 탐욕을 옮길 수 있다고 경계한 것이다. 오름을 그치지 않는 마음은 덕에
나가고 업을 닦는데 이로움이 될 수 있다.

○ 冥謂昏也, 象與冥豫同也. 息謂止也, 取於變艮也. 五爲君位, 而二應於五, 四比於
五, 故不言升者, 避嫌也. 五言升, 而不以君言, 以臣言者, 君无可升也.
'어둠[冥]'은 어둠[昏]이니, 상이 "즐거움에 빠져 어둡다"[42]와 같다. '쉼[息]'은 그침이니, 변한
간괘(☶)에서 취하였다. 오효는 임금의 자리인데 이효는 오효와 호응하고 사효는 오효에

---

41) 양숙(養叔): 양유기(養由基)로 춘추시대 초나라 대부로 활쏘기에 능하였다.
42) 『周易·豫卦』: 上六, 冥豫, 成, 有渝无咎.

가깝기 때문에 오름을 말하지 않은 것이니, 혐의를 피한 것이다. 오효에서 '오름[升]'을 말하였는데 임금이 아니라 신하로 말한 것은 임금은 오를 수 없기 때문이다.

이진상(李震相) 『역학관규(易學管窺)』

坤體陰晦之極, 故曰冥升. 象言消不富, 亦坤虛象. 利于不息之貞者, 坤化之乾也, 以伏象言.

곤괘의 몸체로 어두운 음의 끝이기 때문에 "올라가는 것에 어둡다"고 하였다. 「상전」에서 "사라져서 풍부해지지 않는다"고 한 것은 또한 곤괘(☷)의 텅 빈 상이다. "쉬지 않는 바른 도에 이롭다"는 곤괘가 건괘로 바뀐 것이니, 잠복된 상으로써 말한 것이다.

박문호(朴文鎬) 「경설(經說)·주역(周易)」

冥升, 傳用於二字之義, 止於事下.

"올라가는 것에 어둡다"는 『정전』에서 이 두 글자의 뜻을 쓴 것은 '일[事][43]'이라는 글자 아래에서 그쳤다.

이병헌(李炳憲) 『역경금문고통론(易經今文考通論)』

荀曰, 暗昧在上故曰冥升.

순상이 말하였다: 어두움이 위에 있기 때문에 "올라가는 것에 어둡다"라고 하였다.

按, 利于不息之貞, 則陰當和陽, 而不爲物主, 消而不富, 則陽從而息矣.

내가 살펴보았다: "쉬지 않는 바른 도에 이롭다"는 음이 양과 화합해도 사물의 주인이 되지 못함이며, 사라져서 풍부해지지 않으면 양이 따라서 쉬게 된다.

---

43) 『周易·升卦·程傳』: 六以陰居升之極, 昏冥於升, 知進而不知止者也, 其爲不明甚矣. 然求升不已之心, 有時而用於貞正而當不息之事, 則爲宜矣.

象曰, 冥升在上, 消不富也.

「상전」에서 말하였다: "올라가는 것에 어두워" 위에 있으니 사라져서 풍부해지지 않는다.

┃中國大全┃

傳

昏冥於升, 極上而不知已, 唯有消亡, 豈復有加益也. 不富, 无復增益也. 升旣極, 則有退而无進也.

올라감에 어두워 끝까지 올라가서도 그칠 줄을 몰라 사라질 뿐이니, 어찌 다시 더할 수 있겠는가? '풍부해지지 않는다[不富]'는 것은 다시 보탬이 없는 것이다. 올라감이 이미 다하였으니, 물러남만 있고 나아감은 없다.

小註

白雲郭氏曰, 消息一理耳, 息則富, 而消則不富也.

백운곽씨가 말하였다: 없어지고 자라는 것은 하나의 이치일 뿐이니, 자라면 풍부해지고 없어지면 풍부해지지 않는다.

○ 中溪張氏曰, 坤爲冥晦, 陰虛爲不富. 冥晦在上, 猶且升而不息, 豈知升極當降, 長極當消. 消則不能有其富矣.

중계장씨가 말하였다: 곤(坤☷)은 어두움이고 음의 비어 있음은 풍부하지 않음이다. 어두움이 위에 있는데 여전히 또 나아가서 멈추지 않으니, 어찌 올라감이 끝나면 내려와야 하고 자람이 끝나면 없어져야 함을 알겠는가? 없어지면 풍부해질 수 없다.

○ 建安丘氏曰, 升卦之義, 以卦變言, 則柔以時升, 六自三上升而爲四也. 以二體言, 則以巽升坤, 下三爻爲方升之人, 上三爻皆受其升者. 以六爻言, 則六五貞吉升階, 居得尊位, 爲升之主. 下四爻則皆來升者也. 初與三, 於五非近非應, 无嫌於五, 故初允升

三升虛邑, 蓋可升而升者也. 如九二應五, 則礙而不得進, 故孚而用禴, 六四近五, 則進
而不敢逼, 故亨而順事, 是知不可升而不升者也. 故二爻不言升. 至上處窮極之地, 不
當升而猶升焉, 則是冥升而已矣. 升之道可易言哉.

건안구씨가 말하였다: 승괘(升卦䷭)의 의미를 괘의 변화로 말하면, 부드러움이 때에 맞춰
올라가니, 육(六)이 삼효에서 위로 올라와 사효가 된 것이고, 두 몸체로 말하면, 손(巽☴)이
곤(坤☷)에게 올라가니, 하괘의 세 효는 한창 올라가는 사람이고 상괘의 세 효는 모두 올라
오는 것들을 받아주는 것들이다. 여섯 효로 말하면, "육오는 바르게 하여야 길하니, 계단을
올라가듯이 한다"는 것은 있는 곳이 존귀한 지위를 얻은 것이니 승괘의 임금이다. 아래의
네 효는 모두 와서 올라오는 것들이다. 그런데 초효와 삼효는 오효에서 가깝지도 않고 호응
하지도 않아서 오효에게 의심을 받지 않기 때문에 초효는 믿어서 올라가고, 삼효는 빈 고을
로 올라가니, 대개 올라갈 수 있어 올라가는 것들이다. 구이처럼 오효와 호응하는 것은 막혀
서 나아갈 수 없기 때문에 정성을 다해 검소한 약제사로 하고, 육사처럼 오효와 가까운 것은
나아가서 감히 위협하지 않기 때문에 제사지내고 일을 순리대로 하니, 이것은 올라갈 수
없음을 알고 올라가지 않는 것들이다. 그러므로 두 효에서는 올라감을 말하지 않았다. 지극
히 높은 것은 끝의 자리에 있어 올라가서는 안 되는데 여전히 올라가니, 이것은 올라가는
것에 어두울 뿐이다. 그러니 올라가는 도를 쉽게 말할 수 있겠는가?

▌韓國大全▐

조호익(曺好益) 『역상설(易象說)』

不富, 陰虛象.

'풍부하지 않음[不富]'은 빈 음의 상이다.

홍여하(洪汝河) 「책제(策題):문역(問易) · 독서차기(讀書箚記)-주역(周易)」

消, 對息字說.

'사라짐[消]'은 '자라남[息]'에 상대하여 설명한 것이다.

김상악(金相岳) 『산천역설(山天易說)』

冥升不已, 則必至消盡而不富, 故利於不息之貞.

올라가는 것에 어두워 그치지 않으면 반드시 다 사라져서 풍부하지 않음에 이르므로 쉬지 않는 바른 도에 이롭다.

○ 來註, 巽爲富, 而上居巽外, 故曰不富. 如无妄六二, 未入巽位曰未富.

내지덕의 주에 손괘가 풍부가 되지만 상육은 손괘 밖에 있기 때문에 풍부해지지 않는다고 하였다. 무망괘 육이가 아직 손괘의 자리에 들어가지 못했기 때문에 "부유하게 여겨서가 아니다"고 하였다.

서유신(徐有臣) 『역의의언(易義擬言)』

陰升極於上, 爲玄冥時候, 是將消不富也.

음이 가장 위로 올라감이 어두운 때가 되니, 장차 사라져서 풍부해지지 않을 것이다.

김기례(金箕澧) 「역요선의강목(易要選義綱目)」

升極則當降, 長極則當消, 消則不能致其富矣.

오름이 끝나면 내려가야 하고, 긴 것이 끝나면 사라져야 하니, 사라지면 풍부함을 이룰 수 없다.

贊曰, 上下相應, 前進何辜. 積小成高, 唯德之符. 可享可禴, 中實以孚. 順而時升, 入虛如无.

찬미하여 말하였다: 위 아래가 서로 호응하여 앞으로 나아감에 무엇이 허물하겠는가? 작은 것을 쌓아 높은 것을 이룸이 덕의 상서로움이네. 형통하고 약제사를 드리니, 믿음으로 가운데가 가득 차있네. 순리대로 때에 따라 오르니, 아무도 없는 빈 곳에 들어가는 듯하네.

심대윤(沈大允) 『주역상의점법(周易象義占法)』

人不譽其善, 而惟譏其失, 有消而无富也.

사람에 대해 그의 선함을 기리지 않고 그의 잘못을 나무랄 뿐이라면, 사라져서 풍부해지지 않음이 있다.

오치기(吳致箕) 「주역경전증해(周易經傳增解)」

升極而不已, 則昏冥, 故反爲消亡, 不能富有也. 富取應巽.

끝까지 올라갔는데도 그치지 않으면 어두운 것이므로 도리어 사라져 없어져 부유할 수 없다. '풍부[富]'는 호응하는 손괘(☴)에서 취하였다.

47

곤괘
困卦

║中國大全║

傳

困, 序卦, 升而不已必困, 故受之以困. 升者, 自下而上, 自下升上, 以力進也, 不已必困矣. 故升之後, 受之以困也, 困者憊乏之義. 爲卦, 兌上而坎下, 水居澤上, 則澤中有水也, 乃在澤下, 枯涸无水之象, 爲困乏之義. 又兌以陰在上, 坎以陽居下, 與上六在二陽之上, 而九二陷於二陰之中, 皆陰柔揜於陽剛, 所以爲困也. 君子爲小人所揜蔽, 窮困之時也.

곤괘(困卦䷮)는 「서괘전」에 "올라가고 그치지 않으면 반드시 피곤하므로 곤괘로 받았다"고 하였다. '승(升)'은 아래로부터 올라가는 것이니, 아래로부터 위로 오름은 힘써 나아감이니, 그치지 않으면 반드시 피곤하다. 그러므로 승괘(升卦)의 뒤에 곤괘(困卦)로써 받았으니, 곤(困)은 피곤함의 뜻이다. 괘는 태괘(兌卦☱)가 위에 있고 감괘(坎卦☵)가 아래에 있으니, 물이 못 위에 있으면 못 가운데 물이 있는 것인데, 마침내 못의 아래에 있으니 못이 말라 물이 없는 상으로 어렵고 모자라다는 뜻이 된다. 또 태괘가 음으로 위에 있고 감괘가 양으로 아래에 있으며, 상육이 두 양의 위에 있고 구이가 두 음의 가운데 빠져 있으니, 모두 부드러운 음이 굳센 양을 가린 것이니, 이 때문에 곤괘가 된다. 군자가 소인에게 가림을 당하는 것이 곤궁한 때이다.

小註

疊山謝氏曰, 困井相表裏, 困爲塞, 井爲通. 困則澤中无水, 井則木上有水, 困有未濟, 井有既濟, 困塞而井通, 明矣.

첩산사씨가 말하였다: 곤괘(困卦䷮)와 정괘(井卦䷯)는 서로 표리가 되니, 곤괘는 막히고 정괘는 통한다. 곤괘는 못 가운데 물이 없고, 정괘는 나무 위에 물이 있으며, 곤괘는 아직 이루지 못하고 정괘는 이미 이루었으니, 곤괘는 막히고 정괘는 통하는 것이 분명하다.

‖韓國大全‖

유정원(柳正源) 『역해참고(易解參攷)』[1]

坎下兌上.

감괘가 아래에 있고 태괘가 위에 있다.

小註, 疊山說未濟.

소주에서 첩산이 미제를 말하였다.

案, 困二至四爲離, 與坎爲未濟.

내가 살펴보았다: 곤괘(䷮)의 이효부터 사효까지 리괘(離卦☲)가 되어 감괘와 함께 미제(未濟䷽)가 된다.

○ 旣濟.

기제괘.

案, 井三至五爲離, 與坎爲旣濟.

내가 살펴보았다: 정괘(井卦䷯)의 삼효부터 오효까지 리괘가 되어 감괘와 함께 기제(旣濟䷾)가 된다.

---

1) 경학자료집성DB에서는 곤괘(困卦)의 '단사'에 해당하는 것으로 분류되어 있으나, 내용에 의거하여 이 자리로 옮겼음.

困, 亨貞大人吉无咎, 有言不信.

정전 곤(困)은 형통하고 곧으니, 대인이라서 길하고 허물이 없으니, 말을 해도 믿지 않으리라.

본의 곤(困)은 형통하고 곧은 대인이라서 길하고 허물이 없으니, 말을 해도 믿지 않으리라.

▌中國大全▌

傳

如卦之才, 則困而能亨, 且得貞正, 乃大人處困之道也. 故能吉而无咎. 大人處困, 不唯其道自吉, 樂天安命, 乃不失其吉也. 況隨時善處, 復有裕乎. 有言不信, 當困而言, 人誰信之.

괘의 재질과 같으면 어려우나 형통할 수 있고 또 곧고 바름을 얻었으니, 바로 대인이 어려움에 처하는 도리이다. 그러므로 길하고 허물이 없다. 대인이 어려움에 처하면 다만 그 도가 스스로 길할 뿐만 아니라, 천리를 즐거워하고 명을 편안히 여기니, 그 길함을 잃지 않는다. 하물며 때에 따라 잘 대처하고 다시 여유까지 있음에랴? 말을 하여도 믿지 않는 것은, 어려운 때를 당하여 말하면 사람들 가운데 누가 믿겠는가?

本義

困者, 窮而不能自振之義. 坎剛爲兌柔所揜, 九二爲二陰所揜, 四五爲上六所揜, 所以爲困. 坎險兌說, 處險而說, 是身雖困而道則亨也. 二五剛中, 又有大人之象, 占者處困能亨, 則得其正矣. 非大人, 其敦能之. 故曰貞, 又曰大人者, 明不正之小人不能當也. 有言不信, 又戒以當務晦黙, 不可尚口, 益取困窮.

곤(困)은 곤궁하여 스스로 떨치지 못한다는 뜻이다. 굳센 감괘가 부드러운 태괘에게 가려지고 구이가 두 음에게 가려지며 사효와 오효가 상육에게 가려지니, 이 때문에 곤괘가 되었다. 감괘는 험하고 태괘는 기뻐하니, 험함에 처했으나 기뻐함은 몸은 비록 어려우나 도는 형통한 것이다. 이효와 오효가 굳센 양으로 가운데 있고 또한 대인의 상이 있으니, 점치는 자가 어려움에 처하여 형통할 수 있다면 그 바름을 얻을 것이다. 대인이 아니면 그 누가 할 수 있겠는가? 그러므로 '곧다'고 말하고 또 '대인'이라고 말한 것이니, 바르지 않은 소인은 이에 해당하지 않음을 밝힌 것이다. 말을 하여도 믿지 않는 것은 마땅히 감추고 침묵하는데 힘쓸 것이고, 입이 상징하는 말을 숭상하여 더욱 곤궁함을 취해서는 안 됨을 경계한 것이다.

小註

朱子曰, 困卦難理會, 不可曉, 易中有數卦如此. 繫辭云, 卦有小大, 辭有險易, 辭也者, 各指其所之. 困是個極不好底卦, 所以卦辭也做得如此難曉. 如蹇剝否睽, 皆是不好卦, 只是剝卦分明是剝, 所以分曉. 困卦是個進退不得窮極底卦, 所以難曉, 其大意亦可見矣.

주자가 말하였다: 곤괘는 이해하기 어려워 분명하지 않으니, 『주역』 가운데 몇몇 괘는 이와 같다. 「계사전」에서 "괘는 작고 큰 것이 있고, 말에는 험하고 쉬운 것이 있으니, 말이란 각각 그 향하는 바를 가리킨다"[2]고 하였다. 곤괘는 아주 좋지 않은 괘이고, 그래서 괘사도 이처럼 이해하기 어렵다. 예를 들어 건괘·박괘·비괘·규괘는 모두 좋은 않은 괘이지만, 박괘는 분명히 깎이는 것이기에 분명하게 이해할 수 있다. 곤괘는 진퇴를 끝까지 다할 수 없는 괘이기에 이해하기 어려운 것이니, 그 큰 뜻은 또한 알 수 있을 것이다.

○ 雲峰胡氏曰, 蹇能止則知足以避, 需不陷則義无所窮. 困之爲卦, 上下三剛, 皆掩於柔, 窮而无所容, 此所以爲困也. 然剛之困如此, 剛之亨自如. 處坎之險, 不失兌之說, 時雖困而道則亨, 身雖困而心則亨也. 他卦言亨與貞, 不貞則不亨, 亨由於貞也. 此卦言亨與貞, 處困能亨, 則得其貞, 貞由於亨也. 曰貞又曰大人者, 困而能亨, 是爲貞正之大人, 非不正之小人所能也. 剛柔自乾坤, 往來于二與上, 而以九居五, 未嘗變也. 是之謂貞, 是之謂大人, 此其所以吉而无咎也. 有言不信, 又戒處坎之險, 不可尙兌之口也.

운봉호씨가 말하였다: 막힘에 그칠 수 있다면 지혜가 충분히 피할 수 있는 것이고, 기다리며 빠지지 않는다면 의리가 무궁한 것이다. 곤괘(困卦䷮)는 위아래의 세 굳센 양이 모두 부드러운 음에게 가려져 있고, 어려운 처지에 용납될 곳이 없으니, 이 때문에 곤괘가 되었다. 그러나 굳센 양의 어려움이 이와 같지만, 굳센 양의 형통함은 여전하다. 감괘의 험함에 처해서도 태괘(兌卦☱)의 기쁨을 잃지 않으니, 때는 비록 어렵지만 도는 형통하고 몸은 비록 어렵지만 마음은 형통하다. 다른 괘에서 형통함과 곧음을 말한 것은 곧지 않으면 형통하지 못한다는 것이니, 형통함이 곧음으로부터 온다. 이 괘에서 형통함과 곧음을 말한 것은 어려

---

2) 『周易·繫辭傳』: 卦有小大, 辭有險易, 辭也者, 各指其所之.

움에 처해서도 형통할 수 있으면 곧음을 얻는다는 것이니, 곧음이 형통함으로부터 온다. '곧다'고 하고, 또 '대인'이라 한 것은 어려움 속에서 형통할 수 있는 것은 곧고 바른 대인이어야지 바르지 않은 소인은 할 수 없기 때문이다. 굳셈과 부드러움이 건곤으로부터 와서 이효와 상효 사이에서 왕래하는데, 이 효는 구(九)로서 오(五)의 자리에 있어서 일찍이 변한 적이 없다. 이것을 '곧음'이라고 하고 이것을 '대인'이라고 하니, 이것이 길하여 허물이 없는 까닭이다. '말을 해도 믿지 않는 것'은 또한 감괘의 험함에 머무르면 태괘가 상징하는 '입'을 숭상해서는 안 된다고 경계한 것이다.

○ 進齋徐氏曰, 兌口不掩, 言象, 坎剛中有孚, 信象. 坎兌相失, 故有言不信. 處困之時, 當務晦黙, 尙口多言, 人誰信之. 困且窮而已, 故戒.
진재서씨가 말하였다: 태괘가 상징하는 입을 가리지 않은 것은 '말함'의 상이고, 감괘의 굳센 양이 가운데 있어 믿음이 있는 것은 '믿음'의 상이다. 감괘와 태괘는 서로 잃기 때문에 말을 해도 믿지 않는다. 어려운 가운데 있을 때에는 침묵하기에 힘써야 하니, 입을 숭상하여 말을 많이 한다면 어떤 사람이 믿겠는가? 어렵고 곤궁할 뿐이기 때문에 경계하였다.

○ 雙湖胡氏曰, 以卦體言, 坎遇兌而成困, 澤自涸于上, 坎自流於下, 兩不相得. 以卦爻言, 二爲坎主, 上爲兌主, 又居不相應之地, 兩不相向, 皆困之道. 蓋天地之氣, 由西而北, 則其勢順, 故兌下坎上爲節, 由北而西, 則其勢逆而坎下兌上, 斯爲困也. 亨者, 以卦德言, 本義盡之. 以卦才言, 則二五剛中, 故亨貞, 主九五一爻言也. 大人兼指二五, 當困之時, 有二五剛健中正之大人, 以濟之, 吉无咎矣. 但二體終不相得, 故兌言而坎不信, 其亦居困之時而二五各自爲謀者乎. 看來, 文王卦辭, 不過如此. 若剛掩之象, 已是夫子象傳自發其意, 就象傳釋之可也.
쌍호호씨가 말하였다: 괘의 몸체로 말하면 감괘(☵)가 태괘(☱)를 만나서 곤괘(䷮)가 되었지만, 못은 위에서 저절로 마르고 물은 아래로 저절로 흘러내려 둘이 서로 만나지 못한다. 괘의 효로 말하면 이효는 감괘의 주인이 되고 상효는 태괘의 주인이 되며, 또한 서로 호응하지 않는 땅에 있어서 둘이 서로 향하지 못하니, 모두 곤괘의 도이다. 천지의 기는 서쪽으로부터 북쪽으로 가면 그 세력이 순조롭기 때문에 태괘가 아래이고 감괘가 위이면 절괘(䷻)가 되고, 북쪽으로부터 서쪽으로 가면 그 세력이 거스르기 때문에 감괘가 아래이고 태괘가 위이면 곤괘(䷮)가 된다. '형통함'이란 괘의 덕으로 말하였는데, 『본의』에서 잘 설명하였다. 괘의 재질로 말하면 이효와 오효는 굳세고 알맞기 때문에 형통하고 곧으니, 구오 한 효를 위주로 말하였다. 대인은 이효와 오효를 겸하여 가리키는데, 어려운 때를 당하여 이효와 오효의 강건하고 중정한 대인이 구제하기 때문에 길하고 허물이 없다. 다만 두 몸체가 끝내 서로 만날 수 없기 때문에 태괘가 말을 하여도 감괘가 믿지 않으니, 그 또한 어려운 때에

거하여 이효와 오효가 각각 스스로 도모하는 것이 아니겠는가? 살펴 보건대 문왕의 괘사는 이와 같은 데 지나지 않는다. 만약 굳셈이 가려지는 상이라면 이미 공자의 「단전」에서 스스로 그 뜻을 말했으니, 「단전」을 가지고 해석하는 것이 좋다.

‖韓國大全‖

이현익(李顯益) 「주역설(周易說)」

貞雖不屬大人, 讀大人之爲貞, 自如本義說. 豈必謂貞屬大人讀乎. 諺解非是. 本義能亨則得其正, 是釋亨貞二字, 象傳貞大人, 亦非謂貞底大人也.

‘곧음’을 비록 ‘대인’과 붙이지 않더라도, 대인이 곧게 함으로 읽는다면 자연히 『본의』의 설명과 같을 것이다. 어찌 반드시 곧음을 대인과 붙여서 읽는다는 말인가? 언해는 옳지 않다. 『본의』의 "형통할 수 있다면 그 바름을 얻는다"가 ‘형정(亨貞)’ 두 글자를 해석한 것이며, 「단전」의 ‘정대인(貞大人)’도 곧은 대인을 말하는 것은 아니다.

이익(李瀷) 『역경질서(易經疾書)』

困之象夫子蓋有感也 說苑子路慍見於陳蔡, 旣免曰, 夫陳蔡之間丘之幸也. 吾聞人君不困不成王, 列士不困不成行. 困之爲道, 從寒及煖, 煖之及寒也, 惟賢者, 獨知而難言之也. 易曰, 困亨貞大人吉无咎, 有言不信, 聖人所與人難言信也. 其意若曰, 自困而亨, 從寒及煖也, 亨而又貞, 煖之及寒也. 貞者, 物之成, 於時爲寒也, 人君之成王, 列士之成行, 皆亨而至於貞也. 此所以爲幸, 而非賢者則不知, 故難與衆人言, 亦無望其必信也. 當困阨之際, 如子路高等, 尙且信道不篤, 至於慍見, 況衆人乎. 其曰有言不信, 尙口乃窮, 謂尙口於阨困之際, 人固不之信也.

곤괘의 단사에서는 공자가 느낀 점이 있었을 것이다. 『설원』에서, "자로가 진나라와 채나라에서 성내며 뵈었고, 이미 횡액을 모면하고 공자가 이르기를 ‘진나라와 채나라의 사이는 나의 행운이다’라고 하였다"고 말하였다. 내가 들으니 임금은 곤궁치 않으면 천자가 되지 못하고, 열사는 곤궁치 않으면 실행하지 못한다고 한다. 곤궁의 도리는 추위로부터 따뜻해지고 따뜻함이 추워지는 것이니, 어진 사람만이 홀로 알고 말하기 어려운 것이다. 『주역』에 ‘곤은 형통하고 곧으니 대인이라서 길하고 허물이 없으니 말을 해도 믿지 않으리라’라고 하니, 성인이 사람에게 말하여 믿게 하기 어려운 것이다"라고 하였다. 그 의미는 대략 "곤궁함으로부터 형통함은 추위로부터 따뜻해짐이고, 형통하면서 또 곧음은 따뜻함이 추워짐이다. 곧음은 만물을 이루고 때에 있어서는 추위가 되니, 임금이 천자가 되고 열사가 실행하는 것이 모두 형통하면서 곧음에 이른 것이다. 이것이 행운이 되는 이유이지만, 어진 이가 아니면 알지 못하므로 중인에게는 말하기 어려우며, 또한 반드시 믿기를 바랄 수 없다"고 한 것이다. 횡액을 만난 때에 자로 같은 높은 제자도 오히려 또한 믿고 말함이 돈독하지 않았고 성내며 뵈었거늘, 하물며 뭇 사람들이겠는가? "말을 해도 믿지 않는 것은 입을 숭상하여 곤궁한 것이다"라고 한 것은 횡액으로 곤란한 때를 말로 모면하려 한다면 사람들이 참으로 그를 믿지 않는다는 것이다.

권만(權萬) 『역설(易說)』

困, 亨貞大人吉无咎어니와 有言不信.

곤은 형통하고 곧으니 대인이라서 길하여 허물이 없거니와 말을 해도 믿지 않으리라.

유정원(柳正源) 『역해참고(易解參攷)』

正義, 亨者, 卦德也. 小人遭困, 則窮斯濫矣, 君子遇之, 則不改其操, 不失其自通之道. 故曰困亨也. 處困求濟, 在於正身修德, 若巧言飾辭, 人所不信, 則其道彌窮. 故誡之以有言不信也.

『주역정의』에서 말하였다: 형통함은 괘의 덕이다. 소인이 어려움을 만난다면 곤궁함에 바로 함부로 하고, 군자는 이를 만나더라도 지조를 고치지 않아 스스로 통하는 도리를 잃지 않는다. 그러므로 "곤은 형통하다"고 하였다. 곤궁함을 구제하는 것은 몸을 바르게 하고 덕을 닦음에 있으니, 만약 말을 교묘히 꾸며서 사람들이 믿지 않는다면 그 도가 더욱 곤궁할 것이다. 그러므로 "말을 해도 믿지 않는다"고 경계하였다.

○ 梁山來氏曰, 處困能亨, 豈小人所能哉. 必平素有學有守之大人, 操持已定, 而所遇不足以戕之, 方得吉而无咎也. 若不能實踐躬行, 自亨其道, 唯欲以言求免其困, 人必不信而益困矣, 言處坎之險, 不可尙兌之口也. 兌爲口有言之象, 坎爲耳痛, 耳不能聽, 有言不信之象.

양산래씨가 말하였다: 곤궁하면서 형통할 수 있음을 어찌 소인이 할 수 있으랴? 반드시 평소에 배움이 있고 지조가 있는 대인이 지키기를 이미 굳건하게 하여 만난 일로 손상되지 않아야 비로소 길하여 허물이 없을 것이다. 만약 실지로 이행하고 몸소 행하여 스스로 그 도리에

형통할 수 없으면서 말로 그 곤궁함을 모면하려고만 한다면 사람들이 반드시 믿지 않아 더욱 곤궁할 것이니, 감괘의 험난함에 머물면서 태괘의 입을 숭상해서는 안 됨을 말한 것이다. 태괘는 입으로 말하는 상이 되고, 감괘는 귀가 아파서 귀로 들을 수 없음이 되니 말해도 믿지 못하는 상이 있다.

○ 案, 處險而說, 說者, 心說也, 孟子理義之悅, 顏子簞瓢之樂, 是也. 君子道泰之世, 亦不可尙口, 況處困之時乎. 亂之所由生, 言語以爲階, 言不可不愼. 又況有言而人不信, 則是以言而益取困窮, 可不懼哉.

내가 살펴보았다: '험난함에 처하여 기뻐함'에서 기뻐함은 마음으로 기뻐함이니, 맹자의 '천리와 의리를 기뻐함'[3]과 안자의 '대그릇과 표주박의 즐거움'[4]이 이것이다. 군자는 태평한 세상에서도 입을 숭상해서는 안 되거늘, 하물며 곤궁한 때에 있어서랴? 어지러움이 생기는 것은 말이 계단이 되니[5] 말은 삼가지 않을 수 없다. 또한 하물며 말해도 사람이 믿지 않는다면, 이 때문에 말해도 더욱 곤궁하게 될 것이니, 삼가지 않을 수 있겠는가?

김상악(金相岳) 『산천역설(山天易說)』

困之剛掩, 坎兌之合也. 困而不失所, 爲亨, 困而不失中, 爲貞. 大人, 謂五也, 二五皆剛中, 而五得正位. 故曰貞大人吉无咎. 有言不信者, 徒尙口舌, 人且不信, 益取困窮矣.

곤괘(䷮)의 굳셈이 가려짐은 감괘(☵)와 태괘(☱)가 합하기 때문이다. 곤궁해도 제자리를 잃지 않는 것이 형통함이 되고, 곤궁해도 가운데를 잃지 않는 것이 곧음이 된다. 대인은 오효를 말하니, 이효와 오효가 모두 굳셈으로 가운데 있지만, 오효는 바른 자리를 얻었다. 그러므로 "곧은 대인이라서 길하고 허물이 없다"고 하였다. '말을 해도 믿지 않는다'는 한갓 입의 혀만을 숭상하여 사람들이 또한 믿지 않음이니, 더욱 곤궁하게 될 것이다.

○ 困之剛掩, 卽心之見蔽於物欲也. 卦言其靜. 故曰貞大人吉, 以剛中也. 爻言其動, 故二五无吉, 六爻不言貞. 二五爲亨貞之主, 二之在下, 是處困之君子也, 五之在上, 是治困之大人也. 有言, 兌之口也, 不信, 坎之疑也.

---

3) 『孟子·告子』: 心之所同然者, 何也. 謂理也義也. 聖人, 先得我心之所同然耳. 故理義之悅我心, 猶芻豢之悅我口.
4) 『論語·雍也』: 子曰, 賢哉, 回也. 一簞食, 一瓢飲, 在陋巷, 人不堪其憂, 回也, 不改其樂, 賢哉, 回也.
5) 『周易·繫辭傳』: 子曰, 亂之所生也, 則言語以爲階, 君不密則失臣, 臣不密則失身, 幾事不密則害成, 是以君子愼密而不出也.

곤괘의 굳셈이 가려짐은 바로 마음이 물욕에 가려진 것이다. 괘에서는 그 고요함을 말했다. 그러므로 “곧으니 대인이라서 길하다”고 하였으니 굳셈이 가운데 있기 때문이다. 효에서는 그 움직임을 말했다. 그러므로 이효와 오효에는 길함이 없고, 육효에서는 곧음을 말하지 않았다. 이효와 오효는 형통하고 곧음의 주인이 되는데, 이효는 아래에 있으니 곤궁함에 처한 군자이고, 오효는 위에 있으니 곤궁함을 다스리는 대인이다. '말을 함'은 태괘의 입이고 '믿지 않음'은 감괘의 의심이다.

서유신(徐有臣) 『역의의언(易義擬言)』

困而猶亨, 君子之道也, 困而能貞, 大人之事也. 亨貞而吉, 又何咎哉. 惟尙口者, 爲咎也. 困窮之言, 宜不見信, 言而不信, 亦言之困也. 言在耳外, 不信之象也.

곤궁해도 오히려 형통함은 군자의 도(道)이고 곤궁해도 곧을 수 있음은 대인의 일이다. 형통하고 곧아서 길하니 또한 무엇을 허물하겠는가? 오직 입을 숭상하는 자라야 허물이 된다. 곤궁해서 하는 말은 당연히 믿지 못하니, 말해도 믿지 못함이 또한 말의 곤궁함이다. 말이 귀의 밖에 있으니, 믿지 못하는 상이다.

박문건(朴文健) 『주역연의(周易衍義)』

惟大人, 則不失剛中之道也, 懼以語, 則不得其正. 故人皆不信.

오직 대인만이 굳세며 알맞은 도를 상실하지 않고, 두려움으로 말하면 바름을 얻지 못한다. 그러므로 사람들이 모두 믿지 않는다.

〈問, 亨貞以下. 曰, 陽有升進之勢,[6] 其道雖亨, 然當□貞以□侮也. 惟大人處之, 然後吉而无咎也. 心有憂懼, □發於外者, 未免□且. 故已有所言, 而人皆不信, 此所以終困於二陰也.

물었다: ‘곤은 형통하고’ 이하는 무슨 뜻입니까?

답하였다: 양에는 올라가려는 형세가 있어서 그 도가 비록 형통하지만, 마땅히 곧게 하여 욕됨을 없애야 합니다. 오직 대인만이 할 수 있으니, 그런 뒤에야 길하여 허물이 없습니다. 마음에 두려움이 있으면 밖으로 펼쳐진 말이 구차함을 면하지 못합니다. 그러므로 이미 말을 하더라도 사람들이 모두 믿지 못하니, 이것이 끝내 두개의 음에 막히는 까닭입니다.〉

---

6) 勢: 경학자료집성DB에는 ‘□'로 되어 있으나, 경학자료집성 영인본을 참조하여 ‘勢’로 바로잡았다.

이지연(李止淵) 『주역차의(周易箚疑)』

困者, 天理之所不能无者, 而人事之所不能免者也. 困而亨然後, 其亨也大, 可以避困而不復困也. 靑囊經曰, 人身不可不動撓, 但不可使極動撓, 若不動撓, 則血氣不能流通, 壅遏而生病, 動撓者, 使之困之謂也. 孟子曰, 人之有德慧術知者, 恒存乎疢疾, 疢疾非困而何. 木晦於根而後敷, 晦其困也, 龍蛇之蟄以存神,[7] 蟄其困也, 金鐵遇冶鑄而成器, 冶鑄其困也, 骨角經切磋而成器, 切磋其困也. 凡天地間甚物事, 有不由困而亨者乎. 然則困者, 其通之本乎. 但有言不信者, 窮困之人, 每欲自鳴其窮, 又或已在困窮之中, 先得其處困可亨之道. 見其不遇困而未得亨者, 則欲以吾所亨之道, 誨之使之亨之, 而彼不遇困者, 未透其可亨之道. 故聽之藐藐, 則不見信, 而反見困處困之道, 默而晦之然後, 可謂能受其困終有可亨之道也耳.

'곤궁함'은 천리에 없을 수 없는 것이며 인사에서 피할 수 없는 것이다. 곤궁하면서도 형통한 뒤에야 그 형통함이 커져서 곤궁함을 피하고 다시 곤궁하지 않을 수 있다. 『청낭경』[8]에 "사람의 몸은 동요하지 않을 수 없지만 극단적으로 동요하게 해서는 안 된다. 만약 동요하지 않는다면 혈기가 유통할 수 없어서 막혀 병이 생긴다"고 하니 '동요'는 곤궁하게 함을 말한다. 맹자가 "덕의 지혜와 기술의 지혜가 있는 사람은 항상 어려움에 있다"[9]고 하니, 어려움이 곤궁이 아니면 무엇이겠는가? 나무는 뿌리에 감춰졌다가 뒤에 펼쳐지니 감춰짐이 곤궁함이고, 용과 뱀은 움츠려서 몸을 보존하니[10] 움츠림이 곤궁함이며, 쇠는 제련되어야 그릇이 되니 제련함이 곤궁함이고, 뼈와 뿔은 깎아져야 그릇이 되니 깎아짐이 곤궁함이다. 천지 사이의 어떠한 사물이 곤궁하지 않고서 형통함이 있겠는가? 그렇다면 곤궁함은 통함의 근본일 것이다. 다만 '말을 해도 믿지 않음'이 있는 것은 곤궁한 사람이 매번 스스로 그 곤궁함을 알리고자 하고 또 혹은 이미 곤궁한 가운데 있으면서 곤궁함 속에서 형통하는 도를 먼저 얻어서이다. 곤궁함을 만나지 못하여 형통함을 얻지 못한 자를 보고는 자기의 형통하는 도로 깨우쳐서 형통하게 하려 하지만, 저 곤궁함을 만나지 못한 자는 형통하는 도를 깨달을 수 없다. 그러므로 듣는 모습이 믿음을 보이지 않지만, 돌이켜 곤궁함 속에서 곤궁함에 대처하는 도를 묵묵히 깨달은 뒤에야 그 곤궁함에 끝내는 형통하는 도가 있음을 받아들일 수 있다고 할 것이다.

---

7) 身: 경학자료집성DB와 영인본에는 모두 '神'으로 되어 있으나, 『주역·계사전』에 따라 '身'으로 바로잡았다.
8) 청낭경(靑囊經): 당나라 때의 양균송이 풍수지리에 대한 학설을 정리한 책이다.
9) 『孟子·盡心』.
10) 『周易·繫辭傳』: 龍蛇之蟄, 以存身也.

김기례(金箕澧) 「역요선의강목(易要選義綱目)」

困, 升而不已則必困.

곤궁은 그치지 않고 올라가면 반드시 곤궁하게 된다.

○ 澤中无水爲困, 亨貞大人吉无咎, 有言不信. 三陰揜三陽, 故困. 易卦名皆爲陽而作. 但處坎險之時, 有兌悅之道者, 以卦變自否來, 上九下居二, 九五未變, 剛中相應. 故曰大人吉. 言身雖困, 道則亨, 何咎之有.

못에 물이 없는 것이 곤괘가 되니, 형통하고 곧은 대인이라서 길하고 허물이 없으니 말을 해도 믿지 않으리라. 세 음이 세 양을 가리므로 곤이다. 『주역』의 괘 이름은 모두 양을 위주로 만들었다. 다만 감괘(坎)의 험함에 머물 때에 태괘(兌)의 기쁨의 도가 있는 것은, 괘의 변화가 비괘(否卦☷)로 부터 와서 상구가 내려와 이효에 있고 구오가 변하지 않고 굳센 알맞음으로 서로 응하기 때문이다. 그러므로 "대인이라서 길하다"고 하였다. 몸이 비록 곤궁해도 도는 형통함을 말함이니, 어떤 허물이 있겠는가?

○ 兌爲口故有言, 坎險故不信.

태괘는 입이 되므로 말함이 있고, 감괘는 험난하므로 믿지 못한다.

○ 困當晦默, 兌言而坎不信, 戒處險而不可尙口.

곤궁하면 숨어 침묵해야 하고, 태괘는 말함이고 감괘는 믿지 못함이니 험난함에 처하여 말을 숭상하지 말아야 함을 경계하였다.

○ 若小人則不吉.

소인이라면 길하지 못하다.

심대윤(沈大允) 『주역상의점법(周易象義占法)』

君子无入而不自得, 隨所處而盡其至善. 吾盡其求達之道, 而不免於窮者, 命也. 夫以君子之才知, 苟爲乘機抵巇, 邪逕詭道, 僥倖而求免, 則豈不暫得通顯. 而勞心費力, 旣危且愧, 而大禍隨之, 惡名繼之, 終以夷戮而滅絶. 福不盈眦而禍溢於目, 是故受窮而待時, 居易以俟命, 天下之善求達者, 莫吾若也. 君子深謀而遠慮, 明於利害之辨而不惑. 故處困窮而不失求達之道也. 故終能必達也. 小人躁競以姑息, 困窮則舍其所守, 而倒行逆施, 雖或有得而鮮能終也. 子曰, 君子固窮, 小人窮斯濫矣, 惟君子有困, 有困故能有亨也, 小人无困而无亨矣. 故曰困亨, 有道而窮, 謂之困, 无道而窮, 謂之分. 以卦才之剛中, 爲有道矣, 故曰貞, 能困則能亨, 能亨則能正, 能正則君子也, 故曰大人吉无咎. 乾之中爻入坤爲坎, 而困之義, 窮而未進也, 故互坎乾, 曰大人, 言猶在乾而未得衆也. 人不知而强聒, 欲其信之也難矣. 故曰有言不信, 對賁有艮, 兌离爲不信.

군자는 들어가서 스스로 얻지 못함이 없고 머무는 곳마다 지극한 선을 다한다. 내가 현달을 구하는 도를 다하지만 곤궁함을 면하지 못하는 것은 명(命)이다. 군자의 재주와 지혜로 참으로 틈을 타서 기회를 노리고 그릇된 방도로 요행히 모면하기를 구한다면 어찌 잠시 통하여 드러나지 못하겠는가? 그렇지만 마음과 힘을 쓰는 것이 이미 위태하고 부끄러워 큰 재화와 오명이 뒤따라 이어져 끝내는 없어져 사라질 것이니, 행복은 눈에 들어오지 않고 재앙만 눈에 넘치게 된다. 이 때문에 곤궁함을 감수하여 때를 기다리고 평이하게 지내며 천명을 기다리니, 천하에서 현달을 잘 구하는 사람 가운데 나와 같은 사람이 없다. 군자는 깊이 도모하고 멀리 생각하며 이해를 밝게 분별하여 의혹되지 않는다. 그러므로 곤궁하게 지내도 현달을 구하는 도를 잃지 않는다. 그러므로 끝내는 반드시 현달에 이를 수 있다. 소인은 변통으로 조급하게 다투어 곤궁하면 지킬 것을 버리고 거꾸로 행하니, 비록 혹 얻더라도 끝을 맺음이 드물다. 공자가 "군자는 참으로 곤궁하니 소인은 곤궁하면 넘친다"[11]고 하였으니, 군자만이 곤궁함이 있고 곤궁함이 있기 때문에 형통할 수 있지만, 소인은 곤궁함이 없어서 형통할 수 없다. 그러므로 "곤은 형통하다"고 하였으니, 도가 있으면서 막힘을 곤궁함이라 하고, 도가 없으면서 막힘을 분수라고 한다. 굳세고 알맞은 괘의 재질이 도가 있음을 의미하므로 '곧음'이라 하였고, 곤궁할 수 있으면 형통할 수 있고 형통할 수 있으면 바를 수 있고 바를 수 있으면 군자이므로 "대인이라서 길하고 허물이 없다"고 하였다. 건괘(☰)의 가운데 효가 곤괘(☷)로 들어가 감괘(☵)가 되었으니, 곤괘(䷮)의 뜻은 곤궁하여 나아가지 못함이다. 그러므로 감괘에 뒤섞인 건괘를 '대인'이라 했으니, 건이면서 무리를 얻지 못하고 있음을 말함이다. 사람들이 알아주지 않는다고 억지로 떠벌이니 그 믿음을 구하기가 어렵다. 그러므로 "말을 해도 믿지 않는다"고 하였으니, 음양이 바뀐 비괘(賁卦䷕)에 간괘(☶)가 있고 태괘(☱)와 리괘(☲)가 믿지 않음이 된다.

오치기(吳致箕) 「주역경전증해(周易經傳增解)」

困者, 窮困也. 澤居上而水流下, 則滲漏枯涸, 爲困之象. 上下諸陽, 皆爲陰所揜, 卽君子窮困之象也. 卦體則剛得中於二五, 卦義則行險以說, 不失其道, 故言亨. 在困之時, 二五人位, 俱得陽剛, 故曰貞. 曰大人吉, 柔居上剛居下, 剛皆爲柔所揜, 宜若有咎, 而剛能得中, 故言无咎. 處亂世雖有善言, 而人皆不信, 亦困之義也.

---

11) 『논어・위령공』.

곤은 곤궁함이다. 못이 위에 있고 물이 아래로 흐르니 새나가 말라버린 것이 곤괘의 상이다. 위와 아래의 모든 양이 다 음에 가려졌으니 바로 군자의 곤궁한 상이다. 괘의 몸체는 굳셈이 이효와 오효의 가운데를 차지했고 괘의 뜻은 나아감이 험하나 기뻐하여 그 도를 잃지 않으므로 "형통하다"고 하였다. 곤궁한 때에 이효와 오효의 사람 자리에 모두 양의 굳셈을 얻었으므로 "곧다"고 하고 "대인이라서 길하다"고 하였다. 부드러움이 위에 있고 굳셈이 아래에 있어 굳셈이 모두 부드러움에 가려져 마땅히 허물이 있을 것 같지만, 굳셈이 가운데를 차지할 수 있으므로 "허물이 없다"고 하였다. 난세에는 비록 좋은 말을 하더라도 사람들이 모두 믿지 않으니 또한 곤괘의 뜻이다.

○ 兌爲口言之象, 而兌柔在上, 无應於下, 故爲不信之象也. 二五无應, 故不言大亨.
태괘는 입으로 말하는 상이지만, 태괘의 부드러움이 위에 있고 아래로 호응이 없으므로 믿지 못하는 상이 된다. 이효와 오효가 호응함이 없으므로 "크게 형통하다"고 말하지 않았다.

이진상(李震相) 『역학관규(易學管窺)』

卦體.
괘의 몸체.

上經否泰後, 歷四卦有隨蠱, 下經損益後, 歷四卦有困井, 皆三陰三陽之卦也. 隨困之上體皆兌, 而隨之初二相易, 則爲困, 蠱井之下體皆巽, 而蠱之上五相易, 則爲井. 困一陽交於下, 井一陽交於上, 然困二陽實於上, 井二陽實於下, 猶未[12]變萃升之體也. 且以坎之中男, 遇兌之少女, 則其交也, 適足以揜之而已.
상경은 비괘와 태괘의 뒤로 네 괘를 지나 수괘(隨卦☶)와 고괘(蠱卦☶)가 있고, 하경은 손괘와 익괘의 뒤로 네 괘를 지나 곤괘(困卦☶)와 정괘(井卦☶)가 있는데, 모두 음이 셋이고 양이 셋인 괘이다. 수괘와 곤괘의 위의 몸체는 모두 태괘(☱)이고 수괘의 초효와 이효가 서로 바뀌면 곤괘가 되며, 고괘와 정괘의 아래의 몸체는 모두 손괘(☴)이고 고괘의 상효와 오효가 서로 바뀌면 정괘가 된다. 곤괘는 하나의 양이 아래에서 사귀고 정괘는 하나의 양이 위에서 사귀지만 곤괘는 두 양이 위에 꽉 차있고 정괘는 두 양이 아래에 꽉 차있으니, 아직 변하지 않은 취괘(萃卦☶)와 승괘(升卦☶)의 몸체와 같다. 또한 둘째 아들인 감괘가 막내 딸인 태괘를 만났으니, 그 사귐이 마침 가려지기에 충분하다.

---

12) 未: 경학자료집성DB에는 '來'로 되어 있으나, 경학자료집성 영인본을 참조하여 '未'로 바로잡았다.

象曰, 困, 剛揜也,

「단전」에서 말하였다: 곤괘는 굳셈이 가려진 것이니,

┃中國大全┃

傳

卦所以爲困, 以剛爲柔所掩蔽也. 陷於下而掩於上, 所以困也. 陷亦掩也. 剛陽君子而爲陰柔小人所掩蔽, 君子之道, 困窒之時也.

괘가 곤괘(困卦)가 된 까닭은 굳센 양이 부드러운 음에게 가려졌기 때문이다. 아래에서 빠지고 위에서 가려지는 것은 어려움을 당하는 까닭이니, 빠지는 것 또한 가려지는 것과 같다. 굳센 양인 군자가 부드러운 음인 소인에게 가려졌으니, 군자의 도가 어렵고 막히는 때이다.

本義

以卦體釋卦名.

괘의 몸체로 괘의 이름을 풀이하였다.

小註

于氏彖曰, 乾上九降居九二而之險, 坤六二上爲上六而掩剛, 成困之義.

우엄이 말하였다: 건괘의 상구가 내려가서 구이에 거하여 험한 곳으로 가고, 곤괘의 육이가 올라가 상육이 되어 굳센 양을 가리기 때문에 곤괘의 뜻을 이룬다.

○ 東平劉氏曰, 不曰柔掩剛, 而曰剛掩者, 何也. 无所歸咎, 故以剛自掩爲辭, 蓋卦爲君子設也.

동평유씨가 말하였다: "부드러운 음이 굳센 양을 가린다"고 말하지 않고, "굳센 양이 가려졌다"고 말한 것은 왜인가? 허물을 돌릴 데가 없기 때문에 굳센 양이 스스로 가려진다고 말하였으니, 괘는 군자를 위하여 만들어진 것이다.

○ 縉雲馮氏曰, 下卦陽也, 陽寡而陷於二陰之中. 上卦陰也, 陽雖衆而在一陰之下, 陰爲之主. 此陽剛之困, 君子窮之象也.

진운풍씨가 말하였다: 하괘는 양인데, 양이 적으면서 두 음의 가운데 빠져 있다. 상괘는 음인데, 양이 비록 많지만 한 음의 아래에 있어서 음이 그 주인 노릇을 한다. 이는 굳센 양이 어려움에 빠진 것이니, 군자가 어려움에 처한 상이다.

┃韓國大全┃

권만(權萬) 『역설(易說)』

困, 剛揜也, 下體則九二一陽, 揜於二陰之間, 上體則四五二陽, 揜於三上二陰之間. 故曰剛揜也.

곤괘는 굳셈이 가려진 것이니, 아래의 몸체에서는 구이의 한 양이 두 음의 사이에서 가려지고, 위의 몸체에서는 사효와 오효의 두 양이 삼효와 상효의 두 음의 사이에서 가려진다. 그러므로 "굳셈이 가려진다"고 하였다.

유정원(柳正源) 『역해참고(易解參攷)』[13]

困, 剛揜.

곤괘는 굳셈이 가려진 것이다.

梁山來氏曰, 兌之揜坎, 上六之揜四五者, 小人在上位也, 如絳灌之揜賈誼, 公孫弘之揜董仲舒, 是也. 二陰之揜九二者, 前後左右, 皆小人也, 如曹節侯覽輩之揜黨錮諸賢, 王安石惠卿之揜元佑諸賢, 是也.

---

13) 경학자료집성DB에서는 곤괘(困卦) '단사'에 해당하는 것으로 분류했으나, 내용에 따라 이 자리로 옮겨왔다.

양산래씨가 말하였다: 태괘가 감괘를 가림은 상육이 사효와 오효를 가린 것으로 소인이 윗자리에 있는 것이니, 강관이 가의를 가리고 공손홍이 동중서를 가린 것이 이것이다. 두 개의 음이 구이를 가린 것은 전후와 좌우가 모두 소인이니, 조절과 후람의 무리가 당고(黨錮)[14]의 제현을 가리고, 왕안석과 혜경이 원우(元佑)[15]의 제현을 가린 것이 이것이다.

○ 案, 剛爲柔揜者, 不但此類. 如周赧漢獻之受制於彊侯家奴, 亦是也.
내가 살펴보았다: 굳셈이 부드러움에 가려지는 것은 이런 것뿐만이 아니다. 주나라 난왕과 한나라 헌제가 드센 제후와 가신에게 제재를 받은 것도 이것이다.

김상악(金相岳) 『산천역설(山天易說)』

象曰, 困, 剛掩也.
「단전」에서 말하였다: 곤괘는 굳셈이 가려진 것이다.

以卦體釋卦名, 卦與爻皆爲陰所蔽. 在人類, 陽剛君子, 爲陰柔小人所掩蔽, 乃君子困窒之時也.
괘의 몸체로 괘의 이름을 해석하였으니, 괘와 효가 모두 음에 가려진 것이다. 사람으로서 굳셈 양인 군자가 부드러운 음인 소인에게 가려진 것이니, 군자가 곤궁한 때이다.

서유신(徐有臣) 『역의의언(易義擬言)』

困, 剛揜也.
곤괘는 굳셈이 가려진 것이다.

節變爲困, 而坎見揜於兌也.
절괘(䷻)가 변하여 곤괘(䷮)가 되었으니 감괘(☵)가 태괘(☱)에 가려지게 된 것이다.

---

14) 당고(黨錮): 당인(黨人)의 금고(禁錮)를 이르는 말로 후한(後漢) 말기부터 비롯되었다. 후한 말 환제(桓帝)와 영제(靈帝)때 환관들의 권세와 횡포가 심하므로 기개 있는 선비인 진번(陳蕃)과 이응(李膺) 등이 이를 비방하고 공격하다가 도리어 그들에게 몰려, 당인으로 지목되는 동시에 많은 선비들이 종신 금고의 화를 당하였다.

15) 원우(元佑): 송나라 철종의 연호. 왕안석이 대표하는 신법당과 사마광이 대표하는 구법당의 정치 투쟁이 치열하였다.

강엄(康儼) 『주역(周易)』

彖曰, 困, 剛揜也,

「단전」에서 말하였다: 곤괘는 굳셈이 가려진 것이니,

按, 不曰柔揜剛, 而曰剛揜者, 卦之所以爲困, 以剛揜於柔也. 剛揜於柔, 故以剛爲主, 而曰困剛揜也.

내가 살펴 보았다: "부드러움이 굳셈을 가렸다"고 하지 않고 "굳셈이 가려졌다"고 한 것이 곤괘가 되는 까닭이니, 굳셈이 부드러움에 가려졌기 때문이다. 굳셈이 부드러움에 가려졌기 때문에 굳셈을 주인으로 삼아 "곤괘는 굳셈이 가려진 것이다"라고 하였다.

박문건(朴文健) 『주역연의(周易衍義)』

彖曰, 困, 剛揜也.

「단전」에서 말하였다: 곤괘는 굳셈이 가려진 것이다.

九二之剛, 爲二陰之所揜也, 此以卦體釋卦名.

구이의 굳셈이 두 음에 가려진 것이니, 이는 괘의 몸체로 괘의 이름을 해석한 것이다.

險以說, 困而不失其所亨, 其唯君子乎.

험하나 기뻐하여 어려워도 형통함을 잃지 않으니, 오직 군자일 것이다.

‖中國大全‖

傳

以卦才言處困之道也. 下險而上說, 爲處險而能說, 雖在困窮艱險之中, 樂天安義, 自得其說樂也. 時雖困也, 處不失義, 則其道自亨, 困而不失其所亨也. 能如是者, 其唯君子乎. 若時當困而反亨, 身雖亨, 乃其道之困也. 君子, 大人通稱.

괘의 재질로 어려움에 처하는 도를 말하였다. 아래는 험하고 위는 기뻐함은 험함에 처하였으나 기뻐할 수 있는 것이니, 비록 곤궁하고 험한 가운데에 있으나 천명을 즐거워하고 의에 편안하여 스스로 기쁨과 즐거움을 얻는다. 때가 비록 어려우나 처함이 의를 잃지 않으면 그 도가 저절로 형통하니, 이는 어려우나 형통한 바를 잃지 않는 것이다. 이와 같이 할 수 있는 자는 오직 군자일 것이다. 만일 때가 마땅히 어려워야 하는데 도리어 형통한다면, 몸은 비록 형통하나 도는 어려운 것이다. 군자는 대인을 통칭한 것이다.

小註

朱子曰, 困而不失其所亨, 這句自說得好.
주자가 말하였다: "어려워도 그 형통함을 잃지 않는다"는 이 구절은 참으로 잘 설명하였다.

○ 誠齋楊氏曰, 坎一陽, 陷二陰之中, 兌 ·陰, 蔽二陽之上, 皆剛揜於柔也. 剛揜於柔, 君子揜於小人, 能不困乎. 然困而亨, 何也. 亨不于其身, 于其心, 不于其時, 于其道也.
성재양씨가 말하였다: 감괘의 한 양은 두 음의 가운데 빠져있고, 태괘의 한 음은 위에서 두 양을 가리고 있으니, 모두 굳센 양이 부드러운 음에게 가려진 것이다. 굳센 양이 부드러운 음에게 가려지고, 군자가 소인에게 가려졌으니, 어렵지 않을 수 있겠는가? 그러나 어려운데도 형통한 것은 왜인가? 형통함이란 몸에 형통한 것이 아니라 마음에 형통한 것이며, 때에 형통한 것이 아니라 도에 형통한 것이다.

○ 趙氏曰, 險以說, 在險而能說, 則無入而不自得矣. 其於處困也, 何有.

조씨가 말하였다: 험하나 기뻐하는 것은 험한 곳에 있어도 기뻐할 수 있으면 들어가는 곳마다 스스로 터득하지 않음이 없다는 것이다. 어려움에 처하더라도 실상 무슨 어려움이 있겠는가?

○ 中溪張氏曰, 處險而說, 如顔子在陋巷而不改其樂, 柳下惠阨窮而不憫, 夫子厄於陳畏于匡, 孟子毀於臧倉. 身彌困而道彌亨, 唯君子能之.

중계장씨가 말하였다: 험한데 처해서도 기뻐한 것은 예를 들면 안자가 누추한 거리에 있으면서도 그 즐거움을 고치지 않은 것,16) 유하혜가 액운과 곤궁에 처해서도 번민하지 않은 것,17) 공자가 진나라에서 곤경을 당하고18) 광땅에서 두려움에 처한 것,19) 맹자가 장창에게 훼방을 당한 것과 같다.20) 몸이 더욱 곤경에 처할수록 도는 더욱 형통한 것은 오직 군자만이 그렇게 할 수 있다.

○ 廬陵龍氏曰, 所字合爲句, 亨字爲句. 所, 如艮止之所之所. 雖在困中, 不愧不怍, 泰然不失其常處, 此之謂亨, 能此者, 其唯君子乎.

여릉용씨가 말하였다: '소(所)'자를 합하여 구절을 이루고, '형(亨)'자에서 구절을 끊어야 한다. '소(所)'는 '간괘의 그치는 곳[艮止之所]'라고 할 때의 '소(所)'와 같다. 비록 어려움 가운데 있더라도 부끄러워하지 않고 태연하게 그 항상 있을 곳을 잃지 않는 것을 형통함이라고 하니, 이와 같은 수 있는 사람은 오직 군자일 것이다.

‖韓國大全‖

권만(權萬) 『역설(易說)』

險以悅, 困而不失所亨, 其唯君子乎, 坎險而兌說, 險故困, 說故不失所亨. 處困愈亨, 非君子而能之乎.

---

16) 『論語 · 雍也』: 子曰, 賢哉, 回也. 一簞食, 一瓢飮, 在陋巷, 人不堪其憂, 回也, 不改其樂, 賢哉, 回也.
17) 『孟子 · 公孫丑』: 柳下惠不羞汙君, 不卑小官, 進不隱賢, 必以其道, 遺佚而不怨, 阨窮而不憫.
18) 『論語 · 衛靈公』: 在陳絶糧, 從者病, 莫能興.
19) 『論語 · 子罕』: 子畏於匡.
20) 『孟子 · 梁惠王』: 吾之不遇魯侯天也, 臧氏之子, 焉能使予不遇哉.

"험하나 기뻐하여 어려워도 형통함을 잃지 않으니 오직 군자일 뿐이다"에서 감괘는 험함이고 태괘는 기쁨이니, 험난하므로 어렵고 기뻐하므로 그 형통함을 잃지 않는다. 어려움에 처하여 더욱 형통함은 군자가 아니라면 할 수 있겠는가?

유정원(柳正源)『역해참고(易解參攷)』[21]

困而 [至] 君子.
어려워도 … 군자일 것이다.

馮氏曰, 不失其所者, 以九五居君位, 爲困之主, 是謂不失其所. 陽剛有應有輔, 是以亨也.
풍씨가 말하였다: '자리를 잃지 않음'은 구오가 임금의 자리에 있으면서 곤괘의 주인이 되는 것이 자리를 잃지 않음을 말한다. 굳센 양이 호응함이 있고 보좌가 있기 때문에 형통하다.

○ 梁山來氏曰, 所者, 指此心也此道也.
양산래씨가 말하였다: '소(所)'는 이 마음과 이 도를 가리킨다.

傳. 〈案, 傳末本有說音悅三字.〉
『정전』. 〈내가 살펴보았다: 『정전』의 끝에는 본래 '說'은 '열(悅)'로 읽어야 한다는 말이 있다.〉

서유신(徐有臣)『역의의언(易義擬言)』

人所謂亨之外, 別有吾所謂亨. 故曰所亨也. 是亨也, 吾所自有, 而不以困阨而損失之也, 此處困之道也.
남들이 말하는 형통함 외에 별도로 내가 형통하다고 할 것이 있다. 그러므로 '형통한 것[所亨]'이라 하였다. 이 형통함은 내가 스스로 지니기에 곤란하다고 손실되지 않으니, 이는 곤란함에 대처하는 도이다.

박문건(朴文健)『주역연의(周易衍義)』

不失其所, 言處中也, 此以卦德卦體釋亨之義, 而贊其守之爲君子也.
'그 자리를 잃지 않음'은 가운데 있음을 말함이니, 이것은 괘의 덕과 괘의 몸체로 형통함의 뜻을 해석하여 그것을 지키면 군자가 됨을 찬미한 것이다.

---

21) 경학자료집성DB에서는 곤괘(困卦) '단사'에 해당하는 것으로 분류했으나, 내용에 따라 이 자리로 옮겨왔다.

貞大人吉, 以剛中也,

곧은 대인이라서 길한 것은 굳세고 알맞기 때문이고,

‖中國大全‖

傳

困而能貞, 大人所以吉也, 蓋其以剛中之道也, 五與二是也. 非剛中, 則遇困而失其正矣.

어려우나 곧을 수 있는 것은 대인이 길한 까닭인데, 굳세고 알맞은 도를 따르기 때문이니, 오효와 이효가 그렇다. 굳세고 알맞음이 아니면 어려움을 만나면 그 바름을 잃을 것이다.

小註

南軒張氏曰, 唯大人能處困, 凡人處之, 大則失節, 小則憂隕, 以中不剛耳.

남헌장씨가 말하였다: 대인이라야 어려움에 처할 수 있으니, 보통 사람이 어려움에 처하면 크게는 절개를 잃고 작게는 근심하니, 마음이 굳세지 못하기 때문이다.

○ 雲峰胡氏曰, 剛之困於柔, 猶人之困於疾. 使易專論其困而无以通之, 是知其疾而不能用藥也. 如是則安用易哉. 故彖曰困亨, 象傳曰困而不失其所亨, 彖以大人稱, 象傳曰其唯君子乎. 蓋困而不失其所亨, 卽是貞君子, 卽是大人. 困而亨之君子, 其卽剛貞之大人乎. 吉无咎, 由於貞, 貞由於亨.

운봉호씨가 말하였다: 굳센 양이 부드러운 음에게 어려움을 당하는 것은 사람이 병에 어려움을 당하는 것과 같다. 만일 『주역』이 어려움만 오로지 논하고 어려움에서 벗어날 방도를 제시하지 않는다면, 그것은 병만 알고 약을 쓸 수 없는 것과 같다. 이와 같다면 『주역』을 어디에 쓰겠는가? 그러므로 단사에서는 “곤은 형통하다”고 말하였고, 「단전」에서는 “어려워도 형통함을 잃지 않는다”고 말하였으며, 단사에서는 ‘대인’이라고 칭하였고, 「단전」에서는 “오직 군자일 것이다”라고 말하였다. 어려워도 형통함을 잃지 않는 것은 바로 곧은 군자이고

바로 대인이다. 어려워도 형통한 군자가 바로 굳세고 곧은 대인이 아니겠는가? 길하여 허물이 없는 것은 곧음으로부터 오며, 곧음은 형통함으로부터 온다.

‖韓國大全‖

권만(權萬) 『역설(易說)』

九二九五, 皆有剛中之德. 剛故貞, 中故吉.

구이와 구오는 모두 굳세며 가운데 자리하는 덕이 있다. 굳세므로 곧고, 가운데이므로 길하다.

서유신(徐有臣) 『역의의언(易義擬言)』

曰貞, 曰大人, 曰吉, 以九五言也. 此濟困之才也.

곧다고 하고 대인이라 하고 길하다고 한 것은 구오를 말한 것이다. 이는 어려움을 구제하는 재질이다.

有言不信, 尚口乃窮也

말을 해도 믿지 않는 것은 입을 숭상하여 곤궁한 것이다.

┃中國大全┃

傳

當困而言, 人所不信, 欲以口免困, 乃所以致窮也. 以說處困, 故有尚口之戒.

어려운 때를 당하여 말하면 사람이 믿지 않으니, 입으로 어려움을 벗어나고자 하면 바로 곤궁함을 불러들인다. 기쁨으로 어려움에 있기 때문에 입을 숭상하는데 대한 경계를 하였다.

本義

以卦德卦體, 釋卦辭.

괘의 덕과 괘의 몸체로 괘사를 풀이하였다.

小註

吳園張氏曰, 兌爲口在上, 故曰尚口乃窮.

오원장씨가 말하였다: 태괘(兌卦☱)는 입이 위에 있는 것이 되기 때문에 "입을 숭상하여 곤궁하다"고 말하였다.

○ 西溪李氏曰, 當遜言以避禍.

서계이씨가 말하였다: 마땅히 말을 겸손하게 하여 화를 피해야 한다.

○ 雙湖胡氏曰, 夫子於困象傳, 自以剛掩發, 伏羲卦象, 文王卦辭, 初无是也. 以說處

險, 則剛雖見掩, 而不失其所亨, 其唯二五剛中之君子乎. 又以卦德論之也, 貞大人吉
无咎而釋之以剛中也之辭, 歸重又在九五一爻上. 有言不信而釋之以尙口乃窮也之辭,
是說上六雖窮於言而終不見信於坎, 坎兌相失而成困象矣.

쌍호호씨가 말하였다: 공자가 곤괘의 「단전」에서 "굳셈이 가려진다"고 말했는데, 복희의 괘
상이나 문왕의 괘사에는 애초에 이런 말이 없다. 기쁨으로 험한 데 있다는 것은 굳센 양이
비록 가림을 당하더라도 그 형통함을 잃지 않는다는 것이니, 오직 이효와 오효의 굳세고
알맞은 군자일 것이다. 또한 괘의 덕으로 논하면 곧은 대인이라서 길하여 허물이 없는 것에
대해서는 굳세고 알맞기 때문이라는 말로 풀이하여 구효 한 효에 중점을 두었다. 말을 해도
믿지 않는다는 것에 대해서는 입을 숭상하여 곤궁하다는 말로 풀이하였는데, 이는 상육이
비록 말을 끝까지 다 하더라도 끝내 감괘의 믿음을 얻지 못한다는 말이니, 감괘와 태괘가
서로 잃어서 곤괘의 상을 이루는 것이다.

韓國大全

홍여하(洪汝河) 「책제(策題): 문역(問易)·독서차기(讀書箚記)-주역(周易)」

困象辭本義, 坎剛爲兌柔所揜, [止] 所以爲困, 釋象傳初段, 坎險兌說, [止] 道則亨也,
釋第二段, 二五剛中, [止] 小人不能當也, 釋第三段, 有言不信, [止] 盆取困窮, 釋末段.
二五剛中, 又有大人之象, 二五在卦中, 爲人位, 大者, 陽也.

곤괘 단사의 『본의』에서 "굳센 감괘가 부드러운 태괘에 가려져"부터 "이 때문에 곤괘가 되었
다"까지는 단전의 첫 단락을 해석하였고, "감괘는 험하고 태괘는 기뻐하니"부터 "도는 형통
한 것이다"까지는 둘째 단락을 해석하였고, "이효와 오효가 굳센 양으로 가운데 있고"부터
"소인은 해당하지 않음을 밝힌 것이다"까지는 셋째 단락을 해석하였고, "말을 하여도 믿지
않는 것은"부터 "너욱 곤궁함을 쉬해서는 안 됨을 경계한 것이다"까지는 끝의 단락을 해석하
였다. "이효와 오효가 가운데 있으니 또한 대인의 상이 있다"는 괘의 가운데 있는 이효와
오효가 사람 자리의 큰 것이 된 것이 양이기 때문이다.

권만(權萬) 『역설(易說)』

有言不信, 尙口乃窮, 此言上六有言而六三不信也. 兌之終爲口象, 是有言也, 六三乘

陽承陽, 爲互离之象, 有水火不濟之形. 且陰陽相應而後爲信, 而此卦上陰而三亦陰, 下卦本是坎水, 而六三乘承皆水, 爲不相入之象. 故不信. 君子遇困之時, 其道不見信 於上, 只得默默無言. 兌口是小人之象, 兒女之象. 故有言可耻之甚也.

"말을 해도 믿지 않는 것은 입을 숭상하여 곤궁한 것이다"는 상육(上六)이 말함이 있어도 육삼(六三)이 믿지 않음을 말한 것이다. 태괘(☱)는 결국 입의 상이 되니 말하는 것이고, 육삼은 양효를 타고 양효를 받들어 호괘인 리괘(☲)의 상이 되니 물과 불이 가지런하지 못한 상이 된다. 또한 음과 양이 서로 호응한 뒤에 믿게 되는데, 이 괘는 상효도 음이고 삼효도 음이며, 하괘는 본래 감괘인 물이고 육삼이 타고 받들어 모두 물이니 서로 들이지 못하는 상이 된다. 그러므로 믿지 못하는 것이다. 군자가 곤궁한 때를 만나서 그 도가 위에 신뢰받지 못하니, 다만 묵묵히 말이 없을 뿐이다. 태괘인 입은 소인의 상이고 여아의 상이다. 그러므로 말하면 심히 부끄러울 것이다.

유정원(柳正源) 『역해참고(易解參攷)』[22]

有言 [至] 窮也.

말을 해도 … 곤궁한 것이다.

正義, 處困求通, 在於脩德, 徒尙口說, 夏致困窮. 故曰尙口乃窮也.

『주역정의』에서 말하였다: 어려움에 처하여 통하기를 구함은 덕을 닦음에 있으니, 한갓 입으로 말함을 숭상한다면 곧 곤궁함에 이를 것이다. 그러므로 "입을 숭상하여 곤궁한 것이다"라고 하였다.

○ 梁山來氏曰, 尙口, 如受人之謗, 不反己自修, 而與人辨謗之類.

양산래씨가 말하였다: 입을 숭상함은 사람들의 비방을 받음에 스스로 돌이켜 수양하지 않고 사람과 논쟁하는 따위이다.

김상악(金相岳) 『산천역설(山天易說)』

險以說, 困而不失其所, 亨, 其惟君子乎. 貞大人吉, 以剛中也, 有言不信, 尙口乃窮也.

험하나 기뻐하여 어려워도 그 자리를 잃지 않으니 형통하다. 오직 군자일 것이다. 곧은 대인이라서 길한 것은 굳세고 알맞기 때문이고, 말을 해도 믿지 않는 것은 입을 숭상하여 곤궁한 것이다.

---

22) 경학자료집성DB에서는 곤괘(困卦)의 '단사'에 해당하는 것으로 분류했으나, 내용에 따라 이 자리로 옮겨왔다.

以卦德卦體釋卦辭. 不失其所, 當句, 如艮之止其所也, 郎顗傳, 亦引此, 无亨字.

괘의 덕과 괘의 몸체로 괘사를 풀이하였다. '불실기소(不失其所)'에서 구절을 끊어야 하니, 간괘의 "그 자리에 그친다"와 같다. 랑의[23]의 주석에도 이를 인용하였는데, '형(亨)'자가 없다.

○ 困之剛中二五所同, 而象傳分君子大人言者, 上下之辨也. 故貞與吉在五, 亨與无咎在二, 而只言亨而不言无咎, 擧其大者也. 尙口, 兌之在上也, 咸上六曰, 滕口說, 是也. 人之言行, 爲處困之道, 而徒尙兌之口, 不尙坎之行, 〈坎象曰行有尙.〉 乃其窮也. 上六之曰動悔, 卽尙口之窮也, 故有悔而吉也.

곤괘에서 굳세며 가운데인 것은 이효와 오효가 같지만 「단전」에서 군자와 대인으로 나누어 말한 것은 위와 아래를 분별함이다. 그러므로 곧음과 길함은 오효에 있고, 형통함과 허물없음은 이효에 있지만, 다만 형통함만 말하고 허물없음을 말하지 않는 것은 큰 것을 들었기 때문이다. 입을 숭상함은 태괘가 위에 있는 것으로 함괘의 상육에 "구설이 일어나는 것이다"[24]고 한 것이다. 사람의 언행은 어려움에 대처하는 도가 되지만 한갓 태괘의 입을 숭상하고 감괘의 행을 숭상하지 않는다면 〈감괘의 단사에 "행하면 숭상함이 있다"[25]고 하였다.〉 곤궁할 것이다. 상육에서 "움직이면 후회가 있다"고 한 것이 바로 입을 숭상하여 곤궁한 것이므로 후회가 있으면 길할 것이다.

서유신(徐有臣) 『역의의언(易義擬言)』

有言不信, 尙口乃窮也.

말을 해도 믿지 않는 것은 입을 숭상하여 곤궁한 것이다.

上六在上, 爲尙口之象. 在困故爲徒尙口辯也, 此處困之不善也.

상육은 위에 있으면서 입을 숭상하는 상이 된다. 어렵기 때문에 한갓 입의 변론을 숭상하지만, 이는 어려움에 잘 대처하지 못하는 것이다.

---

23) 랑의(郎顗: ?-?): 후한 북해(北海) 안구(安丘) 사람. 자는 아광(雅光)이다. 낭종(郎宗)의 아들이다. 어릴 때부터 부업(父業)을 전수 받아 경씨역학(京氏易學)을 익혔다. 풍각(風角)과 성산(星算)에 정통했고, 경전에도 밝았다고 한다.

24) 『周易·咸卦』: 象曰, 咸其輔頰舌, 滕口說也.

25) 『周易·咸卦』: 習坎, 有孚, 維心亨, 行, 有尙.

박문건(朴文健) 『주역연의(周易衍義)』

貞大人吉, 以剛中也, 有言不信, 尙口乃窮也.

곧은 대인이라서 길한 것은 굳세고 알맞기 때문이고, 말을 해도 믿지 않는 것은 입을 숭상하여 곤궁한 것이다.

此以卦體釋卦辭.

이것은 괘의 몸체로 괘사를 풀이한 것이다.

〈問, 貞大人吉以剛中也. 曰, 能用貞正則大人, 所以有吉者, 以其剛中之道也. 問, 有言不信, 尙口乃窮也. 曰, 己有言而人不信者, 尙其口乃窮故也, 懼以語則人必不應也.〉

물었다: "곧은 대인이라서 길한 것은 굳세고 알맞기 때문이다"는 무슨 뜻입니까?

답하였다: 곧음과 바름을 쓸 수 있다면 대인이고, 길할 수 있는 까닭은 굳세며 가운데인 도를 쓰기 때문입니다.

물었다: "말을 해도 믿지 않는 것은 입을 숭상하여 곤궁한 것이다"는 무슨 뜻입니까?

답하였다: 자기가 말을 해도 남들이 믿지 않는 것은 입을 숭상하여 곤궁하기 때문이니, 두려움으로 말하면 사람들이 반드시 호응하지 않습니다.〉

김기례(金箕澧) 「역요선의강목(易要選義綱目)」

剛, 揜也, 指九二陷陰中, 上六揜五四. 險而說, 指卦德, 言處險而能悅. 困而不失其所亨, 二困於二陰中, 五四困於一陰下, 但二五不失剛正, 上文亨貞吉, 是也.

"굳셈이 가려진 것이다"는 구이가 음효의 가운데 빠지고 상육이 오효와 사효를 가림을 가리킨다. "험하나 기뻐한다"는 괘의 덕을 가리킴이니, 험난하면서도 기뻐할 수 있음을 말한다. "어려워도 형통함을 잃지 않는다"는 이효가 두 음의 사이에서 어렵고, 오효와 사효가 하나의 음의 아래에서 어려워도 이효와 오효가 굳세며 바름을 잃지 않음이니, 윗글의 "형통하며 곧아서 길하다"가 이것이다.

○ 君子, 亦上交大人也. 其唯君子乎, 身困而道亨, 非君子不能, 指二五. 尙口乃窮, 指兌口在上有言, 而坎不信, 故窮.

군자는 또한 위로 대인과 사귄다. "오직 군자일 것이다"는 몸이 곤궁해도 도가 형통하여 군자가 아니면 할 수 없으니, 이효와 오효를 가리킨다. "입을 숭상하여 곤궁하다"는 태괘인 입이 위에 있어 말하여도 감괘가 믿지 못하기 때문에 곤궁함을 가리킨다.

심대윤(沈大允) 『주역상의점법(周易象義占法)』

象曰, 困, 剛掩也, 險而說, 困而不失其所亨, 其惟君子乎. 貞大人吉, 以剛中也, 有言不信, 尙口乃窮也.

「단전」에서 말하였다: 곤괘는 굳셈이 가려진 것이니, 험하나 기뻐하여 어려워도 형통함을 잃지 않으니, 오직 군자일 것이다. 곧은 대인이라서 길한 것은 굳세고 알맞기 때문이고, 말을 해도 믿지 않는 것은 입을 숭상하여 곤궁한 것이다.

以自掩爲文者, 君子, 非小人之所能抑也. 我之時命適然也, 故自反而不怨尤, 子圍於陳蔡, 曰吾道非耶. 險而說者, 吾自反而无不善, 盡其求達諱窮之道, 而无憾於吾心. 我之時命固不幸, 而吾能擇吾分內之寂其至善者, 而行之焉, 然猶有不免命也, 非吾之罪也. 吾於是乎陶然以樂矣, 又何戚焉. 此謂樂天知命者也. 君子所能者天也, 所不能者命也, 天者道也, 命者數也, 所亨者求達之道也, 忠恕中庸, 而博文多能, 是也.

스스로 가림을 꾸밈으로 삼는 자가 군자이니 소인이 누를 수 있는 것이 아니다. 나의 당시의 운명이 마침 그러하므로 스스로 돌이키고 원망하고 탓하지 않으니, 공자는 진과 채에서 포위당하여 "나의 도가 그릇된 것인가?"라고 하였다.[26] "험하나 기뻐함"은 내가 스스로 돌이켜 선하지 않음이 없음이니, 현달을 구하고 곤궁을 피하는 방도를 다하여 내 마음에 유감이 없다. 나의 당시의 운명이 참으로 다행치 않지만 내가 나의 분수에 가장 지극히 선한 것을 가려서 행하였다면 여전히 운명을 벗어나지 못함이 있더라도 나의 죄가 아닌 것이다. 내가 이에 기꺼이 즐거울 것이니, 또 어찌 슬퍼하겠는가? 이것을 하늘을 즐기며 천명을 아는 것이라 한다. 군자가 할 수 있는 것은 천리이고 할 수 없는 것은 운명이니, 천리는 도리이고 운명은 운수이다. 형통하다는 것은 통달을 구하는 도리이니 충성되고 너그러우며 알맞게 써서 널리 배우고 재능을 키움이 이것이다.

오치기(吳致箕) 「주역경전증해(周易經傳增解)」

象曰, 困, 剛揜也〈卦體〉, 險〈坎〉以說〈兌〉, 困而不失其所亨, 其唯君子乎. 貞大人吉, 以剛中也〈二五〉, 有言不信, 尙口乃窮也.

「단전」에서 말하였다: 곤괘는 굳셈이 가려진 것이니〈괘의 몸체〉, 험하나〈감괘(☵)〉 기뻐하여〈태괘(☱)〉 어려워도 형통함을 잃지 않으니, 오직 군자일 것이다. 곧은 대인이라서 길한 것은 굳세고 알맞기 때문이고〈이오(二五)〉, 말을 해도 믿지 않는 것은 입을 숭상하여 곤궁한 것이다.

---

26) 초나라 소왕의 초빙으로 초나라에 가던 중에 진과 채의 국경 사이에서 곤란을 겪을 때의 일이다.

此以卦體卦德, 釋卦名義及卦辭也. 困而不失其所亨, 言雖在困窮之時, 樂天安道, 自得其說樂, 故處不失義, 其道自亨也. 尙口乃窮, 言雖加以口言, 而人不信聽, 乃爲言之窮也. 餘見彖解.

이는 괘의 몸체와 괘의 덕으로 괘의 이름 및 괘사를 해석한 것이다. "어려워도 형통함을 잃지 않는다"는 비록 곤궁한 때라도 천도를 즐기며 편안하여 스스로 그 즐거움을 얻으므로 대처함에 의를 잃지 않고 그 도가 스스로 형통함을 말한 것이다. "입을 숭상하여 곤궁함"은 비록 입으로 말을 보태도 사람이 믿고 듣지 않음을 말함이니, 바로 말의 곤궁함이 된다. 나머지는 단사의 해석에 보인다.

이진상(李震相) 『역학관규(易學管窺)』

彖. 二五皆陽, 故曰大人, 中有互離, 大人象也. 兌口在上, 有言也, 而坎兌相失, 所以不信.

「단전」. 이효와 오효가 모두 양이므로 "대인"이라 하였고, 가운데에 호괘인 리괘(☲)가 있으니 대인의 상이다. 태괘인 입이 위에 있음이 말을 함이고, 감괘와 태괘과 서로 잃어서 믿지 못하는 것이다.

최세학(崔世鶴) 「주역단전괘변설(周易彖傳卦變說)」

困, 象曰, 困, 剛揜也, 大人27)吉, 以剛中也, 有言不信, 尙口乃窮也.

곤괘 「단전」에서 말하였다: 곤괘는 굳셈이 가려진 것이다. 대인이라서 길한 것은 굳세고 알맞기 때문이고, 말을 해도 믿지 않는 것은 입을 숭상하여 곤궁한 것이다.

困, 否之二體變也. 剛揜者, 坎剛爲兌柔所揜也. 二與上二爻爲主, 故象以剛中尙口言之. 泰二來居於下體之中, 爲剛中也, 泰上往居於上體之上而爲兌. 故有尙口乃窮之象.

곤괘(困卦☵)는 비괘(否卦☴)의 두 몸체가 변한 것이다. "굳셈이 가려졌다"는 것은 감괘(☵)의 굳셈이 태괘(☱)의 부드러움에 가려진 것이다. 이효와 상효, 두 효가 주인이 되므로 「단전」에서 "굳세고 알맞다"와 "입을 숭상한다"로 말하였다. 태괘의 이효가 와서 아래 몸체의 가운데 있어 '굳세고 알맞음'이 되고, 태괘의 상효가 가서 위 몸체의 위에 있어 태괘가 되었으므로 '입을 숭상하여 곤궁한' 상이 있다.

---

27) 人: 경학자료집성DB에는 '入'으로 되어 있으나, 경학자료집성 영인본을 참조하여 '人'으로 바로잡았다.

박문호(朴文鎬) 「경설(經說)·주역(周易)」

與上六在二陽之上, 若作二陽在上六之下, 則其語勢於見揜之意似尤便. 與猶又也.
『정전』의 "상육이 두 양의 위에 있다"는 만약 "두 양이 상육의 아래에 있다"로 한다면 그 어세가 가려진다는 뜻을 보는데 더욱 편할 듯하다. '여(與)'는 '우(又)'와 같다.

困亨, 身困而心亨也. 羑里演易之事, 可以當之, 兼文王之自道也.
어려워도 형통함은 몸이 어려워도 마음이 형통함이다. 유리에서 『주역』을 지은 일이 이에 해당되니, 문왕 스스로의 처지가 겸비되었다.

其惟君子乎下, 又別釋貞大人吉, 此君子非必釋大人也. 程傳所云君子大人通稱, 當更詳.
"오직 군자일 것이다" 아래에 다시 별도로 "곧은 대인이라서 길하다"고 해석하였으니, 군자가 반드시 대인을 해석한 것은 아니다. 『정전』에서 말한 '군자는 대인의 통칭'이라는 것은 다시 살펴야 할 것이다.

이병헌(李炳憲) 『역경금문고통론(易經今文考通論)』

象曰, 困, 剛掩也, 險以說, 困而不失其所亨, 其惟君子乎. 貞大人吉, 以剛中也, 有言不信, 尚口乃窮也.
「단전」에서 말하였다: 곤괘는 굳셈이 가려진 것이니, 험하나 기뻐하여 어려워도 형통함을 잃지 않으니, 오직 군자일 것이다. 곧은 대인이라서 길한 것은 굳세고 알맞기 때문이고, 말을 해도 믿지 않는 것은 입을 숭상하여 곤궁한 것이다.

貞大人爲九二, 而剛揜者爲初與三所揜也. 以剛中也四字, 易中凡四五見, 而有坎象者, 乃能當之. 大人, 兼君子言之, 尚口, 不如孚心.
'곧은 대인'은 구이가 되고, '굳셈이 가려짐'은 초효와 삼효에게 가려짐이다. "굳세고 알맞기 때문이나"라는 말은 『주역』에 모두 네나섯 번 나오는데,[28] 삼괘의 상이 있는 모든 것이 바로 이에 해당 될 수 있다. '대인'은 군자를 겸하여 말한 것이고, '입을 숭상함'은 미더운 마음만 못하다.

---

28) '以剛中也'는 몽괘(蒙卦)·비괘(比卦)·감괘(坎卦)·곤괘(困卦)·정괘(井卦)의 단사에 나온다.

象曰, 澤无水困, 君子以, 致命遂志.

정전 「상전」에서 말하였다: 못에 물이 없는 것이 곤괘이니, 군자가 그것을 보고서 명을 지극히 하여 뜻을 이룬다.

본의 「상전」에서 말하였다: 못에 물이 없는 것이 곤괘이니, 군자가 그것을 보고서 목숨을 바쳐서 뜻을 이룬다.

中國大全

傳

澤无水, 困乏之象也. 君子當困窮之時, 旣盡其防慮之道, 而不得免, 則命也, 當推致其命, 以遂其志. 知命之當然也, 則窮塞禍患不以動其心, 行吾義而已. 苟不知命, 則恐懼於險難, 隕穫於窮厄, 所守亡矣. 安能遂其爲善之志乎.

못에 물이 없는 것은 어렵고 모자라는 상이다. 군자가 곤궁할 때를 당하여 이미 방비하고 염려하는 도를 다하였는데도 벗어날 수 없다면 이는 명이니, 마땅히 그 명을 미루어 지극히 하여 뜻을 이루어야 한다. 명의 당연함을 알았다면 궁색(窮塞)과 화환(禍患)에 마음을 동요하지 않고 자신의 의를 행할 뿐이다. 만일 명을 알지 못하면 험난함에 두려워하고, 곤궁함에 꺾여서 지키는 바를 잃을 것이다. 어떻게 선을 하려는 뜻을 이룰 수 있겠는가?

小註

程子曰, 大凡利害禍福, 亦須致命, 須得致之爲言, 直如人以力自致之謂也. 得之不得, 命固已定, 君子須知他命方得. 不知命无以爲君子. 蓋命苟不知, 无所不至, 故君子於困窮之時, 須致命, 便遂得志. 其得禍得福, 皆已自致, 只要申其志而已.

정자가 말하였다: 대체로 이해와 화복에 대해서도 반드시 명을 지극히 해야 하고, "반드시 지극히 할 수 있었다"는 말은 다만 사람이 힘을 스스로 다했다고 말하는 것과 같다. 할 수 있고 할 수 없는 것은 명이 본래 이미 정해져 있으니, 군자는 반드시 그 명을 알아야 된다. "명을 알지 못하면 군자가 될 수 없다"[29]고 하였다. 명을 알지 못하면 이르지 않는 데가

없기 때문에 군자는 곤궁한 때에 명을 지극히 하여야 그 뜻을 얻을 수 있다. 화를 얻고 복을 얻는 것이 모두 자기가 스스로 불러오는 것이니, 다만 그 뜻을 펴야 할 뿐이다.

本義

水下漏則澤上枯, 故曰澤无水. 致命, 猶言授命, 言持以與人而不之有也. 能如是則雖困而亨矣.

물이 아래로 새면 못이 위에서 마르므로 "못에 물이 없다"고 하였다. '치명(致命)'은 목숨을 바친다고 말함과 같으니, 남에게 주어 지니고 있지 않음을 말한다. 이와 같을 수 있다면 비록 어려워도 형통할 것이다.

小註

朱子曰, 困厄有重輕, 力量有小大. 若能一日十二時, 點檢自己, 念慮動作, 須是合宜, 仰不愧, 俯不怍, 如此而不幸塡溝壑, 喪身殉命, 有不暇恤, 只得成就一個是處. 如此則方寸之間, 全是天理, 雖遇大困厄, 有致命遂志而已, 亦不知有人之是非向背, 惟其是而已.

주자가 말하였다: 곤액에도 경중이 있고, 역량에도 대소가 있다. 만약 하루 열 두 시간³⁰⁾ 동안 자기를 점검하여 생각과 동작이 반드시 적절하여 우러러 부끄러움이 없고 굽어도 부끄러움이 없다면, 이와 같이 하고도 불행히 죽어서 구덩이나 골짜기에 구르거나 목숨을 버리더라도 돌아볼 겨를이 없고, 다면 하나의 옳음을 성취하면 된다. 이와 같으면 마음속이 온전히 천리라서 비록 큰 곤액을 만나더라도 목숨을 바쳐 뜻을 이룰 뿐이며, 다른 사람의 시비의 향배는 알 것 없고 오직 옳음이 있을 뿐이다.

○ 問, 澤无水困, 君子以致命遂志. 曰, 澤无水困, 君子道窮之時, 但當委致其命以遂吾之志而已. 致命, 猶送這命與他, 不復爲我之有. 雖委致其命, 而志則自遂, 无所回屈. 伊川解作推致其命, 雖說得通, 然論語中致命字, 卻是委致之致, 事君能致其身, 與士見危致命, 見危授命, 皆是此意. 授亦致字之意, 言將這命授與之也.

물었다: "못에 물이 없는 것이 곤괘이니, 군자가 그것을 보고서 목숨을 바쳐서 뜻을 이룬다"

---

29) 『論語・堯曰』: 子曰, 不知命, 無以爲君子也.
30) 예전에는 두 시간 단위로 12지에 맞추어 시간을 배정했기 때문에 12시간이라고 말하였다. 지금으로 말하면 24시간이다.

고 한 것은 무슨 뜻입니까?

답하였다: '못에 물이 없는 것이 곤괘'라는 것은 군자가 곤궁할 때이지만, 다만 마땅히 명에 맡겨서 나의 뜻을 이룰 뿐이다. 목숨을 바친다는 것은 이 목숨을 보내 저에게 주고 다시는 나의 소유로 하지 않는다는 것이다. 비록 명에 맡기더라도 뜻은 스스로 완수하여 굽히지 않는다. 이천은 명을 미루어 다한다고 해석하였는데, 비록 통하는 설명이기는 하지만, 『논어』 가운데 '치명(致命)'이라는 글자는 "맡긴다"는 뜻의 '치(致)'자로서, "임금을 섬기는데, 몸을 맡길 수 있다", "선비는 위험을 보면 목숨을 바친다", "위험을 보면 목숨을 준다[授]"는 것이 모두 그러한 뜻이다. '수(授)'자도 또한 '치(致)'자의 뜻으로서, 이 명을 가지고 그에게 준다는 말이다.

○ 建安丘氏曰, 兌上離下, 其卦爲革, 聖人象之曰, 澤中有火. 兌上坎下, 其卦爲困, 聖人宜象之, 以澤中有水, 而曰澤无水何哉. 曰, 澤中不宜有火也而有火, 所以爲革之象. 澤中宜有水也而反无水, 非困而何哉. 若亦言有水, 則困之義隱矣. 有无二字, 聖人蓋有深意存焉.

건안구씨가 말하였다: 태괘(兌卦☱)가 위에 있고 리괘(離卦☲)가 아래에 있는 괘가 혁괘(革卦䷰)인데, 성인은 그 모습을 그려 "못 가운데 불이 있다"고 하였다. 태괘(兌卦☱)가 위에 있고 감괘(坎卦☵)가 아래에 있는 괘가 곤괘(困卦䷮)인데, 성인은 그 모습을 그려 "못 가운데 물이 있다"고 해야 할 것 같은데, "못에 물이 없다"고 한 것은 왜인가? 못 가운데는 불이 없어야 하는데 불이 있기 때문에 '바꾸어야 하는[革]' 상이 있다. 못 가운데는 물이 있어야 하는데 도리어 물이 없으니, '어려움[困]'이 아니면 무엇이겠는가? 만약 물이 있다고 말하면 '어려움[困]'이라는 뜻이 숨어버린다. '유(有)'와 '무(無)'라는 두 글자에 성인의 깊은 뜻이 보존되어 있다.

○ 中溪張氏曰, 澤所以瀦水, 今水在澤下, 則澤涸而无水, 所以爲困. 君子觀困窮之象, 但委命於天而成吾之志而已. 拘羑里以演易, 厄陳蔡而弦歌, 此皆善處困者也. 致命遂志, 猶殺身以成仁也. 致命有坎險之象, 遂志有兌說之象.

중계장씨가 말하였다: 못은 물을 저장하는 곳인데, 지금 물이 못 아래 있으니 못이 말라서 물이 없어 '어려움[困]'이 된다. 군자는 곤궁한 상을 보고서 다만 하늘에 명을 맡기고 나의 뜻을 이룰 뿐이다. 문왕은 유리(羑里)에 갇혀서 『주역』을 부연하였고, 공자는 진나라와 채나라 사이에서 어려움을 당했지만 악기를 연주하며 노래를 불렀으니,[31] 이러한 것들이 모두 어려움에 잘 대처한 것이다. 목숨을 바쳐 뜻을 이루는 것은 몸을 죽여서 인을 이루는 것과

---

31) 『史記 · 孔子世家』: 於是乃相與發徒役圍孔子於野, 不得行, 絶糧. 從者病, 莫能興, 孔子講誦弦歌不衰.

같다. 목숨을 바치는 것은 감괘의 험한 상이 있고, 뜻을 이루는 것은 태괘의 기쁜 상이 있다.

○ 東谷鄭氏曰, 在命者不可求, 在志者可遂, 所謂從吾所好者也.
동곡정씨가 말하였다: 명에 달린 것은 구할 수 없지만 뜻에 달린 것은 이룰 수 있으니, 이른 바 "내가 좋아하는 것을 따르겠다"[32]는 것이다.

○ 雲峰胡氏曰, 命在天志在我, 困則委其命於天, 困而亨, 則遂其志於我.
운봉호씨가 말하였다: 명은 하늘에 있고 뜻은 나에게 있으니, 어려운 것은 하늘에 명을 맡기고 어려워도 형통한 것은 나에게서 뜻을 이룬다.

‖韓國大全‖

조호익(曺好益) 『역상설(易象說)』

象曰, 澤無水, 困, 君子以, 致命.
「상전」에서 말하였다: 못에 물이 없는 것이 곤괘이니 군자가 그것을 보고서 명을 지극히 한다.

傳, 推致其命, 致命之致, 猶致知之致.
『정전』에서 "그 명을 미루어 지극히 한다"고 했으니, "명을 지극히 한다[致命]"에서 '치(致)'는 "지를 지극히 한다[致知]"는 '치(致)'와 같다.

김도(金濤) 「주역천설(周易淺說)」

愚按, 程傳下所釋, 程子惟一條, 本義下所釋, 朱子凡二條, 丘氏以下凡三條, 而皆合於大象之旨矣. 蓋命者, 自天降而人所受之正理也, 人之死生榮辱, 富貴貧賤, 得失存亡, 皆係於此. 然則得之者, 非私得也, 失之者, 非私失也. 爲卦, 兌上而坎下, 若坎水居上澤水居下, 則澤中有水之象也, 此卦則坎水居下澤水居上, 而水若下漏, 則枯涸无餘

---

32) 『論語 · 述而』: 子曰, 富而可求也, 雖執鞭之士, 吾亦爲之, 如不可求, 從吾所好.

矣. 故君子法此象, 而委致其命, 以遂其爲善之志, 其爲志節, 嘉可尚矣. 當困窮之時, 若欲私智而免之, 則豈所謂君子者乎. 是以君子雖遭禍患, 而不動其心, 惟以行吾義, 而仰不愧於天, 俯不怍於人, 則其所以知天命, 而自守正理者, 爲何如哉. 孟子曰, 人之有德慧術知者, 恒存乎疢疾, 其斯之謂乎. 孟子又曰, 窮則獨善其身, 達則兼善天下, 不幸而遭窮困之時, 則當泰然自居, 不動於非義之事, 有幸而遇亨泰之時, 則當幡然而改, 不失於萬民之望, 豈不休哉, 豈不善哉.

내가 살펴보았다: 『정전』 아래의 주석은 정자의 것 하나 뿐이고, 『본의』 아래의 주석은 주자의 것이 둘이고 구씨 등이 모두 셋인데 모두 「대상전」의 뜻에 맞는다. 대체로 명은 하늘로부터 내려와 사람이 받은 바른 이치로 사람의 생사와 영욕, 부귀와 귀천, 득실과 존망이 모두 이에 연계된다. 그러나 이를 얻는 것은 사사로이 얻는 것이 아니고 이를 잃는 것도 사사로이 잃는 것이 아니다. 괘가 태괘가 위이고 감괘가 아래이니 만약 감괘의 물[水]이 위에 있고 못의 물[水]이 아래에 있다면 못에 물이 있는 상이지만, 이 괘는 감괘의 물이 아래에 있고 못의 물이 위에 있어 물이 아래로 새어 나갔으니 말라서 남음이 없을 것이다. 그러므로 군자가 이러한 상을 본받아 그 명을 맡기고 바쳐서 그 선하려는 뜻을 이루니, 그 뜻과 절개가 아름다워 숭상할 만하다. 곤궁한 때에 닥쳐서 만약 사사로운 지혜로 모면하고자 하면 어찌 이른바 군자이겠는가? 이 때문에 군자는 비록 환난을 만나더라도 그 마음을 움직이지 않고 오직 나의 옳음을 행함으로 우러러 하늘에 부끄럽지 않고 숙여서 사람에 부끄럽지 않으니 그 천명을 알고 스스로 바른 이치를 지키는 것이 어떠하겠는가? 맹자가 "덕성의 지혜와 기술의 지혜를 지닌 사람은 항상 어려움 속에 있다"[33]고 하니 이를 말함일 것이다. 맹자가 또 "곤궁하면 다만 자신만을 선하게 하고, 현달하면 천하를 함께 선하게 한다"[34]고 하였으니, 불행히 곤궁하게 되었다면 태연히 홀로 지내며 의롭지 않은 일에 움직이지 않아야 하고, 다행이 형통하게 되었다면 떨쳐서 고쳐 만민의 바람을 잃지 않아야 하니, 어찌 아름답지 않겠으며 어찌 선하지 않겠는가?

이만부(李萬敷) 「역통(易統)·역대상편람(易大象便覽)·잡서변(雜書辨)」

臣謹按, 此章四君子者, 皆在下者之事, 不係君上. 然程子嘗以崇政殿說書, 進講論語顔子不改其樂章, 講畢進言曰, 顔子王佐之才, 而簞食瓢飮, 季氏魯國之蠹, 而富於周公, 魯君取舍如此, 非後世之可鑑乎, 聞者歎服. 然則此四君子之行, 爲人君者, 不可不察也. 方今世入叔季, 敎衰道微, 側陋之賢, 卓異之才, 固難其人. 然天之生人, 同有降

---

33) 『맹자·진심』.
34) 『孟子·盡心』: 古之人, 得志, 澤加於民, 不得志, 修身見於世, 窮則獨善其身, 達則兼善天下.

衷之性. 人之自脩, 不亡大小之分, 大朝廷之上, 方數千里之地, 安知決無一人, 抱道德之器, 懷經濟之具者乎. 今人以科第發身, 以黨論進趣, 在家所習者, 非尊主庇民之術, 入朝所行者, 惟是非爭競之事, 其亦異乎古人幼學壯行之義. 若不特發綸旨, 廣詢博訪, 盡禮以致之, 推誠以用之, 雖有其人, 亦不輕進而爲殿下之用, 伏願更加留意焉.

신이 삼가 살펴보았습니다: 이 장의 네 군자는 모두 아래에 있는 자의 일로 임금과 위로 연계되지 않습니다. 그러나 정자가 일찍이 숭정전설서로 『논어』를 진강할 때에 안자가 그 즐거움을 고치지 않는다는 장을 강론하고는 진언하여 "안자는 왕을 보좌할 재목이지만 소박하게 생활했고, 계씨는 노나라를 좀먹으며 주공보다 부유했으니, 노군의 이와 같은 취사는 후세에 본받을 것이 아니다"라고 하니 듣는 자들이 감복했습니다. 그렇다면 네 군자의 행실을 임금이 되어서 살피지 않을 수 없습니다. 지금 말세에 들어서서 가르침이 쇠퇴하고 도가 은미하여 초야의 현인과 탁월한 재목을 참으로 찾기 어렵습니다. 그러나 하늘이 사람을 낳았으니 한가지로 하늘이 내려준 본성이 있습니다. 사람이 스스로 닦아 크고 작은 분수가 없지 않으니, 조정과 국토에 어찌 도덕의 그릇을 품고 경제의 기구를 갖춘 사람이 한 사람도 없음을 알겠습니까? 지금 과거에 급제하여 몸을 펼치고 당의 논의로 나아가니, 집에서 익히는 것은 임금을 높이고 백성을 감싸는 방법이 아니고, 조정에서 행하는 것은 오직 시비를 다투는 일이니, 또한 어려서 배우고 자라서 행한다는 고인의 뜻과는 다릅니다. 만약 특별히 성지를 펼쳐서 두루 묻고 널리 방문하여 예를 다하여 이르게 하고 정성을 다하여 기용하지 않는다면, 비록 그런 사람이 있더라도 또한 가볍게 나와서 전하에게 기용되지 않을 것이니, 다시 더욱 유념하시기를 엎드려 바랍니다.

심조(沈潮) 「역상차론(易象箚論)」

象, 澤無水, 困, 致命遂志.

「상전」에서 말하였다: 못에 물이 없는 것이 곤괘이니 명을 지극히 하여 뜻을 이룬다.

兌下有互離, 此亦无水之象也. 其內剛, 志操堅確, 無所撓屈也, 其外說, 談笑於死生之際也. 互有巽離, 燭理明而順受正也.

태괘(☱)의 아래에 호괘인 리괘(☲)가 있으니 이 또한 물이 없는 상이다. 그 내괘의 굳셈은 지조가 견고하여 굽히는 바가 없고, 그 외괘의 기뻐함은 생사의 즈음에도 담소하는 것이다. 호괘로 손괘(☴)와 리괘가 있으니 이치를 밝게 밝히고 유순하게 바름을 받아들인다.

유정원(柳正源) 『역해참고(易解參攷)』[35]

雙湖胡氏曰, 水在澤下, 是澤漏而亡水. 致命兌澤涸象, 遂志坎心亨象.

쌍호호씨가 말하였다: 물이 연못의 아래에 있음은 못에 물이 새어 없는 것이다. '목숨을 바침[致命]'은 태괘인 못이 마른 상이고, '뜻을 이룸[遂志]'은 감괘인 마음이 형통한 상이다.

○ 梁山來氏曰, 致者, 送詣也. 命存乎天, 志存乎我, 致命遂志者, 不有其命, 送命于天, 唯遂我之志, 成就一箇是也. 患難之來, 論是非不論利害, 論輕重不論死生, 殺身成仁, 捨生取義. 幸而此身存, 則名固在, 不幸而此身死, 則名亦不朽, 豈不身困而志亨乎. 身存者, 張良之椎, 蘇武之節, 是也, 身死者, 比干文天祥, 陸秀夫張世傑, 是也.
양산래씨가 말하였다: '치(致)'는 보냄이다. 목숨은 하늘에 달려 있고 뜻은 나에게 달려 있으니, "목숨을 바쳐서 뜻을 이룬다"는 목숨을 소유하지 않고 하늘에 맡기고서 오직 나의 뜻을 이루어 옳음을 성취함이 이것이다. 환난이 오면 시비를 논의하고 이해를 논의하지 않으며, 경중을 논의하고 생사를 논의하지 않으며, 몸을 바쳐 인을 이루고 삶을 던져 의를 취한다. 다행히 몸을 보존하면 이름이 참으로 남아 있고, 불행히 이 몸이 죽더라도 이름은 또한 없어지지 않으니, 어찌 몸이 곤궁해도 뜻은 형통하지 않겠는가? 몸이 보존됨은 장량(張良)의 몽둥이[36]와 소무(蘇武)의 절개[37]가 이것이고, 몸이 죽은 것은 비간(比干),[38] 문천상(文天祥),[39] 육수부(陸秀夫),[40] 장세걸(張世傑)[41]이 이러하다.

○ 案, 命在天, 非吾所與, 志在己, 從吾所好.
내가 살펴 보았다: 운명은 하늘에 있으니 내가 좇을 바가 아니고, 뜻은 나에게 있으니 내가 좋아하는 바를 따른다.

---

35) 경학자료집성DB에서는 곤괘(困卦) '단사'에 해당하는 것으로 분류했으나, 내용에 따라 이 자리로 옮겨왔다.

36) 장량(張良)의 몽둥이: 장량이 한(韓)나라의 원수를 갚으려고 역사를 시켜 박랑사(博浪沙)에서 철추로 진시황 저격한 고사.

37) 소무(蘇武, BC140-BC80): 전한(前漢) 때의 신하로 선우(單于)에게 붙잡혀 복속할 것을 강요당하였으나 이에 굴하지 않아 북해(北海: 바이칼호) 부근에 19년간 유폐되었다. 흉노에게 항복한 지난날의 동료 이릉(李陵)이 설득하였으나 굴복하지 않고 절개를 지키다 귀국했다.

38) 비간(比干): 상(商)의 28대 태정제(太丁帝)의 둘째 아들로서 주왕(紂王)의 숙부이다. 사람됨이 곧고 강직하여 주왕의 폭정을 바로잡기 위해 간언하다가 잔인하게 살해되었다.

39) 문천상(文天祥, 1236~1282): 13세기 중국 남송의 정치가, 시인. 송나라(남송)가 원나라에 항복하자 저항하다 체포되었고 쿠빌라이칸이 그의 재능을 아껴 몽고에 전향을 권유받았지만 거절하고 죽음을 택했다.

40) 육수부(陸秀夫, 1238~1279): 남송 초주(楚州) 염성(鹽城) 사람으로 송나라가 1276년 몽고군에게 패한 뒤 진의중, 장세걸 등과 함께 익왕(益王), 위왕(衛王)을 옹립하고 송나라 왕실을 지키려 했다. 1279년 원나라 군대의 공격을 받아 애산이 함락되자 배로 도망가다 위왕을 업고 바다로 투신하여 자결했다.

41) 장세걸(張世傑, ?~1279): 남송 말기 탁주(涿州) 범양(范陽) 사람으로 임안이 함락되자 육수부(陸秀夫) 등과 함께 조하(趙昰)를 황제로 삼고 옹립했다. 원나라 군대가 애산(崖山)을 공격하자 1279년 원나라 장수 장홍범(張弘范)과 해상에서 전투를 벌이다가 배가 뒤집혀 익사했다.

김상악(金相岳) 『산천역설(山天易說)』

朱子曰, 論語中致命字, 卻是委致之致, 事君能致其身, 與士見危授命, 皆是也. 致命, 坎之險也, 遂志, 兌之說也, 所以身雖困而道自亨也.

주자가 말하였다: 『논어』 가운데 '치명(致命)'이라는 글자는 '맡긴다'는 뜻의 '치(致)'자니, "임금을 섬김에 몸을 맡길 수 있다"와 "선비는 위험을 보면 목숨을 바친다"가 모두 이것이다. '목숨을 바침'은 감괘의 험함이고 '뜻을 이룸'은 태괘의 기쁨이니, 몸은 비록 어려워도 도는 절로 형통하다.

서유신(徐有臣) 『역의의언(易義擬言)』

坎居兌下, 水瀉澤竭之象. 澤而乏水, 非理之常, 如君子而遇逆境, 是爲困也. 致命者, 聽其所至也, 遂志者, 不變所守也. 致命, 如坎之險而通, 遂志, 如兌之決而和.

감괘(☵)가 태괘(☱)의 아래에 있으니 물이 흘러내려 못이 마른 상이다. 못이면서 물이 부족하니 정상이 아니며, 군자이면서 역경을 만남과 같은 것이 곤이 된다. '명을 지극히 함'은 그 이른 것을 들음이고, '뜻을 이룸'은 지킬 바를 변치 않음이다. '명을 지극히 함'은 감괘의 험난하며 통함과 같고, '뜻을 이룸'은 태괘의 결단하며 화합함과 같다.

윤행임(尹行恁) 『신호수필(薪湖隨筆)·역(易)』

兌坎之體中有巽體, 故四面環水, 而木在其中爲困. 以字義究卦體, 亦有相合者.

태괘와 감괘의 몸체 가운데 손괘의 몸체가 있으므로 사면이 물로 둘려졌고 나무가 그 가운데 있어서 곤괘가 되었다. 글자의 뜻으로 괘의 몸체를 궁구해도 서로 합치하는 것이 있다.

박문건(朴文健) 『주역연의(周易衍義)』

〈問, 澤[42]无水, 困, 致命遂志. 曰, 澤[43]无水困, 言困於煤乾也. 君子若不幸□遇困, 則委致其命, 而遂立其志也, 此特言處困之大者也.

물었다: "못에 물이 없는 것이 곤괘이니 목숨을 바쳐서 뜻을 이룬다"는 무슨 뜻입니까? 답하였다: '못에 물이 없음'은 말라서 곤란함을 말합니다. 군자가 만약 불행하게 곤궁함을 만난다면 그 목숨을 바쳐서 그 뜻을 이루니, 이는 특히 곤궁에 대처하는 큰 도리를 말한 것입니다.〉

---

42) 경학자료집성DB에는 '困'으로 되어 있으나, 경학자료집성 영인본을 참조하여 '澤'으로 바로잡았다.
43) 경학자료집성DB에는 판독불가로 되어 있으나, 경학자료집성 영인본을 참조하여 '澤'으로 바로잡았다.

이지연(李止淵) 『주역차의(周易箚疑)』

澤无水命也, 命則吾末如之何也, 處險而說性也, 性則吾可以盡之矣.

못에 물이 없음은 운명이니 운명은 내가 어찌할 수 없고, 험난함에 처하여 기뻐함은 성품이니 성품은 내가 다할 수 있을 것이다.

김기례(金箕澧) 「역요선의강목(易要選義綱目)」

君子以, 致命遂志.

군자가 그것을 보고서 목숨을 바쳐서 뜻을 이룬다.

委命於天, 則知處險也, 遂志自我, 則知樂道也. 羑里之演易, 陳蔡之絃歌, 皆君子致命遂志之事.

명을 하늘에 맡김은 험난함에 대처할 줄 아는 것이고, 스스로의 뜻을 이룸은 도를 즐길 줄 아는 것이다. 유리에서 『주역』을 부연함과 진과 채의 사이에서 거문고를 탐은 모두 군자가 목숨을 바쳐서 뜻을 이루는 일이다.

이항로(李恒老) 「주역전의동이석의(周易傳義同異釋義)」

傳, 當推其命, 以遂其志.

『정전』에서 말하였다: 그 명을 미루어서 그 뜻을 이루어야 한다.

本義, 致命, 猶言授命, 言持以與人而不之有也.

『본의』에서 말하였다: '치명(致命)'은 목숨을 바친다고 말함과 같으니, 남에게 주어 지니고 있지 않음을 말한다.

按, 朱子曰, 伊川解[44]作推致其命, 雖說得通, 然論語中致命字, 卻是委致之致, 事君能致其身, 與士見危致命, 見危授命, 皆是此意. 授亦致字之意, 言將這命授與之也. 見小註.

내가 살펴보았다: 주자가 "이천이 '그 명을 미루어 다한다'로 풀이한 것은 비록 말은 통하지만, 『논어』 가운데 '치명(致命)'이라는 글자는 '맡긴다'는 뜻의 '치(致)'자이니, '임금을 섬김에 몸을 맡길 수 있다'와 '선비는 위험을 보면 목숨을 바친다'와 '위험을 보면 목숨을 준다'가 모두 이 뜻이다. '준다[授]'도 '맡긴다[致]'의 뜻이니, 이 목숨을 가져다 그에게 줌을 말한다"고 하였다. 소주에 나온다.

---

44) 경학자료집성DB와 영인본에는 '鮮'으로 되어 있으나, 『주자어류』에 따라 '解'로 바로잡았다.

박종영(朴宗永) 「경지몽해(經旨蒙解)-주역(周易)」

蓋君子雖值困窮之時, 委命於天而成吾志. 是以文王拘於羑里而惟演易, 孔子厄於陳蔡而猶絃歌, 此皆善處困者也. 蓋命在天而志在我, 困則委其命於天, 困而亨則逐其志於我, 隨時而不違正也. 凡人之窮達, 皆有命. 窮則憂欝齋咨, 思欲免其窮困, 喪失所守, 或至於干分逆理, 無所不爲, 是不知命者也, 固不足道, 而雖稍有知覺者, 鮮不戚戚於中, 形見于色. 惟樂天知命之大人然後, 坦坦然無所憂懼, 視死生榮辱, 一無足以動吾心, 惟順受其天命而已. 逐志云者, 人之有志, 莫不暴聖賢之道德言行, 思欲跂及閫域, 人孰不然. 不能者, 不知天命故也. 若推致其命, 而逐吾之志, 則聖賢同歸, 亦無他道矣. 學者, 觀於此而有得焉, 其成就, 豈可以量乎哉.

대체로 군자는 비록 곤궁한 때를 만나도 하늘에 목숨을 맡기고 나의 뜻을 이룬다. 이 때문에 문왕이 유리에 갇혀서도 『주역』을 부연하고, 공자가 진과 채의 사이에서도 거문고를 탄 것이니, 이는 모두 곤궁에 잘 대처한 것이다. 대체로 운명은 하늘에 달려있고 뜻은 나에게 달려있으니, 곤궁함은 그 운명을 하늘에 맡기고 곤궁하면서 형통함은 그 뜻을 내게서 이루어 언제나 바름을 어기지 말아야 한다. 사람의 곤궁과 현달에는 모두 명이 있다. 곤궁하다고 근심하고 탄식하며 그 곤궁함을 모면하고자 지킬 것을 상실하고, 혹 분수와 천리를 어기며 하지 못함이 없음에 이른다면 명을 알지 못하는 자이니 참으로 말할 것이 못되고, 비록 조금 지각이 있더라도 마음으로 슬퍼하여 안색에 나타나지 않음이 드물다. 오직 하늘을 즐기고 천명을 아는 대인이라야 담담하게 근심함이 없어 생사와 영욕을 보아도 하나라도 나의 마음을 움직일 수 없고 오직 천명을 유순하게 받들 뿐이다. "뜻을 이룬다"는 것은 사람이 뜻이 있으면 성현의 도덕과 언행의 영향을 받고 그 경지에 미치고자 생각하지 않음이 없다. 어떤 사람이 그렇지 않겠는가마는 할 수 없는 것은 천명을 알지 못하기 때문이다. 만약 그 명을 미루어 지극히 하여 나의 뜻을 이룬다면 성현이 함께 와도 다른 방도가 없을 것이다. 학자가 이를 보고서 얻음이 있다면 그 성취를 어찌 헤아릴 수 있겠는가?

심대윤(沈大允) 『주역상의점법(周易象義占法)』

致委致也. 委命而隨順, 象坎水之險而隨地順流也. 逐志而不濫, 象兌澤之悅潤而不決也. 坎自乾來, 乾爲命, 兌自坤來, 坤爲志. 兌召坤至曰致, 坎离爲逐.

'치(致)'는 맡김이다. 목숨을 맡기고 따름이니 감괘인 물이 험하지만 땅을 따라 유순하게 흐름을 상징한다. 뜻을 이루어도 넘치지 않으니, 태괘인 못이 천천히 적시며 넘치지 않음을 상징한다. 감괘는 건괘로부터 왔는데 건괘는 명(命)이 되고, 태괘는 곤괘로부터 왔는데 곤괘는 지(志)가 된다. 태괘가 부르고 곤괘가 이름을 '바친다'고 하고, 감괘와 리괘가 이룸이 된다.

오치기(吳致箕) 「주역경전증해(周易經傳增解)」

水下漏則澤上枯而旡水, 爲困之象. 君子觀其象, 以當困窮之時, 付命于天, 遂我之志. 論是非而不論利害, 論輕重而不論死生, 故有舍生取義, 殺身成仁者也. 致命, 有坎險之象, 遂志, 有兌說之象也.

물이 아래로 새면 못의 위가 말라서 물이 없으니 곤괘의 상이 된다. 군자가 이 상을 보고서 곤궁한 때에 명을 하늘에 맡기고 나의 뜻을 이룬다. 시비를 논하고 이해를 논하지 않으며 경중을 논하고 생사를 논하지 않으므로 삶을 버리고 의를 취하며 몸을 던져서 인(仁)을 이룸이 있는 것이다. '목숨을 바침'에는 감괘의 험난한 상이 있고, '뜻을 이룸'에는 태괘의 기뻐하는 상이 있다.

이진상(李震相) 『역학관규(易學管窺)』

胡氏曰, 致命, 兌澤涸象, 遂志, 坎心亨象.

호씨가 말하였다: '명을 지극히 함[致命]'은 태괘인 못이 마른 상이고, '뜻을 이룸[遂志]'은 감괘인 마음이 형통한 상이다.

愚按, 兌乾上之變, 故致其乾命, 坎在下, 故遂其本志.

내가 살펴보았다: 태괘는 건괘 상효가 변한 것이므로 하늘의 명을 지극히 하고, 감괘는 아래에 있으므로 그 본래의 뜻을 이룬다.

박문호(朴文鎬) 「경설(經說)·주역(周易)」

推致, 言推而知也. 然本義之授命, 與論語之致身同意, 恐爲長.

『정전』의 '미루어 지극히 함'은 미루어서 앎을 말한다. 그러나 『본의』의 '목숨을 바침'이『논어』의 '몸을 맡긴다'와 뜻이 같으니, 더 나은 듯하다.

이병헌(李炳憲) 『역경금문고통론(易經今文考通論)』

姚曰, 水涸故旡水. 致命, 謂至於命, 化之正也.

요신이 말하였다: 물이 말랐으므로 물이 없다. '치명(致命)'은 명에 이름을 말하니, 변화의 바름이다.

初六, 臀困于株木. 入于幽谷, 三歲不覿.

초육은 엉덩이가 나무 등걸 때문에 어렵다. 어두운 골짜기로 들어가서 삼년이 지나도 만나보지 못한다.

║中國大全║

傳

六以陰柔處於至卑, 又居坎險之下, 在困不能自濟者也. 必得在上剛明之人爲援助, 則可以濟其困矣. 初與四爲正應, 九四以陽而居陰爲不正, 失剛而不中, 又方困於陰揜, 是惡能濟人之困. 猶株木之下, 不能蔭覆於物, 株木无枝葉之木也. 四近君之位, 在他卦不爲无助, 以居困而不能庇物, 故爲株木. 臀所以居也, 臀困於株木, 謂无所庇而不得安其居, 居安則非困也. 入于幽谷, 陰柔之人, 非能安其所遇, 旣不能免於困, 則亦迷暗妄動入於深困. 幽谷, 深暗之所也. 方益入於困, 无自出之勢, 故至於三歲不覿, 終困者也. 不覿, 不遇其所亨也.

육(六)은 부드러운 음으로서 지극히 낮은 곳에 처하였고, 또 험한 감괘의 아래에 있으니, 어려울 때에 있어서 스스로 구제하지 못하는 자이다. 반드시 위에 있는 굳세고 밝은 사람을 얻어 돕는 자로 삼으면 그 어려움을 구제할 수 있을 것이다. 초효는 사효와 정응이 되나 구사가 양으로서 음의 자리에 있어서 바르지 않음이 되며, 굳셈을 잃고 알맞지 못하며, 또 음에게 가려서 어려우니, 어찌 다른 사람의 어려움을 구제할 수 있겠는가? 나무 등걸의 아래가 물건을 가려 덮어주지 못함과 같으니, 나무 등걸은 가지와 잎이 없는 나무이다. 사효는 임금과 가까운 자리이니, 다른 괘에서는 도움이 없지 않으나 곤괘에 있어서 다른 사람을 비호해주지 못하기 때문에 나무 등걸이라 하였다. 엉덩이는 앉는 곳이니, 엉덩이가 나무 등걸 때문에 어려움은 비호 받는 바가 없어서 거처를 편안히 하지 못함을 이르니, 거처가 편안하면 어려움이 아니다. 어두운 골짜기로 들어간다는 것은 부드러운 음의 사람은 만난 바를 편안히 여길 수 있는 자가 아니니, 어려움을 면하지 못하면 더욱 혼미하고 어두워 함부로 움직여 깊은 어려움에 빠져들 것이다. '유곡(幽谷)'은 깊고 어두운 곳이다. 더욱 어려운 데로 들어가서 스스로 벗어날 형세가 없으므로 삼년이 지나도 만나보지 못함에 이르니, 끝내 어려운 자이다. '부적(不覿)'은 형통한 바를 만나지 못하는 것이다.

小註

建安丘氏曰, 初六居困體之下, 故曰臀. 株木, 乃木之无枝者, 指九四也. 初本與四相
應, 四方爲上六所揜, 猶无枝葉之木, 不能庇覆之. 故初不安其居, 是臀困于株木也. 初
又處坎之下, 是入于幽暗之谷, 雖歷三歲之久而不能上覿乎四之正應也.

건안구씨가 말하였다: 초효는 곤괘의 아래에 있기 때문에 '엉덩이'라고 하였다. 나무 등걸은
가지가 없는 나무이니, 구사를 가리킨다. 초효는 본래 사효와 서로 호응하는데, 사효가 상육
에 의해 가려진 것이 가지 없는 나무가 덮어줄 수 없는 것과 같다. 그러므로 초효가 자기
자리에서 편안하지 못하니, 이것이 엉덩이가 나무 등걸 때문에 어려운 것이다. 초효는 또한
감괘의 아래에 있으니, 이는 어두운 골짜기에 들어가 비록 삼년이라는 오랜 기간 동안 지나
더라도 위로 사효인 정응을 보지 못하는 것이다.

本義

臀, 物之底也, 困于株木, 傷而不能安也. 初六, 以陰柔處困之底, 居暗之甚, 故
其象占如此.

엉덩이는 동물의 밑이고, 나무 등걸 때문에 어려움은 상하여 편안하지 못한 것이다. 초육이 부드러운
음으로 곤괘의 밑에 있고 심한 어둠에 있으므로 그 상과 점이 이와 같다.

小註

或問, 臀困於株木, 如何. 朱子曰, 在困之下, 至困者也. 株木不可坐, 臀在株木上, 其
不安可知. 又問, 伊川將株木作初之正應不能庇, 他說如何. 曰, 恐說臀字不去.

어떤 이가 물었다: "엉덩이가 나무 등걸 때문에 어렵다"는 말은 어떤 의미입니까?

주자가 답하였다: 곤괘의 아래에 있어서 지극히 어려운 자입니다. 나무 등걸에는 앉을 수
없는데, 엉덩이가 나무 등걸 위에 있으니 편안하지 않음을 알 수 있습니다.

또 물었다: 이천은 나무 등걸을 초효의 정응이 비호해줄 수 없는 것으로 해석했는데 그의
설명이 어떻습니까?

답하였다: 아마도 '전(臀)'자가 설명이 되지 않을 것 같습니다.

○ 中溪張氏曰, 人之體, 行則趾爲下, 坐則臀爲下. 初六困而不行, 此坐困之象也.

중계장씨가 말하였다: 사람의 몸은 걸어갈 때에는 발이 아래가 되고, 앉아 있을 때에는 엉

덩이가 아래가 된다. 초육은 어려움에 처하여 가지 않으니, 이는 앉아서 어려움에 처한 상이다.

○ 臨川吳氏曰, 入于幽谷, 不能自拔以出於困也.

임천오씨가 말하였다: 어두운 골짜기로 들어가서 스스로 빠져나와 어려움으로부터 벗어날 수 없는 것이다.

○ 平庵項氏曰, 初六在坎下, 故爲入于幽谷, 卽坎初爻入于坎窞也.

평암항씨가 말하였다: 초육은 감괘의 아래에 있기 때문에 어두운 골짜기로 들어가니, 감괘의 초효가 구덩이 속으로 들어가는 것이다.

○ 雲峰胡氏曰, 卦名困, 以剛爲柔所困也. 爻論困義, 非特剛困, 柔之困亦甚矣. 柔之困也, 困于株木, 困于石, 困于葛藟. 所困者, 槎枿之木, 繮繞之草, 困于石則又甚焉. 剛之困, 困于飲食, 困于金車, 困于赤紱. 飲食車服, 皆美物也. 六爻別而言之, 其崇陽抑陰, 亦可見矣.

운봉호씨가 말하였다: 괘의 이름이 곤괘인 것은 굳센 양이 음에게 어려움을 당하기 때문이다. 효에서 곤괘의 뜻을 논한 것을 보면 굳센 양만 어려울 뿐만 아니라 부드러운 음의 어려움도 심하다. 부드러운 음의 어려움은 나무 등걸 때문에 어렵고, 돌 때문에 어렵고, 칡덩굴 때문에 어렵다. 어려움을 당하는 것은 그루터기 나무이고 덩굴에 둘러싸인 풀이며, 돌 때문에 어려운 것은 더 심하다. 굳센 양의 어려움은 음식 때문에 어렵고, 쇠수레 때문에 어렵고, 붉은 제복(祭服) 때문에 어렵다. 음식과 수레, 의복은 모두 아름다운 물건이다. 여섯 효에서 구별하여 말하였으니, 양을 높이고 음을 억누른 것을 알 수 있다.

○ 合沙鄭氏曰, 困坎兌相重, 兌正秋, 坎正北. 兌一陰始得秋氣而蔓草未殺, 故爲葛藟之困. 六三秋冬之交, 蔓草葉脫而刺存, 故爲蒺藜之困. 若初六在坎之下, 正大冬之時也. 蔓草爲霜雪所殺, 靡有孑遺, 所存者株木而已. 三爻皆陰, 故繫以草木之象.

합사정씨가 말하였다: 곤괘(困卦䷮)는 감괘(坎卦☵)와 태괘(兌卦☱)가 서로 겹쳐 있는데, 태괘는 가을의 중간을 가리키고 감괘는 정북쪽을 가리킨다. 태괘는 한 음이 비로소 가을 기운을 얻고 덩굴풀이 아직 시들지 않았기 때문에 칡넝쿨로 인한 어려움이 있다. 육삼은 가을과 겨울이 교차하는 때라서 덩굴풀의 잎이 떨어지고 가시가 남아있기 때문에 가시나무의 어려움이 있다. 초육이 감괘의 아래에 있는 경우는 바로 한 겨울의 때이다. 덩굴풀이 서리와 눈에 의해 말라서 조금도 남아있지 않고 남은 것이라고는 등걸일 뿐이다. 세 효가 모두 음이기 때문에 초목의 상과 연결지었다.

┃韓國大全┃

송시열(宋時烈)『역설(易說)』

初六, 坎爲臀, 巽爲木, 而互綜皆巽木之盤根者也, 故以株木言. 巽爲入, 坎爲幽谷之象, 離爲互卦, 初與四應, 則離居其中. 凡言三者, 見上雖有離明, 而坎本幽暗, 故久而不覿, 不覿者, 有坎暗而無離明也.

초육은, 감괘(☵)는 엉덩이가 되고 손괘(☴)는 나무가 되어 호괘와 거꾸로 된 괘가 모두 손괘인 나무의 얽힌 뿌리이므로 나무 등걸로 말하였다. 손괘는 들어감이 되고 감괘는 어두운 골짜기의 상이 되며, 리괘가 호괘가 되니 초효와 사효가 호응하면 리괘가 그 가운데 있다. '삼(三)'을 말한 것은 위를 보면 비록 리괘의 밝음이 있지만 감괘가 본래 어둡기 때문에 오래도록 만나보지 못하는 것이니, '만나보지 못함[不覿]'은 감괘의 어둠이 있고 리괘의 밝음이 없어서이다.

홍여하(洪汝河)「책제(策題):문역(問易)‧독서차기(讀書箚記)-주역(周易)」[45]

初六, 臀困于株木.

초육은 엉덩이가 나무 등걸 때문에 어렵다.

臀象於初, 取人坐義. 株木多心, 幽谷坎象.

초효를 엉덩이로 상징함은 사람이 앉는다는 뜻을 취한 것이다. '나무 등걸'은 심이 많으며, '어두운 골짜기'는 감괘의 상이다.

이익(李瀷)『역경질서(易經疾書)』

行必以足, 坐必以臀, 困者阨窮, 而無所避, 則坐困者也. 故以臀爲最下也. 株, 說文木根也. 只言株, 則是柤櫟之不安於坐者也, 韓愈所謂寧誻劘株櫟, 是也. 如今坐於林藪之間者, 多爲株櫟所妨, 此所謂株木也. 後世數木必以株. 故或通爲高幹之稱, 非其本義也. 人情之困, 莫甚於夫妻不相見, 谷比於宮益深. 以九三不見其妻之例推之, 妻不得覿夫也, 蓋指九四也. 易學正作入于幽谷不明也無一幽字

다니는 것은 다리로 해야 하고 앉는 것은 엉덩이로 해야 하는데, 어려움에 처한 자가 어려움

---

45) 경학자료집성DB에서는 곤괘(困卦)「단전」에 해당하는 것으로 분류했으나, 내용에 따라 이 자리로 옮겨왔다.

을 당하여 피할 곳이 없으니 앉기가 곤란한 것이다. 그러므로 엉덩이를 가장 아래로 삼았다. '등걸[株]'은 『설문』에서 나무뿌리라고 했다. 단지 등걸이라 한다면 앉기에 불편한 뿌리등걸이니, 한유가 말한 넓게 쪼개지고 깎인 뿌리등걸이 이것이다. 만약 지금 숲 속에서 앉으려는 사람에게 방해되는 뿌리등걸이 많다면 이것이 이른바 나무 등걸인 것이다. 후세에 자주 나무는 줄기여야 한다고 했다. 그러므로 혹 통용하여 높은 줄기를 말한다고 했지만 본래의 뜻이 아니다. 인정에 곤란한 것은 부부가 만나지 못함보다 심한 것이 없고, 골짜기는 집에 비교하여 더욱 깊다. 육삼(六三)[46]의 "그 처를 보지 못한다"의 예로 미뤄본다면 처가 지아비를 보지 못함이니 구사를 가리킨다. 『주역거정』[47]에는 "어두운 골짜기로 들어간다는 것은 밝지 못함이다"로 되어 있으니, "어두워 밝지 못한 것이다"에서 "어둡다[幽]"는 한 글자가 없다.

권만(權萬) 『역설(易說)』

初六三歲, 恐無吐. 初六四歲, 方遇九四, 但當曰三歲不覿.
초육의 '삼세'에는 아마도 토(吐)가 없어야 할 듯하다. 초육은 사년이 되어야만 구사를 만나니, 다만 "삼년동안 만나보지 못한다"고 해야만 한다.

심조(沈潮) 「역상차론(易象箚論)」

臀, 此爻有臀象也. 合初二四爲巽體而互離, 又爲科上稿. 故稱株木. 入亦巽也, 幽谷坎窞也. 三歲离數也, 又以陰居陽, 陽一陰二, 合爲三數也.
엉덩이는 이 효에 엉덩이의 상이 있어서이다. 초효와 이효와 사효가 합쳐서 손괘의 몸체가 되고 호괘가 리괘이니, 또한 속이 비고 위가 마른 나무가 된다. 그러므로 '나무 등걸'이라 하였다. '들어감[入]'은 또한 손괘이고 '어두운 골짜기[幽谷]'는 감괘의 구덩이다. '삼년[三歲]'은 리괘의 숫자이고, 또 음효가 양효의 자리에 있어서 양이 하나이고 음이 둘이니, 합쳐서 셋이라는 숫자가 된다.

유정원(柳正源) 『역해참고(易解參攷)』

徂徠石氏曰, 坎北方, 幽陰之象.
조래석씨가 말하였다: 감괘는 북방이니 어두운 음의 상이다.

---

46) 六三: 경학자료집성DB와 영인본에는 모두 '九三'으로 되어 있으나, 문맥을 살펴 '六三'으로 바로잡았다.
47) 『주역거정』: 당나라 곽경의 저술로 왕필과 한강백 주의 오류를 바로 잡았다.

○ 雙湖胡氏曰, 不覿, 初不爲四所覿, 四互離有覿象.

쌍호호씨가 말하였다: 만나보지 못함은 초효가 사효에게 보이지 않음이니, 사효의 호괘인 리괘에는 본다는 상이 있다.

○ 案. 三歲, 初與四歷三爻.

내가 살펴 보았다: '삼년[三歲]'은 초효와 사효가 세 개의 효를 거침이다.

傳〈案, 傳末本有株張愚反, 覿大歷反八字.〉

『정전』〈내가 살펴보았다: 『정전』의 끝에는 본래 '주(株)'는 '장(張)'과 '우(愚)'의 반절이고, '적(覿)'은 '대(大)'와 '력(歷)'의 반절이라는 글이 있었다.〉

本義小註, 雲峯說槎枿.〈說文, 槎斜斫也, 古作茬枿. ○ 韻會, 伐木餘也, 謂斫甍而復生. 或作櫱, 漢食貨志, 山不茬櫱.〉

『본의』 소주에서 운봉호씨가 '엇 찍은 그루터기[槎枿]'를 말하였다.〈『설문』에 '엇 찍대[槎]'는 비스듬히 자름이니, 옛날에는 그루터기라고 하였다. ○ 『운회』에는 나무를 자른 나머지이니, 가지를 쳐서 다시 나온 것을 말한다고 했다. 혹은 '그루터기'라고 하는데, 『한서』 「식화지」에는 산에 그루터기가 늘지 않았다고 하였다.〉

김상악(金相岳) 『산천역설(山天易說)』

初六, 臀困于株木. 入于幽谷, 三歲不覿.

초육은 엉덩이가 나무 등걸 때문에 어렵다. 어두운 골짜기로 들어가서 삼년이 지나도 만나보지 못한다.

株, 說文木根也. 初以陰居坎之下, 本欲掩剛, 反爲其所困, 而四互巽體, 處困之底, 居暗之深, 雖有正應於上, 初自蔽于下, 故歷三歲而不覿也.

'주(株)'는 『설문』에 나무 뿌리라고 하였다. 초효는 음으로 감괘의 아래에 있으면서 본래 굳센 것을 가리려 하였지만 도리어 곤란하게 되었고, 사효는 호괘인 손괘의 몸체로 곤괘의 아래에 있고 깊은 어둠에 잠겨 있으니, 비록 위로 바르게 호응함이 있지만 초효가 아래에서 스스로 가리기 때문에 삼년을 지나도 보지 못하는 것이다.

○ 臀, 坎象, 見夬九四. 株, 巽象, 巽木在上, 而根行于地中, 故初曰困于株木. 大過九二, 巽體居下, 曰枯楊生稊, 稊根也. 故困之取象如此. 蓋澤无水爲困, 澤卽困也. 困字從水, 困字從木, 水涸則木生, 故卦中陰爻, 皆困於草木也. 坎互巽, 入谷, 卽坎之窞也. 此爻之象, 困而不學民, 斯爲下者也. 與詩所謂出自幽谷遷于喬木相反, 孟子曰, 未聞 下喬木而入于幽谷者, 是也. 三歲, 初至四歷三位也, 不覿者, 入于幽谷而自莊也. 故與 豊上六同象. 柔之掩剛, 志不相孚, 故不取其比, 而初之與四, 爲正應故, 四曰來徐徐, 初不言凶. 二之與五, 同德爲應, 故二曰朱紱方來, 五曰乃徐有說, 所以處困者, 有應爲 善. 蓋澤无水爲困, 然兌金生坎水, 故象爻之取象不同. 誠齋易傳, 初六進而求四之應, 則四自厄於困之中, 如枯株之不能庇, 退而伏於二之下, 則己自墮於坎之底, 如幽谷之 无所覿. 故欲困君子而自困, 欲掩君子而自幽.

엉덩이는 감괘의 상이니 쾌괘의 구사에 보인다. 나무 등걸은 손괘의 상이니, 손괘인 나무가 위에 있고, 뿌리가 땅 속에서 자라는 것이므로 초효에서 "나무 등걸 때문에 어렵다"[48]고 하였다. 대과괘 구이는 손괘의 몸체가 아래에 있어 "마른 버들이 싹이 난다"고 하였으니, 싹이 뿌리이다. 그러므로 곤괘에서 상을 취한 것이 이와 같다. 못에 물이 없음이 곤괘가 되니 못[澤]은 연못[困]이다. '연(困)'에는 '수(水)'자가 있고, '곤(困)'에는 '목(木)'자가 있으 니, 물이 마르면 나무가 나오므로 괘 가운데 음효는 모두 초목 때문에 곤란하다. 감괘에 호괘가 손괘이니, 계곡에 들어감은 바로 감괘의 구덩이이다. 이 효의 상은 어려워 배우지 못한 백성으로 아래인 자이다. 『시경』에 이른바 "어두운 골짜기에서 나와 높은 나무로 올라 가도다"[49]와 서로 반대되니, 맹자가 "높은 나무에서 내려와 어두운 골짜기로 들어간다는 말 은 듣지 못하였다"[50]가 이것이다. '삼년[三歲]'은 초효부터 사효까지 세 자리를 거침이고, '만나 보지 못함'은 어두운 계곡에 들어가 스스로 엄격함이다. 그러므로 풍괘의 상육과 상이 같다. 부드러움이 굳셈을 가리면 뜻이 서로 믿지 못하므로 그 가까운 효를 취하지 않았고, 초효가 사효와 바르게 호응하는 것이 되므로 사효에서 "오는 것이 느리다"고 하고, 초효에서 흉함을 말하지 않았다. 이효가 오효와 덕이 같으며 호응하므로 이효에서 "임금이 비로소 올 것이다"라고 하고, 오효에서 "이내 서서히 기쁨이 있다"고 하였으니, 곤궁함에 대처함에 는 호응하는 것이 있으면 좋게 된다. 대체로 못에 물이 없는 것이 곤괘가 되지만, 태괘인 쇠가 감괘인 물을 낳기 때문에 단과 효에서 상을 취함이 같지 않다. 『성재역전』에, "초육이 나아가 사효에 호응을 구하면 사효가 스스로 곤란한 가운데 빠졌으니 마른 나무 등걸을 의 지할 수 없음가 같고, 물러나 이효의 아래에 엎드리면 자기 스스로 감괘의 밑으로 떨어짐이 니 어두운 골짜기에서 만나 보지 못함과 같다. 그러므로 군자를 곤란하게 하려 하지만 스스

---

48) 『周易·大過卦』: 九二, 枯楊, 生稊, 老夫得其女妻, 无不利.

49) 『詩經·小雅』: 伐木丁丁, 鳥鳴嚶嚶. 出自幽谷, 遷于喬木. 嚶其鳴矣, 求其友聲. 相彼鳥矣, 猶求友聲, 矧伊人矣, 不求友生. 神之聽之, 終和且平.

50) 『孟子·滕文公』: 吾聞出於幽谷, 遷于喬木者, 未聞下喬木而入於幽谷者.

로 곤란하고, 군자를 가리고자 하지만 스스로 어둡다"고 하였다.

서유신(徐有臣) 『역의의언(易義擬言)』

竊謂, 以九二六三之例, 則臀爲衍文, 以九五劓刖之例, 則有所闕誤. 木遇金而成器, 初六以堅多心之木, 不遇九四之金, 爲株木而已. 株木者, 不裁斲之木也, 有木而不見用, 是困于木也. 節變爲困, 而初六入于下, 入于幽谷之象也, 木在幽谷而不見用也. 應與相合, 則澤中便有水, 困極而通, 故雜卦曰困相遇也, 乃若初六者, 三歲不覿, 終無以合也, 居最深而困寂甚者也.

내가 살펴보았다: 구이와 육삼의 예로 본다면 '엉덩이[臀]'는 필요 없는 글자이고, 구오의 코와 발을 베이는 예로 본다면 빠진 글이 있다. 나무가 쇠를 만나서 그릇을 이루는데, 초육이 단단하고 심이 많은 나무로 구사의 쇠를 만나지 못하였으니, 나무 등걸이 될 뿐이다. 나무 등걸은 재단하지 않은 나무니, 나무가 있어도 쓰이지 않는 것이 나무에 곤란한 것이다. 절괘(節卦☵)가 변하여 곤괘가 되어 초육이 아래로 들어가는 것이 어두운 골짜기에 들어가는 상이니, 나무가 어두운 골짜기에 있어 쓰이지 않는 것이다. 호응하거나 서로 합치한다면 못에 물이 있고 곤궁함이 지극하여 통하는 것이므로 잡괘에서 "곤은 서로 만남이다"라고 하였지만, 초육과 같은 것은 삼년이 지나도 만나보지 못하여 끝내 합치 할 수 없으니, 가장 깊이 있으면서 곤궁함이 가장 심한 것이다.

박문건(朴文健) 『주역연의(周易衍義)』

進跨傷臀, 故有困于株木之象, 株木, 謂九四也.

나아가 뛰어넘다가 엉덩이를 다쳤으므로 나무 등걸 때문에 어려운 상이 있으니, 나무 등걸은 구사를 말한다.

《問, 臀困于株木以下. 曰, 初六, 進而見傷, 故其臀有困于株木之象, 是以避入不明之谷, 三歲不相見也.

물었다: "엉덩이가 나무 등걸 때문에 어렵다" 이하는 무슨 뜻입니까?

답하였다: 초육이 나아가다 상하게 되었으므로 그 엉덩이가 나무 등걸 때문에 곤란한 상이 있고, 이 때문에 밝지 않은 골짜기에 피해 들어가 삼년이 지나도 서로 보지 못하는 것입니다.》

이지연(李止淵) 『주역차의(周易箚疑)』

自六三至九五, 爲互巽, 巽者, 木之有枝而秀者也. 自初六至九二, 爲半巽, 半巽者, 木之刈其上而存其株者也. 猶言坐於針氈之上. 幽谷者, 坎之窞也. 坎之數, 多以三言之, 觀於習坎之本卦, 可考也.

육삼으로부터 구오까지는 호괘인 손괘가 되니, 손괘는 나무의 가지가 있어 번성한 것이다. 초육으로부터 구이까지는 반쪽의 손괘이니, 반쪽의 손괘는 나무가 그 윗부분이 잘려서 나무 등걸만 남은 것이다. 가시 방석의 위에 앉는다고 말함과 같다. 어두운 골짜기는 감괘의 구덩이다. 감괘의 숫자는 흔히 셋으로 말하는데, 습감의 본괘를 보면 알 수 있다.

김기례(金箕澧) 「역요선의강목(易要選義綱目)」

陰居困下, 故曰臀.

음효가 곤괘의 아래에 있으므로 "엉덩이"라 하였다.

○ 九四爲上陰所揜, 不能應初, 則與株木之无枝葉庇下.

구사가 상육에 가려져서 초효와 호응할 수 없으니, 나무 등걸이 가지와 잎이 없으면서 아래를 감싸는 것이다.

○ 初居坎宂之下, 故曰入幽谷.

초효는 감괘의 깊숙한 속에 있으므로 "어두운 골짜기에 들어갔다"고 하였다.

○ 初至四歷三爻, 故曰三歲, 言久不遇.

초효부터 사효까지 세 개의 효를 거치므로 '삼년'이라 하였으니 오래도록 만나지 못함을 말한다.

이항로(李恒老) 「주역전의동이석의(周易傳義同異釋義)」

傳, 九四, 不能庇物,[51] 故爲株木.

『정전』에서 말하였다: 구사는 사물을 보호할 수 없기 때문에 나무 등걸이라 하였다

本義, 困于株木, 傷而不能安也.

『본의』에서 말하였다: 나무 등걸 때문에 어려움은 상하여 편안하지 못한 것이다.

---

51) 物: 경학자료집성DB와 원전에는 '時'로 되어 있으나, 『정전』의 원문에 따라 '物'로 바로잡았다.

按, 朱子曰, 如伊川說, 恐說臀字不去.

내가 살펴보았다: 주자가 말하였다: 이천과 같이 말하면 아마도 '전(臀)'자가 설명이 되지 않을 것 같다.

又按, 說卦, 坎其於木也, 爲堅多心. 荀九家爲叢棘爲蒺藜. 初六坎體又居下, 故有堅木傷臀之象. 六三據于蒺藜, 及坎卦上六係于叢棘, 亦取此象. 株木, 猶槁枿枂枿木之堅心也.

또 살펴보았다. 「설괘전」에서 "감(坎☵)은 나무에 있어서는 단단하고 심[52]이 많음이 된다"[53]고 하였다. 『순구가역』에서 "가시나무 덤불이고, 가시나무이다"고 하였다. 초육은 감괘의 몸체이고 또 아래에 있기 때문에 딱딱한 나무 때문에 엉덩이가 상처를 입는 상이 있다. 육삼의 "가시나무에 앉아있음"과 감괘(坎卦☵) 상육의 "가시나무 덤불에 매여 있음"[54]이 또한 이 상을 취한 것이다. '나무 등걸'은 나무토막이나 썩은 나무의 굳은 심지와 같다.

심대윤(沈大允) 『주역상의점법(周易象義占法)』

困之義, 君子處困而求達也. 困之世貴有應援, 然後能亨. 故重應以聞達於疏遠爲多, 而但知於私黨爲吝. 故同物而亦取應也. 困之爻位, 居剛果於自守也, 居柔求達也.

곤괘의 뜻은 군자가 곤궁함에 처하여 현달을 구함이다. 곤궁한 때에는 호응과 도움이 있는 것이 귀하니, 그런 뒤에야 형통할 수 있다. 그러므로 거듭 호응하여 소원한 것에 알리려 함이 많지만 사사로운 무리에게 알려짐은 꺼린다. 그러므로 같은 사물끼리 또한 취하여 호응한다. 곤괘의 효의 자리는 굳센 자리에 있으면 스스로를 지킴에 과감하고, 부드러운 자리에 있으면 현달을 구한다.

困之兌☱. 初居困之初, 无位而居剛. 君子不遇於世, 有所自守而娛樂也. 應四而阻二, 困之世, 志在於應, 而妮於比近. 故曰臀困于株木, 言阻於二而不行也. 坎爲臀, 坎叢互巽木而有离枯, 爲株木无枝葉之象. 取其无蔭庇也, 謂二之相識, 不足以有達也. 入于幽谷, 言沈冥之甚也. 巽爲入坎, 互艮离爲幽谷, 對卦爲艮. 三歲不覿, 言不得於四也, 巽爲三, 坎离爲歲, 兌离爲不覿. 初之時宜其固守, 故不言凶咎也.

곤괘가 태괘(☱)로 바뀌었다. 초효가 곤괘의 처음에 있으니, 자리가 없으면서 굳센 자리에

---

52) 심: 뿌리 속에 섞인 질긴 줄기를 말한다.

53) 「說卦傳」: 坎, 爲水, 爲溝瀆, 爲隱伏, 爲矯輮, 爲弓輪. 其於人也, 爲加憂, 爲心病, 爲耳痛, 爲血卦, 爲赤. 其於馬也, 爲美脊, 爲亟心, 爲下首, 爲薄蹄, 爲曳. 其於輿也, 爲多眚, 爲通, 爲月, 爲盜. 其於木也, 爲堅多心.

54) 『周易·坎卦』: 上六, 係用徽纆, 寘于叢棘, 三歲, 不得, 凶.

있는 것이다. 군자가 때를 만나지 못하여 스스로 지키며 즐기는 것이다. 사효에 호응하지만 이효에 막혔으니, 곤궁한 때에는 뜻은 호응하는 것에 있지만 가까운 것을 가까이 한다. 그러므로 "엉덩이가 나무 등걸 때문에 어렵다"고 하였으니, 이효에 막혀서 나아가지 못함을 말한다. 감괘가 엉덩이가 되고, 감괘의 숲에 호괘가 손괘인 나무이고 리괘의 마름이 있으니 나무 등걸이 가지와 잎이 없는 상이 된다. 그것이 그늘과 가림이 없음을 취한 것이니, 두 효가 서로 알지만 전달할 수 없음을 말한다. "어두운 골짜기로 들어간다"는 깊고 어두움이 심함을 말한다. 손괘는 감괘에 들어감이 되고, 간괘에 뒤섞인 리괘가 어두운 골짜기가 되니, 음양이 반대인 것이 간괘가 된다. "삼년이 지나도 만나 보지 못한다"는 사효를 만날 수 없음을 말하니, 손괘는 '삼(三)'이 되고 감괘와 리괘가 '해[歲]'가 되며, 태괘와 리괘가 '만나 보지 못함[不覿]'이 된다. 초효의 때에는 마땅히 굳게 지켜야 하므로 흉함과 허물을 말하지 않았다.

오치기(吳致箕)「주역경전증해(周易經傳增解)」

初六, 陰柔不正而在下无位. 雖與九四之剛爲正應, 而險剛在前, 爲其所隔, 不得與四相遇. 故不安其居, 而有臀困株木之象. 不見其明, 而有入于幽谷之象, 乃至三歲之久, 不能相覿. 其困如此, 卽象而占, 可知矣.

초육은 부드러운 음이 바르지 못하며 아래에서 지위가 없다. 비록 구사의 굳셈과 바르게 호응하지만 험난한 굳셈이 앞에 있어 가려지게 되니 구사와 서로 만날 수 없다. 그러므로 그 자리가 편안하지 못하여 엉덩이가 나무 등걸 때문에 어려운 상이 있다. 그 밝음을 보지 못하여 어두운 골짜기에 들어가는 상이 있고, 삼년의 세월이 지나도 서로 볼 수 없다. 그 곤란함이 이와 같은 것이니, 상에 나아가 점을 알 수 있을 것이다.

○ 坎爲臀象. 水邊露根之木, 曰株木, 而取於互巽及坎也. 入取於互巽, 幽取於坎, 爲隱伏也. 山間水道, 曰谷, 而取對艮及坎, 三取於坎, 覿取互離也.

감괘는 엉덩이의 상이 된다. 물가에 뿌리가 드러난 나무를 '나무 등걸[株木]'이라 하니, 호괘인 손괘와 감괘에서 취하였다. '들어감'은 호괘인 손괘에서 취하였고, '어두움'은 감괘에서 취하였으니 숨는 것이 된다. 산의 사이에 물길을 '골짜기'라 하는데, 음양이 반대되는 간괘의 감괘에서 취하였고, '삼(三)'은 감괘에서 취하였고, '만나 봄[覿]'은 호괘인 리괘에서 취하였다.

이진상(李震相)『역학관규(易學管窺)』

臀坎象. 株木, 坎木堅多心之象. 但木以株言, 則旣伐之餘枿也. 或以莊子之橛株拘證其爲杙, 然離爲戈兵, 兌爲毁折, 乃株木象. 幽谷, 坎之深處, 坎水下漏. 故取谷象, 而初陰在下, 故曰谷. 三互離位, 自初至四, 歷三爻也. 離體在上, 而九二阻之, 六三[55]掩之, 所以不覿其正應.

'엉덩이'는 감괘의 상이다. 나무 등걸은 감괘의 나무이니, 단단하고 속이 많은 상이다. 다만 나무를 등걸로 말했으니 이미 벋친 가지를 베어낸 것이다. 혹은 『장자』의 뿌리박고 있는 나무 등걸을 근거로 그것이 말뚝이 된다고 하지만, 리괘는 병기가 되고 태괘는 꺾어 훼손함이 되니, 나무 등걸의 상이다. 어두운 골짜기는 감괘의 깊은 곳이니, 감괘의 물이 아래로 새나가는 것이다. 그러므로 골짜기의 상을 취하였고, 아래에 있는 초효가 음효이므로 '골짜기'라 하였다. '삼(三)'은 호괘인 리괘의 자리이니, 초효부터 사효까지 삼효를 거친 것이다. 리괘의 몸체가 위에 있으면서 구이가 막고 육삼이 가리니, 그 바르게 호응하는 것을 만나보지 못하는 것이다.

박문호(朴文鎬) 「경설(經說)·주역(周易)」

失剛, 言不得剛位也, 不遇其所亨, 言不遇四也. 若遇正應, 則必亨矣.

『정전』의 '굳셈을 잃음'은 굳셈의 자리를 차지하지 못함을 말함이고, '형통한 바를 만나지 못함'은 사효를 만나지 못함을 말한 것이다. 만약 바르게 호응하는 것을 만났다면 반드시 형통할 것이다.

---

55) 三: 경학자료집성DB와 원전에는 '二'로 되어 있으나, 문맥을 살펴 '三'으로 바로잡았다.

象曰, 入于幽谷, 幽不明也.

「상전」에서 말하였다: "어두운 골짜기로 들어감"은 어두워 밝지 못한 것이다.

‖中國大全‖

傳

幽不明也, 謂益入昏暗, 自陷於深困也. 明則不至於陷矣.

어두워 밝지 못함은 더욱 어두운 곳에 들어가서 스스로 더욱 어려움에 빠짐을 말한다. 밝으면 빠짐에 이르지 않을 것이다.

小註

張子曰, 處困者, 正乃无咎, 居非得中, 故幽不明也.

장자가 말하였다: 어려움에 처한 사람은 바르게 해야 허물이 없는데, 거처한 것이 알맞음을 얻지 못했기 때문에 어두워 밝지 못하다.

‖韓國大全‖

김상악(金相岳) 『산천역설(山天易說)』

剛掩, 則柔亦不明也.

굳셈이 가려지면 부드러움도 밝지 못하다.

서유신(徐有臣) 『역의의언(易義擬言)』

坎體爲幽也, 九四互離不相應, 故不明也.

감괘의 몸체가 어두움이 되고, 구사와 호괘인 리괘가 서로 호응하지 않으므로 밝지 못한 것이다.

오치기(吳致箕) 「주역경전증해(周易經傳增解)」

幽而不明, 深入于谷, 困之甚也.

어두워 밝지 않아서 깊이 골짜기에 들어가니 매우 곤란한 것이다.

이병헌(李炳憲) 『역경금문고통론(易經今文考通論)』

澤無水則爲谷下, 民之坐木根無覩, 同爲坎上. 三歲不得之歸, 則幽而不明, 信如何也.

못에 물이 없으니 골짜기의 아래가 되고, 아래 백성이 나무뿌리에 앉아 보이는 것이 없음이 함께 감괘의 위가 된다. 삼년이 지나도 돌아갈 수 없다면 어두워 밝지 못함이니 참으로 어떻겠는가?

九二, 困于酒食, 朱紱方來, 利用亨祀, 征凶无咎.

정전 구이는 술과 밥 때문에 어려우나 붉은 슬갑이 바야흐로 오리니, 향사에 쓰는 것이 이롭다. 가면 흉하니 허물할 데가 없다.

본의 구이는 술과 밥을 실컷 먹어 노곤하나 붉은 슬갑이 바야흐로 오니 향사 하는 것이 이롭고 가면 흉하나 허물은 없다.

‖ 中國大全 ‖

傳

酒食人所欲而所以施惠也. 二以剛中之才而處困之時, 君子安其所遇, 雖窮厄險難, 无所動其心, 不恤其爲困也. 所困者, 唯困於所欲耳. 君子之所欲者, 澤天下之民, 濟天下之困也. 二未得遂其欲施其惠, 故爲困于酒食也. 大人君子懷其道而困於下, 必得有道之君, 求而用之, 然後能施其所蘊. 二以剛中之德困於下, 上有九五剛中之君, 道同德合, 必來相求, 故云朱紱方來, 方來方且來也. 朱紱, 王者之服, 蔽膝也. 以行來爲義, 故以蔽膝言之. 利用享祀, 享祀以至誠通神明也. 在困之時, 利用至誠如享祀然, 其德旣誠, 自能感通於上. 自昔賢哲困於幽遠, 而德卒升聞, 道卒爲用者, 唯自守至誠而已. 征凶无咎, 方困之時, 若不至誠安處以俟命, 往而求之, 則犯難得凶, 乃自取也. 將誰咎乎. 不度時而征, 乃不安其所, 爲困所動也. 失剛中之德, 自取凶悔, 何所怨咎. 諸卦二五以陰陽相應而吉, 唯小畜與困乃戹於陰, 故同道相求, 小畜陽爲陰所畜, 困陽爲陰所掩也.

술과 밥은 사람이 먹는 것이고 은혜를 베푸는 것이다. 이효가 군세고 알맞은 재질로 이려울 때에 있으니, 군자는 만난 바를 편안히 여겨 비록 곤궁하고 험난하나 마음을 동요하는 바가 없어 그 어려움을 근심하지 않는다. 어려운 것은 오직 하고자 하는 바에 어려울 뿐이다. 군자가 하고자 하는 것은 천하의 백성에게 은택을 내려 천하의 어려움을 구제하는 것이다. 이효가 하고자 함을 이루고 은혜를 베풀지 못하므로 술과 밥 때문에 어렵다고 한 것이다. 대인·군자가 도를 품고 아래에서 어려울 때에는 반드시 도가 있는 임금이 찾아서 등용함을 얻은 뒤에야 그 쌓은 것을 베풀 수 있다. 이효가 군세고 알맞은 덕으로 아래에서 어려우니, 위에 군세고 알맞은 구오의 임금이 있어 도가 같고 덕이 합하여 반드시 와서 서로 찾을 것이므로 붉은 슬갑이 바야흐로 온다고 말하였으니, '방래(方來)'는 바야흐로 장차 오는 것이다. 붉은 슬갑은 왕자(王者)의 의복으로 무릎 가리개이니, 걸어오는 것을 뜻으로 삼았기 때문에 무릎 가리개로 말하였다. 향사에 쓰는 것이 이롭다는 것은 향사는 지극한 정성으로 신명을 통하는 것이다. 어려운 때에는 지극한 정성을 써서 향사하듯이 함이 이로우니, 그 덕이 이미 성실하면 자연 윗사람을 감통시킬 수 있다. 예로부터 현명하고 밝은 사람들이 궁벽한 곳에서 어려웠으나 끝내는 덕이 올라가 알려져서 도가 마침내 쓰였던 것은 오직 스스로 지극한 정성을 지켜서일 뿐이다. "가면 흉하니 허물할 데가 없다"는 것은 어려운 때에 만일 지극한 정성으로 편안히 처하여 천명을 기다리지 않고 가서 구한다면 난을 범하여 흉함을 얻으리니, 이것은 스스로 취하는 것이다. 장차 누구를 허물하겠는가? 때를 헤아리지 않고 가면 바로 제자리를 편안히 여기지 못하는 것이니, 어려움에 동요당하는 바가 된다. 굳세고 알맞은 덕을 잃어 스스로 흉함과 뉘우침을 취하니, 누구를 원망하고 허물하겠는가? 여러 괘에서 이효와 오효는 음과 양이 서로 호응하는 것이 길하지만, 오직 소축괘(小畜卦)와 곤괘(困卦)는 음에 어려움을 당하기 때문에 도가 같은 자가 서로 구하니, 소축괘는 양이 음에게 저지당하고, 곤괘는 양이 음에게 가려지기 때문이다.

小註

朱子曰, 朱紱赤紱, 若如伊川說, 使書傳中說臣下皆是赤紱則可, 詩中卻有朱芾斯皇一句, 是說方叔, 於理又似不甚通.

주자가 말하였다: '붉은 슬갑(朱紱)'과 '적색 슬갑(赤紱)'을 이천처럼 설명한다면, 『서전』에서 "신하들은 모두 적색 슬갑을 한다"라고 설명한 것은 그런대로 괜찮으나, 『시경』에 "붉은 슬갑이 빛나며"라는 한 구절이 있는데 이는 방숙(方叔)을 말한 것이니,[56] 이치상 그렇게 잘 통하지 않는 듯하다.

○ 白雲郭氏曰, 九二剛中之大臣, 困而不失其所亨者. 君子困於家食之際, 無飲食宴樂之奉, 其道則不可得而困. 九五之君子, 方將以同德而來求, 則困于酒食, 非所憂也.

백운곽씨가 말하였다: 구이는 굳세고 알맞은 대신으로 어려워도 형통함을 잃지 않는 자이다. 군자가 집에서 먹는 때에 어려워서 음식과 잔치의 봉양이 없더라도, 그의 도를 어렵게 할 수는 없다. 구오의 군자가 막 같은 덕을 가지고 와서 구한다면, 술과 밥 때문에 어렵더라도 근심할 일이 아니다.

---

56) 『詩經·采芑』: 方叔率止, 約軧錯衡, 八鸞瑲瑲. 服其命服, 朱芾斯皇, 有瑲葱珩.

本義

困于酒食, 厭飫苦惱之意. 酒食人之所欲, 然醉飽過宜, 則是反爲所困矣. 朱紱
方來, 上應之也. 九二有剛中之德, 以處困時, 雖無凶害而反困於得其所欲之多.
故其象如此而其占利以享祀. 若征行, 則非其時故凶, 而於義爲无咎也.

"술과 밥 때문에 어렵다"는 것은 술과 밥을 실컷 먹어 고뇌한다는 뜻이다. 술과 밥은 사람이 먹고자
하는 것이지만, 취하고 배부름이 적당함을 지나면 이는 도리어 어려움을 당하는 것이 된다. "붉은
슬갑이 바야흐로 온다"는 것은 윗사람이 호응하는 것이다. 구이가 굳세고 알맞은 덕을 소유하고 어
려운 때에 처하여 비록 흉함과 해로움은 없지만, 도리어 하고자 하는 바를 얻기를 많이 하는 것에서
어렵게 된다. 그러므로 그 상이 이와 같고 그 점은 향사를 올리는 것이 이롭다. 만일 가면 알맞은
때가 아니므로 흉하지만, 의에 비추어보면 허물이 없는 것이 된다.

小註

或問, 困于酒食, 本義作饜飫於所欲, 是如何. 朱子曰, 此是困於好底事. 在困之時, 有
困於好事者, 有困於不好事者. 此爻是好爻, 當困時則是困於好事. 如感時花濺淚, 恨
別鳥驚心, 花鳥好娛戲底物, 這時卻發人不好底意思, 是因好物而困也. 酒食饜飫, 亦
如此.

어떤 이가 물었다: "술과 밥을 실컷 먹어 노곤하다"는 것을 『본의』에서는 하고자 하는 것을
실컷 하는 것으로 풀이했는데, 어떻습니까?
주자가 답하였다: 이는 좋은 일 때문에 어려운 것입니다. 어려운 처지에 있을 때에는 좋은
일 때문에 어려운 경우도 있고 좋지 않은 일 때문에 어려운 경우도 있습니다. 이 효는 좋은
효이니, 어려운 때를 당해서는 좋은 일 때문에 어렵습니다. 예를 들어 "시절을 느껴 꽃도
눈물을 뿌리고, 이별을 슬퍼하여 새도 깜짝 놀란다"[57]고 하였는데, 갖고 놀기에 좋은 것이지
만 이 때에는 도리어 사람의 좋지 않은 생각을 일으키는 것이니, 이것이 좋은 것으로 인하여
어렵게 되는 것입니다. 술과 밥을 실컷 먹는다는 것도 또한 이와 같습니다.

○ 問, 朱紱方來, 利用享祀. 曰, 以之事君, 則君應之, 以之事神, 則神應之.
물었다: "붉은 슬갑이 바야흐로 오니 향사 하는 것이 이롭다"는 것은 무슨 뜻입니까?
답하였다: 그로써 임금을 섬기면 임금이 호응하고, 그로써 신을 섬기면 신이 호응합니다.

○ 問, 困二五皆利用祭祀, 是如何. 曰, 他得中正, 又似取無應而心專一底意思.

---

57) 두보(杜甫)의 시 「춘망(春望)」에서 인용한 내용이다.

물었다: 곤괘의 이효와 오효는 모두 "제사 하는 것이 이롭다"고 하였는데, 어떻습니까?
답하였다: 그것들이 중정을 얻었고, 또한 호응이 없어서 마음이 전일한 뜻을 취한 듯합니다.

○ 祭祀享祀, 想只說箇祭祀, 无那自家活人卻享他人祭之說.

제사와 향사는 생각해 보건대 모두 제사를 말하니, 스스로 살아 있는 사람이 다른 사람의
제사를 받는다는 설은 없다.

○ 中溪張氏曰, 坎爲水, 水潤萬物, 如飮食之養人. 故需五困二, 上下卦有坎體者, 亦
皆有酒食之象. 況九二以剛居中, 自有方來之慶, 又豈眞困于酒食也哉.

중계장씨가 말하였다: 감괘는 물이 되고 물은 만물을 적시니, 마치 음식이 사람을 기르는
것과 같다. 그러므로 수괘(需卦)의 오효와 곤괘(困卦)의 이효와 같이 상하의 괘에 감괘가
있는 경우에는 모두 술과 밥의 상이 있다. 하물며 구이는 굳셈으로 가운데 있어서 저절로
'바야흐로 오는' 경사가 있으니, 어찌 참으로 술과 밥을 실컷 먹어 노곤한 것이겠는가?

○ 雲峯胡氏曰, 困于酒食, 醉飽之過, 因饜飫而生苦惱者也. 視初之困于株木, 三之困
于石, 有間矣. 所以初入幽谷, 三不見其妻, 二則有朱紱方來之慶. 特五亦爲柔所掩, 其
來也緩, 故曰方來耳, 其占利於享祀而不利於征行. 困之時, 誠一切至, 可通神明, 不必
急於往也. 无咎諸家以爲誰咎, 則當如節之象曰, 又誰咎也. 今象曰中有慶, 則征凶者,
行非其時故凶, 而於義无咎也. 本義精矣.

운봉호씨가 말하였다: "술과 밥을 실컷 먹어 노곤하다"는 것은 취하고 배부름이 지나쳐 실컷
먹은 것으로 인하여 고뇌가 생긴 것이다. 초효가 나무 등걸 때문에 어렵고, 삼효가 돌 때문
에 어려운 것과 비교하면 차이가 있다. 그래서 초효는 어두운 골짜기로 들어가고 삼효는
처를 보지 못하지만, 이효는 붉은 슬갑이 바야흐로 오는 경사가 있다. 다만 오효 또한 부드
러운 음에 가려져서 오는 것이 늦기 때문에 "바야흐로 온다"고 말했을 뿐이고, 그 점은 향사
하는 데에는 이롭고 가는 데에는 이롭지 않다고 하였다. 어려운 때에는 정성이 한결같고
절실함이 지극해서 신명에 통할 수 있어야지, 가는데 급급할 필요는 없다. "허물이 없다"는
말은 여러 학자들이 "누구를 허물하겠는가?"라고 풀이했으니, 절괘(節卦)의 「상전」에서 "또
한 누구를 허물하겠는가"라고 한 말과 같이 풀이해야 한다.[58] 지금 「상전」에서 "알맞아서
경사가 있을 것이다"라고 한 것은 가면 흉하다는 것이니, 행하는 것이 때에 맞지 않기 때문
에 흉하지만, 의리상 허물이 없다는 것이다. 『본의』가 정밀하다.

---

58) 절괘(節卦) 육삼(六三)의 「소상전」을 말한다.

‖韓國大全‖

권근(權近)『주역천견록(周易淺見錄)』

困于酒食與需于酒食語同. 酒食, 宴安自養之具. 九二坎體, 陷於二陰之中, 而在困時, 上無應與, 未得自安者也. 然九五亦以剛陽而在困, 下亦無應, 自以同德相應, 而有求於二. 故云朱紱方來. 方者將然之辭, 享祀, 祭神而受福之事也. 九二初雖在困而無應, 不得以自安, 然將有九五同德之應, 自來相援, 可以濟困, 猶設祭享而自然得福也. 蓋享祀所以報本追遠, 所當自致其誠, 非欲其受福而爲之也. 然能盡誠, 自能得福. 人之處困, 唯當自盡其道, 以待其時, 則不必往求剛援, 而剛援自至. 故云利用享祀. 不可不待其時, 輕有所往, 以求之, 在困而往, 其無凶乎? 但九二剛中有濟困之才, 往欲濟時之困, 於義爲無咎也.

"술과 밥 때문에 어렵다[困于酒食]"와 "술과 음식으로 기다린다[需于酒食]"[59]는 같은 말이다. '술과 밥'은 편안하게 자신을 기르는 도구이다. 구이는 감(坎)의 몸체로 두 음 가운데 빠져 있고 곤의 상황에 처하여 위로 호응할 짝이 없으니 스스로 편안할 수 없는 자이다. 그러나 구오도 굳센 양으로 곤의 상황에 처해 있고 아래로 호응이 없어 스스로 같은 덕으로 서로 호응해서 이효에게 구한다. 그러므로 "붉은 슬갑이 바야흐로 올 것이다"라고 하였다. '바야흐로[方]'란 앞으로 그럴 것이란 말이고, '향사에 씀[享祀]'은 신에게 제사를 드려 복을 받는 일이다. 구이가 처음에는 비록 곤의 상황에 처하여 호응이 없어 스스로 편안하지 못하지만, 장차 같은 덕을 지닌 구오의 호응이 저절로 와서 도움으로 곤궁한 상황에서 구제될 수 있으니, 마치 제사를 지내면 자연스레 복을 얻게 되는 것과 같다. 제사를 올리는 것은 근본에 보답하고 멀리 떠난 이를 추억하기 위해 자기의 정성을 다할 뿐이지 복 받기 위해 하는 것은 아니다. 그러나 정성을 다할 수 있으면 절로 복을 받을 수 있게 된다. 사람이 곤궁한 상황에 빠져 오직 도리를 다하여 때가 이르기를 기다린다면 가서 굳센 양이 구원해 주기를 요구하지 않아도 굳센 양의 구원이 저절로 이르게 된다. 그러므로 "향사에 쓰는 것이 이롭다"고 하였다. 그때를 기다리지 않고 가벼이 가 구원해 주기를 요구해서는 안 되니, 곤란한 상황에 있으면서 간다면 흉함이 없겠는가? 다만 구이는 굳센 양으로서 중의 자리에 있어 곤한 상황을 구제할 재능이 있으므로 가서 당시의 곤함을 구하고자 하는 것이니 의리상 허물은 없다.

---

59)『周易・需卦』: 九五, 需于酒食, 貞吉.

或曰, 處困而求援以相濟, 無上下一也. 指九五爲朱紱方來, 是來求也. 九二征凶, 是不可往求,. 何也? 曰位不同也. 在上者, 當求在下之賢, 以自輔, 在下者, 不可枉道, 而先求於上也.

어떤 이가 말하였다: 곤궁한 상황에 빠져서는 도움을 받아 구제되기를 구하는 것은 위아래할 것 없이 똑같다. 구오를 가리켜 "붉은 슬갑이 바야흐로 온다"고 한 것은 와서 구한다는 것이다. 구이에 "가면 흉하다"고 한 것은 가서 구하면 안 된다는 것이니 무엇 때문인가? 자리가 같지 않기 때문이다. 윗자리에 있는 사람은 아랫자리에 있는 현자를 구하여 자신을 보필하도록 해야 하고, 아랫자리에 있는 사람은 도리를 굽히면서까지 윗자리에 있는 사람에게 먼저 요구해서는 안 되기 때문이다.

김장생(金長生) 『주역(周易)』

困于酒食.

술과 밥 때문에 어렵다.

困于酒食, 非謂飮食之事也, 得遂其欲施其惠也, 義意困于酒食之說未襯貼.

"술과 밥 때문에 어려움"은 음식의 일을 말한 것이 아니라 욕심을 이룸과 은혜를 베풀 수 있음을 말하였으니, 『본의』의 술과 밥에 대한 설명은 적절하지 않은 듯하다.

송시열(宋時烈) 『역설(易說)』

坎爲酒, 兌爲口食, 故曰困于酒食, 離爲朱, 巽爲繩, 故以紱言之, 言坎兌方困之時離巽方來也. 卦有飮食象, 而巽爲潔齊, 故曰利用亨祀. 若往而求應, 則以陽, 其道不吉, 故曰征凶. 然旣處中爻, 故曰无咎. 小象亦以處中爻終必有慶言之.

감괘는 술이고 태괘는 입으로 먹는 것이기 때문에 "술과 밥 때문에 어려움"이라고 하였고, 리괘는 붉은 색이고 손괘는 끈이기 때문에 슬갑으로 말하였으니 감괘·태괘의 한창 어려운 때에 리괘·손괘가 막 왔다는 말이다. 괘에 음식의 상이 있고 손괘는 정결하고 가지런함이 되기 때문에 "향사에 쓰는 것이 이롭다"고 하였다. 만일 가서 호응을 구한다면 양이어서 그 도가 불길하기 때문에 "가면 흉하다"고 하였다. 그러나 이미 가운데 자리에 있는 효이기 때문에 "허물할 데가 없다"고 하였다. 「소상전」에서도 가운데 자리에 있는 효라서 마침내 반드시 경사가 있을 것이라고 말하였다.

홍여하(洪汝河)「책제(策題):문역(問易)・독서차기(讀書箚記)-주역(周易)」

困于酒食.

술과 밥 때문에 어렵다.

酒取坎象, 朱紱, 互離. 上兌互巽, 享祀是宜.

술은 감괘의 상을 취하였고 "붉은 슬갑"은 호괘가 리괘이기 때문이다. 상괘가 태괘이고 호괘가 손괘이니 향사를 올리는 것이 마땅하다.

권거(權榘)「독역쇄의(讀易瑣義)・역중기의(易中記疑)・역괘취상(易卦取象)」

當困時, 九二以陽剛之才, 陷於險中, 而九五又非陰陽正應, 未易卽合. 故中正自守, 不得進爲於世, 而只飮食宴樂, 以待時. 以九二之才之德, 未施於用, 但孚于飮酒而已. 則二雖處困而亨, 自他人視之, 可謂困矣. 故曰困于酒食. 然九五以同德相應, 必來相求, 而其所以自樂待時者, 終必展其所抱, 以濟一時之困, 故曰中有慶也.

곤괘의 때에 구이가 굳센 양의 재질로 험한 가운데에 빠져있고 구오도 음양의 정응이 아니니 바로 합하기에 쉽지 않다. 그러므로 중정으로 스스로 지키며 세상에 나아가 행하지 못하고 다만 음식으로 잔치하면서 때를 기다린다. 구이의 재질과 덕으로 쓰임이 되지 못하고 다만 믿음을 가지고 술을 마실 뿐이다. 이효가 비록 어려움에 처하였으나 정성을 다하니 다른 사람들이 보기에는 어렵다고 말할 수 있기 때문에 "술과 밥 때문에 어려움"이라고 말하였다. 그러나 구오가 같은 덕으로 서로 호응하여 반드시 와서 서로 찾을 것이니 스스로 즐기면서 때를 기다리는 자는 마침내 반드시 자신의 포부를 펴서 한 때의 어려움을 구제하기 때문에 "알맞아서 경사가 있을 것이다"라고 하였다.

이익(李瀷)『역경질서(易經疾書)』

初直臀. 故二直腹, 三直手, 五直頭, 上直頂. 九二當坎水之中, 而腹之所困惟酒食也. 酒食, 酒飮也. 攄井之澠食泉食, 飮亦可謂食, 此謂飮過而迷醉也. 朱紱方來是倒句. 方來其始也, 困酒爲紱來故也. 貴顯之始, 不自節約, 淫湎于酒食也, 水入腹而成困, 惟酒爲然. 淫湎不節, 非貴顯不能也. 傳云中有慶也, 慶字屬朱紱, 以朱紱爲慶而然, 非以爲祥也. 不然何謂之困. 書云羞饋祀則飮, 惟享祀則不害, 故與自養有異也. 征凶帖困于酒食, 无咎帖享祀, 謂有此兩般也.

초효는 바로 엉덩이이다. 그러므로 이효는 바로 배이고 삼효는 바로 손이며 오효는 바로 머리이고 상효는 바로 정수리이다. 구이는 물인 감괘의 가운데에 있으니 배가 어려운 것은 오직 술을 마셔서이다. '주식(酒食)'은 술을 마심이다. 정괘(井卦)의 "깨끗하여 마심"[60]과 "샘물을 마심"[61]에 근거해 보면 '마심[飮]'도 '식[食]'이라고 이를 수 있으니 이는 지나치게 마셔서 취하여 혼미함을 이른다. '주불방래(朱紱方來)'는 구문이 도치되었다. '방래(方來)'가 앞으로 와야 하니 술 때문에 어렵게 된 것이 붉은 슬갑을 입을 수 있는 처지이기 때문이다. 귀하고 현달한 초기에 스스로 절제하거나 검소하게 하지 않고 지나치게 술 마시는 데에 빠지니 물이 배에 들어가 어렵게 된 것은 오직 술이 그렇게 만든 것이다. 술에 빠져 절제하지 않음은 귀하고 현달한 이가 아니면 할 수 없다. 「소상전」에 "알맞아서 경사가 있을 것이다"의 '경사'에 '붉은 슬갑'의 의미가 있으니 붉은 슬갑으로 경사를 삼아서 그렇게 된 것이니 상서로운 의미가 아니다. 그렇지 않다면 어떻게 "어렵다"고 이를 수 있겠는가? 『서경』에 "음식을 올릴 수 있고서야 술을 마실 수 있다"[62]고 하였으니 향사 지내는 것만이 해롭지 않다. 그러므로 자신을 봉양하는 것과는 다르다. "가면 흉함"은 "술 마시기 때문에 어려움"과 이어지고 "허물한 데가 없음"은 "향사 지냄"과 이어지니 두 가지가 있음을 이른다.

夫[63]崇高莫大乎富貴, 衆人之所同願, 敗家由乎此, 陷身由乎此, 聖人不言進, 而戒其盈. 訟之鞶遞, 已明其不足敬, 如晉升諸卦, 疑若有從賤漸進之義, 無一句及此. 至困之承於升也, 始言其賤害之甚, 當其升, 其官位之升, 雖不言猶言也. 九二之酒食朱紱, 其志亂也, 九五之劓刖赤紱, 其刑毒也. 蓋升莫重於位顯, 困莫大於勢敗, 聖人之戒可謂切矣. 朱與赤, 亦當有別, 無所考.

숭고함은 부귀보다 큰 것이 없으니 보통사람들이 누구나 원하는 것이지만 집안을 망치는 것도 여기에서 비롯되며 자신을 망치는 것도 여기에서 비롯되므로 성인이 나아감을 말하지 않고 가득참을 경계하였다. 송괘(訟卦)의 "관복을 하사받더라도 빼앗김"[64]은 이미 그것이 공경하기에 부족함을 밝힌 것이다. 예컨대 진괘(晉卦)·승괘(升卦)같은 여러 괘는 비천함에서 점점 나아가는 뜻이 있는 듯하지만, 한 구절도 이것을 언급한 것이 없다. 곤괘(困卦)가 승괘(升卦)를 잇고 나서야 매우 비천하고 해로움을 비로소 말했으니 승괘에서는 관직의 지위가 올라감을 말하지 않더라도 말한 것과 같다. 구이의 "술을 마심"과 "붉은 슬갑"은 그 뜻이 어지러운 것이고 구오의 "코를 베임"과 "적색 슬갑"은 형벌이 심한 것이다. 대체로 "올라감"은 현달한 지위보다 중한 것이 없고 "어려움"은 망하는 형세보다 큰 것이 없으니 성인

---

60) 『周易·井卦』: 九三, 井渫不食, 爲我心惻, 可用汲, 王明, 竝受其福.

61) 『周易·井卦』: 九五, 井冽寒泉食.

62) 『書經·酒誥』: 庶士有正, 越庶伯君子, 其爾典聽朕敎. 爾大克羞耇, 爾乃飮食醉飽. 不惟曰, 爾克永觀省, 作稽中德, 爾尙克羞饋祀, 爾乃自介用逸.

63) 夫: 경학자료집성DB에는 '夬'로 되어 있으나, 경학자료집성 영인본을 참조하여 '夫'로 바로잡았다.

64) 『周易·訟卦』: 上九, 或錫之鞶帶, 終朝三褫之.

의 경계가 절실하다고 이를 만하다. 붉은 색[朱]과 적색[赤]도 구별해야 하나 고찰할 곳이 없다.

권만(權萬) 『역설(易說)』

九二朱紱方來, 紱古作巿, 朱紱朱裳也. 古者朱裳畫作巿巿, 巿巿卽古紱字也. 巿巿相背, 有不合之象. 九二九五皆陽也, 故其不合, 有類巿巿之不合者. 然巿巿之中, 畫作陰畫十字樣, 其心相孚. 且其字樣齊整端一, 有似中正, 其體狀又甚剛方, 故取象歟. 韻會釋巿巿字曰, 兩已相背形, 周禮司服注疏, 巿巿取臣民背惡向善, 亦取君臣有合離之意, 去就之理. 朱與赤, 取君與大夫之義.

“구이주불방래(九二朱紱方來)”에서 불(紱)은 옛날에 불(巿)로 쓰였으며 주불(朱紱)은 붉은 색 치마이다. 옛날에 붉은 색 치마에는 巿巿을 그렸는데, 巿巿이 바로 옛날의 불(紱)자이다. 巿巿은 서로 등져있으니 부합하지 않는 상이 있다. 구이와 구오는 모두 양이기 때문에 부합하지 않으니 巿巿처럼 부합하지 않는 자이다. 그러나 巿巿의 가운데에 음획인 십(十)자 모양이 그려있으니 그 마음이 서로 믿는 것이다. 또한 글자의 모양이 가지런하고 단정하여 중정과 비슷하고 그 몸체의 모양이 또 매우 굳세고 바르기 때문에 그 상을 취하였을 것이다. 『고금운회(古今韻會)』에 巿巿자를 풀기를 “두 개의 기(己)자가 등지고 있는 모양이다”라고 하였고, 『주례(周禮)・사복(司服)』의 주소에 “巿巿은 신민이 악을 등지고 선을 향함을 취하였다”라고 하였으니 또한 군신간에 부합하고 이산하는 뜻과 나아가고 떠나는 이치를 취하였다. 붉은 색[朱]과 적색[赤]은 임금과 대부의 의리를 취한 것이다.

심조(沈潮) 「역상차론(易象箚論)」

朱紱.
붉은 슬갑.

朱紱, 蔽膝也. 巽爲股, 故取象.
주불(朱紱)은 무릎 가리게이다. 손괘가 다리이기 때문에 그 상을 취하였다.

유정원(柳正源) 『역해참고(易解參攷)』

正義, 九二體剛居陰, 處中无應. 體剛則健, 能濟險也, 居陰則謙, 物所歸也. 處中則不失其宜, 无應則心无私黨. 處困以斯, 物莫不至, 不勝豊衍, 故曰困於酒食也.

『주역정의』에서 말하였다: 구이는 몸체가 굳세고 음의 자리에 있으며, 가운데 자리에 있으

나 호응이 없다. 몸체가 굳세면 강건하여 험난함을 구제할 수 있고, 음의 자리에 있으면
겸손하여 사물이 돌아갈 곳이 있다. 가운데 자리에 있으면 마땅함을 잃지 않고, 호응이 없으
면 마음에 사사로운 무리가 없다. 이것으로 어려움에 처하면 사물이 이르지 않음이 없어서
풍요로움을 감당할 수 없기 때문에 "술과 밥 때문에 어렵다"라고 하였다.

朱紱, 古以皮, 後以帛. 天子純朱, 諸侯黃朱.

붉은 슬갑은 옛날에 가죽으로 만들었다가 후대에는 비단으로 만들었다. 천자는 순수한 붉은
색이고, 제후는 황색이 섞인 붉은 색이다.

○ 合沙鄭氏曰, 坎爲赤, 乾爲大赤. 二五之爻, 乾坎之爻也, 故坎象赤紱, 而九五象
朱紱.

합사정씨가 말하였다: 감괘는 적색이 되고 건괘는 큰 적색이 된다. 이효와 오효는 건괘와
감괘의 효이기 때문에 감괘의 상은 적색 슬갑이고 구오의 상은 붉은 슬갑이다.

○ 廬陵龍氏曰, 二云朱, 五云赤, 偶變文耳. 陸績云, 朱紱赤紱, 享祀祭祀, 互言宄
他義.

여릉용씨가 말하였다: 이효에서 '붉은 색'이라 하고 오효에서 '적색'이라 한 것은 우연히 변화
를 준 문장일 뿐이다. 육적이 "붉은 슬갑'·'적색 슬갑'과 '향사(享祀)'·'제사(祭祀)'는 서로
보완하는 말로서 다른 의미는 없다" 라고 하였다.

○ 梁山來氏曰, 困于酒食者, 言酒食之艱難窮困也. 如孔子之疏食, 顔子之簞瓢, 儒行
之竝日而食是也.

양산래씨가 말하였다: "술과 밥 때문에 어렵다"는 것은 술과 밥을 마련하기 어려울 만큼 궁
핍함을 말한다. 예컨대 공자의 "거친 밥"[65]·안회(顔回)의 "한 그릇의 밥과 한 표주박의 음
료수"[66]·『예기·유행』의 "이틀에 한 끼를 먹음"[67] 같은 것이 이것이다.

傳, 蔽膝.

『정전』에서 말하였다: 무릎 가리개이다.

〈詩疏, 古者佃魚而食, 因衣其皮, 先知蔽前, 後知蔽後. 後王易之以布帛, 而猶存其蔽
前者, 重古道, 不忘本也.

『시경·채숙』의『공소』에서 말하였다: 옛날에 사냥하고 낚시질하여 먹고, 이어 그 가죽으로

---

65) 『論語·述而』: 子曰, 飯疏食飲水, 曲肱而枕之, 樂亦在其中矣.
66) 『論語·雍也』: 子曰, 一簞食, 一瓢飲, 在陋巷, 人不堪其憂, 回也不改其樂, 賢哉回也.
67) 『禮記·儒行』: 篳門圭窬, 蓬戶甕牖, 易衣而出, 竝日而食.

옷을 만들었는데 처음에는 앞을 가릴 줄 알았고 나중에는 뒤마저 가릴 줄 알았다. 후대의 왕이 삼베와 비단으로 바꾸어 만들었으나 아직도 앞을 가리는 것이 남아 있는 것은 옛 도를 중하게 여겨 근본을 잊지 않았기 때문이다.〉

本義小註朱子說, 旡那 [至] 之說.
『본의』 아래의 소주에서 주자가 말하였다: 스스로 살아 있는 사람이 다른 사람의 제사를 받는다는 설은 없다.
〈案, 先儒有謂享祀與祭祀不同, 讀作享人之祀. 故曰二者, 皆只是自家祭享, 元旡自家以生人去享他人祭之義也.
내가 살펴보았다: 선유 가운데 향사는 제사와 다른 것이니 향사는 남의 제사를 받음으로 읽어야한다고 말하는 이가 있었다. 그러므로 "두 가지는 모두 스스로 제사하는 것이니 원래 스스로 살아있는 사람으로서 다른 사람의 제사를 받는 의리는 없다"고 한 것이다.〉

김상악(金相岳) 『산천역설(山天易說)』

二以剛中之德居坎, 互離爲二陰所蔽, 故困于酒食之艱也. 朱紱方來者, 五應之也. 惟利用享祀, 至誠以感通之, 故征, 則取困而凶, 盡誠而求之, 則來應而无咎也.
구이는 굳세고 알맞은 덕으로 감괘(坎卦☵)에 있고 호괘인 리괘(離卦☲)의 두 음에 가려졌으므로 술과 밥 때문에 어려운 어려움이다. "붉은 슬갑이 바야흐로 오다"는 오효가 호응함이다. 오직 향사를 쓰는 것이 이로우니 지극한 정성으로 느껴서 통하기 때문에 가면 어려움을 취하여 흉하고 정성을 다하여 구하면 와서 호응하여 허물이 없을 것이다.

○ 酒食坎離之象, 見需九五. 二變, 則與大畜爲對, 雖困於酒食之艱, 終能不家食而吉. 故又曰朱紱方來. 紱, 王者之服, 所以蔽膝者. 坎爲赤, 離有布帛, 成章之象. 故二曰朱紱, 五曰赤紱, 而在困之時, 故曰方來享與祭, 皆坎象. 二五之言享祭者, 明雖困於人, 幽可感於神之義也.
술과 밥은 감괘와 리괘의 상으로 수괘(需卦䷄)의 구오에 보인다.[68] 곤괘(困卦䷮)의 이효가 변하면 대축괘(大畜卦䷙)의 음양이 바뀐 취괘(萃卦䷬)가 되니 비록 술과 밥 때문에 어려운 어려움이 되나 마침내 "집에서 먹지 아니하면 길함"[69]이 된다. 그러므로 또 "붉은 슬갑이 바야흐로 온다"고 하였다. 불(紱)은 임금의 복식이니 무릎을 덮는 것이다. 감괘는 적색이고 리괘는 베와 비단이니 문장을 이루는 상이다. 그러므로 구이에서 "붉은 슬갑"이라고 하고

68) 『周易·需卦』: 九五, 需于酒食, 貞吉.
69) 『周易·大畜卦』: 大畜, 利貞, 不家食, 吉, 利涉大川.

오효에서는 "적색 슬갑"이라고 하였다. 어려운 때에 있기 때문에 바야흐로 와서 향사(享祀)하고 제사(祭祀)한다고 하였으니 모두 감괘의 상이다. 이효와 오효에서 말한 향사(享祀)와 제사(祭祀)는 이 세상에서는 사람에게 어렵더라도 저 세상의 신을 감동시킬 수 있다는 뜻이다.

朱子曰, 易之取爻, 多爲占者而言, 占法取變爻, 便是到此處變了. 所以困卦雖是不好, 然其間利用祭祀之屬卻好. 蓋二變爲萃, 五則反巽爲渙, 渙萃二卦之象, 言假廟致享. 故二五之象, 取其變爻也. 蓋祭者非自外而至者也, 自中出生於心者也, 故凡言享祀者, 皆在二五. 本爻及益之二, 萃升之二, 旣濟之五, 是也. 征者行也, 征則見掩於三而凶, 安中自守, 待五之來, 則无咎也. 陽之无應, 與陰之无應不同. 陰之无應者, 終无可動之道, 陽之无應者, 雖无陰陽相交之義, 无陰邪相干之患. 故諸卦同德之應, 无終凶者也.

주자가 말하기를 "『주역』에서 효를 취할 때에는 대부분 점치는 자를 위해서 말했고, 점치는 법은 변효에서 취하였으니, 여기에 이르러 변한 것이다. 곤괘(困卦䷮)가 비록 좋지 않지만, 그 사이에 '제사를 씀이 이롭다'는 등속은 도리어 모두 좋은 것이다"고 하였다. 이효가 변하면 취괘(萃卦䷬)가 되고, 오효는 거꾸로 된 손괘가 환괘(渙卦䷺)가 되니 환괘·취괘 두 괘의 단사에 "사당에 가서 제사를 드림"[70]이라고 말하였다. 그러므로 이효·오효의 상은 변효를 취한 것이다. 제사는 밖에서 오는 것이 아니라 마음에서 생겨나는 것이기 때문에 제사를 드린다고 말하는 것이 모두 이효와 오효에 있다. 본효와 익괘(益卦䷩)의 이효, 취괘(萃卦䷬)·승괘(升卦䷭)의 이효와 기제괘(旣濟卦䷾)의 오효가 여기에 해당한다. 정(征)은 감이니 가면 삼효에게 가려져서 흉할 것이나, 마음을 편안히 하고 스스로 지키면서 오효가 오기를 기다린다면 허물이 없을 것이다. 양효가 호응이 없는 경우와 음효가 호응이 없는 경우는 다르다. 음효가 호응이 없는 경우는 끝까지 움직일 수 없는 도이고 양효가 호응이 없는 경우는 음양이 서로 사귀는 뜻이 없더라도 사악한 음이 서로 침범하는 근심이 없다. 그러므로 호응하는 여러 괘중에 끝까지 흉한 괘는 없다.

서유신(徐有臣) 『역의의언(易義擬言)』

九二, 以剛中之才, 雖有酒食, 而不能獻享于九五, 是困于酒食也. 朱紱方來, 困有將通之日也. 利用享祀, 宜以至誠相感也, 不宜遽然妄動, 故征凶也. 不遇亦命, 故无咎也

구이는 굳세고 알맞은 재질로 술과 밥이 있더라도 구오에게 바칠 수 없으니 이것이 술과

---

70) 『周易·萃卦』: 萃, 亨王假有廟, 利見大人, 亨, 利貞.用大牲, 吉, 利有攸往.『周易·渙卦』: 渙, 亨, 王假有廟, 利涉大川, 利貞.

밥 때문에 어려운 것이다. "붉은 슬갑이 바야흐로 옴"은 어려움이 장차 형통하게 되는 날이 있는 것이다. "향사를 쓰는 것이 이로움"은 지극한 정성으로 서로 감응하여야 하고 갑자기 함부로 행동해서는 안 되므로 가면 흉하다. 만나지 못함도 명이므로 허물이 없는 것이다.

박문건(朴文健) 『주역연의(周易衍義)』

處險敵應, 故有困于酒食之象. 必困於酒食者, 其道中正也. 朱紱, 朱色之綬也.

험한 때에 처하여 적대적으로 호응하기 때문에 밥과 술 때문에 어려운 상이 있다. 반드시 밥과 술 때문에 어려운 것은 그 도가 중정하기 때문이다. '주불(朱紱)'은 붉은 색의 인끈이다.

《問, 困于酒食以下. 曰, 九二處二陰之中, 而與上敵應, 故有困于酒食之象. 上之朱紱, 方欲維係, 然當盡誠受福也. 若上往, 則雖見抑, 而有凶. 然進之以道, 故无咎.

물었다: '술과 밥 때문에 어려우나' 이하는 무슨 뜻입니까?

답하였다: 구이는 두 음의 가운데에 있으면서 위와 적대적으로 호응하기 때문에 밥과 술 때문에 어려운 상이 있습니다. 위의 붉은 색의 인끈이 바야흐로 구이를 묶고자 하나 구이는 극진한 정성으로 복을 받아야합니다. 만약 위로 간다면 억류를 당해 흉할지라도 도로써 나아가기 때문에 허물이 없습니다.》

이지연(李止淵) 『주역차의(周易箚疑)』

酒食者, 可以爲需, 不必爲困, 而今至於困, 此所謂嬰兒傷於飽, 權臣傷於權者也. 神困則索饗於人, 人困則祈福於神. 普天之下, 莫非王臣, 我從事獨賢者, 非不知征行之非其時, 而於義則无咎也. 古人多因飫于安樂而致困, 飽於名譽而受困, 皆困于酒食之義也.

술과 밥은 기다림이 될 수 있고 반드시 어려움이 되지는 않으나 지금 어려운 지경이 된 것은 이른바 갓난아기가 너무 먹어 잘못되고 권력을 부리는 신하가 권력 때문에 잘못되었다는 것이다. 귀신이 지치면 사람에게 흠향받기를 구하고 사람이 지치면 귀신에게 복을 기원한다. "너른 하늘 아래 왕의 신하 아닌 이가 없는데 나만 홀로 어질다하여 종사하게 하네"[71]는 멀리 가는 일이 때가 아님을 모르는 것이 아니니 의리상 허물이 없다. 옛사람이 대부분 안락에 배불러 어려움을 초래하고 명예에 배불러 어려움을 받음이 모두 "술과 밥 때문에 어렵게 된" 의미이다.

---

71) 『詩經·北山』: 溥天之下, 莫非王土, 率土之濱, 莫非王臣, 大夫不均, 我從事獨賢.

윤종섭(尹鍾燮) 『경(經)·역(易)』

困二酒食取坎, 朱紱互巽, 金車取坎.

곤괘 이효의 술과 밥은 감괘에서 취하였고, 붉은 슬갑은 호괘인 손괘[72]에서 취하였으며, 구사의 금수레는 감괘[73]에서 취하였다.

이항로(李恒老) 「주역전의동이석의(周易傳義同異釋義)」

按, 卦曰困亨貞, 大人吉无咎, 孔子釋之曰, 貞大人吉, 以剛中也, 剛中, 指五與二也. 以此觀之, 二與五, 雖在困時, 亨而无咎, 可知矣. 酒食坎象, 坎爲水, 故亦爲酒食, 觀需象可見.

朱紱赤紱, 說卦坎爲血爲赤, 故朱赤爲坎色. 韻書, 紱與黻通. 黻兩已相背, 坎居北方相背之地, 故取象, 卽命德之服也. 亨祀祭祀, 坎主幽陰鬼神之象, 兌主供養祭亨之象. 至若征伐, 乃離明之象, 非坎幽兌說之象. 故曰征凶, 終曰无咎. 卽象无咎之謂也, 觀傳中有慶也, 則可知矣. 如此看, 雖似穿鑿, 恐亦廣備一說.

내가 살펴보았다: 괘사에 "곤(困)은 형통하고 곧으니, 대인이라서 길하고 허물이 없다"고 한 것을 공자가 해석하여 "곧은 대인이라서 길함은 굳세고 알맞기 때문이다"고 하였으니 굳세고 알맞음은 오효와 이효를 가리킨다. 이것으로 살펴보면 이효와 오효가 비록 어려운 때에 있어도 형통하여 허물이 없음을 알 수 있다. 술과 밥은 감괘의 상이니 감괘는 물이 되기 때문에 또한 술과 음식이 되니, 수괘(需卦)를 살펴보면 알 수 있다. "붉은 슬갑"과 "적색 슬갑"은 「설괘전」에 "감괘가 피가 되고 적색이 된다"고 하였기 때문에 '붉은 색'과 '적색'은 감괘의 색이 된다. 『운서』에서 "불(紱)과 불(黻)은 통한다"고 하였다. 불(黻)은 두 개의 기(己)자가 서로 등지고 있고 감괘는 북방에 있어 서로 등지는 땅이기 때문에 상을 취하였으니 덕에 하사하는 명복(命服)[74]이다. "향사를 씀"과 "제사를 씀"은, 감괘는 어두운 음인 귀신의 상을 주로 하고 태괘는 제사를 공양하는 상을 주로 한 것이다. 정벌을 하는 것은 곧 밝은 리괘의 상이지 어두운 감괘와 기쁜 태괘의 상이 아니다. 그러므로 "가면 흉하다"고 하였고 마침내는 "허물이 없다"고 하였으니 바로 단사의 "허물이 없음"을 이르며 「상전」의 "알맞아서 경사가 있을 것이다"를 살펴보면 알 수 있다. 이와 같이 보는 것이 천착한 것 같으나 하나의 설을 광범위하게 갖추고 있는 듯하다.

---

72) 「설괘전」에 손괘는 '끈[繩]'이라고 하였다.
73) 「설괘전」에 감괘는 '수레바퀴[輪]'라고 하였다.
74) 명복(命服): 천자가 작위에 따라 하사하는 관복(官服)을 말한다.

김기례(金箕澧) 「역요선의강목(易要選義綱目)」

坎水潤物, 有酒食養人象. 酒食雖能施惠, 而自養過則反困. 雖勝於初三之困, 亦不无困意.

물인 감괘는 사물을 윤택하게 하는 것이니, 술과 밥으로 사람을 기르는 상이 있다. 술과 밥으로 은혜를 베풀 수는 있으나 스스로 기르기를 지나치게 하면 도리어 어렵게 된다. 비록 초효나 삼효의 어려움보다는 괜찮더라도 어려운 뜻이 없지는 않다.

○ 卦中二五得亨貞. 然時困則好事亦困.

괘안의 이효와 오효는 형통함과 곧음을 얻었다. 그러나 때가 어려우니 좋은 일도 어렵다.

○ 朱紱方來, 指五以同德來求而榮施. 時困則當來之朱紱亦緩, 故曰方來.

'붉은 슬갑이 바야흐로 옴'은 오효가 같은 덕으로 와서 구하여 영화로움이 베풀어짐을 가리킨다. 때가 어려우니 붉은 슬갑이 오는 것마저 느리기 때문에 '바야흐로 옴'이라고 하였다.

○ 但事君之誠, 如事神之潔, 則君當感應, 故曰利用.

다만 임금을 섬기는 정성이 신을 섬기는 정결함과 같다면 임금이 감응하기 때문에 "쓰는 것이 이롭다"고 하였다.

○ 處險樂道之時, 不宜往而自取凶, 以至无所歸咎.

험한 데에 처하여 도를 즐기는 때는 가서 스스로 허물을 취하여 허물을 돌릴 데가 없게 되어서는 안 된다.

심대윤(沈大允) 『주역상의점법(周易象義占法)』

困之萃䷬, 九二之時, 朋識稍聚, 而居柔求達者也. 志應于五, 而陷于二陰之中, 故曰困于酒食. 坎爲酒食, 朱紱方來, 言五之相應也. 离爲朱, 兌金离信爲印[75] 而巽爲係曰紱. 震离爲來. 下卦自如, 而上卦獨變, 則爲蒙而有震. 利用亨祀, 言以精誠交于五也. 五居兌巽艮, 故以亨祀言也. 艮震爲用, 言待上之來求而誠交也. 以二之求達, 而爲四所阻, 故曰征凶, 言不可往從于五也. 以其剛中而非邪道詭求, 故曰无咎. 〈名自外來, 故不變內卦, 而獨變上卦也. 蒙[76]之求我, 名之所由生也.〉

곤괘(困卦䷮)가 취괘(萃卦䷬)로 바뀌었으니, 구이의 때에 벗들이 알아 점점 모이고 부드러

---

75) 印: 경학자료집성DB에는 "卬"으로 되어있으나 영인본에 따라 '印'으로 바로잡았다.
76) 蒙: 경학자료집성DB에는 "象"으로 되어있으나, 경학자료집성 영인본을 참조하여 '蒙'으로 바로잡았다.

운 자리에 있으면서 영달을 구하는 자이다. 뜻이 오효의 자리와 호응하나 두 음의 가운데에 빠졌기 때문에 "술과 밥 때문에 어렵다"고 하였다. 감괘는 "술을 마심"이 되고 "붉은 슬갑이 바야흐로 옴"은 오효가 서로 호응함을 말한다. 리괘는 붉은 색이 되고 금인 태괘와 믿음인 리괘는 '도장'이 되며 손괘는 매인 것이 되므로 끈[紱]이라고 하였다. 진괘와 리괘는 옴[來]이 된다. 하괘는 그대로인데 상괘만 변하면 몽괘(蒙卦☷)가 되어 진괘(震卦☳)가 있다. "향사에 쓰는 것이 이로움"은 정성으로 오효와 사귐을 말한다. 오효는 태괘·손괘·간괘에 있기 때문에 향사로써 말하였다. 간괘와 진괘는 쓰임이 되니 윗자리에 있는 이가 와서 구하여 진실로 사귐을 기다린다는 말이다. 이효가 영달을 구하나 사효에 저지당하기 때문에 "가면 흉하다"고 하였으니 가서 오효를 따르면 안 된다는 말이다. 굳세고 알맞은 것이어서 간사한 도로 속여서 구하는 것이 아니기 때문에 "허물이 없다"고 하였다.〈명예는 밖에서 오기 때문에 내괘는 변하지 않고 상괘만 변하였다. 몽괘(蒙卦☷)의 "철부지가 나를 찾음[求我]"[77]은 명예가 그것으로 생겨나기 때문이다.〉

오치기(吳致箕)「주역경전증해(周易經傳增解)」

九二, 陽剛而得中, 卽象所言大人吉者也. 當困之時, 不失其所亨, 惟酒食自養, 居易而俟命. 故剛中之德, 爲君上所知, 方且錫以朱紱, 寵命自來, 而其賢可以孚格神明, 故用主享祀而爲利. 然柔揜剛之時, 君子有行, 則雖若見凶而致咎, 以其剛中而不失其道, 故言无咎也.

구이는 굳센 양이면서 가운데 자리를 얻었으니「단사」에서 말한 "곧은 대인이라서 길한" 자이다. 어려운 때에 향사 올리는 것을 잃지 않고 술과 밥으로 스스로 기르면서 평이하게 있으면서 천명을 기다린다.[78] 그러므로 굳세고 알맞은 덕을 임금이 알아주어 바야흐로 붉은 슬갑을 줄 것이니 총애하는 명이 스스로 오고, 그의 어짊이 미더움으로 신명을 오게 할 수 있기 때문에 향사 올리는 것을 주로 하여 이로움이 된다. 그러나 부드러움이 굳셈을 가리고 있는 때에 군자가 행함이 있으니, 흉함을 당하여 허물을 초래할 것 같더라도 굳세고 알맞음으로써 그 도를 잃지 않기 때문에 허물이 없다고 말하였다.

○ 酒食, 皆坎之象也. 紱與芾通, 卽詩所云, 赤芾在股也. 互離有文明之象, 而色爲朱. 互巽爲繩, 亦爲股, 文明朱繩之在股者, 爲命服朱紱之象也.

술과 밥은 모두 감괘의 상이다. 불(紱)은 불(芾)과 통하니, 바로『시경』에서 말한 "적색 슬

---

77)『周易·蒙卦』: 蒙, 亨, 匪我求童蒙, 童蒙求我, 初筮, 告, 再三, 瀆, 瀆則不告, 利貞.

78)『中庸』: 君子居易以俟命, 小人行險以徼幸.

갑이 다리에 있네"[79]라는 말이다. 호괘인 리괘(☲)는 문명의 상이 있고 색은 붉은 색이 된다. 호괘인 손괘(巽卦☴)는 끈이 되고 또 다리가 된다. 문명한 붉은 슬갑이 다리에 있는 것이 명복(命服)인 붉은 슬갑의 상이 된다.

이진상(李震相) 『역학관규(易學管窺)』

坎爲酒食. 竭上澤而下漏, 雖其厚我, 適足以困我也. 上體兌, 而兌近乾南, 五又君位, 故以朱紱方來爲象. 朱南色, 紱在衣前, 乾衣之屬也. 非乾而兌, 故以紱爲象. 享祀, 坎象. 征凶, 險在前也. 中有慶, 變坤象.

감괘는 술과 밥이 된다. 위의 은택이 다하여 아래로 새는 것이니, 비록 나를 두텁게 하나 다만 나를 어렵게 할 뿐이다. 상체는 태괘이니 태괘는 남쪽의 건괘와 가까이 있고, 오효는 또 임금의 자리이기 때문에 '붉은 슬갑이 바야흐로 옴'으로 상을 풀었다. '붉은 색'은 남쪽의 색이고 '슬갑'은 옷[衣] 앞에 입는 것이니, 건의(乾衣)[80]의 등속이다. 건괘가 아니고 태괘이기 때문에 '슬갑'으로 상을 삼았다. '향사'는 감의 상이다. '가면 흉함'은 앞에 험함이 있어서이다. '알맞아서 경사가 있음'은 곤의 상이 변한 것이다.

채종식(蔡鍾植) 「주역전의동귀해(周易傳義同歸解)」

九二, 利用享祀.

구이는 향사를 올리는 것이 이롭다.

傳謂利用至誠如享祀, 然本義謂利以享祀之占. 蓋九二中實, 有誠實之象, 而程易不取卜筮, 故謂利用如享之誠, 則有感通於上之理, 朱易取其中實之誠, 而爲利以享祀之占, 其中誠之義則一也. 下九五利用祭祀倣此.

『정전』에서는 "지극한 정성을 써서 향사 올리듯이 함이 이롭다"고 하였으나, 『본의』에서는 "향사를 올리는 것이 이로운 점이다"고 하였다. 이는, 구이는 가운데가 채워져 정성스런 상이 있는데 『정전』에서는 복서를 취하지 않았기 때문에 향사 올리는 정성처럼 하면 위를 감통하게 하는 이치가 있어 이롭다고 한 것이고, 『본의』에서는 가운데가 채워진 정성을 취하여 향사 올리는 데에 이로운 점이라고 하였으니, 중심이 정성스러운 뜻은 마찬가지이다. 아래 글의 구오에 "제사 지냄이 이롭다"는 경우도 이와 같다.

---

79) 『詩經·采菽』: 赤芾在股, 邪幅在下. 彼交匪紓, 天子所予. 樂只君子, 天子命之. 樂只君子, 福祿申之.
80) 건의(乾衣): 웃옷을 건(乾)이라 하고 아래옷을 곤(坤)이라 한다[乾衣坤裳].

박문호(朴文鎬) 「경설(經說)·주역(周易)」

困于酒食, 傳則以不能得而爲困, 義則以得之過而爲困, 雖所困不同, 其爲困則同.

"술과 밥 때문에 어렵다"를 『정전』에서는 얻지 못하는 것을 어려움으로 여겼고, 『본의』에서는 얻는 것이 지나치는 것을 어려움으로 여겼으니 비록 어려운 것이 같지는 않으나 어려움이 됨은 같다.

二之朱紱亨祀, 五之赤紱祭祀, 相爲呼應, 必參互照顧而釋之, 恐當.

이효의 '붉은 슬갑'·'향사'와 오효의 '적색 슬갑'·'제사'는 서로 호응이 되니, 반드시 참조하여 해석하여야 타당할듯하다.

이용구(李容九) 「역주해선(易註解選)」

微明揚之堯, 則大舜雷澤之漁父, 微明哲之高宗, 則傅說傅巖之胥靡.

선발하여 드러내는 요임금이 아니었다면 순임금은 뇌택에서 물고기 잡는 어부에 불과하고, 사리(事理)에 밝은 고종이 아니었다면 부열은 부암에서 노역하는 죄수에 불과했을 것이다.

이병헌(李炳憲) 『역경금문고통론(易經今文考通論)』

紱與芾通. 祭時服纁裳, 故芾用朱赤. 程傳曰, 朱紱, 王者之服, 蔽膝也, 雖困于所欲, 守其剛中之德, 必能致享而有福慶也. 〈按, 乾鑿度孔子曰, 困九二周將王, 故言朱紱方來也.〉 此文王薄於飮食, 而孝於享祀也.

불(紱)은 불(芾)과 통용한다. 제사에는 붉은 비단의 치마를 입기 때문에 붉은 색과 적색의 슬갑을 착용한다. 『정전』에서 "붉은 슬갑은 왕자(王者)의 의복으로 무릎 가리개이다"라고 하였으니, 비록 하고자 하는 것을 실컷 하여 노곤하나 굳세고 알맞은 덕을 지키면 반드시 향사를 이룰 수 있어 복과 경사가 있을 것이다. 〈내가 살펴보았다: 『건착도(乾鑿度)』[81]에서 "공자가 말하였다: 곤괘의 구이는 주나라가 장차 천자가 될 것이기 때문에 '붉은 슬갑이 바야흐로 옴'이라고 말하였다"고 하였다.〉 이것은 문왕이 먹고 마시는 데엔 야박하나 향사에 효성스러운 것이다.

---

81) 건착도(乾鑿度): 중국 서한시대 위서(緯書)인 『역위(易緯)』 가운데 한 편임. 위서(緯書)는 경서(經書)에 대응되고 『역위(易緯)』는 『역경(易經)』에 대응되는 책이다.

象曰, 困于酒食, 中有慶也.

정전 "술과 밥 때문에 어려우나" 알맞아서 경사가 있을 것이다.
본의 "술과 밥을 실컷 먹어 노곤하나"알맞아서 경사가 있을 것이다.

‖中國大全‖

傳

雖困于所欲, 未能施惠於人, 然守其剛中之德, 必能致亨而有福慶也. 雖使時未亨通, 守其中德, 亦君子之道亨, 乃有慶也.

비록 하고자 하는 바에 어려워 다른 사람에게 은혜를 베풀지는 못하지만, 굳세고 알맞은 덕을 지키면 반드시 형통함을 이루어 복과 경사가 있을 것이다. 비록 때가 형통하지 못하더라도 알맞은 덕을 지키면 또한 군자의 도가 형통하니, 경사가 있다.

小註

或問, 象云, 中有慶也, 是如何. 朱子曰, 他下面, 有許多好事.
어떤 이가 물었다: 「상전」에 "알맞아서 경사가 있을 것이다"라고 했는데, 어떻습니까?
주자가 답하였다: 그 아래에 허다하게 좋은 일들이 있습니다.

‖韓國大全‖

김상악(金相岳) 『산천역설(山天易說)』

當困之時, 君臣相遇, 則可以出困. 故雖有征凶之戒, 終許其有慶也. 中有慶, 與飯疏食飲水曲肱而枕, 樂在其中之意, 相似.

곤괘의 때이나 군신간에 서로 뜻이 맞으면 어려움에서 벗어날 수 있다. 그러므로 가면 흉하다는 경계가 있을지라도 마침내 경사를 인정한 것이다. "알맞아서 경사가 있음"은 "거친 밥을 먹고 물을 마시며 팔을 굽혀 베더라도 즐거움이 그 가운데 있다"[82]는 뜻과 유사하다.

서유신(徐有臣) 『역의의언(易義擬言)』

需于酒食, 困于酒食, 皆坎中畫也. 中所以應於中, 故將有朱紱來之慶也.

"술과 음식으로 기다림"[83]과 "술과 밥 때문에 어려움"은 모두 감괘의 가운데 획이다. 가운데 획은 가운데 자리와 호응하기 때문에 장차 붉은 슬갑이 오는 경사가 있는 것이다.

박문건(朴文健) 『주역연의(周易衍義)』

中有慶, 言有養而无害也.

"알맞아서 경사가 있음"은 길러짐이 있어 해가 없다는 말이다.

심대윤(沈大允) 『주역상의점법(周易象義占法)』

獨擧一句, 而實釋全爻之辭也. 言二之得中, 故能困于嗜好而不惑, 精誠應五而不征, 終有慶也.

한 구절만을 제시하였으나 실제로는 효사 전체를 해석한 것이다. 이효가 가운데 자리를 얻었기 때문에 즐기는 음식 때문에 어려울 수 있지만 미혹되지 않고, 오효와 정성스럽게 호응하지만 가지 않아 마침내 경사가 있다는 말이다.

오치기(吳致箕) 「주역경전증해(周易經傳增解)」

處困而酒食自養, 以其有剛中之德, 故終乃有慶也.

어려움에 처하여 술과 밥으로 스스로 기르고 강중의 덕을 지니고 있기 때문에 끝내 경사가 있는 것이다.

---

82) 『論語・述而』: 子曰, 飯疏食飲水, 曲肱而枕之, 樂亦在其中矣, 不義而富且貴, 於我如浮雲.
83) 『周易・需卦』: 九五, 需于酒食, 貞, 吉.

六三, 困于石, 據于蒺藜. 入于其宮, 不見其妻, 凶.

육삼은 돌 때문에 어려우며 가시나무에 앉아 있다. 집에 들어가도 아내를 만나보지 못하니 흉하다.

┃中國大全┃

傳

六三, 以陰柔不中正之質, 處險極而用剛. 居陽, 用剛也, 不善處困之甚者也. 石, 堅重難勝之物, 蒺藜, 刺不可據之物. 三以剛險而上進, 則二陽在上, 力不能勝, 堅不可犯, 益自困耳, 困于石也. 以不善之德, 居九二剛中之上, 其不安猶藉刺, 據于蒺藜也. 進退旣皆益困, 欲安其所, 益不能矣. 宮, 其居所安也, 妻, 所安之主也. 知進退之不可, 而欲安其居, 則失其所安矣. 進退與處皆不可, 唯死而已, 其凶可知. 繫辭曰, 非所困而困焉, 名必辱, 非所據而據焉, 身必危. 旣辱且危, 死期將至, 妻其可得見耶. 二陽不可犯也, 而犯之以取困, 是非所困而困也. 名辱, 其事惡也. 三在二上, 固爲據之, 然苟能謙柔以下之, 則无害矣. 乃用剛險以乘之, 則不安而取困, 如據蒺藜也. 如是死期將至, 所安之主, 可得而見乎.

육삼이 중정하지 못한 부드러운 음의 자질로 험함의 끝에 있어서 굳셈을 쓴다. 양에 거함은 굳셈을 쓰는 것이니, 이는 곤궁함에 잘 대처하지 못함이 심한 자이다. 돌은 견고하고 무거워서 감당하기 어려운 사물이고, 가시나무는 찔러서 앉아 있을 수 없는 식물이다. 삼효가 굳셈과 험함으로써 위로 나아가면, 두 양이 위에 있어 힘으로 이길 수 없고, 견고하여 범할 수 없어서 더욱 스스로 어려울 뿐이니, 이는 돌 때문에 어려운 것이다. 선하지 못한 덕으로 굳세고 알맞은 구이의 위에 있어서 그 불안함이 가시를 깔고 앉은 것과 같으니, 이는 가시나무에 앉아 있는 것이다. 진퇴가 이미 모두 어려우면 제자리를 편안히 여기고자 하나 더욱 할 수가 없을 것이다. 집은 거처하기 편안한 곳이고, 아내는 편안함의 주인이다. 진퇴가 불가함을 알고 거처를 편안히 하고자 하면 편안한 바를 잃게 된다. 진퇴와 거처가 모두 불가하여 오직 죽음만이 있을 뿐이니, 그 흉함을 알 수 있다. 「계사전」에 이르기를 "어려울 데가 아닌데 어려우니 이름이 반드시 욕될 것이고, 앉아 있을 곳이 아닌데 앉아 있으니 몸이 반드시 위태로울 것이다. 이미 욕되고 또 위태로워 죽을 시기가 이를 것이니, 아내를 만나볼 수 있겠는가?"라고 하였다. 두 양은 범할 수 없는데 범하여 어려움을 취하니, 이는 어려울 데가 아닌데 어려운 것이다. 이름이 욕됨은 그 일이 나쁜 것이다. 삼효가 이효의 위에 있으니 본래 앉아 있음이 되지만, 만일 겸손하고 유순하여 몸을 낮추면 해로움이 없을 것이다. 마침내 굳세고 험함을 사용하여 타고 있으니, 불안하여 어려움을 취한 것이 가시나무에 앉아 있는 것과 같다. 이와 같으면 죽을 시기가 장차 이를 것이니, 편안함의 주인을 만나볼 수 있겠는가?

本義

陰柔而不中正, 故有此象而其占則凶. 石指四, 蒺藜指二, 宮謂三而妻則六也. 其義則繫辭備矣.

부드러운 음으로서 중정하지 못하므로 이러한 상이 있고 점이 흉하다. 돌은 사효를 가리키고 가시나무는 이효를 가리키며, 집은 삼효를 말하고 아내는 육(六)이니, 그 뜻은 「계사전」에 구비되어 있다.

小註

朱子曰, 六三陽之陰, 上六陰之陰, 故將六三言之, 則上六爲妻.

주자가 말하였다: 육삼은 양의 자리에 음이 있고 상육은 음의 자리에 음이 있기 때문에 육삼으로 말하면 상육이 아내가 된다.

○ 中溪張氏曰, 石之爲物, 堅確而不納者也, 指九四. 四與初爲應, 三雖比四而四不納之矣. 坎爲叢棘, 乃蒺藜也. 六三進則遇乎九四之陽, 如石壓其上而无所納, 是困于石也. 退則乘乎九二之陽, 如棘刺其下而失所憑, 是據于蒺藜也. 六三以陰居陽, 而上六以陰居陰, 故三以上爲妻. 然三與上无應, 无應而入于其宮, 宜不見其匹耦而凶也.

중계장씨가 말하였다: 돌이라는 물건은 굳고 딱딱하여 다른 물건을 받아들이지 않으니, 구사를 가리킨다. 사효와 초효는 호응하고, 삼효는 비록 사효와 비(比)의 관계이지만, 사효가 받아들이지 않는다. 감괘는 떨기로 난 가시가 되니, 곧 가시나무이다. 육삼이 나아가면 구사의 양을 만나는데, 마치 돌이 그 위를 눌러서 받아들일 곳이 없는 것과 같으니, 이것이 돌 때문에 어려운 것이다. 물러나면 구이의 양을 타는데, 마치 가시가 그 아래를 찔러서 의지할 곳이 없는 것과 같으니, 이것이 가시나무에 앉는 것이다. 육삼은 음으로서 양의 자리에 있고, 상육은 음으로서 음의 자리에 있기 때문에, 삼효는 상효를 아내로 삼는다. 그러나 삼효와 상효는 호응하지 않고, 호응하지 않기 때문에 그 집에 들어가도 짝을 보지 못하여 흉하다.

○ 童溪王氏曰, 六三陰也而居陽, 自以爲陽也, 故求配於上六. 然上六宮則是也而非其妻, 故曰入于其宮不見其妻.

동계왕씨가 말하였다: 육삼은 음으로서 양의 자리에 있어 스스로 양으로 생각하기 때문에 상육을 짝으로 구한다. 그러나 상육은 집이기는 하지만 아내가 아니기 때문에 "집에 들어가도 아내를 만나보지 못한다"고 말하였다.

○ 雲峰胡氏曰, 六三本欲揜九二之剛, 然九二剛中正, 三陰柔不中正, 故自取困焉. 上六困之極, 悔則猶可至於吉. 如六三, 則上困於九四, 下據于九二, 以不正處二剛之間, 失其所安, 唯凶而已.

운봉호씨가 말하였다: 육삼은 본래 굳센 구이를 가리고자 하지만, 구이는 굳세고 중정하며 삼효는 부드러운 음으로서 중정하지 않기 때문에 어려움을 자초한다. 상육은 어려움의 극한에 있어서 후회하면 오히려 길함에 이를 수 있다. 육삼의 경우는 위로는 구사에게 어려움을 당하고 아래로는 구이에 의거하여, 바르지 않음으로 두 굳센 양의 사이에 있어 편안한 곳을 잃었기 때문에 오직 흉할 뿐이다.

‖韓國大全‖

곽설(郭雪) 『역전요의(易傳要義)』[84]

困六三[85]爻, 易曰, 困于石, 據于蒺藜, 入于其宮, 不見其妻, 凶. 子曰, 非所困而困焉, 名必辱, 非所據而據焉, 身必危. 死期將至, 妻其可得見耶.

곤괘 육삼효에 대하여 『주역』에 "육삼은 돌 때문에 어려우며 가시나무에 앉아 있다. 집에 들어가도 아내를 만나보지 못하니 흉하다"라고 하였는데 공자가 "어려울 데가 아닌데 어려우니 이름이 반드시 욕될 것이고, 앉아 있을 곳이 아닌데 앉아 있으니 몸이 반드시 위태로울 것이다. 죽을 시기가 이를 것이니, 아내를 만나볼 수 있겠는가?"[86]라고 하였다

---

84) 경학자료집성DB에는 '구이'에 해당하는 것으로 분류했으나, 내용에 따라 이 자리로 옮겨왔다.
85) 三: 경학자료집성DB와 경학자료집성 영인본에는 모두 '二'로 되어 있으나 문맥을 살펴 '三'으로 바로잡았다.
86) 「周易·繫辭傳」: 非所困而困焉, 名必辱, 非所據而據焉, 身必危. 旣辱且危, 死期將至, 妻其可得見耶.

김장생(金長生) 『주역(周易)』

傳, 居陽用剛.

『정전』에서 말하였다: 양에 거함은 굳셈을 쓰는 것이다.

三乃陽位也, 居陽然矣, 六乃柔也, 何以曰用剛也. 更考噬嗑象辭註.

삼효는 양의 자리이니 양의 자리에 있는 것은 그렇다 치더라도, 육이 부드러움인데 어떻게 굳셈을 쓴다고 하였는가? 서합괘(噬嗑卦) 단사의 주를 다시 살펴봐야 한다.[87]

송시열(宋時烈) 『역설(易說)』

兌錯艮, 艮爲石. 三與六爲應, 而時當困, 故曰困于石. 據者, 猶跨據也. 坎爲蒺藜, 故曰據于蒺藜. 互巽爲入, 坎爲宮, 故曰入于其宮. 外无正應, 故曰不見其妻. 坎暗故不見也. 兌爲妾, 言雖有兌妾, 非我正應. 故曰不見其妻, 其凶可知. 故小象亦云不祥.

태괘(兌卦☱)의 음양이 바뀐 괘는 간괘(艮卦☶)이고 간괘는 돌이 된다. 삼효는 육효와 호응이 되나 때가 어렵기 때문에 "돌 때문에 어렵다"고 하였다. '거(據)'는 걸터앉음과 같다. 감괘(坎卦☵)는 가시나무가 되기 때문에 "가시나무에 앉아 있다"고 하였다. 호괘인 손괘(巽卦☴)는 들어감이 되고 감괘는 집이 되기 때문에 "집에 들어간다"고 하였다. 밖에 정응이 없기 때문에 "아내를 만나보지 못함"이라고 하였으니, 감괘가 어둡기 때문에 보지 못하는 것이다. 태괘는 첩이 되니 첩인 태괘가 있더라도 나의 정응이 아니기 때문에 "아내를 만나보지 못한다"고 하였으니 흉함을 알 수 있다. 그러므로 「소상전」에서도 "상서롭지 못하다"고 한 것이다.

홍여하(洪汝河) 「책제(策題):문역(問易)·독서차기(讀書箚記)-주역(周易)」

六三, 困于石.

육삼은 돌 때문에 어렵다.

巽高如石, 蒺藜如火. 陰柔不正, 乃得斯禍.

손괘가 높으니 돌과 같고 가시나무는 불과 같다. 부드러운 음이 자리가 바르지 않아 재앙을 받는다.

---

87) 『周易·噬嗑卦』: 象曰, 頤中有物, 曰噬嗑, 噬嗑而亨. 剛柔分, 動而明, 雷電, 合而章, 柔得中而上行, 雖不當位, 利用獄也.

이익(李瀷) 『역경질서(易經疾書)』[88]

據于蒺藜, 困于手也. 石在于陸, 蒺藜生于[89]水, 水洩則石露, 而蒺藜亦見. 六三陰柔在兩陽之間, 困而不得出乎岸者也, 上承于石, 下據蒺藜. 三直手, 故以據爲言. 本義以上六爲妻. 三以陰居陽, 故在人爲柔弱失正之男子. 卦中陰居陰位者惟上六, 而與之爲應, 雖視以爲妻, 本非以正合者也. 又有水洩深入之象, 烏得以見之. 石與蒺藜, 皆非本爻之象, 故子曰非所困而困焉, 非所據而據焉.

가시나무에 앉아있음은 손에 어려운 것이다. 돌은 육지에 있고 가시나무는 물에서 자라니 물이 새면 돌이 드러나고 가시나무도 보인다. 육삼은 부드러운 음으로 두 양의 사이에 있어서 어려우나 언덕으로 나아갈 수 없는 자이니, 위로 돌을 받들고 아래로 가시나무에 앉아 있다. 삼효가 바로 손이기 때문에 '거(據)'로 말하였다. 『본의』에서 상육을 아내라고 하였다. 그런데 삼효는 음으로서 양의 자리에 있기 때문에 사람에 있어서는 유약하여 바름을 잃은 남자가 된다. 괘 안에 음으로서 음의 자리에 있는 자는 상육뿐인데, 그것과 호응하는 것이 비록 아내로 보일지라도 본래 바름으로 합한 것이 아니다. 또 물이 새어 깊이 들어가는 상이 있으니 어찌 그것을 볼 수 있겠는가? 돌과 가시나무는 모두 본효의 상이 아니기 때문에 공자가 "어려울 데가 아닌데 어렵고, 앉아 있을 곳이 아닌데 앉아 있다"고 하였다.

권만(權萬) 『역설(易說)』

六三, 據于蒺藜.
육삼은 가시나무에 앉아 있다.

古作棃.
고본에는 리(棃)로 되어있다.

심조(沈潮) 「역상차론(易象箚論)」

合初三四爲艮, 艮爲山石, 故稱石, 艮爲門闕, 故稱宮, 陰虛而無應, 故曰不見其妻.
초효·삼효·사효를 합하면 간괘가 되니 간괘는 산의 돌이기 때문에 "돌"이라고 칭하였고, 간은 문이기 때문에 "집"이라고 칭하였다. 빈 음이면서 호응이 없기 때문에 "아내를 만나보지 못함"이라고 하였다.

---

88) 경학자료집성DB에서는 '구이'에 해당하는 것으로 분류했으나, 내용에 따라 이 자리로 옮겨왔다.
89) 于: 경학자료집성DB에는 '子'로 되어 있으나, 경학자료집성 영인본을 참조하여 '于'로 바로잡았다.

유정원(柳正源) 『역해참고(易解參攷)』

左襄二十五年, 齊崔武子, 取棠妻, 〈棠公之妻〉筮之, 遇困之大過, 陳文子曰, 夫從風, 〈坎中男故夫, 變巽故從風〉風隕妻, 〈風能隕落物者, 故隕妻.〉不可娶也. 且其繇曰, 困于石, 〈坎爲險爲水, 水之險者石, 故六三處三陽之間, 進而遇九四九五之剛, 困于石 之象.〉據于蒺藜, 〈坎險兌澤, 澤之生物險而蒺藜也. 故退而乘九二之剛, 據于蒺藜之 象.〉入于其宮, 不見其妻, 〈六三上六, 非陰陽匹敵, 則又不見其妻之象.〉凶. 困于石, 往不濟也, 據于蒺藜, 所恃傷也, 入于其宮, 不見其妻, 无所歸也.

『춘추좌씨전』 양공 25년에 제나라 최무자(崔武子)가 당처(棠妻)를 취하고자〈당공(棠公)의 아내이다.〉점을 쳤다. 곤괘(困卦䷮)가 대과괘(大過卦䷛)로 바뀐 괘를 만나니 진문자가 말 하기를 "남편은 바람을 따르고〈감괘(坎卦☵)는 둘째 아들이므로 남편이고, 손괘(巽卦☴)로 변하였으므로 바람을 따르는 것이다.〉바람은 아내를 떨어뜨리니〈바람은 사물을 불어서 떨 어뜨릴 수 있으므로 아내를 떨어뜨린다.〉장가들어서는 안 됩니다. 또 그 점사에 '돌 때문에 어려우며〈감괘(坎卦☵)는 험함이 되고 물이 되며, 물에서 험한 것이 돌이다. 그러므로 육삼 이 세 양의 사이에 있어서 나아감에 구사・구오의 굳셈을 만나니 돌 때문에 어려운 상이 다.〉가시나무에 앉아 있어〈감괘는 험하고 태괘는 못이니 못이 사물의 험함을 낳아 가시나 무이다. 그러므로 물러나 굳센 구이를 타고 있으니 가시나무에 앉아있는 상이다.〉집에 들 어가도 아내를 만나보지 못하니〈육삼과 상육은 음양이 맞수가 되는 것이 아니니 또한 아내 를 만나보지 못하는 상이다.〉흉하다'고 하였습니다. '돌 때문에 어려움'은 가면 이루지 못함 이고, '가시나무에 앉아 있음'은 믿는 이에게 상해를 당함이며, '집에 들어가도 아내를 만나 보지 못함'은 돌아갈 곳이 없다는 뜻입니다"고 하였다.

○ 荀氏〈爽〉曰, 坎爲蒺藜, 又爲宮.
순씨가 말하였다〈이름이 상이다.〉: 감괘는 가시나무가 되고 또 집이 된다.

○ 案, 此爻極言小人困苦之狀也. 欲進於前, 則前有大石以壓之, 堅不得入, 欲退於 後, 則後有蒺藜以刺之, 坐不得安. 進退唯谷, 前後无據, 不如入宮安居. 而以陰居陽, 本非所安. 又无匹偶之 可見, 有死而已.
내가 살펴보았다: 본효는 소인의 어렵고 괴로운 상황을 극단적으로 말하였다. 앞으로 나아가 고자 하면 앞에 큰 돌이 누르고 있어 단단하여 들어갈 수 없고, 뒤로 물러나고자 하면 뒤에 가시나무가 찌르고 있어 앉아도 편안할 수 없다. 나아가든 물러가든 골짜기뿐이라 앞이나 뒤나 앉아 있을 수가 없으니, 집에 들어가 편히 있느니만 못하다. 그런데 음으로서 양의 자리 에 있으니 본래 편안하지 못하고, 또 짝이 되는 상대를 볼 수 없으니 죽음이 있을 뿐이다.

김상악(金相岳) 『산천역설(山天易說)』

三以不中正之陰, 居坎之上, 乘承皆陽, 與兌无應. 前困者无情而不納, 後據者有刺而難依. 欲安其所, 則又不見其所安之主, 困而至此, 何凶如之

삼효는 중정이 아닌 음으로서 감괘의 위에 있고, 타고 있거나 이어받는 것이 모두 양이며, 태괘와 호응이 없다. 앞의 '어려움'은 무정하여 받아주지 않고 뒤의 '앉아 있음'은 가시가 있어 의지하기 어렵다. 제 자리에서 편안하고자 해도 편안하게 해주는 주인을 만나보지 못하여 어려움이 이 지경이 되니 어떤 흉함이 그와 같겠는가?

○ 困于石, 承四之剛也, 據于蒺藜, 乘二之剛也, 與習坎之三曰, 來之坎坎, 險且枕, 相似. 坎宮巽入, 入其宮之象. 坎男兌女, 兌乃坎之妻也. 朱子曰, 六三陽之陰, 上六陰之陰, 故將六三言, 則上六爲妻, 是也. 坎爲隱伏, 故曰不見其妻. 蒙三曰見金夫, 女之不順也, 此曰不見其妻, 男之不祥也. 三變爲大過, 大過之二, 則不爲陰所蔽, 而與初相比, 故曰老夫得其女妻, 過以相與也. 又兌反巽, 坎水生於乾金. 乾巽之合, 其卦爲小畜, 小畜之三曰, 夫妻反目. 反目則不相見矣.

"돌 때문에 어려움"은 굳센 사효를 받들고 있어서이고, "가시나무에 앉아 있음"은 굳센 이효를 타고 있어서이니 습감(䷜)의 삼효에서 "오고 감에 험하고 험한데, 험함에 또 의지함"[90]이라고 한 것과 서로 흡사하다. 감괘(坎卦☵)는 집이고 손괘(巽卦☴)는 들어감이니 집에 들어가는 상이다. 감괘는 남자이고 태괘(兌卦☱)는 여자이니 태괘는 곧 감괘의 처이다. 주자가 "육삼은 양의 자리에 음이 있고 상육은 음의 자리에 음이 있기 때문에 육삼으로 말하면 상육이 아내가 된다"고 한 것이 이것이다. 감괘(坎卦☵)는 숨음이기 때문에 "아내를 만나보지 못한다"고 하였다. 몽괘(蒙卦䷃)의 삼효에서 "돈많은 사내를 봄"[91]은 여자가 이치를 따르지 않기 때문이고, 여기에서 "아내를 만나보지 못함"은 남자가 상서롭지 못해서이다. 삼효가 변하면 대과괘(大過卦䷛)이니 대과괘의 이효는 음에 가려지지 않고 초효와 서로 가깝기 때문에 "늙은 남자가 젊은 아내를 얻음은 지나치게 서로 함께하는 것이다"[92]고 하였다. 또 태괘(兌卦☱)의 거꾸로 된 괘는 손괘(巽卦☴)이고 물인 감괘(坎卦☵)는 쇠인 건괘(乾卦☰)에서 나왔다. 건괘와 손괘가 합해지면 소축괘(大畜卦䷈)가 되니 소축괘의 삼효에 "부부가 반목한다"[93]라고 하였다. 반목하면 서로 만나지 않는다.

---

90) 『周易·坎卦』: 六三, 來之, 坎坎, 險, 且枕, 入於坎窞, 勿用.

91) 『周易·蒙卦』: 六三, 勿用取女, 見金夫, 不有躬, 无攸利.

92) 『周易·大過卦』: 九二, 枯楊, 生稊, 老夫, 得其女妻, 无不利. 象曰, 老夫女妻, 過以相與也.

93) 『周易·小畜卦』: 九三, 輿說輻, 夫妻反目.

서유신(徐有臣) 『역의의언(易義擬言)』

六三爲澤水罅漏之象. 有石而莫能補塞, 是困于石也. 石在叢棘而不見取用也. 互家人, 故曰宮曰妻也, 上六在家人之外, 故不見也.

육삼은 못의 물이 새는 모양이다. 돌이 있으나 때우거나 막을 수 없으니 이것이 "돌 때문에 어려움"이다. 돌이 가시덤불에 있어서 가져다 쓸 수 없다. 호괘가 가인괘(家人卦☲)이므로 '집'이라 하고 '아내'라 하였으니 상육은 가인괘의 밖에 있으므로 만나보지 못함이다.

박문건(朴文健) 『주역연의(周易衍義)』

以柔乘剛, 故有據于蒺藜之象. 宮謂六三所處之室也.

부드러움으로 굳셈을 타고 있기 때문에 가시나무에 앉아 있는 상이 있다. '집'은 육삼이 살고 있는 집이다.

〈問, 困于石以下. 曰, 上爲上六之所陵, 下爲九二之所害, 故有此象. 是以深入其宮, 不遑見其妻. 此所以爲凶□□云者, 卽爻中取義, 與歸[94]妹之五其娣同例也.

물었다: '돌 때문에 어려움' 이하는 무슨 뜻입니까?

답하였다: 위로 상육에게 능멸을 받고 아래로 구이에게 피해를 받기 때문에 이런 상이 있습니다. 이러므로 그 집에 깊이 들어가도 아내를 만나 볼 겨를이 없습니다. 여기서 흉□□고 한 것은 바로 효 안에서 뜻을 취한 것이니, 귀매괘(歸妹卦☳) 오효의 '잉첩'[95]과 같은 사례입니다.〉

이항로(李恒老) 「주역전의동이석의(周易傳義同異釋義)」

傳, 上進則二陽在上, 困于石也. 居九二之上, 據于蒺藜也. 宮其居所安也, 妻所安之主也.

『정전』에서 말하였다: 위로 나아가면, 두 양이 위에 있어 돌 때문에 어려운 것이다. 구이의 위에 있는 것은 가시나무에 앉아 있는 것이다. 집은 거처하기 편안한 곳이고, 아내는 편안함의 주인이다.

本義, 石指四, 蒺藜指二, 宮謂三而妻則六也.

『본의』에서 말하였다: 돌은 사효를 가리키고 가시나무는 이효를 가리키며, 집은 삼효를 말하고 아내는 육(六)이다.

---

94) 歸: 경학자료집성DB에서는 '師'로 되어 있으나 영인본에 따라 '歸'로 바로잡았다.
95) 『周易·歸妹卦』: 六五, 帝乙歸妹, 其君之袂, 不如其娣之袂良, 月幾望, 吉.

按, 川澤之畔, 必限砂礫磐磯. 六三上限澤畔, 故云困于石. 坎象蒺藜, 下乘坎二, 故云據于蒺藜. 三是所居之宮, 上是所應之配, 而三與上兩陰无相應之道, 是爲不見其妻之象.

내가 살펴보았다: 시내나 못의 가장자리는 반드시 모래·자갈·돌로 경계가 만들어진다. 육삼은 위에 있어 못의 한계인 못가이기 때문에 "돌 때문에 어려움"이라고 하였다. 감괘의 상이 가시나무이고 아래로 감괘의 이효를 타고 있기 때문에 "가시나무에 앉아 있음"이라 하였다. 삼효는 살고 있는 집이고, 상효는 호응하는 짝이나 삼효와 상효가 두 음으로 서로 호응하는 도가 없으니 이것이 아내를 만나보지 못하는 상이다.

김기례(金箕澧) 「역요선의강목(易要選義綱目)」

六三, 困于石.

육삼은 돌 때문에 어려운 것이다.

吳臨川曰, 剛在土上, 則爲艮小石, 剛在土中, 則爲坎大石, 指四.

임천오씨가 말하였다: 굳셈이 흙 위에 있으면 간괘인 작은 돌이 되고 굳셈이 흙 안에 있으면 감괘인 큰 돌이 되니 사효를 가리킨다.

據于蒺藜.

가시나무에 앉아 있는 것이다.

荀易, 坎爲蒺藜, 多刺也. 指二.

『순구가역』에서 말하였다: 감괘는 가시나무가 가시가 많은 것이 되니, 이효를 가리킨다.

入于其宮.

그 집에 들어가다.

上六爲三正應, 故指上六曰宮.

상육은 삼효의 바른 호응이기 때문에 상육을 가리켜 '집'이라고 하였다.

不見其妻凶.

그 처를 보지 못하니, 흉하다.

三爲剛位, 故自謂之夫, 指上曰妻. 蓋兌爲女, 故亦曰妻. 三本欲擸九二, 二以剛中不見擸, 則三反陷二剛中, 而四應初壓三如石. 二應五刺二如蒺藜, 故三又欲應上, 則俱是陰爻, 无所應援, 則進退皆凶者也.

삼효는 굳센 자리이기 때문에 자신을 남편이라 하고 상효를 가리켜 아내라고 하였다. 또 태괘는 여자이므로 아내라고 한 것이다. 삼효는 본래 구이를 붙잡고자 하지만 구이가 굳세고 알맞기 때문에 붙잡히지 않고, 삼효가 도리어 강중인 이효에게 빠지니, 사효가 초효와 호응하여 삼효를 돌처럼 압박한다. 이효는 오효에 호응하여 삼효를 가시나무처럼 찌르기 때문에 삼효가 다시 상효와 호응하고자 하나 모두 음효여서 응원하는 것이 없으니 진퇴가 모두 흉한 자이다.

심대윤(沈大允) 『주역상의점법(周易象義占法)』

困之大過䷛, 過而有形也. 六三才柔居剛, 時可以漸亨而固守大過. 上阻于四五, 故曰困于石, 言操守之堅也. 四五居坎爲大石, 下拘於九二而不進, 故曰據于蒺藜, 言拘掣也. 坎爲蒺藜, 入于其宮, 乾兌爲宮室也. 三爲坎男, 而上六爲兌女, 相應故曰妻. 兌离爲不見. 夫君子志在於顯達, 而所遇之時不幸特甚, 世莫用我, 故守困而俟命, 其心則固未嘗一日忘世也. 六三果於自棄, 唯恐有聞遺世冥棲, 廢君臣之倫, 而托鳥獸之群, 名晦而辱身, 賤而危, 不祥之極也. 古之隱於屠市林藪,而无傳於世者是也, 蓋无足取者焉已矣.

곤괘가 대과괘(大過卦䷛)로 바뀌었으니, 지나쳐서 드러난 것이다. 육삼은 부드러운 재질로 굳셈에 있으니 때가 점점 형통하나 굳게 지켜 크게 지나친다. 위에 사효·오효의 막힘이 있으므로 돌 때문에 어렵다고 했으니 지키는 것이 견고하다는 말이다. 사효·오효는 감괘에 있어서 큰 돌이 되고 아래로 구이에 구애받아 나아가지 못하기 때문에 "가시나무에 앉아 있다"고 하였으니 제어됨을 말한다. 감괘는 가시나무가 되고 집으로 들어감은 건괘·태괘가 궁실이기 때문이다. 삼효는 감괘인 남자가 되고 상육은 태괘인 여자가 되니 서로 호응하기 때문에 '아내'라고 하였다. 태괘·리괘는 만나보지 못함이다. 군자가 현달함에 뜻을 두었으나 만난 때가 불행함이 심하여 다만 세상이 나를 쓰지 않기 때문에 어려움을 지키면서 명을 기다리니, 그 마음은 진실로 하루라도 세상을 잊은 적이 없다. 육삼은 자기를 버리는 데에 과감하나, 오직 두려운 것은 세상을 버리고 은둔하여 군신간의 윤리를 저버리며 짐승들과 어울려 살아 명예는 감춰지고 몸은 욕되니, 천하고도 위태로워 매우 상서롭지 못하다는 소문이다. 옛날에 시장에서 백정노릇하고 숲에서 나무하며 은둔하여 세상에 전해짐이 없었던 자들이 여기에 해당하니, 거기에서 취할 것은 없다.

오치기(吳致箕) 「주역경전증해(周易經傳增解)」

六三陰柔, 不得中正, 而上无正應, 下乘九二之剛, 上有九四之阻. 故當困之時, 進而困于石, 退而據于蒺藜, 入于其宮, 而不見其妻. 其象如此, 安得不凶乎, 繫辭傳已備矣.

육삼은 부드러운 음으로 중정이 되지 못하고 위에 정응이 없으니, 아래로 굳센 구이를 타고 위로 구사의 막힘이 있다. 그러므로 어려운 때를 당하여 나아감에 돌 때문에 어렵고 물러감에 가시나무에 앉아 있으며 집에 들어가도 아내를 보지 못한다. 그 상이 이와 같으니 어찌 흉하지 않겠는가?「계사전」에 이미 갖추어져 있다.

○ 石與宮, 取於對艮. 據者依也, 蒺藜險草也, 取於坎及變巽. 入亦取巽, 見取於互離也. 三與上在當應之地, 而不應, 故曰不見其妻. 亦以三則坎男之體, 上則兌女之體, 故以妻喩也.

돌과 집은 음양이 바뀐 괘인 간괘(艮卦☶)에서 취하였다. "앉아 있음"은 의지함이고, "가시나무"는 험한 풀이니 감괘(坎卦☵)와 변한 손괘(巽卦☴)에서 취하였다. "들어감"도 손괘에서 취하였고 "만나 봄"은 호괘인 리괘(離卦☲)에서 취하였다. 삼효는 상효와 마땅히 호응하는 자리에 있으나 호응하지 않기 때문에 "아내를 만나보지 못함"이라고 하였다. 또한 삼효는 남자인 감괘(坎卦☵)의 몸체이고 사효는 태괘(兌卦☱)인 여자의 몸체이기 때문에 "아내"로 비유하였다.

이진상(李震相)『역학관규(易學管窺)』

荀氏曰, 坎爲蒺藜, 又爲宮.

순씨가 말하였다: 감괘는 가시나무가 되고 또 집이 된다.

左傳註曰, 坎爲險爲水, 水之險者石.

『춘추좌씨전』의 주석에서 말하였다: 감괘는 험함이 되고 물이 되니 물의 험한 것이 돌이다.

吳臨川曰, 坎之剛在, 坤土之前, 爲地中大石.

임천오씨가 말하였다: 감괘의 굳셈이 흙인 곤괘의 앞에 있으니 흙 속의 큰 돌이 된다.

愚按, 入互巽象, 妻兌之少女, 所應在六, 六乃陰柔, 與己無應, 離明內睹,[96] 所以不見. 但本義以四爲石, 而四無石意, 抑只取少剛之象歟.

내가 살펴보았다: '들어감'은 호괘인 손괘(巽卦☴)의 상이고 "아내"는 태괘(兌卦☱)인 소녀이다. 호응하는 대상이 육효에 있으나 육효도 부드러운 음이니 자기와 호응이 없고, 밝음인 리괘가 안에서 보고 있기 때문에 만나보지 못한다. 『본의』에서는 사효를 돌이라고 여겼으나 사효에 돌의 의미가 없으니 조금 굳센 상만을 취한 것인가 보다.

---

96) 睹: 경학자료집성DB에서는 공란으로 처리하였으나, 경학자료집성 영인본을 참조하여 '睹'로 바로잡았다.

이병헌(李炳憲) 『역경금문고통론(易經今文考通論)』

本義曰, 石指四, 蒺藜指二, 宮謂三而妻則六也. 義備繫辭.

『본의』에서 말하였다: 돌은 사효를 가리키고 가시나무는 이효를 가리키며, 집은 삼효를 말하고 아내는 육(六)이니, 뜻이 「계사전」에 구비되어 있다.

象曰, 據于蒺藜乘剛也. 入于其宮不見其妻, 不祥也.

「상전」에서 말하였다: "가시나무에 앉아 있음"은 굳센 양을 타고 있기 때문이고, "집에 들어가도 아내를 만나보지 못함"은 상서롭지 못한 것이다.

‖中國大全‖

傳

據于蒺藜, 謂乘九二之剛, 不安猶藉刺也. 不祥者, 不善之徵, 失其所安者, 不善之效. 故云不見其妻, 不祥也.

'가시나무에 앉아 있는 것'은 굳센 구이를 타고 있어 불안함이 마치 가시를 깔고 앉은 것과 같다. '상서롭지 못한 것'은 선하지 못함의 징험이니, 편안한 바를 잃은 것은 선하지 못한 결과이다. 그러므로 아내를 만나보지 못함을 "상서롭지 못하다"고 하였다.

‖韓國大全‖

김상악(金相岳) 『산천역설(山天易說)』

不祥, 謂死期將至也.

"상서롭지 못함"은 죽는 날이 이르게 됨을 이른다.

서유신(徐有臣) 『역의의언(易義擬言)』

據爲乘, 蒺藜爲剛也. 不祥者, 不吉之先見者也.

"앉아 있음"은 타고 있음이고, "가시나무"는 굳셈이다. "상서롭지 못함"이란 불길함이 미리 나타나는 것이다.

박문건(朴文健) 『주역연의(周易衍義)』

祥, 吉善之謂也.

"상서로움"은 길하고 선함을 이른다.

오치기(吳致箕) 「주역경전증해(周易經傳增解)」[97]

不正而乘剛, 故其不安如藉險草矣, 旡應而處險, 故有不善之徵, 而妻不得見也.

바르지 못하면서 굳셈을 타고 있기 때문에 험한 풀에 앉아 있는 것처럼 불안하고, 호응이 없으면서 험한 데에 처하였기 때문에 좋지 못한 징조가 있어 아내를 만나보지 못한 것이다.

---

97) 경학자료집성DB에서는 '육삼'에 해당하는 것으로 분류했으나, 내용에 따라 이 자리로 옮겨왔다.

九四, 來徐徐, 困于金車, 吝有終.

구사가 느리게 오는 것은 쇠수레 때문에 어려워서이니, 부끄러울 만하나 잘 마칠 것이다.

┃中國大全┃

傳

唯力不足故困, 亨困之道, 必由援助. 當困之時, 上下相求, 理當然也. 四與初爲正應, 然四以不中正, 處困其才不足以濟人之困, 初比二, 二有剛中之才, 足以拯困, 則宜爲初所從矣. 金剛也, 車載物者也, 以二剛在下載已, 故謂之金車. 四欲從初, 而阻於二, 故其來遲疑而徐徐, 是困于金車也. 已之所應, 疑其少已而之他, 將從之, 則猶豫不敢遽前, 豈不可羞吝乎. 有終者, 事之所歸者正也. 初四正應, 終必相從也. 寒士之妻, 弱國之臣, 各安其正而已, 苟擇勢而從, 則惡之大者, 不容於世矣. 二與四皆以陽居陰, 而二以剛中之才, 所以能濟困也. 居陰者, 尚柔也, 得中者, 不失剛柔之宜也.

힘이 부족하기 때문에 어려우니, 어려움을 형통하게 하는 길은 반드시 원조를 따라야 한다. 어려운 때를 당하여 위와 아래가 서로 구하는 것은 이치의 당연함이다. 사효는 초효와 정응이 되나 사효가 중정하지 못하고 어려움에 처하여 그 재주가 다른 사람의 어려움을 구제할 수 없고, 초효는 이효와 가까이 있는데 이효는 굳세고 알맞은 재주가 있어 곤함을 구제할 수 있으니, 초효가 따르는 바가 될 것이다. 쇠는 굳센 것이고 수레는 물건을 싣는 것이니, 이효가 굳셈으로 아래에 있으면서 자기를 싣고 있기 때문에 쇠수레라고 말하였다. 사효가 초효를 따르고자 하나 이효에 막혀 있기 때문에 그 오는 것이 더디고 의심하여 느리니 이는 쇠수레 때문에 어려운 것이다. 자기의 초응하는 바가 자기를 하찮게 여기고 다른 데로 갈까 염려하여, 장차 따르려 하면 머뭇거려 곧 나오지 않으니, 이 어찌 부끄러울 만하지 않겠는가? 잘 마친다는 것은 일의 귀결이 바른 것이다. 초효와 사효는 정응이니, 끝내는 반드시 서로 따를 것이다. 가난한 선비의 아내와 약소국의 신하는 각각 그 바름을 편안히 할 뿐이니, 만일 세력을 택하여 따른다면 죄악이 커서 세상에 용납 받지 못할 것이다. 이효와 사효는 모두 양으로 음의 자리에 있으나 이효는 굳세고 알맞은 재질을 가지고 있으니, 이 때문에 어려움을 구제할 수 있다. 음에 거하는 것은 부드러움을 숭상하는 것이고, 알맞음을 얻은 것은 굳셈과 부드러움의 마땅함을 잃지 않은 것이다.

本義

初六, 九四之正應, 九四處位不當, 不能濟物, 而初六方困於下, 又爲九二所隔. 故其象如此. 然邪不勝正, 故其占雖爲可吝, 而必有終也. 金車爲九二象未詳, 疑坎有輪象也.

초육은 구사의 정응이나 구사는 있는 위치가 마땅하지 못하여 다른 사람을 구제할 수 없고, 초육은 아래에서 어려우며 또 구이에게 막힌 바가 되었다. 그러므로 그 상이 이와 같다. 그러나 그름은 바름을 이기지 못하므로 그 점이 비록 부끄러울 만하나 반드시 잘 마침이 있다. 쇠수레가 구이의 상이 된 것은 자세하지 않으니, 아마도 감괘(坎卦)에 수레바퀴의 상이 있는 듯하다.

小註

中溪張氏曰, 坎爲輿, 九二居坎體而又剛健, 故曰金車. 初六之來徐徐者, 以困于九二之金車也. 然四之志則在乎初, 始若可吝, 久必有終也.

중계장씨가 말하였다: 감괘가 수레가 되는데, 구이는 감괘에 있으면서 강건하기 때문에 쇠수레라고 말하였다. 초육이 느리게 오는 것은 구이의 쇠수레 때문에 어려워서이다. 그러나 사효의 뜻은 초효에 있으므로 처음에는 부끄러울 만한 듯하지만, 오래 되면 반드시 잘 마칠 것이다.

○ 雲峰胡氏曰, 當困之時, 不可求以亟通, 故二曰方來, 五曰乃徐有說, 四曰來徐徐, 皆緩辭也. 初與四應, 其來之所以徐徐者, 爲九二金車所隔也. 然陰陽相應正也, 九二隔之, 非正也. 邪終不得以勝正, 故始雖可吝而必有終也.

운봉호씨가 말하였다: 어려움을 당했을 때에는 빨리 벗어나려고 해서는 안 되기 때문에 이효에서는 "바야흐로 온다"고 말하였고, 오효에서는 "늦게 기쁨이 있다"고 말하였고, 사효에서는 "느리게 온다"고 말하였으니, 모두 '늦다'는 말이다. 초효는 사효와 호응하는데 오는 것이 늦는 까닭은 구이의 쇠수레에 막혀있기 때문이다. 그러나 음양이 서로 호응하는 것은 바르고, 구이가 막고 있는 것은 바름이 아니다. 그릇됨은 끝내 바름을 이길 수 없기 때문에 처음에는 비록 부끄러울 만하지만, 반드시 잘 마칠 것이다.

○ 潛齋胡氏曰, 九四欲來初六之心, 卽初六欲覿九四之心, 其未覿未來者, 一時之困耳. 時移困解, 則欲覿者, 終於覿, 欲來者, 終於來, 故曰有終.

잠재호씨가 말하였다: 구사는 초육의 마음을 오게 하고자 하고, 초육은 구사의 마음을 보고자 하니, 오지 않고 보지 않는 것은 한 때의 어려움일 뿐이다. 시절이 바뀌어 어려움이 해결

되면 보기를 바라는 사람은 끝내 보고 오기를 바라는 사람은 끝내 오기 때문에 "잘 마친다"고 말하였다.

▌韓國大全▐

송시열(宋時烈) 『역설(易說)』

四見九二, 比於初爻, 涉坎險, 有坎疑之心, 故其行不疾而徐. 又巽爲柔軟不剛, 而不能處濟困之位, 無勇往之才, 故曰徐徐. 金者剛物也, 車者坎輪也, 本義已言之. 言見坎之中爻, 當困之時, 其道小吝, 然終必與我應, 故曰有終.

사효는 구이가 초효와 가까워 감괘의 험함을 건너는 것을 보고 의심하는 마음이 있기 때문에 그 행함이 빠르지 않고 느리다. 또 손괘는 부드럽고 굳세지 않은데 곤괘를 구제할 수 있는 자리에 있지 못하고 용맹하게 가는 재질이 없기 때문에 느리다고 하였다. 쇠는 굳센 물건이고 수레는 감괘(☵)의 수레이니, 『본의』에서 이미 말했다. 말하자면 감괘의 가운데 효를 보면 곤괘의 때를 당해 그 도가 조금 부끄럽지만 마침내 나와 호응할 것이기 때문에 마침이 있다고 하였다.

권만(權萬) 『역설(易說)』

九四金革(車)指九二. 來徐徐, 言初六之來徐徐者, 私附於所近之九二也.

구사의 쇠수레는 구이를 가리킨다. 느리게 온다는 것은 초육이 느리게 오는 것을 말하니, 가까운 구이에게 사사롭게 붙었기 때문이다.

심조(沈潮) 「역상차론(易象箚論)」

九四, 金車, 來徐徐.

구사의 쇠수레와 느리게 오는 깃.

金兌也, 車雜乾也. 徐徐艮之遲重也. 來亦離象.

쇠는 태괘(☱)이고 수레는 건괘와 섞인 것이다. 느린 것은 간괘(☶)의 느리고 무거움이다. 온다는 것은 리괘(☲)의 상이다.

유정원(柳正源) 『역해참고(易解參攷)』

王氏曰, 二剛以載者也, 故謂之金車. 徐徐者, 疑懼之辭. 志在於初而隔於二, 履不當位, 威命不行. 棄之則不能, 欲往則畏二, 故曰來徐徐困于金車.

왕필이 말하였다: 이효는 굳셈으로 싣는 자이기 때문에 쇠수레라고 하였다. 느리다는 것은 의심하고 두려워하는 말이다. 뜻이 초효에게 있지만 이효에게 막혀 밟고 있는 자리가 마땅하지 않아 위엄과 명령이 행해지지 못한다. 버리자니 그럴 수 없고 가자니 이효가 두렵기 때문에 "느리게 오는 것은 쇠수레 때문에 어려워서이니 부끄러울 만하나 잘 마칠 것"이라고 하였다.

○ 東明劉氏曰, 九二有載物之才, 非困四者也, 四有畏焉, 故曰困于金車. 以畏而困亦已吝矣, 然非若六三之无與也. 二終不困我而獲初之應, 故曰有終.

동명유씨가 말하였다: 구이는 물건을 싣는 재주가 있으며 사효를 어렵게 하는 자가 아닌데 사효가 두려움을 지니고 있기 때문에 "쇠수레 때문에 어렵다"고 하였다. 두려워하면서 어려운 것도 부끄럽긴 하지만 육삼이 함께 할 사람이 없는 것과는 다르다. 이효가 끝내 나를 어렵게 하지 않고 초효의 호응을 얻기 때문에 잘 마친다.

○ 雙湖胡氏曰, 蒙六三金夫, 姤初六金梶, 皆指九二. 此爻金車, 指九二明矣.

쌍호호씨가 말하였다: 몽괘 육삼의 돈이 많은 사내와 구괘 초육의 쇠말뚝은 모두 구이를 가리킨다. 여기의 쇠수레는 구이를 가리킴이 분명하다.

○ 梁山來氏曰, 金車指九二. 坎車象, 乾金當中, 金車之象. 自下而上曰往, 自上而下曰來, 來徐徐者, 四來于初也. 初覿于四, 四來于初, 陰陽正應故也

양산래씨가 말하였다: 쇠수레는 구이를 가리킨다. 감괘(☵)는 수레의 상이고, 건괘(☰)인 쇠의 가운데에 해당하니 쇠수레의 상이다. 아래에서 위로 올라오는 것을 '간다[往]'고 하고 위에서 아래로 내려오는 것을 '온다[來]'고 하는데, 느리게 온다는 것은 사효가 초효에게 온다는 것이다. 초효에서 사효를 보면 사효가 초효에게 오는 것이니, 음양으로 정응이기 때문이다.

○ 案, 陽性剛果而居陰, 故來徐徐. 五之乃徐亦以說體也. 〈傳猶豫, 道德經豫兮若冬涉川, 猶兮若畏四鄰.〉

내가 살펴보았다: 양의 성질은 굳세고 과감한데 음의 자리에 있어서 오는 것이 느리다. 오효에서의 느리다는 것도 기뻐하는 몸체이기 때문이다. 〈『정전』의 '머뭇거림'은 『도덕경』의 "머뭇거리기를 겨울에 내를 건너는 것처럼 하고 망설이기를 사방의 이웃을 두려워하듯이 한다"는 것이다.〉

○ 吳子註, 猶蜼也, 性多疑聞, 多聲則豫登木, 上下不一.
오자의 주에 "유(猶)는 원숭이로 성질이 듣는 것에 의심이 많아서 소리가 많이 나면 머뭇거리며 나무에 올라가니 오르내림이 일정하지 않다"고 하였다.

○ 離騷經註, 猶, 犬子, 人將犬行好. 豫, 在人前待人不至, 又來迎候.
『이소경』의 주에 "유(猶)는 강아지로 사람들이 개를 끌고 다니기를 좋아한다. 예(豫)는 남들보다 앞서 사람이 오지 않는 것을 기다리다가 또 오면 맞이하여 시중드는 것이다"고 하였다.

○ 案, 諸書, 皆以猶爲獸名, 豫爲其性, 而據老子說, 則二字恐各是一義.
내가 살펴보았다: 모든 글에 다 유(猶)는 짐승의 이름이고 예(豫)는 그 성질이라고 하였는데, 노자의 말에 의하면 두 글자는 각각 하나의 뜻일 것이다.

김상악(金相岳) 『산천역설(山天易說)』

九四居兌之下, 應坎之初, 而爲二所隔, 故有來徐徐困于金車不能遽前之象. 雖可吝與正應相合, 故能有終也.
구사가 태괘의 아래에 있으면서 감괘의 초효와 호응하는데 이효에게 막혀 있으므로 쇠수레 때문에 어려워 느리게 오며 빨리 앞으로 나아갈 수 없는 상이 있다. 부끄럽지만 초효와 바르게 호응하여 서로 합하기 때문에 잘 마칠 것이다.

○ 兌之止水隨坎而下, 故其來也徐. 車坎象, 二之剛得乾中爻, 金車之象. 姤之初曰繫于金柅, 柅者止車之物, 而困則車无所繫, 爲間於初四, 故曰困于金車. 有終, 謂從應於初也. 睽則金火相遇, 故六三曰无初有終, 困則金水相應, 故只曰有終.
태괘(☱)의 고여 있는 물이 감괘(☵)를 따라 흘러내리기 때문에 오는 것이 느리다. 수레는 감괘의 상인데 이효의 군셈이 건괘의 가운데 효를 얻어 쇠수레의 상이다. 구괘(姤卦)의 초효에서 "쇠말뚝에 맨다"고 했으니, 말뚝은 수레를 정지시키는 물건인데 곤괘에서는 수레가 매이지 않고 초효와 사효에 간격이 있어 "쇠수레에 어렵다"고 하였다. "잘 마친다"는 것은 초효에 호응하여 따르는 것이나. 규괘(睽卦)는 쇠와 불이 서로 만났기 때문에 육삼에서 "처음은 없지만 잘 마칠 것"이라고 했고 곤괘는 쇠와 물이 서로 호응하기 때문에 "잘 마칠 것"이라고만 하였다.

박제가(朴齊家) 『주역(周易)』

九四困于金車.
구사는 쇠수레 때문에 어렵다.

當是載金之車, 雖爲其所困, 乃與我之金. 象傳曰有與也, 亦困于酒食之意.

금을 싣는 수레이니, 비록 그것 때문에 어렵게 되더라도 나에게 준 금이다. 「소상전」의 "함께하는 이가 있다"는 것은 "술과 음식 때문에 어렵다"는 뜻이다.

서유신(徐有臣) 『역의의언(易義擬言)』

正應初六, 遲遲不來, 故九四載金滿車而無所施用, 是爲困于金車也. 是爲吝也. 雖然徐徐云爾, 其終必來, 故曰有終也. 兌有金象, 坎有車象, 載金於車也.

정응인 초육이 느릿느릿 오지 않기 때문에 구사가 금을 가득 싣고 있어도 쓸 곳이 없으니 이것이 "쇠수레 때문에 어렵다"는 것이다. 이는 부끄러움이 되지만 '느리게'라고 말한 것은 반드시 온다는 것이기 때문에 잘 마칠 것이라고 하였다. 태괘(☱)에 금의 상이 있고 감괘(☵)에 수레의 상이 있으니, 수레에 금을 실은 것이다.

강엄(康儼) 『주역(周易)』

按, 來徐徐, 程傳以爲九四欲從初而阻於二, 故其來遲疑而徐徐. 本義, 謂初六爲九二所隔, 故其來徐徐. 兩說不同, 然以象傳來徐徐志在下觀之, 程傳爲得耶.

내가 살펴보았다: 느리게 오는 것을 『정전』에서는 사효가 초효를 따르고자 하나 이효에 막혀 있기 때문에 그 오는 것이 더디고 의심하여 느리다고 여겼다. 『본의』에서는 초육이 구이에게 막힌 바가 되었기 때문에 느리게 온다고 하였다. 두 설이 다른데 「상전」의 "느리게 옴은 뜻이 아래에 있기 때문이다"라는 것을 가지고 보면 『정전』이 좋다.

박문건(朴文健) 『주역연의(周易衍義)』

爲下所載, 故有困于金車之象. 必困於金車者, 捨剛而用柔也. 徐徐, 遲緩之貌. 初六陰之剛者, 故以金車爲喩.

아래에서 싣기 때문에 쇠수레 때문에 어려운 상이 있다. 쇠수레 때문에 어려울 수밖에 없는 것은 굳셈을 버리고 부드러움을 씀이다. '느리게'는 느릿느릿한 모양이다. 초육은 음으로 굳센 자이기 때문에 쇠수레로 비유하였다.

〈問, 來徐徐以下. 曰, 九四之志在初而不欲退, 故其來徐徐也. 始雖困於金車而有吝, 然終必相遇也. 困之初爲金車, 猶鼎之五爲金鉉, 皆取用剛之義也.〉

물었다: "느리게 온다" 이하는 무슨 뜻입니까?

답하였다: 구사의 뜻이 초효에게 있어 물러나지 않으려고 하기 때문에 느리게 옵니다. 처음에는 쇠수레 때문에 어렵지만 마침내는 반드시 만납니다. 곤괘의 초효가 쇠수레가 되는 것은 정괘의 오효가 금현(金鉉)이 됨과 같으니 모두 굳셈을 쓰는 뜻을 취하였습니다.〉

이지연(李止淵) 『주역차의(周易箚疑)』

九四, 以需初九之心, 處同人九五之位, 而行屯六二之事者也.

구사는 수괘 초효의 마음으로 동인괘 구오의 자리에 거처하여 준괘 육이의 일을 행한다.

김기례(金箕澧) 「역요선의강목(易要選義綱目)」

金車指九二. 二剛中, 故曰金. 坎爲輿, 故曰車.

쇠수레는 구이를 가리킨다. 이효는 굳셈이 알맞음을 얻었기 때문에 '쇠'라고 하였다. 감괘(☵)는 수레가 되기 때문에 '수레'라고 하였다.

○ 四雖應初, 初爲二剛所比, 不能亟來, 故曰來徐徐. 雖若可吝終必有合應之理, 故曰有終.

사효가 초효와 호응하지만 초효는 이효의 굳셈과 가까워 빨리 오지 못하기 때문에 "느리게 온다"고 하였다. 부끄러울만하지만 마침내는 반드시 합하고 호응하는 이치가 있기 때문에 "잘 마칠 것이다"라고 하였다.

심대윤(沈大允) 『주역상의점법(周易象義占法)』

困之坎䷜. 九四居柔求達而有正應于初, 專陷于其黨. 援以得聞達而阻於九二, 故曰來徐徐困于金車. 來徐徐, 謂初也, 困于金車, 謂四也. 震离爲來, 艮巽爲徐徐, 坎爲車, 金車謂二之剛也. 四在高位, 其力足以轉二, 故曰金車. 溺于鄰援, 故曰吝. 旣達于黨, 援可以漸及於疏遠, 故曰有終. 上卦之對蒙有坤.

곤괘가 감괘(☵)로 바뀌었다. 구사가 부드러운 자리에 있으면서 영달을 구하는데 초효와 바르게 호응함이 있어 그 무리에 오로지 빠진 것이다. 구원하여 영달을 얻으려 하나 구이에게 막혀있기 때문에 "느리게 오는 것은 쇠수레 때문에 어려워서이다"라고 하였다. "느리게 옴"은 초효를 말하고 "쇠수레 때문에 어려워서 이니"는 사효를 말한다. 진괘(☳)와 리괘(☲)는 '오는 것'이 되고 간괘(☶)와 손괘(☴)는 '느리게'가 되고 간괘(☶)는 수레이니, '쇠수레'는 구이의 굳셈을 말한다. 사효가 높은 자리에 있으면서 그 힘이 이효를 굴릴 수 있기 때문에 '쇠수레'라고 하였다. 무리의 구원에 빠져있기 때문에 '부끄러움'을 말했다. 이미 무리들에게 영달하고 구원하여 점차 소원한 곳까지 파급되기 때문에 "잘 마칠 것이다"라고 하였다. 상괘의 음양이 반대인 괘인 몽괘에 곤괘(☷)가 있다.

오치기(吳致箕) 「주역경전증해(周易經傳增解)」

九四剛不中正而下應初六之柔, 志在往從. 然當困之時, 險剛在下, 爲其所阻, 其來徐徐, 有困于金車之象, 而剛失其位, 未卽從應, 故言吝. 然旣爲正應, 終能相與, 故又言有終也.

구사가 굳셈으로 중정하지 못한데 아래로 초육의 부드러움과 호응하여 뜻이 가서 따르고자 한다. 그러나 어려운 때에 당해서 험한 굳셈이 아래에 있어 막히는 바가 되어 오는 것이 느리니 쇠수레 때문에 어려운 상이 있고, 굳셈이 그 자리를 잃어 곧바로 호응을 따르지 못해 부끄러움을 말했다. 그렇지만 이미 정응이 되어 마침내 서로 함께 하기 때문에 또 말하길 잘 마칠 것이라고 하였다.

○ 徐徐猶遲遲也. 車取於應坎, 而坎陽得乾剛, 故曰金車也.

'느리게'는 '느릿느릿'과 같다. 수레는 호응하는 감괘(☵)를 취했고 감괘의 양은 건괘(☰)의 굳셈을 얻었기 때문에 '쇠수레'라고 하였다.

이진상(李震相) 『역학관규(易學管窺)』

巽爲進退不果, 故徐徐. 坎在金鄕爲車, 是金車也. 然四之正應在九二之下, 畏二而不敢來, 故有困于金車之象. 以畏而困吝也, 終必相合故曰有終.

손괘(☴)는 나아가고 물러남에 과단성이 없음이 되기 때문에 느리다. 감괘(☵)가 금의 마을에 있으니 이것이 쇠수레이다. 그렇지만 사효의 정응이 구이의 아래에 있어 이효를 두려워하여 감히 오지 못하기 때문에 쇠수레 때문에 어려운 상이 있다. 두려워하여 어려우니 부끄럽고 마침내 반드시 서로 합하기 때문에 "잘 마칠 것이다"라고 하였다.

박문호(朴文鎬) 「경설(經說)・주역(周易)」

九之象金, 以其剛也, 二之象車, 則或以輪之二耶.

구의 상이 쇠인 것은 그 굳건함 때문이고, 이효의 상이 수레인 것은 혹 이효를 바퀴로 쓰기 때문이다.

이병헌(李炳憲) 『역경금문고통론(易經今文考通論)』

徐徐孟作荼荼, 車作轝無說. 舊傳作荼荼曰內不定之意.

'느리게'를 맹씨는 '도도(荼荼)'로 보았고, '수레'는 '가마[轝]'로 보았는데 설명이 없다. 옛 글에서는 '도도(荼荼)'라 하고는 안으로 정하지 못한 뜻이라고 하였다.

象曰, 來徐徐, 志在下也, 雖不當位, 有與也.

「상전」에서 말하였다: "느리게 옴"은 뜻이 아래에 있기 때문이니, 비록 자리가 마땅하지 않으나 함께 하는 이가 있다.

▌中國大全▐

傳

四應於初, 而隔於二, 志在下求, 故徐徐而來, 雖居不當位爲未善, 然其正應相與, 故有終也.

사효가 초효에 호응하나 이효에게 막혀서 뜻이 아래로 구하는데 있으므로 느리게 오는 것이니, 비록 거함이 자리에 마땅하지 않아 선하지 못함이 되나 정응과 서로 함께하기 때문에 잘 마침이 있다.

小註

臨川吳氏曰, 下謂初, 志在於拯初也. 不當位, 謂居柔故其行徐. 有與, 謂與初爲正應, 行雖徐, 終能就初而拯其困也.

임천오씨가 말하였다: '아래'는 초효를 말하니, 뜻이 초효를 구하는 데 있는 것이다. "자리가 마땅하지 않다"는 것은 부드러운 음의 자리에 있기 때문에 행동이 느리다는 말이다. "함께 하는 이가 있다"는 깃은 초효와 정응이 되어 행동은 비록 느리지만, 끝내는 초효에 나아가서 그 어려움을 구제할 수 있다는 말이다.

▌韓國大全▌

김상악(金相岳) 『산천역설(山天易說)』

下謂初也, 位不當, 故不能濟困, 有應與, 故能有終也.

아래는 초효를 말한다. 자리가 마땅하지 않기 때문에 어려움을 구제할 수는 없지만, 호응함이 있기 때문에 잘 마칠 것이다.

서유신(徐有臣) 『역의의언(易義擬言)』

志在於初, 故待其來也. 不當位, 困吝也, 有與, 有終也.

뜻이 초효에게 있기 때문에 오는 것을 기다린다. 자리가 마땅하지 않음은 어렵고 부끄러운 것이고 함께 하는 이가 있음은 마침이 있는 것이다.

심대윤(沈大允) 『주역상의점법(周易象義占法)』

逼於五, 故曰不當位.

오효에 가깝기 때문에 "자리가 마땅하지 않다"고 하였다.

오치기(吳致箕) 「주역경전증해(周易經傳增解)」

其來徐徐, 雖因有阻而志則在下也. 雖以不當位而爲吝, 終能與正應相從也.

오는 것이 느린 것은 비록 막힘이 있지만 뜻이 아래에 있기 때문이다. 비록 마땅한 자리는 아니라서 부끄럽지만 마침내 정응과 함께 서로 따를 수 있다.

이병헌(李炳憲) 『역경금문고통론(易經今文考通論)』

王曰, 徐徐, 疑懼貌. 〈王亦作茶茶看.〉

왕필이 말하였다: ‘느리게’는 의심하고 두려워하는 모습이다. 〈왕씨도 ‘도도(茶茶)’로 보았다.〉

按, 金車當爲至尊之輿. 澤坎之際, 水落而石出, 木根蒺藜交錯爲塗, 故困. 四近君多懼, 與二同功故有終.

내가 살펴보았다: 쇠수레는 당연히 임금의 수레이다. 못과 감괘인 물의 때에 물이 빠지고 돌이 드러나며, 나무뿌리가 가시나무와 섞여 길이 되기 때문에 어렵다. 사효는 임금과 가까워 두려움이 많지만 이효와 더불어 공을 같이 하기 때문에 마침이 있다.

九五, 劓刖, 困于赤紱, 乃徐有說, 利用祭祀.

구오는 코를 베이고 발을 베이니 적색 슬갑 때문에 어려우나 늦게는 기쁨이 있으리니, 제사에 쓰는 것이 이롭다.

‖中國大全‖

傳

截鼻曰劓, 傷于上也, 去足爲刖, 傷於下也. 上下皆揜於陰, 爲其傷害劓刖之象也. 五君位也, 人君之困, 由上下無與也. 赤紱, 臣下之服, 取行來之義, 故以紱言. 人君之困, 以天下不來也, 天下皆來, 則非困也. 五雖在困而有剛中之德, 下有九二剛中之賢, 道同德合, 徐必相應而來, 共濟天下之困. 是始困而徐有喜說也. 利用祭祀, 祭祀之事, 必致其誠敬而後受福. 人君在困時, 宜念天下之困, 求天下之賢, 若祭祀然, 致其誠敬, 則能致天下之賢, 濟天下之困矣. 五與二同德, 而云上下无與, 何也. 曰陰陽相應者, 自然相應也, 如夫婦骨肉分定也. 五與二皆陽爻, 以剛中之德同而相應相求而後合者也, 如君臣朋友義合也. 方其始困, 安有上下之與. 有與則非困, 故徐合而後有說也. 二云享祀, 五云祭祀, 大意則宜用至誠, 乃受福也. 祭與祀享, 泛言之則可通, 分而言之, 祭天神祀地示亨人鬼. 五君位言祭, 二在下言亨, 各以其所當用也.

코를 베는 것을 ‘의(劓)’라 하니 위에서 상하는 것이고, 발을 제거하는 것을 ‘월(刖)’이라 하니 아래에서 상하는 것이다. 위와 아래가 모두 음에 가려서 상해를 당하니, 이는 코를 베고 발을 베는 상이다. 오효는 임금의 자리이니, 임금의 어려움은 위아래에 함께하는 이가 없기 때문이다. ‘적색 슬갑’은 신하의 의복이니, 걸어오는 뜻을 취하였으므로 슬갑으로 말하였다. 임금의 곤궁함은 천하 사람이 오지 않기 때문이니, 천하 사람이 모두 온다면 어려움이 아니다. 오효가 비록 어려움에 있으나 굳세고 알맞은 덕이 있고, 아래에 구이라는 굳세고 알맞은 현명한 사람이 있어 도가 같고 덕이 합하니, 천천히 반드시 서로 호응하여 와서 함께 천하의 어려움을 구제할 것이니, 이는 처음에는 어려우나 늦게는 기쁨이 있는 것이다. ‘제사에 쓰는 것이 이로움’은 제사지내는 일은 반드시 정성과 공경을 지극히 한 뒤에야 복을 받는 것이다. 임금이 어려운 때에 있으면 마땅히 천하의 어려움을 염려하여 천하의 현명한 사람을 구하기를 마치 제사지낼 때와 같이 하여 정성과 공경을 지극히 하면 천하의 현명한

사람을 초빙하여 천하의 어려움을 구제할 것이다. 오효와 이효는 덕을 함께 하는데, 위아래에 함께
하는 이가 없다고 한 것은 왜인가? 음과 양이 서로 호응함은 자연히 서로 호응하니, 부부(夫婦)와
골육(骨肉) 사이의 분수가 정해짐과 같다. 오효와 이효는 모두 양효이니, 굳세고 알맞은 덕이 같아서
서로 호응함은 서로 찾은 뒤에 합하니, 군신(君臣)과 붕우(朋友)가 의로 합함과 같다. 처음 어려울
때에 어찌 위아래에 함께하는 이가 있겠는가? 함께하는 이가 있다면 어려움이 아니다. 그러므로 늦
게 합한 뒤에야 기쁨이 있는 것이다. 이효는 '향사(享祀)'라 말하고 오효는 '제사(祭祀)'라 말한 것
은 큰 뜻이 마땅히 지극한 정성을 써야 복을 받는다는 것이다. '제(祭)'와 '사(祀)'와 '향(享)'은 널리
말하면 통할 수 있고, 나누어 말하면 '제(祭)'는 하늘의 신에게 하는 것이고, '사(祀)'는 땅의 신에게
하는 것이고, '향(享)'은 사람의 신에게 하는 것이다. 오효는 임금의 자리라서 '제(祭)'라 말하고, 이
효는 아래에 있기 때문에 '향(享)'이라 말하였으니, 각각 마땅히 쓰는 바에 따른 것이다.

小註

開封耿氏曰, 享祀人神, 所以祀宗廟, 祭祀天子, 所以禮百神.
개봉경씨가 말하였다: 조상신에게 제사하는 것은 종묘에 제사하는 것이고, 천자에게 제사하
는 것은 여러 신에게 예를 갖추는 것이다.

○ 節齋蔡氏曰, 享狹祭廣, 君臣之用異也.
절재채씨가 말하였다: '향(享)'은 범위가 좁고 '제(祭)'는 범위가 넓으니, 임금과 신하가 쓰는
것이 다르다.

○ 建安丘氏曰, 困卦二五, 蓋君臣同德, 以拯困, 象所謂貞大人吉者也. 卦於二爻, 互
明其義, 故在二言朱紱, 五言赤紱, 在二言享祀而五言祭祀也.
건안구씨가 말하였다: 곤괘의 이효와 오효는 임금과 신하가 덕을 같이하여 어려움을 구하
니, 「단전」에서 말한 "곧은 대인이라서 길하다"는 것이다. 괘가 두 효에서 그 뜻을 보완하여
밝혔기 때문에 이효에서는 '주불(朱紱)'을 말하고 오효에서는 '적불(赤紱)'을 말했으며, 이효
에서는 '향사(享祀)'를 말하고 오효에서는 '제사(祭祀)'를 말하였다.

○ 雲峰胡氏曰, 九五君也, 亦言困者, 下无應也. 然二雖非應而同德, 故一時雖困, 乃
遲久而有說也. 二五取象皆相應, 二曰朱紱, 五曰赤紱, 紱所以行也. 二五不應, 欲遽行
得乎. 故二方來, 五乃徐有說, 二曰亨祀, 五曰祭祀, 亦以二五當困之時, 必誠一切至,
如祭亨然, 則或有可通之理也. 二言征凶, 五不言者, 二在下, 不可急征以求上, 上之求
下, 則不可以是例論也.
운봉호씨가 말하였다: 구오는 임금인데도 또한 어려움을 말한 것은 아래에 호응이 없기 때

문이다. 그러나 이효가 비록 호응은 아니지만 덕이 같기 때문에 한 때에 비록 어렵지만 오래 참으면 기쁨이 있다. 이효와 오효는 서로 호응하는 것을 상으로 취하여 이효에서는 '주불(朱紱)'을 말하고 오효에서는 '적불(赤紱)'을 말했으니, '슬갑[紱]'이란 그 도움을 받아 가는 것이다. 이효와 오효가 호응하지 않는다면 갑작스럽게 가고자 한들 되겠는가? 그러므로 "바야흐로 온다"고 말하였고, 오효에서는 "늦게 기쁨이 있다"고 말하였으며, 이효에서는 '향사(享祀)'를 말하고 오효에서는 '제사(祭祀)'를 말하였으니, 또한 이효와 오효가 어려운 때를 당하여 반드시 성실하고 한결같으며 절실하고 지극하여 마치 제사를 드리듯 한다면, 혹 통할 수 있는 이치가 있다. 이효에서는 "가면 흉하다"라고 하고, 오효에서는 그렇게 말하지 않은 것은 이효는 아래에 있어서 급하게 가서 윗사람을 구하지 않아도 되지만, 윗사람이 아랫사람을 구하는 것은 이 예를 가지고 논할 수 없기 때문이다.

本義

劓刖者, 傷於上下, 下旣傷, 則赤紱無所用而反爲困矣. 九五當困之時, 上爲陰揜, 下則乘剛, 故有此象. 然剛中而說體, 故能遲久而有說也. 占具象中, 又利用祭祀, 久當獲福.

'의월(劓刖)'은 위와 아래에 상한 것이니, 아래가 이미 상했으면 적색 슬갑을 쓸 곳이 없어서 도리어 어려움이 된다. 구오가 어려운 때를 당하여 위로는 음에게 가려지고 아래로는 굳센 양을 탔기 때문에 이러한 상이 있다. 그러나 굳세고 알맞으며 기뻐하는 몸체이기 때문에 오래 기다릴 수 있으면 기쁨이 있다. 점은 상 가운데 갖추어져 있고 또 제사에 쓰는 것이 이로우니, 오래 되면 마땅히 복을 얻을 것이다.

小註

進齋徐氏曰, 二五同德, 始雖未應, 終則應也.
진재서씨가 말하였다: 이효와 오효는 덕을 같이 하니, 처음에는 비록 호응하지 않더라도 끝내는 호응한다.

○ 潛室陳氏曰, 凡易言祭祀處, 爻多中實, 否則中虛, 中實則誠信之象, 中虛則誠信之理. 當困之時, 以九居五, 百事不利, 唯有中實利祭祀耳. 凡曰利祭祀, 則有亨通獲福之理焉.
잠실진씨가 말하였다: 『주역』에서 제사를 말한 곳은 효가 대부분 가운데가 차 있고 그렇지

않으면 가운데가 비어 있는데, 가운데가 차 있으면 성실하고 미더운 상이고, 가운데가 비어
있으면 성실하고 미더운 이치이다. 어려운 때를 당해서 구(九)로서 오(五)의 자리에 있어서
모든 일이 이롭지 않고, 오직 가운데가 차 있어 제사에 이로울 뿐이다. "제사에 이롭다"고
말한 것은 형통하여 복을 얻는 이치가 있다.

┃韓國大全┃

김장생(金長生) 『주역(周易)』

九五, 赤紱.

구오의 적색 슬갑.

紱乃取行來之意, 而不來, 故曰困于赤紱.

슬갑은 행하여 오는 뜻을 취했는데, 오지 않기 때문에 적색 슬갑 때문에 어렵다고 하였다.

송시열(宋時烈) 『역설(易說)』

兌錯艮, 艮爲鼻, 互巽錯震, 震爲足, 而皆爲坎之刑具所傷. 劓刖艮鼻而爲兌, 則震足而
爲巽也. 坎爲赤, 巽繩爲紱, 說見九二. 蓋其困已甚, 然五處君位之中正, 任濟困之責,
亦有徐徐終說[98]之理. 又包巽潔離明之義, 下與九二相與, 故皆云利用祀也. 小象志未
得者, 時當困也, 以中直者, 位當君也, 受福者, 祭之後必飮福故也.

태괘(☱)의 음양이 바뀐 것이 간괘(☶)로 그것은 코가 되며 호괘인 손괘(☴)의 음양이 바뀐
것이 진괘(☳)로 그것은 다리가 되는데 모두 감괘(☵)의 형벌도구에 의해 상한다. '코를 베
이고 발꿈치를 베이는 것'은 코인 간괘(☶)가 태괘(☱)가 되는 것이라면, 다리인 진괘(☳)는
손괘(☴)가 되는 것이다. 감괘(☵)는 붉은 것이고 손괘(☴)라는 노끈이 슬갑이 되며 '기쁨
[說]'은 구이 효에 보인다. 그 어려움이 이미 심해졌지만 오효가 임금의 중정한 자리에 있어
서 어려움을 구제할 책임을 맡으니, 느리지만 마침내 기쁨이 오는 이치가 있다. 또 손괘(☴)
로 깨끗하며 리괘(☲)로 밝은 뜻이 있고, 아래로 구이와 함께하기 때문에 "제사에 쓰는 것이

---

98) 說: 경학자료집성DB와 영인본에는 '脫'로 되어 있으나 문맥을 살펴 '說'로 바로잡았다.

이롭다"고 하였다. 「소상전」의 '뜻을 얻지 못했기 때문'이라는 것은 어려운 때를 당함이고, '마음이 정직한 것'은 자리가 임금에 해당함이고, '복을 받는 것'은 제사가 끝난 뒤에 반드시 음복을 하기 때문이다.

석지형(石之珩) 『오위귀감(五位龜鑑)』

臣謹按, 困之九五, 兌變爲艮, 艮卽鼻也, 兌反爲巽, 巽卽股也. 五之上下皆揜於陰, 故有上劓下刖之象, 而赤紱爲无用之具, 人君之困, 孰甚於此哉. 雖然能盡誠求賢, 若奉祭者然, 則可以致賢而濟困矣. 蓋易凡言祭祀之爻, 非中實必中虛, 中實卽誠之象, 中虛卽誠之理也. 九五在卦中爲實, 故有此象. 伏願殿下, 至誠近實與拯上下之困焉.

신이 삼가 살펴보았습니다: 곤괘의 구오는 태괘가 간괘로 변했으니, 그것이 코이고, 태괘를 뒤집어 손괘가 되면 넓적다리입니다. 오효의 위아래가 모두 음에게 가려져있기 때문에 위로는 코를 베이고 아래로는 발을 베이는 상이 있어 적색 슬갑은 쓸모없는 도구가 되었으니, 임금의 어려움이 어느 것이 이보다 심하겠습니까? 그렇지만 정성을 다해서 현명한 사람을 구하기를 제사를 받드는 것처럼 하면 현명한 사람을 오게 하여 어려움을 구제할 수 있습니다. 『주역』에서 제사를 말한 효는 가운데가 차지 않으면 비어있는 경우인데, 가운데가 차있으면 정성의 상이고 가운데가 비어있으면 정성의 이치입니다. 구오는 괘의 가운데에 있고 차있기 때문에 이런 상이 있습니다. 엎드려 바라건대, 지극한 정성으로 가까이 해서 참으로 함께 위아래의 어려움을 구원하십시오.

이익(李瀷) 『역경질서(易經疾書)』

刖恐刵之誤, 五安有此象. 書所謂劓刵人是也. 困于赤紱亦倒句. 此失位被刑也. 貪饕富貴, 事敗而刑亦宜也. 九五中正爲卦主, 而不有君象者, 卦以困爲義, 而下四爻皆失位, 則貴而無民, 與訟相似. 然訟之五猶爲聽訟之主, 困之五爲被困之主, 於君位不帖也. 乃徐者, 承來徐徐說, 此開避趨之路, 若能其進徐徐不驟, 豈不有悅豫而免禍乎. 利用祭祀, 如孝經所謂守其宗廟也. 以中正故, 又有此象, 坤文言云直其正也, 此不言正押韻也.

코를 베임[刖]은 귀를 베임[刵]의 오자인 것 같으니, 오효에 어떻게 이런 상이 있겠는가? 『서경』의 이른바 "사람의 코와 귀를 벤다"는 것이 이것이다.[99] 적색 슬갑 때문에 어렵다는 것도 도치된 구절이다. 이것은 자리를 잃고 형벌을 받는 것인데, 부귀를 탐해서 일을 그르쳤다면

---

99) 『書經·康誥』: 非汝封又曰劓刵人, 無或劓刵人.

형벌을 받는 것은 당연하다. 구오는 중정하여 괘의 주인이지만 임금의 상이 없음은 괘가 어려움을 뜻으로 삼았기 때문이다. 그런데 아래에 네 효가 모두 자리를 잃은 것은 귀하지만 백성이 없는 것이니 송괘(訟卦)와 비슷하다. 그렇지만 송괘의 오효는 그래도 송사를 다스리는 주인이지만 곤괘의 오효는 어려움을 당하는 주인이기 때문에 임금의 자리와는 맞지 않는다. '느리게[乃徐]'라는 것은 "느리게 온다[來徐徐]"는 말을 이은 것으로 여기서는 달아나는 길을 연 것이니, 느리게 가고 달려가지 않는다면 어찌 기쁘고도 화를 피할 수 없겠는가? "제사에 쓰는 것이 이롭다"는 것은 이를테면 『효경』에서 말한 "그 종묘를 지킨다"는 것이다.[100] 중정하기 때문에 이런 상이 있어 곤괘의 「문언전」에 "곧음이란 바른 것이다"라고 하였는데, 여기에서 '바름[正]'을 말하지 않은 것은 운을 맞춘 것이다.

심조(沈潮) 「역상차론(易象箚論)」

九五, 劓刖.

구오의 코를 베임과 귀를 베임.

劓鼻刑, 艮上有金也, 刖足刑, 巽上有金也.

의(劓)는 코를 베는 형벌이니 간괘(☶)의 위에 쇠가 있음이고 월(刖)은 발을 베는 형벌이니 손괘(☴)의 위에 쇠가 있음이다.

유정원(柳正源) 『역해참고(易解參攷)』

陸氏希聲曰, 五以剛中處位, 能去小人, 以救困者也. 上六鼻之象, 六三足之象, 皆掩剛者, 故刑而去之.

육희성이 말하였다: 오효가 굳세고 알맞은 곳에 있어 소인을 제거하여 어려움을 구제할 수 있다. 상육은 코의 상이고 육삼은 발의 상인데, 모두 굳센 양을 가렸기 때문에 형벌을 가해 제거한다.

○ 饒州李氏曰, 朱紱外晦內明, 陽含於中之色. 赤紱外明著見, 陽赫於外之色. 陽含於中尒以爲臨人之道, 陽赫於外有以爲事人之義.

요주이씨가 말하였다: 주불(朱紱)은 밖은 어두운데 안은 밝아 속에 양을 머금은 색이다. 적불(赤紱)은 밖으로 밝음이 드러나 양이 밖으로 빛나는 색이다. 속에 양을 머금은 것은

---

100) 『孝經』; 非先王之法服不敢服, 非先王之法言不敢道, 非先王之德行不敢行. 是故, 非法不言, 非道不行. 口無擇言, 身無擇行, 言滿天下無口過, 行滿天下無怨惡. 三者備矣然後能守其宗廟, 蓋卿大夫之孝也.

사람에게 임하는 도가 될 수 없고 밖으로 양이 빛나는 것은 사람을 섬기는 뜻이 될 수 있다.

○ 西溪李氏曰, 刑下之小人, 謂下與初. 小人旣去, 則所困之赤紱, 乃徐徐而來, 以同德相說也.

서계이씨가 말하였다: 아래의 소인을 형벌함은 아래로 초효와 함께하는 관계임을 말한다. 소인이 이미 제거되었다면 어려움을 당하는 적불이 느리게 와서 같은 덕으로 서로 기뻐하는 것이다.

○ 雙湖胡氏曰, 赤紱, 卽詩候人, 三百赤紱, 釆菽, 赤紱在股, 天子所予, 車攻, 赤紱金舃, 記玉藻, 一命縕紱, 再命三命赤紱. 大夫以上赤紱乘軒, 則赤紱爲臣下服明矣. 若朱紱則釆芑[101]云, 方叔受其命服, 朱芾斯皇, 方叔, 周宣王卿士. 斯干云, 朱芾斯皇, 乃宣王所生子之服.

쌍호호씨가 말하였다: '적색 습갑[赤紱]'은 곧 『시경』「후인」편에서 "삼백명이 적색 습갑을 입었다"[102]고 하였고, 『시경』「채숙」편에서 "적색 습갑이 다리에 있고, 천자가 인정하도다"[103]라고 하였고, 「거공」편에서는 "적색 습갑과 황금 신으로"[104]라고 하였다. 『예기·옥조』에서 "1명(命)의 등급을 가진 자는 적황색의 습갑을 차고, 흑색의 패옥을 차며, 2명(命)의 등급을 가진 자는 적색의 습갑을 차고, 흑색의 패옥을 차며, 3명(命)의 등급을 가진 자는 적색의 습갑을 차고, 청색의 패옥을 찬다."[105]고 하였다. 대부(大夫) 이상은 적색 습갑에 수레를 타니, '적색 습갑'은 신하의 복장임이 확실하다. '붉은 습갑[朱紱]'은 『시경』「채이」편에서 "방숙이 천자가 명령한 관[命服]을 입으니 붉은 습갑이 휘황찬란하다"[106]고 하였으니, 방숙은 주나라 선왕의 경사(卿士)이다. 『시경』「사간」편에서 "붉은 습갑이 휘황찬란하다"[107]고 하였는데, 한나라 정현이 "선왕이 낳은 자식의 옷이다"[108]라고 하였다.

程傳未知何據. 唯白虎通, 漢白虎觀五經同異奏議云, 芾者蔽也, 行以蔽前, 天子朱芾,

---

101) 芑: 경학자료집성DB와 영인본에는 '苞'로 되어 있으나 『詩經』에 따라 '芑'로 바로잡았다.

102) 『詩經·候人』: 彼候人兮, 何戈與祋. 彼其之子, 三百赤芾.

103) 『詩經·釆菽』: 赤芾在股, 邪幅在下. 彼交匪紓, 天子所予. 樂只君子, 天子命之. 樂只君子, 福祿申之.

104) 『詩經·車攻』: 駕彼四牡, 四牡奕奕. 赤芾金舃, 會同有繹.

105) 『禮記·玉藻』: 一命縕韍幽衡, 再命赤韍幽衡, 三命赤韍葱衡.

106) 『詩經·釆芑』: 薄言釆芑, 于彼新田, 于此中鄉. 方叔涖止, 其車三千, 旂旐央央. 方叔率止, 約軝錯衡, 八鸞瑲瑲. 服其命服, 朱芾斯皇, 有瑲蔥珩.

107) 『詩經·斯干』: 乃生男子, 載寢之牀, 載衣之裳, 載弄之璋, 其泣喤喤, 朱芾斯皇, 室家君王.

108) 『毛詩正義·斯干』: 芾者, 天子純朱, 諸侯黃朱. 室家, 一家之內, 宣王所生之子, 或其爲諸侯, 或其爲天子, 皆將佩朱芾煌煌然.

諸侯赤紱. 程傳想本此, 但於經无證耳. 市報紱竝通用祭享. 取坎有幽陰之象, 兌爲巫爲口舌, 亦有事神象.

『정전』은 무엇을 근거했는지 모르겠다. 오직 『백호통』에서 한나라 백호관에서 『오경』의 같고 다름을 주강(奏講)할 때 이르길, 불(市)은 슬갑으로 다닐 때 앞을 가리는데, 천자는 붉은 색의 슬갑이고 제후는 적색의 슬갑이라고 하였다. 『정전』에서는 생각하건대 이에 근거한 것 같은데, 경전에서 증거를 댈 수 없을 뿐이다. 불(市)과 슬갑은 모두 제사지낼 때 사용했다. 감괘에 어두운 음의 상과 태괘가 무당과 구설이 됨을 취하였으니, 신을 섬기는 상이 있다.

○ 案, 居尊位而受制於小人, 脅迫於彊臣, 則劓刖甚矣, 將安用赤紱爲哉. 然天下事无終否之理. 人君有轉移挽回之權, 在我有剛中之德, 下有剛中之同德, 待時相應, 則濟困特次第事耳. 是之謂徐有說, 言終當有說也. 其理之當然如祭祀而受福也.

내가 살펴보았다: 높은 자리에 있는데 소인에게 제재를 받고 강한 신하에게 협박을 당한다면, 코를 베이고 발을 베임이 심할 텐데 어찌 적색 슬갑을 쓰겠는가? 천하의 일은 끝까지 막히는 이치는 없다. 임금은 이리저리 굴리며 끌어당기는 권력이 있고 나에게는 굳세고 알맞은 덕이 있으니, 때를 기다려 서로 호응한다면 어려움을 구제함은 다음 수순일 뿐이다. 이것을 일러 늦게는 기쁨이 있다고 하였으니, 마침내는 당연히 기쁨이 있음을 말하였다. 그 이치의 당연함이 제사를 지내면 복을 받는 것과 같다.

김상악(金相岳) 『산천역설(山天易說)』

截鼻曰劓, 去足爲刖. 以兌乘坎, 上爲陰掩, 下爲陽陷, 上下俱傷爲劓刖之象. 困于赤紱, 以无正應也. 然二五同德相應而兌體未盡, 必遲久而後有說, 故利用祭祀, 久當獲福也.

코를 절단함을 ‘의(劓)’라 하고 발을 제거함을 ‘월(刖)’이라 한다. 태괘(☱)가 감괘(☵)를 타고 위로는 음에게 가리고 아래로는 양에 빠져있어 위아래를 모두 다쳐서 코를 베이고 발을 베이는 상이 된다. “적색 슬갑 때문에 어려움”은 정응이 없기 때문이다. 그렇지만 이효와 오효가 같은 덕으로 서로 호응하고 태괘(☱)의 몸체가 끝나지 않아, 반드시 오래 지나면 뒤에 기쁨이 있기 때문에 “제사에 쓰는 것이 이롭다”고 하였으니, 오래되면 마땅히 복을 받는다.

○ 兌互巽體, 巽伏震足而下絶, 兌伏艮鼻而上缺, 亦劓刖之象. 睽則下卦兌, 故三曰劓, 解則上卦震而四與三相比, 故曰解拇, 亦刖之象. 五變則爲解也, 又反卦對噬嗑, 噬噬之初曰屨校滅趾, 二曰噬膚滅鼻, 故本爻之象如此. 赤紱見九二, 旣刖則无所用紱, 故曰困于赤紱. 說兌象, 利用祭祀見上.

태괘(☱)의 호괘가 손괘(☴)의 몸체인데 손괘의 숨어있는 괘인 진괘(☳)의 다리가 아래에서 끊어지고, 태괘(☱)의 숨어있는 괘인 간괘(☶)의 코가 위로 갈라져서 코를 베고 발을 베이는 상이다. 규괘는 하괘가 태괘(☱)이기 때문에 삼효에 "코를 베인다"고 하였고, 해괘는 상괘가 진괘(☳)이고 사효와 삼효가 서로 가깝기 때문에 "엄지발가락을 푼다"고 하였으니, 또한 발을 베이는 상이다. 오효가 변하면 해괘가 되고 상하를 바꾸고 상괘의 음양을 바꾼 것이 서합괘인데 서합괘의 초효에 "형틀을 채워 발꿈치를 상하게 한다"고 하였고, 육이에 "살을 깨물되 코를 없어지게 한다"고 하였기 때문에 본괘 효의 상이 이와 같다. 적색 슬갑은 구이 효에 보이는데 이미 발을 베이고 슬갑을 쓸 데가 없기 때문에 "슬갑 때문에 어렵다"고 하였다. 기쁨은 태괘(☱)의 상이고 "제사에 쓰는 것이 이롭다"는 위에 보인다.

박제가(朴齊家)『주역(周易)』

九五, 利用祭祀.

구오는 제사에 쓰는 것이 이롭다.

窮則反本, 故二與五皆言祭祀是也. 象傳受福當通上下看. 但二曰朱紱亨祀, 五曰赤紱祭祀, 若有意而實无意者. 紱程子作載解, 朱子以爲朱芾斯皇, 是說方叔, 於理又似不甚通.

궁극에 도달하면 근본으로 돌아니, 이효와 오효에 모두 제사를 말한 것이 그것이다. 「상전」에서 "복을 받는다"는 것은 위아래를 통용해서 보아야 한다. 다만 이효에는 '붉은 슬갑'과 '향사'라 하였고 오효에는 '적색 슬갑'과 '제사'라고 하였는데, 뜻이 있는 것 같지만 실제로는 별 뜻이 없다. 불(紱)에 대해 정자는 슬갑으로 해석하였고, 주자는 "『시경』의 '붉은 슬갑이 빛나며'라는 한 구절이 있는데 이는 방숙(方叔)을 말한 것이다"라고 했는데, 이치상 그렇게 잘 통하지 않는 듯하다.

雲峯胡氏曰, 紱所以行也, 又若以載言者. 凡爻取義不同, 在二雖以五爲君, 在五亦不必爲君. 此爻只可說本爻之象, 豈有劓刖而言于天子之理. 周公立象恐不然.

운봉호씨가 "슬갑[紱]이란 그 도움을 받아 가는 것이다"라고 하였고, 또 제사[載]로써 말한 것 같다. 효에서 뜻을 취함은 다르니, 이효에 있어서는 오효를 임금으로 여기지만 오효에 있어서는 반드시 임금이 될 필요는 없다. 이 효는 다만 본 효의 상을 말할 수 있으니, 어찌 코를 베이고 발을 베임이 있는 것으로 천자의 도리를 말하겠는가? 주공이 상을 세움은 아마도 그렇지 않을 것이다.

서유신(徐有臣)『역의의언(易義擬言)』

二無五之應, 是無鼻也, 五無二之應, 是無足也. 赤紱所以行, 而刖者不可行, 有紱而無所施, 是困于赤紱也. 乃徐有說, 二五之相說, 姑且遲遲也.

이효에게 오효의 호응이 없으니 이것이 코가 없는 것이고, 오효에게 이효의 호응이 없으니 이것이 발이 없는 것이다. 적색 슬갑은 그 도움을 받아 가는 것인데 발을 베여 다닐 수 없어서 슬갑이 있어도 쓸 데가 없으니, 이것이 적색 슬갑 때문에 어렵다는 것이다. 느리게 기쁨이 온다는 것은 이효와 오효가 서로 기뻐함이 잠시 느리게 온다는 것이다.

박문건(朴文健)『주역연의(周易衍義)』

二五敵應, 故有困于赤紱之象. 刖去足之刑也.

이효와 오효는 적으로 호응하기 때문에 적색 슬갑 때문에 어려운 상이 있다. '월(刖)'은 발을 제거하는 형벌이다.

〈問, 劓刖以下. 曰, 九五嗟怨而受劓刑, 行進而遇刖刑, 又困于赤紱之維係. 然性從正應之志不變, 故至於遲久而乃解說也, 當用誠受福可也.

〈물었다: "코를 베이고 발을 베인다" 이하는 무슨 뜻입니까?

답하였다: 구오가 한탄하고 원망하면서 코를 베이는 형벌을 받고 앞으로 나아가 발이 베이는 형벌을 받으며, 또한 적색 슬갑에 얽어매어 어렵습니다. 그렇지만 성품이 정응의 뜻을 따라 변하지 않기 때문에 오래되면 풀려 기쁘니, 마땅히 정성을 써서 복을 받는 것이 좋습니다.〉

이지연(李止淵)『주역차의(周易箚疑)』

九五之象與當刑而王者頗相似. 大抵處困得亨之道者, 莫如中正.

구오의 상은 형벌을 당하는 임금과 흡사하다. 어려움에 처해서 형통함을 얻는 도는 중정함만한 것이 없다.

이항로(李恒老)「주역전의동이석의(周易傳義同異釋義)」

傳, 上下皆揜於陰爲其傷害劓刖之象也.

『정전』에서 말하였다: 위와 아래가 모두 음에 가려서 상해를 당하니, 이는 코를 베고 발을 베는 상이다.

本義, 上爲陰揜下則乘剛, 故有此象.

『본의』에서 말하였다: 위로는 음에게 가려지고 아래로는 굳센 양을 탔기 때문에 이러한 상이 있다.

按, 傳下爲陰揜之義未詳. 故本義曰乘剛. 乘剛故說. 卦兌爲毀折柎決, 坎爲血象, 故以上下受傷謂之劓刖.

내가 살펴보았다: 『정전』 아래에 음에 가린다는 뜻은 자세하지 않다. 그러므로 『본의』에서 굳셈을 탔다고 하였으니, 굳셈을 탔기 때문에 기쁘다. 괘가 태괘(☱)는 헐고 부러지고 붙어서 결단하고 감괘(☵)는 피의 상이 되므로 위아래 모두 상처를 받는 것으로 코를 베이고 발을 베인다고 하였다.

김기례(金箕澧) 「역요선의강목(易要選義綱目)」

上爲陰揜如傷鼻, 下无正應如傷足.

위로 음에게 가려 코를 다침과 같고 아래에 호응이 없음이 발을 다침과 같다.

○ 赤紱指二, 坎爲赤故曰赤紱. 二曰朱五曰赤, 自有君臣之等夷. 二雖无應, 當以同德相應, 而亦陷陰中, 故曰困曰乃徐.

적색 슬갑은 이효를 가리키고 감괘(☵)는 붉은 색이 되므로 '적색 슬갑'이라고 하였다. 이효에는 붉은 색이라 하고 오효에는 적색이라고 하여 저절로 임금과 신하의 차등이 있다. 이효가 비록 호응이 없지만 같은 덕으로 서로 호응하며, 또한 음 속에 빠져있기 때문에 어려움[困]이라 하였고 '느리게[乃徐]'라고 하였다.

○ 終必來輔故曰說, 言兌體. 當以祭儀致誠, 則必感通而受福. 天子祭天故曰祭祀. 卦中三陽三陰皆取困, 而陽爲陰揜吉, 陰爲陽揜凶, 取象辭.

마침내 와서 돕기 때문에 기쁘다고 하였으니 태괘(☱)의 몸체임을 말한다. 제사를 지내 정성을 드린다면 반드시 느끼고 통해 복을 받는다. 천자는 하늘에 제사를 지내기 때문에 '제사'라고 하였다. 괘 가운데 세 양과 세 음에 모두 어려움을 취하였는데, 양이 음에게 가린 것은 길하지만 음이 양에게 가리면 흉함은 괘사에서 취하였다.

심대윤(沈大允) 『주역상의점법(周易象義占法)』

困之解䷧, 九五之時困將解矣. 居剛而自守應二而不力, 又爲四之所阻, 故曰劓刖困于

赤紱. 兌口出离目之上有劓象, 對艮互兌爲劓, 言絶其氣息于九二也. 震足互兌刑爲
刖, 言斷其下助而不能行也. 坎爲赤, 赤紱謂四也. 以其得中而才剛, 故曰乃徐有說利
用祭祀, 言以精誠交於二也. 艮巽兌兼二之坎鬼而言祭祀.

곤괘가 해괘(☳)로 바뀌었으니, 구오의 때에 어려움이 장차 풀리는 것이다. 굳센 자리에 있
어서 스스로 지키고 호응하는 이효는 힘이 되지 않고 사효에게 막혀있기 때문에 "코를 베이
고 발을 베이니 적색 슬갑 때문에 어렵다"고 하였다. 태괘(☱)의 입이 리괘(☲)인 눈의 위로
나와 코가 베이는 상이 있고, 음양이 반대인 간괘(☶)와 호괘인 태괘(☱)로 코를 베이니 기
운이 구이와 단절됨을 말한다. 진괘(☳)인 다리와 호괘인 태괘(☱)의 형벌로 발을 베임이
되니 아래의 도움이 끊어져 다닐 수 없음을 말한다. 감괘는 적색인데 적색 슬갑은 사효를
말한다. 알맞음을 얻고 재질이 굳세기 때문에 "늦게는 기쁨이 있으리니, 제사에 쓰는 것이
이롭다"고 하였으니, 정성으로 이효와 사귀는 것을 말한다. 간괘(☶)과 손괘(☴)와 태괘(☱)
가 이효의 감괘(☵)인 귀신을 겸하여 제사를 말하였다.

오치기(吳致箕) 「주역경전증해(周易經傳增解)」

九五陽剛中正, 亦所謂大人吉者也. 當剛揜之時, 受困之極, 不得其志, 无異刑傷之在
身而如劓如刖. 雖以赤紱在朝廷之位, 而困莫甚焉. 然中正之德不失其所亨, 乃能遲待
而終有喜. 君上知其賢德可交神明, 而用主祭祀有受福之利, 故象占如此.

구오는 굳센 양으로 중정하니 이른바 대인의 길함이다. 굳셈이 음에 가리는 때에 지극한
어려움을 당해 자기의 뜻을 얻지 못하니 몸에 코를 베이고 발꿈치를 베이는 형벌을 당한
것과 다름이 없다. 비록 적색 슬갑을 입은 신하로서 조정의 지위에 있지만 어려움이 매우
심하다. 그렇지만 중정한 덕으로 형통한 바를 잃지 않았으니, 천천히 기다리면 마침내 기쁨
이 있다. 임금이 그 현명한 덕으로 신명과 교통할 수 있음을 알아서 제사를 주관하여 복을
받는 이로움이 있으므로 그 상과 점이 이와 같다.

○ 對艮爲鼻而截鼻曰劓, 變震爲足而斷足曰刖. 而兌爲毀折, 故言劓刖, 甚言其受困,
而非眞有是刑也. 赤取爻變互坎, 紱與九二同象, 說取於兌. 凡言享祀者, 祀百神人鬼
也, 言祭祀者, 祭天神祀地示也. 五不以君位言者, 君无所困, 故與九二之辭略同也.

음양이 바뀐 간괘(☶)가 코인데 코를 베는 것이 '의(劓)'이고 거꾸로 된 진괘(☳)가 발인데
발을 자르는 것이 '월(刖)'이다. 태괘(☱)가 헐고 끊어짐이 되기 때문에 코를 베이고 발을
베인다고 하였으니 어려움을 겪는 것을 말한 것이지 정말 이런 형벌을 당한다는 것은 아니
다. 적색은 효가 변한 호괘인 감괘(☵)에서 취하였고 슬갑은 구이와 같은 상이고 기쁨은
태괘(☱)에서 취하였다. 향사를 말한 것은 여러 신과 죽은 사람에게 제사하는 것이고, 제사

를 말한 것은 하늘의 신과 땅의 신에게 제사하는 것이다. 오효를 임금의 자리로 말하지 않은 것은 임금은 어려운 바가 없기 때문이니 그래서 구이의 효사와 대략 동일하다.

이진상(李震相) 『역학관규(易學管窺)』

上兌伏艮劓其鼻, 下巽伏震刖其足. 蓋兌爲毀決, 離爲戈兵, 劓刖之具也. 困于赤紱, 九二非應而九四逼已也. 赤乃朱之陰, 二四皆臣有赤紱之象. 徐巽象, 說兌象, 祭祀坎象.

상괘인 태괘(☱)의 숨어있는 괘인 간괘(☶)가 '코를 베이는' 것이고 하괘인 손괘(☴)의 숨어 있는 괘인 진괘(☳)가 '발을 베이는' 것이다. 태괘(☱)는 헐고 결단함이 되고 리괘(☲)는 창과 병기가 되니 코를 베고 발을 베는 도구이다. "적색 슬갑에 어려움"은 구이가 호응이 없고 구사가 자기를 핍박함이다. 적색은 붉은 색의 음에 해당하는데 이효와 사효는 모두 신하로서 적색 슬갑의 상이 있다. '느리게'는 손괘(☴)의 상이고 '기쁨'은 태괘(☱)의 상이고 '제사'는 감괘(☵)의 상이다.

박문호(朴文鎬) 「경설(經說)·주역(周易)」

骨肉分定與朋友義合相爲對說, 有若於天屬者然, 更詳之. 雖然以分定二字觀之, 蓋在天屬義合之間耳.

"골육의 사이가 정해진다"는 것은 "벗이 의리로 합함"과 서로 상대적인 말이 되어 하늘의 등속에 있는 것 같으니, 더욱 자세히 살펴보아야 한다. 그러나 '분정(分定)'이라는 두 글자를 가지고 보면 하늘의 등속과 의리로 합함의 사이에 있을 뿐이다.

與二合者云直乃宜也, 言二旣非正則與之合者亦非甚正, 故只謂之直乃宜也.

"이효와 더불어 합하는 것은 '곧음[直]'이라고 말함이 마땅하다"는 것은 이효가 이미 바르지 못한데 이와 함께 합하는 것도 매우 바르지 못하기 때문에 곧음이라고 말하는 것이 마땅하다고 하였다.

象曰, 劓刖, 志未得也, 乃徐有說, 以中直也, 利用祭祀, 受福也.

「상전」에서 말하였다: "구오가 코를 베이고 발을 베임"은 뜻을 얻지 못했기 때문이고, "늦게는 기쁨이 있음"은 마음이 정직하기 때문이고, "제사에 쓰는 것이 이로움"은 복을 받기 때문이다.

┃中國大全┃

傳

始爲陰揜, 无上下之與, 方困未得志之時也. 徐而有說, 以中直之道, 得在下之賢, 共濟於困也. 不曰中正, 與二合者, 云直乃宜也. 直, 比正, 意差緩. 盡其誠意如祭祀然, 以求天下之賢, 則能亨天下之困而享受其福慶也.

처음에 음에게 가려지는 것은 위아래에 함께하는 이가 없어서 곤궁하여 뜻을 얻지 못한 때이고, 늦게는 기쁨이 있는 것은 알맞고 곧은 도로 아래에 있는 현명한 사람을 얻어서 함께 어려움을 구제하기 때문이다. 중정이라 말하지 않은 것은 이효와 더불어 합하는 것은 '곧음[直]'이라고 말함이 마땅하니, '곧음[直]'은 '바름[正]'에 비하여 뜻이 조금 완만하다. 정성스러운 뜻을 다하기를 제사지낼 때와 같이 하여 천하의 현명한 사람을 구하면, 천하의 어려움을 형통하게 하여 복과 경사를 받아 누릴 수 있을 것이다.

小註

建安丘氏曰, 二言中而五言中直, 所以釋象辭貞字之義. 二言有慶, 五言受福, 所以釋象辭吉字之義.

건안구씨가 말하였다: 이효에서는 '알맞음'을 말하고 오효에서는 '마음의 정직함'을 말했으니, 「단사」의 '정(貞)'자의 뜻을 풀이한 것이다. 이효에서는 '경사'를 말하고 오효에서는 '복을 받는 것'을 말했으니, 「단사」의 '길(吉)'자의 뜻을 풀이한 것이다.

∥韓國大全∥

김상악(金相岳) 『산천역설(山天易說)』

困以无應志未得也. 然終能出困而有說者, 以二五中直之道也.

어려운데 호응함이 없으니 뜻을 얻지 못한다. 그러나 마침내 어려움에서 벗어나 기쁨이 있는 것은 이효와 오효가 알맞고 정직한 도를 쓰기 때문이다.

서유신(徐有臣) 『역의의언(易義擬言)』

應與之志未得, 故爲劓刖象也. 中直互巽象, 同人詳矣.

호응하여 함께 하여 뜻을 얻지 못했기 때문에 코를 베이고 발을 베이는 상이 있다. 알맞고 정직함은 호괘인 손괘의 상인데 동인괘에 자세하다.

강엄(康儼) 『주역(周易)』

象曰, 乃徐有說以中直也.

「상전」에서 말하였다: "늦게는 기쁨이 있음"은 마음이 정직하기 때문이다.

按, 同人九五象曰, 同人之先以中直也, 本義曰, 直謂理直. 此爻象傳直字, 亦當以同人直字看. 蓋同人九五, 雖爲三四所隔不能卽同於六二, 然義理所同, 物不以間之, 故終以大師而相遇. 困之九五, 上爲陰揜下則棄剛, 故不能相合於同德之九二, 然義理所在, 物不得以間之, 故終必徐徐而有說. 或曰, 不曰中正而曰中直者, 以直字只是正字之義, 而變文以叶韵也. 坤卦直方之直, 文言曰直其正也, 此可見直與正无二義也. 是否.

내가 살펴보았다: 동인괘 구오 「상전」에 "사람들과 함께 하지만 먼저는 울부짖는 것은 중심이 바르기 때문이다"라고 하였는데 『본의』에서는 "바름은 이치가 바름이다"라고 하였다. 이효 「상전」의 '직(直)'자는 동인괘의 '직(直)'자로 보아야 한다. 동인괘의 구오는 삼효와 사효에게 막혀 육이와 함께하시지 못하시만 의리가 같아서 다른 것이 이간하지 못하기 때문에 마침내는 큰 군사로써 서로 만난다. 곤괘의 구오는 위로는 음에게 가리고 아래로는 굳셈을 버렸기 때문에 같은 덕을 지닌 구이와 서로 합할 수 없지만, 의리가 있는 바는 다른 것이 이간하지 못하기 때문에 마침내 반드시 느리게 기쁨이 찾아온다.

어떤 이가 말하였다: 중정(中正)이라 하지 않고 중직(中直)이라고 한 것은 직(直)자로 정(正)자의 뜻을 쓴 것이고, 문구를 변화시킨 것은 운을 맞추기 위한 것이다. 곤괘의 직방(直方)에서 직(直)에 대해「문언전」에 "직(直)은 바름[正]이다"라고 하였으니 여기에서 직(直)과 정(正)이 두 뜻이 아님을 알 수 있다. 이것이 맞는지 모르겠다.

심대윤(沈大允) 『주역상의점법(周易象義占法)』

求達之志未得也, 終能誠求疏遠之賢德以爲助, 享其福慶也.

영달을 구하여 뜻을 얻지 못하였지만 마침내 정성으로 멀리 있는 현명한 사람을 구해 보조로 삼으면 그 복과 경사를 누릴 수 있다.

오치기(吳致箕) 「주역경전증해(周易經傳增解)」

爲陰所揜, 故志未得也. 中正而理直, 故終有說也. 德交神明, 故受福慶也.

음에게 가렸기 때문에 뜻을 얻지 못하였다. 중정하며 이치가 곧으므로 마침내 기쁨이 있다. 덕으로 신명과 교통하므로 복과 경사를 받는다.

이병헌(李炳憲) 『역경금문고통론(易經今文考通論)』

鄭曰, 劓刖當爲倪仉, 未詳.

정현이 "의월(劓刖)'은 마땅히 '예올(倪仉)'이 되어야 한다"고 말하였는데, 상세하지 않다.

程傳謂, 截鼻曰劓, 去足曰刖, 傷於上下也. 赤紱諸侯之服.

『정전』에서 말하였다: 코를 베는 것을 '의(劓)'라 하고 발을 제거하는 것을 '월(刖)'이라 하니 위아래에서 상하는 것이다. 적색 슬갑은 제후의 복장이다.

姚, 以九二當文王之事, 九五當紂之事, 亦有所本.

요씨는 구이가 문왕의 일에 해당하고 구오는 주왕의 일에 해당한다고 여겼는데 역시 근본하는 바가 있다.

虞曰, 兌爲說. 蓋劓刖爲刑斬之酷. 諸侯爭諫, 故困于赤紱. 當利用祭祀, 則受福.

우번이 말하였다: 태괘는 기쁨이 된다. 의월(劓刖)은 참혹한 형벌이다. 제후가 쟁간을 하기 때문에 적색 슬갑 때문에 어렵다. 마땅히 제사에 쓰는 것이 이로우니 복을 받는다.

上六, 困于葛藟于臲卼, 曰動悔, 有悔, 征吉.

상육은 칡넝쿨과 위태로움 때문에 어려우니, 움직이면 후회가 있을 것이라고 말하며 후회하는 마음을 가지면 가는 것이 길하다.

▌中國大全▌

傳

物極則反, 事極則變, 困旣極矣, 理當變矣. 葛藟, 纏束之物, 臲卼, 危動之狀. 六處困之極, 爲困所纏束, 而居最高危之地, 困于葛藟與臲卼也. 動悔, 動輒有悔, 无所不困也. 有悔, 咎前之失也. 曰自謂也. 若能曰, 如是動皆得悔, 當變前之所爲, 有悔也, 能悔則往而得吉也. 困極而征, 則出於困矣, 故吉. 三以陰在下卦之上而凶, 上居一卦之上而无凶, 何也. 曰三居剛而處險, 困而用剛險故凶, 上以柔居說, 唯爲困極耳, 困極則有變困之道也. 困與屯之上, 皆以無應居卦終, 屯則泣血漣如, 困則有悔征吉, 屯險極而困說體故也, 以說順進, 可以離乎困也.

만물은 지극한 데에 이르면 돌아오고 일은 지극한 데에 이르면 변하니, 어려움이 이미 지극한 데에 이르니, 이치상 마땅히 변할 것이다. '칡넝쿨[葛藟]'은 묶어 매는 물건이고, '얼올(臲卼)'은 위태롭게 움직이는 모양이다. 육(六)이 지극한 어려움에 처했으니, 어려움에 묶인 바가 되었으며, 가장 높고 위태로운 곳에 처하였으니, 이는 칡넝쿨과 위태로움에 어려운 것이다. '동회(動悔)'는 움직이기만 하면 후회가 있어서 어렵지 않은 바가 없는 것이다. '유회(有悔)'는 전의 잘못을 허물하는 것이다. '왈(曰)'은 스스로 말하는 것이다. 만일 말하기를 "이처럼 움직이면 모두 후회를 얻을 것이다"라고 하면, 마땅히 전에 하던 바를 바꿀 것이니, 이는 후회가 있는 것으로 뉘우치면 가서 길함을 얻을 것이다. 어려움이 지극하지만 가면 어려움에서 벗어나므로 길하다. 삼효는 음으로 하괘의 위에 있는데 흉하고, 상효는 한 괘의 위에 있는데 흉함이 없는 것은 왜인가? 삼효는 굳센 양의 자리에 있고 험한 데 처하였으니 어려우면서 굳셈과 험함을 쓰기 때문에 흉하고, 상효는 부드러운 음으로서 기뻐함에 처하여 오직 어려움이 지극할 뿐이니, 어려움이 지극하면 어려움을 변하는 도가 있다. 곤괘(困卦)와 준괘(屯卦)의 상효가 모두 호응이 없으면서 괘의 마지막에 있는데, 준괘는 피눈물을 철철 흘리고 곤괘는 뉘우치는 마음을 가지면 가는 것이 길함은, 준괘는 험함의 지극함이고 곤괘는 기뻐하는 몸체이기 때문이니, 기뻐함과 순함으로 나아가면 어려움을 떠날 수 있다.

本義

以陰柔處困極, 故有困于葛藟于臲卼, 曰動悔之象. 然物窮則變, 故其占曰, 若能有悔, 則可以征而吉矣.

부드러운 음으로 지극히 어려운데 있기 때문에 '칡넝쿨'과 '위태로움'에 어려워서 움직이면 후회하는 상이 있다. 그러나 만물이 궁극에 이르면 변하기 때문에, 그 점에 "후회하는 마음을 가지면 가는 것이 길하다"고 하였다.

小註

縉雲馮氏曰, 葛之附木, 最出木杪, 此上六困于葛藟之象也.

진운풍씨가 말하였다: 칡넝쿨이 나무에 붙어서 나무 끝만 내놓고 있으니, 이것이 상육이 칡넝쿨 때문에 어려운 상이다.

○ 雙湖胡氏曰, 藟蔓生, 上爻柔之象.

쌍호호씨가 말하였다: 칡은 넝쿨로 나니, 상효가 부드러운 상이다.

○ 中溪張氏曰, 困至上六, 困之極矣. 處困而窮, 動輒得悔, 必知有悔艾之心, 斯有可出困窮之道. 故聖人特以征吉勉之.

중계장씨가 말하였다: 곤괘는 상육에 이르러 어려움이 극에 달한다. 어려운 상황에 처하여 끝에 이르러서 움직일 때마다 후회하게 되니, 반드시 후회하고 해결하려는 마음을 가질 줄 알아야 곤궁에서 벗어날 수 있는 방법을 갖게 된다. 그러므로 성인이 다만 "가면 길하다"는 것으로 권면하였다.

○ 李氏椿年曰, 自四以上, 困之極也, 自四以下, 處困之極, 而思有以通之也. 動固悔矣, 與其靜而无悔, 孰若動而有悔, 爲窮之通, 往則吉也.

이춘년이 말하였다: 사효 이상은 어려움이 극에 달하고, 사효 이하는 어려움의 극에 달해서도 벗어날 방법을 생각한다. 움직이면 본래 후회가 있지만, 고요하여 후회가 없기보다는 움직여서 후회가 있는 것이 나은 것은 궁하면 통하고 가면 길하기 때문이다.

○ 雲峰胡氏曰, 困窮而通, 其上之時乎. 然剛困不害其亨, 柔困不悔不吉. 兩悔字, 與豫悔遲有悔不同. 豫言悔遲, 則事必有可悔, 此言事雖可悔而能悔則吉. 聖人拳拳欲人悔過如此.

운봉호씨가 말하였다: 곤궁하지만 통하는 것이 상효의 때일 것이다. 그러나 굳센 어려움은 그 형통함을 해치지 않고, 부드러운 어려움은 후회도 없고 길함도 없다. 두 '회(悔)'자는 예괘의 "뉘우치기를 더디게 하면 후회가 있을 것이다"라는 말과는 같지 않다. 예괘에서 "뉘우치기를 더디게 한다"고 말한 것은 반드시 후회할 만한 일이 있다는 말이고, 여기에서는 비록 후회할 만한 일이 있더라도 후회할 수 있으면 길하다는 말이다. 성인이 삼가하여 사람들에게 잘못을 후회하기를 이와 같이 하기를 바란 것이다.

○ 開封耿氏曰, 處困之終, 有自通之路, 知柔不可牽, 捨之可也, 剛不可乘, 去之可也.
개봉경씨가 말하였다: 어려움의 끝에 있어서 스스로 통할 길이 있더라도, 부드러움으로 억지로 할 수 없다면 놓아두는 것이 좋고, 굳셈을 탈 수 없다면 떠나는 것이 좋다는 것을 알아야 한다.

○ 鄭氏剛中曰, 困有不可動, 九二是也, 故征凶. 有不可不動, 上六是也, 故征吉.
정강중이 말하였다: 곤괘에서 움직여서는 안 되는 경우가 있으니, 구이가 그런 경우이기 때문에 가면 흉하다. 움직이지 않은 수 없는 경우가 있으니, 상육이 그런 경우이기 때문에 가면 길하다.

○ 趙氏曰, 五爻皆不言吉, 獨於上六言吉者, 要當時而不可欲速也. 九二征凶, 九四來徐徐, 九五乃徐有說, 至上六始有征吉之辭.
조씨가 말하였다: 다섯 효에서 '길함'을 말하지 않았는데, 유독 상육에서 '길함'을 말한 것은 때가 되어야 하고 빨리 하고자 해서는 안 되기 때문이다. 구이는 가면 흉하고, 구사는 느리게 오고, 구오는 늦게는 기쁨이 있으며, 상육에 이르러 비로소 "가면 길하다"는 말이 있다.

韓國大全

송시열(宋時烈) 『역설(易說)』

上六葛藟臲卼, 諸易不言臆說可悚. 然兌爲附剛, 而互綜皆巽木物之生于谷中, 谷中坎也. 附木而好上, 如巽繩之繆結纏繞者, 毋如葛藟. 詩云南有樛木葛藟荼之, 亦此義否. 臲卼者, 坎險之上兌爲毁折, 故其形槎枒而危險如臲卼然耶. 當困之極處爻之極, 下視

其險, 若戒之曰, 動則必有悔事勿爲輕動可也. 苟能知其有悔, 則必當變而通之, 去而
行之, 故曰征吉. 小象曰未當者, 不在濟困之地位也.

상육의 칡넝쿨과 위태로움에 대해 모든 풀이에서 나처럼 설명하지 않아 두렵다. 그렇지만
태괘(☱)는 굳셈에 붙는데, 호괘이자 거꾸로 된 괘인 손괘(☴)의 나무가 골짜기에서 생기니,
골짜기는 감괘(☵)이다. 나무에 붙어서 올라가길 좋아함이 이를테면 손괘(☴)의 노끈으로
얽어매고 둘러매는 것이 칡덩굴 만한 것이 없다. 『시경』에서 "남쪽으로 늘어진 나뭇가지
칡덩굴이 얽혀있네"라는 것도 이런 뜻이 아니겠는가?[109] 위태로움[臲卼]은 감괘(☵)의 험함
위에 태괘(☱)로 손상되고 꺾이므로 그 형체가 나무를 베어 뒤엉켜서 위험한 것이 위태로운
듯하다. 어려움의 끝과 효의 끝에 있어 아래로 그 험함을 보고 경계하듯 말하길, 움직이면
반드시 후회스런 일이 있을 것이니 가볍게 움직이지 않는 것이 좋다고 한 것이다. 후회가
있을 줄 안다면 변화시켜 통하게 하고 제거하고 가야 하기 때문에 가면 길하다고 하였다.
「상전」에서 "자리가 마땅하지 않다"고 말한 것은 어려움을 구제할 수 있는 자리에 있지 않다
는 것이다.

이현익(李顯益) 「주역설(周易說)」

動悔謂動輒有悔, 非謂動則有悔. 李氏椿年曰, 與其靜而無悔, 孰若動而有悔, 非是.

"움직이면 후회가 있을 것"은 걸핏하면 후회가 있을 것이라는 말이지 움직이면 후회가 있다
는 말이 아니다. 이춘년이 "고요하면서 후회가 없는 것보다는 움직이면서 후회하는 것이
낫다"고 하였는데 옳지 않다.

이익(李瀷) 『역경질서(易經疾書)』

葛藟纏繞至頂者也. 下旣臲卼, 纏繞至頂, 困之極也. 曰恐曰之誤, 書思曰亦誤作曰.
困極則必有復通之理, 斷以征行猶可以得吉. 悔者將有以無悔, 今不能然, 而曰曰動輒
有悔, 則終必有悔而已. 漢高順謂呂布曰, 不肯詳思, 動輒言誤, 誤豈可數乎, 語意相
類. 若能斷以征行, 豈無變凶爲吉之道.

칡덩굴은 휘감으면서 꼭대기까지 뻗어 올라간다. 아래는 이미 위태로운데 휘감으면서 꼭대
기까지 뻗어 올라가는 것은 어려움의 지극함이다. '왈(曰)'은 일(日)의 오기인 것 같으니『서
경』에서도 사일(思日)을 왈(曰)로 잘못 표기하였다. 어려움이 궁극에 다다르면 다시 통하는
이치가 있으니, 결단코 가서 행하면 오히려 길함을 얻는다. 뉘우침은 앞으로 후회가 없게

할 수 있지만 지금 그럴 수 없어서 날마다 움직이기만 하면 후회가 있다면 끝내 후회가 있을 뿐이다. 한나라 고순이 여포에게 "자세히 생각하지 않고 걸핏하면 말을 잘못하니, 잘못을 어찌 셀 수 있겠습니까?"라고 하였으니,[110] 말의 의미가 서로 비슷하다. 결단코 가서 행하면 어찌 흉함을 길하게 바꾸는 도가 없겠는가?

권만(權萬) 『역설(易說)』

上六臲卼臲與臬通, 又作槸, 蓋植表之木卼搖動也. 古文作倪仉.

상육의 '얼올(臲卼)'의 '얼'은 '얼(臬)'과 통하고 '얼(槸)'이라고도 하니, 심어놓은 나무기둥이 움직이는 것이다. 고문에는 예원(倪仉)이라 하였다.

심조(沈潮) 「역상차론(易象箚論)」

上六, 葛藟.

상육의 칡넝쿨.

巽爲繩而葛似繩, 故稱葛.

손괘(☴)가 노끈이 되는데, 칡은 노끈과 비슷하기 때문에 칡이라고 하였다.

유정원(柳正源) 『역해참고(易解參攷)』

正義, 葛藟, 引蔓縷繞之草, 臲卼, 動撓不安之貌. 上六處困之極, 極困者也, 而乘於剛, 下又无應, 行則纏繞, 居不得安, 故曰困於葛藟於臲卼也.

『주역정의』에서 말하였다: 칡넝쿨은 넝쿨째 얽고 감는 풀이고, 위태함은 흔들리며 불안한 모습이다.[111]상육이 어려움의 끝에 있으니 지극히 어려운 자인데, 굳셈을 타고 아래로 호응이 없어 행하면 얽혀 감기고 가만히 있으면 편안함을 얻지 못하기 때문에, "칡넝쿨과 위태로움 때문에 어렵다"고 하였다.

○ 虞氏翻曰, 巽爲草, 葛藟之象.

우번이 말하였다: 손괘(☴)는 풀이니, 칡넝쿨의 상이다.

---

110) 『후한서 · 권75』.
111) 『주역정의』에는 '不安之辭'로 되어 있다.

○ 東谷鄭氏曰, 其應在三, 三以柔附己而牽之, 困于葛藟之象. 所附者五, 五以剛載己而難安, 臲卼之象.

동곡정씨가 말하였다: 호응함이 삼효에게 있고 삼효는 부드러움으로 자기에게 붙어 당기니 칡넝쿨에 어려운 상이다. 붙은 것은 오효인데 오효가 굳셈으로 자기를 싣고 편안하기 어려우니 위태로운 상이다.

○ 梁山來氏曰, 動悔之悔, 事之悔也, 有悔之悔, 心之悔也.

양산래씨가 말하였다: "움직이면 후회한다"는 '후회'는 일의 후회이고 "후회하는 마음을 가진다"는 '후회'는 마음의 후회이다.

○ 案, 人窮反本, 物極必變. 困之極, 則悔心生, 悔心生則困可出矣.

내가 살펴보았다: 사람은 궁극에 도달하면 근본으로 돌아오고 사물은 궁극에 이르면 반드시 변한다. 어려움이 궁극에 이르면 후회하는 마음이 생기고 후회하는 마음이 생기면 어려움을 벗어날 수 있다.

김상악(金相岳) 『산천역설(山天易說)』

當困之時, 居兌之終, 五互巽體而居其上, 動而求解, 則纏束而不可解, 靜以求安, 則危動而不得安. 若曰動輒得悔, 而能有悔, 則征而吉也.

어려운 때를 당해서 태괘의 끝에 있고 오효의 호괘인 손체의 위에 있으니, 움직여 해결됨을 구하면 묶여서 풀 수 없고, 고요히 편안함을 구하면 위태롭게 움직여 편안함을 얻을 수 없다. 만약 움직이기만 하면 후회할 것이라고 하여 후회하는 마음을 가지면 가서 길할 것이다.

○ 葛藟, 蔓生之物. 巽爲陰木爲長, 木之柔而長者, 葛藟. 葛之附木, 最出木杪而以柔居上, 故曰困于葛藟. 卦凡三陰而初居坎下, 時當初冬, 百卉具腓而所存者株木. 三居坎終, 秋冬之交, 葉脫刺存, 故爲蒺藜. 上居兌終, 秋氣將盡, 蔓草猶存, 故爲葛藟也. 臲卼, 危動之狀, 巽爲高而六居其上故曰于臲卼. 曰, 自訟之辭, 兌口之象. 動悔者, 事之悔也, 有悔者, 心之悔也. 兌本性說, 能悔悟而征則吉, 征行也. 行則通而无困之塞也. 困之陽雖爲陰所蔽, 三陽之所困者, 一而已. 三陰之所困者非一, 而上居卦終, 困而漸開, 有變之義也.

칡넝쿨은 넝쿨째 나는 식물이다. 손괘(☴)는 음인 나무가 되고 긴 것도 되니 나무 중에 부드럽고 긴 것은 칡넝쿨이다. 칡은 나무를 감아서 나무 끝만 내놓고 부드러움으로 위에 있기 때문에 "칡넝쿨과 위태로움 때문에 어려우니"라고 하였다. 괘의 세 음에서 초효는 감괘의 아래에 있어 때로는 초겨울에 해당하여 모든 풀들은 시들해지고 남은 것은 나무 등걸이다. 삼효는 감괘(☵)의 끝에 있어 가을과 겨울의 교체기에 해당하여 잎새가 떨어지고 가시만 남아 있으므로 가시나무라고 하였다. 상효는 태괘의 끝에 있어 가을 기운이 막 끝나려 함에 넝쿨은 남아있기 때문에 칡넝쿨이라고 하였다. "위태로움"은 위태롭게 움직이는 상인데 손괘는 높음이 되고 상육이 위에 있기 때문에 "위태로움에"라고 하였다. "말하며"는 스스로 고민하는 말로 태괘(☱)인 입의 상이다. "움직이면 후회가 있을 것"은 일의 후회함이고, "후회하는 마음을 가지면"은 마음의 후회이다. 태괘의 본래 성질은 기뻐함이니 뉘우쳐 깨달으면 가서 길하니 간다는 것은 행해감이다. 행해가면 통해서 어려움의 막힘이 없다. 곤괘의 양이 비록 음에게 가리워졌지만 세 양의 어려움은 동일하다. 세 음이 어려운 것은 동일하지 않으니 상육은 괘의 끝에 있어서 어렵지만 점차 열리니 변화의 뜻이 있다.

박제가(朴齊家) 『주역(周易)』

傳, 曰自謂也.
『정전』에서 말하였다: '왈(曰)'은 스스로 말하는 것이다.

案, 曰之爲義, 猶云如此之謂. 動悔, 言困之于葛藟于臲卼者, 其名爲動悔, 動悔者, 不安之悔也. 蓋困之極而悔必生矣, 悔心生則行而吉矣. 本義之釋當矣, 而但不言曰動悔三字之當屬上文耳.
내가 살펴보았다: '왈(曰)'의 뜻은 "이와 같이 하면"이라고 하는 것과 같다. "움직이면 후회가 있을 것"은 칡넝쿨과 위태로움 때문에 어려움을 말한 것으로, 그 명칭을 "움직이면 후회가 있을 것"이라고 한 것이니, "움직이면 후회가 있을 것"은 불안함을 뉘우치는 것이다. 어려움이 궁극에 이르면 후회는 반드시 생기니, 후회하는 마음이 생겨서 가면 길하다. 『본의』의 해석이 타당하지만, "왈동회(曰動悔)"의 세 글자는 윗 글에 붙여야 한다고 말하지는 않았다.

鄭氏剛中曰, 困有不可動, 九二是也, 故征凶. 有不可不動, 上六是也, 故征吉.
정강중이 말하였다: 곤괘에서 움직여서는 안 되는 경우가 있으니, 구이가 그런 경우이기 때문에 가면 흉하다. 움직이지 않은 수 없는 경우가 있으니, 상육이 그런 경우이기 때문에 가면 길하다.

夫上六之動, 乃不安之意, 非欲征而動也. 征吉在悔, 不可曰在動. 夫葛藟臲卼, 比之株木蒺藜, 則已緩矣. 然而免不得纏繞之謂, 但可就事論事, 不可說得太刻, 如馮氏曰, 葛之附木, 最出木梢, 上六之象.

상육의 움직임은 불안한 뜻이지 가서 움직이고자 함이 아니다. 가서 길한 것은 후회함에 있는 것이지 움직임에 있다고 해서는 안 된다. "칡넝쿨과 위태로움"을 "등걸나무"나 "가시나무"와 비교해보면 이미 느슨해진 것이다. 그렇지만 묶여있는 것은 면할 수 없음을 말하는데, 단지 일에 나아가 일을 논할 수는 있지만 너무 심각하게 해서는 안 되니, 풍씨가 말한 "칡넝쿨이 나무에 붙어서 나무 끝만 내놓고 있으니, 이것이 상육이 칡넝쿨 때문에 어려운 상이다"라는 것과 같다.

雙湖胡氏曰, 葛蔓生上爻柔之象, 皆未安, 初六之株木, 獨非柔爻耶. 初與上, 固有以位言者, 亦多以事之始終爲淺深者. 此葛未必如葛蘽之施松上而獨取施于上之義也. 困于上者必下, 此葛安知非井上之蔓生乎. 此卦九五亦不必以位言.
쌍호호씨가 "칡은 넝쿨로 나니, 상효가 부드러운 상이다"라고 말한 것은 그렇지 않은 것 같으니, 초육의 등걸나무만 홀로 부드러운 효가 아닌가? 초효와 상효는 자리를 가지고 말한 것이 있지만 일의 시작과 끝으로 깊고 얕음을 삼은 것도 많이 있다. 여기의 칡은 반드시 칡넝쿨이 소나무 위로 올라가서 위로 뻗는 뜻과 같을 필요는 없다. 위에서 어려운 자는 반드시 아래로 내려오니, 여기의 칡넝쿨은 우물 위의 넝쿨이 생하는 것이 아님을 어찌 알겠는가? 이 괘의 구오도 자리로 말할 필요는 없다.

서유신(徐有臣) 『역의의언(易義擬言)』

困于葛爲句文勢與困于石據于蒺藜同也. 葛所以爲絺綌備炎暑而兌秋之時有葛而無用, 是困于葛也. 蘽蔓也延也, 不采之葛爲蔓也. 不采故蔓延於危高之地也. 節變爲困, 上六進於極高, 而又是巽高之上爲虠脆象也. 曰疑當衍也. 動悔者, 動而悔也. 有悔者, 又悔其動也. 征恐當作終, 困極終通也.
"칡에 어렵다[困于葛]"에서 구절을 끊어야 하니, 문구의 형세가 "돌 때문에 어려우며 가시나무에 앉아 있다"는 것과 동일하다. 칡은 갈포를 만들어 찌는 더위에 대비하는 것인데, 태괘(☱)의 가을철에는 칡이 있어도 쓸모가 없으니, 이것이 "칡에 어렵다"는 것이다. 넝쿨[蘽]은 넝쿨째 뻗는 것이니, 캐지 못하는 칡이 넝쿨이다. 캐지 않기 때문에 위태롭고 높은 곳에 넝쿨째 뻗어있는 것이다. 절괘(䷻)가 변해 곤괘가 되었는데, 상육은 지극히 높은 곳으로 나아갔고, 또 이는 손괘(☴)의 높이 위에 있는 것으로 위태로운 상이다. '왈(曰)'은 쓸데없이 붙은 말이 아닌가 한다. '동회(動悔)'는 움직이며 후회하는 것이다. '유회(有悔)'는 또 그 움직임을 후회함이다. '정(征)'은 마땅히 '종(終)'으로 해야 하니 어려움이 지극하면 끝내 통하는 것이다.

강엄(康儼) 『주역(周易)』

按, 山上有水曰蹇, 澤旡水曰困, 蹇與困, 大抵皆險陷之卦也. 然蹇之上六獨有吉, 困之上六亦獨言吉何也. 蹇之九三九五, 雖有剛陽之德, 而猶在蹇中未及乎濟, 至上六然後蹇極而可濟, 故諸爻不言吉而上六獨吉. 困之九二九四九五, 雖有剛陽之德, 而皆爲陰揜, 未出乎困, 至上六然後困極而可變, 故諸爻不言吉而上六獨言吉也.

내가 살펴보았다: 산 위에 물이 있음을 건(蹇)이라 하고 못에 물이 없음을 곤(困)이라 하였으니, 건괘와 곤괘는 모두 험하고 빠지는 괘이다. 건괘에서 상육만 길함이 있고 곤괘에서도 상육만 길함을 말한 것은 어째서인가? 건괘의 구삼과 구오는 굳센 양의 덕이 있지만 어려운 가운데 있어서 구제되지 못하다가 상육에 이른 뒤에 어려움이 궁극에 다달아 구제될 수 있기 때문에 다른 모든 효들에서는 길함을 말하지 않았고 상육에서만 길함을 말하였다. 곤괘의 구이·구사·구오는 굳센 양의 덕이 있지만 모두 음에게 가려 어려움을 벗어나지 못하다가 상육에 이른 뒤에 어려움이 궁극에 다달아 변할 수 있기 때문에, 다른 모든 효에서는 길함을 말하지 않았고 상육에서만 길함을 말하였다.

又按, 此卦有剛揜於柔, 君子揜於小人之象, 故名之曰困, 而卦辭以困而亨貞大人吉等語繫之, 所以爲君子謀者至矣. 然周公之繫爻辭, 則三陰爻其辭險, 三陽爻其辭順. 蓋陰柔而處困則不能自立, 故其困益甚, 陽剛而處困則不失其守, 故始雖困而終則亨, 卦辭所謂困亨貞大人吉者, 是也.

또 살펴보았다: 이 괘는 굳셈이 부드러움에 가려진 것이니 군자가 소인에게 가려진 상이기 때문에 이름을 곤이라고 하였고, 괘사에 "곤(困)은 형통하고 곧으니, 대인이라서 길하고" 등의 말을 달아놓음은 군자를 위해 도모함을 지극하게 하였기 때문이다. 그렇지만 주공의 효사에서는 세 음효는 효사가 험하고 세 양효는 효사가 순하다. 음은 유약해서 어려움에 처하면 홀로 설 수 없기 때문에 어려움이 더욱 심해지고, 양은 굳세어서 어려움에 처하면 그 지킴을 잃지 않기 때문에 처음은 비록 어렵지만 끝내는 형통하니, 괘사에서 말한 "곤(困)은 형통하고 곧으니, 대인이라서 길하다"는 것이 그것이다.

박문건(朴文健) 『주역연의(周易衍義)』

曰讀爲日. 處上受係, 故有困于葛藟之象, 龥脆危懼之貌.

'曰'은 일(日)이라고 읽는다. 위에 있으면서 매여있으므로 칡넝쿨에 어려운 상이 있다. '위태로움'은 위태롭고 두려운 모습이다.

〈問, 困于葛藟以下. 曰, 上六爲六三所係而有龥脆之憂矣. 是以曰動而有悔也. 雖有悔若往從則相遇而吉.

물었다: "칡넝쿨과 위태로움 때문에 어렵다" 이하는 무슨 뜻입니까?

답하였다: 상육은 육삼에게 매여 위태로운 근심이 있습니다. 이로써 움직이면 후회가 있을 것이라고 하였습니다. 후회하는 마음을 가지더라도 가서 쫓으면 서로 만나 길할 것입니다.〉

이지연(李止淵)『주역차의(周易箚疑)』

處卦之終, 困之極者也. 故曰葛藟曰臲卼, 可見其繫於困也. 然而曰有悔征吉, 悔一字, 非但爲遷善之路, 卽出窮離困之妙訣也哉.

괘의 끝에 처해서 어려움이 지극한 자이다. 그렇기 때문에 "칡넝쿨과 위태로움 때문에 어렵다"고 하였으니 어려움에 매어있음을 볼 수 있다. 그렇지만 "후회하는 마음을 가지고 가면 길하다"에서 후회[悔]라는 한 글자는 좋은 곳으로 가는 길일뿐만이 아니니, 곤궁함과 어려움에서 떠나는 묘결이다.

이항로(李恒老)「주역전의동이석의(周易傳義同異釋義)」

按, 絅雲馮氏曰, 葛之附木, 最出木杪, 此上六困于葛藟之象. 愚謂困于葛藟, 進无所往之象, 困于臲卼, 坐无所安之象.

내가 살펴보았다: 진운풍씨가 "칡넝쿨이 나무에 붙어서 나무 끝만 내놓고 있으니, 이것이 상육이 칡넝쿨 때문에 어려운 상이다"고 하였다. 내가 생각하건대, "칡넝쿨에 어려움"은 나아가지만 갈 곳이 없는 상이고, "위태로움 때문에 어려움"은 앉아 있지만 편한 곳이 없는 상이다.

김기례(金箕澧)「역요선의강목(易要選義綱目)」

陰居困極, 如葛藟之纏木杪, 又如臲卼之高而危. 若自謂動輒有悔, 悔其前失而改前之過, 則往而得吉, 有困極必通矣. 未當也, 如葛之纏不知變, 則不得其當者也.

음이 어려움의 궁극에 있음이 칡넝쿨이 나무의 끝을 묶고 있는 것과 같고, 비탈길이 높고 위태로운 것과 같다. 만약 스스로 움직이기만 하면 후회가 있을 것이라고 말하며 지난 잘못을 후회하고 지난 허물을 고친다면 가서 길함을 얻을 것이니, 어려움이 궁극에 다다르면 반드시 통함이 있다. "마땅하지 않음"은 만약 칡넝쿨에 묶여 변할 줄 모르면 마땅함을 얻지 못한다는 것이다.

○ 卦三剛爻吉.

괘에 굳센 세 효는 길하다.

贊曰, 處險而悅, 非君子乎. 困不失亨, 剛中有孚. 大人以之, 視困如无. 致命遂志, 何必悵吁.

찬미하여 말한다: 험함에 있으면서 기뻐함이 군자가 아니랴! 어려움에 형통함을 잃지 않음은 굳셈으로 알맞음을 얻고 믿음이 있기 때문이네. 대인이 이것을 본받아 어려움을 보기를 없는 것처럼 하네. 목숨을 바쳐 뜻을 이루니 어찌 슬퍼하랴!

심대윤(沈大允) 『주역상의점법(周易象義占法)』

困之訟䷅, 兩心交爭也. 上六居柔而求達, 應于三而阻於四五, 故曰困于葛藟于臲卼. 巽爲葛藟, 言其纏繞滋蔓也. 巽爲風木, 曰臲卼, 高危搖動之狀也. 才柔而處困之極, 有纏繞危動之患, 而困極將達之時, 人之知我者居多, 可以出而仕矣, 以其才柔出處之心交爭而未決焉. 其窮之久而无所不窘, 動輒有悔也. 曰者猶言以其也. 以其動悔之, 故悔其守困之久而幡然出征以得吉也. 對師震爲動巽爲悔, 巽震爲征. 困非君子之所欲也, 故至上六免乎困然後吉也.

곤괘가 송괘(䷅)로 바뀌었으니, 두 마음이 서로 다투는 것이다. 상육은 부드러운 자리에 있으면서 나오기를 구하여 삼효에 호응하지만 사효와 오효에게 막히기 때문에 "칡넝쿨과 위태로움 때문에 어렵다"고 하였다. 손괘(☴)는 칡넝쿨이 되니 휘감아 묶으며 뻗는 것을 말한다. 손괘(☴)는 바람과 나무인데 "위태로움"이라 한 것은 높고 위태로워 요동하는 모습이다. 재질이 유약한데 어려움의 궁극에 있어 휘감기며 위태롭게 흔들리는 근심이 있지만 장차 나오는 때에 나를 알아주는 사람들이 많이 있어 나와서 벼슬살이 할 수 있으나 재질이 유약하고 나가고 물러나는 마음이 서로 다투기 때문에 결정하지 못한다. 곤궁함이 오래되어 궁색하지 않음이 없으니 움직이기만 하면 후회한다. "말한대[曰]"는 "그것 때문이다"라는 말과 같다. 움직이면 후회하기 때문에 어려움을 오래 고수한 것을 후회하고 깃발을 들고 출정하여 길함을 얻는다. 음양이 반대괘인 사괘의 진괘(☳)가 움직임이 되고 손괘(☴)는 후회가 되고 손괘와 진괘가 "가는 것[征]"이 된다. 어려움은 군자가 원하는 것이 아니기 때문에 상육에 이르러 어려움을 면한 뒤에 길하다.

오치기(吳致箕) 「주역경전증해(周易經傳增解)」

上六陰柔居困之極而乘于剛. 陰邪纏束有葛藟之象, 不安其居有臲卼之象. 非但君子之受其困, 小人亦終未免於凶, 故有言以誠曰, 若能動悔而有悔, 无陰邪之害, 君子則所行能得其吉, 此卽象所云有言者也.

상육은 음으로 유약한데 곤괘의 끝에 있으며 굳센 양을 타고 있다. 음의 삿됨이 묶어 매어 칡넝쿨의 상이 있고, 거처에 불안하여 위태로운 상이 있다. 군자만 어려움을 당하는 것이 아니라 소인도 어려움을 면치 못하기 때문에 경계하여 말하길, "만약 움직이면 후회가 있지만 후회하는 마음을 가지면 음의 삿된 해로움이 없어 군자가 감에 길함을 얻는다"고 하였으니 이것이 괘사에서 말한 "말을 해도"이다.

○ 葛藟, 蔓生之草, 取於應體互巽. 臲卼, 不安貌而乘剛无應, 故爲不安也. 曰者言也, 取於兌, 動悔者, 悔之始生也. 有悔者悔而終悟也, 申言以戒也.

'칡넝쿨'은 넝쿨째 나는 풀인데 호응하는 몸체가 호괘인 손괘(☴)에서 취하였다. '위태로움'은 불안한 모습으로 굳센 양을 타고 있지만 호응이 없기 때문에 불안하다. '말하며'는 말하는 것으로 태괘에서 취한 것이고, "움직이면 후회가 있을 것"은 후회가 처음 생김이다. "후회하는 마음을 가지면"은 후회하여 마침내 깨달음이 있음이니, 거듭 말하여 경계한 것이다.

이진상(李震相) 『역학관규(易學管窺)』

六三, 在巽體之終而上近于六, 巽草之延蔓葛藟象也. 臲卼疑有其物而未詳. 或曰, 岸谷傾隤之處, 意或然也. 動悔征吉, 變乾象也.

육삼은 손괘의 끝에 있으며 위로 상육과 가까우니 손괘의 풀이 뻗은 칡넝쿨의 상이다. "위태로움"은 그런 물건이 있을 법한데 알지 못하겠다. 어떤 이는 언덕이나 계곡의 비탈길이라 하니 그럴듯하다. "움직이면 후회가 있을 것"과 "가는 것이 길하다"는 음양이 변한 건괘(☰)의 상이다.

박문호(朴文鎬) 「경설(經說)·주역(周易)」

若能曰如是動皆得悔, 當變前之所爲云者, 是有悔也.

"만일 말하기를 '이처럼 움직이면 모두 후회를 얻을 것이다'라고 하면, 마땅히 전에 하던 바를 바꿀 것이다"라는 것은 후회하는 마음을 가지는 것이다.

動悔有悔, 象傳亦連言之, 而本義則分屬象占, 此別是一例也. 蓋以于曰二字, 文勢之相類而然耳. "움직이면 후회가 있다"와 "후회하는 마음을 가진다"는 것을 「상전」에서는 이어서 말했는데, 『본의』에서는 상과 점으로 구분하여 배속하였으니, 이는 별도의 한 례이다. '우(于)'와 '왈(曰)' 두 글자는 글의 형세가 서로 같은 종류라서 그런 것이다.

象曰, 困于葛藟, 未當也, 動悔有悔, 吉行也.

「상전」에서 말하였다: "칡넝쿨 때문에 어려움"은 자리가 마땅하지 않기 때문이고, "움직이면 후회가
있을 것이라고 말하며 후회하는 마음을 가짐"은 가는 것이 길하다는 것이다.

┃中國大全┃

傳

爲困所纏而不能變, 未得其道也, 是處之未當也. 知動則得悔, 遂有悔而去之,
可出於困, 是其行而吉也.

어려움에 속박당하여 변하지 못하는 것은 도를 얻지 못했기 때문이니, 이는 처함이 마땅하지 않은
것이다. 움직이면 후회를 얻을 줄 알아 마침내 뉘우치는 마음을 갖고 떠나가면 어려움에서 벗어날
수 있으니, 이는 가서 길한 것이다.

小註

臨川吳氏曰, 未當者, 所處未得其當也, 吉行者, 能行而去之則吉也.
임천오씨가 말하였다: 마땅하지 않다는 것은 처한 곳이 아직 마땅함을 얻지 못했다는 것이
고, 가는 것이 길하다는 것은 가서 떠날 수 있으면 길하다는 것이다.

○ 建安丘氏曰, 困剛揜也. 卦以三柔揜三剛爲象, 然剛爲柔揜者吉, 而柔揜剛者凶. 下
卦則以初三之柔揜九二之剛. 然初言困于株木, 三言困于石, 二則言困于酒食, 而象以
爲中有慶, 是初三凶而二吉也. 上卦以上六之柔揜四五之剛. 然四言徐有終, 五言徐有
說, 而上則言困于葛藟, 而象以爲未當, 是四五吉而上凶也. 象曰, 困而不失其所亨, 其
惟君子乎, 三剛爻之謂矣.
건안구씨가 말하였다: 곤괘는 굳센 양이 가려진다. 괘는 세 부드러운 음이 세 굳센 양을
가리는 것을 상으로 삼았지만, 굳센 양이 부드러운 음에게 가려지는 것은 길하고, 부드러운
음이 굳센 양을 가리는 것은 흉하다. 하괘는 초효와 삼효의 부드러운 음이 굳센 구이를 가렸

다. 그러나 초효에서는 "나무 등걸 때문에 어렵다"고 말하였고, 삼효에서는 "돌 때문에 어렵다"고 말하였는데, 이효에서는 "술과 밥 때문에 어렵다"고 말했지만 상에서는 알맞아서 경사가 있다고 여겼으니, 이는 초효와 삼효는 흉하고 이효는 길한 것이다. 상괘는 부드러운 상육이 굳센 사효와 오효를 가리고 있다. 그러나 사효에서는 "늦게는 잘 마친다"고 말하였고, 오효에서는 "늦게는 기쁨이 있다"고 말하였는데, 상효에서는 "칡넝쿨 때문에 어렵다"고 말했지만 상에서는 자리가 마땅하지 않기 때문이라고 여겼으니, 이는 사효와 오효는 길하고 상효는 흉한 것이다. 「단전」에서 "어려워도 형통함을 잃지 않으니, 오직 군자일 것이다"라고 말한 것은 세 굳센 양효를 말한다.

▌韓國大全▐

송시열(宋時烈) 『역설(易說)』

田氏疇曰, 諸家以吉行也三字作句, 非也. 吉字從上作句. 行也二字, 乃是解征吉之意, 未知如何, 蓋行則得吉也.

전주가 말하였다: 모든 학자들이 '길행야(吉行也)' 세 글자를 한 구절로 보았는데 틀렸다. '길(吉)'자는 앞의 구절에 이어 붙여야 한다. '행야(行也)' 두 글자는 말을 가서 길하다는 뜻으로 풀었는데 어떤지 모르겠다. 대체로 가면 길함을 얻는다는 것이다.

서유신(徐有臣) 『역의의언(易義擬言)』

困于葛藟, 言葛兼言藟也. 未當者, 所謂不當困而困也. 吉下疑有志字, 豐四之象倣此. 動悔有悔而吉者, 以其應與之志行也.

"칡넝쿨 때문에 어려움"은 칡을 말하면서 넝쿨을 함께 말한 것이다. "자리가 마땅하지 않기 때문이다"라는 것은 어렵지 않아야 하는데 어려운 것이다. "길하다[吉]"는 아래에 '뜻[志]'이란 글자가 있어야 할 것 같은데 풍괘 사효의 상도 이와 비슷하다. "움직이면 후회가 있을 것이라고 말하며 후회하는 마음을 가지면 가는 것이 길하다"는 호응하며 함께하는 뜻이 행해지기 때문이다.

김상악(金相岳)『산천역설(山天易說)』

以六居上, 所處未得其當也. 知其未當而有悔, 從吉而行也.

음이 위에 있어 처한 바가 마땅함을 얻지 못했다. 마땅하지 않음을 알고 뉘우친다면 길함을 쫓아서 갈 것이다.

심대윤(沈大允)『주역상의점법(周易象義占法)』

未當, 言時未可, 守困而不出也. 困之時, 人之知我者漸多也, 否志不通而我避世也. 困名不顯而世不我用也.

"마땅하지 않음"은 때가 마땅하지 않아 어려움을 고수하며 나아가지 않는다는 말이다. 어려운 때에 나를 알아주는 사람들이 점점 많아지는데 뜻이 막혀 통하지 않아 내가 세상을 피한다. 어려운 때에 명성이 드러나지 않아서 세상이 나를 써주지 않는다.

오치기(吳致箕)「주역경전증해(周易經傳增解)」

剛爲柔所揜而纏束者, 事之未當也. 柔能動悔有悔而改之, 則行可以得吉也.

굳셈이 부드러움에 가리고 매어 묶인 것은 일의 마땅하지 못함이다. 부드러움이 "움직이면 후회가 있을 것이라고 말하며 후회하는 마음을 가지고" 고친다면 행함에 길함을 얻을 수 있다.

이병헌(李炳憲)『역경금문고통론(易經今文考通論)』

程傳曰, 葛藟纏束之物, 臲卼危動之狀.

『정전』에서 말하였다: '칡넝쿨[葛藟]'은 묶어 매는 물건이고, '얼올(臲卼)'은 위태롭게 움직이는 모양이다.

虞曰, 葛藟謂三也, 乘陽故動, 悔變而失正, 故有悔.

우번이 말하였다: '칡넝쿨[葛藟]'은 삼효를 말하니 양을 타고 있기 때문에 움직이고, '후회'는 변하여 바름을 잃기 때문에 후회가 있다.

按, 處雖不當以悔自訟則吉行.

내가 살펴보았다: 거처한 곳이 마땅하지 않지만 후회함으로써 스스로 살핀다면 가는 것이 길할 것이다.

한국주역대전 9   익괘·쾌괘·구괘·취괘·승괘·곤괘

초판 인쇄   2017년 8월 10일
초판 발행   2017년 8월 30일

엮 은 이 | 한국주역대전 편찬실
펴 낸 이 | 하운근
펴 낸 곳 | 學古房

주　　　소 | 경기도 고양시 덕양구 통일로 140 삼송테크노밸리 A동 B224
전　　　화 | (02)353-9908   편집부(02)356-9903
팩　　　스 | (02)6959-8234
홈페이지 | http://hakgobang.co.kr
전자우편 | hakgobang@naver.com, hakgobang@chol.com
등록번호 | 제311-1994-000001호

ISBN   978-89-6071-689-6   94140
         978-89-6071-680-3   (세트)

값 : 1,250,000원 (전14책)

이 도서의 국립중앙도서관 출판예정도서목록(CIP)은 서지정보유통지원시스템 홈페이지
(http://seoji.nl.go.kr)와 국가자료공동목록시스템(http://www.nl.go.kr/kolisnet)에서 이용하
실 수 있습니다. (CIP제어번호 : CIP2017021787)